ERIC HOBSBAWM

ERA DOS EXTREMOS

O breve século XX
1914–1991

Tradução:
MARCOS SANTARRITA

Revisão técnica:
MARIA CÉLIA PAOLI

2ª edição
1ª reimpressão

COMPANHIA DAS LETRAS

Esta tradução é publicada por acordo com Pantheon Books, uma divisão da Random House, Inc.

Título original:
Age of extremes
The short twentieth century: 1914–1991

Capa:
Hélio de Almeida

Preparação:
Stella Weiss, Maria Laura Santos Bacellar, Marcos Luiz Fernandes, Sylvia Maria Pereira dos Santos

Índice remissivo:
Caren Inoue
Aline Sanchez Leme

Revisão:
Carmen S. da Costa
Touché! Editorial

Dados Internacionais de Catalogação na Publicação (CIP)
(Câmara Brasileira do Livro, SP, Brasil)

Hobsbawm, Eric J., 1917-
Era dos Extremos : o breve século XX : 1914-1991 / Eric Hobsbawm ; tradução Marcos Santarrita ; revisão técnica Maria Célia Paoli. — São Paulo : Companhia das Letras, 1995.

Título original: Age of extremes : the short twentieth century : 1914/1991.
Bibliografia.
ISBN 85-7164-468-3

1. Civilização moderna - Século 20 - História I. Título.

95-2689 CDD-909.82

Índices para catálogo sistemático:

1. Civilização mundial : Século 20 : História 909.82
2. Século 20 : Civilização mundial : História 909.82

1995

EDITORA SCHWARCZ LTDA.
Rua Tupi, 522
01233-000 — São Paulo — SP
Telefone: (011) 826-1822
Fax: (011) 826-5523

ÍNDICE

Prefácio e agradecimentos 7
O século: vista aérea 11

Parte um
A ERA DA CATÁSTROFE

1. A era da guerra total 29
2. A revolução mundial 61
3. Rumo ao abismo econômico 90
4. A queda do liberalismo 113
5. Contra o inimigo comum 144
6. As artes 1914-45 178
7. O fim dos impérios 198

Parte dois
A ERA DE OURO

8. Guerra Fria 223
9. Os anos dourados 253
10. Revolução social 282
11. Revolução cultural 314
12. O Terceiro Mundo 337
13. "Socialismo real" 363

Parte três
O DESMORONAMENTO

14. As Décadas de Crise 393

15. Terceiro Mundo e revolução 421
16. Fim do socialismo 447
17. Morre a vanguarda: as artes após 1950 483
18. Feiticeiros e aprendizes: as ciências naturais 504
19. Rumo ao milênio 537

Bibliografia 563
Outras leituras 579
Ilustrações 583
Índice remissivo 585

PREFÁCIO E AGRADECIMENTOS

Não é possível escrever a história do século XX como a de qualquer outra época, quando mais não fosse porque ninguém pode escrever sobre seu próprio tempo de vida como pode (e deve) fazer em relação a uma época conhecida apenas de fora, em segunda ou terceira mão, por intermédio de fontes da época ou obras de historiadores posteriores. Meu tempo de vida coincide com a maior parte da época de que trata este livro e durante a maior parte de meu tempo de vida — do início da adolescência até hoje — tenho tido consciência dos assuntos públicos, ou seja, acumulei opiniões e preconceitos sobre a época, mais como contemporâneo que como estudioso. Este é um dos motivos pelos quais, enquanto historiador, evitei trabalhar sobre a era posterior a 1914 durante quase toda a minha carreira, embora não me abstivesse de escrever sobre ela em outras condições. "Minha época", como se diz no jargão profissional, é o século XIX. Acho que já é possível ver o Breve Século XX — de 1914 até o fim da era soviética — dentro de uma certa perspectiva histórica, mas chego a ele desconhecendo a literatura acadêmica, para não dizer que desconheço quase todas as fontes primárias acumuladas pelo grande número de historiadores do século XX.

Claro, na prática é completamente impossível uma só pessoa conhecer a historiografia do presente século — mesmo em uma única língua importante — como, por exemplo, o historiador da Antiguidade clássica ou do império bizantino conhece tudo o que foi escrito sobre esses longos períodos, na época e depois. Mesmo pelos padrões de erudição histórica, contudo, meu conhecimento no campo da história contemporânea é precário e irregular. O máximo que consegui foi mergulhar na literatura das questões mais espinhosas e controvertidas — a história da Guerra Fria ou dos anos 30, por exemplo — o suficiente para convencer-me de que as opiniões expressas neste livro são defensáveis à luz da pesquisa especializada. Claro, posso não ter conseguido. Deve haver inúmeras questões quanto às quais demonstro ignorância e defendo opiniões polêmicas.

Este livro, portanto, assenta-se sobre alicerces estranhamente irregulares. Além da ampla e variada leitura de muitos anos, complementada por toda a leitura necessária para dar cursos de história do século XX aos pós-graduandos da New School for Social Research, recorri ao conhecimento, às memórias e às opiniões acumulados por uma pessoa que viveu o Breve Século XX na posição de "observador participante", como dizem os antropólogos sociais, ou simplesmente como um viajante de olhos abertos, ou como o que meus ancestrais chamariam *kibbitzer* — e isso em inúmeros países. O valor histórico dessas experiências não decorre de ter presenciado grandes ocasiões históricas ou de ter conhecido ou encontrado destacados estadistas ou protagonistas da história. Na verdade, minha experiência como jornalista ocasional em pesquisas neste ou naquele país, sobretudo da América Latina, tem sido a de que em geral as entrevistas com presidentes ou outros tomadores de decisão não são compensadoras, pela razão óbvia de que a maior parte do que essas pessoas dizem é para registro público. As pessoas que nos esclarecem de fato são as que podem — ou querem — falar livremente, de preferência quando não têm responsabilidade por grandes questões. Apesar disso, meu conhecimento de pessoas e lugares, embora forçosamente parcial e enganador, me foi de enorme valia, mesmo tratando-se tão-somente de visitar a mesma cidade num intervalo de trinta anos — Valência ou Palermo —, fato que permite compreender a rapidez e o âmbito da transformação social no terceiro quartel do presente século, ou mesmo tratando-se tão-somente da lembrança de algo dito há muito tempo em alguma conversa e guardado, às vezes sem motivo claro, para uso futuro. Se o historiador tem condições de entender alguma coisa deste século é em grande parte porque viu e ouviu. Espero ter transmitido aos leitores algo do que aprendi por tê-lo feito.

Como não poderia deixar de ser, este livro também se baseia nas informações obtidas junto a colegas, estudantes, e todos a quem abordei durante sua elaboração. Em alguns casos a dívida é sistemática. O capítulo sobre as ciências foi submetido a meus amigos Alan Mackay FRS — que além de cristalógrafo é enciclopedista — e John Maddox. Parte do que escrevi sobre desenvolvimento econômico passou pela leitura de meu colega na New School, Lance Taylor, que foi do MIT [Massachusetts Institute of Technology — Instituto de Tecnologia de Massachusetts]; uma parte muito maior dependeu da leitura de trabalhos, do acompanhamento dos debates e, de um modo geral, da atenção dedicada às conferências organizadas sobre várias questões macroeconômicas no Instituto Mundial para Pesquisa de Desenvolvimento Econômico da Universidade da ONU (UNU/WIDER), em Helsinque, quando esse instituto se transformou num grande centro internacional de pesquisa e debates sob a direção do dr. Lal Jayawardena. Os verões que tive ocasião de passar nessa admirável instituição, na qualidade de pesquisador visitante com bolsa da McDonnel Douglas, foram-me inestimáveis, inclusive por sua proximidade da URSS e sua preocupação intelectual com os últimos anos desse país. Nem sempre aceitei o conselho daqueles a quem consultei e, mesmo quando o fiz, a responsabilidade pelos erros é exclusivamente minha. Beneficiei-me muito das conferências e colóquios durante os quais os acadêmicos dedicam boa parte de seu tempo a encontrar seus pares, inclusive com o objetivo de estimular-se uns aos outros. Não tenho como agradecer a todos os colegas que me ajudaram ou corrigiram em ocasiões formais e informais, nem toda a informação que adquiri por acaso, por ter a sorte de ensinar a um grupo muito internacional de estudantes na New School. Contudo, penso que devo especificar meu reconhecimento para com Ferdan Ergut e Alex Julca, pelo que aprendi em seus trabalhos sobre a revolução turca e a natureza da migração e mobilidade social no Terceiro Mundo. Devo, ainda, à tese de doutoramento de minha aluna Margarita Giesecke, sobre a APRA e o levante de Trujillo em 1932.

À medida que o historiador do século XX se aproxima do presente, fica cada vez mais dependente de dois tipos de fonte: a imprensa diária ou periódica e os relatórios econômicos periódicos e outras pesquisas, compilações estatísticas e outras publicações de governos nacionais e instituições internacionais. Minha dívida para com jornais como o *Guardian* de Londres, o *Financial Times* e o *New York Times* é mais que evidente. Minha dívida para com as inestimáveis publicações das Nações Unidas e seus vários organismos e para com o Banco Mundial está registrada na bibliografia. Há que lembrar, ainda, a antecessora destes, a Liga das Nações, que embora na prática fosse um fracasso quase total, realizou admiráveis pesquisas e análises, que culminaram no pioneiro *Industrialisation and World Trade* [*Industrialização e comércio mundial*], de 1945, merecedoras de nossa gratidão. Nenhuma história das mudanças sociais e econômicas ocorridas neste século poderia ser escrita sem essas fontes.

Os leitores terão de aceitar a maior parte do que escrevi neste livro na base da confiança, com exceção das óbvias opiniões pessoais do autor. Não há sentido em sobrecarregar um livro como este com um enorme aparato de referências ou outras marcas de erudição. Tentei restringir minhas referências à fonte das citações textuais, das estatísticas e outros dados quantitativos — fontes diferentes às vezes apresentam números diferentes — e à ocasional justificação de afirmações que os leitores possam achar pouco comuns, desconhecidas ou inesperadas e de alguns aspectos em que as opiniões controvertidas do autor possam exigir uma certa corroboração. Essas referências estão entre parênteses no texto. O título completo da fonte encontra-se no final do volume. Essa bibliografia não passa de uma relação completa de todas as fontes efetivamente citadas ou mencionadas no texto. Ela *não* é um guia sistemático para outras leituras. Depois da bibliografia há um breve indicador de outras leituras. O conjunto das referências também foi concebido de modo a ficar bem separado das notas de rodapé, que apenas ampliam ou restringem o texto.

Contudo, por uma questão de justiça, quero indicar algumas obras em que me apoiei bastante ou com que estou particularmente em débito. Eu não gostaria que seus autores deixassem de sentir-se devidamente apreciados. De um modo geral, devo muito à obra de dois amigos: o historiador econômico e infatigável compilador de dados quantitativos Paul Bairoch e Ivan Berend, ex-presidente da Academia Húngara de Ciências, a quem devo o conceito do Breve Século XX. Sobre a história política geral do mundo desde a Segunda Guerra Mundial, P. Calvocoressi (*World politics since 1945* [Política mundial de 1945 em diante]) foi um guia seguro e às vezes — compreensivelmente — cáustico. Sobre a Segunda Guerra Mundial, muito devo ao soberbo *War, economy and society 1929-45* [Guerra, economia e sociedade 1929-45], de Alan Milward, e, sobre a economia pós-1945, achei utilíssimos *Prosperity and upheaval: The world economy 1945-1980* [Prosperidade e revolta: a economia mundial de 1945-1980], de Herman Van der Wee, e *Capitalism since 1945* [Capitalismo a partir de 1945], de Philip Armstrong, Andrew Glyn e John Harrison. *The Cold War* [A Guerra Fria], de Martin Walker, merece uma atenção muito maior do que a morna recepção que lhe reservaram os críticos. Sobre a história da esquerda desde a Segunda Guerra Mundial, muito devo ao dr. Donald Sassoon, do Queen Mary and Westfield College, Universidade de Londres, que teve a bondade de me deixar ler seu vasto e esclarecedor estudo do assunto, ainda incompleto. No que diz respeito à história da URSS, minha dívida principal é para com os textos de Moshe Lewin, Alec Nove, R. W. Davies e Sheila Fitzpatrick; no que diz respeito à China, para com os de Benjamin Schwartz e Stuart Schram; e no que diz respeito ao mundo islâmico, para com Ira Lapidus e Nikki Keddie. Minhas opiniões sobre as artes muito devem às obras (e à conversa) de John Willett sobre a cultura de Weimar, bem como a Francis Haskell. No capítulo 6, penso ser óbvia minha dívida para com o *Diaghilev* de Lynn Garafola.

Meus agradecimentos especiais aos que me ajudaram concretamente a preparar este livro. São eles, em primeiro lugar, minhas auxiliares de pesquisa Joanna Bedford em Londres e Lise Grande em Nova York. Gostaria de acentuar sobretudo minha dívida para com esta última, sem quem eu não poderia ter preenchido as enormes lacunas em meu conhecimento nem conferido fatos e referências lembrados apenas pela metade. Também sou muito grato a Ruth Syers, que datilografou meus rascunhos, e a Marlene Hobsbawm, que leu vários capítulos do ponto de vista do leitor não acadêmico com interesse genérico pelo mundo moderno, a quem este livro se dirige.

Já mencionei minha dívida para com os estudantes da New School, que assistiram às aulas nas quais tentei formular minhas idéias e interpretações. A eles dedico este livro.

Eric Hobsbawm
Londres — Nova York, 1993-4

O SÉCULO: VISTA AÉREA
Olhar panorâmico

DOZE PESSOAS VÊEM O SÉCULO XX

Isaiah Berlin (filósofo, Grã-Bretanha): "Vivi a maior parte do século XX, devo acrescentar que não sofri provações pessoais. Lembro-o apenas como o século mais terrível da história".

Julio Caro Baroja (antropólogo, Espanha): "Há uma contradição patente entre a experiência de nossa própria vida — infância, juventude e velhice passadas tranqüilamente e sem maiores aventuras — e os fatos do século XX... os terríveis acontecimentos por que passou a humanidade".

Primo Levi (escritor, Itália): "Nós, que sobrevivemos aos Campos, não somos verdadeiras testemunhas. Esta é uma idéia incômoda que passei aos poucos a aceitar, ao ler o que outros sobreviventes escreveram — inclusive eu mesmo, quando releio meus textos após alguns anos. Nós, sobreviventes, somos uma minoria não só minúscula, como também anômala. Somos aqueles que, por prevaricação, habilidade ou sorte, jamais tocaram o fundo. Os que tocaram, e que viram a face das Górgonas, não voltaram, ou voltaram sem palavras".

René Dumont (agrônomo, ecologista, França): "Vejo-o apenas como um século de massacres e guerras".

Rita Levi Montalcini (Prêmio Nobel, ciência, Itália): "Apesar de tudo, neste século houve revoluções para melhor [...] o surgimento do Quarto Estado e a emergência da mulher, após séculos de repressão".

William Golding (Prêmio Nobel, escritor, Grã-Bretanha): "Não posso deixar de pensar que este foi o século mais violento da história humana".

Ernst Gombrich (historiador da arte, Grã-Bretanha): "A principal característica do século XX é a terrível multiplicação da população do mundo. É uma catástrofe, uma tragédia. Não sabemos o que fazer a respeito".

Yehudi Menuhin (músico, Grã-Bretanha): "Se eu tivesse de resumir o século XX, diria que despertou as maiores esperanças já concebidas pela humanidade e destruiu todas as ilusões e ideais".

Severo Ochoa (Prêmio Nobel, ciência, Espanha): "O mais fundamental é o progresso da ciência, que tem sido realmente extraordinário [...] Eis o que caracteriza nosso século".

Raymond Firth (antropólogo, Grã-Bretanha): "Tecnologicamente, coloco o desenvolvimento da eletrônica entre os fatos mais significativos do século XX; em termos de idéias, destaco a passagem de uma visão relativamente racional e científica das coisas para outra não racional e menos científica".

Leo Valiani (historiador, Itália): "Nosso século demonstra que a vitória dos ideais de justiça e igualdade é sempre efêmera, mas também que, se conseguimos manter a liberdade, sempre é possível recomeçar [...] Não há por que desesperar, mesmo nas situações mais desesperadas".

Franco Venturini (historiador, Itália): "Os historiadores não têm como responder a essa pergunta. Para mim, o século XX é apenas o esforço sempre renovado de entendê-lo".

(Agosti & Borgese, 1992, pp. 42, 210, 154, 76, 4, 8, 204, 2, 62, 80, 140 e 160)

I

Em 28 de junho de 1992 o presidente Mitterrand, da França, apareceu de forma súbita, não anunciada e inesperada em Sarajevo, que já era o centro de uma guerra balcânica que iria custar cerca de 150 mil vidas no decorrer daquele ano. Seu objetivo era lembrar à opinião pública mundial a gravidade da crise bósnia. E, de fato, foi muito observada e admirada a presença do conhecido estadista — idoso e visivelmente frágil sob o fogo das armas portáteis e da artilharia. Um aspecto da visita de Mitterrand, contudo, embora claramente fundamental, passou despercebido: a data. Por que o presidente da França escolhera aquele dia específico para ir a Sarajevo? Porque 28 de junho era o aniversário do assassinato, em Sarajevo, em 1914, do arquiduque Francisco Ferdinando da Áustria-Hungria, ato que em poucas semanas levou à eclosão da Primeira Guerra Mundial. Para qualquer europeu culto da geração de

Mitterrand, saltava aos olhos a ligação entre data e lugar e a evocação de uma catástrofe histórica precipitada por um erro político e de cálculo. Que melhor maneira de dramatizar as implicações potenciais da crise bósnia que escolhendo uma data assim tão simbólica? Mas quase ninguém captou a alusão, exceto uns poucos historiadores profissionais e cidadãos muito idosos. A memória histórica já não estava viva.

A destruição do passado — ou melhor, dos mecanismos sociais que vinculam nossa experiência pessoal à das gerações passadas — é um dos fenômenos mais característicos e lúgubres do final do século XX. Quase todos os jovens de hoje crescem numa espécie de presente contínuo, sem qualquer relação orgânica com o passado público da época em que vivem. Por isso os historiadores, cujo ofício é lembrar o que outros esquecem, tornam-se mais importantes que nunca no fim do segundo milênio. Por esse mesmo motivo, porém, eles têm de ser mais que simples cronistas, memorialistas e compiladores. Em 1989 todos os governos do mundo, e particularmente todos os ministérios do Exterior do mundo, ter-se-iam beneficiado de um seminário sobre os acordos de paz firmados após as duas guerras mundiais, que a maioria deles aparentemente havia esquecido.

Contudo, não é propósito deste livro contar a história da época de que trata, o Breve Século XX entre 1914 e 1991, embora todo aquele que já tenha ouvido um estudante americano inteligente perguntar-lhe se o fato de falar em "Segunda Guerra Mundial" significa que houve uma "Primeira Guerra Mundial" saiba muito bem que nem sequer o conhecimento de fatos básicos do século pode ser dado por certo. Meu objetivo é compreender e explicar *por que* as coisas deram no que deram e como elas se relacionam entre si. Para qualquer pessoa de minha idade que tenha vivido todo o Breve Século XX ou a maior parte dele, isso é também, inevitavelmente, uma empresa autobiográfica. Trata-se de comentar, ampliar (e corrigir) nossas próprias memórias. E falamos como homens e mulheres de determinado tempo e lugar, envolvidos de diversas maneiras em sua história como atores de seus dramas — por mais insignificantes que sejam nossos papéis —, como observadores de nossa época e, igualmente, como pessoas cujas opiniões sobre o século foram formadas pelo que viemos a considerar acontecimentos cruciais. Somos parte deste século. Ele é parte de nós. Que não o esqueçam os leitores que pertencem a outra era, por exemplo os estudantes que estão ingressando na universidade no momento em que escrevo e para quem até a Guerra do Vietnã é pré-história.

Para os historiadores de minha geração e origem o passado é indestrutível, não apenas porque pertencemos à geração em que ruas e logradouros públicos ainda tinham nomes de homens e acontecimentos públicos (a estação Wilson na Praga de antes da guerra, a estação de metrô Stalingrado em Paris), em que os tratados de paz ainda eram assinados e portanto tinham de ser identificados (Tratado de Versalhes) e os memoriais de guerra lembravam acontecimentos passados, como também porque os acontecimentos públicos são parte da textura de nossas vidas. Eles não são apenas marcos em nossas vidas privadas, mas aquilo que formou nossas vidas, tanto privadas como públicas. Para este autor, o dia 30 de janeiro de 1933 não é simplesmente a data, à parte isso arbitrária, em que Hitler se tornou chanceler da Alemanha, mas também uma tarde de inverno em Berlim, quando um jovem de quinze anos e sua irmã mais nova voltavam para casa, em Halensee, de suas escolas vizinhas em Wilmersdorf, e em algum ponto do trajeto viram a manchete. Ainda posso vê-la, como num sonho.

Mas não apenas um velho historiador tem o passado como parte de seu presente permanente. Em vastas extensões do globo todas as pessoas de determinada idade, independentemente de origens e histórias pessoais, passaram pelas mesmas experiências centrais. Foram experiências que nos marcaram a todos, em certa medida da mesma forma. O mundo que se esfacelou no fim da década de 1980 foi o mundo formado pelo impacto da Revolução Russa de 1917. Fomos todos marcados por ela, por exemplo na medida em que nos habituamos a pensar na moderna economia industrial em termos de opostos binários, "capitalismo" e "socialismo" como alternativas mutuamente excludentes, uma identificada com economias organizadas com base no modelo da URSS, a outra com todo o restante. Agora já deve estar ficando evidente que essa oposição era uma construção arbitrária e em certa medida artificial, que só pode ser entendida como parte de determinado contexto histórico. E no entanto mesmo hoje, quando escrevo, não é fácil considerar, inclusive retrospectivamente, princípios de classificação mais realistas que aquela que reunia EUA, Japão, Suécia, Brasil, República Federal da Alemanha e Coréia do Sul num mesmo escaninho e as economias e sistemas de Estado da região soviética que desmoronaram depois da década de 1980 no mesmo compartimento em que estavam as do Oriente e do Sudeste Asiático, que, como se constata, não desmoronaram.

Mesmo o mundo que sobreviveu ao fim da Revolução de Outubro é um mundo cujas instituições e crenças foram moldadas pelos que pertenciam ao lado vencedor da Segunda Guerra Mundial. Os que estavam do lado perdedor ou a ele se associavam não apenas ficaram em silêncio ou foram silenciados, como foram praticamente riscados da história e da vida intelectual, investidos do papel de "o inimigo" no drama moral de Bem *versus* Mal. (É possível que o mesmo esteja acontecendo hoje com os perdedores da Guerra Fria da segunda metade do século, embora talvez não na mesma medida, nem por tanto tempo.) Esse é um dos preços que se paga por viver num século de guerras religiosas, que têm na intolerância sua principal característica. Mesmo os que propalavam o pluralismo de suas não-ideologias acreditaram que o mundo não era grande o bastante para uma coexistência permanente com religiões seculares rivais. Confrontos religiosos ou ideológicos como os que povoaram este século erguem barricadas no caminho do historiador. A principal tarefa do historiador não é julgar, mas compreender, mesmo o que temos mais dificuldade para compreender. O que dificulta a compreensão, no entanto, não são apenas nossas convicções apaixonadas, mas também a experiência histórica que as formou. As primeiras são fáceis de superar, pois não há verdade no conhecido mas enganoso dito francês *tout comprendre c'est tout pardonner* (tudo compreender é tudo perdoar). Compreender a era nazista na história alemã e enquadrá-la em seu contexto histórico não é perdoar o genocídio. De toda forma, não é provável que uma pessoa que tenha vivido este século extraordinário se abstenha de julgar. O difícil é compreender.

II

Como iremos compreender o Breve Século XX, ou seja, os anos que vão da eclosão da Primeira Guerra Mundial ao colapso da URSS, que, como agora podemos ver retrospectivamente, formam um período histórico coerente já encerrado? Não sabemos o que virá a seguir, nem como será o segundo milênio, embora possamos ter certeza de que ele terá sido moldado pelo Breve Século XX. Contudo, não há como duvidar seriamente de que em fins da década de 1980 e início da década de 1990 uma era se encerrou e outra nova começou. Esta é a informação essencial para os historiadores do século, pois embora eles possam especular sobre o futuro à luz de sua compreensão do passado, seu trabalho não tem nada a ver com palpites em corridas de cavalos. As únicas corridas de cavalos que esses historiadores podem pretender relatar e analisar são as já ganhas ou perdidas. Seja como for, nos últimos trinta ou quarenta anos o desempenho dos adivinhos, fossem quais fossem suas qualificações profissionais como profetas, mostrou-se tão espetacularmente ruim que só governos e institutos de pesquisa econômica ainda têm, ou dizem ter, maior confiança nele. É possível mesmo que depois da Segunda Guerra Mundial esse desempenho tenha piorado.

Neste livro, a estrutura do Breve Século XX parece uma espécie de tríptico ou sanduíche histórico. A uma Era de Catástrofe, que se estendeu de 1914 até depois da Segunda Guerra Mundial, seguiram-se cerca de 25 ou trinta anos de extraordinário crescimento econômico e transformação social, anos que provavelmente mudaram de maneira mais profunda a sociedade humana que qualquer outro período de brevidade comparável. Retrospectivamente, podemos ver esse período como uma espécie de Era de Ouro, e assim ele foi visto quase imediatamente depois que acabou, no início da década de 1970. A última parte do século foi uma nova era de decomposição, incerteza e crise — e, com efeito, para grandes áreas do mundo, como a África, a ex-URSS e as partes anteriormente socialistas da Europa, de catástrofe. À medida que a década de 1980 dava lugar à de 1990, o estado de espírito dos que refletiam sobre o passado e o futuro do século era de crescente melancolia *fin-de-siècle*. Visto do privilegiado ponto de vista da década de 1990, o Breve Século XX passou por uma curta Era de Ouro, entre uma crise e outra, e entrou num futuro desconhecido e problemático, mas não necessariamente apocalíptico. Contudo, como talvez os historiadores queiram lembrar aos especuladores metafísicos do "Fim da História", haverá um futuro. A única generalização cem por cento segura sobre a história é aquela que diz que enquanto houver raça humana haverá história.

O roteiro deste livro segue esse preceito. Ele começa com a Primeira Guerra Mundial, que assinalou o colapso da civilização (ocidental) do século XIX. Tratava-se de uma civilização capitalista na economia; liberal na estrutura legal e constitucional; burguesa na imagem de sua classe hegemônica característica; exultante com o avanço da ciência, do conhecimento e da educação e também com o progresso material e moral; e profundamente convencida da centralidade da Europa, berço das revoluções da ciência, das artes, da política e da indústria e cuja economia prevalecera na maior parte do mundo, que seus soldados haviam conquistado e subjugado; uma Europa cujas populações (incluindo-se o vasto e crescente fluxo de emigrantes europeus e seus descendentes) haviam crescido até somar um terço da raça humana; e cujos maiores Estados constituíam o sistema da política mundial.*

Para essa sociedade, as décadas que vão da eclosão da Primeira Guerra Mundial aos resultados da Segunda foram uma Era de Catástrofe. Durante quarenta anos, ela foi de calamidade em calamidade. Houve ocasiões em que mesmo conservadores inteligentes não apostariam em sua sobrevivência. Ela foi abalada por duas guerras mundiais, seguidas por duas ondas de rebelião e revolução globais que levaram ao poder um sistema que se dizia a alternativa historicamente predestinada para a sociedade capitalista e burguesa e que foi adotado, primeiro, em um sexto da superfície da Terra, e, após a Segunda Guerra Mundial, por um terço da população do globo. Os imensos impérios coloniais erguidos durante a Era do Império foram abalados e ruíram em pó. Toda a história do imperialismo moderno, tão firme e autoconfiante quando da morte da rainha Vitória, da Grã-Bretanha, não durara mais que o tempo de uma vida humana — digamos, a de Winston Churchill (1874-1965).

Mais ainda: uma crise econômica mundial de profundidade sem precedentes pôs de joelhos até mesmo as economias capitalistas mais fortes e pareceu reverter a criação de uma economia mundial única, feito bastante notável

(*) Tentei descrever e explicar a ascensão dessa civilização numa história em três volumes do "longo século XIX" (da década de 1780 a 1914), e analisar as razões do colapso. O presente texto fará referência a esses volumes, *The age of Revolution, 1789-1848*, *The age of Capital, 1848-1875*, e *The age of Empire, 1875-1914*, ocasionalmente, onde parecer útil.

do capitalismo liberal do século XIX. Mesmo os EUA, a salvo de guerra e revolução, pareceram próximos do colapso. Enquanto a economia balançava, as instituições da democracia liberal praticamente desapareceram entre 1917 e 1942; restou apenas uma borda da Europa e partes da América do Norte e da Austrália. Enquanto isso, avançavam o fascismo e seu corolário de movimentos e regimes autoritários.

A democracia só se salvou porque, para enfrentá-lo, houve uma aliança temporária e bizarra entre capitalismo liberal e comunismo: basicamente a vitória sobre a Alemanha de Hitler foi, como só poderia ter sido, uma vitória do Exército Vermelho. De muitas maneiras, esse período de aliança capitalista-comunista contra o fascismo — sobretudo as décadas de 1930 e 1940 — constitui o ponto crítico da história do século XX e seu momento decisivo. De muitas maneiras, esse é um momento de paradoxo histórico nas relações entre capitalismo e comunismo, que na maior parte do século — com exceção do breve período de antifascismo — ocuparam posições de antagonismo inconciliável. A vitória da União Soviética sobre Hitler foi uma realização do regime lá instalado pela Revolução de Outubro, como demonstra uma comparação do desempenho da economia russa czarista na Primeira Guerra Mundial com a economia soviética na Segunda Guerra (Gatrell & Harrison, 1993). Sem isso, o mundo hoje (com exceção dos EUA) provavelmente seria um conjunto de variações sobre temas autoritários e fascistas, mais que de variações sobre temas parlamentares liberais. Uma das ironias deste estranho século é que o resultado mais duradouro da Revolução de Outubro, cujo objetivo era a derrubada global do capitalismo, foi salvar seu antagonista, tanto na guerra quanto na paz, fornecendo-lhe o incentivo — o medo — para reformar-se após a Segunda Guerra Mundial e, ao estabelecer a popularidade do planejamento econômico, oferecendo-lhe alguns procedimentos para sua reforma.

Contudo, mesmo tendo sobrevivido — por pouco — ao triplo desafio da depressão, do fascismo e da guerra, o capitalismo ainda parecia enfrentar o avanço global da revolução, que só podia arregimentar-se em torno da URSS, egressa da Segunda Guerra Mundial como superpotência.

E no entanto, como agora podemos ver retrospectivamente, a força do desafio socialista global ao capitalismo era a da fraqueza de seu adversário. Sem o colapso da sociedade burguesa do século XIX na Era da Catástrofe, não teria havido Revolução de Outubro nem URSS. O sistema econômico improvisado na arruinada casca eurasiana rural do antigo império czarista sob o nome de socialismo não se teria acreditado — nem teria sido considerado — uma alternativa global realista para a economia capitalista. A Grande Depressão de 1930 criou essa impressão, pois foi o desafio do fascismo que fez da URSS o instrumento indispensável para a derrota de Hitler e, em conseqüência, uma das duas superpotências cujos confrontos dominaram e aterrorizaram a segunda metade do Breve Século XX, estabilizando, ao mesmo tempo, em muitos aspectos — como hoje podemos ver —, sua estrutura política. A URSS não teria estado durante uma década e meia, em meados do século, à testa de um "campo socialista" que compreendia um terço da raça humana, com uma economia que por um breve instante pareceu capaz de sobrepujar o crescimento econômico capitalista.

Como e por que o capitalismo, após a Segunda Guerra Mundial, viu-se, para surpresa de todos, inclusive dele próprio, saltar para a Era de Ouro de 1947-73, algo sem precedentes e possivelmente anômalo? Eis, talvez, a questão central para os historiadores do século XX. Ainda não se chegou a um consenso e não tenho a pretensão de oferecer uma resposta persuasiva. Talvez seja preciso esperar que toda a "longa onda" da segunda metade do século XX possa ser vista em perspectiva para que surja uma análise mais convincente, mas, embora hoje possamos ver a Era de Ouro, retrospectivamente, como um todo, no momento em que escrevo as Décadas de Crise que o mundo viveu desde então ainda não estão completas. Contudo, já podemos avaliar com muita confiança a escala e o impacto extraordinários da transformação econômica, social e cultural decorrente, a maior, mais rápida e mais fundamental da história registrada. Vários aspectos dessa transformação serão discutidos na segunda parte deste livro. É provável que no terceiro milênio os historiadores do século XX situem o grande impacto do século na história como sendo o desse espantoso período e de seus resultados. Porque as mudanças dele decorrentes para todo o planeta foram tão profundas quanto irreversíveis. E ainda estão ocorrendo. Os jornalistas e ensaístas filosóficos que detectaram o "fim da história" na queda do império soviético estavam errados. O argumento é melhor quando se afirma que o terceiro quartel do século assinalou o fim dos sete ou oito milênios de história humana iniciados com a revolução da agricultura na Idade da Pedra, quando mais não fosse porque ele encerrou a longa era em que a maioria esmagadora da raça humana vivia plantando alimentos e pastoreando rebanhos.

Diante disso, é provável que a história do confronto entre "capitalismo" e "socialismo", com ou sem a intervenção de Estados e governos como os EUA e a URSS pretendendo representar um ou outro, pareça de interesse histórico mais limitado — comparável, a longo prazo, às guerras religiosas dos séculos XVI e XVII ou às Cruzadas. Para os que viveram um pedaço qualquer do Breve Século XX, é natural que capitalismo e socialismo pareçam enormes, e assim o são neste livro, escrito por um escritor do século XX, para leitores de fins do século XX. As revoluções sociais, a Guerra Fria, a natureza, limitações e falhas fatais do "socialismo realmente existente" e seu colapso são discutidas à exaustão. Mesmo assim, convém lembrar que o impacto maior e mais duradouro dos regimes inspirados pela Revolução de Outubro foi a grande aceleração da modernização de países agrários atrasados. Na verdade, nesse aspecto suas grandes realizações coincidiram com a Era de Ouro capitalista. As estratégias rivais para sepultar o mundo de nossos antepassados foram eficazes? Foram, inclusive, conscientes? Eis algo que não precisamos examinar aqui. Como veremos, até o início da década de 1960 elas pareciam no mínimo emparelhadas, visão que parece absurda à luz do colapso do socialismo soviético, embora um primeiro-ministro britânico, em conversa com um presidente americano, ainda pudesse considerar a URSS um Estado cuja "exuberante economia [...] em breve ultrapassará a sociedade capitalista na corrida pela riqueza material" (Horne, 1989, p. 303). Contudo, o importante é notar, simplesmente, que na década de 1980 a Bulgária socialista e o Equador não socialista tinham mais em comum entre si que com a Bulgária e o Equador de 1939.

Embora o colapso do socialismo soviético e suas enormes conseqüências, por enquanto impossíveis de calcular por inteiro, mas basicamente negativas, fossem o incidente mais dramático das Décadas de Crise que se seguiram à Era de Ouro, essas iriam ser décadas de crise *universal* ou global. A crise afetou as várias partes do mundo de maneiras e em graus diferentes, mas afetou a todas elas, fossem quais fossem suas configurações políticas, sociais e econômicas, porque pela primeira vez na história a Era de Ouro criara uma economia mundial única, cada vez mais integrada e universal, operando em grande medida por sobre as fronteiras de Estado ("transnacionalmente") e, portanto, também, cada vez mais, por sobre as barreiras da ideologia de Estado. Em decorrência, as idéias consagradas das instituições de todos os regimes e sistemas ficaram solapadas. No início havia a esperança de que os problemas da década de 1970 fossem uma pausa temporária no *Grande Salto Avante* da economia mundial, e países de todos os tipos e modelos econômicos e políticos buscaram soluções temporárias. Porém foi ficando cada vez mais claro que se tratava de uma era de problemas de longo prazo, para os quais os países capitalistas buscaram soluções radicais, muitas vezes ouvindo teólogos seculares do livre mercado irrestrito, que rejeitavam as políticas que tão bem haviam servido à economia mundial durante a Era de Ouro e que agora pareciam estar falhando. Os fanáticos do *laissez-faire* tiveram tanto êxito quanto os demais. Na década de 1980 e início da de 1990, o mundo capitalista viu-se novamente às voltas com problemas da época do entreguerras que a Era de Ouro parecia ter eliminado: desemprego em massa, depressões cíclicas severas, contraposição cada vez mais espetacular de mendigos sem teto a luxo abundante, em meio a rendas limitadas de Estado e despesas ilimitadas de Estado. Os países socialistas, agora com suas economias desabando, vulneráveis, foram impelidos a realizar rupturas igualmente — ou até mais — radicais com seu passado e, como sabemos, rumaram para o colapso. Esse colapso pode assinalar o fim do Breve Século XX, como a Primeira Guerra Mundial pode assinalar o seu início. Nesse ponto minha história chega ao fim.

Chega ao fim — como todo livro concluído no início da década de 1990 — com um olhar para a escuridão. O colapso de uma parte do mundo revelou o mal-estar do resto. À medida que a década de 1980 passava para a de 1990, foi ficando evidente que a crise mundial não era geral apenas no sentido econômico, mas também no político. O colapso dos regimes comunistas entre Istria e Vladivostok não apenas produziu uma enorme zona de incerteza política, instabilidade, caos e guerra civil, como também destruiu o sistema internacional que dera estabilidade às relações internacionais durante cerca de quarenta anos. Além disso, esse colapso revelou a precariedade dos sistemas políticos internos apoiados essencialmente em tal estabilidade. As tensões das economias em dificuldades minaram os sistemas políticos das democracias liberais, parlamentares ou presidenciais, que desde a Segunda Guerra Mundial vinham funcionando tão bem nos países capitalistas, assim como minaram todos os sistemas políticos vigentes no Terceiro Mundo. As próprias unidades básicas da política, os *"Estados-nação"* territoriais, soberanos e independentes, inclusive os mais antigos e estáveis, viram-se esfacelados pelas forças de uma economia supranacional ou transnacional e pelas forças infranacionais de regiões e grupos étnicos secessionistas, alguns dos quais — tal é a ironia da história — exigiram para si o status anacrônico e irreal de "Estados-nação" em miniatura. O futuro da política era obscuro, mas sua crise, no final do Breve Século, patente.

Ainda mais óbvia que as incertezas da economia e da política mundiais era a crise social e moral, refletindo as transformações pós-década de 1950 na vida humana, que também encontraram expressão generalizada, embora confusa, nessas Décadas de Crise. Foi uma crise das crenças e supostos sobre os quais se apoiava a sociedade moderna desde que os Modernos ganharam sua famosa batalha contra os Antigos, no início do século XVIII: uma crise das teorias racionalistas e humanistas abraçadas tanto pelo capitalismo liberal como pelo comunismo e que tornaram possível a breve mas decisiva aliança dos dois contra o fascismo, que as rejeitava. Um observador conservador alemão, Michael Stürmer, disse corretamente, em 1993, que as crenças do Oriente e do Ocidente estavam em questão:

> Há um estranho paralelismo entre Oriente e Ocidente. No Oriente, a doutrina de Estado insistia em que a humanidade era dona de seu destino. Contudo, mesmo nós acreditávamos numa versão menos oficial e extrema do mesmo *slogan*: a humanidade estava para tornar-se dona de seus destinos. A pretensão de onipotência desapareceu absolutamente no Oriente, e só relativamente *chez nous* — mas os dois lados naufragaram. (De Bergdorf, 98, p. 95)

Paradoxalmente, uma era cuja única pretensão de benefícios para a humanidade se assentava nos enormes triunfos de um progresso material apoiado na ciência e tecnologia encerrou-se numa rejeição destas por grupos substanciais da opinião pública e pessoas que se pretendiam pensadoras do Ocidente.

Contudo, a crise moral não dizia respeito apenas aos supostos da civilização moderna, mas também às estruturas históricas das relações humanas que a sociedade moderna herdara de um passado pré-industrial e pré-capitalista e que, agora vemos, haviam possibilitado seu funcionamento. Não era a crise de uma forma de organizar sociedades, mas de todas as formas. Os estranhos apelos em favor de uma "sociedade civil" não especificada, de uma "comunidade", eram as vozes de gerações perdidas e à deriva. Elas se faziam ouvir numa era em que tais palavras, tendo perdido seus sentidos tradicionais, se haviam tornado frases insípidas. Não restava outra maneira de definir identidade de grupo senão definir os que nele não estavam.

Para o poeta T. S. Eliot, "é assim que o mundo acaba — não com uma explosão, mas com uma lamúria". O Breve Século XX se acabou com os dois.

III

Como comparar o mundo da década de 1990 ao mundo de 1914? Nele viviam 5 ou 6 bilhões de seres humanos, talvez três vezes mais que na eclosão da Primeira Guerra Mundial, e isso embora no Breve Século XX mais homens tivessem sido mortos ou abandonados à morte por decisão humana que jamais antes na história. Uma estimativa recente das "megamortes" do século menciona 187 milhões (Brzezinski, 1993), o equivalente a mais de um em dez da população mundial total dc 1900. Na década de 1990 a maioria das pessoas era mais alta e pesada que seus pais, mais bem alimentada e muito mais longeva, embora talvez as catástrofes das décadas de 1980 e 1990 na África, na América Latina e na ex-URSS tornem difícil acreditar nisso. O mundo estava incomparavelmente mais rico que jamais em sua capacidade de produzir bens e serviços e na interminável variedade destes. Não fora assim, não teria conseguido manter uma população global muitas vezes maior que jamais antes na história do mundo. Até a década de 1980 a maioria das pessoas vivia melhor que seus pais e, nas economias avançadas, melhor que algum dia tinha esperado viver, ou mesmo imaginado possível viver. Durante algumas décadas, em meados do século, chegou a parecer que se haviam descoberto maneiras de distribuir pelo menos parte dessa enorme riqueza com um certo grau de justiça entre os trabalhadores dos países mais ricos, mas no fim do século a desigualdade voltava a prevalecer e também entrava maciçamente nos ex-países "socialistas", onde antes imperava uma certa igualdade de pobreza. A humanidade era muito mais culta que em 1914. Na verdade, talvez pela primeira vez na história a maioria dos seres humanos podia ser descrita como alfabetizada, pelo menos nas estatísticas oficiais, embora o significado dessa conquista estivesse muito menos claro no final do século do que teria estado em 1914, em vista do fosso enorme — talvez crescente — entre o mínimo de competência oficialmente aceito como alfabetização, muitas vezes descrito como "analfabetismo funcional", e o domínio da leitura e da escrita ainda esperado nas camadas de elite.

O mundo estava repleto de uma tecnologia revolucionária em avanço constante, baseada em triunfos da ciência natural previsíveis em 1914 mas que na época mal haviam começado e cuja conseqüência política mais impressionante talvez fosse a revolução nos transportes e nas comunicações, que praticamente anulou o tempo e a distância. Era um mundo que podia levar a cada residência, todos os dias, a qualquer hora, mais informação e diversão do que dispunham os imperadores em 1914. Ele dava condições às pessoas de se falarem entre si cruzando oceanos e continentes ao toque de alguns botões e, para quase todas as questões práticas, abolia as vantagens culturais da cidade sobre o campo.

Por que, então, o século terminara não com uma comemoração desse progresso inigualado e maravilhoso, mas num estado de inquietação? Por que, como mostram as epígrafes deste capítulo, tantos cérebros pensantes o vêem em retrospecto sem satisfação, e com certeza sem confiança no futuro? Não apenas porque sem dúvida ele foi o século mais assassino de que temos registro, tanto na escala, freqüência e extensão da guerra que o preencheu, mal cessando por um momento na década de 1920, como também pelo volume único das catástrofes humanas que produziu, desde as maiores fomes da história até o genocídio sistemático. Ao contrário do "longo século XIX", que pareceu, e na verdade foi, um período de progresso material, intelectual *e moral* quase ininterrupto, quer dizer, de melhoria nas condições de vida civilizada, houve, a partir de 1914, uma acentuada regressão dos padrões então tidos como normais nos países desenvolvidos e nos ambientes da classe média e que todos acreditavam piamente estivessem se espalhando para as regiões mais atrasadas e para as camadas menos esclarecidas da população.

Visto que este século nos ensinou e continua a ensinar que os seres humanos podem aprender a viver nas condições mais brutalizadas e teoricamente intoleráveis, não é fácil apreender a extensão do regresso, por desgraça cada vez mais rápido, ao que nossos ancestrais do século XIX teriam chamado padrões de barbarismo. Esquecemos que o velho revolucionário Friedrich Engels ficou horrorizado com a explosão de uma bomba republicana irlandesa em Westminster Hall — porque, como velho soldado, afirmava que a guerra se travava contra combatentes e não contra não-combatentes. Esquecemos que os *pogroms* na Rússia czarista, que, com justiça, indignaram a opinião pública e impeliram milhões de judeus russos para o outro lado do Atlântico entre 1881 e 1914, eram pequenos, quase insignificantes, pelos padrões de massacre modernos: os mortos contavam-se às dezenas, não às centenas, e jamais aos milhões. Esquecemos que no passado uma convenção internacional estabeleceu que as hostilidades da guerra "não devem começar sem aviso prévio e explícito, sob a forma de uma arrazoada declaração de guerra ou de um *ultimatum* com declaração de guerra condicional", pois quando foi mesmo a última guerra iniciada com tal declaração explícita ou implícita? Ou que acabou com um tratado de paz formal negociado entre os Estados beligerantes? Durante o século XX as guerras têm sido, cada vez mais, travadas contra a economia e a infra-estrutura de Estados e contra suas populações civis. Desde a Primeira Guerra Mundial, o número de baixas civis na guerra tem sido muito maior que as militares em todos os países beligerantes, com exceção dos EUA. Quantos de nós recordam que em 1914 se tinha por certo que

> A guerra civilizada, diz-nos o manual escolar, limita-se, até onde possível, à incapacitação das Forças Armadas do inimigo; não fosse assim, a guerra continuaria até o extermínio de uma das partes. "Há boas razões [...] para que essa prática se tornasse um costume nos países da Europa." (*Encyclopaedia Britannica*, XI ed., 1911, arte: Guerra.)

Não é que ignoremos o ressurgimento da tortura, ou mesmo do assassinato, como parte normal das operações de segurança pública nos Estados modernos, mas é provável que não avaliemos com precisão a dramática reviravolta implícita, considerando-se a longa era de desenvolvimento jurídico, desde a primeira abolição formal da tortura num país ocidental, na década de 1880, até 1914.

E no entanto não podemos comparar o mundo do final do Breve Século XX ao mundo de seu início, em termos da contabilidade histórica de "mais" e "menos". Tratava-se de um mundo qualitativamente diferente em pelo menos três aspectos.

Primeiro, ele tinha deixado de ser eurocêntrico. Trouxera o declínio e queda da Europa, ainda centro inquestionado de poder, riqueza, intelecto e "civilização ocidental" quando o século começou. Os europeus e seus descendentes estavam reduzidos de talvez um terço para no máximo um sexto da humanidade: uma minoria decrescente vivendo em países que mal reproduziam — quando reproduziam — suas populações, uma minoria cercada e, na maioria dos casos — com algumas brilhantes exceções, como os EUA até a década de 1990 —, erguendo barricadas contra a pressão da imigração das regiões pobres. As indústrias, em que a Europa fora pioneira, migravam para outras partes. Os países do outro lado dos oceanos, que outrora se voltavam para a Europa, agora se voltavam para outras partes. A Austrália, a Nova Zelândia e até mesmo os bi-oceânicos EUA, viam o futuro no Pacífico, seja lá qual for o significado exato disso.

As "grandes potências" de 1914, todas européias, haviam desaparecido, como a URSS, herdeira da Rússia czarista, ou sido reduzidas a um *status* regional ou provincial, com a possível exceção da Alemanha. O próprio esforço para criar uma "Comunidade Européia" supranacional única e inventar um senso de identidade européia a ela correspondente, substituindo as velhas lealdades a países e Estados históricos, demonstrava a profundidade desse declínio.

Seria essa uma mudança de grande significado, a não ser para os historiadores políticos? Talvez não, pois refletia apenas mudanças menores na configuração econômica, intelectual e cultural do mundo. Mesmo em 1914, os EUA já eram uma grande economia industrial, o grande pioneiro, modelo e força propulsora da produção em massa e da cultura de massa que conquistaram o globo durante o Breve Século XX, e, apesar de suas muitas peculiaridades, eram a extensão da Europa no além-mar, enquadrando-se no Velho Continente sob a denominação "civilização ocidental". Quaisquer que fossem suas perspectivas futuras, os EUA da década de 1990 viam o "Século Americano" às suas costas, sua era de ascensão e triunfo. O conjunto dos países da industrialização do século XIX continuava sendo, de longe, a maior concentração de riqueza e poder econômico e científico-tecnológico do globo, além daquele cujos povos tinham, de longe, o mais alto padrão de vida. No fim do século isso ainda compensava fartamente a desindustrialização e a mudança da produção para outros continentes. Nessa medida, a impressão de um velho mundo eurocêntrico ou "ocidental" em pleno declínio era superficial.

A segunda transformação foi mais significativa. Entre 1914 e o início da década de 1990 o globo foi muito mais uma unidade operacional única, como não era e não poderia ter sido em 1914. Na verdade, para muitos propósitos, notadamente em questões econômicas, o globo é agora a unidade operacional básica, e unidades mais velhas como as "economias nacionais", definidas pelas políticas de Estados territoriais, estão reduzidas a complicações das atividades transnacionais. O estágio alcançado na década de 1990 na construção da "aldeia global" — expressão cunhada na década de 1960 (McLuhan, 1962) — não parecerá muito adiantado aos observadores de meados do século XXI, porém já havia transformado não apenas certas atividades econômicas e técnicas e as operações da ciência, como ainda importantes aspectos da vida privada, sobretudo devido à inimaginável aceleração das comunicações e dos transportes. Talvez a característica mais impressionante do fim do século XX seja a tensão entre esse processo de globalização cada vez mais acelerado e a incapacidade conjunta das instituições públicas e do comportamento coletivo dos seres humanos de se acomodarem a ele. É curioso observar que o comportamento humano privado teve menos dificuldade para adaptar-se ao mundo da televisão por satélite, ao correio eletrônico, às férias nas Seychelles e ao emprego transoceânico.

A terceira transformação, em certos aspectos a mais perturbadora, é a desintegração de velhos padrões de relacionamento social humano, e com ela, aliás, a quebra dos elos entre as gerações, quer dizer, entre passado e presente. Isso ficou muito evidente nos países mais desenvolvidos da versão ocidental de capitalismo, onde predominaram os valores de um individualismo associal absoluto, tanto nas ideologias oficiais como nas não oficiais, embora muitas vezes aqueles que defendem esses valores deplorem suas conseqüências sociais. Apesar disso, encontravam-se as mesmas tendências em outras partes, reforçadas pela erosão das sociedades e religiões tradicionais e também pela destruição, ou autodestruição, das sociedades do "socialismo real".

Essa sociedade, formada por um conjunto de indivíduos egocentrados sem outra conexão entre si, em busca apenas da própria satisfação (o lucro, o prazer ou seja lá o que for), estava sempre implícita na teoria capitalista. Desde a Era da Revolução, observadores de todos os matizes ideológicos previram a conseqüente desintegração dos velhos laços sociais na prática e acompanharam seu desenvolvimento. É conhecido o eloqüente tributo do Manifesto Comunista ao papel revolucionário do capitalismo. ("A burguesia [...] despedaçou impiedosamente os diversos laços feudais que ligavam o homem a seus 'superiores naturais', e não deixou nenhum outro nexo entre homem e homem além do puro interesse próprio.") Mas não foi exatamente assim que a nova e revolucionária sociedade capitalista funcionou na prática.

Na prática, a nova sociedade operou não pela destruição maciça de tudo que o herdara da velha sociedade, mas adaptando seletivamente a herança do passado para uso próprio. Não há "enigma sociológico" na disposição da sociedade burguesa de introduzir "um individualismo radical na economia e [...] despedaçar todas as relações sociais ao fazê-lo" (isto é, sempre que atrapalhassem), temendo ao mesmo tempo o "individualismo experimental radical" na cultura (ou no campo do comportamento e da moralidade) (Daniel Bell, 1976, p. 18). A maneira mais eficaz de construir uma economia industrial baseada na empresa privada era combiná-la com motivações que nada tivessem a ver com a lógica do livre mercado — por exemplo com a ética protestante; com a abstenção da satisfação imediata; com a ética do trabalho árduo; com a noção de dever e confiança familiar; mas decerto não com a antinômica rebelião dos indivíduos.

Contudo, Marx e os outros profetas da desintegração dos velhos valores e relações sociais tinham razão. O capitalismo era uma força revolucionadora permanente e contínua. Claro que ela acabaria por desintegrar mesmo as partes do passado pré-capitalista que antes achava convenientes, ou até mesmo essenciais, para seu próprio desenvolvimento: acabaria serrando pelo menos um dos galhos em que se assentava. Isso vem acontecendo desde meados do século. Sob o impacto da extraordinária explosão econômica da Era de Ouro e depois, com suas conseqüentes mudanças sociais e culturais — a mais profunda revolução na sociedade desde a Idade da Pedra —, o galho começou a estalar e partir-se. No fim deste século, pela primeira vez, tornou-se possível ver como pode ser um mundo em que o passado, inclusive o passado no presente, perdeu seu papel, em que os velhos mapas e cartas que guiavam os seres humanos pela vida individual e coletiva não mais representam a paisagem na qual nos movemos, o mar em que navegamos. Em que não sabemos aonde nos leva, ou mesmo aonde deve levar-nos, nossa viagem.

É a essa situação que uma parte da humanidade já deve acomodar-se no final do século; no novo milênio, outras deverão fazê-lo. Porém então, quem sabe, já seja possível ver melhor para onde vai a humanidade. Olhando para trás, vemos a estrada que nos trouxe até aqui; foi o que tentei fazer neste livro. Não sabemos o que moldará o futuro, embora eu não tenha resistido à tentação de refletir sobre parte desses problemas, na medida em que eles surgem dos escombros do período que acaba de chegar ao fim. Esperemos que seja um mundo melhor, mais justo e mais viável. O velho século não acabou bem.

Parte um

A ERA DA CATÁSTROFE

1
A ERA DA GUERRA TOTAL

Filas de rostos pálidos murmurando, máscaras de medo,
Eles deixam as trincheiras, subindo pela borda,
Enquanto o tempo bate vazio e apressado nos pulsos,
E a esperança, de olhos furtivos e punhos cerrados,
Naufraga na lama. Ó Jesus, fazei com que isso acabe!

Siegfried Sassoon (1947, p. 71)

Talvez se ache melhor, em vista das alegações de "barbaridade" dos ataques aéreos, manter as aparências com a formulação de regras mais brandas e também limitando-se nominalmente o bombardeio a alvos de caráter estritamente militar [...] *para evitar enfatizar a verdade de que a guerra aérea tornou tais restrições obsoletas e impossíveis. Talvez se passe algum tempo até que ocorra outra guerra e enquanto isso o público pode ser educado quanto ao significado da guerra aérea.*

Rules as to bombardment by aircraft, 1921 (Townsend, 1986, p. 161)

(Sarajevo, 1946.) Aqui, como em Belgrado, vejo nas ruas um considerável número de moças cujos cabelos estão ficando grisalhos, ou já o estão completamente. Têm os rostos atormentados mas ainda jovens, enquanto as formas dos corpos traem ainda mais claramente sua juventude. Parece-me ver como a mão desta última guerra passou pelas cabeças desses seres frágeis [...]

Tal visão não pode ser preservada para o futuro; essas cabeças logo se tornarão mais grisalhas ainda e desaparecerão. É uma pena. Nada poderia falar tão claramente sobre nossa época às futuras gerações quanto essas jovens cabeças grisalhas, das quais se roubou a despreocupação da juventude.

Que pelo menos tenham um memorial nesta notinha.

Signs by the roadside (Andric, 1992, p. 50)

I

"As luzes se apagam em toda a Europa", disse Edward Grey, secretário das Relações Exteriores da Grã-Bretanha, observando as luzes de Whitehall na noite em que a Grã-Bretanha e a Alemanha foram à guerra. "Não voltaremos a vê-las acender-se em nosso tempo de vida." Em Viena, o grande satirista Karl Kraus preparava-se para documentar e denunciar essa guerra num extraordinário drama-reportagem a que deu o título de *Os últimos dias da humanidade*. Ambos viam a guerra mundial como o fim de um mundo, e não foram os únicos. Não foi o fim da humanidade, embora houvesse momentos, no curso dos 31 anos de conflito mundial, entre a declaração de guerra austríaca à Sérvia, a 28 de julho de 1914, e a rendição incondicional do Japão, a 14 de agosto de 1945 — quatro dias após a explosão da primeira bomba nuclear —, em que o fim de considerável proporção da raça humana não pareceu muito distante. Sem dúvida houve momentos em que talvez fosse de esperar-se que o deus ou os deuses que os humanos pios acreditavam ter criado o mundo e tudo o que nele existe estivessem arrependidos de havê-lo feito.

A humanidade sobreviveu. Contudo, o grande edifício da civilização do século XX desmoronou nas chamas da guerra mundial, quando suas colunas ruíram. Não há como compreender o Breve Século XX sem ela. Ele foi marcado pela guerra. Viveu e pensou em termos de guerra mundial, mesmo quando os canhões se calavam e as bombas não explodiam. Sua história e, mais especificamente, a história de sua era inicial de colapso e catástrofe devem começar com a da guerra mundial de 31 anos.

Para os que cresceram antes de 1914, o contraste foi tão impressionante quc muitos — inclusive a geração dos pais deste historiador, ou pelo menos de seus membros centro-europeus — se recusaram a ver qualquer continuidade com o passado. "Paz" significava "antes de 1914": depois disso veio algo que não mais merecia esse nome. Era compreensível. Em 1914 não havia grande guerra fazia um século, quer dizer, uma guerra que envolvesse todas as grandes potências, ou mesmo a maioria delas, sendo que os grandes participantes do jogo internacional da época eram as seis "grandes potências" européias (Grã-Bretanha, França, Rússia, Áustria-Hungria, Prússia — após 1871 ampliada para Alemanha — e, depois de unificada, a Itália), os EUA e o Japão. Houvera apenas uma breve guerra em que mais de duas das grandes potências haviam combatido, a Guerra da Criméia (1854-6), entre a Rússia, de um lado, e a Grã-Bretanha e a França do outro. Além disso, a maioria das guerras envolvendo grandes potências fora rápida. A maior delas não fora um conflito internacional, mas uma Guerra Civil dentro dos EUA (1861-5). Media-se a extensão da guerra em meses, ou mesmo (como a guerra de 1866 entre a Prússia e a Áustria) semanas. Entre 1871 e 1914 não houvera na Europa guerra alguma em que exércitos de grandes potências cruzassem alguma fronteira hostil, embora no Extremo Oriente o Japão tivesse combatido (e vencido) a Rússia em 1904-5, apressando com isso a Revolução Russa.

Não houvera, em absoluto, guerras *mundiais*. No século XVIII a França e a Grã-Bretanha tinham combatido numa série de guerras cujos campos de batalha começavam na Índia, passavam pela Europa e chegavam à América do Norte, cruzando os oceanos do mundo. Entre 1815 e 1914 nenhuma grande potência combateu outra fora de sua região imediata, embora expedições agressivas de potências imperiais ou candidatas a imperiais contra inimigos mais fracos do ultramar fossem, claro, comuns. A maioria dessas expedições resultava em lutas espetacularmente unilaterais, como as guerras dos EUA contra o México (1846-8) e a Espanha (1898) e as várias campanhas para ampliar os impérios coloniais britânico e francês, embora de vez em quando a escória reagisse, como quando os franceses tiveram de retirar-se do México na década de 1860 e os italianos da Etiópia em 1896. Com os Estados modernos munidos de arsenais cada vez mais cheios de uma tecnologia da morte tremendamente superior, mesmo seus adversários mais formidáveis só podiam esperar, na melhor das hipóteses, um adiamento da retirada inevitável. Esses conflitos exóticos eram material para livros de aventura ou reportagens dos correspondentes de guerra (essa inovação de meados do século XX), mais que assuntos de relevância direta para a maioria dos habitantes dos Estados que os travavam e venciam.

Tudo isso mudou em 1914. A Primeira Guerra Mundial envolveu *todas* as grandes potências, e na verdade todos os Estados europeus, com exceção da Espanha, os Países Baixos, os três países da Escandinávia e a Suíça. E mais: tropas do ultramar foram, muitas vezes pela primeira vez, enviadas para lutar e operar fora de suas regiões. Canadenses lutaram na França, australianos e neozelandeses forjaram a consciência nacional numa península do Egeu — "Gallipoli" tornou-se seu mito nacional — e, mais importante, os Estados Unidos rejeitaram a advertência de George Washington quanto a "complicações européias" e mandaram seus soldados para lá, determinando assim a forma da história do século XX. Indianos foram enviados para a Europa e o Oriente Médio, batalhões de trabalhadores chineses vieram para o Ocidente, africanos lutaram no exército francês. Embora a ação militar fora da Europa não fosse muito significativa a não ser no Oriente Médio, a guerra naval foi mais uma vez global: a primeira batalha travou-se em 1914, ao largo das ilhas Falkland, e as campanhas decisivas, entre submarinos alemães e comboios aliados, deram-se sobre e sob os mares do Atlântico Norte e Médio.

É quase desnecessário demonstrar que a Segunda Guerra Mundial foi global. Praticamente todos os Estados independentes do mundo se envolveram, quisessem ou não, embora as repúblicas da América Latina só participassem de forma mais nominal. As colônias das potências imperiais não tiveram escolha. Com exceção da futura República da Irlanda e de Suécia, Suíça,

Portugal, Turquia e Espanha, na Europa, e talvez do Afeganistão, fora da Europa, quase todo o globo foi beligerante ou ocupado, ou as duas coisas juntas. Quanto aos campos de batalha, os nomes de ilhas melanésias e assentamentos nos desertos norte-africanos, na Birmânia e nas Filipinas, tornaram-se tão conhecidos dos leitores de jornais e radiouvintes — e essa foi essencialmente a guerra dos noticiários radiofônicos — quanto os nomes de batalhas no Ártico e no Cáucaso, na Normandia, em Stalingrado e em Kursk. A Segunda Guerra Mundial foi uma aula de geografia do mundo.

Locais, regionais ou globais, as guerras do século XX iriam dar-se numa escala muito mais vasta do que qualquer coisa experimentada antes. Das 74 guerras internacionais travadas entre 1816 e 1965 que especialistas americanos, amantes desse tipo de coisa, classificaram pelo número de vítimas, as quatro primeiras ocorreram no século XX: as duas guerras mundiais, a guerra do Japão contra a China em 1937-9, e a Guerra da Coréia. Mais de 1 milhão de pessoas morreram em combate. A maior guerra internacional documentada do século XIX pós-napoleônico, entre Prússia-Alemanha e França, em 1870-1, matou talvez 150 mil pessoas, uma ordem de magnitude mais ou menos comparável às mortes da Guerra do Chaco, de 1932-5, entre Bolívia (pop. *c.* 3 milhões) e Paraguai (pop. *c.* 1,4 milhão). Em suma, 1914 inaugura a era do massacre (Singer, 1972, pp. 66 e 131).

Não há espaço neste livro para discutir as origens da Primeira Guerra Mundial, que o autor tentou esboçar em *A era dos impérios*. Ela começou como uma guerra essencialmente européia, entre a tríplice aliança de França, Grã-Bretanha e Rússia, de um lado, e as chamadas "Potências Centrais", Alemanha e Áustria-Hungria, do outro, com a Sérvia e a Bélgica sendo imediatamente arrastadas para um dos lados devido ao ataque austríaco (que na verdade detonou a guerra) à primeira e o ataque alemão à segunda (como parte da estratégia de guerra da Alemanha). A Turquia e a Bulgária logo se juntaram às Potências Centrais, enquanto do outro lado a Tríplice Aliança se avolumava numa coalizão bastante grande. Subornada, a Itália também entrou; depois foi a vez da Grécia, da Romênia e (muito mais nominalmente) Portugal também. Mais objetivo, o Japão entrou quase de imediato, a fim de tomar posições alemãs no Oriente Médio e no Pacífico ocidental, mas não se interessou por nada fora de sua região, e — mais importante — os EUA entraram em 1917. Na verdade, sua intervenção seria decisiva.

Os alemães, então como na Segunda Guerra Mundial, viram-se diante de uma possível guerra em duas frentes, inteiramente diferente dos Bálcãs, aos quais haviam sido arrastados por sua aliança com a Áustria-Hungria. (Contudo, como três das quatro Potências Centrais ficavam nessa região — a Turquia e a Bulgária, além da Áustria —, ali o problema estratégico não era tão urgente.) O plano alemão era liquidar rapidamente a França no Ocidente e depois partir com igual rapidez para liquidar a Rússia no Oriente, antes que o império do czar pudesse pôr em ação efetiva todo o peso de seu enorme potencial militar humano. Então, como depois, movida pela necessidade, a Alemanha planejava uma campanha relâmpago (o que seria, na Segunda Guerra Mundial, chamado de *blitzkrieg*). O plano quase deu certo, mas não inteiramente. O exército alemão avançou sobre a França, inclusive atravessando a Bélgica, neutra, e só foi detido algumas dezenas de quilômetros a Leste de Paris, junto ao rio Marne, cinco ou seis semanas depois de declarada a guerra. (Em 1940 o plano viria a dar certo.) Em seguida recuou um pouco, e os dois lados — os franceses agora complementados pelo que restava dos belgas e por uma força de terra britânica que logo cresceria enormemente — improvisaram linhas paralelas de trincheiras e fortificações defensivas, que pouco depois se estendiam sem interrupção da costa do Canal, em Flandres, até a fronteira suíça, deixando grande parte da França oriental e da Bélgica sob ocupação alemã. Nos três anos e meio que se seguiram não houve mudanças significativas de posição.

Essa era a "Frente Ocidental", que se tornou uma máquina de massacre provavelmente sem precedentes na história da guerra. Milhões de homens ficavam uns diante dos outros nos parapeitos de trincheiras barricadas com sacos de areia, sob as quais viviam como — e com — ratos e piolhos. De vez em quando seus generais procuravam romper o impasse. Dias e mesmo semanas de incessante bombardeio de artilharia — que um escritor alemão chamou depois de "furacões de aço" (Ernst Jünger, 1921) — "amaciavam" o inimigo e o mandavam para baixo da terra, até que no momento certo levas de homens saíam por cima do parapeito, geralmente protegido por rolos e teias de arame farpado, para a "terra de ninguém", um caos de crateras de granadas inundadas de água, tocos de árvores calcinadas, lama e cadáveres abandonados, e avançavam sobre as metralhadoras, que os ceifavam, como eles sabiam que aconteceria. A tentativa alemã de romper a barreira em Verdun, em 1916 (fevereiro-julho), foi uma batalha de 2 milhões de homens, com 1 milhão de baixas. Fracassou. A ofensiva dos britânicos no Somme, destinada a forçar os alemães a suspender a ofensiva de Verdun, custou à Grã-Bretanha 420 mil mortos — 60 mil no primeiro dia de ataque. Não surpreende que na memória dos britânicos e franceses, que travaram a maior parte da Primeira Guerra Mundial na Frente Ocidental, esta tenha permanecido como a "Grande Guerra", mais terrível e traumática na memória que a Segunda Guerra Mundial. Os franceses perderam mais de 20% de seus homens em idade militar, e se incluirmos os prisioneiros de guerra, os feridos e os permanentemente estropiados e desfigurados — os "*gueules cassés*" ["caras quebradas"] que se tornaram parte tão vívida da imagem posterior da guerra —, não muito mais de um terço dos soldados franceses saiu da guerra incólume. As possibilidades do primeiro milhão de soldados britânicos sobreviver à guerra incólume eram de mais ou menos 50%. Os britânicos perderam uma geração — meio milhão de homens com menos de trinta anos (Winter, 1986, p. 83) —, notadamente entre suas classes altas, cujos rapazes, destinados como *gentlemen* a ser os oficiais que davam o exemplo, marchavam para a batalha à frente de seus homens e em conseqüência eram ceifados primeiro. Um quarto dos alunos de Oxford e Cambridge com menos de 25 anos que serviam no exército britânico em 1914 (Winter, 1986, p. 98) foi morto. Os alemães, embora contassem ainda mais mortos que os franceses, perderam apenas uma pequena proporção de seus contingentes em idade militar, muito mais numerosos que os franceses: 13% deles. Mesmo as baixas aparentemente modestas dos EUA (116 mil, contra 1,6 milhão de franceses, quase 800 mil britânicos e 1,8 milhão de alemães) na verdade demonstram a natureza assassina da Frente Ocidental, a única onde estes lutaram. Pois embora os EUA perdessem entre 2,5 e 3 vezes mais homens na Segunda Guerra Mundial que na Primeira, em 1917-8 as forças americanas estiveram em ação por pouco mais de um ano e meio, enquanto na Segunda Guerra Mundial foram três anos e meio — e num único setor bastante exíguo, e não no mundo inteiro.

Os horrores da guerra na Frente Ocidental teriam conseqüências ainda mais tristes. Sem dúvida, a própria experiência ajudou a brutalizar tanto a guerra como a política: se uma podia ser feita sem contar os custos humanos ou quaisquer outros, por que não a outra? Quase todos os que serviram na Primeira Guerra Mundial — em sua esmagadora maioria soldados rasos — saíram dela inimigos convictos da guerra. Contudo, os ex-soldados que haviam passado por aquele tipo de guerra sem se voltarem contra ela às vezes extraíam da experiência partilhada de viver com a morte e a coragem um sentimento de incomunicável e bárbara superioridade — inclusive em relação a mulheres e não combatentes — que viria a formar as primeiras fileiras da ultradireita do pós-guerra. Adolf Hitler era apenas um desses homens para quem o fato de ter sido *frontsoldat* era a experiência formativa da vida. Contudo, a reação oposta teve conseqüências igualmente negativas. Após a guerra, tornou-se bastante evidente para os políticos, pelo menos nos países democráticos, que os banhos de sangue de 1914-8 não seriam mais tolerados pelos eleitores. A estratégia pós-1918 da Grã-Bretanha e da França, tal como a estratégia pós-Vietnã nos EUA, baseava-se nessa crença. A curto prazo, isso ajudou os alemães a ganhar a Segunda Guerra Mundial no Ocidente em 1940, contra uma França empenhada em agachar-se por trás de suas fortificações incompletas e, uma vez rompidas estas, simplesmente não querendo continuar a luta; e uma Grã-Bretanha desesperada por evitar meter-se no tipo de guerra terrestre maciça que dizimara seu povo em 1914-8. A longo prazo, os governos democráticos não resistiram à tentação de salvar as vidas de seus cidadãos, tratando as dos países inimigos como totalmente descartáveis. O lançamento da bomba atômica sobre Hiroxima e Nagasaki em 1945 não foi justificado como indispensável para a vitória, então absolutamente certa, mas como um meio de salvar vidas de soldados americanos. É possível, no entanto, que a idéia de que isso viesse a impedir a URSS, aliada dos EUA, de reivindicar uma participação preponderante na derrota do Japão tampouco estivesse ausente das cabeças do governo americano.

Enquanto a Frente Ocidental permanecia num impasse sangrento, a Frente Oriental continuava em movimento. Os alemães pulverizaram uma canhestra força de invasão russa na batalha de Tannenberg, no primeiro mês da guerra, e depois, com a ajuda por vezes efetiva dos austríacos, empurraram a Rússia para fora da Polônia. Apesar de ocasionais contra-ofensivas russas, ficou claro que as Potências Centrais tinham o domínio e que a Rússia travava uma ação defensiva de retaguarda contra o avanço alemão. Nos Bálcãs, as Potências Centrais tinham o controle, apesar do desempenho militar irregular do pétreo império habsburgo. Os beligerantes locais, Sérvia e Romênia, a propósito, sofreram de longe as maiores perdas militares. Os aliados, apesar de ocuparem a Grécia, não fizeram progresso até o colapso das Potências Centrais, após o verão de 1918. O plano da Itália de abrir outra frente contra a Áustria-Hungria nos Alpes falhou, sobretudo porque muitos soldados italianos não viam motivo para lutar pelo governo de um Estado que não consideravam seu e cuja língua poucos sabiam falar. Após uma grande *débâcle* militar em Caporetto em 1917, que deixou uma memória literária no romance *Adeus às armas*, de Ernest Hemingway, os italianos tiveram mesmo de ser reforçados por transferências de outros exércitos aliados. Enquanto isso, França, Grã-Bretanha e Alemanha sangravam até a morte na Frente Ocidental, a Rússia se via cada vez mais desestabilizada pela guerra que estava perdendo a olhos vistos, e o império austro-húngaro cambaleava para o desmoronamento, desejado por seus movimentos nacionalistas locais, e ao qual os ministros das Relações Exteriores aliados se resignavam sem entusiasmo, prevendo com razão uma Europa instável.

Como romper o impasse na Frente Ocidental? Esse era o problema crucial para os dois lados, pois sem vitória no Ocidente nenhum dos dois podia vencer a guerra, ainda mais porque a guerra naval também estava empatada. A não ser por uns poucos ataques ocasionais, os aliados controlavam os oceanos, mas as frotas de combate britânicas e alemãs enfrentavam-se e imobilizavam uma à outra no mar do Norte. A única tentativa de entrar em combate (1916) terminou indefinida, mas, visto que confinou a frota alemã às suas bases, no balanço geral foi vantajosa para os aliados.

Os dois lados tentaram vencer pela tecnologia. Os alemães — sempre fortes em química — levaram o gás venenoso ao campo de batalha, onde ele se revelou ao mesmo tempo bárbaro e ineficaz, ocasionando o único caso autêntico de repulsa humanitária governamental a um meio de fazer a guerra, a Convenção de Genebra de 1925, pela qual o mundo se comprometia a não usar guerra química. E de fato, embora todos os governos continuassem a preparar-se para ela e esperassem que o inimigo a usasse, ela não foi usada por nenhum dos lados na Segunda Guerra Mundial, se bem que os sentimentos humanitários não impedissem os italianos de lançar gás sobre os povos coloniais. O acentuado declínio dos valores da civilização após a Segunda Guerra Mundial acabou trazendo o gás venenoso de volta. Durante a Guerra Irã-Iraque, na década de 1980, o Iraque, então apoiado entusiasticamente pelos Estados ocidentais, usou-o à vontade contra soldados e civis. Os britânicos foram pioneiros nos veículos blindados de esteira, ainda conhecidos pelo então codinome de tanques, mas seus generais, não muito brilhantes, ainda não haviam descoberto como usá-los. Ambos os lados usaram os novos e ainda frágeis aeroplanos, além de (a Alemanha) curiosas aeronaves em forma de charuto e cheias de hélio, fazendo experiências de bombardeio aéreo, por sorte sem grande eficácia. A guerra aérea também atingiu a maioridade na Segunda Guerra Mundial, notadamente como um meio de aterrorizar civis.

A única arma tecnológica que teve um efeito importante na guerra em 1914-8 foi o submarino, pois os dois lados, incapazes de derrotar os soldados um do outro, decidiram matar de fome os civis do adversário. Como todos os suprimentos da Grã-Bretanha eram transportados por mar, parecia factível estrangular as ilhas britânicas mediante uma guerra submarina cada vez mais implacável contra os navios. A campanha chegou perto do êxito em 1917, antes que se descobrissem meios efetivos de contê-la, mas fez mais que qualquer outra coisa para arrastar os EUA à guerra. Os britânicos, por sua vez, fizeram o melhor possível para bloquear os suprimentos da Alemanha, ou seja, matar de fome a economia e a população alemãs. Foram mais eficazes do que deviam, pois, como veremos, a economia de guerra alemã não era dirigida com a eficiência e racionalidade de que se gabavam os alemães — diferentemente da máquina militar alemã, que, tanto na Primeira como na Segunda Guerra Mundial, era impressionantemente superior a qualquer outra. A mera superioridade do exército alemão enquanto força militar poderia ter-se mostrado decisiva se a partir de 1917 os aliados não tivessem podido valer-se dos recursos praticamente ilimitados dos EUA. Na verdade, a Alemanha, mesmo entravada pela aliança com a Áustria, assegurou a vitória total no Leste, expulsando a Rússia da guerra para a revolução e para fora de grande parte de seus territórios europeus em 1917-8. Pouco depois de impor a paz punitiva de Brest-Litowsk (março de 1918), o exército alemão, agora livre para concentrar-se no Ocidente, na verdade rompeu a Frente Ocidental e avançou de novo sobre Paris. Graças à inundação de reforços e equipamentos americanos os aliados se recuperaram, mas por um instante pareceu por um triz. Contudo, era o último lance de uma Alemanha exausta, que se sabia perto da derrota. Assim que os aliados começaram a avançar, no verão de 1918, o fim era apenas uma questão de semanas. As Potências Centrais não apenas admitiram a derrota, mas desmoronaram. A revolução varreu o Sudeste e o Centro da Europa no outono de 1918, como varrera a Rússia em 1917 (ver o próximo capítulo). Nenhum dos velhos governos ficou de pé entre as fronteiras da França e o mar do Japão. Mesmo os beligerantes do lado vitorioso ficaram abalados, embora seja difícil acreditar que Grã-Bretanha e França não sobrevivessem inclusive à derrota como entidades políticas estáveis; a Itália não, contudo. Certamente nenhum dos países derrotados escapou da revolução.

Se um dos grandes ministros ou diplomatas do passado — aqueles a quem os membros aspirantes dos ministérios do Exterior de seus países ainda eram instruídos a tomar como modelos, um Tayllerand ou um Bismarck — se levantasse da cova para observar a Primeira Guerra Mundial, certamente se perguntaria por que estadistas sensatos não tinham decidido resolver a guerra por meio de algum acordo, antes que ela destruísse o mundo de 1914. É o que também nós devemos perguntar-nos. A maioria das guerras não revolucionárias e não ideológicas do passado não se travara sob a forma de lutas de morte ou que prosseguissem até a exaustão total. Em 1914, certamente não era a ideologia que dividia os beligerantes, exceto no fato de que nos dois lados a guerra tinha de ser travada mediante a mobilização da opinião pública, isto é, alegando algum profundo desafio a valores nacionais aceitos, como o barbarismo russo contra a cultura alemã; a democracia francesa e britânica contra o absolutismo alemão, ou coisas assim. Além disso, houve estadistas que recomendaram algum tipo de acordo de compromisso mesmo fora da Rússia e da Áustria-Hungria, que pressionavam seus aliados nesse sentido com crescente desespero, à medida que a derrota se aproximava. Por que, então, a Primeira Guerra Mundial foi travada pelas principais potências dos dois lados como um tudo ou nada, ou seja, como uma guerra que só podia ser vencida por inteiro ou perdida por inteiro?

O motivo era que essa guerra, ao contrário das anteriores, tipicamente travadas em torno de objetivos específicos e limitados, travava-se por metas ilimitadas. Na Era dos Impérios a política e a economia se haviam fundido. A rivalidade política internacional se modelava no crescimento e competição econômicos, mas o traço característico disso era precisamente não ter limites. "As 'fronteiras naturais' da Standard Oil, do Deutsche Bank ou da De Beers Diamond Corporation estavam no fim do universo, ou melhor, nos limites de sua capacidade de expansão" (Hobsbawm, 1987, p. 318). Mais concretamente, para os dois principais oponentes, Alemanha e Grã-Bretanha, o céu tinha de ser o limite, pois a Alemanha queria uma política e posição marítima globais como as que então ocupava a Grã-Bretanha, com o conseqüente relegamento de uma já declinante Grã-Bretanha a um *status* inferior. Era uma questão de ou uma ou outra. Para a França, então e depois, os objetivos em jogo eram menos globais, mas igualmente urgentes: compensar sua crescente e aparentemente inevitável inferioridade demográfica e econômica frente à Alemanha. Também aqui a questão era o futuro da França como grande potência. Nos dois casos, o acordo teria significado apenas adiamento. A própria Alemanha, seria de supor, podia esperar até que seu tamanho e superioridade crescentes estabelecessem a posição que os governantes alemães achavam ser direito de seu país, o que aconteceria mais cedo ou mais tarde. Na verdade, a posição dominante de uma Alemanha duas vezes derrotada e sem pretensões a potência militar na Europa era mais inconteste no início da década de 1990 do que as pretensões da Alemanha militarista jamais haviam sido antes de 1945. Contudo, isso se deve ao fato de Grã-Bretanha e França, como veremos, terem sido forçadas, após a Segunda Guerra Mundial, embora com relutância, a aceitar sua relegação a um *status* de segunda categoria, assim como a Alemanha Federal, com toda a sua força econômica, reconheceu que no pós-1945 a supremacia mundial como Estado individual estava, e teria de continuar, fora de seu poder. Na década de 1900, no auge da era imperial e imperialista, tanto a pretensão alemã a um *status* global único ("O espírito alemão regenerará o mundo", diziam) quanto a resistência a isso de Grã-Bretanha e França, ainda inegáveis "grandes potências" num mundo eurocentrado, continuavam intatas. No papel, sem dúvida era possível o acordo neste ou naquele ponto dos quase megalomaníacos "objetivos de guerra" que os dois lados formularam assim que a guerra estourou, mas na prática só um objetivo contava naquela guerra: a vitória total, aquilo que na Segunda Guerra Mundial veio a chamar-se "rendição incondicional".

Era um objetivo absurdo, que trazia em si a derrota e que arruinou vencedores e vencidos; que empurrou os derrotados para a revolução e os vencedores para a bancarrota e a exaustão física. Em 1940 a França foi atropelada com ridícula facilidade e rapidez por forças alemãs inferiores e aceitou sem hesitação a subordinação a Hitler porque o país havia sangrado até quase a morte em 1914-8. A Grã-Bretanha jamais voltou a ser a mesma após 1918, porque o país arruinara sua economia travando uma guerra que ia muito além de seus recursos. Além disso, a vitória total, ratificada por uma paz punitiva, imposta, arruinou as escassas possibilidades existentes de restaurar alguma coisa que guardasse mesmo fraca semelhança com uma Europa estável, liberal, burguesa, como reconheceu de imediato o economista John Maynard Keynes. Se a Alemanha não fosse reintegrada na economia européia, isto é, se não se reconhecesse e aceitasse o peso econômico do país dentro dessa economia, não poderia haver estabilidade. Mas essa era a última consideração na mente dos que tinham lutado para eliminar a Alemanha.

O acordo de paz imposto pelas grandes potências vitoriosas sobreviventes (EUA, Grã-Bretanha, França, Itália) e em geral, embora imprecisamente, conhecido como Tratado de Versalhes,* era dominado por cinco considera-

(*) Tecnicamente, o Tratado de Versalhes só se refere à paz com a Alemanha. Vários parques e castelos reais nas vizinhanças de Paris deram seus nomes aos outros tratados: Saint-Germain com a Áustria; Trianon com a Hungria; Sèvres com a Turquia; Neuilly com a Bulgária.

ções. A mais imediata era o colapso de tantos regimes na Europa e o surgimento na Rússia de um regime bolchevique revolucionário alternativo, dedicado à subversão universal, um ímã para forças revolucionárias de todas as partes (ver capítulo 2). Segundo, havia a necessidade de controlar a Alemanha, que afinal quase tinha derrotado sozinha toda a coalizão aliada. Por motivos óbvios, esse era, e continuou sendo desde então, o maior interesse da França. Terceiro, o mapa da Europa tinha de ser redividido e retraçado, tanto para enfraquecer a Alemanha quanto para preencher os grandes espaços vazios deixados na Europa e no Oriente Médio pela derrota e colapso simultâneos dos impérios russo, habsburgo e otomano. Os muitos pretendentes à sucessão, pelo menos na Europa, eram vários movimentos nacionalistas que os vitoriosos tendiam a estimular, contanto que fossem antibolcheviques como convinha. Na verdade, na Europa o princípio básico de reordenação do mapa era criar *Estados-nação* étnico-lingüísticos, segundo a crença de que as nações tinham o "direito de autodeterminação". O presidente Wilson, dos EUA, cujas opiniões eram tidas como expressando as da potência sem a qual a guerra teria sido perdida, estava empenhado a fundo nessa crença, que era (e é) defendida com mais facilidade por quem está distante das realidades étnicas e lingüísticas das regiões que seriam divididas em *Estados-nação*. A tentativa foi um desastre, como ainda se pode ver na Europa da década de 1990. Os conflitos nacionais que despedaçam o continente na década de 1990 são as galinhas velhas do Tratado de Versalhes voltando mais uma vez para o choco.* O remapeamento do Oriente Médio se deu ao longo de linhas imperialistas — divisão entre Grã-Bretanha e França — com exceção da Palestina, onde o governo britânico, ansioso por apoio internacional judeu durante a guerra, tinha, de maneira incauta e ambígua, prometido estabelecer "um lar nacional" para os judeus. Essa seria outra relíquia problemática e não esquecida da Primeira Guerra Mundial.

O quarto conjunto de considerações eram as políticas internas dentro dos países vitoriosos — o que significava, na prática, Grã-Bretanha, França e EUA — e os atritos entre eles. A conseqüência mais importante dessa politicagem interna foi que o Congresso americano se recusou a ratificar um acordo de paz escrito em grande parte por ou para seu presidente, e os EUA por conseguinte se retiraram dele, com resultados de longo alcance.

Por fim, as potências vitoriosas buscaram desesperadamente o tipo de acordo de paz que tornasse impossível outra guerra como a que acabara de devastar o mundo e cujos efeitos retardados estavam em toda parte. Fracas-

(*) A guerra civil iugoslava, a agitação secessionista na Eslováquia, a secessão dos Estados bálticos da antiga URSS, os conflitos entre húngaros e romenos pela Transilvânia, o separatismo da Moldova (Moldávia, ex-Bessarábia) e, na realidade, o nacionalismo transcaucasiano, são alguns dos problemas explosivos que não existiam ou não teriam como existir antes de 1914.

saram da forma mais espetacular. Vinte anos depois, o mundo estava de novo em guerra.

Tornar o mundo seguro contra o bolchevismo e remapear a Europa eram metas que se sobrepunham, pois a maneira mais imediata de tratar com a Rússia revolucionária, se por acaso ela viesse a sobreviver — o que não parecia de modo algum certo em 1919 —, era isolá-la atrás de um "cinturão de quarentena" (*cordon sanitaire*, na linguagem da diplomacia contemporânea) de Estados anticomunistas. Como os territórios desses Estados haviam sido em grande parte ou inteiramente secionados de ex-terras russas, sua hostilidade para com Moscou podia ser dada como certa. Do Norte para o Sul, eram eles: Finlândia, uma região autônoma que Lenin deixara separar-se; três novas pequenas repúblicas bálticas (Estônia, Letônia e Lituânia), para as quais não havia precedente histórico; Polônia, devolvida à condição de Estado após 120 anos; e uma Romênia muitíssimo ampliada, com o tamanho duplicado por cessões das partes húngara e austríaca do império habsburgo e da ex-russa Bessarábia. A maioria desses Estados na verdade fora destacada da Rússia pela Alemanha e, não fosse pela Revolução Bolchevique, certamente teria sido devolvida àquele Estado. A tentativa de ir adiante com esse cinturão de isolamento no Cáucaso fracassou, antes de mais nada, porque a Rússia revolucionária chegou a um acordo com a Turquia, não comunista mas revolucionária, e que não tinha simpatia pelos imperialistas britânicos e franceses. Daí os Estados da Armênia e Geórgia, independentes durante um curto período, estabelecidos após Brest-Litowsk, e as tentativas conduzidas pelos britânicos de separar o Azerbaijão, onde há muito petróleo, não sobreviverem à vitória dos bolcheviques na Guerra Civil de 1918-20 e ao tratado soviético-turco de 1921. Em suma, no Leste os aliados aceitaram as fronteiras impostas pela Alemanha à Rússia revolucionária, na medida em que essas fronteiras não eram tornadas inoperantes por forças que os aliados não pudessem controlar.

Isso ainda deixava grandes regiões, sobretudo da antiga Europa austro-húngara, para serem remapeadas. A Áustria e a Hungria foram reduzidas a retaguardas alemã e magiar, a Sérvia foi expandida para uma grande e nova Iugoslávia pela fusão com a (ex-austríaca) Eslovênia e a (ex-húngara) Croácia, e também com o antes independente pequeno reino tribal de pastores e assaltantes, Montenegro, uma sombria massa de montanhas cujos habitantes reagiram à perda sem precedentes de sua soberania convertendo-se em massa ao comunismo, que, achavam, apreciava a virtude heróica. Estavam também ligados à Rússia ortodoxa, cuja fé os ainda não conquistados homens da montanha negra tinham defendido contra os infiéis turcos durante tantos séculos. Também se formou uma nova Tchecoslováquia, juntando-se o miolo industrial do império habsburgo, as terras tchecas, às áreas de camponeses eslovacos e rutênios antes pertencentes à Hungria. A Romênia foi ampliada para um conglomerado multinacional, enquanto a Polônia e a Itália também se beneficiavam. Não havia um único precedente histórico assim como não havia lógica nas combinações iugoslavas e tchecoslovacas, meras construções de uma ideologia nacionalista que acreditava na força da etnicidade e na indesejabilidade de *Estados-nação* pequenos demais. Todos os eslavos do Sul (= iugoslavos) pertenciam a um Estado, assim como os eslavos do norte das terras tchecas e eslovacas. Como se poderia esperar, esses casamentos sob mira de espingarda não se mostraram muito firmes. A propósito, com exceção das remanescentes Áustria e Hungria, privadas da maioria — mas na prática não inteiramente todas — de suas minorias, os novos Estados sucessores, tirados da Rússia ou do império habsburgo, não eram menos multinacionais que seus antecessores.

Impôs-se à Alemanha uma paz punitiva, justificada pelo argumento de que o Estado era o único responsável pela guerra e todas as suas conseqüências (a cláusula da "culpa de guerra"), para mantê-la permanentemente enfraquecida. Isso foi conseguido não tanto por perdas territoriais, embora a Alsácia-Lorena voltasse à França e uma substancial região no Leste à Polônia restaurada (o "Corredor Polonês", que separava a Prússia oriental do resto da Alemanha), além de alguns ajustes menores nas fronteiras alemãs; essa paz punitiva foi, na realidade, assegurada privando-se a Alemanha de uma marinha e uma força aérea efetivas; limitando-se seu exército a 100 mil homens; impondo-se "reparações" (pagamentos dos custos da guerra incorridos pelos vitoriosos) teoricamente infinitas; pela ocupação militar de parte da Alemanha Ocidental; e, não menos, privando-se a Alemanha de todas as suas antigas colônias no ultramar. (Elas foram redistribuídas entre os britânicos e seus domínios, os franceses, e em menor extensão aos japoneses, mas, em deferência à crescente impopularidade do imperialismo, não mais foram chamadas de "colônias", e sim de "mandatos" para assegurar o progresso de povos atrasados, entregues humanitariamente às potências imperiais, que nem sonhariam em explorá-los para nenhum outro propósito.) Com exceção das cláusulas territoriais, nada restava do Tratado de Versalhes em meados da década de 1930.

Quanto ao mecanismo para impedir outra guerra mundial, era evidente que desmoronara absolutamente o consórcio de "grandes potências" européias que se supunha assegurá-lo antes de 1914. A alternativa, exortada a obstinados politiqueiros europeus pelo presidente Wilson, com todo o fervor liberal de um cientista político de Princeton, era estabelecer uma "Liga de Nações" (isto é, Estados independentes) que tudo abrangesse, e que solucionasse pacífica e democraticamente os problemas antes que se descontrolassem, de preferência em negociação pública ("alianças abertas feitas abertamente"), pois a guerra também tornara suspeitos, como "diplomacia secreta", os habituais e sensíveis processos de negociação internacional. Foi em grande parte uma reação contra os tratados secretos acertados entre os aliados durante a guerra, nos quais dividiram a Europa do pós-guerra e o Oriente Médio com uma surpreendente falta de atenção pelos desejos, ou mesmo interesses, dos habitantes daquelas regiões. Os bolcheviques, descobrindo esses documentos sensíveis nos arquivos czaristas, haviam-nos prontamente publicado para o mundo ler, e portanto exigia-se um exercício de redução de danos. A Liga das Nações foi de fato estabelecida como parte do acordo de paz e revelou-se um quase total fracasso, a não ser como uma instituição para coleta de estatísticas. Contudo, em seus primeiros dias resolveu uma ou duas disputas menores, que não punham a paz mundial em grande risco, como a da Finlândia e Suécia sobre as ilhas Åland.* A recusa dos EUA a juntar-se à Liga das Nações privou-a de qualquer significado real.

Não é necessário entrar em detalhes da história do entreguerras para ver que o acordo de Versalhes não podia ser a base de uma paz estável. Estava condenado desde o início, e portanto outra guerra era praticamente certa. Como já observamos, os EUA quase imediatamente se retiraram, e num mundo não mais eurocentrado e eurodeterminado, nenhum acordo não endossado pelo que era agora uma grande potência mudial não podia se sustentar. Como veremos, isso se aplicava tanto às questões econômicas do mundo quanto à sua política. Duas grandes potências européias, e na verdade mundiais, estavam temporariamente não apenas eliminadas do jogo internacional, mas tidas como não existindo como jogadores independentes — a Alemanha e a Rússia soviética. Assim que uma ou as duas reentrassem em cena, um acordo de paz baseado apenas na Grã-Bretanha e na França — pois a Itália também continuava insatisfeita — não poderia durar. E, mais cedo ou mais tarde, a Alemanha ou a Rússia, ou as duas, reapareceriam inevitavelmente como grandes jogadores.

Qualquer pequena chance que tivesse a paz foi torpedeada pela recusa das potências vitoriosas a reintegrar as vencidas. É verdade que a repressão total da Alemanha e a total proscrição da Rússia soviética logo se revelaram impossíveis, mas a adaptação à realidade foi lenta e relutante. Os franceses, em particular, só de má vontade abandonaram a esperança de manter a Alemanha fraca e impotente. (Os britânicos não eram obcecados pela lembrança da derrota e da invasão.) Quanto à URSS, os Estados vencedores teriam preferido que não existisse, e, tendo apoiado os exércitos da contra-revolução na Guerra Civil russa e enviado forças militares para apoiá-los, não mostravam entusiasmo algum pelo reconhecimento dessa sobrevivência. Seus homens de negócios chegaram mesmo a descartar as ofertas das maiores concessões a investidores estrangeiros feitas por Lenin, desesperado por qualquer forma de reiniciar a economia quase destruída pela guerra, a revolução e a guerra civil. A Rússia

(*) As ilhas Åland, situadas entre a Finlândia e a Suécia, e fazendo parte da Finlândia, eram e são habitadas exclusivamente por uma população de língua sueca, enquanto a recém-independente Finlândia estava agressivamente empenhada no predomínio da língua finlandesa. Como alternativa à secessão para a Suécia vizinha, a Liga idealizou um plano que assegurava o uso exclusivo do sueco nas ilhas, e as protegia de indesejada imigração da Finlândia continental. (N. A.)

soviética foi obrigada a desenvolver-se no isolamento, embora para fins políticos os dois Estados proscritos da Europa, a Rússia soviética e a Alemanha, se juntassem no início da década de 1920.

Talvez a guerra seguinte pudesse ter sido evitada, ou pelo menos adiada, se se houvesse restaurado a economia pré-guerra como um sistema global de prósperos crescimento e expansão econômicos. Contudo, após uns poucos anos, em meados da década de 1920, nos quais se pareceu ter deixado para trás a guerra e a perturbação pós-guerra, a economia mundial mergulhou na maior e mais dramática crise que conhecera desde a Revolução Industrial (ver capítulo 3). E isso levou ao poder, na Alemanha e no Japão, as forças políticas do militarismo e da extrema direita, empenhadas num rompimento deliberado com o *status quo* mais pelo confronto, se necessário militar, do que pela mudança negociada aos poucos. Daí em diante, uma nova guerra mundial era não apenas previsível, mas rotineiramente prevista. Os que atingiram a idade adulta na década de 1930 a esperavam. A imagem de frotas de aviões jogando bombas sobre cidades, e de figuras de pesadelo com máscaras contra gases, tateando o caminho como cegos em meio à nuvem de gás venenoso, perseguiu minha geração: profeticamente num caso, erroneamente no outro.

II

As origens da Segunda Guerra Mundial produziram uma literatura histórica incomparavelmente menor sobre suas causas do que as da Primeira Guerra, e por um motivo óbvio. Com as mais raras exceções, nenhum historiador sério jamais duvidou de que a Alemanha, Japão e (mais hesitante) a Itália foram os agressores. Os Estados arrastados à guerra contra os três, capitalistas ou socialistas, não queriam o conflito, e a maioria fez o que pôde para evitá-lo. Em termos mais simples, a pergunta sobre quem ou o que causou a Segunda Guerra Mundial pode ser respondida em duas palavras: Adolf Hitler.

As respostas a perguntas históricas não são, claro, tão simples. Como vimos, a situação mundial criada pela Primeira Guerra era inerentemente instável, sobretudo na Europa, mas também no Extremo Oriente, e portanto não se esperava que a paz durasse. A insatisfação com o *status quo* não se restringia aos Estados derrotados, embora estes, notadamente a Alemanha, sentissem que tinham bastantes motivos para ressentimento, como de fato tinham. Todo partido na Alemanha, dos comunistas na extrema esquerda aos nacional-socialistas de Hitler na extrema direita, combinavam-se na condenação do Tratado de Versalhes como injusto e inaceitável. Paradoxalmente, uma revolução alemã autêntica poderia ter produzido uma Alemanha menos explosiva no cenário internacional. Os dois países derrotados que foram de fato revolucionados, a Rússia e a Turquia, se achavam demasiado preocupados com suas próprias questões, incluindo a defesa de suas fronteiras, para desestabilizar a situação internacional. Eram forças a favor da estabilidade na década de 1930, e na verdade a Turquia permaneceu neutra na Segunda Guerra Mundial. Contudo, tanto o Japão quanto a Itália, embora do lado vencedor da guerra, também se sentiam insatisfeitos, os japoneses com um realismo de certa forma maior que os italianos, cujos apetites imperiais excediam muitíssimo o poder de seu Estado independente para satisfazê-los. De qualquer modo, a Itália saíra da guerra com consideráveis ganhos territoriais nos Alpes, no Adriático e até mesmo no mar Egeu, mesmo não sendo aquele butim prometido ao Estado pelos aliados em troca da entrada ao lado deles em 1915. Contudo, o triunfo do fascismo, um movimento contra-revolucionário e portanto ultranacionalista e imperialista, sublinhou a insatisfação italiana (ver capítulo 5). Quanto ao Japão, sua força militar e naval bastante considerável tornava-o a mais formidável potência no Extremo Oriente, sobretudo desde que a Rússia estava fora do quadro, e isso foi em certa medida reconhecido internacionalmente pelo Acordo Naval de Washington de 1922, que pôs um ponto final na supremacia naval britânica, estabelecendo a fórmula de 5:5:3 para a força das marinhas americana, britânica e japonesa, respectivamente. Mas o Japão, cuja industrialização avançava a passos largos, embora em tamanho absoluto a economia ainda fosse bastante modesta — 2,5% da produção mundial no fim da década de 1920 —, sem dúvida achava que merecia uma fatia maior do bolo do Extremo Oriente do que as potências imperiais brancas lhe concediam. Além disso, os japoneses tinham uma aguda consciência da vulnerabilidade de um país ao qual faltavam praticamente todos os recursos naturais necessários a uma economia moderna, cujas importações estavam à mercê de interferências de marinhas estrangeiras, e as exportações à mercê do mercado dos EUA. A pressão militar para a criação de um império territorial próximo na China, dizia-se, logo encurtaria as linhas de comunicação japonesas, e assim as tornaria menos vulneráveis.

Apesar disso, fosse qual fosse a instabilidade da paz pós-1918 e a probabilidade de seu colapso, é bastante inegável que o que causou concretamente a Segunda Guerra Mundial foi a agressão pelas três potências descontentes, ligadas por vários tratados desde meados da década de 1930. Os marcos miliários na estrada para a guerra foram a invasão da Manchúria pelo Japão em 1931; a invasão da Etiópia pelos italianos em 1935; a intervenção alemã e italiana na Guerra Civil Espanhola em 1936-9; a invasão alemã da Áustria no início de 1938; o estropiamento posterior da Tchecoslováquia pela Alemanha no mesmo ano; a ocupação alemã do que restava da Tchecoslováquia em março de 1939 (seguida pela ocupação italiana da Albânia); e as exigências alemãs à Polônia que levaram de fato ao início da guerra. Alternativamente, podemos contar esses marcos miliários de um modo negativo: a não-ação da Liga contra o Japão; a não-tomada de medidas efetivas contra a Itália em 1935; a não-reação de Grã-Bretanha e França à denúncia unilateral alemã do Tratado de Versalhes, e notadamente à reocupação alemã da Renânia em 1936; a recusa de Grã-Bretanha e França a intervir na Guerra Civil Espanhola ("não-intervenção"); a não-reação destas à ocupação da Áustria; o recuo delas diante da chantagem alemã sobre a Tchecoslováquia (o "Acordo de Munique" de 1938); e a recusa da URSS a continuar opondo-se a Hitler em 1939 (o pacto Hitler-Stalin de agosto de 1939).

E no entanto, se um lado claramente não queria guerra, e fez tudo possível para evitá-la, e o outro a glorificava e, no caso de Hitler, sem dúvida a desejava ativamente, nenhum dos agressores queria a guerra que tiveram, quando a tiveram, e contra pelo menos alguns dos inimigos com os quais se viram lutando. O Japão, apesar da influência militar em sua política, certamente teria preferido alcançar seus objetivos — em essência a criação de um império leste-asiático — sem uma guerra *geral*, na qual só se envolveu porque os EUA se achavam envolvidos numa. Que tipo de guerra queria a Alemanha, quando e contra quem, ainda são temas de discussão, pois Hitler não era um homem que documentava suas decisões, mas duas coisas estão claras. Uma guerra contra a Polônia (apoiada pela Grã-Bretanha e a França) em 1939 não fazia parte de seu plano de guerra, e a guerra em que finalmente se viu, contra a URSS e os EUA, era o pesadelo de todo general e diplomata alemão.

A Alemanha (e depois o Japão) precisava de uma guerra ofensiva rápida pelos mesmos motivos que a tinham feito necessária em 1914. Os recursos conjuntos dos inimigos potenciais de cada um deles, uma vez unidos e coordenados, eram esmagadoramente maiores que os seus. Nenhum dos dois sequer fez planos para uma guerra extensa, nem contou com armamentos de longo período de gestação. (Em contraste, os britânicos, aceitando a inferioridade em terra, investiram seu dinheiro desde o início nas formas mais caras e tecnologicamente sofisticadas de armamento, e fizeram planos para uma longa guerra, em que eles e seus aliados venceriam o outro lado em produção.) Os japoneses foram mais bem-sucedidos que os alemães em evitar a coalizão de seus inimigos, pois ficaram de fora tanto da guerra da Alemanha contra a Grã-Bretanha e a França em 1939-40 quanto da guerra contra a Rússia depois de 1941. Ao contrário das outras potências, eles tinham lutado de fato contra o Exército Vermelho, numa guerra não oficial mas substancial, na fronteira sino-siberiana em 1939, e saído seriamente maltratados. O Japão só entrou na guerra contra a Grã-Bretanha e os EUA, mas não contra a URSS, em dezembro de 1941. Infelizmente para ele, a única potência contra a qual tinha de lutar, os EUA, lhe era tão imensamente superior em recursos que praticamente tinha de vencer.

A Alemanha pareceu mais afortunada por algum tempo. Na década de 1930, quando a guerra se aproximava, a Grã-Bretanha e a França não se juntaram à Rússia soviética, e esta acabou preferindo chegar a um acordo com Hitler, enquanto a política local impedia o presidente Roosevelt de dar mais que apoio burocrático ao lado que apoiava apaixonadamente. A guerra portanto começou em 1939 como um conflito puramente europeu e, de fato, depois que a Alemanha entrou na Polônia, que foi derrotada e dividida em três semanas com a agora neutra URSS, como uma guerra puramente européia ocidental de Alemanha contra Grã-Bretanha e França. Na primavera de 1940, a Alemanha levou de roldão a Noruega, Dinamarca, Países Baixos, Bélgica e França com ridícula facilidade, ocupando os quatro primeiros países e dividindo a França numa zona diretamente ocupada e administrada pelos alemães vitoriosos, e num "Estado" satélite francês (seus governantes, oriundos dos vários setores da reação francesa, não queriam mais chamá-la de república), com capital num balneário provinciano, Vichy. Só restou em guerra com a Alemanha a Grã-Bretanha, sob uma coalizão de todas as forças nacionais, chefiada por Winston Churchill e baseada na total recusa a qualquer tipo de acordo com Hitler. Foi nesse momento que a Itália fascista decidiu escorregar do muro de neutralidade, onde se sentava cautelosamente seu governo, para o lado alemão.

Para fins práticos, a guerra na Europa acabara. Mesmo que a Alemanha não pudesse invadir a Grã-Bretanha, devido ao duplo obstáculo do mar e da Real Força Aérea, não havia possibilidade de uma guerra em que os britânicos pudessem retornar ao continente europeu, quanto mais derrotar a Alemanha. Os meses de 1940-1, quando a Grã-Bretanha ficou sozinha, são um momento maravilhoso na história do povo britânico, ou pelo menos dos que tiveram a sorte de vivê-lo, mas as possibilidades do país eram exíguas. O programa de rearmamento "Defesa do Hemisfério", dos EUA, de junho de 1940, praticamente assumia que mais armas para a Grã-Bretanha seriam inúteis e, mesmo depois de aceita a sobrevivência britânica, o Reino Unido ainda era visto sobretudo como uma base de defesa distante para a América. Enquanto isso, o mapa da Europa era redesenhado. A URSS, por acordo, ocupou as áreas européias do império czarista perdidas em 1918 (com exceção das partes da Polônia tomadas pela Alemanha) e a Finlândia, contra a qual Stalin travara uma desastrada guerra de inverno em 1939-40, o que levou as fronteiras russas um pouco mais para longe de Leningrado. Hitler presidiu uma revisão do acordo de Versalhes nos antigos territórios habsburgos, que se revelou de curta vida. As tentativas britânicas de ampliar a guerra nos Bálcãs levaram à esperada conquista de toda a península pela Alemanha, incluindo as ilhas gregas.

Na verdade, a Alemanha cruzou de fato o Mediterrâneo para a África, quando pareceu que sua aliada Itália, ainda mais decepcionante como poder militar na Segunda Guerra Mundial que a Áustria-Hungria na Primeira, ia ser inteiramente expulsa de seu império africano pelos britânicos, que lutavam a partir de sua base principal no Egito. O Afrika Korps alemão, sob um de seus mais talentosos generais, Erwin Rommel, ameaçou toda a posição britânica no Oriente Médio.

A guerra foi revivida pela invasão da URSS por Hitler em 22 de junho de

1941, a data decisiva da Segunda Guerra Mundial; uma invasão tão insensata — pois comprometia a Alemanha numa guerra em duas frentes — que Stalin simplesmente não acreditava que Hitler pudesse contemplá-la. Mas para Hitler a conquista de um vasto império territorial oriental, rico em recursos e trabalho escravo, era o próximo passo lógico, e, como todos os outros especialistas militares, com exceção dos japoneses, ele subestimou espetacularmente a capacidade soviética de resistir. Não, porém, sem certa plausibilidade, em vista da desorganização do Exército Vermelho pelos expurgos da década de 1930 (ver capítulo 13), da aparente condição do país, dos efeitos gerais do terror, e das intervenções extraordinariamente ineptas de Stalin na estratégia militar. Na verdade, os avanços iniciais dos exércitos alemães foram tão rápidos e pareceram tão decisivos quanto as campanhas no Ocidente. No início de outubro, estavam nos arredores de Moscou, e há indícios de que, durante alguns dias, o próprio Stalin ficou desmoralizado e pensou em fazer a paz. Mas o momento passou, e as simples dimensões das reservas de espaço, força humana, valentia física e patriotismo russos, e um implacável esforço de guerra, derrotaram os alemães e deram à URSS tempo para se organizar efetivamente, sobretudo por deixar que os muito talentosos chefes militares (alguns deles recém-libertados de *gulags*) fizessem o que achavam melhor. Os anos de 1942-5 foram a única vez em que Stalin fez uma pausa em seu terror.

Uma vez que a guerra russa não se decidira em três semanas, como Hitler esperava, a Alemanha estava perdida, pois não estava equipada nem podia agüentar uma guerra longa. Apesar de seus triunfos, tinha, e produzia, muito menos aviões do que mesmo a Grã-Bretanha e a Rússia, sem contar os EUA. Uma nova ofensiva alemã em 1942, após o inverno terrível, pareceu tão brilhantemente bem-sucedida como todas as outras, e levou os exércitos alemães a fundo no Cáucaso e ao vale do baixo Volga, mas não podia mais decidir a guerra. Os exércitos alemães foram detidos em Stalingrado (verão de 1942-março de 1943). Depois disso, os russos começaram por sua vez o avanço, que só os levou a Berlim, Praga e Viena no fim da guerra. De Stalingrado em diante, todo mundo sabia que a derrota da Alemanha era só uma questão de tempo.

Enquanto isso a guerra, ainda basicamente européia, se tornara de fato global. Isso se deveu em parte às agitações antiimperialistas entre os súditos e dependentes da Grã-Bretanha, ainda o maior império mundial, embora ainda pudessem ser eliminadas sem dificuldade. Os simpatizantes de Hitler entre os bôeres na África do Sul podiam ser internados — ressurgiram depois da guerra como os arquitetos do regime de *apartheid* de 1954 — e a tomada do poder no Iraque por Rashid Ali na primavera de 1941 foi rapidamente sufocada. Muito mais significativo foi o fato de que o triunfo de Hitler na Europa deixou um vácuo imperial parcial no Sudeste Asiático, no qual o Japão então entrou, afirmando um protetorado sobre as desamparadas relíquias dos franceses na Indochina. Os EUA encararam essa extensão do poder do Eixo no Sudeste

Asiático como intolerável, e aplicaram severa pressão econômica sobre o Japão, cujo comércio e abastecimentos dependiam inteiramente das comunicações marítimas. Foi esse conflito que levou à guerra entre os dois países. O ataque japonês a Pearl Harbor em 7 de dezembro de 1941 tornou a guerra mundial. Dentro de poucos meses, os japoneses tinham tomado todo o Sudeste Asiático, continental e insular, ameaçando invadir a Índia a partir da Birmânia no Oeste, e o vazio Norte da Austrália a partir da Nova Guiné.

É provável que o Japão não pudesse evitar a guerra com os EUA, a menos que desistisse do objetivo de estabelecer um poderoso império econômico (eufemisticamente chamado de "Grande Esfera de Co-prosperidade Leste-Asiática"), que era a essência mesma de sua política. Contudo, tendo observado as conseqüências do fracasso das potências européias ao tentarem resistir a Hitler e Mussolini, e seus resultados, não se poderia esperar que os EUA de F. D. Roosevelt reagissem à expansão japonesa como a Grã-Bretanha e a França tinham reagido à expansão alemã. De qualquer modo, a opinião pública americana encarava o Pacífico (ao contrário da Europa) como um campo normal para a ação dos EUA, mais ou menos como a América Latina. O "isolacionismo" americano pretendia manter-se fora apenas da Europa. Na verdade, foram o embargo ocidental (isto é, americano) ao comércio japonês e o congelamento de bens japoneses que obrigaram o Japão a passar à ação, se não queria que sua economia, inteiramente dependente de importações oceânicas, fosse estrangulada de repente. A jogada que fez era perigosa, e revelou-se suicida. O Japão talvez aproveitasse sua única oportunidade de estabelecer rapidamente seu império sulista; mas como calculava que isso exigia a imobilização da marinha americana, a única força que podia intervir, também significava que os EUA, com suas forças e recursos esmagadoramente superiores, seriam *imediatamente* arrastados para a guerra. Não havia como o Japão vencer essa guerra.

O mistério é: por que Hitler, já inteiramente esgotado na Rússia, declarou gratuitamente guerra aos EUA, dando assim ao governo de Roosevelt a oportunidade de entrar no conflito europeu ao lado da Grã-Bretanha, sem enfrentar esmagadora resistência política em casa? Pois havia muito pouca dúvida na mente de Washington de que a Alemanha nazista constituía um perigo muito mais sério, ou de qualquer modo muito mais global, para a posição dos EUA — e do mundo — que o Japão. Os EUA portanto preferiram concentrar-se mais em ganhar a guerra contra a Alemanha do que contra o Japão, e concentrar seus recursos de acordo. O cálculo foi correto. Foram necessários mais três anos e meio para derrotar a Alemanha, após o que o Japão foi posto de joelhos em três meses. Não há explicação adequada para a loucura de Hitler, embora saibamos que ele persistente e impressionantemente subestimou a capacidade de ação, para não falar no potencial econômico e tecnológico, dos EUA, porque julgava as democracias incapazes de agir. A única democracia que levava a sério era a Grã-Bretanha, que com razão encarava como não inteiramente democrática.

As decisões de invadir a Rússia e declarar guerra aos EUA decidiram também o resultado da Segunda Guerra Mundial. Isso não pareceu imediatamente óbvio, pois o Eixo atingira o auge do seu sucesso em meados de 1942, e só perdeu inteiramente a iniciativa militar em 1943. Além disso, os aliados ocidentais só reentraram efetivamente no continente europeu em 1944, pois enquanto conseguiam expulsar o Eixo do Norte da África e atravessar para a Itália, eram mantidos à distância pelo exército alemão. Nesse meio tempo, a única grande arma dos aliados ocidentais contra a Alemanha era o poder aéreo, e este, como demonstraram pesquisadores posteriores, se mostrava espetacularmente ineficaz, exceto para matar civis e destruir cidades. Só os exércitos soviéticos continuaram a avançar, e só nos Bálcãs — sobretudo na Iugoslávia, Albânia e Grécia — um movimento armado em grande parte inspirado pelos comunistas que causou à Alemanha, e ainda mais à Itália, sérios problemas militares. Apesar disso, Winston Churchill tinha razão quando exclamou confiante depois de Pearl Harbor que a vitória pela aplicação correta de uma força esmagadora era certa (Kennedy, p. 347). Do fim de 1942 em diante, ninguém duvidou de que a Grande Aliança contra o Eixo ia vencer. Os aliados começaram a concentrar-se no que fazer com sua previsível vitória.

Não precisamos seguir mais adiante o curso dos acontecimentos militares, a não ser para observar que, no Ocidente, a resistência alemã se mostrou muito dura de vencer, mesmo depois que os aliados reentraram em peso no continente em junho de 1944, e que, ao contrário de 1918, não houve sinal algum de revolução alemã contra Hitler. Só os generais alemães, núcleo de poder militar e eficiência prussianos tradicionais, tramaram a queda de Hitler em julho de 1944, pois eram mais patriotas racionais do que entusiastas de um *Götterdämmerung* wagneriano em que a Alemanha seria totalmente destruída. Não tiveram apoio popular, fracassaram e foram mortos *en masse* pelos legalistas de Hitler. No Leste houve ainda menos sinais de racha na determinação do Japão de lutar até o fim, motivo pelo qual se lançaram armas nucleares sobre Hiroxima e Nagasaki, para assegurar uma rápida rendição japonesa. A vitória em 1945 foi total, a rendição incondicional. Os Estados inimigos derrotados foram totalmente ocupados pelos vencedores. Não se fez qualquer paz formal, pois não se reconhecia nenhuma autoridade independente das forças de ocupação, pelo menos na Alemanha e no Japão. O mais próximo de negociações de paz foi a série de conferências entre 1943 e 1945, em que as principais potências aliadas — EUA, URSS e Grã-Bretanha — decidiram a divisão dos despojos da vitória e (sem muito sucesso) tentaram determinar suas relações umas com as outras depois da guerra: em Teerã, em 1943; em Moscou, no outono de 1944; em Ialta, Criméia, no início de 1945; e em Potsdam, na Alemanha ocupada, em agosto de 1945. Mais bem-sucedida, uma série de negociações interaliados entre 1943 e 1945 estabeleceu um esquema mais geral para as relações políticas e econômicas entre Estados, incluindo o estabelecimento das Nações Unidas. Essas questões pertencem a outro capítulo (ver capítulo 9).

Mais ainda que a Grande Guerra, a Segunda Guerra Mundial foi portanto travada até o fim, sem idéias sérias de acordo em nenhum dos lados, com exceção da Itália, que trocou de lado e regime político em 1943 e não foi inteiramente tratada como território ocupado, mas como um país derrotado com um governo reconhecido. (Foi ajudada pelo fato de os aliados não conseguirem empurrar os alemães, e a "República Social" fascista sob Mussolini deles dependente, para fora de mais da metade da Itália durante quase dois anos.) Ao contrário da Primeira Guerra Mundial, essa mútua intransigência não exige explicação especial. Era, de ambos os lados, uma guerra de religião, ou, em termos modernos, de ideologias. Foi também, e demonstravelmente, uma luta de vida ou morte para a maioria dos países envolvidos. O preço da derrota frente ao regime nacional-socialista alemão, como foi demonstrado na Polônia e nas partes ocupadas da URSS, e pelo destino dos judeus, cujo extermínio sistemático foi se tornando aos poucos conhecido de um mundo incrédulo, era a escravização e a morte. Daí a guerra ser travada sem limites. A Segunda Guerra Mundial ampliou a guerra maciça em guerra total.

Suas perdas são literalmente incalculáveis, e mesmo estimativas aproximadas se mostram impossíveis, pois a guerra (ao contrário da Primeira Guerra Mundial) matou tão prontamente civis quanto pessoas de uniforme, e grande parte da pior matança se deu em regiões, ou momentos, em que não havia ninguém a postos para contar, ou se importar. As mortes diretamente causadas por essa guerra foram estimadas entre três e quatro vezes o número (estimado) da Primeira Guerra Mundial (Milward, p. 270; Petersen, 1986), e, em outros termos, entre 10% e 20% da população *total* da URSS, Polônia e Iugoslávia; e entre 4% e 6% da Alemanha, Itália, Áustria, Hungria, Japão e China. As baixas na Grã-Bretanha e França foram bem menores que na Primeira Guerra — cerca de 1%, mas nos EUA um tanto mais altas. Mesmo assim, são palpites. As baixas soviéticas foram estimadas em vários momentos, mesmo oficialmente, em 7 milhões, 11 milhões, ou na faixa de 20 ou mesmo 30 milhões. De qualquer modo, que significa exatidão estatística com ordens de grandeza tão astronômicas? Seria menor o horror do holocausto se os historiadores concluíssem que exterminou não 6 milhões (estimativa original por cima, e quase certamente exagerada), mas 5 ou mesmo 4 milhões? E se os novecentos dias de sítio alemão a Leningrado (1941-4) mataram 1 milhão ou apenas três quartos ou meio milhão de fome e exaustão? Na verdade, podemos realmente *apreender* números além da realidade aberta à intuição física? Que significa para o leitor médio desta página que, de 5,7 milhões de prisioneiros de guerra russos na Alemanha, 3,3 milhões morreram (Hirschfeld, 1986)? A única coisa certa sobre as baixas da guerra é que levaram mais homens que mulheres. Em 1959, ainda havia na URSS sete mulheres entre as idades de 35 e cinqüenta anos para cada quatro homens (Milward, 1979, p. 212). Os prédios podiam ser mais facilmente reconstruídos após essa guerra do que as vidas dos sobreviventes.

III

Temos como certo que a guerra moderna envolve todos os cidadãos e mobiliza a maioria; é travada com armamentos que exigem um desvio de toda a economia para a sua produção, e são usados em quantidades inimagináveis; produz indizível destruição e domina e transforma absolutamente a vida dos países nela envolvidos. Contudo, todos esses fenômenos pertencem apenas às guerras do século XX. Na verdade, houve guerras tragicamente destrutivas antes, e mesmo guerras que anteciparam os esforços totais da guerra moderna, como na França durante a Revolução. Até hoje, a Guerra Civil de 1861-5 continua sendo o conflito mais sangrento na história dos EUA: matou tantos homens quanto todas as guerras posteriores do país juntas, incluindo as duas mundiais, a da Coréia e a do Vietnã. Apesar disso, antes do século XX, guerras envolvendo toda a sociedade eram excepcionais. Jane Austen escreveu seus romances durante as Guerras Napoleônicas, mas nenhum leitor que não saiba disso o imaginaria, pois as guerras não aparecem em suas páginas, embora um certo número de cavalheiros que passam por essas páginas indubitavelmente tenham tomado parte nelas. É inconcebível que qualquer romancista pudesse escrever assim sobre a Grã-Bretanha nas guerras do século XX.

O monstro da guerra total do século XX não nasceu já do seu tamanho. Contudo, de 1914 em diante, as guerras foram inquestionavelmente guerras de massa. Mesmo na Primeira Guerra Mundial, a Grã-Bretanha mobilizou 12,5% de seus homens para as Forças Armadas, a Alemanha 15,4%, e a França quase 17%. Na Segunda Guerra Mundial, a porcentagem de força humana total que foi para as Forças Armadas esteve muito geralmente nas vizinhanças de 20% (Milward, 1979, p. 216). Podemos observar de passagem que um tal nível de mobilização de massa, durante anos, não pode ser mantido, a não ser por uma economia industrializada de alta produtividade e — ou alternativamente — em grande parte nas mãos de setores não combatentes da população. As economias agrárias tradicionais não podem em geral mobilizar uma proporção tão grande de sua força de trabalho, a não ser sazonalmente, pelo menos na zona temperada, pois há momentos no ano agrícola em que todos os braços são necessários (por exemplo, para a colheita). Mesmo em sociedades industriais, uma tão grande mobilização de mão-de-obra impõe enormes tensões à força de trabalho, motivo pelo qual as guerras de massa fortaleceram o poder do trabalhismo organizado e produziram uma revolução no emprego de mulheres fora do lar: temporariamente na Primeira Guerra Mundial, permanentemente na Segunda.

Também neste caso, as guerras do século XX foram guerras de massa, no sentido de que usaram, e destruíram, quantidades até então inconcebíveis de produtos durante a luta. Daí a expressão alemã *Materialschlacht* para descrever as batalhas ocidentais de 1914-8 — batalhas de materiais. Napoleão, por sorte para a capacidade industrial extremamente restrita da França em sua época, pôde vencer a batalha de Jena em 1806, e com isso destruir o poder da Prússia, com não mais de 1500 rodadas de artilharia. Contudo, mesmo antes da Primeira Guerra Mundial, a França fazia planos para uma produção de munição de 10-12 mil granadas *por dia*, e no fim sua indústria teve de produzir 200 mil granadas *por dia*. Mesmo a Rússia czarista descobriu que produzia 150 mil granadas por dia, ou uma taxa de 4,5 milhões por mês. Não admira que os processos das fábricas de engenharia mecânica fossem revolucionados. Quanto aos instrumentos menos destrutivos da guerra, lembremos que durante a Segunda Guerra Mundial o exército dos EUA encomendou mais de 519 milhões de pares de meias e mais de 219 milhões de calças, enquanto as forças alemãs, fiéis à tradição burocrática, num único ano (1943) encomendou 4,4 milhões de tesouras e 6,2 milhões de almofadas para os carimbos dos departamentos militares (Milward, 1979, p. 68). A guerra em massa exigia produção em massa.

Mas a produção também exigia organização e administração — mesmo sendo o seu objetivo a destruição racionalizada de vidas humanas da maneira mais eficiente, como nos campos de extermínio alemães. Falando em termos mais gerais, a guerra total era o maior empreendimento até então conhecido do homem, e tinha de ser conscientemente organizado e administrado.

Isso também suscitava novos problemas. Os assuntos militares sempre foram interesse especial dos governos, desde que assumiram a direção de exércitos permanentes ("que ficam") no século XVII, em vez de subcontratá-los de empresários militares. Na verdade, exércitos e guerra logo se tornaram "indústrias" ou complexos de atividade econômica muito maiores que qualquer coisa no comércio privado, motivo pelo qual no século XIX tantas vezes proporcionaram a especialização e a capacidade de administração para os vastos empreendimentos privados que se desenvolveram na área industrial, por exemplo, os projetos de ferrovias ou instalações portuárias. Além disso, quase todos os governos estavam no ramo de fabricação de armamentos e material bélico, embora em fins do século XIX surgisse uma espécie de simbiose entre governo e produtores de armamentos privados especializados, sobretudo nos setores de alta tecnologia como a artilharia e a marinha, que antecipavam o que hoje conhecemos como "complexo industrial-militar" (ver *A era dos impérios*, capítulo 13). Apesar disso, a crença básica entre a era da Revolução Francesa e a Primeira Guerra Mundial era de que a economia iria, até onde fosse possível, continuar a operar em tempo de guerra como em tempo de paz ("negócios como sempre"), embora, é claro, algumas indústrias fossem sentir claramente seu impacto — por exemplo, a indústria de roupas, da qual se exigiria que produzisse trajes militares muito além de qualquer capacidade em tempo de paz.

O principal problema dos governos era, para eles, fiscal: como pagar as guerras. Deveria ser por meio de empréstimos, de impostos diretos, e, em qualquer dos casos, em que termos exatos? Conseqüentemente, eram os tesouros ou ministérios de Finanças que eram vistos como os comandantes da economia de guerra. A Primeira Guerra Mundial, que durou tão mais do que os governos haviam previsto, e consumiu tão mais homens e armamentos, tornou impossíveis os "negócios como sempre" e, com eles, a dominação dos ministérios de Finanças, embora funcionários do Tesouro (como o jovem Maynard Keynes na Grã-Bretanha) ainda balançassem a cabeça diante da disposição dos políticos de buscar vitória sem contar os custos financeiros. Estavam certos, claro. A Grã-Bretanha travou as duas guerras muito além de seus meios, com conseqüências duradouras e negativas para sua economia. Contudo, se se tinha de travar a guerra em escala moderna, não só seus custos precisavam ser levados em conta, mas sua produção — e no fim toda a economia — precisava ser administrada e planejada.

Os governos só aprenderam isso por experiência própria durante a Primeira Guerra Mundial. Na Segunda, já o sabiam desde o começo, graças em grande parte à experiência da Primeira, cujas lições suas autoridades haviam estudado intensamente. Apesar disso, só aos poucos foi ficando claro como os governos tinham de assumir completamente a economia, e como eram agora essenciais o planejamento e a alocação de recursos (além de pelos mecanismos econômicos habituais). No início da Segunda Guerra Mundial só dois Estados, a URSS e, em menor medida, a Alemanha nazista tinham qualquer mecanismo para controlar fisicamente a economia, o que não surpreende, pois as idéias soviéticas de planejamento eram originalmente inspiradas e em certa medida baseadas no que os bolcheviques conheciam da planejada economia de guerra alemã de 1914-7 (ver capítulo 13). Alguns Estados, notadamente a Grã-Bretanha e os EUA, não tinham sequer os rudimentos de tais mecanismos.

É pois um estranho paradoxo que entre as economias planejadas de guerra dirigidas por governos em ambas as guerras, e em guerras totais isso queria dizer *todas* as economias de guerra, as dos Estados democráticos ocidentais — Grã-Bretanha e França na Primeira Guerra; Grã-Bretanha e mesmo os EUA na Segunda — se mostrassem muito superiores à da Alemanha com sua tradição de teorias e administração racional-burocrática. (Sobre planejamento soviético, ver capítulo 13.) Só podemos imaginar os motivos, mas sobre os fatos não há dúvida. A economia de guerra alemã foi menos sistemática e eficaz na mobilização de todos os recursos para a guerra — claro, até depois que a estratégia de ataques relâmpago falhou, não precisava fazê-lo — e certamente cuidou muito menos da população civil alemã. Os habitantes de Grã-Bretanha e França que sobreviveram ilesos à Primeira Guerra Mundial provavelmente estavam um pouco mais saudáveis que antes da guerra, mesmo quando eram mais pobres, e o salário real de seus trabalhadores havia subido. Os alemães estavam mais famintos, e os salários reais de seus operários haviam caído. As comparações são mais difíceis na Segunda Guerra Mundial, quando nada porque a França foi logo eliminada, os EUA eram mais ricos e sob muito menos pressão, a URSS mais pobre e sob muito mais. A economia de guerra alemã tinha praticamente toda a Europa para explorar, mas acabou a guerra com muito maior destruição física que os beligerantes ocidentais. Mesmo assim, no conjunto uma Grã-Bretanha mais pobre, cujo consumo civil caíra em mais de 20% em 1943, encerrou a guerra com uma população ligeiramente mais bem alimentada e saudável, graças a uma planejada economia de guerra sistematicamente voltada para a igualdade e justeza de sacrifício, e justiça social. O sistema alemão era, claro, ineqüitativo em princípio. A Alemanha explorou os recursos e a mão-de-obra da Europa ocupada, tratou as populações não alemãs como inferiores e, em casos extremos — os poloneses, mas sobretudo os russos e judeus —, praticamente como mão-de-obra escrava descartável, que não precisava nem *ser mantida viva*. A mão-de-obra estrangeira aumentou cerca de um quinto da força de trabalho na Alemanha em 1944 — 30% nas indústrias de armamentos. Mesmo assim, o máximo que se pode afirmar sobre os próprios trabalhadores alemães é que seus ganhos reais permaneceram os mesmos que em 1938. A mortalidade infantil britânica e as taxas de doença caíram progressivamente durante a guerra. Na ocupada e dominada França, um país proverbialmente rico em alimentos e fora da guerra depois de 1940, declinaram o peso médio e a forma física da população em todas as idades.

A guerra total sem dúvida revolucionou a administração. Até onde revolucionou a tecnologia e a produção? Ou, perguntando de outro modo, até onde adiantou ou retardou o desenvolvimento econômico? Adiantou visivelmente a tecnologia, pois o conflito entre beligerantes avançados era não apenas de exércitos, mas de tecnologias em competição para fornecer-lhes armas eficazes e outros serviços essenciais. Não fosse pela Segunda Guerra Mundial, e o medo de que a Alemanha nazista explorasse as descobertas da física nuclear, a bomba atômica certamente não teria sido feita, nem os enormes gastos necessários para produzir qualquer tipo de energia nuclear teriam sido empreendidos no século XX. Outros avanços tecnológicos conseguidos, no primeiro caso, para fins de guerra mostraram-se consideravelmente de aplicação mais imediata na paz — pensamos na aeronáutica e nos computadores — mas isso não altera o fato de que a guerra ou a preparação para a guerra foi um grande mecanismo para acelerar o progresso técnico, "carregando" os custos de desenvolvimento de inovações tecnológicas que quase com certeza não teriam sido empreendidos por ninguém que fizesse cálculos de custo-benefício em tempo de paz, ou teriam sido feitos de forma mais lenta e hesitante (ver capítulo 9).

Mesmo assim, a tendência tecnológica da guerra não era nova. Além disso, a economia industrial moderna foi construída com base em inovação tecnológica constante, que por certo teria ocorrido, provavelmente em ritmo crescente, mesmo sem guerras (se podemos tomar essa suposição irrealista para argumentar). As guerras, sobretudo a Segunda Guerra Mundial, ajudaram muito a difundir a especialização técnica, e certamente tiveram um grande impacto na organização industrial e nos métodos de produção em massa, mas o que conseguiram foi, de longe, mais uma aceleração da mudança que uma transformação.

A guerra promoveu o crescimento econômico? Num certo sentido, é evidente que não. As perdas de recursos produtivos foram pesadas, sem contar a queda no contingente da população ativa. Vinte e cinco por cento dos bens de capital pré-guerra foram destruídos na URSS durante a Segunda Guerra Mundial, 13% na Alemanha, 8% na Itália, 7% na França, embora apenas 3% na Grã-Bretanha (mas isso deve ser contrabalançado pelas novas construções de tempo de guerra). No caso extremo da URSS, o efeito econômico líquido da guerra foi inteiramente negativo. Em 1945, a agricultura do país estava em ruínas, assim como a industrialização dos Planos Qüinqüenais pré-guerra. Tudo que restava eram uma imensa e inteiramente inadaptável indústria de armamentos, um povo morrendo de fome e em declínio, e maciça destruição física.

Por outro lado, as guerras foram visivelmente boas para a economia dos EUA. Sua taxa de crescimento nas duas guerras foi bastante extraordinária, sobretudo na Segunda Guerra Mundial, quando aumentou mais ou menos 10% ao ano, mais rápido que nunca antes ou depois. Em ambas os EUA se beneficiaram do fato de estarem distantes da luta e serem o principal arsenal de seus aliados, e da capacidade de sua economia de organizar a expansão da produção de modo mais eficiente que qualquer outro. É provável que o efeito econômico mais duradouro das duas guerras tenha sido dar à economia dos EUA uma preponderância global sobre todo o Breve Século XX, o que só começou a desaparecer aos poucos no fim do século (ver o capítulo 9). Em 1914, já eram a maior economia industrial, mas ainda não a dominante. As guerras, que os fortaleceram enquanto enfraqueciam, relativa ou absolutamente, suas concorrentes, transformaram sua situação.

Se os EUA (nas duas guerras) e a Rússia (sobretudo na Segunda Guerra Mundial) representam os dois extremos dos efeitos econômicos das guerras, o resto do mundo se situa entre esses dois extremos; mas no todo mais perto da ponta russa que da ponta americana da curva.

IV

Falta avaliar o impacto humano da era de guerras, e seus custos humanos. O simples volume de baixas, a que já nos referimos, é apenas parte destes. Muito curiosamente, a não ser, por motivos compreensíveis, na URSS, os números muito menores da Primeira Guerra Mundial iriam causar um impacto muito maior que as imensas quantidades da Segunda, como testemunham a maior predominância de monumentos e o culto aos mortos da Primeira Guerra Mundial. A Segunda não produziu equivalentes dos monumentos ao "soldado desconhecido", e depois dela a comemoração do "Dia do Armistício" (aniversário do 11 de novembro de 1918) foi perdendo aos poucos sua solenidade de entreguerras. Talvez 10 milhões de mortos parecessem um número mais brutal para os que jamais haviam esperado tal sacrifício do que 54 milhões para os que já haviam experimentado a guerra como um massacre antes.

Sem dúvida, tanto a totalidade dos esforços de guerra quanto a determinação de ambos os lados de travá-la sem limites e a qualquer custo deixaram a sua marca. Sem isso, é difícil explicar a crescente brutalidade e desumanidade do século XX. Sobre essa curva ascendente de barbarismo após 1914 não há, infelizmente, dúvida séria. No início do século XX, a tortura fora oficialmente encerrada em toda a Europa Ocidental. Depois de 1945, voltamos a acostumar-nos, sem grande repulsa, a seu uso em pelo menos um terço dos Estados membros das Nações Unidas, incluindo alguns dos mais velhos e civilizados (Peters, 1985).

O aumento da brutalização deveu-se não tanto à liberação do potencial latente de crueldade e violência no ser humano, que a guerra naturalmente legitima, embora isso certamente surgisse após a Primeira Guerra Mundial entre um certo tipo de ex-soldados (veteranos), sobretudo nos esquadrões da morte ou arruaceiros e "Brigadas Livres" da ultradireita nacionalista. Por que homens que tinham matado e visto matar e estropiar seus amigos iriam hesitar em matar e brutalizar os inimigos de uma boa causa?

Um motivo importante foi a estranha democratização da guerra. Os conflitos totais viraram "guerras populares", tanto porque os civis e a vida civil se tornaram os alvos estratégicos certos, e às vezes principais, quanto porque em guerras democráticas, como na política democrática, os adversários são naturalmente demonizados para fazê-los devidamente odiosos ou pelo menos desprezíveis. As guerras conduzidas de ambos os lados por profissionais, ou especialistas, sobretudo os de posição social semelhante, não excluem o respeito mútuo e a aceitação de regras, ou mesmo cavalheirismo. A violência tem suas leis. Isso ainda era evidente entre os pilotos de caças das forças aéreas nas duas guerras, como testemunha o filme pacifista de Jean Renoir sobre a Primeira Guerra Mundial, *La grande illusion*. Os profissionais da política e da diplomacia, quando desimpedidos pelas exigências de votos ou jornais, podem declarar guerra ou negociar a paz sem ressentimentos contra o outro lado, como boxeadores que se apertam as mãos antes de começarem a luta, e bebem uns com os outros depois. Mas as guerras totais estavam muito distantes do padrão bismarckiano, do século XVIII. Nenhuma guerra em que se mobilizam os sentimentos nacionais de massa pode ser tão limitada quanto as guerras aristocráticas. E, deve-se dizer, na Segunda Guerra Mundial a natureza do regime de Hitler e o comportamento dos alemães, inclusive do velho exército alemão não nazista, na Europa Oriental, foi o de justificar muita demonização.

Outro motivo, porém, era a nova impessoalidade da guerra, que tornava o matar e estropiar uma conseqüência remota de apertar um botão ou virar uma alavanca. A tecnologia tornava suas vítimas invisíveis, como não podiam fazer as pessoas evisceradas por baionetas ou vistas pelas miras de armas de fogo. Diante dos canhões permanentemente fixos da Frente Ocidental estavam não homens, mas estatísticas — nem mesmo estatísticas reais, mas hipotéticas, como mostraram as "contagens de corpos" de baixas inimigas durante a guerra americana no Vietnã. Lá embaixo dos bombardeios aéreos estavam não as pessoas que iam ser queimadas e evisceradas, mas somente alvos. Rapazes delicados, que certamente não teriam desejado enfiar uma baioneta na barriga de uma jovem aldeã grávida, podiam com muito mais facilidade jogar altos explosivos sobre Londres ou Berlim, ou bombas nucleares em Nagasaki. Diligentes burocratas alemães, que certamente teriam achado repugnante tanger eles próprios judeus mortos de fome para abatedouros, podiam organizar os horários de trem para o abastecimento regular de comboios da morte para os campos de extermínio poloneses, com menos senso de envolvimento pessoal. As maiores crueldades de nosso século foram as crueldades impessoais decididas a distância, de sistema e rotina, sobretudo quando podiam ser justificadas como lamentáveis necessidades operacionais.

Assim o mundo acostumou-se à expulsão e matança compulsórias em escala astronômica, fenômenos tão conhecidos que foi preciso inventar novas palavras para eles: "sem Estado" ("apátrida") ou "genocídio". A Primeira Guerra Mundial levou à matança de um incontável número de armênios pela Turquia — o número mais habitual é de 1,5 milhão —, que pode figurar como a primeira tentativa moderna de eliminar toda uma população. Foi seguida depois pela mais conhecida matança nazista de cerca de 5 milhões de judeus — os números permanecem em disputa (Hilberg, 1985). A Primeira Guerra Mundial e a Revolução Russa forçaram milhões de pessoas a se deslocarem como refugiados, ou por compulsórias "trocas de população" entre Estados, que equivaliam à mesma coisa. Um total de 1,3 milhão de gregos foi repatriado para a Grécia, sobretudo da Turquia; 400 mil turcos foram decantados no Estado que os reclamava; cerca de 200 mil búlgaros passaram para o diminuído território que tinha o seu nome nacional; enquanto 1,5 ou talvez 2 milhões de nacionais russos, fugindo da Revolução Russa ou no lado perdedor da Guerra Civil russa, se viram sem pátria. Foi sobretudo para estes, mais do que para os 300 mil armênios que fugiam ao genocídio, que se inventou um novo documento para aqueles que, num mundo cada vez mais burocratizado, não tinham existência burocrática em qualquer Estado: o chamado passaporte de Nansen da Liga das Nações, com o nome do grande explorador ártico que fez uma segunda carreira como amigo dos sem-amigos. Numa estimativa por cima, os anos 1914-22 geraram entre 4 e 5 milhões de refugiados.

A primeira enxurrada de destroços humanos foi o mesmo que nada diante do que se seguiu à Segunda Guerra Mundial, ou da desumanidade com que foram tratados. Estimou-se que em maio de 1945 havia talvez 40,5 milhões de pessoas desenraizadas na Europa, excluindo-se trabalhadores forçados dos alemães e alemães que fugiam diante do avanço dos exércitos soviéticos (Kulicher, 1948, pp. 253-73). Cerca de 13 milhões de alemães foram expulsos das partes da Alemanha ocupadas pela Polônia e a URSS, da Tchecoslováquia e partes do Sudeste europeu onde haviam sido assentados (Holborn, 1968, p. 363). Foram absorvidos pela nova República Federal da Alemanha, que ofereceu um lar e cidadania a qualquer alemão que voltasse para lá, como o novo Estado de Israel ofereceu um "direito de retorno" a qualquer judeu. Quando, senão em épocas de fuga em massa, poderiam tais ofertas ser feitas a sério? Das 11 332 700 "pessoas deslocadas" de várias nacionalidades encontradas na Alemanha pelos exércitos vitoriosos em 1945, 10 milhões logo retornaram a suas pátrias — mas a metade destas foi obrigada a fazê-lo contra a vontade (Jacobmeyer, 1986).

Não havia refugiados apenas na Europa. A descolonização da Índia em 1947 criou 15 milhões deles, obrigados a cruzar as novas fronteiras entre a Índia e o Paquistão (nas duas direções), sem contar os 2 milhões mortos na guerra civil que se seguiu. A Guerra da Coréia, outro subproduto da Segunda Guerra Mundial, produziu talvez 5 milhões de coreanos deslocados. Após o estabelecimento de Israel — ainda outro dos efeitos da guerra — cerca de 1,3 milhão de palestinos foram registrados na Agência de Socorro e Trabalho das Nações Unidas (UNRWA); do outro lado, em inícios da década de 1960, 1,2 milhão de judeus haviam migrado para Israel, a maioria deles também refugiados. Em resumo, a catástrofe humana desencadeada pela Segunda Guerra Mundial é quase certamente a maior na história humana. O aspecto não menos importante dessa catástrofe é que a humanidade aprendeu a viver num mundo em que a matança, a tortura e o exílio em massa se tornaram experiências do dia-a-dia que não mais notamos.

Retrospectivamente, os 31 anos desde o assassinato do arquiduque austríaco em Sarajevo até a rendição incondicional do Japão devem parecer uma era de devastação comparável à Guerra dos Trinta Anos do século XVII na história alemã. E Sarajevo — a primeira Sarajevo — certamente assinalou o início de uma era geral de catástrofe e crise nos assuntos do mundo, que é o tema deste e dos próximos quatro capítulos. Apesar disso, na memória das gerações pós-1945, a "Guerra dos Trinta e Um Anos" não deixou atrás de si o mesmo tipo de memória que sua antecessora mais localizada do século XVII.

Isso se deve em parte ao fato de ela só ter formado uma única era de guerra da perspectiva do historiador. Para os que a viveram, foi experimentada como duas guerras distintas, embora relacionadas, separadas por um período "entreguerras" sem francas hostilidades, que vai de treze anos para o Japão (cuja Segunda Guerra começou na Manchúria em 1931) a 23 anos para os EUA (que só entraram na Segunda Guerra Mundial em dezembro de 1941). Contudo, se dá também porque cada uma dessas guerras teve seu próprio caráter e perfil históricos. Ambas foram episódios de carnificina sem paralelos, deixando atrás as imagens de pesadelo tecnológico que rondaram as noites e dias da geração seguinte: gás venenoso e bombardeio aéreo após 1914, a nuvem do cogumelo da destruição nuclear após 1945. Ambas acabaram em colapso e — como veremos no próximo capítulo — revolução social em grandes regiões da Europa e Ásia. Ambas deixaram os beligerantes exaustos e enfraquecidos, a não ser os EUA, que saíram das duas guerras incólumes e enriquecidos, como os senhores econômicos do mundo. E, no entanto, como são impressionantes as diferenças! A Primeira Guerra Mundial não resolveu nada. As esperanças que gerou — de um mundo pacífico e democrático de *Estados-nação* sob a Liga das Nações; de um retorno à economia mundial de 1913; mesmo (entre os que saudaram a Revolução Russa) de capitalismo mundial derrubado dentro de anos ou meses por um levante dos oprimidos — logo foram frustradas. O passado estava fora de alcance, o futuro fora adiado, o presente era amargo, a não ser por uns poucos anos passageiros em meados da década de 1920.

A Segunda Guerra Mundial na verdade trouxe soluções, pelo menos por décadas. Os impressionantes problemas sociais e econômicos do capitalismo na Era da Catástrofe aparentemente sumiram. A economia do mundo ocidental entrou em sua Era de Ouro; a democracia política ocidental, apoiada por uma extraordinária melhora na vida material, ficou estável; baniu-se a guerra para o Terceiro Mundo. Por outro lado, até mesmo a revolução pareceu ter encontrado seu caminho para a frente. Os velhos impérios coloniais desapareceram ou logo estariam destinados a desaparecer. Um consórcio de Estados comunistas, organizado em torno da União Soviética, agora transformada em superpotência, parecia disposto a competir na corrida pelo crescimento econômico com o Ocidente. Isso se revelou uma ilusão, mas só na década de 1960 essa ilusão começou a desvanecer-se. Como podemos ver agora, mesmo o cenário internacional se estabilizou, embora não parecesse. Ao contrário da Grande Guerra, os ex-inimigos — Alemanha e Japão — se reintegraram na economia mundial (ocidental), e os novos inimigos — os EUA e a URSS — jamais foram realmente às vias de fato.

Mesmo as revoluções que encerraram as duas guerras foram bastante diferentes. As do pós-Primeira Guerra Mundial tinham, como veremos, raízes numa repulsa ao que a maioria das pessoas que as viveram encarava cada vez mais como uma matança sem sentido. Tinham sido revoluções contra a guerra. As revoluções posteriores à Segunda Guerra Mundial surgiram da participação popular num conflito mundial contra inimigos — Alemanha, Japão, mais generalizadamente o imperialismo — que, embora terrível, os que dele participaram julgavam justo. E no entanto, como as duas guerras mundiais, os dois tipos de revolução pós-guerra podem ser vistos na perspectiva do historiador como um único processo. Devemos voltar-nos agora para isso.

2
A REVOLUÇÃO MUNDIAL

Ao mesmo tempo, acrescentou [Bukharin]: "Acho que entramos num período de revolução que pode durar cinqüenta anos, antes que a revolução seja finalmente vitoriosa na Europa e em todo o mundo".

Arthur Ransome, *Six weeks in Russia in 1919* (Ransome, 1919, p. 54)

Como é terrível ler o poema de Shelley (para não falar dos cantos camponeses egípcios de 3 mil anos atrás), denunciando opressão e exploração. Serão eles lidos num futuro ainda repleto de opressão e exploração, e dirão as pessoas: "Até naquele tempo..."?

Bertolt Brecht, ao ler "The masque of anarchy" em 1938 (Brecht, 1964)

Depois da Revolução Francesa, surgiu na Europa uma Revolução Russa, e isso mais uma vez ensinou ao mundo que mesmo o mais forte dos invasores pode ser repelido, assim que o destino da Pátria é realmente confiado ao povo, aos humildes, aos proletários, à gente trabalhadora.

Do jornal mural da *19 Brigata Eusebio Giambone*, dos *partisans* italianos, 1944 (Pavone, 1991, p. 406)

A revolução foi a filha da guerra no século XX: especificamente a Revolução Russa de 1917, que criou a União Soviética, transformada em superpotência pela segunda fase da "Guerra dos Trinta e Um Anos", porém mais geralmente a revolução como uma constante global na história do século. A guerra sozinha não conduz necessariamente a crise, colapso e revolução nos países beligerantes. Na verdade, antes de 1914 predominava a crença contrária, pelo menos em relação a regimes estabelecidos com legitimidade tradicional. Napoleão I queixava-se amargamente de que o imperador da Áustria podia sobreviver feliz a uma centena de batalhas perdidas, como o rei da Prússia sobrevivera ao desastre e à perda de metade de suas terras, enquanto ele próprio, filho da Revolução Francesa, estaria em risco após uma única derrota. Mas as tensões da guerra total do século XX sobre os Estados e povos nela envolvidos foram tão esmagadoras e sem precedentes que eles se viram esticados até quase seus limites e, quase sempre, até o ponto de ruptura. Só os EUA saíram das guerras mundiais como tinham entrado, apenas um pouco mais fortes. Para todos os demais, o fim das guerras significou levantes.

Parecia óbvio que o velho mundo estava condenado. A velha sociedade, a velha economia, os velhos sistemas políticos tinham, como diz o provérbio chinês, "perdido o mandato do céu". A humanidade estava à espera de uma alternativa. Essa alternativa era conhecida em 1914. Os partidos socialistas, com o apoio das classes trabalhadoras em expansão de seus países, e inspirados pela crença na inevitabilidade histórica de sua vitória, representavam essa alternativa na maioria dos Estados da Europa (ver *A era dos impérios*, capítulo 5). Aparentemente, só era preciso um sinal para os povos se levantarem, substituírem o capitalismo pelo socialismo, e com isso transformarem os sofrimentos sem sentido da guerra mundial em alguma coisa mais positiva: as sangrentas dores e convulsões do parto de um novo mundo. A Revolução Russa, ou, mais precisamente, a Revolução Bolchevique de outubro de 1917, pretendeu dar ao mundo esse sinal. Tornou-se portanto tão fundamental para a história deste século quanto a Revolução Francesa de 1789 para o século XIX. Na verdade, não é por acaso que a história do Breve Século XX, segundo a definição deste livro, praticamente coincide com o tempo de vida do Estado nascido da Revolução de Outubro.

Contudo, a Revolução de Outubro teve repercussões muito mais profundas e globais que sua ancestral. Pois se as idéias da Revolução Francesa, como é hoje evidente, duraram mais que o bolchevismo, as conseqüências práticas de 1917 foram muito maiores e mais duradouras que as de 1789. A Revolução de Outubro produziu de longe o mais formidável movimento revolucionário organizado na história moderna. Sua expansão global não tem paralelo desde as conquistas do islã em seu primeiro século. Apenas trinta ou quarenta anos após a chegada de Lenin à Estação Finlândia em Petrogrado, um terço da humanidade se achava vivendo sob regimes diretamente derivados dos "Dez dias que abalaram o mundo" (Reed, 1919) e do modelo organizacional de Lenin, o Partido Comunista. A maioria seguiu a URSS na segunda onda de revoluções surgida da segunda fase da longa guerra mundial de 1914-45. O presente capítulo trata dessa revolução em duas partes, embora naturalmente se concentre na Revolução original e formativa de 1917, e no estilo próprio especial que impôs a suas sucessoras.

De qualquer modo, dominou-as em grande parte.

I

Durante grande parte do Breve Século XX, o comunismo soviético proclamou-se um sistema alternativo e superior ao capitalismo, e destinado pela história a triunfar sobre ele. E durante grande parte desse período, até mesmo muitos daqueles que rejeitavam suas pretensões de superioridade estavam longe de convencidos de que ele não pudesse triunfar. E — com a significativa exceção dos anos de 1933 a 1945 (ver capítulo 5) — a política internacional de todo o Breve Século XX após a Revolução de Outubro pode ser mais bem entendida como uma luta secular de forças da velha ordem contra a revolução social, tida como encarnada nos destinos da União Soviética e do comunismo internacional, a eles aliada ou deles dependente.

À medida que avançava o Breve Século XX, essa imagem da política mundial como um duelo entre as forças de dois sistemas sociais rivais (cada um, após 1945, mobilizado por trás de uma superpotência a brandir armas de destruição global) se tornou cada vez mais irrealista. Na década de 1980, tinha tão pouca relevância para a política internacional quanto as Cruzadas. Mas podemos entender como veio a existir. Pois, mais completa e inflexivelmente até mesmo que a Revolução Francesa em seus dias jacobinos, a Revolução de Outubro se via menos como um acontecimento nacional que ecumênico. Foi feita não para proporcionar liberdade e socialismo à Rússia, mas para trazer a revolução do proletariado mundial. Na mente de Lenin e seus camaradas, a vitória bolchevique na Rússia era basicamente uma batalha na campanha para alcançar a vitória do bolchevismo numa escala global mais ampla, e dificilmente justificável a não ser como tal.

Que a Rússia czarista estava madura para a revolução, merecia muitíssimo uma revolução, e na verdade essa revolução certamente derrubaria o czarismo, já fora aceito por todo observador sensato do panorama mundial desde a década de 1870 (ver *A era dos impérios*, capítulo 12). Após 1905-6, quando o czarismo foi de fato posto de joelhos pela revolução, ninguém duvidava seriamente disso. Alguns historiadores, em retrospecto, dizem que a Rússia czarista, não fossem o acidente da Primeira Guerra Mundial e a Revolução Bolchevique, teria evoluído para uma florescente sociedade industrial liberal-capitalista, e estava a caminho disso, mas seria necessário um microscópio para detectar profecias desse tipo feitas antes de 1914. Na verdade, o regime czarista mal se recuperara da revolução de 1905 quando, indeciso e incompetente como sempre, se viu mais uma vez açoitado por uma onda de descontentamento social em rápido crescimento. Tirando a firme lealdade do exército, polícia e serviço público nos últimos meses antes da eclosão da guerra, o país parecia mais uma vez à beira de uma erupção. Na verdade, como em tantos dos países beligerantes, o entusiasmo e patriotismo das massas após a eclosão da guerra desarmaram a situação política — embora, no caso da Rússia, não por muito tempo. Em 1915, os problemas de governo do czar pareciam mais uma vez insuperáveis. Nada pareceu menos surpreendente e inesperado que a revolução de março de 1917,* que derrubou a monarquia russa e foi universalmente saudada por toda a opinião pública ocidental, com exceção dos mais empedernidos reacionários tradicionalistas.

E no entanto, com exceção dos românticos que viam uma estrada reta levando das práticas coletivas da comunidade aldeã russa a um futuro socialista, todos tinham como igualmente certo que uma revolução da Rússia não podia e não seria socialista. As condições para uma tal transformação simplesmente não estavam presentes num país camponês que era um sinônimo de pobreza, ignorância e atraso, e onde o proletariado industrial, o predestinado coveiro do capitalismo de Marx, era apenas uma minúscula minoria, embora estrategicamente localizada. Os próprios revolucionários marxistas russos partilhavam dessa opinião. Por si mesma, a derrubada do czarismo e do sistema de latifundiários iria produzir, e só se poderia esperar que produzisse, uma "revolução burguesa". A luta de classes entre a burguesia e o proletariado (que, segundo Marx, só podia ter um resultado) continuaria então sob as novas condições políticas. Claro, a Rússia não existia isolada, e uma revolução naquele enorme país, que se estendia das fronteiras do Japão às da Alemanha, e cujo governo era parte do punhado de "potências mundiais" que dominava a situação mundial, não poderia deixar de ter grandes conseqüências internacionais. O próprio Karl Marx, no fim da vida, tinha esperado que a Revolução Russa agisse como uma espécie de detonador, disparando a revolução proletária nos países ocidentais industrialmente mais desenvolvidos, onde estavam presentes as condições para uma revolução socialista proletária. Como veremos, lá pelo fim da Primeira Guerra Mundial, pareceu que era exatamente isso que ia acontecer.

Havia mais uma complicação. Se a Rússia não estava pronta para a revolução socialista proletária dos marxistas, tampouco estava para a "revolução burguesa" liberal. Mesmo os que não queriam mais que isso tinham de encontrar um meio de fazê-lo sem depender das pequenas e fracas forças da classe média liberal russa, uma minúscula minoria sem posição moral, apoio público ou tradição institucional de governo representativo em que pudesse encaixar-se. Os Cadetes, partido do liberalismo burguês, tinham menos de 2,5% dos deputados da Assembléia Constitucional livremente eleita (e logo dissolvida) de 1917-8. Uma Rússia liberal-burguesa teria de ser conquistada pelo levante de camponeses e operários que não sabiam nem se importavam com o que era isso, sob a liderança de partidos revolucionários que queriam outra coisa, ou,

(*) Como a Rússia ainda seguia o calendário juliano, que ficava treze dias atrás do calendário gregoriano adotado em todas as demais partes do mundo cristão ou ocidental, a Revolução de Fevereiro na verdade se deu em março; e a de Outubro, em 7 de novembro. Foi a Revolução de

o que era mais provável, as forças que faziam a revolução iriam além de seu estágio liberal-burguês, passando para uma mais radical "revolução permanente" (para usar a expressão adotada por Marx e revivida durante a revolução de 1905 pelo jovem Trotski). Em 1917, Lenin, cujas esperanças não tinham ido muito além de uma Rússia democrático-burguesa em 1905, também concluiu desde o início que o cavalo liberal não era um dos corredores no páreo revolucionário russo. Era uma avaliação realista. Contudo, em 1917 estava tão claro para ele quanto para todos os outros marxistas russos e não russos que simplesmente não existiam na Rússia as condições para uma revolução *socialista*. Para os revolucionários marxistas na Rússia, sua revolução *tinha* de espalhar-se em outros lugares.

Mas nada parecia mais provável de que era isso que iria acontecer mesmo, porque a Grande Guerra acabou em generalizado colapso político e crise revolucionária, sobretudo nos Estados beligerantes derrotados. Em 1918, todos os quatro governantes das potências derrotadas (Alemanha, Áustria-Hungria, Turquia e Bulgária) perderam seus tronos, assim como o czar da Rússia, derrotada pela Alemanha, que já caíra em 1917. Além disso, a inquietação social, equivalendo quase a uma revolução na Itália, abalou até mesmo os beligerantes europeus do lado vencedor.

Como vimos, as sociedades da Europa beligerante começaram a vergar sob as extraordinárias pressões da guerra em massa. Baixara a onda inicial de patriotismo que se seguira à eclosão da guerra. Em 1916, o cansaço de guerra transformava-se em hostilidade surda e calada em relação a uma matança aparentemente interminável e incerta, que ninguém parecia ter vontade de acabar. Enquanto, em 1914, os adversários da guerra se sentiam desamparados e isolados, em 1916 podiam sentir que falavam pela maioria. O quanto a situação mudara dramaticamente foi demonstrado quando, em 28 de outubro de 1916, Friedrich Adler, filho do líder e fundador do partido socialista austríaco, assassinou deliberadamente e a sangue-frio o primeiro-ministro austríaco, conde Stürgkh, num café de Viena — era uma época de inocência, antes dos homens da segurança — como um gesto público contra a guerra.

O sentimento antiguerra naturalmente elevou o perfil político dos socialistas, que cada vez mais reverteram à oposição que seus movimentos faziam à guerra antes de 1914. Na verdade, alguns partidos (por exemplo, na Rússia, na Sérvia e na Grã-Bretanha — o Partido Trabalhista Independente) jamais deixaram de opor-se a ela, e, mesmo onde os partidos socialistas apoiaram a

---

Outubro que reformou o calendário russo, como reformou a ortografia russa, assim demonstrando a profundidade de seu impacto. Pois é bem sabido que essas pequenas mudanças geralmente exigem terremotos sócio-políticos para trazê-las. A mais duradoura e universal conseqüência da Revolução Francesa é o sistema métrico.

guerra, seus mais eloqüentes opositores se encontravam em suas fileiras.* Ao mesmo tempo, e em todos os grandes países beligerantes, o movimento trabalhista organizado nas vastas indústrias de armamentos tornou-se um centro de militância industrial e antiguerra. Os ativistas sindicais de escalões inferiores nessas fábricas, homens qualificados em forte posição de barganha ("delegados de fábrica" na Grã-Bretanha; "*Betriebsobleute*" na Alemanha), tornaram-se sinônimos de radicalismo. Os artífices e mecânicos das novas marinhas de alta tecnologia, pouco diferentes de fábricas flutuantes, moveram-se na mesma direção. Tanto na Rússia quanto na Alemanha, as principais bases navais (Kronstadt; Kiel) iriam tornar-se grandes centros de revolução, e mais tarde um motim naval francês no mar Negro deteria a intervenção francesa contra os bolcheviques na Guerra Civil russa de 1918-20. A rebelião contra a guerra adquiriu assim concentração e atuação. Não admira que os censores austro-húngaros, controlando a correspondência de seus soldados, passassem a notar uma mudança de tom. "Se ao menos o bom Deus nos trouxesse a paz" tornou-se "Para nós já chega" ou "Dizem que os socialistas vão fazer a paz".

Não surpreende, portanto, que, mais uma vez segundo os censores habsburgos, a Revolução Russa fosse o primeiro acontecimento político desde o início da guerra a repercutir nas cartas até mesmo de esposas de camponeses e operários. E não surpreende, sobretudo depois que a Revolução de Outubro levou os bolcheviques de Lenin ao poder, que os desejos de paz e revolução social se fundissem: um terço da amostragem de cartas censuradas entre novembro de 1917 e março de 1918 esperava obter a paz via Rússia, um terço via revolução, e outros 20% via uma combinação das duas. Que uma revolução na Rússia teria grande repercussão internacional, sempre foi claro desde que a primeira revolução, em 1905-6, abalara os antigos impérios sobreviventes na época, da Áustria-Hungria até a China, passando por Turquia e Pérsia (ver *A era dos impérios*, capítulo 12). Em 1917, toda a Europa se tornara um monte de explosivos sociais prontos para ignição.

II

A Rússia, madura para a revolução social, cansada de guerra e à beira da derrota, foi o primeiro dos regimes da Europa Central e Oriental a ruir sob as pressões e tensões da Primeira Guerra Mundial. A explosão era esperada, embora ninguém pudesse prever o momento e ocasião da detonação. Poucas semanas antes da revolução de fevereiro, Lenin ainda se perguntava em seu

(*) Em 1916, um importante Partido Social-Democrata Independente na Alemanha (USPD) cindiu-se formalmente sobre a questão da maioria dos socialistas (SPD) que continuava a apoiar a guerra.

exílio suíço se viveria para vê-la. Na verdade, o governo do czar desmoronou quando uma manifestação de operárias (no habitual "Dia da Mulher" do movimento socialista — 8 de março) se combinou com um *lock-out* industrial na notoriamente militante metalúrgica Putilov e produziu uma greve geral e a invasão do centro da capital, do outro lado do rio gelado, basicamente para exigir pão. A fragilidade do regime se revelou quando as tropas do czar, mesmo os leais cossacos de sempre, hesitaram e depois se recusaram a atacar a multidão, e passaram a confraternizar com ela. Quando, após quatro dias de caos, elas se amotinaram, o czar abdicou, sendo substituído por um "governo liberal" provisório, não sem certa simpatia e mesmo ajuda dos aliados ocidentais da Rússia, que temiam que o desesperado regime do czar saísse da guerra e assinasse uma paz em separado com a Alemanha. Quatro dias espontâneos e sem liderança na rua puseram fim a um Império.* Mais que isso: tão pronta estava a Rússia para a revolução social que as massas de Petrogrado imediatamente trataram a queda do czar como uma proclamação de liberdade, igualdade e democracia direta universais. O feito extraordinário de Lenin foi transformar essa incontrolável onda anárquica popular em poder bolchevique.

Assim, em vez de uma Rússia liberal e constitucional voltada para o Ocidente, disposta a combater os alemães, o que resultou foi um vácuo revolucionário: um "governo provisório" impotente de um lado, e do outro uma multidão de "conselhos" de base (sovietes) brotando espontaneamente por toda parte, como cogumelos após as chuvas.** Estes tinham poder de fato, ou pelo menos poder de veto, mas não tinham idéia do que fazer com ele, ou do que se poderia fazer. Os vários partidos e organizações revolucionários — social-democratas bolcheviques e mencheviques, social-revolucionários, e inúmeras facções menores da esquerda, emergindo da ilegalidade — tentaram estabelecer-se nessas assembléias, para coordená-las e convertê-las às suas políticas, embora no início só Lenin as visse como a alternativa para o governo ("Todo poder aos sovietes"). Contudo, é claro que, quando o czar caiu, uma proporção relativamente pequena do povo russo sabia o que representavam os rótulos dos partidos revolucionários, e os que sabiam em geral não eram capazes de discernir seus apelos rivais. O que sabiam era apenas que não mais aceitavam autoridade — nem mesmo a autoridade dos revolucionários que diziam saber mais do que eles.

(*) O custo humano, maior que o da Revolução de Outubro mas relativamente modesto: 53 oficiais, 602 soldados, 73 policiais e 587 civis feridos ou mortos. (W. H. Chamberlin, 1965, vol. I, p. 85.)

(**) Esses "conselhos", com supostas raízes na experiência das comunidades aldeãs russas autogovernadas, surgiram como entidades políticas entre operários fabris durante a revolução de 1905. Como as assembléias de delegados diretamente eleitos eram conhecidas dos trabalhadores organizados em toda parte, e apelavam a seu senso de democracia, o termo "soviete", às vezes, mas não sempre, traduzido nas línguas locais (conselhos; *räte*), teve um forte apelo internacional.

A reivindicação básica dos pobres da cidade era pão, e a dos operários entre eles, melhores salários e menos horas de trabalho. A reivindicação básica dos 80% de russos que viviam da agricultura era, como sempre, terra. Todos concordavam que queriam o fim da guerra, embora a massa de soldados camponeses que formava o exército não fosse a princípio contra a luta como tal, mas contra a severa disciplina e maltrato de outros soldados. O *slogan* "Pão, Paz, Terra" conquistou logo crescente apoio para os que o propagavam, em especial os bolcheviques de Lenin, que passaram de um pequeno grupo de uns poucos milhares em março de 1917 para um quarto de milhão de membros no início do verão daquele ano. Ao contrário da mitologia da Guerra Fria, que via Lenin essencialmente como um organizador de golpes, a única vantagem real com que ele e os bolcheviques contavam era a capacidade de reconhecer o que as massas queriam; de conduzir, por assim dizer, por saber seguir. Quando, por exemplo, ele reconheceu que, ao contrário do programa socialista, os camponeses queriam uma divisão da terra em fazendas familiares, não hesitou um instante em comprometer os bolcheviques com essa forma de individualismo econômico.

Ao contrário, o Governo Provisório e seus seguidores não souberam reconhecer sua incapacidade de fazer a Rússia obedecer suas leis e decretos. Quando homens de negócios e administradores tentaram restabelecer a disciplina de trabalho, não fizeram mais que radicalizar os trabalhadores. Quando o Governo Provisório insistiu em lançar o exército na ofensiva militar em junho de 1917, o exército estava farto, e os soldados camponeses voltaram para suas aldeias a fim de tomar parte na divisão de terra com os parentes. A revolução espalhou-se pelas estradas de ferro que os levavam de volta para casa. Ainda não era o momento para uma queda imediata do Governo Provisório, mas do verão em diante a radicalização se acelerou tanto no exército quanto nas principais cidades, cada vez mais em favor dos bolcheviques. O campesinato deu apoio esmagador aos herdeiros dos narodniks (ver *A era da catástrofe*, capítulo 9), os social-revolucionários, embora estes se tornassem uma esquerda mais radical, que se aproximou dos bolcheviques, e em breve se juntou a eles no governo após a Revolução de Outubro.

Quando os bolcheviques — até então um partido de operários — se viram em maioria nas principais cidades russas, e sobretudo na capital, Petrogrado e Moscou, e depressa ganharam terreno no exército, a existência do Governo Provisório tornou-se cada vez mais irreal; em especial quando teve de apelar às forças revolucionárias na capital para derrotar uma tentativa de golpe contra-revolucionário de um general monarquista em agosto. A onda radicalizada de seus seguidores inevitavelmente empurrou os bolcheviques para a tomada do poder. Na verdade, quando chegou a hora, mais que tomado, o poder foi colhido. Diz-se que mais gente se feriu na filmagem da grande obra de Einsenstein, *Outubro* (1927), do que durante a tomada de fato do Palácio de

Inverno em 7 de novembro de 1917. O Governo Provisório, sem mais ninguém para defendê-lo, simplesmente se esfumou.

Do momento em que a queda do Governo Provisório se tornou certa, a Revolução de Outubro foi mergulhada em polêmicas. A maioria delas é enganadora. A verdadeira questão não é se a Revolução, como têm dito historiadores anticomunistas, foi um *putsch* ou um golpe do fundamentalmente antidemocrático Lenin, mas quem, ou o quê, devia ou podia seguir-se à queda do Governo Provisório. A partir do início de setembro, Lenin tentou não apenas convencer os elementos hesitantes em seu partido de que o poder poderia fugir-lhes com facilidade se não tomado por um plano organizado, durante o tempo possivelmente curto em que estava ao seu alcance, mas — talvez com igual urgência — responder à pergunta "Podem os bolcheviques manter o poder do Estado?" se o tomassem. Que poderia fazer, na verdade, *qualquer um* que tentasse governar a erupção vulcânica da Rússia revolucionária? Nenhum outro partido além dos bolcheviques de Lenin estava preparado para enfrentar essa responsabilidade sozinho — e o panfleto de Lenin sugere que nem todos os bolcheviques estavam tão determinados quanto ele. Em vista da situação política favorável em Petrogrado, em Moscou e nos exércitos do Norte, a defesa puramente de curto prazo da tomada do poder *já*, em vez de esperar outros acontecimentos, era de fato difícil de responder. A contra-revolução apenas começara. Um governo desesperado, em vez de dar lugar aos sovietes, podia entregar Petrogrado ao exército alemão, já na fronteira norte do que é hoje a Estônia, ou seja, a alguns quilômetros da capital. Além disso, Lenin raramente hesitou em encarar de frente os fatos mais sombrios. Se os bolcheviques não tomassem o poder, "uma onda de verdadeira anarquia podia tornar-se mais forte *do que nós*". Em última análise, o argumento de Lenin não podia deixar de convencer seu partido. Se um partido revolucionário não tomasse o poder quando o momento e as massas o pediam, em que ele diferia de um partido não revolucionário?

A perspectiva a longo prazo é que era problemática, mesmo supondo-se que o poder tomado em Petrogrado e Moscou pudesse ser estendido ao resto da Rússia e ali mantido contra a anarquia e a contra-revolução. O programa do próprio Lenin, de empenhar o novo governo do soviete (isto é, basicamente Partido Bolchevique) na "transformação socialista da República russa", era essencialmente uma aposta na transformação da Revolução Russa em revolução mundial, ou pelo menos européia. Quem — como ele disse tantas vezes — imaginaria que a vitória do socialismo "pode se dar [...] a não ser pela completa destruição da burguesia russa e européia?". Nesse meio tempo, o dever básico, na verdade único, dos bolcheviques era se agüentarem. O novo regime pouco fez sobre o socialismo, a não ser declarar que esse era seu objetivo, tomar os bancos e declarar o controle dos "operários" sobre as administrações existentes, isto é, apor o selo oficial ao que já vinham fazendo de qualquer modo desde a Revolução, enquanto os exortava a manterem a produção funcionando. Nada mais tinha a dizer-lhes.*

O novo regime se agüentou. Sobreviveu a uma paz punitiva imposta pela Alemanha em Brest-Litowsk, alguns meses antes de os próprios alemães serem derrotados, e que separou a Polônia, as províncias bálticas, a Ucrânia e partes substanciais do Sul e Oeste da Rússia, além de, *de facto*, a Transcaucásia (a Ucrânia e a Transcaucásia foram recuperadas). Os aliados não viram motivo para ser mais generosos com o centro da subversão mundial. Vários exércitos e regimes contra-revolucionários ("brancos") levantaram-se contra os soviéticos, financiados pelos aliados, que enviaram tropas britânicas, francesas, americanas, japonesas, polonesas, sérvias, gregas e romenas para o solo russo. Nos piores momentos da brutal e caótica Guerra Civil de 1918-20, a Rússia soviética foi reduzida a uma faixa de território sem saída para o mar, no Norte e no Centro da Rússia, em algum ponto entre a região dos Urais e os atuais Estados bálticos, a não ser pelo estreito dedo exposto de Leningrado, apontado para o golfo da Finlândia. As únicas vantagens importantes com que o novo regime contava, enquanto improvisava do nada um Exército Vermelho eventualmente vitorioso, eram a incompetência e divisão das briguentas forças "brancas", a capacidade destas de antagonizar o campesinato da Grande Rússia, e a bem fundada desconfiança entre as potências ocidentais de que não podiam ordenar com segurança a seus soldados e marinheiros rebeldes que combatessem os bolcheviques. Em fins de 1920, os bolcheviques haviam vencido.

Assim, contra as expectativas, a Rússia soviética sobreviveu. Os bolcheviques mantiveram, na verdade ampliaram, seu poder, não só (como observou Lenin com orgulho e alívio após dois meses e quinze dias) por mais tempo que a Comuna de Paris de 1871, mas durante anos de ininterrupta crise e catástrofe, conquista alemã e imposição de paz punitiva, separações regionais, contra-revolução, guerra civil, intervenção armada estrangeira, fome e colapso econômico. Não podia ter estratégia ou perspectiva além de optar, dia a dia, entre as decisões necessárias à sobrevivência imediata e as que arriscavam um desastre imediato. Quem podia dar-se ao luxo de considerar as possíveis conseqüências a longo prazo, para a Revolução, de decisões que tinham de ser tomadas *já*, do contrário seria o fim da Revolução e não haveria outras conseqüências a considerar? Uma a uma, as medidas necessárias foram tomadas. Quando a nova República soviética emergiu de sua agonia, descobriu-se que essas medidas a haviam levado para um lado muito distante do que Lenin tinha em mente na Estação Finlândia.

(*) "Eu lhes disse: façam tudo o que quiserem, tomem tudo o que quiserem, nós os apoiaremos, mas cuidem da produção, cuidem para que a produção seja útil. Assumam trabalho útil, vão cometer erros, mas aprenderão." (Lenin, *Relatório sobre as atividades do Conselho dos Comissários do Povo*, 11/24 de janeiro de 1918, 1970, p. 551.)

Mesmo assim, a Revolução sobreviveu. E o fez por três grandes razões: primeiro, possuía um instrumento de poder único, praticamente construtor de Estado, no centralizado e disciplinado Partido Comunista de 600 mil membros. Qualquer que tenha sido seu papel antes da Revolução, esse modelo organizacional, incansavelmente propagado e defendido por Lenin desde 1902, atingiu a maioridade depois dela. Praticamente todos os regimes revolucionários do Breve Século XX iam adotar alguma variação dele. Segundo, era, de forma evidente, o *único* governo capaz de manter a Rússia integral como Estado — e disposto a tanto —, desfrutando, portanto, de considerável apoio de patriotas russos à parte isso politicamente hostis, como os oficiais sem os quais o novo Exército Vermelho não poderia ter sido construído. Para estes, como para o historiador que trabalha em retrospecto, a opção em 1917-8 não era entre uma Rússia liberal-democrática ou não liberal, mas entre a Rússia e a desintegração, que havia sido o destino de outros impérios arcaicos e derrotados, ou seja, a Áustria-Hungria e a Turquia. Ao contrário destes, a Revolução Bolchevique preservou a maior parte da unidade territorial multinacional do velho Estado czarista pelo menos por mais 74 anos. A terceira razão era que a Revolução permitira ao campesinato tomar a terra. Quando chegou a isso, o grosso dos camponeses da Grande Rússia — núcleo do Estado, além de do seu novo exército — achou que suas chances de mantê-la eram melhores sob os vermelhos do que se retornasse a fidalguia. Isso deu aos bolcheviques uma vantagem decisiva na Guerra Civil de 1918-20. Como se viu, os camponeses russos foram otimistas demais.

III

A revoluçao mundial, que justificou a decisão de Lenin de entregar a Rússia ao socialismo, não ocorreu, e com isso a Rússia soviética foi comprometida, por uma geração, com um isolamento empobrecido e atrasado. As opções para seu desenvolvimento futuro estavam determinadas, ou pelo menos estreitamente circunscritas (ver capítulos 13 e 16). Contudo, uma onda de revolução varreu o globo nos dois anos após Outubro, e as esperanças dos aguerridos bolcheviques não pareceram irrealistas. "*Völker hört die Signale*" ("Povos, escutem os sinais") era o primeiro verso do refrão da "Internacional" em alemão. Os sinais vieram, altos e nítidos, de Petrogrado e — depois que a capital foi transferida para uma localização mais segura em 1918 — Moscou,*

(*) A capital da Rússia czarista era São Petersburgo, nome que soava demasiado alemão na Primeira Guerra Mundial e foi portanto mudado para Petrogrado. Após a morte de Lenin, tornou-se Leningrado (1924), e durante a queda da URSS voltou ao nome original. A União Soviética (seguida por seus satélites mais servis) era incomumente dada a topônimos políticos, muitas vezes

e foram ouvidos onde quer que atuassem movimentos trabalhistas e socialistas, independentemente de sua ideologia, e mesmo além. "Sovietes" foram formados por empregados da indústria do tabaco em Cuba, onde poucos sabiam onde ficava a Rússia. Os anos de 1917-9 na Espanha vieram a ser conhecidos como o "biênio bolchevique", embora a esquerda local fosse anarquista apaixonada, ou seja, politicamente no pólo oposto ao de Lenin. Movimentos estudantis revolucionários irromperam em Pequim (Beijing) em 1919 e Córdoba (Argentina) em 1918, logo espalhando-se por toda a América Latina e gerando líderes e partidos marxistas revolucionários. O militante nacionalista índio M. N. Roy caiu imediatamente sob o seu fascínio no México, onde a revolução local, entrando na fase mais radical em 1917, naturalmente reconheceu sua afinidade com a Rússia revolucionária: Marx e Lenin tornaram-se seus ícones, juntos com Montezuma, Emiliano Zapata e vários trabalhadores índios, e ainda podem ser vistos nos grandes murais de seus artistas oficiais. Em poucos meses Roy estava em Moscou, e desempenhou um papel importante na nova Internacional Comunista para a libertação das colônias. Em parte graças a socialistas holandeses residentes como Henk Snevliet, a Revolução de Outubro deixou em seguida sua marca na principal organização de massa do movimento de libertação nacional indonésio, o Sarekat Islam. "Essa ação do povo russo", disse um jornal de província turco, "um dia no futuro se tornará um sol e iluminará toda a humanidade." No distante interior da Austrália, os rudes tosquiadores de ovelhas (e em grande parte católicos irlandeses), sem interesse perceptível por teoria política, aplaudiram os soviéticos como um Estado operário. Nos EUA os finlandeses, havia muito a mais fortemente socialista das comunidades imigrantes, converteram-se em massa ao comunismo, enchendo os sombrios assentamentos mineiros em Minnesota de comícios "onde a menção do nome de Lenin fazia pulsar o coração [...] Em místico silêncio, quase em êxtase religioso, nós admirávamos tudo que vinha da Rússia". Em suma, a Revolução de Outubro foi universalmente reconhecida como um acontecimento que abalou o mundo.

Até mesmo muitos dos que viram a Revolução de perto, um processo menos conducente ao êxtase religioso, se converteram, desde prisioneiros de guerra que voltavam a seus países como bolcheviques convictos e futuros líderes comunistas de seus países, como o mecânico croata Joseph Broz (Tito), a jornalistas visitantes como Arthur Ransome, do *Manchester Guardian*, uma figura não notadamente política, mais conhecido por usar sua paixão por barcos em encantadores livros infantis. Uma figura ainda menos bolchevique, o escritor tcheco Jaroslav Hasek — futuro autor da obra-prima *As aventuras do*

---

complicados pelas reviravoltas da sorte. Assim, Tsaritsyn, no Volga, tornou-se Stalingrado, cenário de uma batalha épica na Segunda Guerra Mundial, mas, após a morte de Stalin, Volgogrado. Na época em que escrevo ainda tem este nome.

bravo soldado Schwejk — viu-se pela primeira vez militando numa causa e, diz-se, ainda mais espantosamente, sóbrio. Tomou parte na Guerra Civil como comissário do Exército Vermelho, depois do que voltou a seu papel mais conhecido como anarco-boêmio e bebum de Praga, alegando que a Rússia soviética pós-revolucionária não fazia o seu estilo. Mas a Revolução fizera.

Contudo, os acontecimentos na Rússia inspiraram não só revolucionários, porém, mais importante, revoluções. Em janeiro de 1918, semanas depois da tomada do Palácio de Inverno, e enquanto os bolcheviques tentavam desesperadamente negociar a paz a todo custo com o exército alemão em avanço, uma onda de greves políticas e manifestações antiguerra em massa varreu a Europa Central, começando em Viena, espalhando-se via Budapeste às regiões tchecas da Alemanha e culminando na revolta dos marinheiros austro-húngaros no Adriático. Quando se desfizeram as últimas dúvidas sobre a derrota das Potências Centrais, seus exércitos finalmente se desmantelaram. Em setembro, os soldados camponeses da Bulgária voltaram para casa, proclamaram uma república e marcharam sobre Sofia, embora ainda fossem desarmados com ajuda alemã. Em outubro, a monarquia dos Habsburgo desabou após as últimas batalhas perdidas na frente italiana. Vários novos *Estados-nação* foram proclamados, na (justificada) esperança de que os aliados vitoriosos as prefeririam aos perigos da Revolução Bolchevique. E de fato a primeira reação do Ocidente ao apelo bolchevique aos povos para celebrarem a paz — e a publicação, por eles, dos tratados secretos em que os aliados haviam dividido a Europa entre si — foram os Catorze Pontos do presidente Wilson, que jogavam a carta nacionalista contra o apelo internacional de Lenin. Uma zona de pequenos *Estados-nação* formaria uma espécie de cinturão de quarentena contra o vírus vermelho. Em início de novembro, marinheiros e soldados amotinados espalharam a revolução alemã da base naval de Kiel para todo o país. Proclamou-se uma república, e o imperador retirou-se para os Países Baixos, sendo substituído por um ex-seleiro social-democrata como chefe de Estado.

A revolução, que assim varria regimes de Vladivostok ao Reno, era uma revolta contra a guerra e, na maior parte, a vinda da paz desarmou muito do explosivo que ela continha. De qualquer modo, seu conteúdo social era vago, a não ser entre os soldados camponeses dos impérios dos Habsburgo, Romanov e otomano, e dos Estados menores do Sudeste da Europa, e suas famílias. Ali, consistia de quatro pontos: terra, e desconfiança das cidades, ou de estranhos (sobretudo judeus) e ou de governos. Isso tornava os camponeses revolucionários, mas não bolcheviques, em grandes partes da Europa Central e Oriental, embora não na Alemanha (com exceção de parte da Baviera), Áustria e partes da Polônia. Tinham de ser conciliados com uma medida de reforma agrária mesmo em alguns países conservadores, de fato contra-revolucionários, como a Romênia e a Finlândia. Por outro lado, onde constituíam a maioria da população, praticamente asseguraram que os socialistas, e sobretudo os bolcheviques, não ganhassem as eleições gerais. Isso não fazia necessariamente dos camponeses bastiões do conservadorismo político, mas atrapalhou fatalmente os social-democratas; ou então — como na Rússia soviética — levou-os a abolir a democracia eleitoral. Por esse motivo os bolcheviques, tendo pedido uma Assembléia Constituinte (uma conhecida tradição revolucionária desde 1789), dissolveram-na assim que ela se reuniu, poucas semanas depois de outubro. E o estabelecimento de novos pequenos *Estados-nação* nas linhas wilsonianas, embora longe de eliminar conflitos nacionais na zona de revoluções, também diminuiu o espaço da Revolução Bolchevique. Essa fora, de fato, a intenção dos articuladores da paz aliados.

Por outro lado, o impacto da Revolução Russa nos levantes europeus de 1918-9 foi tão patente que seria difícil haver muito espaço em Moscou para ceticismo quanto à perspectiva de disseminação da revolução do proletariado mundial. Para o historiador — e mesmo para alguns revolucionários locais — parecia claro que a Alemanha imperial era um Estado de considerável estabilidade social e política, com um movimento operário forte mas no fundo moderado, que por certo não teria experimentado nada semelhante a uma revolução armada, não fosse a guerra. Ao contrário da Rússia czarista ou da periclitante Áustria-Hungria; ao contrário da Turquia, o proverbial "doente" da Europa; ao contrário dos bárbaros e armados habitantes das montanhas do Sudeste do continente, capazes de qualquer coisa, não era um país onde se esperassem levantes. E de fato, comparado com as situações autenticamente revolucionárias nas derrotadas Rússia e Áustria-Hungria, o grosso dos soldados, marinheiros e operários revolucionários alemães permaneceu tão moderado e respeitador da lei quanto as talvez apócrifas piadas dos revolucionários russos sempre os fizeram parecer ("Onde houver um aviso proibindo o público de pisar na grama, é óbvio que os insurretos alemães só andarão pelas trilhas").

Contudo, esse era o país onde os marinheiros revolucionários levaram a bandeira dos sovietes por todo o território, onde o diretor de um soviete de operários e soldados de Berlim nomeou um governo socialista, onde Fevereiro e Outubro pareciam ser um só, pois o poder de fato na capital já parecia estar nas mãos de socialistas radicais assim que o imperador abdicou. Era uma ilusão, devido à total, mas temporária, paralisia dos velhos exército, Estado e estrutura de poder sob o duplo choque da derrota absoluta e da revolução. Após uns poucos dias, o velho regime republicanizado logo estava de volta na sela, não mais seriamente perturbado pelos socialistas, que não conseguiram nem ganhar maioria nas primeiras eleições, embora se realizassem poucas semanas depois da revolução.* Viram-se menos perturbados ainda pelo recém-

(*) A maioria moderada social-democrata ganhou apenas 38% dos votos — o máximo em toda a sua história — e os social-democratas independentes cerca de 7,5%.

improvisado Partido Comunista, cujos líderes, Karl Liebknecht e Rosa Luxemburgo, foram logo assassinados por pistoleiros de aluguel do exército.

Apesar disso, a revolução alemã de 1918 confirmou as esperanças dos bolcheviques russos, tanto mais porque uma república socialista de curta vida foi proclamada na Baviera em 1918 e, na primavera de 1919, após o assassinato de seu líder, uma breve república soviética se estabeleceu em Munique, capital da arte, da contracultura e da (politicamente menos subversiva) cerveja alemãs. Coincidiu com outra e mais séria tentativa de levar o bolchevismo mais para oeste, a república soviética húngara de março-julho de 1919.* Ambas foram, claro, eliminadas com a esperada brutalidade. Além disso, a decepção com os social-democratas logo radicalizou os trabalhadores alemães, muitos dos quais transferiram sua lealdade para os socialistas independentes, e depois de 1920 para o Partido Comunista, que portanto se tornou o maior desses partidos fora da Rússia soviética. Não se poderia esperar uma revolução alemã, afinal? Embora 1919, o ano auge da agitação social ocidental, houvesse trazido derrota às únicas tentativas de espalhar a Revolução Bolchevique; embora a onda revolucionária estivesse rápida e visivelmente baixando em 1920, a liderança bolchevique em Moscou não abandonou a esperança de revolução alemã até fins de 1923.

Pelo contrário. Foi em 1920 que os bolcheviques se comprometeram com o que, retrospectivamente, parece um grande erro, a divisão permanente do movimento trabalhista internacional. Fizeram isso estruturando seu novo movimento internacional comunista com base no modelo do partido de vanguarda leninista, de uma elite de "revolucionários profissionais" em tempo integral. A Revolução de Outubro, como vimos, conquistara simpatias nos movimentos socialistas internacionais, todos os quais, praticamente, emergiram da guerra mundial ao mesmo tempo radicalizados e muitíssimo fortalecidos. Com raras exceções, os partidos socialistas e trabalhistas continham grandes blocos de opinião que favoreciam a entrada na nova Terceira Internacional Comunista, que os comunistas fundaram para substituir a Segunda Internacional (1889-1914), desacreditada e despedaçada pela guerra mundial a que não conseguira resistir.** Na verdade, vários deles, como os partidos socialistas da França, Itália, Áustria e Noruega, e os Socialistas Independentes da Alemanha, de fato aprovaram a idéia, deixando em minoria os irreconciliados adversários do bolchevismo. Contudo, o que Lenin e os bolcheviques queriam não era um movimento de simpatizantes internacionais da Revolução de Outubro, mas um

(*) Sua derrota espalhou uma diáspora de refugiados políticos e intelectuais por todo o mundo, alguns deles com inesperadas carreiras futuras, como o magnata do cinema sir Alexander Korda e o ator Bela Lugosi, mais conhecido como astro do filme de horror original *Drácula*.

(**) A chamada Primeira Internacional foi a Associação Internacional de Trabalhadores, de Karl Marx, de 1864-72.

corpo de ativistas absolutamente comprometidos e disciplinados, uma espécie de força de ataque global para a conquista revolucionária. Os partidos não dispostos a adotar a estrutura leninista eram barrados ou expulsos da nova Internacional, que só poderia ser enfraquecida com a aceitação dessas quintas-colunas de oportunismo e reformismo, para não falar no que Marx chamara outrora de "cretinismo parlamentar". Na iminente batalha só poderia haver lugar para soldados.

O argumento só fazia sentido com uma condição: que a revolução mundial ainda estivesse em andamento, e suas batalhas, em perspectiva imediata. Contudo, embora a situação européia estivesse longe de estabilizada, era claro em 1920 que a Revolução Bolchevique não estava nos planos do Ocidente, embora também fosse claro que na Rússia os bolcheviques se achavam estabelecidos permanentemente. Sem dúvida, quando a Internacional se reuniu, parecia haver uma possibilidade de que o Exército Vermelho, vitorioso na Guerra Civil, e agora marchando para Varsóvia, espalhasse a revolução para oeste pela força armada, como subproduto de uma breve guerra russo-polonesa, provocada pelas ambições territoriais da Polônia. Restaurada à condição de Estado após um século e meio de não-existência, a Polônia exigia agora suas fronteiras do século XVIII. Essas ficavam dentro da Bielorrússia, Lituânia e Ucrânia. O avanço soviético, que deixou um maravilhoso monumento literário na *Cavalaria vermelha* de Isaac Babel, foi saudado por uma variedade incomumente ampla de contemporâneos, que iam do romancista austríaco Joseph Roth, depois elegista dos Habsburgo, a Mustafá Kemal, futuro líder da Turquia. Mas os trabalhadores poloneses não se levantaram, e o Exército Vermelho retornou das portas de Varsóvia. Daí em diante, apesar das aparências, não haveria novidades na frente ocidental. Claro, as perspectivas da revolução passaram para o Leste, na Ásia, à qual Lenin sempre dispensara considerável atenção. Na verdade, de 1920 a 1927 as esperanças de revolução mundial pareceram repousar na revolução chinesa, avançando sobre o Kuomintang, então o partido de libertação nacional, cujo líder Sun Yat-sen (1886-1925) acolheu igualmente o modelo soviético, a assistência militar soviética e o novo Partido Comunista como parte de seu movimento. A aliança Kuomintang-comunistas ia tomar o Norte a partir de suas bases no Sul da China, numa grande ofensiva de 1925-7, pondo a maior parte da China mais uma vez sob o controle de um único governo, pela primeira vez desde a queda do império em 1911, antes que o principal general do Kuomintang, Chiang Kai-shek, se voltasse contra os comunistas e os massacrasse. Contudo, mesmo antes dessa prova de que o Leste ainda não estava maduro para Outubro, a promessa da Ásia não ocultava o fracasso da revolução no Ocidente.

Em 1921, isso era inegável. A revolução se achava em retirada na Rússia soviética, embora politicamente o poder bolchevique fosse inexpugnável (ver pp. 369-70). Estava fora dos planos do Ocidente. O Terceiro Congresso do

Comintern reconheceu isso sem o admitir exatamente, convocando uma "frente única" com os mesmos socialistas que o Segundo expulsara do exército do progresso revolucionário. O que isso significava, na verdade, era uma divisão dos revolucionários pelas próximas gerações. Contudo, de qualquer modo era tarde demais. O movimento rachara em definitivo, a maioria dos socialistas de esquerda, indivíduos e partidos, voltou para o movimento social-democrata, em sua esmagadora maioria levada por moderados anticomunistas. Os novos partidos comunistas continuaram sendo minorias da esquerda européia, e em geral — com umas poucas exceções, como na Alemanha, França e Finlândia — minorias um tanto pequenas, se bem que apaixonadas. Sua situação não ia mudar até a década de 1930 (ver capítulo 5).

IV

Contudo, o ano de levantes deixou para trás não apenas um país imenso mas atrasado agora governado por comunistas e empenhado na construção de uma sociedade alternativa ao capitalismo, como também um governo, um movimento internacional disciplinado e, talvez igualmente importante, uma geração de revolucionários comprometidos com a visão da revolução mundial sob a bandeira erguida em Outubro e a liderança do movimento que inevitavelmente tinha seu quartel-general em Moscou. (Durante vários anos, esperava-se que logo se transferisse para Berlim, e o alemão, não o russo, continuou sendo a língua oficial da Internacional entre as guerras.) Talvez o movimento não tenha sabido com exatidão como a revolução mundial ia avançar após a desestabilização na Europa e a derrota na Ásia, e as tentativas esparsas dos comunistas de insurreição armada independente (Bulgária e Alemanha em 1923, Indonésia em 1926, China em 1927 e — tardio e anômalo — o Brasil em 1935) foram desastrosas. Contudo, como a Grande Depressão e a ascensão de Hitler logo iriam provar, era difícil a situação do mundo entre as guerras ser de porte a desencorajar especulações apocalípticas (ver capítulos 3 e 5). Isso não explica a súbita mudança do Comintern para uma retórica de ultra-revolucionismo e esquerdismo sectário entre 1928 e 1934, pois, qualquer que fosse a retórica, na prática o movimento nem esperava nem se preparou para tomar o poder em parte alguma. A mudança, que se mostrou calamitosa do ponto de vista político, deve ser explicada antes pela política interna do Partido Comunista soviético, quando Stalin assumiu seu controle, e talvez também como uma tentativa de compensar a cada vez mais evidente divergência entre os interesses da URSS, como um Estado que não tinha como evitar a coexistência com outros Estados — começou a ganhar reconhecimento internacional como regime a partir de 1920 — e o movimento cujo objetivo era subverter e derrubar todos os outros governos.

No fim, os interesses de Estado da União Soviética prevaleceram sobre os interesses revolucionários mundiais da Internacional Comunista, que Stalin reduziu a um instrumento da política de Estado soviético, sob o estrito controle do Partido Comunista soviético, expurgando, dissolvendo e reformando seus componentes à vontade. A revolução mundial pertencia à retórica do passado, e na verdade qualquer revolução só era tolerada se a) não conflitasse com o interesse de Estado soviético; e b) pudesse ser posta sob controle soviético direto. Os governos ocidentais, que viam o avanço de regimes comunistas após 1944 essencialmente como uma extensão do poder soviético, sem dúvida interpretavam corretamente as intenções de Stalin; mas o mesmo faziam os revolucionários irreconciliados que, furiosos, censuravam Moscou por não querer que os comunistas tomassem o poder e desencorajar toda tentativa de fazê-lo, mesmo os que se mostraram bem-sucedidos, como na Iugoslávia e na China.

Apesar disso, até o fim a Rússia soviética continuou sendo, mesmo aos olhos de muitos membros interesseiros e corruptos de sua *nomenklatura*, algo mais que apenas outra grande potência. A emancipação universal, a construção de uma alternativa melhor para a sociedade capitalista eram, afinal, sua razão fundamental de existir. Por que mais deveriam os impassíveis burocratas de Moscou ter continuado a financiar e armar durante décadas os guerrilheiros do Congresso Nacional Africano, aliado dos comunistas, cujas chances de derrubar o sistema de *apartheid* na África do Sul pareciam e eram mínimas? (Coisa curiosa: o regime comunista chinês, embora criticasse a URSS por trair os movimentos revolucionários após o rompimento entre os dois países, não tem uma folha comparável de apoio prático a movimentos de libertação do Terceiro Mundo.) A humanidade, a URSS aprendera há muito tempo, não seria transformada pela revolução mundial inspirada por Moscou. No longo crepúsculo dos anos Brejnev, desapareceu até mesmo a sincera convicção de Nikita Kruchev, de que o socialismo ia "enterrar" o capitalismo por força de sua superioridade econômica. Pode bem ser que a erosão terminal dessa crença na vocação universal do sistema explique por que, no fim, ele se desintegrou sem resistência (ver capítulo 16).

Nenhuma dessas hesitações perturbou a primeira geração de inspirados pela luz brilhante de Outubro a dedicar suas vidas à revolução mundial. Como os primeiros cristãos, a maioria dos socialistas pré-1914 era de crentes na grande mudança apocalíptica que iria abolir tudo que era mal e trazer uma sociedade sem infelicidade, opressão, desigualdade e injustiça. O marxismo oferecia à esperança do milênio a garantia da ciência e da inevitabilidade histórica; a Revolução de Outubro agora oferecia a prova de que a grande mudança começara.

O número total desses soldados no necessariamente implacável e disciplinado exército de emancipação humana talvez não fosse maior que umas poucas dezenas de milhares; o número de profissionais do movimento internacional, "mudando de país com mais freqüência que de sapatos", como disse Bertolt Brecht num poema escrito em homenagem a eles, talvez não passasse de umas poucas centenas ao todo. Eles não devem ser confundidos com o que os italianos, nos dias de seu Partido Comunista de 1 milhão de membros, chamavam de "o povo comunista", os milhões de seguidores e simples membros para os quais o sonho de uma sociedade nova e *boa* era também real, embora na prática o seu não fosse mais que o ativismo diário do velho socialismo e cujo compromisso, de qualquer modo, era mais de classe e comunidade do que de dedicação pessoal. Contudo, embora o seu número fosse pequeno, não se pode entender o século XX sem eles.

Sem o "novo tipo de partido" de Lenin, cujos "revolucionários profissionais" eram os quadros, é inconcebível que em pouco mais de trinta anos após Outubro um terço da raça humana se visse vivendo sob regimes comunistas. O que sua fé e sua irrestrita lealdade ao quartel-general da revolução mundial em Moscou deram aos comunistas foi a capacidade de ver-se (sociologicamente falando) como partes de uma igreja universal, não uma seita. Os partidos comunistas orientados por Moscou perderam líderes por secessão e expurgo, mas até o movimento perder o ânimo após 1956 eles não se cindiram, ao contrário dos grupos fragmentários de dissidentes marxistas que seguiram Trotski e os ainda mais fissíparos conventículos "marxista-leninistas" do maoísmo pós-1960. Por poucos que fossem — e quando Mussolini foi derrubado na Itália em 1943 o Partido Comunista italiano consistia de cerca de 5 mil homens e mulheres, a maioria saindo da cadeia ou do exílio — eram o que os bolcheviques tinham sido em fevereiro de 1917, o núcleo de um exército de milhões, governantes potenciais de um povo e um Estado.

Para essa geração, sobretudo os que, embora jovens, viveram os anos de levante, a revolução foi o acontecimento de suas vidas; os dias de capitalismo estavam inevitavelmente contados. A história contemporânea era a antecâmara da vitória final para os que vivessem para vê-la, o que incluiria alguns soldados da revolução ("os mortos de licença", como disse o comunista russo Leviné, pouco antes de ser executado pelos que derrubaram o soviete de Munique de 1919). Se a própria sociedade burguesa tinha tantos motivos para duvidar de seu futuro, por que estariam eles confiantes na sua sobrevivência? Suas próprias vidas demonstravam sua realidade.

Tomemos o caso de dois jovens alemães temporariamente ligados como amantes, que foram mobilizados pela revolução soviética da Baviera de 1919; Olga Benario, filha de um próspero advogado de Munique, e Otto Braun, um professor primário. Ela iria ver-se organizando a revolução no hemisfério ocidental, ligada e afinal casada com Luís Carlos Prestes, líder da longa marcha insurrecional pelos sertões brasileiros, que havia convencido Moscou a apoiar um levante no Brasil em 1935. O levante fracassou, e Olga foi entregue pelo governo brasileiro à Alemanha de Hitler, onde acabou morrendo num campo de concentração. Enquanto isso Otto, mais bem-sucedido, partiu para revolucionar o Oriente como especialista militar do Comintern e, como se viu, o único não chinês a participar da famosa "Longa Marcha" dos comunistas chineses, antes de voltar a Moscou e por fim à República Democrática Alemã (Oriental). (A experiência o deixou cético em relação a Mao.) Quando, a não ser na primeira metade do século XX, poderiam duas vidas interligadas ter tomado esses rumos?

Assim, na geração após 1917, o bolchevismo absorveu todas as outras tradições revolucionárias, ou empurrou-as para a margem de movimentos radicais. Antes de 1914, o anarquismo fora muito mais uma ideologia impulsora de ativistas revolucionários que o marxismo em grandes partes do mundo. Marx, fora da Europa Oriental, era mais visto como o guru dos partidos de massa cujo avanço inevitável, mas não explosivo, para a vitória, ele tinha demonstrado. Na década de 1930 o anarquismo deixara de existir como força política importante fora da Espanha, mesmo na América Latina, onde a bandeira vermelha e preta tradicionalmente inspirara mais que a vermelha. (Mesmo na Espanha a Guerra Civil ia destruir o anarquismo, enquanto fazia a fortuna dos comunistas, até então relativamente insignificantes.) Na verdade, os grupos social-revolucionários que existiam fora do comunismo moscovita tomaram daí em diante Lenin e a Revolução de Outubro como seu ponto de referência, e eram quase sempre chefiados ou inspirados por alguma figura dissidente ou expulsa do Comintern, à medida que Yosif Stalin estabelecia, e depois fechava, seu domínio sobre o Partido Comunista soviético e a Internacional. Poucos desses centros dissidentes contavam muito do ponto de vista político. De longe o mais prestigioso dos hereges, o exilado Leon Trotski — co-líder da Revolução de Outubro e arquiteto do Exército Vermelho — fracassou por completo em seus esforços políticos. Sua "Quarta Internacional", destinada a competir com a stalinizada Terceira Internacional, foi praticamente invisível. Quando foi assassinado por ordem de Stalin em seu exílio no México, em 1940, a importância política de Trotski era insignificante.

Em suma, ser um social-revolucionário cada vez mais significava ser um seguidor de Lenin e da Revolução de Outubro, e cada vez mais um membro ou seguidor de algum partido comunista alinhado com Moscou; e tanto mais quando, após o triunfo de Hitler na Alemanha, esses partidos adotaram a política de união antifascista que lhes permitiu sair do isolamento sectário e conquistar apoio de massa tanto entre os trabalhadores quanto entre os intelectuais (ver capítulo 5). Os jovens que tinham sede de derrubar o capitalismo tornaram-se comunistas ortodoxos, e identificaram sua causa com o movimento internacional centrado em Moscou; e o marxismo, restaurado por Outubro como a ideologia da mudança revolucionária, significava o marxismo do Instituto Marx-Engels-Lenin de Moscou, que era agora o centro global para disseminação dos grandes textos clássicos. Ninguém mais à vista se oferecia para interpretar o mundo e mudá-lo, nem parecia melhor capacitado para fazer isso. Assim ia continuar até depois de 1956, quando a desintegração da ortodoxia marxista na URSS e do movimento comunista internacional centrado em Moscou trouxe os pensadores, tradições e organizações marginalizados da heterodoxia esquerdista para a esfera pública. Mesmo assim, ainda viviam sob a grande sombra de Outubro. Embora qualquer um com o mais leve conhecimento de história da ideologia pudesse reconhecer mais o espírito de Bakunin, ou mesmo de Nechaev, do que de Marx nos radicais estudantes de 1968 e depois, isso não levou a nenhuma ressurreição significativa da teoria ou dos movimentos anarquistas. Ao contrário, 1968 produziu uma enorme voga intelectual para o marxismo em teoria — geralmente em versões que teriam surpreendido Marx — e para uma variedade de seitas e grupos "marxista-leninistas", unidos pela rejeição a Moscou e aos velhos partidos comunistas como não suficientemente revolucionários e leninistas.

Paradoxalmente, essa quase completa tomada da tradição social-revolucionária se deu num momento em que o Comintern abandonou claramente as estratégias revolucionárias originais de 1917-23, ou, antes, contemplou estratégias para a transferência de poder bastante diferentes das de 1917 (ver capítulo 5). De 1935 em diante, a literatura da esquerda crítica iria encher-se de acusações de que os movimentos de Moscou perdiam, rejeitavam, ou melhor, traíam as oportunidades de revolução, porque Moscou não mais a queria. Até o orgulhosamente "monolítico" movimento centrado nos soviéticos começar a rachar por dentro, esses argumentos tiveram pouco efeito. Enquanto o movimento comunista manteve sua unidade, coesão e impressionante imunidade a fissão, foi, para a maioria dos que, no mundo, acreditavam na revolução global, a única opção. Além disso, quem podia negar que os países que romperam com o capitalismo na segunda grande onda de revolução social no mundo, de 1944 a 1949, o fizeram sob os auspícios de partidos comunistas ortodoxos, orientados pelos soviéticos? Só depois de 1956 os que pensavam em revolução tiveram uma verdadeira opção entre vários desses movimentos com alguma verdadeira pretensão a efetividade política ou insurrecional. Mesmo esses — vários tipos de trotskismo, maoísmo e grupos inspirados pela revolução cubana de 1959 (ver capítulo 15) — ainda eram mais ou menos de derivação leninista. Os velhos partidos comunistas continuavam sendo em grande parte os maiores grupos da extrema esquerda, mas a essa altura o velho movimento comunista perdera o ânimo.

V

A força do movimento pela revolução mundial estava na forma comunista de organização, o "novo tipo de partido" de Lenin, uma formidável inovação de engenharia social do século XX, comparável à invenção das ordens monásticas cristãs e outras na Idade Média. Dava até mesmo a organizações pequenas uma eficácia desproporcional, porque o partido podia contar com extraordinária dedicação e auto-sacrifício de seus membros, disciplina e coesão maior que a de militares, e uma total concentração na execução de suas decisões a todo custo. Isso impressionava profundamente até mesmo os observadores hostis. E no entanto, a relação entre o modelo do "partido de vanguarda" e as grandes revoluções que ele se destinava a fazer, e ocasionalmente conseguia, longe estava de clara, embora nada fosse mais evidente do que o fato de que o modelo atingia a maioridade *após* revoluções vitoriosas, ou durante guerras. Pois os partidos leninistas eram essencialmente construídos como elites (vanguardas) de líderes (ou melhor, antes das revoluções serem vencidas, "contra-elites"), e as revoluções sociais, como mostrou 1917, dependem do que acontece entre as massas e em situações que nem as elites nem as contra-elites podem controlar por inteiro. Na verdade, o modelo leninista teve de fato considerável apelo para jovens membros de velhas elites, sobretudo no Terceiro Mundo, que entraram nesses partidos em números desproporcionais, apesar dos esforços heróicos, e relativamente bem-sucedidos, desses partidos para promover verdadeiros proletários. A grande expansão do comunismo brasileiro na década de 1930 baseou-se na conversão de jovens intelectuais de famílias da oligarquia latifundiária e oficiais subalternos do exército (Martins Rodrigues, 1984, pp. 390-7).

Por outro lado, os sentimentos das verdadeiras "massas" (às vezes incluindo os seguidores ativos das "vanguardas") com freqüência entravam em choque com as idéias de seus líderes, sobretudo em momentos de verdadeira insurreição de massa. Assim, a rebelião dos generais espanhóis contra o governo da Frente Popular em julho de 1936 desencadeou de imediato a revolução em várias regiões da Espanha. Que os militantes, sobretudo anarquistas, passassem a coletivizar os meios de produção, não foi surpreendente, embora o Partido Comunista e o governo central depois se opusessem e, onde possível, revertessem essa transformação, e os prós e contras disso continuam a ser discutidos na literatura política e histórica. Contudo, o acontecimento também desencadeou a maior de todas as ondas de iconoclasma e homicídio anticlerical, pois essa forma de atividade se tornara pela primeira vez parte das agitações populares em 1835, quando os cidadãos de Barcelona reagiram a uma tourada insatisfatória incendiando vários conventos. Cerca de 7 mil pessoas do clero — isto é, 12% a 13% dos padres e monges do país, embora apenas uma proporção insignificante de freiras — foram mortas, enquanto numa única diocese da Catalunha (Gerona) mais de 6 mil imagens foram destruídas (Thomas, 1977, pp. 270-1; M. Delgado, 1992, p. 56).

Duas coisas estão claras nesse terrível episódio: foi denunciado pelos líderes ou porta-vozes da esquerda revolucionária espanhola, embora fossem anticlericais radicais, incluindo os anarquistas, notórios inimigos dos padres; e para os que o perpetraram, como também para muitos dos que assistiram, *isso*, mais que qualquer outra coisa, era o que na verdade significava a revolução: a inversão da ordem da sociedade e seus valores, não só por um breve momento, mas para sempre (Delgado, 1992, pp. 52-3). Estava muito bem os líderes insistirem, como sempre faziam, em que o principal inimigo era o capitalista, e não o padre: nos ossos, as massas sentiam diferente. (Se a política popular numa sociedade menos machista que a ibérica teria sido menos homicidamente iconoclasta, é uma questão contrafactual, mas sobre a qual uma séria pesquisa sobre as atitudes das mulheres poderia, apesar disso, lançar alguma luz.)

Na verdade, o tipo de revolução que vê a estrutura de ordem e autoridade políticas se evaporarem de repente, deixando o homem (e, até onde lhe permitem, a mulher) comum entregue a seus próprios recursos, se mostrou raro no século XX. Mesmo o outro exemplo mais próximo de súbito colapso de um regime, a Revolução Iraniana de 1979, não foi exatamente tão inestruturado, apesar da extraordinária unanimidade da mobilização das massas de Teerã contra o xá, grande parte da qual deve ter sido espontânea. Graças às estruturas do clericalismo iraniano, o novo regime já estava presente na ruína do antigo, embora não fosse assumir sua forma completa por algum tempo (ver capítulo 15).

Na verdade, a típica revolução pós-Outubro do Breve Século XX, deixando de lado algumas explosões localizadas, seria ou iniciada por um golpe (quase sempre militar), capturando a capital, ou o resultado final de uma luta armada extensa e em grande parte rural. Como os oficiais subalternos — muito mais raramente suboficiais — de simpatias radicais ou esquerdistas eram comuns em países pobres e atrasados, onde a vida militar oferecia perspectivas de uma carreira atraente para jovens capazes e educados de famílias sem ligações e riqueza, essas iniciativas costumavam ser encontradas em países como o Egito (a revolução dos Oficiais Livres de 1952) e outros do Oriente Médio (Iraque em 1958, Síria em vários momentos desde a década de 50 e a Líbia em 1960). Os militares fazem parte do tecido da história revolucionária latino-americana, embora raras vezes tenham tomado o poder nacional, e não por muito tempo, por causas declaradamente esquerdistas. Por outro lado, para surpresa da maioria dos observadores, em 1974 um clássico *putsch* militar de jovens oficiais desiludidos e radicalizados pelas longas guerras coloniais de retaguarda derrubou o mais velho regime direitista então operando no mundo: a "Revolução dos Cravos em Portugal". A aliança entre eles, um forte Partido Comunista emergindo da clandestinidade e vários grupos marxistas radicais, logo se dividiu e foi superada, para alívio da Comunidade Européia, a que Portugal se juntou pouco depois.

A estrutura social, as tradições ideológicas e as funções políticas das Forças Armadas nos países desenvolvidos fizeram os militares com interesses políticos nesses países preferirem a direita. Golpes em aliança com os comunistas, ou mesmo socialistas, não faziam o gênero deles. Claro, nos movimentos de libertação do império francês ex-soldados das forças nativas vieram a desempenhar um papel importante (em especial na Argélia). Sua experiência na Segunda Guerra Mundial e depois fora insatisfatória, não apenas devido à discriminação habitual, como também porque os soldados, em grande parte coloniais, das forças da França Livre de De Gaulle, eram, tal como os membros em grande parte não gálicos da resistência armada dentro da França, rapidamente empurrados para as sombras.

Os exércitos da França Livre nas paradas oficiais da vitória após a libertação eram bem "mais brancos" que os que de fato ganharam as honras da batalha gaullista. Apesar disso, no todo, os exércitos coloniais das potências imperiais, mesmo quando de fato tendo oficiais nativos das colônias, permaneceram leais, ou antes apolíticos, ainda descontando-se os mais ou menos 50 mil soldados indianos que entraram no exército nacional indiano sob os japoneses (Echenberg, 1992, pp. 141-5; M. Barghava & Singh Gill, 1988, p. 10; Sareen, 1988, pp. 20-1).

VI

O caminho para a revolução pela longa guerra de guerrilha foi descoberto um tanto tardiamente pelos revolucionários sociais do século XX, talvez porque em termos históricos essa forma de atividade em essência rural estivesse associada de modo esmagador a movimentos de ideologias arcaicas facilmente confundidos pelos observadores urbanos com o conservadorismo, ou mesmo com a reação e a contra-revolução. Afinal, as poderosas guerras de guerrilha do período revolucionário e napoleônico francês dirigiam-se sempre *contra*, e jamais *a favor* da França e da causa de sua Revolução. A própria palavra "guerrilha" não fazia parte do vocabulário marxista até depois da Revolução Cubana de 1959. Os bolcheviques, que travaram tanto guerra irregular quanto regular durante a Guerra Civil, usavam o termo *partisan*, que se tornou padrão nos movimentos de resistência inspirados pelos soviéticos durante a Segunda Guerra Mundial. Em retrospecto, é surpreendente que a ação de guerrilha quase não desempenhasse papel algum na Guerra Civil Espanhola, embora devesse haver bastante espaço para ela nas áreas republicanas ocupadas pelas forças de Franco. Na verdade, os comunistas organizaram alguns núcleos de guerrilha bastante significativos, de fora, após a Segunda Guerra Mundial. Antes da Primeira Guerra Mundial, ela não fazia parte da caixa de ferramentas dos fazedores de revolução em perspectiva.

Isso com exceção da China, onde a nova estratégia foi pioneiramente usada por alguns (mas não todos) líderes comunistas, depois que o Kuomintang, sob Chang Kai-chek, se voltou contra seus ex-aliados comunistas em 1927, e após o espetacular fracasso da insurreição comunista nas cidades (Cantão, 1927). Mao Tsé-tung, principal defensor da nova estratégia — que acabaria tornando-o o líder da China comunista —, não apenas reconheceu que, após mais de quinze anos de revolução, grandes regiões da China estavam fora do controle efetivo de qualquer administração central, mas, como dedicado admirador de *A margem da água*, grande romance clássico sobre banditismo social chinês, que as táticas de guerrilha eram parte tradicional do conflito social chinês. Na verdade, nenhum chinês com educação clássica deixaria de notar a semelhança entre o estabelecimento da primeira zona livre de guerrilha de Mao nas montanhas de Kiangsi em 1927 e a fortaleza da montanha dos heróis de *A margem da água*, que o jovem Mao chamou seus colegas estudantes a imitar em 1917 (Schram, 1966, pp. 43-4).

A estratégia chinesa, embora heróica e inspiradora, parecia inadequada a países com modernas comunicações internas e governos habituados a administrar todo o seu território, por mais remoto e fisicamente difícil. Na verdade, não se mostrou bem-sucedida a curto prazo nem mesmo na China, onde o governo nacional, após várias campanhas militares, obrigou os comunistas em 1934 a abrir mão de seus vários territórios soviéticos livres nas principais regiões do país e retirar-se, através da lendária Longa Marcha, para uma região remota e pouco povoada do noroeste.

Depois que tenentes rebeldes brasileiros como Luís Carlos Prestes passaram das caminhadas no sertão para o comunismo em fins da década de 1930, nenhum grupo esquerdista importante escolheu o caminho da guerrilha em outra parte, a menos que contemos a luta do general César Augusto Sandino contra os fuzileiros navais americanos na Nicarágua (1927-33), que iria inspirar a revolução sandinista cinqüenta anos depois. (Contudo, um tanto implausivelmente, a Internacional Comunista tentou apresentar sob essa luz Lampião, famoso bandido social brasileiro e herói de mil livrinhos de cordel.) O próprio Mao só se tornou a estrela-guia dos revolucionários depois da Revolução Cubana.

Contudo, a Segunda Guerra Mundial produziu um incentivo mais imediato e geral à tomada do caminho da guerrilha para a revolução: a necessidade de resistir à ocupação da maior parte da Europa continental, incluindo grandes partes da União Soviética européia, pelos exércitos da Alemanha de Hitler e seus aliados. A resistência, e sobretudo a resistência armada, desenvolveu-se em escala substancial depois que o ataque de Hitler à URSS mobilizou os vários movimentos comunistas. Quando o exército alemão foi finalmente derrotado, com variadas contribuições de movimentos de resistência locais (ver capítulo 5), os regimes da Europa ocupada ou fascista se desintegraram, e regimes social-revolucionários sob controle comunista tomaram o poder, ou tentaram, em vários países onde a resistência armada tinha sido mais eficaz (Iugoslávia, Albânia e — não fosse pelo apoio militar britânico e finalmente americano — Grécia).

Provavelmente também podiam tê-lo tomado, embora não por muito tempo, na Itália ao Norte dos Apeninos, mas, por motivos ainda discutidos no que resta da esquerda revolucionária, não tentaram. Os regimes comunistas que se estabeleceram no Leste e Sudeste da Ásia após 1945 (na China, parte da Coréia e da Indochina francesa) também podem ser encarados como filhos da resistência da época da guerra; pois mesmo na China o maciço avanço dos exércitos comunistas de Mao para o poder só começou depois que o exército japonês partiu para tomar o corpo principal do país em 1937. A segunda onda de revolução social mundial surgiu da Segunda Guerra, como a primeira tinha surgido da Primeira — embora de uma maneira absolutamente diferente. Desta vez era a própria guerra, e não a repulsa a ela, que levava a revolução ao poder.

A natureza e política dos novos regimes revolucionários são examinadas em outra parte (ver capítulos 5 e 13). Aqui, estamos interessados no processo da revolução em si. As revoluções de meados de século, que ocorreram no lado vitorioso de longas guerras, diferiram dos cenários clássicos de 1789 ou Outubro, ou mesmo do colapso em câmara lenta de regimes como a China imperial ou o México porfirista (ver *Age of Empire*, capítulo 12), em dois aspectos. Primeiro — e nisso se assemelham ao resultado de golpes militares vitoriosos — não havia dúvida real sobre quem tinha feito a revolução ou exercia o poder: o grupo político ligado às Forças Armadas vitoriosas da URSS, pois a Alemanha, o Japão e a Itália não teriam sido derrotados *só* pelas forças da Resistência — nem mesmo na China. (Os exércitos ocidentais vitoriosos se opunham, é claro, aos regimes dominados pelos comunistas.) Houve um interregno ou vazio de poder. Do outro lado, as únicas situações em que fortes movimentos de Resistência não tomaram o poder rapidamente após o colapso dos poderes do Eixo foram onde os aliados ocidentais mantiveram um pé nos países liberados (Coréia do Sul, Vietnã), ou onde as forças anti-Eixo internas estavam elas próprias divididas, como na China. Ali, os comunistas depois de 1945 ainda precisavam estabelecer-se contra um governo corrupto e cada vez mais fraco, mas co-beligerante, o do Kuomintang; observados por uma URSS notavelmente sem entusiasmo.

Segundo, o caminho da guerrilha para o poder inevitavelmente levava a sair das cidades e centros industriais, onde estava a força tradicional dos movimentos trabalhistas, e ir para o interior rural. Mais precisamente, uma vez que a guerra de guerrilha se mantém com mais facilidade no mato, montanhas, florestas ou terrenos semelhantes, em território de população escassa, distante das principais populações. Nas palavras de Mao, o campo iria cercar a cidade para conquistá-la. Em termos de resistência européia, a insurreição urbana — o levante de Paris no verão de 1944; de Milão na primavera de 1945 — teve de esperar até que a guerra praticamente acabasse, pelo menos em sua região. O que aconteceu em Varsóvia em 1944 foi o castigo do levante urbano prematuro: eles tinham apenas uma bala no gatilho, embora uma bala grande. Em suma, para a maioria da população, mesmo de um país revolucionário, o caminho da guerrilha para a revolução significava esperar durante longos períodos que a mudança viesse de outra parte, sem poder fazer muita coisa. Os combatentes de fato da resistência, incluindo toda a sua infra-estrutura, eram, inevitavelmente, uma minoria bastante pequena.

Em seu território, claro, as guerrilhas não podiam funcionar sem apoio de massa; não menos porque, em conflitos extensos, suas forças seriam em grande parte recrutadas localmente: assim (como na China), grupos de operários industriais e intelectuais podiam ser discretamente transformados em exércitos de ex-camponeses. Contudo, a relação deles com as massas não era, inevitavelmente, tão simples como sugere a expressão de Mao sobre o peixe da guerrilha nadando na água do povo. Numa região de guerrilha típica, quase qualquer grupo perseguido de marginais que se comportasse bem, pelos padrões locais, podia desfrutar de generalizada simpatia contra soldados estrangeiros invasores, ou aliás contra quaisquer agentes do governo nacional. Contudo, as profundas divisões dentro do campo também significavam que os amigos vitoriosos automaticamente se arriscavam a ganhar inimigos. Os comunistas chineses que estabeleceram suas áreas rurais soviéticas em 1927-8 descobriram, para sua injustificada surpresa, que a conversão de uma aldeia dominada por um clã ajudava a estabelecer uma rede de "aldeias vermelhas" baseada em clãs interligados, mas também os punha em guerra contra os inimigos tradicionais deles, que formavam uma rede semelhante de "aldeias negras". "Em alguns casos", queixavam-se, "a luta de classes se transformava na luta de uma aldeia contra outra. Houve casos em que nossas tropas tiveram de sitiar e destruir aldeias inteiras" (Räte-China, 1973, pp. 45-6). Revolucionários guerrilheiros vitoriosos aprenderam a navegar nessas águas traiçoeiras, mas — como deixam claro as memórias de guerra do *partisan* iugoslavo Milovan Djilas — a libertação era muito mais complexa que um simples levante unânime de um povo oprimido contra conquistadores estrangeiros.

VII

Estas não eram considerações que turvassem a satisfação dos comunistas que agora se viam à frente de todos os governos entre o rio Elba e os mares da China. A revolução mundial, que os inspirara, avançara visivelmente. Em vez de uma única URSS fraca e isolada, emergira, ou estava emergindo, algo como uma dezena de Estados da segunda grande onda de revolução global, chefiada por uma das duas potências no mundo merecedoras deste nome (o termo superpotência já existia em 1944). Tampouco se exaurira o ímpeto da revolução global, pois a descolonização das velhas possessões ultramarinas imperialistas prosseguia em franco progresso. Não se poderia esperar que isso levasse a mais avanços na causa do comunismo? Não temia a própria burguesia internacional pelo futuro do que restava do capitalismo, ao menos na Europa? Não se perguntavam os parentes industriais franceses do jovem historiador Le Roy Ladurie, enquanto reconstruíam suas fábricas, se no fim a nacionalização, ou muito simplesmente o Exército Vermelho, não daria uma solução final ao problema deles: sentimentos que, ele iria lembrar-se como velho conservador, confirmaram sua decisão de entrar no Partido Comunista Francês em 1949 (Le Roy Ladurie, 1982, p. 37)? Não disse um subsecretário do Comércio americano ao governo do presidente Truman, em março de 1946, que a maioria dos países europeus estava na beirinha mesmo e podia ser empurrada a qualquer momento; e outros gravemente ameaçados (Loth, 1988, p. 137)?

Esse era o estado de espírito dos homens e mulheres que saíam da ilegalidade, do combate e da resistência, do cárcere, do campo de concentração ou exílio, para assumir a responsabilidade pelo futuro de países em sua maioria arruinados. Talvez alguns deles observassem que, mais uma vez, o capitalismo tinha se mostrado muito mais fácil de derrubar onde era fraco ou mal existia do que em seus países-núcleo. E no entanto, poderia alguém negar que o mundo dera uma dramática virada para a esquerda? Se os novos governantes ou co-governantes comunistas de seus Estados transformados se preocupavam com alguma coisa imediatamente após a guerra, não era com o futuro do socialismo. Era com a reconstrução de países empobrecidos, exaustos e arruinados, às vezes em meio a populações hostis, e com o perigo de uma guerra desencadeada pelas potências capitalistas contra o campo socialista antes que a reconstrução lhes desse segurança. Paradoxalmente, os mesmos temores rondavam o sono de políticos e ideólogos ocidentais. Como veremos, a Guerra Fria que se instalou no mundo após a segunda onda de revolução mundial foi uma disputa de pesadelos. Fossem ou não justificados, os medos do Oriente ou Ocidente eram parte da era de revolução mundial nascida em Outubro de 1917. Mas essa própria era estava para acabar, embora levasse mais quarenta anos para que se pudesse escrever o seu epitáfio.

Apesar disso, mudara o mundo, embora não da maneira como esperavam Lenin e os inspirados pela Revolução de Outubro. Fora do hemisfério ocidental, os dedos de duas mãos bastam para contar os poucos Estados do mundo que não passaram por alguma combinação de revolução, guerra civil, resistência a e libertação de ocupação estrangeira, ou a profilática descolonização por impérios condenados numa era de revolução mundial. (Grã-Bretanha, Suécia, Suíça e talvez Islândia são os únicos casos europeus.) Mesmo no hemisfério ocidental, omitindo as grandes mudanças violentas de governo sempre localmente descritas como "revoluções", grandes revoluções sociais — no México, Bolívia, a Revolução Cubana e suas sucessoras — transformaram o panorama latino-americano.

As revoluções de fato feitas em nome do comunismo se exauriram, embora seja demasiado cedo para orações fúnebres sobre elas enquanto os chineses, um quinto da raça humana, continuam a viver num país governado por um Partido Comunista. Contudo, é óbvio que um retorno ao mundo dos *anciens régimes* desses países é tão impossível quanto era na França depois da era revolucionária e napoleônica, ou, aliás, quanto revelou ser a volta das ex-colônias à vida pré-colonial. Mesmo onde se reverteu a experiência do comunismo, o presente dos países ex-comunistas, e presumivelmente seu futuro, traz e continuará trazendo as marcas específicas da contra-revolução que substituiu a revolução. Não há como apagar a era soviética da história da Rússia ou do mundo, como se não tivesse havido. Não há como São Petersburgo voltar a 1914.

Contudo, as conseqüências indiretas da era de levantes após 1917 foram tão profundas quanto as diretas. Os anos após a Revolução Russa iniciaram o processo de emancipação colonial e descolonização, e introduziram a política de bárbaras contra-revoluções (na forma do fascismo e outros muitos movimentos — ver capítulo 4) e a política de social-democracia na Europa. Esquece-se muitas vezes que até 1917 todos os partidos trabalhistas e socialistas (fora a meio periférica Austrália) preferiram ficar em permanente oposição até a chegada da hora do socialismo. Os primeiros governos ou coalizões de governos social-democratas (não do Pacífico) foram formados em 1917-9 (Suécia, Finlândia, Alemanha, Austrália, Bélgica), seguidos, depois de poucos anos, pela Grã-Bretanha, Dinamarca e Noruega. Tendemos a esquecer que a própria moderação desses partidos era em grande parte uma reação ao bolchevismo, como o foi a disposição do velho sistema político de integrá-los.

Em suma, a história do Breve Século XX não pode ser entendida sem a Revolução Russa e seus efeitos diretos e indiretos. Não menos porque se revelou a salvadora do capitalismo liberal, tanto possibilitando ao Ocidente ganhar a Segunda Guerra Mundial contra a Alemanha de Hitler quanto fornecendo o incentivo para o capitalismo se reformar, e também — paradoxalmente — graças à aparente imunidade da União Soviética à Grande Depressão, o incentivo a abandonar a crença na ortodoxia do livre mercado. Como veremos no próximo capítulo.

3
RUMO AO ABISMO ECONÔMICO

Nenhum Congresso dos Estados Unidos já reunido, ao examinar o estado da União, encontrou uma perspectiva mais agradável do que a de hoje [...] A grande riqueza criada por nossa empresa e indústria, e poupada por nossa economia, teve a mais ampla distribuição entre nosso povo, e corre como um rio a servir à caridade e aos negócios do mundo. As demandas da existência passaram do padrão da necessidade para a região do luxo. A produção que aumenta é consumida por uma crescente demanda interna e um comércio exterior em expansão. O país pode encarar o presente com satisfação e prever o futuro com otimismo.

Presidente Calvin Coolidge, Mensagem ao Congresso, 4/12/1928

Depois da guerra, o desemprego tem sido o mais insidioso, o mais corrosivo mal de nossa geração: é a doença social específica da civilização ocidental em nosso tempo.

The Times, 23/1/1943

I

Suponhamos que a Primeira Guerra Mundial tivesse sido apenas uma perturbação temporária, apesar de catastrófica, numa economia e civilização fora isso estáveis. A economia teria então voltado a alguma coisa parecida ao normal após afastar os detritos da guerra e daí seguido em frente. Mais ou menos como o Japão sepultou os 300 mil mortos do terremoto de 1923, limpou as ruínas que deixaram 2 ou 3 milhões de desabrigados e reconstruiu a cidade como era antes, porém um pouco mais à prova de terremotos. Como teria sido o mundo entreguerras nessas circunstâncias? Não sabemos, e não há sentido em especular sobre o que não aconteceu, e quase certamente não poderia ter acontecido. Mas a pergunta não é inútil, porque nos ajuda a captar o profundo efeito na história do século XX do colapso econômico entre as guerras.

Sem ele, com certeza não teria havido Hitler. Quase certamente não teria havido Roosevelt. É muito improvável que o sistema soviético tivesse sido encarado como um sério rival econômico e uma alternativa possível ao capitalismo mundial. As conseqüências da crise econômica no mundo não europeu ou não ocidental, comentadas em outra parte desta obra, foram patentemente impressionantes. Em suma, o mundo da segunda metade do século XX é incompreensível se não entendermos o impacto do colapso econômico. É o tema deste capítulo.

A Primeira Guerra Mundial devastou apenas partes do Velho Mundo, sobretudo na Europa. A revolução mundial, o aspecto mais dramático do colapso da civilização burguesa do século XIX, espalhou-se mais amplamente: do México à China e, em forma de movimentos de libertação coloniais, do Magreb à Indonésia. Contudo, seria fácil encontrar partes do globo cujos cidadãos tivessem ficado distantes de ambos, notadamente os Estados Unidos da América, assim como grandes regiões da África colonial central e setentrional. Mas a Primeira Guerra Mundial foi seguida por um tipo de colapso verdadeiramente mundial, sentido pelo menos em todos os lugares em que homens e mulheres se envolviam ou faziam uso de transações impessoais de mercado. Na verdade, mesmo os orgulhosos EUA, longe de serem um porto seguro das convulsões de continentes menos afortunados, se tornaram o epicentro deste que foi o maior terremoto global medido na escala Richter dos historiadores econômicos — a Grande Depressão do entreguerras. Em suma: entre as guerras, a economia mundial capitalista pareceu desmoronar. Ninguém sabia exatamente como se poderia recuperá-la.

As operações de uma economia capitalista jamais são suaves, e flutuações variadas, muitas vezes severas, fazem parte integral dessa forma de reger os assuntos do mundo. O chamado "ciclo do comércio", de expansão e queda, era conhecido de todo homem de negócios do século XIX. Esperava-se que se repetisse, com variações, a cada período de sete a onze anos. Uma periodicidade um tanto mais extensa começara a chamar a atenção no fim do século XIX, quando observadores perceberam em retrospecto as inesperadas peripécias das décadas anteriores. Um *boom* espetacular, batedor de recordes, de cerca de 1850 a inícios da década de 1870, fora seguido por vinte e tantos anos de incertezas econômicas (os autores econômicos, um tanto enganadoramente, falaram numa Grande Depressão), e depois por outra onda marcadamente secular de progresso na economia mundial (ver *A era do capital, A era dos impérios*, capítulo 2). No início da década de 1920, um economista russo, N. D. Kondratiev, que mais tarde seria uma das primeiras vítimas de Stalin, discerniu um padrão de desenvolvimento econômico a partir de fins do século XVIII, através de uma série de "ondas longas" de cinqüenta a sessenta anos, embora nem ele nem ninguém mais conseguisse dar uma explicação satisfatória para esses movimentos, e estatísticos céticos até mesmo negassem sua existência. Desde então, elas tornaram-se universalmente conhecidas na literatura especializada sob o nome de Kondratiev, que, por sinal, concluiu na época que a longa onda da economia mundial estava para terminar.* Tinha razão.

No passado, ondas e ciclos, longos, médios e curtos, tinham sido aceitos por homens de negócios e economistas mais ou menos como os fazendeiros aceitam o clima, que também tem seus altos e baixos. Nada se podia fazer a respeito: criavam oportunidades ou problemas, podiam trazer a prosperidade ou a bancarrota a indivíduos ou indústrias, mas só os socialistas que, como Karl Marx, acreditavam que o ciclo fazia parte de um processo pelo qual o capitalismo gerava o que acabariam por se revelar contradições internas insuperáveis, achavam que elas punham em risco a existência do sistema econômico como tal. Esperava-se que a economia mundial continuasse crescendo e avançando, como havia claramente feito, com exceção das súbitas e breves catástrofes das depressões cíclicas, por mais de um século. O que parecia ser novo na recente situação era que, provavelmente pela primeira e até ali única vez na história do capitalismo, suas flutuações apresentavam perigo para o sistema. E mais: em importantes aspectos, a curva secular de subida parecia interromper-se.

A história da economia mundial desde a Revolução Industrial tem sido de acelerado progresso técnico, de contínuo mas irregular crescimento econômico, e de crescente "globalização", ou seja, de uma divisão mundial cada vez mais elaborada e complexa de trabalho; uma rede cada vez maior de fluxos e intercâmbios que ligam todas as partes da economia mundial ao sistema global. O progresso técnico continuou e até se acelerou na Era da Catástrofe, transformando e sendo transformado pela era de guerras mundiais. Embora na vida da maioria dos homens e mulheres as experiências econômicas centrais da era tivessem sido cataclísmicas, culminando na Grande Depressão de 1929-33, o crescimento econômico não cessou nessas décadas. Apenas diminuiu o ritmo. Na maior e mais rica economia da época, os EUA, a taxa média de crescimento do PNB per capita da população entre 1913 e 1938 foi apenas de um modesto 0,8% ao ano. A produção industrial mundial cresceu pouco mais de 80% nos 25 anos após 1913, ou cerca de metade da taxa de crescimento do quarto de século anterior (Rostow, 1978, p. 662). Como vamos ver (capítulo 9), o contraste com a era pós-1945 iria ser ainda mais espetacular. Contudo, se um ser de Marte estivesse observando as irregulares flutuações que os seres humanos experimentavam no solo, ele ou ela teria concluído que a economia mundial se achava em expansão contínua.

(*) O fato de boas previsões se haverem mostrado possíveis com base nas "ondas longas" de Kondratiev — o que não é muito comum em economia — convenceu muitos historiadores e mesmo alguns economistas de que elas contêm alguma verdade, embora não saibamos qual.

Contudo, com certeza sob um aspecto ela não se achava em expansão. A globalização da economia dava sinais de que parara de avançar nos anos entreguerras. Por qualquer critério de medição, a integração da economia mundial estagnou ou regrediu. Os anos anteriores à guerra tinham sido o período de maior migração em massa na história registrada, mas esses fluxos depois secaram, ou foram represados pelas perturbações das guerras e restrições políticas. Durante os quinze anos que precederam 1914, quase 15 milhões de pessoas desembarcaram nos EUA. Nos quinze anos seguintes, o fluxo diminuiu para 5,5 milhões, e durante a década de 1930 e a guerra, parou quase por completo: menos de 750 mil pessoas entraram nos EUA (*Historical Statistics* I, p. 105, tabela C 89-101). A migração ibérica, voltada principalmente para a América Latina, caiu de 1,75 milhão na década de 1911-20 para menos de 250 mil na década de 1930. O comércio mundial recuperou-se das perturbações da guerra e da crise do pós-guerra e subiu um pouco acima de 1913 no fim da década de 1920, caindo novamente durante a depressão, mas no fim da Era da Catástrofe (1948) não era significativamente maior em volume do que antes da Primeira Guerra Mundial (Rostow, 1978, p. 669). Entre o início da década de 1890 e 1913, havia mais que duplicado. Entre 1948 e 1971, iria quintuplicar. Essa estagnação é tanto mais surpreendente quando lembramos que a Primeira Guerra Mundial produziu um número substancial de novos países na Europa e no Oriente Médio. Tantos quilômetros a mais de fronteiras de países poderiam levar-nos a esperar um aumento automático no comércio entre estes Estados, uma vez que transações comerciais antes feitas num mesmo país (digamos, Áustria-Hungria, ou Rússia) eram agora classificadas como internacionais. Do mesmo modo, o trágico fluxo de refugiados do pós-guerra e da pós-revolução, cujos números já se mediam em milhões (ver capítulo 7), poderia levar-nos a esperar mais um crescimento que uma queda da migração global. Durante a Grande Depressão, até mesmo o fluxo internacional de capital pareceu secar. Entre 1927 e 1933, os empréstimos internacionais caíram mais de 90%.

Por que essa estagnação? Sugeriram-se vários motivos, como por exemplo que a maior das economias do mundo, a dos EUA, passara a ser praticamente auto-suficiente, exceto pelo suprimento de umas poucas matérias-primas; jamais dependera particularmente do comércio externo. Contudo, mesmo países que tinham sido comerciantes de peso, como a Grã-Bretanha e os Estados escandinavos, mostravam a mesma tendência. Os contemporâneos concentravam-se numa causa de alarme mais óbvia, e com certeza quase tinham razão. Cada Estado agora fazia o mais possível para proteger suas economias de ameaças externas, ou seja, de uma economia mundial que estava visivelmente em apuros.

Tanto homens de negócios quanto governos tinham tido a esperança que, após a perturbação temporária da guerra mundial, a economia mundial de alguma forma retornasse aos dias felizes de antes de 1914, que encaravam como normais. E de fato o *boom* imediatamente após a guerra, pelo menos nos países não perturbados por revoluções e guerras civis, parecia promissor, embora as empresas e governos não vissem com bons olhos o poder enormemente fortalecido dos trabalhadores e dos sindicatos, o que parecia significar o aumento dos custos de produção, devido a salários maiores e menos horas de trabalho. Contudo, o reajuste mostrou-se mais difícil que o esperado. Os preços e o *boom* desmoronaram em 1929. Com isso o poder dos trabalhadores foi minado — o desemprego britânico depois disso não mais caiu muito abaixo de 10%, e os sindicatos perderam metade de seus membros nos doze anos seguintes — fazendo assim mais uma vez a balança pender para o lado dos patrões, mas a prosperidade continuou fugidia.

O mundo anglo-saxônico, os países neutros da época da guerra e o Japão fizeram o que puderam para deflacionar, isto é, ordenar suas economias de acordo com os velhos e firmes princípios de moedas estáveis garantidas por finanças sólidas e o padrão ouro, que não conseguira resistir às tensões da guerra. E de fato foram mais ou menos bem-sucedidos nesse propósito entre 1922 e 1926. Contudo, a grande zona de derrota e convulsão, da Alemanha no Ocidente à Rússia soviética no Oriente, testemunhou um espetacular colapso do sistema monetário, comparável apenas ao que se deu em parte do mundo pós-comunista depois de 1989. No caso extremo — a Alemanha em 1923 — a unidade monetária foi reduzida a um milionésimo de milhão de seu valor de 1913, ou seja, na prática o valor da moeda foi reduzido a zero. Mesmo nos casos menos extremos, as conseqüências foram drásticas. O avô do autor, cuja apólice de seguro venceu durante a inflação austríaca,* gostava de contar a história de que sacou essa grande soma em moeda desvalorizada e descobriu que ela dava apenas para tomar um drinque em seu café favorito.

Em suma, as poupanças privadas desapareceram, criando um vácuo quase completo de capital ativo para as empresas, o que ajuda a explicar a dependência maciça de empréstimos estrangeiros da economia alemã nos anos seguintes e sua vulnerabilidade quando veio a Depressão. A situação na URSS tampouco era melhor, embora o desaparecimento das poupanças privadas em forma monetária não tivesse ali as mesmas conseqüências econômicas ou políticas. Quando a grande inflação acabou, em 1922-3, devido à decisão dos governos de parar de imprimir papel-moeda em quantidades ilimitadas e mudar a moeda, as pessoas na Alemanha que dependiam de rendas fixas e poupanças foram aniquiladas, embora uma minúscula fração do dinheiro tivesse sido salva na Polônia, Hungria e Áustria. Contudo, pode-se imaginar o efeito trau-

(*) No século XIX, ao fim do qual os preços estavam muito mais baixos do que no começo, as pessoas se acostumaram de tal modo a preços estáveis ou em queda que a simples palavra *inflação* era o suficiente para descrever o que hoje chamamos de "hiperinflação".

mático da experiência nas classes média e média baixa locais. Isso deixou a Europa Central pronta para o fascismo. Os artifícios para fazer as populações se acostumarem a longos períodos de patológica inflação de preços (por exemplo, pela "indexação" de salários e outras rendas — a palavra foi usada pela primeira vez por volta de 1960) só foram inventados após a Segunda Guerra Mundial.*

Em 1924, esses furacões pós-guerra se acalmaram, e pareceu possível esperar um retorno ao que um presidente americano batizou de "normalismo". Houve realmente algo parecido com um retorno ao crescimento global, embora alguns dos produtores de matérias-primas e alimentos, inclusive alguns fazendeiros americanos, ficassem incomodados com os preços dos produtos primários, que voltaram a cair após uma breve recuperação. Os loucos anos 20 não foram uma era de ouro para os fazendeiros dos EUA. Além disso, o desemprego na maior parte da Europa Ocidental permaneceu assombroso e, pelos padrões pré-1914, patologicamente alto. É difícil lembrar que mesmo nos anos de *boom* da década de 1920 (1924-9) o desemprego ficou em média entre 10% e 12% na Grã-Bretanha, Alemanha e Suécia, e nada menos de 17% a 18% na Dinamarca e na Noruega. Só os EUA, com uma média de desemprego de 4%, eram uma economia realmente a pleno vapor. Os dois fatos indicam uma fraqueza na economia. A queda dos preços dos produtos primários (que deixaram de cair ainda mais pelo acúmulo feito de estoques cada vez maiores) simplesmente demonstrou que a demanda deles não conseguia acompanhar a capacidade de produção. Tampouco devemos desdenhar o fato de que o *boom*, como se deu, foi em grande parte alimentado pelo enorme fluxo de capital internacional que invadiu os países industriais naqueles anos, em especial a Alemanha. Só esse país, que recebeu cerca de metade de todas as exportações de capital do mundo em 1928, tomou emprestados entre 20 e 30 trilhões de marcos, metade provavelmente a curto prazo (Arndt,1944, p. 47; Kindelberger, 1973). Mais uma vez isso deixou a economia alemã extremamente vulnerável, como ficou provado quando o dinheiro americano foi tirado de circulação após 1929.

Portanto, não foi surpresa para ninguém, com exceção dos especuladores de cidadezinhas americanas, cuja imagem se tornou conhecida do mundo ocidental nessa época através de *Babbit* (1920), do romancista americano Sinclair Lewis, que a economia mundial ficasse de novo em apuros poucos anos depois. A Internacional Comunista tinha de fato previsto outra crise econômica no auge do *boom*, esperando que ela — ou assim acreditavam, ou diziam acreditar seus porta-vozes — levasse a um novo lote de revoluções. Na verdade, produziu o contrário, a curto prazo. Contudo, o que ninguém esperava, provavelmente nem mesmo os revolucionários em seus momentos mais confian-

(*) Nos Bálcãs e nos Estados bálticos, os governos jamais perderam inteiramente o controle da inflação, embora ela tivesse sido séria.

tes, era a extraordinária universalidade e profundidade da crise que começou, como mesmo não historiadores sabem, com a quebra da Bolsa de Nova York em 29 de outubro de 1929. Equivaleu a algo muito próximo do colapso da economia mundial, que agora parecia apanhada num círculo vicioso, onde cada queda dos indicadores econômicos (fora o desemprego, que subia a alturas sempre mais astronômicas) reforçava o declínio em todos os outros.

Como observaram os admiráveis especialistas da Liga das Nações, embora ninguém lhes desse muita atenção, uma dramática recessão da economia industrial norte-americana logo contaminou outro núcleo industrial, a Alemanha (Ohlin, 1931). A produção industrial americana caiu cerca de um terço entre 1929 e 1931, e a alemã mais ou menos o mesmo, mas essas são médias suavizadas. Dessa forma, nos EUA, a Westinghouse, grande empresa de eletricidade, perdeu dois terços de suas vendas entre 1929 e 1933, enquanto sua renda líquida caiu 75% em dois anos (Schatz, 1983, p. 60). Houve uma crise na produção básica, tanto de alimentos como de matérias-primas, porque os preços, não mais mantidos pela formação de estoques como antes, entraram em queda livre. O preço do chá e do trigo caiu dois terços, o da seda bruta três quartos. Isso deixou prostrados — para citar apenas os nomes relacionados pela Liga das Nações em 1931 — Argentina, Austrália, países balcânicos, Bolívia, Brasil, Chile, Colômbia, Cuba, Egito, Equador, Finlândia, Hungria, Índia, Malásia britânica, México, Índias holandesas (atual Indonésia), Nova Zelândia, Paraguai, Peru, Uruguai e Venezuela, cujo comércio internacional dependia em peso de uns poucos produtos primários. Em suma, tornou a Depressão global no sentido literal.

As economias da Áustria, Tchecoslováquia, Grécia, Japão, Polônia e Grã-Bretanha, bastante sensíveis a abalos sísmicos vindos do Ocidente (ou Oriente), foram igualmente abaladas. A indústria da seda japonesa triplicara sua produção em quinze anos para abastecer o vasto mercado americano de meias de seda, que então desapareceu temporariamente — o mesmo acontecendo com o mercado para os 90% de seda do Japão que iam para os EUA. Enquanto isso, o preço de outro grande produto primário da produção agrícola japonesa, o arroz, também despencou, como o fez em todas as grandes zonas produtoras de arroz do Sul e Leste da Ásia. Uma vez que o preço do trigo despencou ainda mais que o do arroz, ficando mais barato que este, diz-se que muitos orientais passaram de um para outro. Contudo, o *boom* de chapatis e talharins, se houve, piorou a situação dos agricultores em países exportadores de arroz como Birmânia, Indochina francesa e Sião (hoje Tailândia) (Latham, 1981, p. 178). Os agricultores tentaram compensar os preços em queda plantando e vendendo mais safras, o que fez os preços afundarem ainda mais.

Para os agricultores dependentes do mercado, sobretudo do mercado de exportação, isso significou a ruína, a menos que pudessem recuar para o tradicional último reduto do camponês, a produção de subsistência. Isso de fato ainda era possível em grande parte do mundo dependente, e até onde a maioria de africanos, asiáticos do Sul e do Leste e latino-americanos ainda era camponesa, isso sem dúvida os protegeu. O Brasil tornou-se um símbolo do desperdício do capitalismo e da seriedade da Depressão, pois seus cafeicultores tentaram em desespero impedir o colapso dos preços queimando café em vez de carvão em suas locomotivas a vapor. (Entre dois terços e três quartos do café vendido no mundo vinham desse país.) Apesar disso, a Grande Depressão foi muito mais tolerável para os brasileiros ainda em sua grande maioria rurais que os cataclismos econômicos da década de 1980; sobretudo porque as expectativas das pessoas pobres quanto ao que podiam receber de uma economia ainda eram extremamente modestas.

Ainda assim, mesmo em países camponeses coloniais as pessoas sofreram, como se pode perceber pela queda de cerca de dois terços na importação de açúcar, farinha, peixe enlatado e arroz na Costa do Ouro (hoje Gana), onde o mercado de cacau (fundado no campesinato) entrou em queda livre, para não falar no corte de 98% nas importações de gim (Ohlin, 1931, p. 52).

Para aqueles que, por definição, não tinham controle ou acesso aos meios de produção (a menos que pudessem voltar para uma família camponesa no interior), ou seja, os homens e mulheres contratados por salários, a conseqüência básica da Depressão foi o desemprego em escala inimaginável e sem precedentes, e por mais tempo do que qualquer um já experimentara. No pior período da Depressão (1932-3), 22% a 23% da força de trabalho britânica e belga, 24% da sueca, 27% da americana, 29% da austríaca, 31% da norueguesa, 32% da dinamarquesa e nada menos que 44% da alemã não tinha emprego. E, o que é igualmente relevante, mesmo a recuperação após 1933 não reduziu o desemprego médio da década de 1930 abaixo de 16% a 17% na Grã-Bretanha e Suécia ou 20% no resto da Escandinávia. O único Estado ocidental que conseguiu eliminar o desemprego foi a Alemanha nazista entre 1933 e 1938. Não houvera nada semelhante a essa catástrofe econômica na vida dos trabalhadores até onde qualquer um pudesse lembrar.

O que tornava a situação mais dramática era que a previdência pública na forma de seguro social, inclusive auxílio-desemprego, ou não existia, como nos EUA, ou, pelos padrões de fins do século XX, era parca, sobretudo para os desempregados a longo prazo. É por isso que a seguridade social sempre foi uma preocupação tão vital dos trabalhadores: proteção contra as terríveis incertezas do desemprego (isto é, salários), doença ou acidente, e as terríveis certezas de uma velhice sem ganhos. É por isso que os trabalhadores sonhavam em ver os filhos em empregos de salários modestos, mas seguros, e com aposentadoria. Mesmo no país mais coberto por planos de seguro-desemprego antes da Depressão (Grã-Bretanha), menos de 60% da força de trabalho estava protegida por eles — e isso apenas porque a Grã-Bretanha desde 1920 tinha sido obrigada a adaptar-se ao desemprego em massa. Nas demais partes da

Europa (com exceção da Alemanha, onde era acima de 40%), a proporção de trabalhadores com direito ao auxílio-desemprego ia de zero a cerca de um quarto (Flora, 1983, p. 461). As pessoas acostumadas às flutuações de emprego ou a passar temporadas cíclicas de desemprego ficaram desesperadas quando não surgiu emprego em parte alguma, depois que suas pequenas economias e seu crédito nas mercearias locais se exauriram.

Daí o impacto central, traumático, do desemprego em massa sobre a política dos países industrializados, pois foi este o significado primeiro e principal da Grande Depressão para o grosso dos habitantes. Que lhes importava que historiadores econômicos (e mesmo a lógica) demonstrassem que a maioria da força de trabalho do país, empregada mesmo nos piores momentos, estivesse de fato vivendo em condições significativamente melhores, já que os preços caíram durante todos os anos entreguerras, e os dos alimentos mais rapidamente que quaisquer outros nos piores anos da Depressão. A imagem predominante na época era a das filas de sopa, de "Marchas da Fome" saindo de comunidades industriais sem fumaça nas chaminés onde nenhum aço ou navio era feito e convergindo para as capitais das cidades, para denunciar aqueles que julgavam responsáveis. Tampouco deixaram os políticos de notar que até 85% dos membros do Partido Comunista Alemão, que cresceu quase tão rápido quanto o Partido Nazista nos anos da Depressão e mais rápido nos últimos meses antes da ascensão de Hitler ao poder, estavam desempregados (Weber, 1969, vol. I, p. 243).

Não surpreende portanto que o desemprego fosse visto como uma ferida profunda e potencialmente mortal ao corpo político. "Depois da guerra", escreveu um editorialista no *Times* de Londres, "o desemprego tem sido o mais insidioso, o mais corrosivo mal de nossa geração: é a doença social específica da civilização ocidental em nosso tempo" (Arndt, 1944, p. 250). Nunca antes na história da industrialização poderia tal trecho ter sido escrito. Explica mais sobre as políticas governamentais ocidentais do pós-guerra do que prolongadas pesquisas de arquivos.

Curiosamente, o senso de catástrofe e desorientação causado pela Grande Depressão foi talvez maior entre os homens de negócios, economistas e políticos do que entre as massas. O desemprego em massa, o colapso dos preços agrícolas, as atingiram com força, mas elas não tinham dúvida de que havia alguma solução política para essas injustiças inesperadas — na esquerda ou na direita — até o ponto em que os pobres podem esperar que suas modestas necessidades sejam satisfeitas. Foi precisamente a ausência de qualquer solução dentro do esquema da velha economia liberal que tornou tão dramática a situação dos tomadores de decisões econômicas. Para enfrentar a crise imediata, a curto prazo, eles tinham, em sua visão, de solapar a base a longo prazo de uma economia mundial florescente. Numa época em que o comércio mundial caiu 60% em quatro anos (1929-32), os Estados se viram erguendo barreiras cada vez mais altas para proteger seus mercados e moedas nacionais contra os furacões econômicos mundiais, sabendo muito bem que isso significava o desmantelamento do sistema mundial de comércio multilateral sobre o qual, acreditavam, devia repousar a prosperidade do mundo. A pedra fundamental desse sistema, o chamado "*status* de nação mais favorecida", desapareceu de quase 60% de 510 acordos comerciais assinados entre 1931 e 1939, e, onde continuou, foi em geral numa forma limitada (Snyder, 1940).* Onde iria parar isso? Haveria uma saída do círculo vicioso?

Examinaremos adiante as conseqüências políticas imediatas disso, o mais trágico episódio na história do capitalismo. Contudo, deve-se mencionar desde já sua mais significativa implicação a longo prazo. Numa única frase: a Grande Depressão destruiu o liberalismo econômico por meio século. Em 1931-2, a Grã-Bretanha, Canadá, toda a Escandinávia e os EUA abandonaram o padrão-ouro, sempre encarado como a base de trocas internacionais estáveis, e em 1936 haviam-se juntado a eles os fiéis apaixonados pelos lingotes, os belgas e holandeses, e finalmente até mesmo os franceses.** Quase simbolicamente, a Grã-Bretanha em 1931 abandonou o Livre Comércio, que fora tão fundamental para a identidade econômica britânica desde a década de 1840 quanto a Constituição americana para a identidade política dos EUA. A retirada britânica dos princípios de transações livres numa única economia mundial dramatiza a corrida geral para a autoproteção na época. Mais especificamente, a Grande Depressão obrigou os governos ocidentais a dar às considerações sociais prioridade sobre as econômicas em suas políticas de Estado. Os perigos implícitos em não fazer isso — radicalização da esquerda e, como a Alemanha e outros países agora o provavam, da direita — eram demasiado ameaçadores.

Assim, os governos não mais protegeram a agricultura simplesmente com tarifas contra a competição estrangeira, embora, onde o tinham feito antes, erguessem barreiras tarifárias ainda mais altas. Durante a Depressão, passaram a subsidiá-la, assegurando preços agrícolas, comprando os excedentes ou pagando aos agricultores para não produzir, como nos EUA após 1933. As origens dos bizarros paradoxos da "Política Agrícola Comum" da Comunidade Européia, através da qual, nas décadas de 1970 e 1980, minorias cada vez mais exíguas de agricultores ameaçaram levar a Comunidade à bancarrota com os subsídios de que desfrutavam, remontam à Grande Depressão.

Quanto aos trabalhadores, após a guerra o "pleno emprego", ou seja, a eli-

(*) A cláusula de "nação mais favorecida" na verdade significa o oposto do que parece, ou seja, que o parceiro comercial será tratado nos mesmos termos que a "nação mais favorecida" — isto é, *nenhuma* nação será mais favorecida.

(**) Na forma clássica, um *padrão ouro* dá à unidade de uma moeda, como por exemplo, a cédula de um dólar, o valor de um determinado peso de ouro, pelo qual, se necessário, o banco a trocará.

minação do desemprego em massa, tornou-se a pedra fundamental da política econômica nos países de capitalismo democrático reformado, cujo mais famoso profeta e pioneiro, embora não o único, foi o economista britânico John Maynard Keynes (1883-1946). O argumento keynesiano em favor dos benefícios da eliminação permanente do desemprego em massa era tão econômico quanto político. Os keynesianos afirmavam, corretamente, que a demanda a ser gerada pela renda de trabalhadores com pleno emprego teria o mais estimulante efeito nas economias em recessão. Apesar disso, o motivo pelo qual esse meio de aumentar a demanda recebeu tão urgente prioridade — o governo britânico empenhou-se nele mesmo antes do fim da Segunda Guerra Mundial — foi que se acreditava que o desemprego em massa era política e socialmente explosivo, como de fato mostrara ser durante a Depressão. Essa crença era tão forte que, quando muitos anos depois voltou o desemprego em massa, e sobretudo durante a séria depressão no início da década de 1980, observadores (incluindo este autor) tinham a certeza de que presenciavam agitações sociais, e ficaram surpresos quando isso não aconteceu (ver capítulo 14).

Isso se deveu, em grande parte, a outra medida profilática tomada durante, depois e em conseqüência da Grande Depressão: a instalação de modernos sistemas previdenciários. Como surpreender-se por terem os EUA aprovado a Lei de Seguridade Social em 1935? Estamos de tal modo acostumados à predominância de abrangentes sistemas de bem-estar nos Estados desenvolvidos do capitalismo industrial — com algumas exceções, como o Japão, Suíça e EUA — que esquecemos como havia poucos "Estados do Bem-estar" no sentido moderno antes da Segunda Guerra Mundial. Mesmo os países escandinavos apenas começavam a desenvolvê-los. Na verdade, nem o termo Estado do Bem-estar (*welfare state*) havia entrado em uso antes da década de 1940.

O trauma da Grande Depressão foi realçado pelo fato de que um país que rompera clamorosamente com o capitalismo pareceu imune a ela: a União Soviética. Enquanto o resto do mundo, ou pelo menos o capitalismo liberal ocidental, estagnava, a URSS entrava numa industrialização ultra-rápida e maciça sob seus novos Planos Qüinqüenais. De 1929 a 1940, a produção industrial soviética triplicou, no mínimo dos mínimos. Subiu de 5% dos produtos manufaturados do mundo em 1929 para 18% em 1938, enquanto no mesmo período a fatia conjunta dos EUA, Grã-Bretanha e França caía de 59% para 52% do total do mundo. E mais, não havia desemprego. Essas conquistas impressionaram mais os observadores estrangeiros de todas as ideologias, incluindo um pequeno mas influente fluxo de turistas sócio-econômicos em Moscou em 1930-5, que o visível primitivismo e ineficiência da economia soviética, ou a implacabilidade e brutalidade da coletivização e repressão em massa de Stalin. Pois o que eles tentavam compreender não era o fenômeno da URSS em si, mas o colapso de seu próprio sistema econômico, a profundidade do fracasso do capitalismo ocidental. Qual era o segredo do sistema soviético? Podia-se aprender alguma coisa com ele? Ecoando os Planos Qüinqüenais da URSS, "Plano" e "Planejamento" tornaram-se palavras da moda na política. Os partidos social-democratas adotaram "planos", como na Bélgica e Noruega. Sir Arthur Salter, funcionário público britânico da máxima distinção e respeitabilidade, e um pilar do *establishment*, escreveu um livro, *Recovery* [Recuperação], para demonstrar que era essencial uma sociedade planejada, se o país e o mundo queriam escapar do ciclo perverso da Grande Depressão. Outros servidores e funcionários públicos centristas britânicos estabeleceram uma assessoria de alto nível chamada PEP (*Political and Economic Planning* — Planejamento Político e Econômico). Jovens políticos conservadores como o futuro primeiro-ministro Harold Macmillan (1894-1986) tornaram-se porta-vozes do "planejamento". Até os nazistas plagiaram a idéia, quando Hitler introduziu um "Plano Quadrienal" em 1933. (Por motivos que serão examinados no próximo capítulo, o sucesso dos nazistas com a Depressão em 1933 teve menos repercussões internacionais.)

II

Por que a economia capitalista não funcionou entre as guerras? A situação nos EUA é parte essencial de qualquer resposta a esta pergunta. Pois se era possível responsabilizar ao menos parcialmente as perturbações da Europa na guerra e no pós-guerra, ou pelo menos nos países beligerantes da Europa, pelos problemas econômicos ali ocorridos, os EUA tinham estado muito distantes do conflito, embora por um curto e decisivo período tivessem se envolvido nele. Assim, longe de perturbar sua economia, a Primeira Guerra Mundial, como a Segunda, beneficiou-os espetacularmente. Em 1913, os EUA já se haviam tornado a maior economia do mundo, produzindo mais de um terço de sua produção industrial — pouco abaixo do total combinado de Alemanha, Grã-Bretanha e França. Em 1929, respondiam por mais de 42% da produção mundial total, comparados com apenas pouco menos de 28% das três potências industriais européias (Hilgendt, 1945, tabela 1.14). É uma cifra espantosa. Concretamente, enquanto a produção de aço americana subiu cerca de um quarto entre 1913 e 1920, a produção de aço do resto do mundo caiu cerca de um terço (Rostow, 1978, p. 194, tabela II.33). Em suma, após o fim da Primeira Guerra Mundial, os EUA eram em muitos aspectos uma economia tão internacionalmente dominante quanto voltou a tornar-se após a Segunda Guerra Mundial. Foi a Grande Depressão que interrompeu temporariamente essa ascensão.

Além disso, a guerra não apenas reforçou sua posição como maior produtor industrial do mundo, como os transformou no maior credor do mundo. Os britânicos haviam perdido cerca de um quarto de seus investimentos globais durante a guerra, sobretudo os aplicados nos EUA, os quais tiveram de vender para comprar suprimentos de guerra; os franceses perderam mais ou menos metade dos deles, em grande parte devido às revoluções e colapsos na Europa. Enquanto isso os americanos, que tinham começado a guerra como um país devedor, terminaram-na como o principal credor internacional. Como os EUA concentraram suas operações na Europa e no hemisfério ocidental (os britânicos ainda eram de longe os maiores investidores na Ásia e África), seu impacto na Europa foi decisivo.

Em suma, não há explicação para a crise econômica mundial sem os EUA. Eles eram, afinal, tanto o primeiro país exportador do mundo na década de 1920 quanto, depois da Grã-Bretanha, o primeiro país importador. Importavam quase 40% de todas as exportações de matérias-primas e alimentos dos quinze países mais comerciais, um fato que ajuda muito a explicar o desastroso impacto da Depressão nos produtores de trigo, algodão, açúcar, borracha, seda, cobre, estanho e café (Lary, 1943, pp. 28-9). Pelo mesmo motivo, tornaram-se a principal vítima da Depressão. Se suas importações caíram em 70% entre 1929 e 1932, suas exportações caíram na mesma taxa. O comércio mundial teve uma queda de quase um terço entre 1929 e 1939, mas as exportações americanas despencaram para quase a metade.

Isso não pretende subestimar as raízes exclusivamente européias do problema, em grande parte de origem política. Na conferência de paz de Versalhes (1919), haviam-se imposto pagamentos imensos mas indefinidos à Alemanha, como "reparações" pelo custo da guerra e os danos causados às potências vitoriosas. Como justificativa, inserira-se uma cláusula no tratado de paz fazendo da Alemanha *a única* responsável pela guerra (a chamada cláusula da "culpa de guerra"), a qual, além de historicamente duvidosa, revelou-se um presente para o nacionalismo alemão. A quantia que a Alemanha teria de pagar permaneceu vaga, como um compromisso entre a posição dos EUA, que propunham fixar os pagamentos da Alemanha segundo a capacidade de pagar do país, e a dos outros aliados — sobretudo os franceses — que insistiam em recuperar todos os custos da guerra. O objetivo real destes, ou pelo menos da França, era manter a Alemanha fraca e ter um meio de poder pressioná-la. Em 1921, a soma foi fixada em 132 bilhões de marcos ouro, ou seja, 33 bilhões de dólares na época, o que todo mundo sabia ser uma fantasia.

As "reparações" levaram a intermináveis debates, crises periódicas e acordos sob os auspícios americanos, pois os EUA, para o desprazer de seus ex-aliados, queriam relacionar a questão da dívida alemã com eles à das dívidas deles com Washington. Estas eram quase tão absurdas quanto as somas exigidas dos alemães, que equivaliam a uma vez e meia todo o produto nacional bruto do país em 1929; as dívidas britânicas com os EUA equivaliam à metade do produto nacional bruto da Grã-Bretanha; as dívidas francesas a dois terços (Hill, 1988, pp. 15-6). Um "Plano Dawes", em 1924, na verdade fixou uma soma para a Alemanha pagar anualmente; um "Plano Young", em 1929, modificou o esquema de pagamento e, incidentalmente, estabeleceu o Banco de

Acordos Internacionais em Basiléia (Suíça), a primeira das instituições financeiras internacionais que iriam se multiplicar após a Segunda Guerra Mundial. (No momento em que escrevo, ele ainda está em funcionamento.) Para fins práticos, todos os pagamentos, alemães e aliados, cessaram em 1932. Só a Finlândia terminou de pagar suas dívidas de guerra com os EUA.

Sem querer esmiuçar muito, duas questões estavam em causa. *Primeiro*, havia a questão posta pelo jovem John Maynard Keynes, que escreveu uma crítica selvagem à conferência de Versalhes, da qual participou como membro subalterno da delegação britânica: *The economic consequences of the peace* [As conseqüências econômicas da paz] (1920). Sem uma restauração da economia alemã, argumentava, seria impossível a restauração de uma civilização e economia liberais estáveis na Europa. A política francesa de manter a Alemanha fraca para sua "segurança" era contraprodutiva. Na verdade, os franceses estavam fracos demais para impor sua política, mesmo quando ocuparam por breve período o coração industrial da Alemanha ocidental em 1923, com a desculpa de que os alemães se recusavam a pagar. Acabaram tendo de tolerar uma política de "realização" alemã após 1924, que fortaleceu a economia alemã. Mas, *segundo*, havia a questão de como seriam pagas as reparações. Os que desejavam manter a Alemanha fraca queriam dinheiro vivo, em vez de (como seria racional) bens da produção corrente, ou pelo menos parte da renda das exportações alemãs, uma vez que isso teria fortalecido a economia alemã contra seus competidores. Na verdade, obrigaram a Alemanha a recorrer a pesados empréstimos, de forma que as reparações que foram pagas vieram dos empréstimos maciços (americanos). Para seus rivais de meados da década de 1920, isso parecia ter a vantagem extra de fazer a Alemanha incorrer em profunda dívida, em vez de expandir suas exportações para equilibrar sua balança externa. E de fato as importações alemãs subiram às alturas. Contudo, todo o arranjo, como já vimos, deixou tanto a Alemanha quanto a Europa extremamente sensíveis ao declínio dos empréstimos americanos, que começou mesmo antes da crise e a suspensão completa de empréstimos americanos após a crise de Wall Street em 1929. Todo o castelo de cartas de reparações desmoronou durante a Depressão. A essa altura, o fim dos pagamentos não teve efeitos positivos sobre a Alemanha ou a economia mundial, porque esta tinha desabado como sistema integrado, o mesmo acontecendo, em 1931-3, com todos os acordos para pagamentos internacionais.

Contudo, as perturbações e complicações políticas do tempo da guerra e do pós-guerra na Europa só em parte explicam a severidade do colapso econômico entreguerras. Em termos econômicos, podemos vê-lo de dois modos.

O primeiro vê basicamente um impressionante e crescente desequilíbrio na economia internacional, devido à assimetria de desenvolvimento entre os EUA e o resto do mundo. O sistema mundial, pode-se argumentar, não funcionou porque, ao contrário da Grã-Bretanha, que fora o centro antes de 1914, os EUA não precisavam muito do resto do mundo, e portanto, outra vez ao contrário da Grã-Bretanha, que sabia que o sistema de pagamentos mundiais se apoiava na libra esterlina e cuidava para que ela permanecesse estável, os EUA não se preocuparam em agir como estabilizador global. Não precisavam muito do mundo porque, após a Primeira Guerra Mundial, tinham de importar menos capital, trabalho e (em termos relativos) produtos do que nunca — com exceção de algumas matérias-primas. Suas exportações, embora internacionalmente importantes — Hollywood praticamente monopolizou o mercado de cinema internacional —, davam uma contribuição muito menor à renda nacional que em qualquer outro país industrial. Pode-se discutir até onde foi significativa essa retirada, por assim dizer, dos EUA da economia mundial. Contudo, fica claro que essa explicação da Depressão foi uma das que influenciaram Washington nos anos de guerra para assumir a responsabilidade pela estabilidade da economia mundial após 1945 (Kindleberger, 1973).

A segunda perspectiva da Depressão se fixa na não-geração, pela economia mundial, de demanda suficiente para uma expansão duradoura. As fundações da prosperidade da década de 1920, como vimos, eram fracas, mesmo nos EUA, onde a agricultura já se achava praticamente em depressão, e os salários em dinheiro, ao contrário do mito da grande era do *jazz*, não estavam subindo, mas na verdade estagnaram nos últimos anos loucos do *boom* (*Historical Statistics of the USA*, I, p. 164, tabela D722-727). O que acontecia, como muitas vezes acontece nos *booms* de mercados livres, era que, com os salários ficando para trás, os lucros cresceram desproporcionalmente, e os prósperos obtiveram uma fatia maior do bolo nacional. Mas como a demanda da massa não podia acompanhar a produtividade em rápido crescimento do sistema industrial nos grandes dias de Henry Ford, o resultado foi superprodução e especulação. Isso, por sua vez, provocou o colapso. Também aqui, quaisquer que sejam as discussões entre historiadores e economistas, que ainda hoje debatem a questão, os contemporâneos com forte interesse em políticas de governo ficaram profundamente impressionados com a fraqueza da demanda; inclusive John Maynard Keynes.

Quando veio o colapso, claro que este foi muito mais drástico nos EUA porque a lenta expansão da demanda fora fortalecida por meio de uma enorme expansão de crédito ao consumidor. (Leitores que se lembram do fim da década de 1980 talvez reconheçam o cenário.) Os bancos, já atingidos pelo *boom* especulativo imobiliário que, com a tradicional aliança entre otimistas auto-iludidos e a crescente picaretagem financeira,* chegara ao auge alguns anos antes do Grande Crash, estavam sobrecarregados de dívidas não saldadas, recusavam novos empréstimos para habitação e refinanciamento para os exis-

(*) Não por nada a década de 1920 foi a do psicólogo Émile Coúe (1857-1926), que popularizou a auto-sugestão otimista através do *slogan* constantemente repetido: "Todo dia, em todos os aspectos, estou ficando cada vez melhor".

tentes. Isso não os impediu de estourar aos milhares,* quando (em 1933) quase metade das hipotecas domésticas americanas ficaram em atraso e mil propriedades por dia eram executadas (Miles et al., 1991, p. 108). Só os compradores de automóveis deviam 1,4 milhão de um total de endividamento pessoal de 6,5 milhões em empréstimos de curto e médio prazo (Ziebura, 1990, p. 49). O que tornava a economia tão mais vulnerável a esse *boom* de crédito era que os consumidores não usavam seus empréstimos para comprar os bens de consumo tradicionais, que mantêm corpo e alma juntos, e têm portanto muito pouca variação: alimentos, roupas e coisas semelhantes. Por mais pobre que se seja, não se pode reduzir abaixo de um certo ponto a própria demanda de produtos básicos; tampouco essa demanda dobra quando dobra a renda da pessoa. Em vez disso, os consumidores compravam os bens supérfluos da moderna sociedade de consumo que os EUA, mesmo então, já iniciavam. Mas a compra de carros e casas podia ser adiada, e, de qualquer modo, eles tinham e têm uma elasticidade-renda de demanda muito alta.

Portanto, a menos que se esperasse que a Depressão fosse breve, ou ela acabasse logo, e não se solapasse a confiança no futuro, o efeito de tal crise podia ser impressionante. A produção de automóveis nos EUA *caiu para a metade* entre 1929 e 1931, ou, num nível mais baixo, a produção de discos para os pobres (discos "raciais" e de *jazz* dirigidos ao público negro) praticamente cessou por algum tempo. Em suma, "ao contrário das ferrovias ou navios mais eficientes, ou da introdução de aço e ferramentas automáticas — que reduziam os custos — os novos produtos e estilo de vida exigiam níveis de renda elevados e em expansão, e um alto grau de confiança no futuro, para difundirem-se rapidamente" (Rostow, 1978, p. 219). Mas era isso exatamente que estava desmoronando.

Mesmo a pior depressão cíclica mais cedo ou mais tarde tem de acabar, e após 1939 havia sinais cada vez mais claros de que o pior já passara. De fato, algumas economias dispararam na frente. O Japão e, em escala mais modesta, a Suécia alcançaram quase duas vezes o nível de produção pré-Depressão no fim da década de 1930, e em 1938 a economia alemã (embora não a italiana) estava 25% acima de 1929. Mesmo economias emperradas como a britânica davam claros sinais de dinamismo. Contudo, o esperado aumento não voltou. O mundo continuou em depressão. Isso foi mais visível na maior de todas as economias, a dos EUA, porque as várias experiências para estimular a economia feitas pelo "New Deal" do presidente F. D. Roosevelt — às vezes de maneira inconsistente — não corresponderam exatamente à sua promessa econômica. Uma forte subida foi seguida, em 1937-8, por outro *crash* econômico,

(*) O sistema bancário americano não permitia o tipo de banco gigante europeu, com um sistema nacional de filiais, e portanto consistia de fracos bancos locais ou, na melhor das hipóteses, estaduais.

embora em escala mais modesta que após 1929. O principal setor da indústria americana, de produção de automóveis, jamais reconquistou seu pico de 1929. Em 1938, estava pouco acima do que em 1920 (*Historical Statistics*, II, p. 716). Para quem olha em retrospecto da década de 1990, salta aos olhos o pessimismo de comentaristas inteligentes. Economistas capazes e brilhantes viam o futuro do capitalismo, caso ele não fosse mexido, como de estagnação. Essa visão, já antecipada no panfleto de Keynes contra o tratado de paz de Versalhes, tornou-se muito popular nos EUA após a Depressão. Não deve qualquer economia madura tender à estagnação? Como disse o propositor de outro prognóstico pessimista para o capitalismo, o economista austríaco Schumpeter: "Em qualquer período prolongado de mal-estar econômico, os economistas, entrando como as outras pessoas no clima da época, proferem teorias que pretendem mostrar que a Depressão veio para ficar" (Schumpeter, 1954, p. 1172). Talvez historiadores, que venham a estudar o período de 1973 até o fim do Breve Século XX, fiquem igualmente impressionados com a persistente relutância das décadas de 1970 e 1980 em considerar a possibilidade de uma depressão geral da economia capitalista mundial.

Isto se deu apesar de os anos 30 terem sido uma década de considerável inovação tecnológica na indústria, como por exemplo no desenvolvimento dos plásticos. Na verdade, em um campo — a diversão e o que mais tarde veio a chamar-se de "meios de comunicação" — os anos entreguerras viram uma reviravolta, pelo menos no mundo anglo-saxônico, com o triunfo do rádio de massa e da indústria de cinema de Hollywood, para não falar da moderna imprensa ilustrada de rotogravura (ver capítulo 6). Talvez não seja tão surpreendente o fato de que as gigantescas casas de exibição cinematográfica se tivessem erguido como palácios nas cinzentas cidades do desemprego em massa, pois os ingressos de cinema eram extremamente baratos, e tanto os muito jovens como os velhos, mais atingidos pelo desemprego de então e depois, tinham tempo de sobra e, como observaram os sociólogos, durante a Depressão era provável que maridos e mulheres partilhassem juntos mais atividades de lazer que antes (Stouffer & Lazarsfeld, 1937, pp. 55 e 92).

III

A Grande Depressão confirmou a crença de intelectuais, ativistas e cidadãos comuns de que havia alguma coisa fundamentalmente errada no mundo em que viviam. Quem sabia o que se podia fazer a respeito? Certamente poucos dos que ocupavam cargos de autoridade em seus países e com certeza não aqueles que tentavam traçar um curso com os instrumentos de navegação tradicionais do liberalismo secular ou da fé tradicional, e com cartas dos mares do século XIX, nas quais era claro que não se devia mais confiar. Até onde se podia confiar nos economistas, por mais brilhantes que fossem, quando demonstravam, com grande lucidez, que a Depressão em que eles mesmos viviam não podia acontecer numa sociedade de livre mercado propriamente conduzida, pois (segundo uma lei econômica com o nome de um francês do início do século XIX) não era possível nenhuma superprodução que logo não se corrigisse? Em 1933, não era fácil acreditar, por exemplo, que onde a demanda de consumo, e portanto o consumo, caíssem em depressão, a taxa de juros cairia também o necessário para estimular o investimento, para que a demanda de investimento preenchesse o buraco deixado pela menor demanda de consumo. Com o desemprego nas alturas, não parecia plausível acreditar (como aparentemente acreditava o Tesouro britânico) que obras públicas não aumentariam o emprego, porque o dinheiro gasto nelas seria simplesmente desviado do setor privado, que de outro modo geraria o mesmo volume de empregos. Economistas que aconselhavam que se deixasse a economia em paz, governos cujos primeiros instintos, além de proteger o padrão ouro com políticas deflacionárias, era apegar-se à ortodoxia financeira, aos equilíbrios de orçamento e à redução de despesas, visivelmente não tornavam melhor a situação. Na verdade, à medida que continuava a Depressão, argumentava-se com considerável vigor, entre outros por J. M. Keynes — que em conseqüência disso se tornou o mais influente economista dos quarenta anos seguintes —, que tais governos estavam piorando a Depressão. Aqueles entre nós que viveram os anos da Grande Depressão ainda acham impossível compreender como as ortodoxias do puro mercado livre, na época tão completamente desacreditadas, mais uma vez vieram a presidir um período global de Depressão em fins da década de 1980 e na de 1990, que, mais uma vez, não puderam entender nem resolver. Mesmo assim, esse estranho fenômeno deve lembrar-nos da grande característica da história que ele exemplifica: a incrível memória curta dos economistas teóricos e práticos. Também nos dá uma vívida ilustração da necessidade, para a sociedade, dos historiadores, que são os memorialistas profissionais do que seus colegas-cidadãos desejam esquecer.

De qualquer modo, o que era uma "economia de livre mercado" em uma época em que a economia era cada vez mais dominada por imensas corporações que tornavam balela o termo "perfeita competição", e economistas críticos de Karl Marx podiam observar como ele se mostrara correto, especialmente em sua previsão da crescente concentração de capital (Leontiev, 1938, p. 78)? Não era preciso ser marxista, nem mostrar interesse por Marx, para ver como era diferente da economia de livre competição do século XIX o capitalismo entreguerras. Na verdade, muito antes da quebra de Wall Street, um inteligente banqueiro suíço observou que o fato de o liberalismo econômico (e, acrescentou, do socialismo pré-1917) não conseguir manter-se como programa universal explicava a tendência a uma economia autocrática — fascista, comunista ou sob os auspícios de grandes corporações independentes de seus acionistas (Somary, 1929, pp. 174 e 193). E no final da década de 1930 as ortodoxias liberais da livre competição pareciam tão desgastadas que a economia mundial podia ser vista como um sistema tríplice composto de um setor de mercado, um governamental (dentro do qual as economias planejadas ou controladas, como as do Japão, Turquia, Alemanha e União Soviética, faziam suas transações umas com as outras), e um setor de autoridades públicas e quase públicas internacionais que regulavam algumas partes da economia (por exemplo, com acordos internacionais de mercadorias) (Staley, 1939, p. 231).

Não surpreende, portanto, que os efeitos da Grande Depressão tanto sobre a política quanto sobre o pensamento público tivessem sido dramáticos e imediatos. Infeliz o governo por acaso no poder durante o cataclismo, fosse ele de direita, como a presidência de Herbert Hoover nos EUA (1928-32), ou de esquerda, como os governos trabalhistas na Grã-Bretanha e Austrália. A mudança nem sempre foi tão imediata quanto na América Latina, onde doze países mudaram de governo ou regime em 1930-1, dez deles por golpe militar. Mesmo assim, em meados da década de 1930 havia poucos Estados cuja política não houvesse mudado substancialmente em relação ao que era antes do *crash*. Na Europa e Japão, deu-se uma impressionante virada para a direita, com exceção da Escandinávia, onde a Suécia entrou em seu governo social-democrata de meio século em 1932, e na Espanha, onde a monarquia Bourbon deu lugar a uma infeliz e, como se viu, breve República em 1931. Falaremos mais disso no próximo capítulo, embora se deva dizer logo que a quase simultânea vitória de regimes nacionalistas, belicosos e agressivos em duas grandes potências militares — Japão (1931) e Alemanha (1933) — constituiu a conseqüência política mais sinistra e de mais longo alcance da Grande Depressão. Os portões para a Segunda Guerra Mundial foram abertos em 1931.

O fortalecimento da direita radical foi reforçado, pelo menos durante o pior período da Depressão, pelos espetaculares reveses da esquerda revolucionária. Assim, longe de iniciar outra rodada de revoluções sociais, como esperara a Internacional Comunista, a Depressão reduziu o movimento comunista fora da União Soviética a um estado de fraqueza sem precedentes. Isso se deveu, em certa medida, à política suicida do Comintern, que não apenas subestimou grandemente o perigo do nacional-socialismo na Alemanha, como seguiu uma linha de isolamento sectário que parece incrível em retrospecto, decidindo que seu principal inimigo era o trabalhismo de massa organizado dos partidos social-democratas e trabalhistas (descritos como "social-fascistas").* Certamente em 1934, depois que Hitler já destruíra o PC (KPD) ale-

(*) Isso chegou a tal ponto que em 1933 Moscou insistiu que o líder comunista italiano P. Togliatti retirasse a sugestão de que talvez a social-democracia não fosse o perigo primeiro, pelo menos na Itália. A essa altura Hitler chegara de fato ao poder. O Comintern só mudou sua linha em 1934.

mão, outrora a esperança de Moscou para a revolução mundial e ainda a maior e aparentemente mais formidável e crescente secção da Internacional, quando mesmo os comunistas chineses, expulsos de suas bases de guerrilha rurais, não passavam de uma perseguida caravana em sua Longa Marcha para algum refúgio distante e seguro, muito pouco parecia restar de um movimento revolucionário internacional organizado significativo, legal ou mesmo ilegal. Na Europa de 1934, só o Partido Comunista francês tinha ainda uma presença política verdadeira. Na Itália fascista, dez anos depois da Marcha sobre Roma e nas profundezas da Depressão internacional, Mussolini sentiu-se suficientemente confiante para libertar alguns dos comunistas presos em comemoração àquela data (Spriano, 1969, p. 397). Tudo isso iria mudar dentro de poucos anos (ver capítulo 5). Mas permanece o fato de que o resultado imediato da Depressão, pelo menos na Europa, foi o exato oposto do que os revolucionários sociais tinham esperado.

Tampouco se limitava esse declínio da esquerda ao setor comunista, pois com a vitória de Hitler o Partido Social-Democrata alemão desapareceu de vista, enquanto que um ano depois a social-democracia austríaca caiu após uma breve resistência armada. Em 1931, o Partido Trabalhista britânico já se tornara vítima da Depressão, ou antes de sua crença na ortodoxia econômica do século XIX, e seus sindicatos, que tinham perdido metade dos membros desde 1920, estavam mais fracos que em 1913. A maior parte do socialismo europeu se achava encostada na parede.

Fora da Europa, no entanto, a situação era diferente. As regiões do Norte das Américas deslocavam-se acentuadamente para a esquerda, à medida que os EUA, sob seu novo presidente Franklin D. Roosevelt (1933-45), faziam experiências com um New Deal mais radical, e o México, sob o presidente Lázaro Cárdenas (1934-40), revivia o dinamismo original do início da Revolução Mexicana, sobretudo na questão da reforma agrária. Movimentos sociais/políticos bastante poderosos surgiram nas planícies assoladas pela crise do Canadá, o *Social Credit* e a Federação Cooperativa da Comunidade Econômica (o *Novo Partido Democrático* de hoje), ambos de esquerda pelos critérios da década de 1930.

Não é fácil caracterizar o impacto político da Depressão sobre o resto da América Latina, pois embora seus governos ou partidos governantes caíssem como paus de boliche à medida que o colapso nos preços mundiais de seus produtos básicos de exportação quebrava suas finanças, não caíram na mesma direção. Mesmo assim, caíram mais para a esquerda do que para a direita, embora apenas brevemente. A Argentina entrou em uma era de governo militar após um longo período de governo civil; e embora líderes de mentalidade fascista como o general Uriburu (1930-2) logo fossem afastados, moveu-se claramente para a direita, se bem que uma direita tradicionalista. O Chile, por outro lado, aproveitou a Depressão para derrubar um de seus raros presidentes ditadores antes da era do general Pinochet, Carlos Ibañez (1927-31), e moveu-se, de uma forma tempestuosa, para a esquerda. Na verdade passou por uma momentânea "República Socialista" em 1932, sob um coronel de nome esplêndido, Marmaduke Grove, e depois criou uma bem-sucedida Frente Popular com base no modelo europeu (ver capítulo 4). No Brasil, a Depressão acabou com a oligárquica "República Velha" de 1899-1930 e levou ao poder Getúlio Vargas, mais bem descrito como populista-nacionalista (ver p. 137). Ele dominou a história de seu país pelos vinte anos seguintes. A mudança no Peru foi bem mais para a esquerda, embora o mais poderoso dos novos partidos, a Aliança Popular Revolucionária Americana (APRA) — um dos poucos partidos de massa com base na classe operária do tipo europeu bem-sucedidos no hemisfério ocidental* —, fracassasse em suas ambições revolucionárias (1930-2). A mudança na Colômbia foi ainda mais para a esquerda. Os liberais, sob um presidente de mentalidade reformista muito influenciado pelo New Deal de Roosevelt, assumiram após quase trinta anos de governo conservador. A mudança radical foi ainda mais acentuada em Cuba, onde a posse de Roosevelt permitiu aos habitantes desse protetorado ao largo da costa americana derrubar um presidente odiado e, mesmo pelos padrões então predominantes em Cuba, extraordinariamente corrupto.

No vasto setor colonial do mundo, a Depressão trouxe um acentuado aumento na atividade antiimperialista, em parte por causa do colapso dos preços das mercadorias das quais dependiam as economias coloniais (ou pelo menos suas finanças públicas e classes médias), e em parte porque os próprios países metropolitanos apressaram-se em proteger sua agricultura e empregos, sem avaliar os efeitos dessas políticas sobre suas colônias. Estados europeus cujas decisões econômicas eram determinadas por fatores internos não podiam a longo prazo manter intatos impérios com uma infinita complexidade de interesses de produtores (Holland, 1985, p. 13) (ver capítulo 7).

Por este motivo, na maior parte do mundo colonial a Depressão assinalou o início efetivo do descontentamento político e social local, que só podia ser dirigido contra o governo (colonial), mesmo onde — como na Malásia — os movimentos políticos nacionalistas só fossem surgir após a Segunda Guerra Mundial. Tanto na África Ocidental (britânica) quanto no Caribe, a agitação social fazia agora sua entrada, em conseqüência direta da crise das exportações locais (cacau e açúcar). E mesmo em países com movimentos nacionais anticoloniais já desenvolvidos, os anos de depressão trouxeram uma escalada do conflito, sobretudo onde a agitação atingira as massas. Esses, afinal, foram os anos de expansão da Irmandade Muçulmana no Egito (fundada em 1928) e da segunda mobilização das massas indianas por Gandhi (1931) (ver capítulo 7).

(*) Os outros foram os Partidos Comunistas cubano e chileno.

Talvez a vitória dos ultras republicanos sob De Valera, nas eleições irlandesas de 1932, também devesse ser vista como uma reação anticolonial tardia ao colapso econômico.

Provavelmente nada demonstra mais a globalidade da Grande Depressão e a severidade de seu impacto do que essa rápida visão panorâmica dos levantes políticos praticamente universais que ela produziu num período medido em meses ou num único ano, do Japão à Irlanda, da Suécia à Nova Zelândia, da Argentina ao Egito. Contudo, não se deve julgar seu impacto apenas, ou mesmo principalmente, por seus efeitos políticos de curto prazo, por mais impressionantes que muitas vezes tenham sido. Trata-se de uma catástrofe que destruiu toda a esperança de restaurar a economia, e a sociedade, do longo século XIX. O período de 1929-33 foi um abismo a partir do qual o retorno a 1913 tornou-se não apenas impossível, como impensável. O velho liberalismo estava morto, ou parecia condenado. Três opções competiam agora pela hegemonia intelectual-política. O comunismo marxista era uma. Afinal, as previsões do próprio Marx pareciam estar concretizando-se, como a Associação Econômica Americana ouviu em 1938, e, de maneira ainda mais impressionante, a URSS parecia imune à catástrofe. Um capitalismo privado de sua crença na otimização de livres mercados, e reformado por uma espécie de casamento não oficial ou ligação permanente com a moderada social-democracia de movimentos trabalhistas não comunistas, era a segunda, e, após a Segunda Guerra Mundial, mostrou-se a opção mais efetiva. Contudo, a curto prazo não era tanto um programa ou alternativa política consciente quanto uma sensação de que, uma vez terminada a Depressão, jamais se deveria permitir que tal coisa voltasse a acontecer, e, no melhor dos casos, uma disposição de experimentar estimulada pelo evidente fracasso do liberalismo clássico do livre mercado. Assim, a política social-democrata sueca após 1932 foi uma reação consciente aos fracassos da ortodoxia econômica que dominara o desastroso governo trabalhista britânico de 1929-31, pelo menos na opinião de um de seus maiores arquitetos, Gunnar Myrdal. Uma teoria alternativa à economia de livre mercado em bancarrota estava ainda em elaboração. *General theory of employment, interest and money* [Teoria geral de emprego, juro e dinheiro], de J. M. Keynes, a mais influente contribuição a ela, só foi publicado em 1936. Uma prática de governo alternativa, a direção e administração macroeconômicas da economia com base na renda nacional, só se desenvolveu na Segunda Guerra Mundial e depois, embora, talvez de olho na URSS, os governos e outras entidades públicas na década de 1930 cada vez mais passassem a ver as economias nacionais como um todo, e a avaliar o tamanho de seu produto ou renda totais.*

(*) Os primeiros governos a fazerem isso foram a URSS e o Canadá em 1925. Em 1930, nove países tinham estatísticas governamentais oficiais de renda nacional, e a Liga das Nações tinha estimativas de outros 26. Imediatamente após a Segunda Guerra Mundial, havia estimativas para

A terceira opção era o fascismo, que a Depressão transformou num movimento mundial, e, mais objetivamente, num perigo mundial. O fascismo em sua versão alemã (nacional-socialismo) beneficiou-se tanto da tradição intelectual alemã, que (ao contrário da austríaca) se mostrara hostil às teorias neoclássicas de liberalismo econômico, transformadas em ortodoxia internacional desde a década de 1880, quanto de um governo implacável, decidido a livrar-se do desemprego a qualquer custo. Cuidou da Grande Depressão, deve-se dizer, rápida e de maneira mais bem-sucedida que qualquer outro (os resultados do fascismo italiano são menos impressionantes). Contudo, esse não foi seu grande apelo numa Europa que perdera em grande parte o rumo. Mas, à medida que crescia a maré do fascismo com a Grande Depressão, tornava-se cada vez mais claro que na Era da Catástrofe não apenas a paz, a estabilidade social e a economia, como também as instituições políticas e os valores intelectuais da sociedade liberal burguesa do século XIX entraram em decadência ou colapso. Devemos voltar-nos agora para esse processo.

39 países; em meados da década de 1950, para 93; e desde então cifras de renda nacionais, muitas vezes com apenas uma remota ligação com as realidades do padrão de vida de seus povos, se tornaram quase tanto um padrão para Estados independentes quanto as bandeiras nacionais.

4
A QUEDA DO LIBERALISMO

No nazismo, temos um fenômeno difícil de submeter-se à análise racional. Sob um líder que falava em tom apocalíptico de poder ou destruição mundiais, e um regime fundado numa ideologia absolutamente repulsiva de ódio racial, um dos países mais cultural e economicamente avançados da Europa planejou a guerra, lançou uma conflagração mundial que matou cerca de 50 milhões de pessoas, e perpetrou atrocidades — culminando no assassinato mecanizado em massa de milhões de judeus — de uma natureza e escala que desafiam a imaginação. Diante de Auschwitz, os poderes de explicação do historiador parecem deveras insignificantes.

Ian Kershaw (1993, pp. 3-4)

Morrer pela Pátria, pela Idéia! [...] *Não, isso é fugir da verdade. Mesmo no front, matar é que é importante* [...] *Morrer não é nada, isso não existe. Ninguém pode imaginar sua própria morte. Matar é o importante. Essa é a fronteira a ser cruzada. Sim, esse é um ato concreto de vontade. Porque aí você torna sua vontade viva na de outro homem.*

Da carta de um jovem voluntário da República Social Fascista de 1943-5, in Pavone (1991, p. 413)

I

De todos os fatos da Era da Catástrofe, os sobreviventes do século XIX ficaram talvez mais chocados com o colapso dos valores e instituições da civilização liberal cujo progresso seu século tivera como certo, pelo menos nas partes "avançadas" e "em avanço" do mundo. Esses valores eram a desconfiança da ditadura e do governo absoluto; o compromisso com um governo constitucional com ou sob governos e assembléias representativas livremente eleitos, que garantissem o domínio da lei; e um conjunto aceito de direitos e liberdades dos cidadãos, incluindo a liberdade de expressão, publicação e reunião. O Estado e a sociedade deviam ser informados pelos valores da razão, do debate público, da educação, da ciência e da capacidade de melhoria (embora não necessariamente de perfeição) da condição humana. Esses valores, parecia claro, tinham feito progresso durante todo o século, e estavam destinados a avançar ainda mais. Afinal, em 1914 mesmo as duas últimas autocracias da Europa, a Rússia e a Turquia, tinham feito concessões na direção de um governo constitucional, e o Irã chegara a tomar emprestada uma Constituição da Bélgica. Antes de 1914, esses valores só tinham sido contestados por forças tradicionalistas como a Igreja Católica Romana, que ergueu barricadas defensivas de dogmas contra as forças superiores da modernidade; por uns poucos rebeldes intelectuais e profetas do apocalipse, sobretudo de "boas famílias" e centros estabelecidos de cultura, de certo modo parte da civilização que contestavam; e pelas forças da democracia, no todo um fenômeno novo e perturbador. (Ver *A era dos impérios*.) A ignorância e atraso das massas, seu compromisso com a derrubada da sociedade burguesa pela revolução social, e a irracionalidade humana latente tão facilmente explorada por demagogos, eram de fato motivo de alarme. Contudo, o mais perigoso desses novos movimentos de massa, o movimento trabalhista socialista, era na verdade, tanto em teoria como na prática, tão apaixonadamente comprometido com os valores da razão, ciência, progresso, educação e liberdade individual quanto qualquer outro. A medalha do Dia do Trabalho do Partido Social-Democrata alemão mostrava Karl Marx de um lado e a Estátua da Liberdade do outro. O desafio deles era à economia, não ao governo constitucional e à civilidade. É difícil imaginar um governo encabeçado por Victor Adler, August Bebel ou Jean Jaurès como o fim da "civilização como a conhecemos". De qualquer modo, tais governos ainda pareciam remotos.

De fato, as instituições da democracia liberal haviam avançado politicamente, e a erupção de barbarismo em 1914-8 aparentemente apenas apressou esse avanço. Com exceção da Rússia soviética, todos os regimes que emergiam da Primeira Guerra Mundial, novos e velhos, eram basicamente regimes parlamentares representativos eleitos, mesmo a Turquia. A Europa, a Oeste da fronteira soviética, consistia inteiramente nesses Estados em 1920. Na verdade, as instituições básicas do governo liberal constitucional, eleições para assembléias representativas e/ou presidentes, eram quase universais no mundo de países independentes nessa época, embora devamos lembrar que os cerca de 65 Estados independentes do período entreguerras tinham sido um fenômeno basicamente europeu e americano: um terço da população do mundo vivia sob domínio colonial. Os únicos Estados que não tiveram quaisquer eleições no período 1919-47 eram fósseis políticos isolados, a saber, Etiópia, Mongólia, Nepal, Arábia Saudita e Iêmen. Outros cinco Estados que tiveram apenas *uma* eleição nesse período, o que não indica uma forte inclinação para a democracia, eram o Afeganistão, a China do Kuomintang, a Guatemala, o Paraguai e a Tailândia, então ainda conhecida como Sião, mas a própria existência de eleições é indício de pelo menos alguma penetração de idéias políticas liberais, pelo menos em teoria. Não se está sugerindo, claro, que a simples existência ou freqüência de eleições prove mais que isso. Nem o Irã, que teve seis eleições depois de 1930, nem o Iraque, que teve três, podiam, mesmo então, ser considerados bastiões da democracia.

Mesmo assim, os regimes eleitorais representativos eram bastante freqüentes. E no entanto os 23 anos entre a chamada "Marcha sobre Roma" de Mussolini e o auge do sucesso do Eixo na Segunda Guerra Mundial viram uma retirada acelerada e cada vez mais catastrófica das instituições políticas liberais. Em 1918-20, assembléias legislativas foram dissolvidas ou se tornaram ineficazes em dois Estados europeus, na década de 1920 em seis, na de 1930 em nove, enquanto a ocupação alemã destruía o poder constitucional em outros cinco durante a Segunda Guerra Mundial. Em suma, os únicos países europeus com instituições políticas adequadamente democráticas que funcionaram sem interrupção durante todo o período entreguerras foram a Grã-Bretanha, a Finlândia (minimamente), o Estado Livre Irlandês, a Suécia e a Suíça.

Nas Américas, a outra região de Estados independentes, a situação era mais confusa, mas não chegava a sugerir um avanço geral das instituições democráticas. A lista de Estados *consistentemente* constitucionais e não autoritários no hemisfério ocidental era curta: Canadá, Colômbia, Costa Rica, os EUA e a hoje esquecida "Suíça da América Latina" e sua única democracia verdadeira, o Uruguai. O melhor que podemos dizer é que os movimentos entre o fim da Primeira Guerra Mundial e o da Segunda foram às vezes para a esquerda, às vezes para a direita. Quanto ao resto do globo, grande parte do qual consistia em colônias, e portanto não liberais por definição, afastou-se das constituições liberais, na medida em que algum dia as tinham tido. No Japão, um regime liberal moderado deu lugar a um nacionalista-militarista em 1930-1. A Tailândia deu alguns poucos passos em direção a um governo constitucional, e a Turquia foi tomada pelo modernizador militar progressista Kemal Atatürk no início da década de 1920, um homem do tipo que não permite que eleições atrapalhem seu caminho. Nos continentes da Ásia, África e Australásia, só a Austrália e a Nova Zelândia eram consistentemente democráticas, pois a maioria dos sul-africanos permaneceu fora do âmbito da constituição do homem branco.

Em resumo, o liberalismo fez uma retirada durante toda a Era da Catástrofe, movimento que se acelerou acentuadamente depois que Adolf Hitler se tornou chanceler da Alemanha em 1933. Tomando-se o mundo como um todo, havia talvez 35 ou mais governos constitucionais e eleitos em 1920 (dependendo de onde situamos algumas repúblicas latino-americanas). Até 1938, havia talvez dezessete desses Estados, em 1944 talvez doze, de um total global de 65. A tendência mundial parecia clara.

Talvez valha a pena lembrar que nesse período a ameaça às instituições liberais vinha apenas da direita política, já que entre 1945 e 1989 se supôs, quase como coisa indiscutível, que vinha essencialmente do comunismo. Até então, o termo "totalitarismo", inicialmente inventado como uma descrição ou autodescrição do fascismo italiano, era aplicado quase só a esses regimes. A Rússia soviética (a partir de 1922 URSS) estava isolada, e não podia e nem queria, após a ascensão de Stalin, ampliar o comunismo. A revolução social sob a liderança leninista (ou qualquer outra) deixou de espalhar-se depois que a onda inicial do pós-guerra refluiu. Os movimentos social-democratas (marxistas) tornaram-se mais forças mantenedoras do Estado que forças subversivas, e não se questionava seu compromisso com a democracia. Nos movimentos trabalhistas da maioria dos países os comunistas eram minorias, e onde eram fortes, na maior parte dos casos foram, ou tinham sido, ou iriam ser suprimidos. O medo da revolução social, e do papel dos comunistas nela, era bastante real, como provou a segunda onda de revolução durante e após a Segunda Guerra Mundial, mas nos vinte anos de enfraquecimento do liberalismo nem um único regime que pudesse ser chamado de liberal-democrático foi derrubado pela esquerda.* O perigo vinha exclusivamente da direita. E essa direita representava não apenas uma ameaça ao governo constitucional e representativo, mas uma ameaça ideológica à civilização liberal como tal, e um movimento potencialmente mundial, para o qual o rótulo "fascismo" é ao mesmo tempo insuficiente mas não inteiramente irrelevante.

Insuficiente porque de modo algum todas as forças que derrubavam os regimes liberais eram fascistas. E relevante porque o fascismo, primeiro em sua forma original italiana, depois na forma alemã do nacional-socialismo, inspirou outras forças antiliberais, apoiou-as e deu à direita internacional um senso de confiança histórica: na década de 1930, parecia a onda do futuro. Como foi dito, por um *expert* no assunto: "Não foi por acaso [...] que os ditadores da realeza da Europa Oriental, burocratas e oficiais, e Franco (na Espanha) imitaram o fascismo" (Linz, 1975, p. 206).

As forças que derrubavam os regimes liberal-democráticos eram de três tipos, omitindo a forma mais tradicional de golpes militares que instalavam ditadores ou caudilhos latino-americanos, sem qualquer coloração política *a priori*. Todos eram contra a revolução social, e na verdade uma reação contra a subversão da velha ordem social em 1917-20 estava na raiz de todos eles. Todos eram autoritários e hostis às instituições políticas liberais, embora às vezes mais por motivos pragmáticos do que por princípio. Reacionários anacrônicos podiam proibir alguns partidos, especialmente o comunista, mas não todos. Após a derrubada da breve república soviética húngara de 1919, o almirante Horthy, chefe do que ele afirmava ser o reino da Hungria, apesar de não mais ter rei ou mari-

(*) O que chega mais perto de uma tal derrubada é a anexação da Estônia pela URSS em 1940, pois na época o pequeno país báltico, tendo atravessado alguns anos autoritários, passara a ter de novo uma constituição mais democrática.

nha, governou um Estado autoritário que continuou sendo parlamentar, mas não democrático, no velho sentido oligárquico do século XVIII. Tudo tendia a favorecer os militares e promover a polícia, ou outros grupos de homens capazes de exercer coerção física, pois estes eram o principal baluarte contra a subversão. E de fato, o apoio deles foi muitas vezes essencial para a direita chegar ao poder. Todos tendiam a ser nacionalistas, em parte por causa do ressentimento contra Estados estrangeiros, guerras perdidas ou impérios insuficientes, e em parte porque agitar bandeiras nacionais era um caminho tanto para a legitimidade quanto para a popularidade. Apesar disso, havia diferenças.

Autoritários ou conservadores anacrônicos — o almirante Horthy, o marechal Mannerheim, vencedor da guerra civil de brancos *versus* vermelhos na recém-independente Finlândia; o coronel, depois marechal Pilsudski, libertador da Polônia; o rei Alexandre, antes da Sérvia, agora da recém-unida Iugoslávia; e o general Francisco Franco da Espanha — não tinham qualquer programa ideológico particular, além do anticomunismo e dos preconceitos tradicionais de sua classe. Podiam descobrir-se aliados à Alemanha de Hitler e a movimentos fascistas em seus países, mas só porque na conjuntura entreguerras a aliança "natural" era a feita por todos os setores da direita política. Claro que considerações nacionais podiam entremear-se a essa aliança. Winston Churchill, um *tory* deveras direitista nessa época, embora não típico, manifestou alguma simpatia pela Itália de Mussolini, e não conseguiu forçar-se a apoiar a República espanhola contra as forças de Franco, mas a ameaça da Alemanha à Grã-Bretanha o tornou o paladino da união antifascista. Por outro lado, reacionários tradicionais como ele estavam sujeitos a ter de enfrentar a oposição de movimentos autenticamente fascistas, às vezes com substancial apoio das massas.

Um segundo tipo da direita produziu o que se tem chamado de "estatismo orgânico" (Linz, 1975, pp. 277, 306-13), ou regimes conservadores, não tanto defendendo a ordem tradicional, mas deliberadamente recriando seus princípios como uma forma de resistir ao individualismo liberal e à ameaça do trabalhismo e do socialismo. Por trás disso havia uma nostalgia ideológica de uma imaginada Idade Média ou sociedade feudal, em que se reconhecia a existência de classes ou grupos econômicos, mas a terrível perspectiva da luta de classes era mantida a distância pela aceitação voluntária de uma hierarquia social, pelo reconhecimento de que cada grupo social ou "estamento" tinha seu papel a desempenhar numa sociedade orgânica composta por todos, e deveria ser reconhecido como uma entidade coletiva. Isso produziu vários tipos de teorias "corporativistas", que substituíam a democracia liberal pela representação de grupos de interesse econômico e ocupacional. Às vezes esta era descrita como participação ou democracia "orgânica", e portanto melhor que a real, mas de fato combinava-se sempre com regimes autoritários e Estados fortes governados de cima, em grande parte por burocratas e tecnocratas. Invariavelmente limitava ou abolia a democracia eleitoral ("Democracia baseada em corretivos corporativos", na expressão do premiê húngaro conde Bethlen) (Ranki, 1971). Os exemplos mais acabados desses Estados corporativos foram encontrados em alguns países católicos, notadamente Portugal do professor Oliveira Salazar, o mais longevo de todos os regimes antiliberais da direita na Europa (1927-74), mas também na Áustria entre a destruição da democracia e a invasão de Hitler (1934-8), e, em certa medida, na Espanha de Franco.

Contudo, se os regimes reacionários desse tipo tinham origens e inspirações mais antigas que o fascismo, e às vezes muito diferentes dele, nenhuma linha nítida os separava, porque ambos partilhavam os mesmos inimigos, senão as mesmas metas. Assim, a Igreja Católica Romana, profunda e inflexivelmente reacionária como era em sua versão oficial consagrada pelo primeiro Concílio Vaticano de 1870, não era fascista. Na verdade, por sua hostilidade a Estados essencialmente seculares com pretensões totalitárias, veio a sofrer a oposição do fascismo. Mas a doutrina do "Estado corporativo", melhor exemplificada em países católicos, foi em grande parte elaborada em círculos fascistas (italianos), embora estes, é claro, tivessem recorrido à tradição católica para fazê-lo. Esses regimes chegaram a ser chamados de "clerical-fascistas" e fascistas em países católicos às vezes vinham diretamente do catolicismo integrista, como no movimento *rexista* do belga Leon Degrelle. A ambigüidade da atitude da Igreja em relação ao racismo de Hitler já foi muitas vezes comentada; com menos freqüência observou-se a considerável ajuda dada após a guerra por pessoas de dentro da Igreja, às vezes em posições importantes, a fugitivos nazistas ou fascistas de vários tipos, inclusive muitos acusados de horripilantes crimes de guerra. O que ligava a Igreja não só a reacionários anacrônicos mas aos fascistas era um ódio comum pelo Iluminismo do século XVIII, pela Revolução Francesa e por tudo o que na sua opinião dela derivava: democracia, liberalismo e, claro, mais marcadamente, o "comunismo ateu".

De fato a era fascista assinalou uma virada na história católica, em grande parte porque a identificação da Igreja com a direita, cujos maiores porta-vozes internacionais eram agora Hitler e Mussolini, criou substanciais problemas morais para os católicos com preocupações sociais, para não falar de substanciais conflitos políticos com as hierarquias não antifascistas o bastante à medida que o fascismo recuava para sua derrota inevitável. Por outro lado, o antifascismo, ou a simples resistência patriótica ao conquistador estrangeiro, pela primeira vez dava legitimidade ao catolicismo democrático (democracia cristã) dentro da Igreja. Os partidos políticos que mobilizavam o voto católico romano haviam surgido, em bases pragmáticas, em países onde os católicos eram uma minoria significativa, normalmente para defender interesses da Igreja contra Estados seculares, como na Alemanha e nos Países Baixos. A Igreja resistia fazer tais concessões à política da democracia e do liberalismo em países oficialmente católicos, embora se preocupasse com a ascensão do socialismo ateu o bastante para formular em 1891 — uma renovação radical — uma política social que acentuava a necessidade de dar aos trabalhadores o que lhes era devido, mantendo ao mesmo tempo o caráter sagrado da família e da propriedade privada, mas *não* do capitalismo como tal.* Isso proporcionou uma primeira base para os católicos sociais e aqueles dispostos a organizar formas de defesa dos trabalhadores, como sindicatos católicos, de maneira geral mais inclinados a tais atividades por pertencerem ao lado mais liberal do catolicismo. Com exceção da Itália, onde o papa Benedito XV (1914-22) permitiu por um breve período que um grande Partido Popular (católico) surgisse após a Primeira Guerra Mundial, até o fascismo destruí-lo, os católicos democráticos e sociais continuaram sendo minorias políticas marginais. Foi o avanço do fascismo na década de 1930 que os tirou do casulo, embora os católicos que declararam seu apoio à República espanhola fossem um grupo pequeno, apesar de intelectualmente importante. O apoio dos católicos foi decididamente para Franco. A Resistência, que eles podiam justificar com base mais no patriotismo que na ideologia, lhes deu uma oportunidade, e a vitória lhes permitiu tomá-la. Mas o triunfo da democracia cristã na Europa, e algumas décadas depois em partes da América Latina, pertence a um período posterior. Quando o liberalismo caiu, a Igreja, com raras exceções, se rejubilou com sua queda.

II

Restam os movimentos que podem ser verdadeiramente chamados de fascistas. O primeiro desses foi o italiano, que deu nome ao fenômeno, criação de um renegado jornalista socialista, Benito Mussolini, cujo primeiro nome, tributo ao anticlerical presidente mexicano Benito Juárez, simbolizava o apaixonado antipapismo de sua nativa Romagna. O próprio Adolf Hitler reconheceu sua dívida e seu respeito a Mussolini, mesmo quando Mussolini e a Itália fascista demonstraram sua fraqueza e incompetência na Segunda Guerra Mundial. Em troca, Mussolini recebeu de Hitler, um tanto tardiamente, o antissemitismo que estivera de todo ausente do seu movimento antes de 1938, e na verdade da história da Itália desde a unificação.** Contudo, o fascismo italiano sozinho não exerceu muita atração internacional, embora tentasse influenciar e financiar pequenos movimentos em outras partes, e mostrasse alguma

(*) Esta foi a encíclica *Rerum Novarum*, complementada quarenta anos depois, e não por acaso no pior da Grande Depressão, pela *Quadragesimo Anno*. Continua sendo a pedra angular da política social da Igreja até hoje, como atesta a encíclica do papa João Paulo II de 1991, emitida no centenário da *Rerum Novarum*. Contudo, o equilíbrio preciso de condenação tem variado com o contexto político.

(**) Deve-se dizer, em justiça aos compatriotas de Mussolini, que durante a guerra o exército italiano se recusou terminantemente a entregar judeus para extermínio pelos alemães ou quaisquer outros nas áreas ocupadas — sobretudo no Sudeste da França e partes dos Bálcãs.

influência em setores inesperados, como sobre Vladimir Jabotinsky, fundador do "revisionismo" sionista, que se tornou o governo de Israel sob Menahem Begin na década de 1970.

Sem o triunfo de Hitler na Alemanha no início de 1933, o fascismo não teria se tornado um movimento geral. Na verdade, todos os movimentos fascistas com algum peso fora da Itália foram fundados após sua chegada ao poder, notadamente a Cruz em Seta húngara, que arrebanhou 25% dos votos na primeira eleição secreta realizada na Hungria (1939), e a Guarda de Ferro romena, cujo apoio real era ainda maior. De fato, mesmo movimentos inteiramente financiados por Mussolini, como o dos terroristas Ustashi croatas de Ante Pavelich, não ganharam muito terreno, e permaneceram ideologicamente fascistizados até a década de 1930, quando parte deles buscou inspiração e financiamento na Alemanha. Mais que isso, sem o triunfo de Hitler na Alemanha, a idéia do fascismo como um movimento *universal*, uma espécie de equivalente direitista do comunismo internacional tendo Berlim como sua Moscou, não teria se desenvolvido. O que não produziu um movimento sério, mas apenas, durante a Segunda Guerra Mundial, colaboradores ideologicamente motivados dos alemães na Europa ocupada. Foi nesse ponto que, notadamente na França, muitos da ultradireita tradicional, por mais reacionários que fossem, se recusaram a aderir: eram nacionalistas ou não seriam nada. Alguns chegaram a juntar-se à Resistência. Além disso, sem a posição internacional da Alemanha como uma potência mundial bem-sucedida e em ascensão, o fascismo não teria tido impacto sério fora da Europa, nem teriam os governantes reacionários não fascistas se dado o trabalho de posar de simpatizantes fascistas, como quando Salazar de Portugal alegou, em 1940, que ele e Hitler estavam "ligados pela mesma ideologia" (Delzell, 1970, p. 348).

Não é fácil discernir, depois de 1933, o que os vários tipos de fascismo tinham em comum, além de um senso geral de hegemonia alemã. A teoria não era o ponto forte de movimentos dedicados às inadequações da razão e do racionalismo e à superioridade do instinto e da vontade. Atraíram todo tipo de teóricos reacionários em países de vida intelectual conservadora ativa — a Alemanha é um caso óbvio —, mas estes eram elementos mais decorativos que estruturais do fascismo. Mussolini poderia facilmente ter dispensado seu filósofo de plantão, Giovanni Gentile, e Hitler na certa nem soube nem se importou com o apoio do filósofo Heidegger. Também o fascismo não pode ser identificado com uma determinada forma de organização do Estado, como o Estado corporativista — a Alemanha perdeu logo o interesse por tais idéias, tanto mais porque elas conflitavam com a idéia de uma única, indivisa e total

---

Embora o governo italiano também demonstrasse uma conspícua ausência de zelo no assunto, cerca de metade da pequena população judia italiana morreu; alguns, porém, mais como militantes antifascistas do que como simples vítimas (Steinberg, 1990; Hughes, 1983).

Volksgemeinschaft, ou Comunidade Popular. Mesmo um elemento aparentemente tão fundamental como o racismo no início estava ausente do fascismo italiano. Por outro lado, como vimos, o fascismo compartilhava nacionalismo, anticomunismo, antiliberalismo etc. com outros elementos não fascistas da direita. Vários desses, notadamente entre os grupos reacionários franceses não fascistas, também compartilhavam com ele a preferência pela violência de rua como política.

A grande diferença entre a direita fascista e não fascista era que o fascismo existia mobilizando massas de baixo para cima. Pertencia essencialmente à era da política democrática e popular que os reacionários tradicionais deploravam, e que os defensores do "Estado orgânico" tentavam contornar. O fascismo rejubilava-se na mobilização das massas, e mantinha-a simbolicamente na forma de teatro público — os comícios de Nuremberg, as massas na piazza Venezia assistindo os gestos de Mussolini lá em cima na sacada — mesmo quando chegava ao poder; como também faziam os movimentos comunistas. Os fascistas eram os revolucionários da contra-revolução: em sua retórica, em seu apelo aos que se consideravam vítimas da sociedade, em sua convocação a uma total transformação da sociedade, e até mesmo em sua deliberada adaptação dos símbolos e nomes dos revolucionários sociais, tão óbvia no Partido Nacional Socialista dos Trabalhadores de Hitler, com sua bandeira vermelha (modificada) e sua imediata instituição do Primeiro de Maio dos comunistas como feriado oficial em 1933.

Do mesmo modo, embora o fascismo também se especializasse na retórica da volta ao passado tradicional, e recebesse muito apoio de classes de pessoas que teriam genuinamente preferido aniquilar o século anterior se pudessem, não era de modo algum um movimento tradicionalista como, digamos, os carlistas da Navarra, que formaram um dos principais corpos de apoio a Franco na Guerra Civil, ou as campanhas de Gandhi por um retorno aos teares manuais e ideais da aldeia. Enfatizava muitos *valores* tradicionais, o que é outro assunto. Os fascistas denunciavam a emancipação liberal — as mulheres deviam ficar em casa e ter muitos filhos — e desconfiavam da corrosiva influência da cultura moderna, sobretudo das artes modernistas, que os nacional-socialistas alemães descreviam como "bolchevismo cultural" e degeneradas. Contudo, os movimentos fascistas — o italiano e o alemão — não apelavam aos guardiães históricos da ordem conservadora, a Igreja e o rei, mas ao contrário buscavam complementá-los com um princípio de liderança inteiramente não tradicional, corporificado no homem que se faz a si mesmo, legitimizado pelo apoio das massas, por ideologias seculares e às vezes cultas.

O passado ao qual eles apelavam era uma invenção. Suas tradições, fabricadas. Mesmo o racismo de Hitler não era feito daquele orgulho de uma linhagem ininterrupta e sem mistura que leva americanos esperançosos de provar sua descendência de algum nobre de Suffolk do século XVI a contratar genealogistas, mas uma mixórdia pós-darwiniana do século XIX pretendendo (e, infelizmente, na Alemanha muitas vezes recebendo) o apoio da nova ciência da genética, mais precisamente do ramo da genética aplicada ("eugenia") que sonhava em criar uma super-raça humana pela reprodução seletiva e a eliminação dos incapazes. A raça destinada a dominar o mundo através de Hitler não tinha sequer um nome até 1898, quando um antropólogo cunhou o termo "nórdico". Hostil como era, em princípio, à herança do Iluminismo e da Revolução Francesa do século XVIII, o fascismo não podia formalmente acreditar em modernidade e progresso, mas não se acanhava em combinar um lunático conjunto de crenças com uma modernidade tecnológica em questões práticas, exceto quando ela comprometia sua pesquisa científica básica feita em premissas ideológicas (ver capítulo 18). O fascismo era triunfantemente antiliberal. Também forneceu a prova de que o homem pode, sem dificuldade, combinar crenças malucas sobre o mundo com um confiante domínio de alta tecnologia contemporânea. O fim do século XX, com suas seitas fundamentalistas brandindo as armas da televisão e da coleta de fundos programada em computador, nos familiarizou mais com esse fenômeno.

Apesar disso, a combinação de valores conservadores, técnicas de democracia de massa e a inovadora ideologia de barbarismo irracionalista, centrada em essência no nacionalismo, precisa ser explicada. Tais movimentos não tradicionais da direita radical haviam surgido em vários países europeus em fins do século XIX, em reação ao liberalismo (isto é, à transformação acelerada de sociedades pelo capitalismo), à ascensão dos movimentos da classe trabalhadora, e, de maneira geral, à onda de estrangeiros que invadia o mundo na maior migração de massa da história até aquela data. Homens e mulheres migravam não apenas para o outro lado de oceanos e fronteiras internacionais, mas do campo para a cidade; de uma região do mesmo país para outra — em suma, de "casa" para a terra de estrangeiros e, virando-se a moeda, como estranhos em casa alheia. Quase quinze em cada cem poloneses saíram de seu país para não voltar, e mais meio milhão por ano como migrantes sazonais — em sua grande maioria para juntar-se às classes trabalhadoras dos países que os recebiam. Antecipando o fim do século XX, o fim do século XIX introduziu a xenofobia de massa, da qual o racismo — a proteção da cepa local pura contra a contaminação, e até mesmo a submersão, pelas hordas invasoras subumanas — tornou-se a expressão comum. Sua força pode ser medida não só pelo temor da imigração polonesa que levou o grande sociólogo alemão liberal Max Weber a apoiar temporariamente a Liga Pangermânica, mas pela campanha cada vez mais febril contra a imigração de massa nos EUA, que acabou levando, durante e após a Primeira Guerra Mundial, o país da Estátua da Liberdade a fechar suas fronteiras àqueles aos quais a Estátua fora erigida para acolher.

O cimento comum desses movimentos era o ressentimento de homens comuns contra uma sociedade que os esmagava entre a grande empresa, de um lado, e os crescentes movimentos de trabalhistas, do outro. Ou que, na melhor das hipóteses, os privava da posição respeitável que tinham ocupado na ordem social, e que julgavam lhes ser devida, ou do status social numa sociedade dinâmica a que achavam que tinham direito a aspirar. Esses sentimentos encontraram sua expressão característica no anti-semitismo, que começou a desenvolver movimentos políticos específicos baseados na hostilidade aos judeus no último quartel do século XIX em vários países. Os judeus estavam presentes em quase todo lugar e podiam simbolizar com facilidade tudo o que havia de mais odioso num mundo injusto, inclusive seu compromisso com as idéias do Iluminismo e da Revolução Francesa que os tinham emancipado e, ao fazê-lo, os haviam tornado mais visíveis. Eles podiam servir como símbolos do odiado capitalista/financista; do agitador revolucionário; da corrosiva influência dos "intelectuais sem raízes" e dos novos meios de comunicação; da competição — como poderia ela ser outra coisa que não "injusta"? — que lhes dava uma fatia desproporcional dos empregos em certas profissões que exigiam educação; e do estrangeiro e forasteiro como tal. Para não falar da visão aceita entre os cristãos antiquados de que eles tinham matado Jesus.

A antipatia aos judeus era de fato difusa no mundo ocidental, e a posição deles na sociedade do século XIX ambígua. Contudo, o fato de operários em greve, mesmo quando membros de movimentos trabalhistas não racistas, atacarem lojistas judeus e pensarem em seus patrões como judeus (com bastante freqüência corretamente, em grandes áreas da Europa Central e Oriental), não deve levar-nos a vê-los como proto nacional-socialistas, assim como o anti-semitismo habitual dos intelectuais britânicos edwardianos, como os do Grupo de Bloomsbury, não os tornava simpatizantes de anti-semitas *políticos* da direita radical. O anti-semitismo camponês da Europa Oriental, onde para fins práticos o judeu era o ponto de contato entre o ganha-pão do aldeão e a economia externa de que sempre dependera, era sem dúvida mais permanente e explosivo, e tornou-se mais ainda quando as sociedades rurais eslavas, magiares e romenas foram convulsionadas pelos incompreensíveis terremotos do mundo moderno. Entre povos tão sombrios ainda se podia acreditar nas histórias de judeus sacrificando crianças cristãs, e os momentos de explosão social levavam a *pogroms* que os reacionários do império do czar estimulavam, sobretudo após o assassinato do czar Alexandre II em 1881 por revolucionários sociais. Aqui, uma estrada reta conduz do anti-semitismo de base ao extermínio dos judeus durante a Segunda Guerra Mundial. Certamente o anti-semitismo de base deu substrato a movimentos fascistas europeus orientais que adquiriram uma base de massa — notadamente a Guarda de Ferro na Romênia e a Cruz em Seta na Hungria. De qualquer modo, nos antigos territórios dos Habsburgo e Romanov essa ligação foi muito mais clara que no Reich alemão, onde o anti-semitismo de base rural e provincial, embora forte e com profundas raízes, era menos violento: pode-se mesmo dizer, mais tolerante. Judeus que fugiram da recém-ocupada Viena para Berlim em 1938 ficaram pasmados com a ausência de anti-semitismo nas ruas. Ali a violência vinha por decreto de cima, como em novembro de 1938 (Kershaw, 1983). Mesmo assim, não há comparação entre a selvageria casual e intermitente dos *pogroms* e o que iria acontecer uma geração depois. O punhado de mortos de 1881, os quarenta ou cinqüenta do *pogrom* de Kishinev de 1903, indignaram o mundo — e justificadamente — porque nos dias antes do avanço do barbarismo um tal número de vítimas parecia intolerável a um mundo que esperava que a civilização progredisse. Mesmo os muito maiores *pogroms* que acompanharam os levantes de camponeses em massa da Revolução de 1905 na Rússia tiveram, pelos padrões posteriores, apenas modestas baixas — talvez oitocentos mortos no todo. Pode-se comparar isso com os 3800 judeus assassinados em Vilnius (Vilna) pelos lituanos nos três dias de 1941, quando os alemães invadiram a URSS, antes que começassem os extermínios sistemáticos.

Os novos movimentos da direita radical que apelavam para essas tradições mais antigas de intolerância, mas em essência as transformavam, atraíam sobretudo os grupos inferiores e médios das sociedades européias, e eram formulados como retórica e teoria por intelectuais nacionalistas que surgiram como uma tendência na década de 1890. O próprio termo "nacionalismo" foi cunhado nessa década para descrever esses porta-vozes da reação. A militância de classe média e de classe média baixa deu uma virada para a direita radical sobretudo em países onde as ideologias de democracia e liberalismo não eram dominantes, ou entre classes que não se identificavam com elas, ou seja, em países que não haviam passado por uma Revolução Francesa ou seu equivalente. Na verdade, nos principais países centrais do liberalismo ocidental — Grã-Bretanha, França e EUA — a hegemonia da tradição revolucionária impediu o surgimento de quaisquer movimentos fascistas de massa importantes. É um engano confundir o racismo dos populistas americanos ou o chauvinismo dos republicanos franceses com proto-fascismo: esses eram movimentos da esquerda.

Isso não queria dizer que, quando a hegemonia de Liberdade, Igualdade e Fraternidade não mais atrapalhasse, os velhos instintos não pudessem ligar-se a novos *slogans* políticos. Há pouca dúvida de que os ativistas da suástica nos Alpes suíços foram em grande parte recrutados da espécie de profissionais liberais provincianos — veterinários, agrimensores e outros assim — que tinham sido os liberais locais, uma minoria educada e emancipada num ambiente dominado pelo clericalismo camponês. Do mesmo modo, no fim do século XX, a desintegração dos movimentos proletários trabalhistas e socialistas clássicos liberou o chauvinismo e racismo instintivos de muitos trabalhadores braçais. Até então, embora não exatamente imunes a tais sentimentos, eles hesitavam em manifestá-los em público, por lealdade a partidos apaixonadamente hostis a tal intolerância. Desde a década de 1960, a xenofobia e o racismo político ocidentais se encontram sobretudo entre as camadas de trabalhadores braçais. Contudo, nas décadas em que se incubou o fascismo, eles pertenciam aos que não sujavam as mãos no trabalho.

As camadas de classe média e média baixa continuaram sendo o alicerce desses movimentos por toda a era da ascensão do fascismo. Não negam isso a sério nem mesmo historiadores ansiosos por revisar o consenso de "quase" todas as análises feitas sobre o apoio nazista feitas entre 1930 e 1980 (Childers, 1983; Childers, 1991, pp. 8, 14-5). Tomemos apenas um caso entre as muitas pesquisas da filiação e do apoio de tais movimentos na Áustria do entreguerras. Dos nacional-socialistas eleitos como conselheiros distritais em Viena em 1932, 18% eram autônomos, 56% trabalhadores de escritório e funcionários públicos, e 14% operários. Dos nazistas eleitos em cinco assembléias austríacas fora de Viena no mesmo ano, 16% eram seus próprios patrões e fazendeiros, 51% trabalhadores de escritório etc., e 10% operários (Larsen et al., 1978, pp. 766-7).

Isso não quer dizer que os movimentos fascistas não conseguiam conquistar genuíno apoio de massa entre os trabalhadores pobres. Qualquer que fosse a composição dos seus quadros, os membros da Guarda de Ferro romena vinham do campesinato pobre. O eleitorado da Cruz em Seta húngara era, em grande parte, operário (o Partido Comunista sendo ilegal e o Social-Democrata, sempre pequeno, pagando o preço por ser tolerado pelo regime de Horthy) e, após a derrota da social-democracia austríaca em 1934, houve uma visível virada dos operários para o Partido Nazista, sobretudo nas províncias austríacas. Além disso, assim que se estabeleceram governos fascistas com legitimidade pública, como na Itália e na Alemanha, muito mais trabalhadores ex-socialistas e comunistas se alinharam com os novos regimes do que agrada à tradição da esquerda considerar. Apesar disso, como os partidos fascistas tinham dificuldades para atrair os elementos autenticamente tradicionais da sociedade rural (a menos que apoiados, como na Croácia, por organizações como a Igreja Católica Romana), e eram inimigos jurados de ideologias e partidos identificados com as classes trabalhadoras organizadas, seu eleitorado principal se encontrava naturalmente nas camadas médias da sociedade.

Até onde chegava o apelo original do fascismo dentro da classe média é uma questão mais em aberto. Certamente era forte o seu apelo para a juventude da classe média, sobretudo para universitários da Europa continental, os quais, entre as guerras, foram conhecidos por seu ultradireitismo. Treze por cento dos membros do movimento fascista italiano em 1921 (ou seja, antes da "Marcha sobre Roma") eram estudantes. Na Alemanha, entre 5% e 10% de todos os estudantes eram membros do partido já em 1930, quando a grande maioria de futuros nazistas ainda não começara a interessar-se por Hitler (Kater, 1985, p. 467; Noelle & Neumann, 1967, p. 196). Como veremos, os ex-oficiais militares da classe média estavam fortemente representados: tipos para os quais a Grande Guerra, com todos os seus horrores, assinalara o pico da realização pessoal, comparado ao qual suas futuras vidas civis só se mostraram decepcionantes vales. Esses eram, claro, segmentos das camadas médias particularmente receptivos aos apelos do ativismo. Em termos gerais, o apelo da direita radical era tanto mais forte quanto maior fosse a ameaça à posição, real ou convencionalmente esperada, de um segmento profissional da classe média, à medida que cedia e ruía o esquema que devia manter a sua ordem social no lugar. Na Alemanha, o duplo golpe da grande inflação, que reduziu o valor da moeda a zero, e da posterior Grande Depressão radicalizou até mesmo camadas da classe média como as dos funcionários públicos médios e altos, cuja posição parecia segura, e que em circunstâncias menos traumáticas estariam satisfeitos em continuar como patriotas no velho estilo, nostálgicos do kaiser Guilherme, mas dispostos a cumprir seu dever com uma República encabeçada pelo marechal-de-campo Hindenburg, caso ela não estivesse visivelmente desmoronando sob seus pés. A maioria dos alemães apolíticos entre as guerras sentia saudades do império de Guilherme. Ainda na década de 1960, quando a maioria dos alemães ocidentais tinha concluído (compreensivelmente) que a melhor época na história alemã era *agora*, 42% dos de mais de sessenta anos ainda achavam que a época anterior a 1914 era melhor que a presente, contra 32% convertidos pelo *Wirtschaftswunder* [milagre econômico] (Noelle & Neumann, 1967, p. 196). Os eleitores do centro e da direita burgueses passaram em números maciços para o Partido Nazista entre 1930 e 1932. Mas não foram esses os construtores do fascismo.

Essas classes médias conservadoras eram, está claro, defensoras potenciais ou mesmo convertidas do fascismo, devido à maneira como se traçaram as linhas de combate político no entreguerras. A ameaça à sociedade liberal e todos os seus valores parecia vir exclusivamente da direita; a ameaça à ordem social, da esquerda. As pessoas da classe média escolhiam sua política de acordo com seus temores. Os conservadores tradicionais em geral simpatizavam com os demagogos do fascismo e dispunham-se a aliar-se a eles contra o inimigo maior. O fascismo italiano tinha uma cobertura de imprensa mais ou menos favorável na década de 1920, e mesmo na de 1930, exceto da que ia do liberalismo até a esquerda. "Tirando a experiência audaciosa do fascismo, a década não foi frutífera em lideranças estatais construtivas", escreveu John Buchan, o eminente conservador e escritor britânico de romances de suspense. (O gosto pela criação de suspenses raramente acompanha convicções esquerdistas, o que é uma pena.) (Graves & Hodge, 1941, p. 248) Hitler foi levado ao poder por uma coalizão da direita tradicional, que ele depois suplantou. O general Franco incluiu a então não muito importante *Falange* espanhola em sua frente nacional porque o que ele representava era a união de toda a direita contra os espectros de 1789 e 1917, entre os quais ele não fazia distinções sutis. Foi por mera sorte que não entrou na Segunda Guerra Mundial do lado de Hitler, mas enviou uma força de voluntários, a "Divisão Azul", para combater os comunistas ateus na Rússia lado a lado com os alemães. O marechal Pétain certamente não era fascista nem simpatizante nazista. Um dos motivos pelos quais foi tão difícil após a guerra distinguir entre fascistas franceses convictos e colaboradores pró-alemães, de um lado, e o corpo principal de apoio ao regime de Vichy do marechal Pétain, de outro, era que na verdade não havia uma linha nítida que os separasse. Aqueles cujos pais tinham odiado Dreyfus, os judeus e a cadela-República — algumas figuras de Vichy tinham idade suficiente para tê-lo feito pessoalmente — transformaram-se sem sentir em fanáticos defensores de uma Europa hitlerista. Em suma, a "natureza" da aliança da direita entre as guerras ia dos conservadores tradicionais, passando pelos reacionários da velha escola, até os extremos da patologia fascista. As hostes tradicionais do conservadorismo e da contra-revolução eram fortes, mas muitas vezes inertes. O fascismo forneceu-lhes a dinâmica e, talvez mais importante ainda, o exemplo de vitória sobre as forças da desordem. (O argumento proverbial em favor da Itália fascista não era que "Mussolini fez os trens rodarem no horário"?) Do mesmo modo como o dinamismo dos comunistas exerceu uma atração sobre a esquerda desorientada e sem leme após 1933, também os sucessos do fascismo, sobretudo depois da tomada nacional-socialista da Alemanha, deram a impressão de que ele era a onda do futuro. O próprio fato de que nessa época o fascismo fez uma entrada destacada, se bem que breve, no cenário político até mesmo da conservadora Grã-Bretanha demonstra o poder desse "efeito demonstrativo". A conversão de um dos mais destacados políticos do país e a conquista do apoio de um de seus grandes chefões da imprensa são mais significativas do que o fato de o movimento de sir Oswald Mosley ter sido rapidamente abandonado por políticos respeitáveis e o *Daily Mail* de lorde Rothermere ter logo retirado seu apoio à União de Fascistas britânica. Pois a Grã-Bretanha ainda era vista, universal e corretamente, como um modelo de estabilidade política e social.

III

A ascensão da direita radical após a Primeira Guerra Mundial foi sem dúvida uma resposta ao perigo, na verdade à realidade, da revolução social e do poder operário em geral, e à Revolução de Outubro e ao leninismo em particular. Sem esses, não teria havido fascismo algum, pois embora os demagógicos ultradireitistas tivessem sido politicamente barulhentos e agressivos em vários países europeus desde o fim do século XIX, quase sempre haviam sido mantidos sob controle antes de 1914. Sob esse aspecto, os apologetas do fascismo provavelmente têm razão quando afirmam que Lenin engendrou Mussolini e Hitler. Contudo, é inteiramente ilegítimo desculpar o barbarismo fascista alegando que ele foi inspirado pelas supostas barbaridades anteriores da Revolução Russa — que teria imitado —, como alguns historiadores alemães estiveram perto de fazer na década de 1980 (Nolte, 1987).

Contudo, duas importantes restrições devem ser feitas à tese de que a reação direitista foi essencialmente uma resposta à esquerda revolucionária. Primeiro, subestima o impacto da Primeira Guerra Mundial sobre uma importante camada de soldados e jovens nacionalistas, em grande parte da classe média e média baixa, os quais, depois de novembro de 1918, ressentiram-se de sua oportunidade perdida de heroísmo. O chamado "soldado da linha de frente" (*frontsoldat*) iria desempenhar um papel importantíssimo na mitologia dos movimentos da direita radical — o próprio Hitler era um deles — e proporcionar um corpo substancial dos primeiros esquadrões de ultranacionalistas violentos, como os oficiais que mataram os líderes comunistas Karl Liebknecht e Rosa Luxemburgo no início de 1919, os *squadristi* italianos e *freikorps* alemães. Cinqüenta e sete por cento dos primeiros fascistas italianos eram ex-soldados. Como vimos, a Primeira Guerra Mundial foi uma máquina que brutalizou o mundo, e esses homens se regozijaram com a liberação de sua brutalidade latente.

O forte compromisso da esquerda, começando com os liberais progressistas, com movimentos antiguerra e antimilitaristas, e a imensa repulsa popular contra a matança em massa da Primeira Guerra Mundial levaram muitos a subestimar o surgimento de uma minoria relativamente pequena, mas ainda assim numerosa, para a qual a experiência do combate, mesmo nas condições de 1914-8, era fundamental e inspiradora; para a qual o uniforme e a disciplina, o sacrifício — o próprio ou o dos outros — e o sangue, as armas e o poder eram o que fazia a vida masculina digna de viver. Eles não escreveram muitos livros sobre a guerra, embora (sobretudo na Alemanha) um ou dois o tenham feito. Esses Rambos da época eram recrutas naturais da direita radical.

A segunda restrição é que a reação da direita respondeu não ao bolchevismo como tal, mas a todos os movimentos que ameaçavam a ordem existente da sociedade ou podiam ser culpados pelo seu colapso, especialmente a classe operária organizada. Lenin era mais o símbolo dessa ameaça do que a realidade concreta, que, para a maioria dos políticos, era representada não tanto pelos partidos trabalhistas socialistas, de líderes bastante moderados, mas pelo surto de poder, confiança e radicalismo dos operários, que davam aos velhos partidos socialistas uma nova força política e, de fato, transformaram-nos em esteios indispensáveis dos Estados liberais. Não por acaso, no imediato pós-guerra, a exigência principal dos agitadores socialistas desde 1889 foi concedida quase em toda parte na Europa: o dia de trabalho de oito horas.

A ameaça implícita na ascensão da força dos trabalhadores fazia gelar o sangue dos conservadores, mais que a transformação de líderes sindicais e oradores da oposição em ministros do governo, embora isso já fosse difícil de engolir. Eles pertenciam por definição à "esquerda". Numa era de revolta social, nenhuma linha clara os separava dos bolcheviques. Na verdade, muitos dos partidos socialistas teriam se juntado alegremente aos comunistas nos anos do imediato pós-guerra, não houvessem estes rejeitado a filiação. O homem que Mussolini assassinou após sua "Marcha sobre Roma" não era um líder do Partido Comunista, mas um socialista, Matteotti. A direita tradicional talvez visse a Rússia atéia como a encarnação de tudo que era mal no mundo, mas o levante dos generais em 1936 não foi dirigido contra os comunistas como tais, mesmo porque eles eram a menor parte da Frente Popular (ver capítulo 5). Foi dirigido contra uma onda popular que, até a Guerra Civil, tinha favorecido os socialistas e anarquistas. Uma racionalização *ex post facto* é que faz de Lenin e Stalin uma desculpa para o fascismo.

Ainda assim é preciso explicar por que a reação da direita após a Primeira Grande Guerra conseguiu vitórias cruciais na forma do fascismo. Antes de 1914 já existiam movimentos extremistas da ultradireita — histericamente nacionalistas e xenofóbicos, promotores dos ideais da guerra e da violência, intolerantes e dados a atos violentamente coercivos, totalmente antiliberais, antidemocráticos, antiproletários, anti-socialistas e antinacionalistas, defensores do sangue e do solo e dos valores antigos que a modernidade estava destruindo. Eles tinham alguma influência dentro da direita política e em alguns círculos intelectuais, mas em lugar algum chegam a dominar ou controlar.

O que deu ao fascismo sua oportunidade após a Primeira Guerra Mundial foi o colapso dos velhos regimes, e com eles das velhas classes dominantes e seu maquinário de poder, influência e hegemonia. Onde estas permaneceram em boa ordem de funcionamento, não houve necessidade de fascismo. Ele não fez progresso algum na Grã-Bretanha, apesar da breve agitação nervosa acima indicada. A direita conservadora tradicional continuou no controle. Não fez progresso efetivo na França até depois da derrota de 1940. Embora a direita radical francesa — a monarquista *Action Française* e a *Croix de Feu* [Cruz de Fogo] do coronel La Rocque — estivesse bastante disposta a espancar esquerdistas, não chegava a ser fascista, e de fato alguns de seus elementos iriam juntar-se à Resistência.

Do mesmo modo o fascismo não era necessário onde uma nova classe ou grupo nacionalista podia assumir o poder em países recém-independentes. Esses homens podiam ser reacionários e optar por um governo autoritário, por motivos a serem considerados adiante, mas só a retórica identificava cada virada antidemocrática para a direita na Europa entre as guerras com o fascismo. Não houve movimentos fascistas importantes na nova Polônia, governada por militaristas autoritários, tampouco na parte tcheca da Tchecoslováquia, que era democrática, nem no núcleo sérvio (dominante) da nova Iugoslávia. Nos países cujos governantes eram direitistas ou reacionários da velha escola e movimentos fascistas ou semelhantes surgiram — na Hungria, Romênia, Finlândia, mesmo na Espanha de Franco, cujo líder não era ele próprio um fascista —

não houve dificuldade para mantê-los sob controle, a menos (como na Hungria em 1944) que os alemães os pressionassem. Isso não quer dizer que movimentos nacionalistas minoritários nos velhos ou novos Estados não pudessem achar o fascismo atraente, inclusive porque podiam esperar apoio financeiro e político da Itália e, depois de 1933, da Alemanha. Assim foi, claramente, em Flandres (na Bélgica), na Eslováquia e na Croácia.

As condições ideais para o triunfo da ultradireita alucinada eram um Estado velho, com seus mecanismos dirigentes não mais funcionando; uma massa de cidadãos desencantados, desorientados e descontentes, não mais sabendo a quem ser leais; fortes movimentos socialistas ameaçando ou parecendo ameaçar com a revolução social, mas não de fato em posição de realizá-la; e uma inclinação do ressentimento nacionalista contra os tratados de paz de 1918-20. Essas eram as condições sob as quais as velhas elites governantes desamparadas sentiam-se tentadas a recorrer aos ultra-radicais, como fizeram os liberais italianos aos fascistas de Mussolini em 1920-2, e os alemães aos nacional-socialistas de Hitler em 1932-3. Essas, pelo mesmo princípio, foram as condições que transformaram movimentos da direita radical em poderosas forças organizadas e às vezes uniformizadas e paramilitares (*squadristi*; as tropas de assalto), ou, como na Alemanha durante a Grande Depressão, em maciços exércitos eleitorais. Contudo, em nenhum dos dois Estados fascistas o fascismo "conquistou o poder", embora na Itália e na Alemanha se explorasse muito a retórica de se "tomar as ruas" e "marchar sobre Roma". Nos dois casos o fascismo chegou ao poder pela conivência com, e na verdade (como na Itália) por iniciativa do velho regime, ou seja, de uma forma "constitucional".

A novidade do fascismo era que, uma vez no poder, ele se recusava a jogar segundo as regras do velhos jogos políticos, e tomava posse completamente onde podia. A transferência total de poder, ou a eliminação de todos os rivais, demorou bastante mais na Itália que na Alemanha (1933-4), mas, uma vez realizada, não havia mais limites políticos internos para o que se tornava, caracteristicamente, a desenfreada ditadura de um supremo "líder" populista (*Duce*; *Führer*).

Neste ponto, devemos descartar, por alguns instantes, duas teses igualmente inadequadas sobre o fascismo: uma fascista, mas adotada por muitos historiadores liberais, e outra cara ao marxismo soviético ortodoxo. Não houve "revolução fascista", nem foi o fascismo a expressão do "capitalismo monopolista" ou do grande capital.

Os movimentos fascistas apresentavam elementos dos movimentos revolucionários, na medida em que continham pessoas que queriam uma transformação fundamental da sociedade, freqüentemente com um lado notadamente anticapitalista e antioligárquico. Contudo, o cavalo do fascismo revolucionário não deu a largada nem correu. Hitler eliminou rapidamente os que levavam a sério o componente "socialista" no nome do Partido dos Trabalhadores Nacional-Socialistas Alemães — o que ele sem dúvida não levava. A utopia de um retorno a uma Idade Média para o homem comum, cheia de proprietários-camponeses hereditários, artesãos como Hans Sachs e moças de tranças louras, não era um programa que pudesse realizar-se em grandes Estados do século XX (a não ser na versão de pesadelo dos planos de Himmler para um povo racialmente purificado), menos ainda em regimes que, como o fascismo italiano e alemão, estavam empenhados no caminho da modernização e do avanço tecnológico.

O que o nacional-socialismo sem dúvida realizou foi um expurgo radical das velhas elites e estruturas institucionais imperiais. Afinal, o único grupo que realmente lançou uma revolta contra Hitler — e foi conseqüentemente dizimado — foi o velho exército prussiano aristocrático, em julho de 1944. Essa destruição das velhas elites e dos velhos esquemas, reforçada após a guerra pelas políticas dos exércitos ocidentais de ocupação, acabaria tornando possível construir a República Federal numa base muito mais sólida do que a República de Weimar de 1919-33, que tinha sido pouco mais que o império derrotado, sem o kaiser. O nazismo sem dúvida tinha, e em parte realizou, um programa social para as massas: férias; esportes; o planejado "carro do povo", que o mundo veio a conhecer após a Segunda Guerra Mundial como o "fusca" Volkswagen. Sua principal realização, porém, foi acabar com a Grande Depressão mais efetivamente do que qualquer outro governo, pois o antiliberalismo dos nazistas tinha o lado positivo de não comprometê-los com uma crença *a priori* no livre mercado. Apesar disso, o nazismo era mais um velho regime recauchutado e revitalizado do que um regime basicamente novo e diferente. Como o Japão militarista e imperial da década de 1930 (que ninguém diria ser um sistema revolucionário), era uma economia capitalista não liberal que conseguiu uma impressionante dinamização de seu sistema industrial. As realizações econômicas e outras da Itália fascista foram bem menos impressionantes, como se demonstrou na Segunda Guerra Mundial. Sua economia de guerra era extraordinariamente fraca. A conversa sobre a "revolução fascista" não passava de retórica, embora, sem dúvida, para o grosso dos fascistas italianos, fosse uma retórica sincera. O fascismo foi mais claramente um regime calcado nos interesses das velhas classes dominantes, que surgira mais como uma defesa contra a agitação revolucionária do pós-guerra do que, como na Alemanha, como uma reação aos traumas da Grande Depressão e à incapacidade dos governos de Weimar de enfrentá-los. O fascismo italiano, que num certo sentido continuou o processo de unificação italiana do século XIX, com isso produzindo um governo mais forte e mais centralizado, teve algumas realizações a seu crédito. Foi, por exemplo, o único regime italiano a conseguir suprimir a Máfia siciliana e a Camorra napolitana. Contudo, seu significado histórico não repousa em seus objetivos e realizações, mas em seu papel como pioneiro global de uma nova versão da contra-revolução triunfante. Mussolini inspirou Hitler, e Hitler jamais deixou de reconhecer a inspiração e a prioridade italiana. Por outro lado, o fascismo italiano foi, e por um longo tempo continuou sendo, uma anomalia entre os movimentos da direita radical em sua tolerância e mesmo certo gosto pelo "modernismo" de vanguarda e também em alguns outros aspectos — notadamente na completa falta de interesse pelo racismo anti-semita, até Mussolini se alinhar com a Alemanha em 1938.

Quanto à tese do "capitalismo monopolista", o ponto essencial do capital realmente grande é que pode se acomodar com todo regime que não o exproprie de fato, e qualquer regime tem de se acomodar com ele. O fascismo não foi mais "a expressão dos interesses do capital monopolista" do que o New Deal americano ou os governos trabalhistas britânicos, ou a República de Weimar. O grande capital no início da década de 1930 não queria particularmente Hitler, e teria preferido um conservadorismo mais ortodoxo. Deu-lhe pouco apoio até a Grande Depressão, e mesmo então o apoio foi tardio e pouco uniforme. Contudo, quando ele chegou ao poder, o capital colaborou seriamente, a ponto de usar trabalho escravo e campos de extermínio para suas operações durante a Segunda Guerra Mundial. O grande e o pequeno capital evidentemente se beneficiaram da expropriação dos judeus.

Deve-se dizer no entanto que o fascismo teve algumas grandes vantagens para o capital, em relação a outros regimes. Primeiro, eliminou ou derrotou a revolução social esquerdista, e na verdade pareceu ser o principal baluarte contra ela. Segundo, eliminou os sindicatos e outras limitações aos direitos dos empresários de administrar sua força de trabalho. Na verdade, o "princípio de liderança" fascista era o que a maioria dos patrões e executivos de empresas aplicava a seus subordinados em suas firmas, e o fascismo lhe dava justificação autorizada. Terceiro, a destruição dos movimentos trabalhistas ajudou a assegurar uma solução extremamente favorável da Depressão para o capital. Enquanto nos EUA os 5% de unidades consumidoras do topo viram entre 1929 e 1941 sua fatia de renda total (nacional) cair 20% (houve uma tendência igualitária semelhante, porém mais modesta, na Grã-Bretanha e na Escandinávia), na Alemanha os 5% do topo ganharam 15% durante o mesmo período (Kuznets, 1956). Finalmente, como já se disse, o fascismo foi eficiente na dinamização e modernização de economias industriais — embora de fato menos no planejamento técnico-científico ousado e a longo prazo das democracias ocidentais.

IV

Teria o fascismo se tornado muito significativo na história do mundo não fosse a Grande Depressão? É provável que não. A Itália sozinha não era uma base promissora a partir da qual abalar o mundo. Na década de 20, nenhum outro movimento europeu de contra-revolução da direita radical dava a impressão de ter muito futuro, em grande parte pelos mesmos motivos que levaram ao fracasso as tentativas insurrecionais de revolução social comunista: a onda revolucionária pós-1917 refluíra, e a economia parecia recuperar-se. Na Alemanha, os pilares da sociedade imperial, generais, funcionários públicos e o resto, tinham de fato dado um certo apoio aos paramilitares mercenários e outros extremistas da direita após a revolução de novembro, embora (compreensivelmente) tivessem se empenhando em manter a nova república conservadora, anti-revolucionária e, acima de tudo, um Estado capaz de ter algum espaço de manobra internacional. Contudo, quando forçados a optar, como durante o *putsch* direitista de Kapp de 1920 e a revolta de Munique de 1923, na qual Adolf Hitler se viu pela primeira vez nas manchetes, apoiaram sem hesitar o *status quo*. Após a recuperação econômica de 1924, o Partido dos Trabalhadores Nacional-Socialistas foi reduzido a uma rabeira de 2,5 a 3% do eleitorado, conseguindo pouco mais da metade do que o pequeno e civilizado Partido Democrático alemão, pouco mais que um quinto dos comunistas e muito menos de um décimo dos social-democratas nas eleições de 1928. Contudo, dois anos depois havia subido para mais de 18% do eleitorado, tornando-se o segundo partido mais forte na política alemã. Quatro anos depois, no verão de 1932, era de longe o mais forte, com mais de 37% dos votos totais, embora não mantivesse esse apoio enquanto duraram as eleições democráticas. Está claro que foi a Grande Depressão que transformou Hitler de um fenômeno da periferia política no senhor potencial, e finalmente real, do país.

Contudo, mesmo a Grande Depressão não teria dado ao fascismo nem a força nem a influência que ele exerceu na década de 1930 caso não houvesse levado um movimento desse tipo ao poder na Alemanha, um Estado destinado por seu tamanho, potencial econômico e militar e também sua posição geográfica, a desempenhar um papel político importante na Europa sob qualquer forma de governo. Mesmo a derrota absoluta em duas guerras mundiais não impediu a Alemanha de acabar o século XX como o Estado dominante do continente. Do mesmo modo como, na esquerda, a vitória de Marx no maior Estado do globo ("um sexto da superfície terrestre do mundo", como os comunistas gostavam de gabar-se entre as guerras) dera ao comunismo uma grande presença internacional, mesmo em momentos em que sua força política fora da URSS era insignificante, também a tomada da Alemanha por Hitler pareceu confirmar o sucesso da Itália de Mussolini e transformar o fascismo numa poderosa corrente política global. A bem-sucedida política de agressivo expansionismo militarista dos dois Estados (ver capítulo 5) — reforçada pela do Japão — dominou a política internacional da década. Era portanto natural que Estados ou movimentos do tipo apropriado fossem atraídos e influenciados pelo fascismo, buscassem o apoio da Alemanha e da Itália e — em vista da expansão desses países — muitas vezes o recebessem.

Na Europa, por motivos óbvios, esses movimentos pertenciam marcadamente à direita política. Assim, dentro do sionismo (que nessa época era um movimento quase só de judeus asquenazitas vivendo na Europa), a ala do movimento que se voltava para o fascismo italiano, os "revisionistas" de Vladimir Jabotinsky, era vista e se classificava como da direita, em oposição aos sionistas (predominantemente) socialistas e liberais. Contudo, a influência do fascismo na década de 1930 não podia deixar de ser, em certa medida, global, mesmo porque ele estava associado a duas potências dinâmicas e ativas. Mas, fora da Europa, foram poucas as condições para a criação dos movimentos fascistas como no continente de origem. Portanto, onde surgiram movimentos fascistas ou claramente influenciados pelo fascismo, sua localização e função políticas eram muito mais problemáticas.

Evidentemente, certas características do fascismo europeu encontraram ecos no além-mar. Teria sido surpreendente se os muftis de Jerusalém e outros árabes que resistiam à colonização judaica da Palestina (e aos britânicos que a protegiam) não achassem a seu gosto o anti-semitismo de Hitler, embora este não tivesse relação com os modos tradicionais de coexistência islâmica com infiéis de vários tipos. Alguns hindus de alta casta na Índia tinham consciência, como os modernos extremistas cingaleses do Sri Lanka, de sua superioridade como "arianos" confirmados — na verdade, como os originais — em relação a raças mais escuras em seu próprio subcontinente. E os bôeres militantes retidos como pró-alemães durante a Segunda Guerra Mundial — alguns tornaram-se líderes de seu país na era do *apartheid* após 1948 — também tinham afinidades ideológicas com Hitler, tanto como racistas convictos quanto pela influência teológica das correntes calvinistas elitistas de ultradireita dos Países Baixos. Contudo, isso dificilmente qualifica a proposição básica de que o fascismo, ao contrário do comunismo, não existia na Ásia ou África (a não ser talvez entre alguns colonos europeus locais) porque parecia não ter relação com as situações políticas locais.

Isso se aplica, em termos gerais, até mesmo ao Japão, embora esse país fosse aliado da Alemanha e da Itália, combatesse do mesmo lado na Segunda Guerra Mundial e sua política fosse dominada pela direita. As afinidades entre as ideologias dominantes nas extremidades oriental e ocidental do Eixo são deveras fortes. Os japoneses não perdiam para ninguém em sua convicção de superioridade racial e da necessidade de pureza racial, em sua crença nas virtudes militares de auto-sacrifício, obediência absoluta a ordens, abnegação e estoicismo. Todo samurai teria endossado o lema das ss de Hitler (*Meine Ehre ist Treue*, mais bem traduzido como "Honra significa subordinação cega"). Sua sociedade era de rígida hierarquia, total dedicação do indivíduo (se é que tal termo tinha algum significado local no sentido ocidental) à nação e seu divino imperador, e absoluta rejeição de Liberdade, Igualdade e Fraternidade. Os japoneses não tinham dificuldade para entender os mitos wagnerianos de deuses bárbaros, cavaleiros medievais puros e heróicos e a natureza especificamente alemã das montanhas e florestas, ambas cheias de sonhos *voelkisch* alemães. Eles tinham a mesma capacidade de combinar comportamento bárbaro com sofisticada sensibilidade estética: o prazer do torturador do campo de concentração em tocar quartetos de Schubert. Na medida em que o fascismo podia ser traduzido em termos zen, os japoneses bem poderiam tê-lo acolhido, embora não precisassem dele. E na verdade, entre diplomatas acreditados junto às potências fascistas européias, mas sobretudo entre os grupos terroristas ultranacionalistas dados a assassinar políticos não suficientemente patrióticos, e no exército do Kwantung que estava conquistando, dominando e escravizando a Manchúria e a China, havia japoneses que reconheciam essas afinidades e faziam campanha por uma identificação mais estreita com as potências fascistas européias.

Contudo, o fascismo europeu não podia ser reduzido a um feudalismo oriental com uma missão imperial nacional. Pertencia essencialmente à era da democracia e do homem comum, embora o próprio conceito de um "movimento" de mobilização de massa para fins novos, na verdade revolucionários, guiado por líderes autodesignados não fizesse sentido no Japão de Hirohito. O exército e a tradição prussianos, mais do que Hitler, se encaixavam na sua visão de mundo japonesa. Em suma, apesar das semelhanças com o nacional-socialismo alemão (as afinidades com a Itália eram menores), o Japão não era fascista.

Quanto aos Estados e movimentos que buscavam o apoio da Alemanha e Itália, sobretudo durante a Segunda Guerra Mundial, quando o Eixo dava grande impressão de que ia vencer, a ideologia não era o seu principal motivo, embora alguns dos regimes nacionalistas menores na Europa, cuja posição dependia inteiramente do apoio alemão, prontamente se anunciassem como mais nazistas que as SS, notadamente o Ustashi croata. Contudo, seria absurdo pensar no Exército Republicano Irlandês ou nos nacionalistas indianos sediados em Berlim como "fascistas" porque, na Segunda Guerra Mundial como na Primeira, alguns deles negociaram o apoio alemão com base no princípio de que "o inimigo de meu inimigo é meu amigo". Na verdade, o líder republicano irlandês Frank Ryan, que entrou nessas negociações, era ideologicamente tão antifascista que chegara a fazer parte das Brigadas Internacionais para combater o general Franco na Guerra Civil Espanhola, até ser capturado pelas forças de Franco e enviado para a Alemanha. Não precisamos deter-nos em tais casos.

Entretanto, resta ainda um continente em que o impacto ideológico do fascismo europeu foi inegável: as Américas.

Na América do Norte, homens e movimentos inspirados pela Europa não tiveram grande importância fora de determinadas comunidades de imigrantes cujos membros traziam consigo as ideologias do país de origem, como os escandinavos e judeus haviam trazido uma tendência para o socialismo, ou que retinham alguma lealdade para com seu antigo país. Dessa maneira, as afeições dos americanos provenientes da Alemanha — e, em muito menor medida, da Itália — contribuíram para o isolacionismo dos EUA, embora não haja indícios de que se tenham tornado fascistas em grande número. A parafernália de milícias, camisas de alguma cor e braço erguido em saudações a líderes não fez parte da direita e das mobilizações racistas americanas, das quais a Ku Klux Klan foi a mais conhecida. O anti-semitismo era sem dúvida forte, embora sua versão contemporânea americana — como nos populares sermões do padre Coughlin pela rádio Detroit — provavelmente se devesse mais ao corporativismo direitista de inspiração católica européia. É típico dos EUA na década de 1930 o fato de que o populismo demagógico mais bem-sucedido e possivelmente perigoso da década, a conquista da Louisiana por Huey Long, viesse do que era, em termos americanos, uma tradição claramente radical e esquerdista. Abateu a democracia em nome da democracia, e apelava não aos ressentimentos de uma pequeno-burguesia ou aos instintos anti-revolucionários de autopreservação dos ricos, mas ao igualitarismo dos pobres. Também não era racista. Nenhum movimento cujo *slogan* era "Todo homem um rei" podia encaixar-se na tradição nazista.

Na América Latina é que a influência fascista européia foi aberta e reconhecida, tanto em políticos individuais, como Jorge Eliezer Gaitán da Colômbia (1898-1948) e Juan Domingo Perón da Argentina (1895-1974), quanto em regimes, como o Estado Novo de Getúlio Vargas, de 1937 a 1945, no Brasil. Na verdade, apesar de infundados temores americanos de um cerco nazista a partir do Sul, o principal efeito da influência fascista na América Latina foi interno a seus países. Tirando a Argentina, que favoreceu abertamente o Eixo — mas o fez tanto antes de Perón tomar o poder em 1934 quanto depois —, os governos do hemisfério ocidental entraram na guerra do lado dos EUA, pelo menos nominalmente. É no entanto verdade que em alguns países sul-americanos seus militares foram moldados no sistema alemão ou treinados pelos alemães ou mesmo por quadros nazistas.

Explica-se facilmente a influência fascista ao Sul do rio Grande. Vistos do sul, os Estados Unidos após 1914 não mais pareciam, como no século XIX, o aliado das forças internas do progresso e o contrapeso diplomático para os espanhóis, franceses e britânicos imperiais e ex-imperiais. As conquistas imperiais americanas do território espanhol em 1898, a Revolução Mexicana, para não falar do surgimento das indústrias de petróleo e banana, introduziram um antiimperialismo ianque na política latino-americana, que o gosto de Washington, no primeiro terço do século, por uma diplomacia de canhoneiras e desembarque de *marines* nada fez para desestimular. Victor Raul Haya de la Torre, fundador da antiimperialista APRA (Aliança Popular Revolucionária Americana), de ambições pan-latino-americanas, embora só se houvesse estabelecido em seu nativo Peru, planejava ter seus insurretos treinados pelos quadros do famoso rebelde antiianque Sandino na Nicarágua. (A longa guerra de guerrilha de Sandino contra a ocupação americana após 1927 iria inspirar a

Revolução "sandinista" na Nicarágua na década de 1980.) Além disso, os EUA da década de 1930, debilitados pela Grande Depressão, não pareciam tão temíveis e dominadores quanto antes. O abandono, por Franklin D. Roosevelt, das canhoneiras e fuzileiros de seus antecessores podia ser visto não apenas como "política de boa vizinhança", mas também (erroneamente) como um sinal de fraqueza. A América Latina da década de 1930 não se inclinava a olhar para o Norte.

Mas, visto do outro lado do Atlântico, o fascismo sem dúvida parecia a história de sucesso da década. Se havia um modelo no mundo a ser imitado por políticos promissores de um continente que sempre recebera inspiração das regiões culturalmente hegemônicas, esses líderes potenciais de países sempre à espreita da receita para tornar-se modernos, ricos e grandes, esse modelo certamente podia ser encontrado em Berlim e Roma, uma vez que Londres e Paris não mais ofereciam muita inspiração política, e Washington estava fora de ação. (Moscou ainda era vista essencialmente como um modelo para a revolução social, o que restringia seu apelo político.)

E, no entanto, como eram diferentes de seus modelos europeus as atividades e realizações políticas de homens que não faziam segredo de sua dívida intelectual para com Mussolini e Hitler! Ainda lembro o choque que senti ao ouvir o presidente da Bolívia revolucionária admiti-la sem hesitação numa conversa em particular. Na Bolívia, soldados e políticos de olho na Alemanha se viram organizando a revolução de 1952, que nacionalizou as minas de estanho e deu ao campesinato índio uma radical reforma agrária. Na Colômbia, o grande tribuno popular Jorge Eliezer Gaitán, longe de escolher a direita política, tomou a liderança do Partido Liberal e certamente, como presidente, o teria levado numa direção radical se não tivesse sido assassinado em Bogotá em 9 de abril de 1948, um fato que provocou a insurreição popular *imediata* da capital (inclusive a polícia) e a proclamação de comunas revolucionárias em muitas municipalidades provinciais do país. O que os líderes latino-americanos tomaram do fascismo europeu foi a sua deificação de líderes populistas com fama de agir. Mas as massas que eles queriam mobilizar, e se viram mobilizando, não eram as que temiam pelo que poderiam perder, mas sim as que nada tinham a perder. E os inimigos contra os quais eles as mobilizavam não eram estrangeiros e grupos de fora (embora seja inegável o conteúdo antissemita no peronismo e outras políticas argentinas), mas a "oligarquia" — os ricos, a classe dominante local. Perón encontrou o núcleo de seu apoio na classe trabalhadora argentina, e sua máquina política era algo parecido a um partido trabalhista construído em torno do movimento sindical de massa que promoveu. Getúlio Vargas no Brasil fez a mesma descoberta. Foi o exército que o derrubou em 1945 e, mais uma vez, em 1954, forçando-o a suicidar-se. Foi a classe trabalhadora urbana, à qual ele dera proteção social em troca de apoio político, que o chorou como o pai de seu povo. Os regimes fascistas europeus destruíram os movimentos trabalhistas, os líderes latino-americanos que eles inspiraram os criaram. Independentemente de filiação intelectual, historicamente não podemos falar do mesmo tipo de movimento.

V

Contudo, também esses movimentos devem ser vistos como parte do declínio e queda do liberalismo na Era da Catástrofe. Pois embora a ascensão e triunfo do fascismo fossem a expressão mais espetacular da derrota liberal, é um erro, mesmo na década de 1930, ver essa queda exclusivamente em termos de fascismo. Portanto, na conclusão deste capítulo, devemos perguntar como se deve explicá-la. É preciso, no entanto, primeiro resolver a confusão comum que identifica fascismo com nacionalismo.

Que os movimentos fascistas tendiam a apelar para paixões e preconceitos nacionalistas é óbvio, embora os Estados corporativistas semifascistas, como Portugal e a Áustria em 1934-8, em grande parte sob inspiração católica, tivessem de reservar seu ódio irrestrito para pessoas e países de outra religião ou ateus. Além disso, o nacionalismo puro era difícil para os movimentos fascistas de países conquistados e ocupados pela Alemanha e Itália, ou cujas fortunas dependiam da vitória desses Estados contra seus próprios governos nacionais. Nos casos desse tipo (Flandres, os Países Baixos, Escandinávia), eles podiam identificar-se com os alemães como parte do grupo racial teutônico maior, porém uma posição mais conveniente (apoiada com rigor pela propaganda do dr. Goebbels durante a guerra) era paradoxalmente *internacionalista*. A Alemanha era vista como o núcleo e única garantia de uma futura *ordem européia*, com os apelos de sempre a Carlos Magno e ao anticomunismo; uma fase no desenvolvimento da idéia européia sobre a qual os historiadores da Comunidade Européia do pós-guerra não gostam muito de se deter. As unidades militares não alemãs que lutaram sob a bandeira alemã na Segunda Guerra Mundial, sobretudo como parte das SS, geralmente acentuavam esse elemento transnacional.

Por outro lado, fica igualmente claro que nem todos os nacionalismos simpatizavam com o fascismo, e não só porque as ambições de Hitler, e em menor medida de Mussolini, ameaçavam vários deles, como por exemplo os poloneses e tchecos. Na verdade, como veremos (capítulo 5), em vários países a mobilização contra o fascismo iria produzir um patriotismo da esquerda, sobretudo durante a guerra, quando a resistência ao Eixo era feita por "frentes nacionais" ou governos que abrangiam todo o espectro político, excluindo apenas os fascistas e seus colaboradores. Em termos gerais, o nacionalismo local pendia para o fascismo ou não conforme tivesse mais a ganhar do que a perder com o avanço do Eixo, e se seu ódio ao comunismo ou a algum outro

Estado, nacionalidade ou grupo étnico (os judeus, os sérvios) era maior que sua antipatia aos alemães e italianos. Assim, os poloneses, embora fortemente antirrussos, não colaboraram significativamente com a Alemanha nazista, enquanto os lituanos e alguns ucranianos (ocupados pela URSS de 1939-41), sim.

Por que o liberalismo sofreu uma queda entre as guerras, mesmo em Estados que não aceitavam o fascismo? Os radicais, socialistas e comunistas ocidentais que viveram esse período tinham a tendência a ver a era de crise global como a agonia final do sistema capitalista. Diziam que o capitalismo não mais podia dar-se o luxo de governar através da democracia parlamentar e sob liberdades liberais, que incidentalmente haviam proporcionado a base de poder aos movimentos trabalhistas moderados e reformistas. Diante de problemas econômicos insolúveis e/ou uma classe operária cada vez mais revolucionária, a burguesia agora tinha de apelar para a força e a coerção, ou seja, para alguma coisa semelhante ao fascismo.

Como tanto o capitalismo quanto a democracia liberal iriam fazer um retorno triunfante em 1945, é fácil esquecer que havia um núcleo de verdade nessa visão, além de um pouco de retórica de agitação demais. O sistema democrático não funciona se não há um consenso básico entre a maioria dos cidadãos sobre a aceitabilidade de seu Estado e sistema social, ou pelo menos uma disposição de negociar acordos consensuais. Isso, por sua vez, é muito facilitado pela prosperidade. Na maior parte da Europa, essas condições simplesmente não se encontravam presentes entre 1918 e a Segunda Guerra Mundial. O cataclismo social parecia iminente ou já tinha acontecido. O temor da revolução era tal que na maior parte do Leste e Sudeste da Europa, assim como em parte do Mediterrâneo, os partidos comunistas mal conseguiram emergir da ilegalidade. O fosso intransponível entre a direita ideológica e até mesmo a esquerda moderada destruiu a democracia austríaca em 1930-4, embora esta tenha florescido naquele país a partir de 1945 sob exatamente o mesmo sistema bipartidário de católicos e socialistas (Seton Watson, 1962, p. 184). A democracia espanhola desabou sob as mesmas tensões na década de 1930. O contraste com a transição negociada da ditadura de Franco para uma democracia pluralista na década de 1970 é impressionante.

Quaisquer que fossem as possibilidades de estabilidade existentes em tais regimes, não puderam sobreviver à Grande Depressão. A República de Weimar caiu em grande parte porque a Grande Depressão tornou impossível manter o acordo tácito entre Estado, patrões e trabalhadores organizados que a mantivera à tona funcionando. A indústria e o governo sentiram que não tinham escolha senão impor cortes econômicos e sociais, e o desemprego em massa fez o resto. Em meados de 1932, nacional-socialistas e comunistas arrebanharam a maioria absoluta dos votos alemães, e os partidos comprometidos com a República ficaram reduzidos a pouco mais de um terço. Por outro lado, é inegável que a estabilidade dos regimes democráticos após a Segunda Guerra

Mundial, especialmente a da nova República Federal da Alemanha, apoiou-se nos milagres econômicos dessas décadas (ver capítulo 9). Onde os governos têm o bastante para distribuir e satisfazer a todos que reclamam, e o padrão de vida da maioria dos cidadãos cresce de qualquer modo, a temperatura da política democrática raramente chega ao ponto de ebulição. Tenderam a prevalecer o acordo e o consenso, até os mais ardentes crentes na derrubada do capitalismo acharam o *status quo* menos intolerável na prática do que na teoria, e mesmo os mais inflexíveis defensores do capitalismo acharam naturais os sistemas de seguridade social e as negociações periódicas de salários e vantagens com os sindicatos.

Contudo, como mostrou a própria Grande Depressão, isso é apenas parte da resposta. Uma situação muito semelhante — a recusa dos trabalhadores organizados em aceitar os cortes da Depressão — levou ao colapso do governo parlamentar e finalmente à nomeação de Hitler como chefe de governo na Alemanha, mas na Grã-Bretanha apenas à mudança de um governo trabalhista para um "Governo Nacional" (conservador), dentro de um sistema parlamentar estável e inabalado.* A Depressão não levou automaticamente à suspensão ou abolição da democracia representativa, como também é evidente pelas conseqüências políticas nos EUA (o New Deal de Roosevelt) e na Escandinávia (o triunfo da social-democracia). Só na América Latina, onde as finanças dos governos dependiam, em sua maior parte, das exportações de um ou dois produtos primários, cujos preços despencaram de repente e dramaticamente (ver capítulo 3), a Depressão provocou a queda quase imediata de quaisquer governos existentes, sobretudo por golpes militares. Deve-se acrescentar que a mudança política no sentido oposto também se deu no Chile e na Colômbia.

No fundo, a política liberal era vulnerável porque sua forma de governo característica, a democracia representativa, em geral não era uma maneira convincente de governar Estados, e as condições da Era da Catástrofe raramente asseguraram as condições que a tornavam viável, quanto mais eficaz.

A primeira dessas condições era que gozasse de consentimento e legitimidade gerais. A própria democracia apóia-se nesse consentimento, mas não o cria, a não ser pelo fato de que nas democracias bem estabelecidas e estáveis o próprio processo de eleição regular tende a dar aos cidadãos — mesmo da minoria — a impressão de que o processo eleitoral legitima os governos que produz. Mas poucas das democracias do período entreguerras eram bem estabelecidas. Na verdade, até o início do século XX a democracia era rara fora dos EUA e da França (ver *A era dos impérios*, capítulo 4). De fato, pelo menos dez Estados da Europa após a Primeira Guerra Mundial ou eram inteiramente

(*) Um governo trabalhista em 1931 dividiu-se quanto à questão, alguns líderes trabalhistas e seus seguidores liberais passaram para os conservadores, que tiveram uma vitória arrasadora na eleição seguinte e permaneceram confortavelmente no poder até maio de 1940.

novos, ou estavam tão mudados em relação a seus antecessores que não tinham qualquer legitimidade especial para seus habitantes. As políticas dos Estados na Era da Catástrofe eram, na maioria das vezes, as políticas da crise.

A segunda condição era um certo grau de compatibilidade entre os vários componentes do "povo", cujo voto soberano determinava o governo comum. A teoria oficial da sociedade burguesa liberal não reconhecia "o povo" como um conjunto de grupos, comunidades e outras coletividades com interesses como tais, embora antropólogos, sociólogos e todos os políticos praticantes o fizessem. Oficialmente, o povo, mais um conceito teórico que um corpo concreto de seres humanos, consistia de uma reunião de indivíduos auto-suficientes, cujos votos se somavam em maiorias e minorias aritméticas, traduzidas em assembléias eleitas como governos majoritários e oposições minoritárias. Na medida que a eleição democrática transpunha as linhas divisórias entre os segmentos da população nacional, ou era possível conciliar ou desarmar os conflitos entre eles, a democracia tornava-se viável. Contudo, numa era de revoluções e tensões sociais radicais, a regra era mais a luta que a paz entre as classes transformada em política. A intransigência ideológica e de classe podia despedaçar o governo democrático. Além disso, os remendados acordos de paz após 1918 multiplicaram o que nós, no fim do século XX, sabemos ser o vírus fatal da democracia, isto é, as divisões do conjunto de cidadãos exclusivamente segundo linhas étnico-nacionais ou religiosas (Glenny, 1992, pp. 146-8), como na ex-Iugoslávia e na Irlanda do Norte. Três comunidades étnico-religiosas votando como blocos, como na Bósnia; duas comunidade inconciliáveis, como no Ulster; 62 partidos políticos, cada um representando uma tribo ou clã, como na Somália, não podem, como sabemos, oferecer a base para um sistema político democrático, mas — a menos que um dos grupos em disputa ou alguma autoridade externa tenha força suficiente para estabelecer o domínio (não democrático) — base apenas para a instabilidade e a guerra civil. A queda dos três impérios multinacionais da Áustria-Hungria, Rússia e Turquia substituiu três Estados supranacionais, cujos governos eram neutros entre as numerosas nacionalidades que governavam, por um número maior ainda de Estados multinacionais, cada um identificado com *uma*, no máximo duas ou três, das comunidades étnicas dentro de suas fronteiras.

A terceira condição era que os governos democráticos não tivessem de governar muito. Os parlamentos tinham surgido não tanto para governar como para controlar o poder dos que o faziam, uma função ainda óbvia nas relações entre o Congresso e a Presidência americanos. Eram mecanismos destinados a agir como freios, que se viram tendo de agir como motores. Assembléias soberanas, eleitas por um sufrágio restrito mas em expansão, tornaram-se cada vez mais comuns a partir da Era das Revoluções, mas a sociedade burguesa do século XIX supunha que o grosso da vida de seus cidadãos teria lugar não na esfera de governo, porém na economia auto-regulada e no mundo de associações privadas e não oficiais (a "sociedade civil").* Ela contornava de dois modos as dificuldades de governar através de assembléias eleitas: não esperando muita ação governamental, ou mesmo legislação, de seus parlamentos, e providenciando para que o governo — ou melhor, a administração — pudesse ser exercido independentemente de suas variações. Como vimos (capítulo 1), os corpos de funcionários públicos independentes, nomeados permanentemente, haviam se tornado um mecanismo essencial para o governo dos Estados modernos. Uma maioria parlamentar era essencial apenas onde se tinha de tomar, ou aprovar, decisões executivas importantes ou polêmicas, e a organização e manutenção de um corpo adequado de apoio era a tarefa principal dos líderes do governo, uma vez que (com exceção dos EUA) o executivo em regimes parlamentares não era, em geral, eleito diretamente. Em Estados de sufrágio restrito (isto é, um eleitorado composto sobretudo pela minoria rica, poderosa ou influente), isso era facilitado por um consenso comum sobre o que constituía seu interesse coletivo (o "interesse nacional"), para não falar dos recursos de patronagem.

O século XX multiplicou as ocasiões em que se tornava essencial aos governos governar. O tipo de Estado que se limitava a prover regras básicas para o comércio e a sociedade civil, e oferecer polícia, prisões e Forças Armadas para manter afastado o perigo interno e externo, o "Estado-guarda-noturno" das piadas políticas, tornou-se tão obsoleto quanto o "guarda-noturno" que inspirou a metáfora.

A quarta condição era riqueza e prosperidade. As democracias da década de 1920 desmoronaram sob a tensão da revolução e contra-revolução (Hungria, Itália, Portugal), ou do conflito nacional (Polônia, Iugoslávia); as da década de 1930, sob as tensões da Depressão. Só precisamos comparar a atmosfera política da Alemanha de Weimar e a Áustria da década de 1920 com a da Alemanha Federal e da Áustria pós-1945 para nos convencermos disso. Mesmo os conflito nacionais eram menos incontroláveis, quando os políticos de cada minoria podiam comer uma fatia do bolo do Estado. Essa era a força do Partido Agrário na única verdadeira democracia da Europa Central, a Tchecoslováquia: oferecia vantagens que cruzavam as linhas nacionais. Na década de 1930, nem a Tchecoslováquia pôde mais manter juntos os tchecos, eslovacos, alemães, húngaros e ucranianos.

Nessas circunstâncias, a democracia tornava-se mais um mecanismo para formalizar divisões entre grupos inconciliáveis que qualquer outra coisa. Muitas vezes, mesmo nas melhores circunstâncias, não produzia nenhuma base estável para um governo democrático, sobretudo quando a teoria da represen-

(*) A década de 1980, no Ocidente e no Oriente, seria tomada por uma retórica saudosista sobre um retorno inteiramente impraticável a um século XIX idealizado, construído com base nessas suposições.

tação democrática se aplicava em rigorosas versões de representação proporcional.* Onde, em tempos de crise, não havia maioria parlamentar alguma, como na Alemanha (ao contrário da Grã-Bretanha),** a tentação de procurar base em outro lugar era esmagadora. Mesmo em democracias estáveis, as divisões políticas que o sistema implica são vistas por muitos cidadãos mais como custos do que como benefícios do sistema. A própria retórica da política anuncia candidatos e partidos mais como representativos do nacional do que do estreito interesse partidário. Em tempos de crise, os custos do sistema pareciam insustentáveis, e seus benefícios incertos.

Assim, é fácil entender que a democracia parlamentar nos Estados sucessores dos velhos impérios, bem como na maior parte do Mediterrâneo e da América Latina, fosse uma frágil planta crescendo em solo pedregoso. O argumento mais forte em seu favor, o de que, por pior que fosse, era melhor que qualquer sistema de governo alternativo, soa pouco atraente. Entre as guerras raramente pareceu realista e convincente, e mesmo seus defensores falavam com pouca confiança. Sua queda parecia inevitável, uma vez que mesmo nos Estados Unidos observadores sérios, mas exageradamente sombrios, diziam que "Isso pode acontecer aqui"(Sinclair Lewis, 1935). Ninguém previa ou esperava a sério seu renascimento no pós-guerra, menos ainda seu retorno, por mais breve que fosse, como a forma de governo predominante em todo o globo na década de 1990. Para os que observavam retrospectivamente, a partir dessa época, o período entreguerras, a queda de sistemas políticos liberais pareceu uma breve interrupção em sua secular conquista do globo. Infelizmente, à medida que se aproximava o novo milênio, as incertezas em torno da democracia política não mais pareciam assim tão remotas. O mundo pode estar, infelizmente, reentrando num período em que as vantagens desse sistema não pareçam mais tão óbvias quanto entre 1950 e 1990.

(*) As intermináveis permutas de sistemas eleitorais democráticos — proporcional ou outros — são todas tentativas de obter e manter maiorias estáveis que permitam governos estáveis em sistemas políticos que, por sua própria natureza, tornam isso difícil.

(**) Na Grã-Bretanha, a recusa em considerar qualquer forma de representação proporcional ("quem vence leva tudo") favoreceu um sistema bipartidário e marginalizou outros partidos — como depois da Primeira Guerra Mundial, o até então dominante Partido Liberal, embora ele continuasse conquistando constantes 10% do voto nacional (assim foi ainda em 1992). Na Alemanha, o sistema proporcional, embora favorecendo ligeiramente os partidos maiores, não produziu nenhum partido depois de 1920 com sequer um terço das cadeiras (com exceção dos nazistas em 1932), entre cinco partidos grandes e cerca de uma dúzia de agrupamentos menores. Na ausência de maioria, a Constituição previa o governo executivo (temporário) com poderes de emergência, ou seja, a suspensão da democracia.

5
CONTRA O INIMIGO COMUM

Amanhã para os jovens, os poetas explodindo como bombas,
Os passeios à beira do lago, as semanas de perfeita comunhão;
Amanhã, as corridas de bicicletas
Pelos subúrbios nas noites de verão. Mas hoje, a luta [...]

W. H. Auden, "Espanha", 1937

Querida mamãe: De todas as pessoas que conheço, a senhora é a única que vai sentir mais, por isso meus últimos pensamentos são para a senhora. Não culpe ninguém mais por minha morte, porque eu mesmo escolhi minha sorte.

Não sei como lhe escrever, porque, mesmo tendo a cabeça clara, não consigo encontrar as palavras certas. Assumi meu lugar no Exército de Libertação, e morro quando a luz da vitória já começa a brilhar [...] *Vou ser fuzilado daqui a pouco com 23 outros camaradas.*

Depois da guerra a senhora deve exigir seus direitos a uma pensão. Eles lhe entregarão minhas coisas na prisão, só que estou ficando com o colete de papai, porque não quero que o frio me faça tremer [...] *Mais uma vez, digo adeus. Coragem!*

Seu filho,
Spartaco.

Spartaco Fontanot, metalúrgico, 22 anos, membro do grupo resistente de Misak Manouchian, 1944, in Lettere (1954, p. 306)

I

A pesquisa de opinião pública é filha dos EUA da década de 1930, pois a extensão da "pesquisa de amostragem" dos pesquisadores de mercado para a política teve início, essencialmente, com George Gallup em 1936. Entre os primeiros resultados dessa técnica está um que teria surpreendido todos os presidentes americanos antes de Franklin D. Roosevelt, e surpreenderá todos os leitores que foram criados depois da Segunda Guerra Mundial. Quando perguntados, em janeiro de 1939, quem os americanos queriam que ganhasse, se irrompesse uma guerra entre a União Soviética e a Alemanha, 83% foram a favor de uma vitória soviética, contra 17% de uma alemã (Miller, 1989, pp. 283-4). Num século dominado pelo confronto entre o comunismo anticapitalista da Revolução de Outubro, representado pela URSS, e o capitalismo anticomunista, cujo defensor e principal exemplar eram os EUA, nada parece mais anômalo do que essa declaração de simpatia, ou pelo menos preferência, pelo berço da revolução mundial em detrimento de um país vigorosamente anticomunista e cuja economia era reconhecivelmente capitalista. Tanto mais que a tirania de Stalin na URSS nessa época se achava, por consenso geral, em seu pior estágio.

A situação histórica era sem dúvida excepcional e teria vida relativamente curta. Durou, no máximo, de 1939 (quando os EUA reconheceram oficialmente a URSS) até 1947 (quando os dois campos ideológicos se defrontaram como inimigos na "Guerra Fria"), porém mais realisticamente de 1935 a 1945. Em outras palavras, foi determinada pela ascensão e queda da Alemanha de Hitler (1933-45) (ver capítulo 4), contra a qual EUA e URSS fizeram causa comum, porque a viam como um perigo maior do que cada um ao outro.

Os motivos pelos quais o fizeram transcendem o alcance das relações internacionais convencionais ou a política de influência, e é o que torna tão significativo o anômalo alinhamento de Estados e movimentos que acabaram travando e ganhando a Segunda Guerra Mundial. O que acabou forjando a união contra a Alemanha foi o fato de que não se tratava apenas de um Estado-nação com razões para sentir-se descontente com sua situação, mas de um Estado cuja política e ambições eram determinadas por sua ideologia. Em suma, de que era uma potência fascista. Enquanto isso foi deixado de lado ou não avaliado, mantiveram-se as habituais maquinações da *Realpolitik*. Podia-se fazer oposição ou acordo, contrabalançar ou, se necessário, combater a Alemanha, dependendo dos interesses da política de Estado de cada país e da situação geral. E de fato, em algum ponto entre 1933 e 1941, todos os outros grandes participantes do jogo internacional trataram a Alemanha de acordo com esses interesses. Londres e Paris apaziguaram Berlim (isto é, fizeram concessões à custa de outros), Moscou trocou uma posição de oposição por uma de proveitosa neutralidade, em troca de ganhos territoriais, e mesmo a Itália e o Japão, cujos interesses os alinhavam com a Alemanha, descobriram que esses interesses também lhes ditavam, em 1939, que não participassem dos primeiros estágios da Segunda Guerra Mundial. Eventualmente, a lógica da guerra de Hitler acabou levando todos eles para ela, inclusive os EUA.

Mas, à medida que avançava a década de 1930, tornava-se cada vez mais claro que havia mais coisas em questão do que o relativo equilíbrio de poder entre os *Estados-nação* que constituíam o sistema internacional (isto é, basicamente europeu). Na verdade, a política do Ocidente — da URSS às Américas, passando pela Europa — pode ser mais bem entendida não como uma disputa entre Estados, mas como uma guerra civil ideológica internacional. (Como veremos, esta não é a melhor maneira de entender a política da África, da Ásia e do Extremo Oriente, dominados pelo colonialismo — ver capítulo 7). E, conforme vimos, as linhas divisórias cruciais nesta guerra civil não foram traçadas entre o capitalismo como tal e a revolução social comunista, mas entre famílias ideológicas: de um lado, os descendentes do Iluminismo do século XVIII e das grandes revoluções, incluindo, claro, a russa; do outro, seus adversários. Em suma, a fronteira passava não entre capitalismo e comunismo, mas entre o que o século XIX teria chamado de "progresso" e a "reação" — só que esses termos já não eram exatamente opostos.

Tornou-se uma guerra internacional, porque em essência suscitou as mesmas questões na maioria dos países ocidentais. Foi uma guerra civil, porque as linhas que separavam as forças pró e antifascistas cortavam cada sociedade. Jamais houve um período em que o patriotismo, no sentido de lealdade automática ao governo nacional de um cidadão, contasse menos. Quando a Segunda Guerra Mundial acabou, os governos de pelo menos dez velhos países europeus eram chefiados por homens que, em seu começo (ou, no caso da Espanha, no começo da Guerra Civil), tinham sido rebeldes, exilados políticos ou pelo menos pessoas que tinham encarado seu próprio governo como imoral e ilegítimo. Homens e mulheres, muitas vezes do cerne das classes políticas de seus países, optavam pela lealdade ao comunismo (isto é, à URSS) em detrimento da lealdade a seu próprio Estado. Os "espiões de Cambridge" e, provavelmente com maior efeito prático, os membros japoneses do círculo de espiões de Sorge foram apenas dois entre muitos exemplos.* Por outro lado, inventou-se o termo especial "*quisling*" — nome de um nazista norueguês — para descrever as forças políticas dentro de Estados atacados por Hitler que preferiram, mais por convicção do que por oportunismo, juntar-se ao inimigo de seu país.

Isso era verdade mesmo em relação a pessoas movidas mais por patriotismo do que por ideologia global. Pois mesmo o patriotismo convencional estava agora dividido. Conservadores fortemente imperialistas e anticomunistas como Winston Churchill, e homens de formação reacionária católica como De Gaulle, preferiram combater a Alemanha não por alguma animosidade especial contra o fascismo, mas por causa de "*une certaine idée de la France*" ou "uma certa idéia da Inglaterra". Mesmo para os desse tipo, seu compromisso podia ser parte de uma guerra *civil* internacional, pois seu conceito de patriotismo não era necessariamente o de seus governos. Ao ir para Londres e

(*) Afirma-se que a informação de Sorge, baseada nas fontes mais dignas de crédito, de que o Japão *não* pretendia atacar a URSS em fins de 1941, permitiu a Stalin transferir reforços vitais para a Frente Ocidental, num momento em que os alemães se achavam nos arredores de Moscou (Deakin & Storry, 1964, capítulo 13; Andrew & Gordievsky, 1991, pp. 281-2).

declarar, em 18 de junho de 1940, que sob ele a "França Livre" continuaria a combater a Alemanha, Charles de Gaulle estava praticando um ato de rebelião contra o governo legítimo da França, que decidira constitucionalmente encerrar a guerra, e fora quase sem dúvida apoiado nessa decisão pela grande maioria dos franceses da época. Sem dúvida Churchill, em tal situação, teria reagido do mesmo jeito. Se a Alemanha houvesse ganhado a guerra, ele teria sido tratado por seu governo como traidor, como os russos que lutaram ao lado dos alemães contra a URSS foram tratados por seu país depois de 1945. Do mesmo modo, eslovacos e croatas, cujos países obtiveram seu primeiro gostinho de (restrita) liberdade de Estado como satélites da Alemanha de Hitler, encararam retrospectivamente os líderes de seus Estados na época da guerra como heróis patriotas ou colaboradores fascistas com base na ideologia: membros de cada povo combateram dos dois lados.*

O que uniu todas essas divisões civis nacionais numa única guerra global, internacional e civil, foi o surgimento da Alemanha de Hitler. Ou, mais precisamente, entre 1931 e 1941, a marcha para a conquista e a guerra da aliança de Estados — Alemanha, Itália e Japão, da qual a Alemanha de Hitler se tornou o pilar central. E a Alemanha de Hitler era ao mesmo tempo mais implacável e comprometida com a destruição dos valores e instituições da "civilização ocidental" da Era das Revoluções, e mais capaz de levar a efeito seu bárbaro projeto. Passo a passo, as vítimas potenciais do Japão, Alemanha e Itália viram os Estados do que viria a chamar-se "Eixo" ampliarem suas conquistas, rumo à guerra que, de 1931 em diante, parecia inevitável. Costumava-se dizer que "fascismo significa guerra". Em 1931, o Japão invadiu a Manchúria e estabeleceu ali um Estado títere. Em 1932 ocupou a China ao Norte da Grande Muralha e chegou a Xangai. Em 1933 Hitler subiu ao poder na Alemanha com um programa que ele não tentava ocultar. Em 1934, uma breve guerra civil na Áustria eliminou a democracia ali e introduziu um regime semifascista que se destacou sobretudo por resistir à integração com a Alemanha e (com apoio italiano na época) por derrotar um golpe nazista que assassinou o premiê austríaco. Em 1935, a Alemanha comunicou sua ruptura com os tratados de paz e ressurgiu como grande potência militar e naval, reapossando-se (por plebiscito) da região do Saar em sua fronteira ocidental e desligando-se com desprezo da Liga das Nações. No mesmo ano Mussolini, com igual desprezo pela opinião pública, invadiu a Etiópia, que a Itália passou ocupar como colônia em 1936-7, após o que o Estado também rasgou sua ficha de membro da Liga. Em 1936, a Alemanha recuperou a Renânia e, com ajuda e intervenção ostensivas de Itália e Alemanha, um golpe militar na Espanha iniciou um grande confli-

(*) Contudo, isso não deve ser usado para justificar as atrocidades praticadas pelos dois lados, que, com certeza no caso do Estado croata de 1942-5, e provavelmente no caso do Estado eslovaco, foram maiores que as de seus adversários, e de qualquer modo indefensáveis.

to, a Guerra Civil Espanhola, sobre o qual falaremos mais adiante. As duas potências fascistas fizeram num alinhamento formal, o Eixo Berlim—Roma, enquanto Alemanha e Japão concluíam um "Pacto Anti-Comintern". Em 1937, sem surpreender ninguém, o Japão invadiu a China e partiu para uma guerra aberta que só cessou em 1945. Em 1938, a Alemanha também achou que chegara a hora da conquista. A Áustria foi invadida e anexada em março, sem resistência militar, e, após várias ameaças, o acordo de Munique em outubro despedaçou a Tchecoslováquia e transferiu grandes partes dela para Hitler, mais uma vez pacificamente. O resto foi ocupado em março de 1939, encorajando a Itália, que não tinha demonstrado ambições imperiais por alguns meses, a ocupar a Albânia. Quase imediatamente uma crise polonesa, mais uma vez resultante de mais exigências territoriais alemãs, paralisou a Europa. Disso veio a guerra européia de 1939-41, que se tornou a Segunda Guerra Mundial.

Contudo, um outro fator entrelaçou os fios da política nacional numa única teia internacional: a consistente e cada vez mais espetacular debilidade dos Estados democráticos liberais (que coincidiam ser também os Estados vitoriosos da Primeira Guerra Mundial); a sua incapacidade ou falta de vontade de agir, individualmente ou em conjunto, para resistir ao avanço de seus inimigos. Como vimos, foi essa crise do liberalismo que fortaleceu os argumentos e as forças do fascismo e dos governos autoritários (ver capítulo 4). O acordo de Munique de 1938 demonstrou perfeitamente essa combinação de confiante agressão de um lado, medo e concessão do outro, o que explica por que durante gerações a própria palavra "Munique" se tornou sinônimo, no discurso político ocidental, de retirada covarde. A vergonha de Munique, sentida quase imediatamente mesmo por aqueles que assinaram o acordo, estava não apenas em entregar a Hitler um triunfo fácil, mas no palpável medo de guerra que o antecedeu, e na ainda mais palpável sensação de alívio por tê-la evitado a qualquer custo. "*Bande de cons*", diz-se que o premiê Daladier murmurou com desprezo quando, tendo entregue a vida de um aliado da França, esperava ser vaiado em sua volta a Paris, mas só encontrou aplausos delirantes. A popularidade da URSS, e a relutância a criticar o que acontecia lá, deveram-se basicamente à sua oposição à Alemanha nazista, muito diferente das hesitações do Ocidente. O choque do pacto com a Alemanha em agosto foi maior por isso.

II

A mobilização de todo o potencial de apoio contra o fascismo, isto é, contra o campo alemão, portanto, foi um triplo apelo pela união de todas as forças políticas que tinham um interesse comum em resistir ao avanço do Eixo; por uma política real de resistência; e por governos dispostos a executar essa política. Na verdade, foram necessários mais de oito anos para conseguir essa mobilização — dez, se datarmos o início da corrida para a guerra mundial em 1931. Porque a resposta a todos os três apelos foi, inevitavelmente, hesitante, gaguejante ou confusa.

Sob certos aspectos, era provável que o apelo à unidade antifascista conquistasse a resposta mais imediata, pois o fascismo tratava publicamente todos os liberais, socialistas e comunistas ou qualquer tipo de regime democrático e soviético, como inimigos a serem igualmente destruídos. Na velha expressão inglesa, eles tinham de unir-se, caso não quisessem ser eliminados um por um. Os comunistas, até então a força que mais tendia à divisão da esquerda do Iluminismo, concentrando seu fogo (como, infelizmente, é típico dos radicais políticos) não contra o inimigo óbvio, mas contra o competidor potencial mais próximo, acima de tudo os social-democratas (ver capítulo 2), mudaram de curso um ano e meio depois da ascensão de Hitler ao poder e transformaram-se nos mais sistemáticos e, como sempre, mais eficientes defensores da unidade antifascista. Isso afastou o grande obstáculo à unidade da esquerda, embora não suas desconfianças profundamente enraizadas.

Em essência, a estratégia apresentada (em conjunto com Stalin) pela Internacional Comunista (que escolhera como seu novo secretário-geral George Dimitrov, um búlgaro cuja corajosa contestação pública às autoridades nazistas, no julgamento do incêndio do Reichstag em 1933, havia eletrizado os antifascistas em toda parte)* era de círculos concêntricos.

As forças unidas dos trabalhistas (a "Frente Unida") formariam a base de uma ampla aliança eleitoral e política com os democratas e liberais (a "Frente Popular"). Além disso, à medida que continuava o avanço da Alemanha, os comunistas pensaram numa extensão ainda mais ampla, numa "Frente Nacional" de todos que, independentemente de crenças ideológicas ou políticas, encaravam o fascismo (ou as potências do Eixo) como o inimigo primeiro. Essa extensão da aliança antifascista ultrapassando o centro até a direita — as "mãos dos comunistas franceses estendidas aos católicos", ou a disposição dos comunistas britânicos de aceitar o notório anticomunista Winston Churchill — enfrentou maior resistência na esquerda tradicional, até que a lógica da guerra acabou por impô-la. Contudo, a união de centro e esquerda fazia sentido político, e estabeleceram-se "Frentes Populares" na França (pioneira nessa

(*) Um mês depois da ascensão de Hitler ao poder, o prédio do Parlamento alemão em Berlim foi misteriosamente incendiado. O governo nazista imediatamente acusou o Partido Comunista e usou a ocasião para suprimi-lo. Os comunistas acusaram os nazistas de terem organizado o incêndio para esse fim. Um solitário holandês desequilibrado com simpatias revolucionárias, Van der Lubbe, além do líder do grupo parlamentar comunista e três búlgaros que trabalhavam em Berlim para a Internacional Comunista foram presos e julgados. Van der Lubbe estava certamente envolvido no incêndio, os quatro comunistas com certeza não, como também obviamente não o KPD. Os atuais estudos históricos não endossam a sugestão de uma provocação nazista.

manobra) e na Espanha, que repeliram ofensivas locais da direita e conquistaram impressionantes vitórias eleitorais na Espanha (fevereiro de 1936) e França (maio de 1936).

As vitórias dramatizaram os custos da desunião anterior, porque as listas eleitorais unidas de centro e esquerda conquistaram substanciais maiorias parlamentares — mas embora mostrassem uma impressionante mudança de opinião *dentro* da esquerda, notadamente na França, em favor do Partido Comunista, não indicaram qualquer séria ampliação de apoio político ao antifascismo. Na verdade, o triunfo da Frente Popular, que produziu o primeiro governo francês encabeçado por um socialista, o intelectual Leon Blum (1827-1950), foi conquistado por um aumento que mal chegou a 1% da votação dos radicais-socialistas-comunistas em 1932, e o triunfo eleitoral da Frente Popular espanhola por uma mudança ligeiramente maior, mas que ainda deixava o novo governo com quase metade dos eleitores contra si (e a direita um pouco mais forte que antes). Mesmo assim, essas vitórias incutiram esperança e mesmo euforia nos movimentos trabalhistas e socialistas locais; mais do que se pode dizer em relação ao Partido Trabalhista britânico, despedaçado pela Depressão e a crise política em 1931 — tinha então sido reduzido a meras cinqüenta cadeiras —, mas que, quatro anos depois, não havia ainda recuperado sua votação pré-Depressão, ou seja, contava com apenas pouco mais de metade de suas cadeiras de 1929. Entre 1931 e 1935, o voto dos conservadores simplesmente caiu de cerca de 61% para cerca de 54%. O chamado governo "nacional" da Grã-Bretanha, encabeçado de 1937 em diante por Neville Chamberlain, que se tornou sinônimo do "apaziguamento" com Hitler, apoiava-se em sólido voto majoritário. Não há motivo para supor que, não houvesse a guerra irrompido em 1939, e houvesse uma eleição acontecido em 1940 como deveria, os conservadores não a ganhariam de novo confortavelmente. Na verdade, a não ser pela maior parte da Escandinávia, onde os social-democratas ganharam logo terreno, não houve sinal de qualquer mudança eleitoral significativa para a esquerda na Europa Ocidental na década de 1930, mas houve algumas mudanças bastante maciças para a direita nas partes do Leste e Sudeste europeus onde ainda se faziam eleições. Há um agudo contraste entre o Velho e Novo Mundo. Na Europa não ocorreu nada semelhante à dramática mudança de republicanos para democratas em 1932 (o voto presidencial destes subiu de entre 15 a 16 milhões para quase 28 milhões em quatro anos), mas deve-se dizer que, em termos eleitorais, Franklin D. Roosevelt atingiu seu pico em 1932, embora (para surpresa de todos, com exceção de seu povo) ficasse só um pouco aquém daquilo em 1936.

O antifascismo, portanto, organizou os adversários tradicionais da direita, mas não inflou os seus números; mobilizou mais facilmente as minorias que as maiorias. Entre essas minorias, os intelectuais e os interessados nas artes estavam particularmente abertos a seu apelo (com exceção de uma corrente de literatura internacional inspirada pela direita tradicionalista e antidemocrática — ver capítulo 6), porque a arrogante e agressiva hostilidade do nacional-socialismo aos valores da civilização como até então concebidos ficou imediatamente óbvia nos campos que lhes diziam respeito. O racismo nazista logo provocou o êxodo em massa de intelectuais judeus e esquerdistas, que se espalharam pelo que restava de um mundo tolerante. A hostilidade nazista à liberdade intelectual quase imediatamente expurgou das universidades alemãs talvez um terço de seus professores. Os ataques à cultura "modernista", a queima pública de livros "judeus" e outros indesejáveis, começaram quase com a entrada de Hitler no governo. Além disso, embora os cidadãos comuns pudessem desaprovar as barbaridades mais brutais do sistema — os campos de concentração e a redução dos judeus alemães (que incluía todos aqueles com pelo menos um avô judeu) a uma segregada subclasse sem direitos —, um número surpreendentemente grande via tais barbaridades, na pior das hipóteses, como aberrações limitadas. Afinal, os campos de concentração eram basicamente obstáculos a uma potencial oposição comunista e prisões para os quadros da subversão, um objetivo pelo qual muitos conservadores convencionais tinham certa simpatia, e quando a guerra explodiu não havia mais de 8 mil pessoas em todos eles. (Sua expansão num *universe concentrationnaire* de terror, tortura e morte para centenas de milhares, e mesmo milhões, de pessoas se deu durante a guerra.) E, até a guerra, a política nazista, por mais bárbaro que fosse o tratamento aos judeus, ainda parecia encarar a "solução final" do "problema judeu" mais como expulsão do que como extermínio em massa. A própria Alemanha parecia ao observador não político um país estável, até mesmo em expansão econômica, com um governo popular, apesar de com algumas características antipáticas. Os que liam livros, incluindo o *Mein Kampf* do próprio Führer, tinham mais probabilidade de reconhecer, na sanguinária retórica dos agitadores racistas e na tortura e assassinato concentrados em Dachau ou Buchenwald, a ameaça de todo um mundo construído no deliberado reverso da civilização. Os intelectuais ocidentais (embora nessa época só uma fração de estudantes, então em sua maioria um contingente de filhos e futuros membros das "respeitáveis" classes médias) foram portanto a primeira camada social mobilizada em massa contra o fascismo na década de 1930. Era ainda uma camada social pequena mas extraordinariamente influente, especialmente por incluir os jornalistas que, nos países não fascistas do Ocidente, desempenharam um papel crucial alertando até mesmo os leitores e governantes mais conservadores para a natureza do nacional-socialismo.

A política de resistência à ascensão do campo fascista era, mais uma vez, simples e lógica no papel. Tratava-se de unir todos os países contra os agressores (a Liga das Nações oferecia uma estrutura potencial para isso), não fazer concessões a eles e, pela ameaça e, se necessário, pela ação comum, detê-los e derrotá-los. O comissário de Relações Exteriores da URSS, Maxim Litvinov

(1876-1952), fez-se o porta-voz dessa "Segurança Coletiva". Mais fácil dizer que fazer. O maior obstáculo era que, então como agora, mesmo Estados que partilhavam do temor e suspeita dos agressores tinham outros interesses que os dividiam ou podiam ser usados para dividi-los.

O quanto contava a mais óbvia divisão entre a União Soviética, comprometida em teoria com a derrubada dos regimes burgueses e o fim dos impérios em toda parte, e os outros Estados, que agora viam a URSS como inspiradora e instigadora da subversão, não está claro hoje. Embora os governos — todos os principais reconheceram a URSS depois de 1933 — sempre estivessem dispostos a chegar a um acordo com ela quando isso servia a seus propósitos, alguns de seus membros e agências continuavam a encarar o bolchevismo, interna e externamente, como o inimigo essencial, no espírito das guerras frias pós-1945. Os serviços de espionagem britânicos foram sabidamente excepcionais ao concentrarem-se de tal forma contra a ameaça vermelha que só a abandonaram como seu alvo principal em meados da década de 1930 (Andrew, 1985, p. 530). Apesar disso, muitos conservadores achavam, sobretudo na Grã-Bretanha, que a melhor de todas as soluções seria uma guerra germano-soviética, enfraquecendo, e talvez destruindo, os dois inimigos, e uma derrota do bolchevismo por uma enfraquecida Alemanha não seria uma coisa ruim. A relutância pura e simples dos governos ocidentais em entrar em negociações efetivas com o Estado vermelho, mesmo em 1938-9, quando a urgência de uma aliança anti-Hitler não era mais negada por ninguém, é demasiado patente. Na verdade, foi o temor de ter de enfrentar Hitler sozinho que acabou levando Stalin, desde 1935 um inflexível defensor de uma aliança com o Ocidente contra Hitler, ao Pacto Stalin-Ribbentrop de agosto de 1939, com o qual esperava manter a URSS fora da guerra enquanto a Alemanha e as potências ocidentais se enfraqueciam mutuamente, em proveito de seu Estado, que, pelas cláusulas secretas do pacto, ficava com uma grande parte dos territórios ocidentais perdidos pela Rússia após a revolução. O cálculo se revelou incorreto, mas, como as fracassadas tentativas de criar uma frente comum contra Hitler, demonstrou as divisões entre Estados que tornaram possível a ascensão extraordinária e praticamente sem resistência da Alemanha nazista entre 1933 e 1939.

Além disso, a geografia, a história e a economia davam aos governos diferentes perspectivas do mundo. O continente da Europa como tal era de pouco ou nenhum interesse para o Japão e os EUA, cujas políticas eram do Pacífico e da América, e para a Grã-Bretanha, ainda comprometida com um império mundial e uma estratégia marítima global, embora demasiado fraca para manter qualquer dos dois. Os países da Europa Oriental estavam espremidos entre a Alemanha e a Rússia, o que obviamente determinava suas políticas, sobretudo quando (como se revelou) as potências mostraram-se incapazes de protegê-los. Vários haviam adquirido, após 1917, territórios antes pertencentes à Rússia, e embora hostis à Alemanha, resistiam por conseguinte a qualquer aliança antigermânica que trouxesse as forças russas de volta às suas terras. E no entanto, como a Segunda Guerra Mundial iria demonstrar, a única aliança antifascista efetiva seria a que incluísse a URSS. Quanto à economia, países como a Grã-Bretanha, que sabiam ter travado uma Primeira Guerra Mundial para além de suas capacidades financeiras, recuavam diante dos custos do rearmamento. Em suma, havia um amplo fosso entre reconhecer as potências do Eixo como um grande perigo e fazer alguma coisa a respeito.

A democracia liberal (que por definição não existia no lado fascista ou autoritário) alargou esse fosso. Tornou lenta ou impediu a decisão política, notadamente nos EUA, e sem dúvida lhe dificultou, e às vezes impossibilitou, a adoção de políticas impopulares. Sem dúvida alguns governos usaram isso para justificar seu próprio torpor, mas o exemplo dos EUA mostra que mesmo um presidente forte e popular como Franklin D. Roosevelt era incapaz de executar sua política antifascista contra a opinião do eleitorado. Não fosse Pearl Harbor e a declaração de guerra de Hitler, os EUA sem dúvida teriam continuado fora da guerra. Não está claro sob que circunstâncias poderiam ter entrado.

Contudo, o que enfraqueceu a decisão das principais democracias européias, a França e a Grã-Bretanha, não foram tanto os mecanismos políticos da democracia quanto a lembrança da Primeira Guerra Mundial. Essa era uma ferida cuja dor ainda sentiam, igualmente, eleitores e governos, porque o impacto daquela guerra fora sem precedentes e universal. Tanto para a França quanto para a Grã-Bretanha, esse impacto, em termos humanos (embora não materiais), foi muito maior do que se revelou o da Segunda Guerra Mundial (ver capítulo 1). Outra guerra como aquela precisava ser evitada quase a qualquer custo. Era sem dúvida o último dos recursos da política.

Não se deve confundir a relutância em ir à guerra com recusa a lutar, embora o moral militar potencial dos franceses, que haviam sofrido mais que qualquer outro país beligerante, estivesse sem dúvida enfraquecido pelo trauma de 1914-8. Ninguém foi para a Segunda Guerra Mundial cantando, nem mesmo os alemães. Por outro lado, o pacifismo irrestrito (não religioso), embora muito popular na Grã-Bretanha na década de 1930, jamais foi um movimento de massa, e desapareceu na década de 1940. Apesar da ampla tolerância com os "opositores por motivos de consciência" na Segunda Guerra Mundial, o número dos que alegaram o direito de recusar-se a lutar foi pequeno (Calvocoressi, 1987, p. 63).

Na esquerda não comunista, ainda mais emocionalmente comprometida com o ódio à guerra e ao militarismo após 1918 do que (em teoria) antes de 1914, a paz a qualquer preço continuou sendo uma posição minoritária, mesmo na França onde era mais forte. Na Grã-Bretanha, George Lansbury, um pacifista que, pelo acidente de um holocausto eleitoral, se viu à frente do Partido Trabalhista depois de 1931, foi eficiente e brutalmente afastado da liderança em 1935. Ao contrário do governo da Frente Popular encabeçado pelos socialistas na França, o trabalhismo britânico podia ser criticado não por falta de firmeza diante dos agressores fascistas, mas por recusar-se a apoiar as necessárias medidas militares para tornar a resistência efetiva, como rearmamento e recrutamento. A mesma crítica podia ser estendida aos comunistas, que jamais haviam sido tentados pelo pacifismo.

A esquerda se achava de fato num dilema. Por um lado, a força do antifascismo estava em mobilizar os que temiam a guerra, tanto a última como os terrores futuros da seguinte. O fato de o fascismo significar guerra era um motivo convincente para combatê-lo. Por outro lado, uma resistência ao fascismo que não previsse o uso de armas não poderia dar certo. O que é mais, a esperança de provocar o colapso da Alemanha nazista, ou mesmo da Itália de Mussolini, pela firmeza coletiva mas pacífica baseava-se em ilusões sobre Hitler e as supostas forças de oposição dentro da Alemanha. De qualquer modo, nós que vivemos aqueles tempos *sabíamos* que haveria uma guerra, mesmo quando pensávamos possibilidades pouco convincentes para evitá-la. Nós — o historiador também pode recorrer à própria memória — *contávamos* em lutar na próxima guerra, e provavelmente morrer. E como antifascistas não tínhamos dúvida de que, quando ela viesse, não teríamos outra opção além de lutar.

Apesar disso, não se pode usar o dilema político da esquerda para explicar o fracasso dos governos, mesmo porque preparações efetivas para a guerra não dependiam de resoluções aprovadas (ou não aprovadas) em congressos de partidos; nem mesmo, por um período de vários anos, do medo de eleições. E no entanto os governos, e em particular o francês e o britânico, também tinham ficado marcados de forma indelével pela Grande Guerra. A França saíra dela dessangrada, e potencialmente uma força ainda menor e mais fraca que a derrotada Alemanha. A França não nada podia sem aliados contra uma Alemanha revivida, e os únicos países europeus que tinham igual interesse em aliar-se a ela, a Polônia e os Estados sucessores dos Habsburgo, se achavam fracos demais para isso. Os franceses investiram seu dinheiro numa linha de fortificações (a "Linha Maginot", nome de um ministro logo esquecido) que, esperavam, impediria os atacantes alemães pela perspectiva de perdas como as de Verdun (ver capítulo 1). Fora isso, só podiam voltar-se para a Grã-Bretanha e, depois de 1933, para a URSS.

Os governos britânicos tinham igual consciência de uma fraqueza fundamental. Financeiramente, não podiam se dar o luxo de outra guerra. Estrategicamente, não tinham mais uma marinha capaz de operar ao mesmo tempo nos três grandes oceanos e no Mediterrâneo. Ao mesmo tempo, o problema que de fato os preocupava não era o que acontecia na Europa, mas como manter inteiro, com forças claramente insuficientes, um império global geograficamente maior do que jamais existira, mas também e visivelmente à beira da decomposição.

Os dois Estados portanto se sabiam fracos demais para defender um *status quo* em grande parte estabelecido em 1919 para atender a seus interesses. Também sabiam que esse *status quo* era instável e impossível de ser mantido. Nenhum tinha nada a ganhar com outra guerra, e muito a perder. A política óbvia e lógica era negociar com a nova Alemanha para estabelecer um padrão europeu mais durável, e isso sem dúvida significava fazer concessões ao crescente poder da Alemanha. Infelizmente, a nova Alemanha era a de Adolf Hitler.

A chamada política de "apaziguamento" teve tão má publicidade desde 1939 que é preciso nos lembrarmos como pareceu sensata a tantos governos ocidentais que não eram visceralmente antialemães nem apaixonadamente antifascistas em princípio, sobretudo a Grã-Bretanha, onde mudanças no mapa continental, em "países distantes dos quais pouco sabemos" (Chamberlain sobre a Tchecoslováquia em 1938), não faziam subir a pressão sangüínea de ninguém. (Os franceses claro que ficavam muito mais nervosos com *quaisquer* iniciativas que favorecessem a Alemanha, que acabaria mais cedo ou mais tarde por se voltar contra eles, mas a França estava fraca.) Uma Segunda Guerra Mundial, podia-se prever com segurança, arruinaria a economia britânica e desmontaria grandes partes de seu império. O que verdade foi o que aconteceu. Embora fosse um preço que socialistas, comunistas, movimentos de libertação colonial e o presidente F. D. Roosevelt estivessem mais que dispostos a pagar pela derrota do fascismo, não esqueçamos que era excessivo do ponto de vista dos imperialistas britânicos racionais.

Contudo, acordo e negociação eram impossíveis com a Alemanha de Hitler, porque os objetivos políticos do nacional-socialismo eram irracionais e ilimitados. Expansão e agressão faziam parte do sistema, e, a menos que se aceitasse de antemão a dominação alemã, ou seja, se preferisse não resistir ao avanço nazista, a guerra era inevitável, provavelmente mais cedo do que mais tarde. Daí o papel central da ideologia na formação da política da década de 1930: se determinou os objetivos da Alemanha nazista, excluiu a *realpolitik* como alternativa para os adversários. Os que reconheciam que não podia haver acordo com Hitler, o que era uma avaliação realista da situação, o faziam por motivos inteiramente pragmáticos. Encaravam o fascismo como intolerável em princípio e *a priori*, ou (como na caso de Winston Churchill) eram impelidos por um ideal igualmente *a priori* daquilo que seu país e império "representavam", e não podiam sacrificar. O paradoxo de Winston Churchill foi que esse grande romântico, cujo julgamento político fora consistentemente errado em quase tudo desde 1914 — incluindo a avaliação da estratégia militar da qual se orgulhava —, mostrou-se realista em uma única questão, a da Alemanha.

Por outro lado, os realistas políticos do apaziguamento foram inteiramente irrealistas em sua avaliação da situação, mesmo quando a impossibilidade de um acordo negociado com Hitler se tornou óbvia para qualquer observador razoável em 1938-9. Esse foi o motivo da tragicomédia de março-setembro de 1939, que terminou numa guerra que ninguém queria, numa época e lugar que ninguém queria (nem a Alemanha), e que na verdade deixou a Grã-Bretanha e a França sem a mínima idéia do que, como beligerantes, deviam fazer, até que a *blitzkrieg* de 1940 os aniquilou. Mesmo diante da evidência que eles próprios aceitaram, os apaziguadores na Grã-Bretanha e França ainda não conseguiam pensar em negociar a sério uma aliança com a URSS, sem a qual a guerra não podia ser nem adiada nem vencida, e sem a qual as garantias contra o ataque alemão, súbita e descuidadamente espalhadas pela Europa Oriental por Neville Chamberlain — sem, por incrível que pareça, consultar ou sequer *informar* adequadamente a URSS —, eram papel sem valor. Londres e Paris não queriam lutar, mas no máximo dissuadir com uma demonstração de força. Isso não pareceu plausível nem por um momento a Hitler, e tampouco a Stalin, cujos negociadores pediam em vão propostas de operações estratégicas conjuntas no Báltico. Mesmo quando os exércitos alemães entraram na Polônia, o governo de Chamberlain ainda estava disposto a negociar com Hitler, como Hitler calculara que ele faria (Watt, 1989, p. 215).

Hitler errou o cálculo, e os Estados ocidentais declararam guerra, não porque seus estadistas a quisessem, mas porque a política do próprio Hitler, depois de Munique, impossibilitou outra saída aos apaziguadores. Foi ele quem mobilizou contra o fascismo as massas até então descomprometidas. Essencialmente, a ocupação alemã da Tchecoslováquia em março de 1939 converteu a opinião pública britânica à resistência e, ao fazê-lo, forçou a mão de um governo relutante; o que por sua vez forçou a mão do governo francês, que não teve outra opção senão ir junto com seu único aliado de fato. Pela primeira vez a luta contra a Alemanha de Hitler unia, em vez de dividir, os britânicos, mas — ainda — sem nenhum objetivo. Enquanto os alemães rápida e impiedosamente destruíam a Polônia e dividiam seus restos com Stalin, que se retirara para uma condenada neutralidade, uma "guerra falsa" obtinha uma paz implausível no Ocidente.

Nenhum tipo de *Realpolitik* pode explicar a política dos apaziguadores depois de Munique. Uma vez que uma guerra parecia bastante provável — e quem em 1939 duvidava? — a única coisa a fazer era preparar-se para ela tão bem quanto possível, e isso não foi feito. Pois a Grã-Bretanha, mesmo a Grã-Bretanha de Chamberlain, certamente não estava disposta a aceitar uma Europa dominada por Hitler antes que a guerra acontecesse, embora, após o colapso da França, houvesse certo apoio a uma paz negociada — isto é, à aceitação da derrota. Mesmo na França, onde um pessimismo beirando o derrotismo era bastante comum entre políticos e militares, o governo não pretendia entregar a alma, nem o fez, até o exército desmoronar em junho de 1940. Sua política era morna, porque eles nem ousavam seguir a lógica da política de poder, nem as convicções *a priori* dos da resistência, para os quais *nada* podia ser mais importante que combater o fascismo (na forma de fascismo ou na da Alemanha de Hitler), nem as dos anticomunistas, para os quais "a derrota de Hitler significaria o colapso dos sistemas autoritários que constituem o principal baluarte contra a revolução comunista" (Thierry Maulnier, 1938 in Ory, 1976, p. 24). Não é fácil dizer o que determinou as ações desses estadistas, já que eles não foram movidos apenas pelo intelecto, mas por preconceitos, esperanças e receios que, no silêncio, distorciam sua visão. Havia as lembranças da Primeira Guerra Mundial e as incertezas de políticos que viam seus sistemas políticos e economias democrático-liberais em uma queda que poderia ser a final; um estado de espírito mais típico do Continente que da Grã-Bretanha. Havia uma genuína incerteza sobre se, em tais circunstâncias, os imprevisíveis resultados de uma política de resistência bem-sucedida justificariam os custos proibitivos que ela implicaria. Pois, afinal, para a maioria dos políticos britânicos e franceses, o melhor que se podia conseguir era preservar um *status quo* não muito satisfatório e provavelmente insustentável. E por trás de tudo isso havia a questão de saber se, estando o *status quo* de qualquer maneira condenado, o fascismo não era melhor que a outra alternativa, a revolução social e o bolchevismo. Se o único tipo de fascismo em oferta fosse o italiano, poucos políticos conservadores ou moderados teriam hesitado. Mesmo Winston Churchill era pró-italiano. O problema era que eles enfrentavam não Mussolini, mas Hitler. Ainda assim, não deixa de ser significativo o fato de que a principal esperança de tantos governos e diplomatas da década de 1930 era estabilizar a Europa chegando a um acordo com a Itália, ou pelo menos separando Mussolini da aliança com seu discípulo. Não deu certo, embora o próprio Mussolini fosse realista o bastante para manter uma certa liberdade de ação até, em junho de 1940, concluir, erroneamente mas não sem razão, que os alemães tinham ganhado e declarar guerra ele próprio.

III

As disputas da década de 1930, travadas dentro dos Estados ou entre eles, eram portanto transnacionais. Em nenhuma parte foi isso mais evidente do que na Guerra Civil Espanhola de 1936-9, que se tornou a expressão exemplar desse confronto global.

Em retrospecto, pode parecer surpreendende que esse conflito tenha mobilizado *instantaneamente* as simpatias da esquerda e da direita na Europa e nas Américas, especialmente dos intelectuais ocidentais. A Espanha era uma parte periférica da Europa, e sua história estivera persistentemente fora de compasso com o resto do continente, do qual se separa pela muralha dos Pireneus. Mantivera-se à parte das guerras européias desde Napoleão, como iria ficar fora da Segunda Guerra Mundial. Desde o início do século XIX, seus assuntos não interessavam aos governos europeus, embora os EUA houvessem provocado uma breve guerra contra ela em 1898, a fim de roubar-lhe as últimas partes restantes do velho império mundial do século XVI: Cuba, Porto Rico e Filipinas.* Na verdade, e ao contrário das crenças da geração deste autor, a Guerra Civil Espanhola não foi a primeira fase da Segunda Guerra Mundial, e a vitória do general Franco, que, como vimos, nem mesmo pode ser descrito como fascista, não teve conseqüências globais. Apenas manteve a Espanha (e Portugal) isolada do resto do mundo por mais trinta anos.

Contudo, não foi por acaso que a política interna desse país notoriamente anômalo e auto-suficiente se tornou o símbolo de uma luta global na década de 1930. Suscitou os principais problemas políticos da época: de um lado, democracia e revolução social, sendo a Espanha o único país na Europa onde ela estava pronta para explodir; do outro, um campo singularmente rígido de contra-revolução ou reação, inspirado por uma Igreja Católica que rejeitava tudo o que acontecera no mundo desde Martinho Lutero. Muito curiosamente, nem os partidos do comunismo moscovita nem os inspirados pelo fascismo tinham algum significado na Espanha antes da Guerra Civil, pois esse país seguiu seu próprio caminho excêntrico tanto na ultra-esquerda anarquista quanto na ultradireita carlista.**

Os bem-intencionados liberais, anticlericais e maçons ao estilo século XIX dos países latinos, que tomaram o poder dos Bourbon numa revolução pacífica em 1931, não puderam nem conter a fermentação social dos espanhóis pobres, nas cidades e nos campos, nem desativá-la com reformas sociais efetivas (ou seja, basicamente a agrária). Em 1933, foram afastados por governos conservadores, cuja política de repressão a agitações e insurreições locais, como a revolta dos mineiros asturianos em 1934, simplesmente ajudou a aumentar a pressão revolucionária potencial. Nesse estágio, a esquerda espanhola descobriu a Frente Popular do Comintern, para a qual estava sendo impelida pela vizinha França. A idéia de que todos os partidos deviam formar uma frente única eleitoral contra a direita fazia sentido para uma esquerda que não sabia muito bem o que fazer. Mesmo os anarquistas, naquele seu último bastião no mundo, se inclinavam a pedir a seus seguidores que praticassem o vício burguês de votar numa eleição, que até então haviam rejeitado como indigno de um verdadeiro revolucionário, embora nenhum anarquista na verdade se conspurcasse concorrendo. Em fevereiro de 1936, a Frente Popular

(*) A Espanha manteve sua presença no Marrocos, disputado pelas aguerridas tribos berberes locais, que proporcionaram ao exército espanhol formidáveis unidades de combate, e também em alguns territórios africanos mais ao sul, esquecidos de todos.

(**) O carlismo foi um movimento ferozmente monarquista e ultratradicionalista, com forte apoio camponês, sobretudo na guerra. Os carlistas travaram guerras civis na década de 1830 e 1870, defendendo um ramo da família real espanhola.

obteve uma maioria de votos pequena e nada arrasadora, e graças à sua coordenação, uma substancial maioria de cadeiras no Parlamento espanhol, ou Cortes. Essa vitória produziu menos um governo efetivo da esquerda que uma fissura pela qual a lava acumulada de insatisfação social pôde começar a esguichar. Isso tornou-se cada vez mais evidente nos meses seguintes.

Nesse estágio, tendo falhado a política direitista ortodoxa, a Espanha reverteu a uma forma política em que fora pioneira, e que se tornara típica do mundo ibérico: o *pronunciamiento*, ou golpe militar. Mas do mesmo modo como a esquerda espanhola se via olhando para o frentismo popular do outro lado das fronteiras nacionais, também a direita espanhola sentia-se atraída para as potências fascistas. Isso não se dava tanto por meio do modesto movimento fascista local, a Falange, quanto da Igreja e dos monarquistas, para os quais pouca diferença havia entre liberais e comunistas, todos igualmente ateus, não havendo portanto possibilidade de acordo com qualquer deles. A Itália e a Alemanha esperavam extrair algum proveito moral e talvez político de uma vitória da direita. Os generais espanhóis que começaram a tramar a sério um golpe após a eleição precisavam de apoio financeiro e ajuda prática, que negociaram com a Itália.

Contudo, os momentos de vitória democrática e mobilização política de massas não são ideais para golpes militares, que dependem para ter sucesso da convenção de que os civis, assim como setores não comprometidos das Forças Armadas, aceitem os sinais, do mesmo modo como os *putschistas* militares cujos sinais não são aceitos reconheçam discretamente seu fracasso. O *pronunciamiento* clássico é um jogo que se joga melhor nos momentos em que as massas estão em recesso ou os governos perderam a legitimidade. Essas condições não estavam presentes na Espanha. O golpe de 17 de julho dos generais teve êxito em algumas cidades, e enfrentou apaixonada resistência de pessoas e Forças Armadas leais em outras. Não conseguiu tomar as duas principais cidades da Espanha, incluindo a capital, Madri. Em partes do país precipitou, portanto, a revolução social à qual pretendia adiantar-se. Em toda a Espanha, iniciou-se uma longa guerra civil entre o governo legítimo e devidamente eleito da República, agora ampliado e incluindo socialistas, comunistas e mesmo alguns anarquistas, mas coabitando de maneira pouco confortável com as forças da rebelião de massa que haviam derrotado o golpe, e os generais insurgentes que se apresentavam como cruzados nacionalistas contra o comunismo. O mais jovem e politicamente inteligente dos generais, Francisco Franco y Bahamonte (1892-1975), viu-se à frente de um novo regime que com o correr da guerra se tornou um Estado autoritário com um partido único — um conglomerado de direita que ia do fascismo aos velhos monarquistas e ultras carlistas que recebeu o nome absurdo de Falange Tradicionalista Espanhola. Mas os dois lados da Guerra Civil precisavam de apoio. E recorreram a patrocinadores potenciais.

A reação da opinião antifascista à rebelião dos generais foi imediata e espontânea, ao contrário da reação dos governos antifascistas, bem mais cautelosos, mesmo quando, como a URSS e o chamado governo da Frente Popular que acabara de chegar ao poder na França, eram fortemente a favor da República. (A Itália e a Alemanha imediatamente enviaram armas e homens para o seu lado.) A França estava ansiosa para ajudar, e deu alguma assistência (oficialmente "não reconhecida") à República, até ser exortada a uma política oficial de "não-intervenção" por divisões internas e pelo governo britânico, profundamente hostil ao que via como o avanço da revolução social e do bolchevismo na península Ibérica. A opinião da classe média e conservadora no Ocidente em geral partilhava dessa atitude, embora (com exceção da Igreja Católica e dos pró-fascistas) não se identificasse muito com os generais. A Rússia, embora firme do lado republicano, também entrou no Acordo de Não-Intervenção patrocinado pelos britânicos, cujo objetivo, o de impedir a ajuda alemã e italiana aos generais, ninguém esperava nem queria atingir, e aos poucos "passou de equívoco a hipocrisia" (Thomas, 1977, p. 395). De setembro de 1936 em diante, a Rússia enviou sem reservas, embora não exatamente de modo oficial, homens e material para apoiar a República. A não-intervenção, que significava simplesmente que a Grã-Bretanha e a França se recusavam a fazer fosse o que fosse em relação à maciça intervenção das potências do Eixo na Espanha, com o que abandonavam a República, confirmou tanto fascistas quanto antifascistas em seu desprezo aos não-intervencionistas. Também aumentou enormemente o prestígio da URSS, a única potência que ajudou o governo legítimo da Espanha, e dos comunistas dentro e fora daquele país, não apenas porque organizaram essa ajuda internacionalmente, mas porque também logo se estabeleceram como a espinha dorsal do esforço militar republicano.

Contudo, mesmo antes de os soviéticos mobilizarem seus recursos, todos, desde os liberais até os mais extremistas da esquerda, reconheceram de imediato como sua a luta espanhola. Como escreveu o maior poeta britânico da época, W. H. Auden:

Naquela árida praça, naquele fragmento lascado da quente
África, tão toscamente colado na inventiva Europa;
Naquela terra plana açoitada por rios,
Nossas idéias têm corpos; os ameaçadores vultos de nossa febre
São precisos e vivos.

E o que é mais: ali, e somente ali, a interminável e desmoralizante queda da esquerda era detida por homens e mulheres que combatiam o avanço da direita armada. Mesmo antes de a Internacional Comunista começar a organizar as Brigadas Internacionais (cujos primeiros contingentes chegaram à sua futura base em outubro), de fato antes que as primeiras colunas organizadas de voluntários aparecessem no *front* (as do movimento liberal-socialista italiano Giustizia e Libertá), voluntários estrangeiros já lutavam pela República em certa quantidade. Mais de 40 mil jovens estrangeiros de mais de cinqüenta países* acabaram indo lutar e muitos morrer num país sobre o qual provavelmente não conheciam mais que o mapa no atlas da escola. É significativo que não mais de mil voluntários estrangeiros tenham lutado do lado de Franco (Thomas, 1977, p. 980). Para esclarecimento dos leitores criados no ambiente moral de fins do século XX, deve-se acrescentar que esses não eram nem mercenários, nem, com exceção de poucos casos, aventureiros. Eles foram lutar por uma causa.

É difícil lembrar hoje o que a Espanha significou para os liberais e os esquerdistas que viveram a década de 1930, embora para muitos de nós sobreviventes, todos já ultrapassando o tempo de vida bíblico, continue sendo a única causa que, mesmo em retrospecto, pareça tão pura e atraente quanto em 1936. Hoje parece pertencer a um passado pré-histórico, mesmo na Espanha. Contudo, na época apresentava-se àqueles que combatiam o fascismo como o *front* central de sua batalha, por ser o único em que a ação jamais cessou durante mais de dois anos e meio, o único em que era possível participar como indivíduos, se não de uniforme, pelo menos fazendo coletas de dinheiro, ajudando a refugiados, e através de infindáveis campanhas para pressionar nossos governos covardes. E o avanço gradual, mas aparentemente invencível, do lado nacionalista, a derrota e morte previsíveis da República, apenas tornavam mais desesperadamente urgente forjar a união contra o fascismo mundial.

Pois a República espanhola, apesar de nossas simpatias e da (insuficiente) ajuda recebida, travou uma ação de retaguarda contra a derrota desde o início. Em retrospecto, fica claro que isso se deveu à sua própria fraqueza. Pelos padrões das guerras do século XX, ganhas ou perdidas, a guerra republicana de 1936-9, com todo o seu heroísmo, teve um desempenho ruim, em parte porque não usou seriamente aquela poderosa arma contra forças convencionais, a guerrilha — uma estranha omissão num país que deu nome a essa forma de guerra não convencional. Ao contrário dos nacionalistas, que tinham uma direção militar e política única, os republicanos continuaram politicamente divididos, e — apesar da contribuição dos comunistas — não conseguiram formar uma vontade militar e um comando estratégico únicos, ou só tarde demais. O melhor que podia fazer era de tempos em tempos repelir ofensivas potencialmente fatais do outro lado, prolongando assim uma guerra que podia muito bem ter terminado em novembro de 1936 com a tomada de Madri.

(*) Entre eles, talvez 10 mil franceses, 5 mil alemães e austríacos, 5 mil poloneses e ucranianos, 3500 italianos, 2800 dos EUA, 2 mil britânicos, 1500 iugoslavos, 1500 tchecos, mil húngaros, mil escandinavos e vários outros. Os 2 a 3 mil russos dificilmente podem ser classificados como voluntários. Diz-se que cerca de 7 mil de todos esses eram judeus (Thomas, 1977, pp. 982-4; Paucker, 1991, p. 15).

Na época, a Guerra Civil Espanhola não pareceu um bom presságio para a derrota do fascismo. Internacionalmente, foi uma versão em miniatura de uma guerra européia, travada entre Estados fascistas e comunistas, os últimos marcadamente mais cautelosos e menos decididos que os primeiros. As democracias ocidentais continuaram não tendo certeza de nada, a não ser de seu não-envolvimento. Internamente, foi uma guerra em que a mobilização da direita se mostrou muito mais efetiva que a da esquerda. Terminou em derrota total, várias centenas de milhares de mortos, várias centenas de milhares de refugiados nos países que quiseram recebê-los, incluindo a maior parte dos talentos artísticos e intelectuais sobreviventes da Espanha, que, com raras exceções, haviam ficado do lado da República. A Internacional Comunista mobilizara todos os seus formidáveis talentos em favor da República espanhola. O futuro marechal Tito, libertador e líder da Iugoslávia comunista, organizava o fluxo de recrutas das Brigadas Internacionais em Paris; Palmiro Togliati, líder comunista italiano, era o dirigente de fato do inexperiente Partido Comunista espanhol, e foi um dos últimos a escapar do país em 1939. Também este fracassou, e sabia que estava fracassando, como a URSS, que destacou algumas de suas mais impressionantes cabeças militares para servir na Espanha (por exemplo, os futuros marechais Konev, Malinovski, Voronov e Rokossovski, e o futuro comandante da marinha soviética, almirante Kuznetsov).

IV

E no entanto, a Guerra Civil Espanhola antecipou e moldou as forças que iriam, poucos anos depois da vitória de Franco, destruir o fascismo. Antecipou a política da Segunda Guerra Mundial, aquela aliança única de frentes nacionais que ia de conservadores patriotas a revolucionários sociais, para a derrota do inimigo nacional e simultaneamente para a regeneração social. Pois a Segunda Guerra Mundial foi, para os do lado vencedor, não apenas uma luta pela vitória militar, mas — mesmo na Grã-Bretanha e nos EUA — por uma sociedade melhor. Ninguém sonhava com um retorno ao pré-guerra de 1939 — nem mesmo a 1928 ou 1918, como os estadistas após a Primeira Guerra Mundial haviam sonhado com uma volta ao mundo de 1913. Um governo britânico sob Winston Churchill se comprometeu, no meio de uma guerra desesperada, com um Estado do Bem-estar abrangente e o pleno emprego. Não foi por acaso que o Relatório Beveridge saiu com estas recomendações num dos anos mais negros da desesperada guerra da Grã-Bretanha: 1942. Os planos para o pós-guerra dos EUA tratavam apenas lateralmente do problema de como tornar impossível outro Hitler. O verdadeiro esforço intelectual dos planejadores do pós-guerra era dedicado a aprender as lições da Grande Depressão e da década de 1930, para que não se repetissem. Quanto aos movimentos de resistência nos países derrotados e ocupados pelo Eixo, a inseparabilidade de libertação e revolução social, ou pelo menos de uma grande transformação, era para eles indiscutível. Além disso, por toda a Europa antes ocupada, no Leste e no Oeste, surgiram os mesmos tipos de governo após a vitória: administrações de união nacional baseadas em todas as forças que se haviam oposto ao fascismo, sem distinção ideológica. Pela primeira e única vez na história, ministros comunistas sentaram-se ao lado de ministros conservadores, liberais ou social-democratas na maioria dos Estados europeus, uma situação destinada a não durar muito.

Embora uma ameaça comum os reunisse, essa espantosa unidade de opostos, Roosevelt e Stalin, Churchill e os socialistas britânicos, De Gaulle e os comunistas franceses, teria sido impossível sem um certo relaxamento das hostilidades e suspeitas mútuas entre os defensores e adversários da Revolução de Outubro. A Guerra Civil Espanhola tornou isso muito mais fácil. Mesmo governos anti-revolucionários não podiam esquecer que o governo espanhol, sob um presidente e um primeiro-ministro liberais, tinha completa legitimidade constitucional e moral quando pedira ajuda contra seus generais insurgentes. Mesmo os estadistas democráticos que o haviam traído, temendo pela própria pele, tinham a consciência pesada. Tanto o governo espanhol quanto, o que importava mais, os comunistas cada vez mais imersos em seus assuntos insistiam em que não visavam a revolução social, e de fato fizeram o possível para controlá-la e revertê-la, para horror dos entusiastas revolucionários. A revolução, insistiam todos, não era a questão; e sim a defesa da democracia.

O ponto interessante é que não se tratava de mero oportunismo, ou, como pensavam os puristas da ultra-esquerda, traição à revolução. Refletia a passagem deliberada de uma maneira insurrecional para uma gradual, de uma maneira confrontacional para uma de negociação, até mesmo parlamentar de chegada ao poder. À luz da reação do povo espanhol ao golpe, sem dúvida revolucionário,* os comunistas agora podiam ver como uma tática essencialmente defensiva, imposta pela desesperada situação de seus movimentos após a subida de Hitler ao poder, abria perspectivas de avanço, isto é, "um novo tipo de democracia", surgindo dos imperativos da política e da economia da guerra. Os latifundiários e capitalistas que apoiavam os rebeldes perderiam suas propriedades; não como latifundiários e capitalistas, mas como traidores. O governo teria de planejar e assumir a economia; não por motivos ideológicos, mas pela lógica das economias de guerra. Conseqüentemente, se vitorioso, "esse novo tipo de democracia não pode deixar de ser inimigo do espírito con-

(*) Nas palavras do Comintern, a revolução espanhola era "parte integral da luta antifascista, apoiada na mais ampla base social. É uma revolução popular. É uma revolução nacional. É uma revolução antifascista" (Ercoli, outubro de 1936, citado in Hobsbawm, 1986, p. 175).

servador [...] Oferece garantia de maiores conquistas econômicas e políticas para os trabalhadores espanhóis" (ibid., p. 176).

O panfleto do Comintern de outubro de 1936 descrevia assim com considerável exatidão a forma da política na guerra antifascista de 1939-45. Seria uma guerra travada na Europa por governos ou coalizões de resistência "do povo", ou "de frentes nacionais" abrangendo tudo, feita com economias administradas e a ser encerrada, nos territórios ocupados, com maciços avanços no setor público, devido à expropriação de capitalistas, não como tais, mas como alemães ou colaboradores dos alemães. Em vários países da Europa Central e Oriental, uma linha levava diretamente do antifascismo a uma "nova democracia" dominada, e eventualmente absorvida, pelos comunistas, mas até a eclosão da Guerra Fria o objetivo desses regimes do pós-guerra *não* era, de maneira específica, a conversão imediata para sistemas socialistas ou a abolição do pluralismo político e da propriedade privada.* Nos países do Ocidente, as conseqüências sociais e econômicas líquidas da guerra e da libertação não foram muito diferentes, embora o fosse a conjuntura política. Introduziram-se reformas sociais e econômicas, não (como depois da Primeira Guerra Mundial) em resposta à pressão das massas e ao temor da revolução, mas por governos comprometidos com elas em princípio, em parte do velho tipo reformista, como os democratas nos EUA e o Partido Trabalhista, agora no governo na Grã-Bretanha; e em parte por partidos de reforma e ressurreição nacional surgidos diretamente dos vários movimentos antifascistas. Em suma, a lógica da guerra antifascista conduzia à esquerda.

V

Em 1936, e mais ainda em 1939, essas implicações da guerra espanhola pareciam remotas, até mesmo irreais. Após quase uma década de aparente fracasso total da linha de unidade antifascista do Comintern, Stalin tirou-a de sua agenda, pelo menos naquele momento, e não apenas chegou a um acordo com Hitler (embora os dois lados soubessem que isso não poderia durar), como instruiu o movimento internacional a abandonar a estratégia antifascista, uma decisão insensata que talvez se possa explicar melhor por sua proverbial aversão a mesmo os menores riscos.** Contudo, em 1941 a lógica da linha do Comintern acabou por se impor. Pois quando a Alemanha invadiu a URSS e trou-

(*) Mesmo na conferência de fundação do novo Departamento de Informação Comunista (Cominform) da Guerra Fria, o delegado búlgaro, Vlko Tchervenkov, ainda descrevia firmemente nesses termos as perspectivas de seu país (Reale, 1954, pp. 66-7, 73-4).

(**) Talvez temesse que a entusiástica participação comunista numa guerra antifascista francesa ou britânica pudesse ser vista por Hitler como um sinal de sua secreta má-fé, e portanto como uma desculpa para atacá-lo.

xe os EUA para a guerra — em suma, quando a luta contra o fascismo se transformou por fim numa guerra global —, a guerra tornou-se tão política quanto militar. Internacionalmente, transformou-se numa aliança entre o capitalismo dos EUA e o comunismo da União Soviética. Dentro de cada país da Europa — mas não, na época, do mundo dependente do imperialismo ocidental — esperava unir todos os dispostos a resistir à Alemanha ou à Itália, ou seja, formar uma coalizão de resistência que fosse de um lado a outro do espectro político. Como toda a Europa beligerante, com exceção da Grã-Bretanha, estava ocupada pelas potências do Eixo, essa guerra de resistentes era essencialmente uma guerra de civis, ou de forças armadas de ex-civis, não reconhecidas como tais pelos exércitos alemães e italianos: uma luta selvagem de *partisans*, que impunha opções políticas a todos.

A história dos movimentos da Resistência européia é em grande parte mitológica, pois (a não ser, em certa medida, na própria Alemanha) a legitimidade dos regimes e governos do pós-guerra se baseou em sua folha de serviço na Resistência. A França é o caso extremo, porque ali faltava ao governo após a Libertação qualquer continuidade com o governo francês de 1940, que fizera a paz e cooperara com os alemães, e porque a resistência organizada, para não falar da armada, fora um tanto fraca, pelo menos até 1944, e o apoio popular a ela precário. A França do pós-guerra foi reconstruída pelo general De Gaulle com base no mito de que, em essência, a França eterna jamais aceitara a derrota. Como ele próprio declarou: "A Resistência foi um blefe que deu certo" (Gillois, 1973, p. 164). É um ato político o fato de os únicos combatentes da Segunda Guerra Mundial comemorados em memoriais de guerra franceses hoje serem combatentes da Resistência que se fizeram parte das forças de De Gaulle. Contudo, a França não é de modo algum o único caso de um Estado construído sobre a mística da Resistência.

Duas coisas se devem dizer sobre os movimentos de resistência europeus. Primeiro, sua importância militar (com a possível exceção da Rússia) foi insignificante antes de a Itália retirar-se da guerra em 1943, e não decisiva em parte alguma, com exceção talvez de partes dos Bálcãs. Deve-se repetir que seu maior significado foi político e moral. Assim, a vida pública italiana foi transformada, após mais de vinte anos de um fascismo que desfrutara de considerável apoio até mesmo entre intelectuais, pela mobilização impressionante e generalizada da Resistência em 1943-5, incluindo um movimento *partisan* armado no Centro e Norte da Itália de por volta de 100 mil combatentes, com 45 mil mortos (Bocca, 1966, pp. 297-302, 385-9, 569-70; Pavone, 1991, p. 413). Enquanto os italianos podiam deixar a memória de Mussolini para trás com a consciência limpa, os alemães, que tinham apoiado seu governo até o fim, não podiam colocar distância entre eles próprios e a era nazista de 1939-45. A resistência interna, uma minoria de militantes comunistas, conservadores militares prussianos e um punhado de dissidentes religiosos e liberais, estava morta ou saía de campos de concentração. Por outro lado, é evidente que o apoio ao fascismo ou a colaboração com o invasor afastou as pessoas envolvidas da vida pública por uma geração após 1945, embora a Guerra Fria contra o comunismo encontrasse bastante uso para essa gente no submundo ou *demimonde* das operações militares e de espionagem ocidentais.*

A segunda observação sobre a Resistência é que, por motivos óbvios — embora com a notável exceção da Polônia —, sua política pendia para a esquerda. Em cada país os fascistas, os radicais de direita, os conservadores, ricos locais e outros cujo principal terror era a revolução social, tendiam a simpatizar, ou pelo menos a não se opor aos alemães; o mesmo faziam vários movimentos regionalistas ou nacionalistas menores, eles próprios da direita ideológica, alguns dos quais na verdade esperavam tirar proveito de sua colaboração, notadamente o nacionalismo flamengo, eslovaco e croata. O mesmo, não se deve esquecer, fizeram os elementos profunda e intransigentemente anticomunistas na Igreja Católica e seus exércitos de religiosos convencionais, embora a política da Igreja fosse demasiado complexa para ser classificada simplesmente como "colaboracionista" em qualquer parte. Segue-se que os da direita política que escolheram a resistência eram inteiramente atípicos de seu eleitorado político. Winston Churchill e o general De Gaulle não foram membros típicos de suas famílias ideológicas, embora se deva dizer que, para muitos tradicionalistas viscerais de instintos militares, fosse impensável um patriotismo que não defendesse a pátria.

Isso explica, caso seja necessária alguma explicação especial, o extraordinário destaque dos comunistas nos movimentos de resistência e, conseqüentemente, seu espantoso avanço político durante a guerra. Os movimentos comunistas europeus atingiram o auge de sua influência em 1945-7 por esse motivo, exceto na Alemanha, onde não se recuperaram da brutal decapitação de 1933, e das heróicas e suicidas tentativas de resistência nos três anos seguintes. Mesmo em países distantes da revolução social, como Bélgica, Dinamarca e os Países Baixos, os partidos comunistas conquistaram entre 10 e 12% dos votos — um múltiplo do que conquistavam antes, formando o ter-

(*) A força armada secreta anticomunista conhecida, depois de revelada sua existência por um político italiano em 1990, como *Gladio* (espada), foi estabelecida em 1949 para continuar a resistência interna em vários países europeus após uma ocupação soviética, caso surgisse uma tal situação. Seus membros eram armados e pagos pelos EUA, treinados pela CIA e por forças secretas e especiais britânicas, e ocultava-se sua existência aos governos em cujos territórios elas operavam, com exceção de indivíduos escolhidos. Na Itália, e talvez em outras partes, constituíam-se originalmente de fascistas renitentes, deixados para trás como núcleos de resistência pelo Eixo derrotado, e que posteriormente ganharam novo valor como anticomunistas fanáticos. Na década de 1970, quando uma invasão pelo Exército Vermelho não mais parecia plausível nem mesmo para os operadores do serviço secreto americano, os "gladiadores" encontraram um novo campo de atividade como terroristas de direita, às vezes fazendo-se passar por terroristas de esquerda.

ceiro ou quarto bloco dos parlamentos de todos os países. Na França, surgiram como o maior partido nas eleições de 1945, maior, pela primeira vez, que seus antigos rivais socialistas. Na Itália, seu resultado foi ainda mais espantoso. Um bando pequeno, perseguido e notoriamente malsucedido de quadros ilegais antes da guerra — chegaram a ser ameaçados de dissolução pelo Comintern em 1938 — emergiu de dois anos de resistência como um partido de massa de 800 mil membros, logo (1946) alcançando quase 2 milhões. Nos países onde a guerra contra o Eixo fora travada essencialmente pela resistência armada interna — Iugoslávia, Albânia e Grécia — as forças dos *partisans* tinham sido dominadas pelos comunistas, tanto que o governo britânico sob Churchill, que não tinha a menor simpatia pelos comunistas, transferiu seu apoio e ajuda do monarquista Mihailovic para o comunista Tito, quando ficou claro que um era incomparavelmente mais perigoso para os alemães que o outro.

Os comunistas passaram à resistência não apenas porque a estrutura do "partido de vanguarda" de Lenin era projetada para produzir uma força de quadros disciplinados e desprendidos, cujo próprio objetivo era a ação eficiente, mas porque situações extremas, como ilegalidade, repressão e guerra, eram exatamente a que esses corpos de "revolucionários profissionais" se destinavam. Na verdade, "só eles tinham previsto a possibilidade de uma guerra de resistência" (Foot, 1976, p. 84). Nisso diferiam dos partidos socialistas de massa, que achavam quase impossível operar fora da legalidade — eleições, comícios e o resto — que definia e determinava suas atividades. Diante de um golpe fascista ou ocupação alemã, os partidos social-democratas tenderam a entrar em hibernação, da qual no melhor dos casos emergiram, como os alemães e austríacos, no fim da era negra com a maior parte de seus velhos seguidores, e dispostos a retomar a política. Embora não ausentes da Resistência, foram, por motivos estruturais, sub-representados. No caso extremo da Dinamarca, na verdade um governo social-democrata se achava no poder quando a Alemanha ocupou o país, *e permaneceu no poder* durante toda a guerra, embora presumivelmente sem simpatia pelos nazistas. (O partido levou alguns anos para se recuperar desse episódio.)

Duas outras características ajudaram os comunistas a destacar-se na Resistência: seu internacionalismo e a apaixonada, quase milenar convicção com que dedicavam suas vidas à causa (ver capítulo 2). O primeiro possibilitou-lhes mobilizar homens e mulheres mais abertos ao apelo antifascista do que a qualquer convocação patriótica, como por exemplo os refugiados da Guerra Civil Espanhola na França, que proporcionaram a maior parte da resistência armada *partisan* no Sudoeste daquele país — talvez 12 mil combatentes antes do Dia D (Pons Prades, 1975, p. 66) — e os outros refugiados e imigrantes da classe operária de dezessete países, que, sob o acrônimo MOI (*Main d'Œuvre Immigrée* [mão-de-obra imigrante]), fizeram alguns dos trabalhos mais perigosos de Paris, como o grupo Manouchian (armênios e judeus poloneses), que atacou oficiais alemães na capital francesa.* E a segunda gerou uma combinação de bravura, auto-sacrifício e brutalidade que impressionou até mesmo seus adversários, e que uma obra de maravilhosa honestidade, *Tempo de guerra*, do iugoslavo Milovan Djilas (Djilas, 1977), pinta de modo tão vívido. Os comunistas, na opinião de um historiador politicamente moderado, foram "dos mais bravos entre os bravos" (Foot, 1976, p. 86), e embora sua organização disciplinada lhes desse as melhores possibilidades de sobrevivência nas prisões e campos de concentração, suas perdas foram pesadas. As suspeitas sobre o PC francês, cuja liderança era antipatizada mesmo por comunistas, não podem negar inteiramente sua pretensão de ser *le parti des fusillés* [o partido dos fuzilados], que teve pelo menos 15 mil de seus militantes executados pelo inimigo (Touchard, 1977, p. 258). Não é de surpreender que tivessem um poderoso apelo para homens e mulheres corajosos, sobretudo jovens, e talvez principalmente em países onde o apoio de massa à resistência ativa fora escasso, como na França ou Tchecoslováquia. Também atraíam fortemente os intelectuais, o grupo mais prontamente mobilizado sob a bandeira do antifascismo, e que formava o núcleo das organizações de resistência não partidárias (mas genericamente esquerdistas). O caso de amor dos intelectuais franceses pelo marxismo, e o domínio da cultura italiana por pessoas ligadas ao Partido Comunista, que duraram ambos uma geração, foram produtos da Resistência. Quer tenham se lançado pessoalmente na Resistência, como o destacado editor do pós-guerra que observa com orgulho que *todos* os membros de sua empresa pegaram em armas como *partisans*, quer se tenham tornado simpatizantes comunistas porque eles próprios ou suas famílias *não* foram resistentes de fato — talvez tivessem estado até no outro lado —, todos os intelectuais sentiram a atração do Partido Comunista.

Com exceção das fortalezas de guerrilheiros nos Bálcãs, os comunistas não tentaram estabelecer regimes revolucionários em lugar nenhum. É verdade que não estavam em posição de fazer isso em parte alguma a Oeste de Trieste, mesmo que quisessem concorrer ao poder, mas também que a URSS, à qual seus partidos eram absolutamente leais, desencorajou vigorosamente tais investidas unilaterais ao poder. As revoluções comunistas de fato feitas (Iugoslávia, Albânia, depois China), o foram *contra* a opinião de Stalin. A opinião soviética era que, internacionalmente e em cada país, a política do pós-guerra devia continuar dentro do esquema da aliança antifascista abrangente, isto é, buscava uma coexistência, ou antes simbiose, a longo prazo, de sistemas capitalistas e comunistas, e maior mudança social e política, presumivelmente por transformações dentro do "novo tipo de democracia" que surgiria das coalizões do

(*) Um dos amigos do autor, que acabou se tornando subcomandante do MOI sob o tcheco Arthur London, era um judeu austríaco de origem polonesa, que tinha como tarefa na Resistência organizar a propaganda antinazista entre as tropas alemãs na França.

tempo da guerra. Esse roteiro otimista logo desapareceu na Guerra Fria, tão completamente que poucos se lembram que Stalin exortou os comunistas iugoslavos a manter a monarquia, ou que em 1945 os comunistas britânicos se opunham ao rompimento da coalizão de Churchill da época da guerra, ou seja, à campanha eleitoral que iria levar o Partido Trabalhista ao poder. No entanto, não há dúvida de que Stalin dizia tudo isso a sério, e tentou prová-lo dissolvendo o Comintern em 1943, e o Partido Comunista dos EUA em 1944.

A decisão de Stalin, expressa nas palavras de um líder comunista americano, "de que não levantaremos a questão do socialismo de forma e maneira a pôr em perigo ou enfraquecer [...] a unidade" (Browder, 1944, in Starobin, 1972, p. 57), deixava claras as suas intenções. Para fins práticos, como reconheceram os dissidentes comunistas, era um adeus permanente à revolução mundial. O socialismo se limitaria à URSS e à área destinada por negociação diplomática como sua zona de influência, isto é, basicamente a ocupada pelo Exército Vermelho no fim da guerra. Mesmo dentro dessa zona de influência, continuaria sendo mais uma perspectiva para o futuro do que um programa imediato para as novas "democracias populares". A história, que pouco se interessa pelas intenções políticas, seguiu outro rumo — exceto num aspecto. A divisão do globo, ou de uma grande parte dele, em duas zonas de influência, negociadas em 1944-5, permaneceu estável. Nenhum lado cruzou mais que momentaneamente a linha que os dividiu durante trinta anos. Ambos recuaram do confronto aberto, assegurando assim que as guerras frias mundiais jamais se tornassem quentes.

VI

O breve sonho de Stalin, de uma parceria americano-soviética no pós-guerra, não fortaleceu de fato a aliança global de capitalismo liberal e comunismo contra o fascismo. Em vez disso, demonstrou sua força e amplitude. É evidente que se tratava de uma aliança contra uma ameaça militar, e que nunca teria existido sem a série de agressões da Alemanha nazista, culminando com a invasão da URSS e a declaração de guerra aos EUA. Apesar disso, a própria natureza da guerra confirmou as intuições de 1936 sobre as implicações da Guerra Civil Espanhola: a identificação de mobilização militar e civil com mudanças sociais. No lado aliado — mais que no fascista — foi uma guerra de reformadores, em parte porque nem mesmo a mais confiante potência capitalista podia esperar vencer uma guerra longa sem abandonar os "negócios de sempre", em parte porque a própria Segunda Guerra Mundial dramatizou os fracassos dos anos entreguerras, dos quais a não-união contra os agressores era apenas um sintoma menor.

Que vitória e mudança social andavam juntas, está claro pelo que sabemos do desenrolar da opinião pública nos países beligerantes ou libertados onde havia liberdade para expressá-la, exceto, curiosamente, nos EUA, onde os anos depois de 1936 viram uma erosão marginal do voto presidencial democrata, e uma acentuada ressurreição dos republicanos: era um país dominado por suas preocupações internas e muito mais distante dos sacrifícios da guerra que qualquer outro. Onde houve eleições autênticas, elas mostraram uma nítida mudança para a esquerda. O caso mais impressionante foi o britânico, onde as eleições de 1945 derrotaram o universalmente amado e admirado senhor da guerra, Winston Churchill, e levaram ao poder o Partido Trabalhista com um aumento de 50% em sua votação. Nos cinco anos seguintes, ele iria presidir um período de reformas sociais sem precedentes. Os dois grandes partidos haviam se envolvido igualmente no esforço de guerra. O eleitorado escolheu aquele que prometia tanto vitória quanto transformação social. O fenômeno foi geral na Europa Ocidental guerreira, embora não se deva exagerar sua escala ou radicalismo, como tendeu a fazê-lo sua imagem pública, pela eliminação temporária da direita fascista ou colaboracionista.

A situação nas partes da Europa libertadas pela revolução guerrilheira ou pelo Exército Vermelho é mais difícil de julgar, ainda mais que o genocídio em massa, o grande deslocamento de população e a expulsão ou emigração forçada em massa tornaram impossível comparar antes e depois da guerra os países que mantiveram seus velhos nomes. Por toda essa área, o grosso dos habitantes dos países invadidos pelo Eixo se viu como vítima dele, com exceção dos politicamente divididos eslovacos e croatas, que ganharam Estados nominalmente independentes sob os auspícios alemães; a maioria das pessoas nos Estados aliados da Alemanha, Hungria e Romênia; e, claro, a grande diáspora alemã. Isso não queria dizer que simpatizassem com os movimentos de resistência de inspiração comunista — exceto talvez os judeus, perseguidos por todos os demais — e ainda menos (com exceção dos tradicionalmente russófilos eslavos dos Bálcãs) com a Rússia. Os poloneses eram, em sua grande maioria, antialemães e anti-russos, e também anti-semitas. Os pequenos povos bálticos, ocupados pela URSS em 1940, haviam sido anti-russos, anti-semitas e pró-alemães, enquanto tinham tido escolha em 1941-5. Nem comunistas, nem Resistência seriam encontrados na Romênia, e muito pouco na Hungria. Por outro lado, o comunismo e o sentimento pró-russo eram fortes na Bulgária, embora a Resistência fosse precária, e na Tchecoslováquia o PC, sempre um partido de massa, surgiu como o grande favorito em eleições verdadeiramente livres. Vitórias de guerrilha não são plebiscitos, mas há pouca dúvida de que a maioria dos iugoslavos acolheu o triunfo dos *partisans* de Tito, exceto a minoria alemã, os seguidores do regime Ustashi croata, dos quais os sérvios se vingaram com selvageria por massacres anteriores, e um cerne tradicionalista na Sérvia, onde o movimento de Tito, e conseqüentemente a guerra antialemã, jamais floresceram.* A Grécia permaneceu proverbialmente dividida, apesar da recusa de Stalin em ajudar os comunistas gregos e as forças pró-vermelhos contra os britânicos que apoiavam seus adversários. Só especialistas em estudos de famílias se dariam o trabalho de arriscar um palpite sobre os sentimentos políticos dos albaneses depois do triunfo dos comunistas. Contudo, em todos esses países iria começar uma era de maciça transformação social.

Muito curiosamente, a URSS foi (com os EUA) o único país beligerante a que a guerra não trouxe nenhuma mudança social e institucional significativa. Começou e terminou o conflito sob Yosif Stalin (ver capítulo 13). Contudo, está claro que a guerra impôs enormes tensões à estabilidade do sistema, sobretudo severamente reprimida na área rural. Não fosse a arraigada crença do nacional-socialismo de que os eslavos eram uma raça de escravos subumanos, os invasores alemães teriam podido conquistar apoio duradouro entre muitos povos soviéticos. Por outro lado, a verdadeira base da vitória soviética foi o patriotismo da nacionalidade majoritária da URSS, os grandes russos, sempre a elite do Exército Vermelho, a que o regime soviético apelou em seus momentos de crise. Na verdade, a Segunda Guerra Mundial se tornou oficialmente conhecida na URSS como "a Grande Guerra Patriótica", corretamente.

VII

Neste ponto, o historiador deve dar um grande salto para evitar cair na armadilha de uma análise puramente ocidental. Pois muito pouco do que foi escrito neste capítulo até agora se aplica à maior parte do globo. Não é totalmente irrelevante para o conflito entre o Japão e a Ásia Oriental continental, uma vez que o Japão, dominado pela política da direita ultranacionalista, era aliado da Alemanha nazista, e as principais forças de resistência na China eram as comunistas. Aplica-se em certa medida à América Latina, grande importadora de ideologias européias da moda, como fascismo ou comunismo, e sobretudo ao México, revivendo sua grande revolução na década de 1930 sob o presidente Lázaro Cardenas (1934-40) e apoiando apaixonadamente a República espanhola na Guerra Civil. Na verdade, depois da derrota o México continuou sendo o único Estado a reconhecer a República como o governo legítimo da Espanha. Contudo, para a maior parte da Ásia, África e o mundo islâmico, o fascismo, como ideologia ou como política de um Estado agressor, não era e jamais se tornou o principal e muito menos o único inimigo. Este era o "im-

(*) Contudo, os sérvios na Croácia e na Bósnia, assim como os montenegrinos (que proporcionaram 17% dos oficiais do exército *partisan*), eram fortemente pró-Tito, como o eram importantes setores dos croatas — povo do próprio Tito — e os eslovenos. A maior parte da luta se deu na Bósnia.

perialismo" ou "colonialismo", e as potências imperialistas eram, em sua maioria, as democracias liberais: Grã-Bretanha, França, os Países Baixos, Bélgica e os EUA. Além disso, todas as potências imperiais, com exceção do Japão, eram brancas.

Logicamente, os inimigos da potência imperial eram aliados em potencial na luta pela libertação colonial. Até mesmo o Japão, que, como sabiam os coreanos, taiuaneses, chineses e outros, tinha seu próprio tipo brutal de colonialismo, podia atrair a simpatia das forças anticoloniais do Sudeste Asiático e do Sul da Ásia como um defensor dos não-brancos contra os brancos. A luta antiimperial e a luta antifascista, portanto, tendiam a puxar para pólos opostos. O pacto de Stalin com os alemães em 1939, que perturbou a esquerda ocidental, permitiu aos comunistas da Índia e do Vietnã concentrar-se felizes na oposição aos britânicos e franceses; ao passo que a invasão alemã da URSS em 1941 os obrigou, como bons comunistas, a dar prioridade à derrota do Eixo, ou seja, pôr a libertação de seus próprios países bem mais abaixo na agenda. Isso era não só impopular, como estrategicamente sem sentido, numa época em que os impérios coloniais do Ocidente encontravam-se em seu período mais vulnerável, quando não de fato desmoronando. E, na verdade, os esquerdistas locais que não se sentiam presos pelos grilhões da lealdade ao Comintern aproveitaram a oportunidade. O Partido do Congresso lançou o movimento "Deixe a Índia" em 1942, enquanto o radical bengali Subhas Bose de Bengala recrutava um Exército de Libertação Indiana para os japoneses formado por prisioneiros de guerra do exército indiano feitos durante os avanços relâmpago iniciais. Militantes anticoloniais na Birmânia e na Indonésia encaravam a situação do mesmo jeito. A *reductio ad absurdum* dessa lógica anticolonialista foi a tentativa de um grupo marginal extremista judeu na Palestina de negociar com os *alemães* (via Damasco, então sob os franceses de Vichy) ajuda para libertar a Palestina dos britânicos, o que eles viam como a mais alta prioridade para o sionismo. (Um militante do grupo envolvido nessa missão acabou se tornando primeiro-ministro de Israel: Yitzhak Shamir.) Tais visões evidentemente não implicavam simpatia pelo fascismo, embora o anti-semitismo nazista pudesse atrair árabes palestinos em conflito com colonizadores sionistas, e alguns grupos no Sul da Ásia pudessem reconhecer-se nos arianos superiores da mitologia nazista. Mas eram casos especiais (ver capítulos 12 e 15).

O que exige explicação é por que, afinal, o antiimperialismo e os movimentos de libertação coloniais se inclinaram em sua maioria para a esquerda, e assim se viram, pelo menos no fim da guerra, convergindo com a mobilização antifascista global. O motivo fundamental é que a esquerda ocidental era o viveiro das teorias e políticas antiimperialistas, e o apoio aos movimentos de libertação colonial vinha em maior parte da esquerda internacional, e sobretudo (desde o Congresso Bolchevique dos Povos Orientais, em Baku, em 1922) do Comintern e da URSS. Além disso, os ativistas e futuros líderes dos movimentos de independência, que pertenciam principalmente às elites de seus países educadas no Ocidente, sentiam-se mais à vontade no ambiente não racista e anticolonial dos liberais, democratas, socialistas e comunistas locais do que em que qualquer outro, quando iam às suas metrópoles. Eram de qualquer modo quase todos modernizadores, aos quais os nostálgicos mitos medievalistas, a ideologia nazista e o exclusivismo racista de suas teorias lembravam exatamente aquelas tendências "comunalistas" e "tribalistas" que, na opinião deles, eram sintomas do atraso de seu país explorados pelo imperialismo.

Em suma, uma aliança com o Eixo, obedecendo ao princípio de que "os inimigos de meu inimigo são meus amigos", só podia ser tática. Mesmo no Sudeste Asiático, onde o domínio japonês era menos repressivo que o dos antigos colonialistas, e exercido por não-brancos contra não-brancos, só podia ser passageiro, uma vez que o Japão, além de seu racismo generalizado, não tinha interesse em libertar colônias como tal. (E de fato teve vida breve, porque o Japão foi logo derrotado.) O fascismo ou os nacionalismos do Eixo não exerciam nenhuma atração em particular. Por outro lado, um homem como Jawaharlal Nehru, que (ao contrário dos comunistas) não hesitou em lançar-se na rebelião do "Deixe a Índia" em 1942, ano da crise do império britânico, jamais deixou de acreditar que uma Índia livre ergueria uma sociedade socialista, e que a URSS seria uma aliada nesse esforço, talvez mesmo — com muitas reservas — um exemplo.

O fato de que os líderes e porta-vozes da libertação colonial eram, com muita freqüência, minorias atípicas da população que pretendiam emancipar na verdade tornava mais fácil a convergência com o antifascismo, pois o grosso das populações coloniais era movido, ou pelo menos mobilizável, por sentimentos e idéias sobre os quais (não fosse o seu compromisso com a superioridade racial) o fascismo poderia ter exercido alguma atração: tradicionalismo; exclusivismo religioso e étnico; desconfiança do mundo moderno. Na verdade, esses sentimentos não haviam ainda sido mobilizados de maneira substancial, ou, se haviam, ainda não tinham se tornado politicamente dominantes. A mobilização de massa islâmica desenvolveu-se muito vigorosamente no mundo muçulmano de 1918 a 1945. Assim, a Irmandade Muçulmana de Hassan al-Banna (1928), um movimento fundamentalista marcadamente hostil ao liberalismo e ao comunismo, tornou-se o principal porta-estandarte do descontentamento das massas egípcias na década de 1940, e suas afinidades potenciais com as ideologias do Eixo eram mais do que táticas, sobretudo em vista de sua hostilidade ao sionismo. Contudo, os movimentos políticos que de fato chegaram ao poder nos países islâmicos, às vezes levados pelas massas fundamentalistas, eram seculares e modernizantes. Os coronéis egípcios que iriam fazer a revolução de 1952 eram intelectuais emancipados que haviam estado em contato com os pequenos grupos comunistas egípcios cuja liderança, incidentalmente, era em grande parte judaica (Perrault, 1987). No subcontinente indiano, o Paquistão (produto das décadas de 1930 e 1940) fora corretamente descrito como "o programa de elites secularizadas obrigadas pela desunião [territorial] da população muçulmana e pela competição com as maiorias hindus a chamar sua sociedade de 'islâmica', em vez de nacionalmente separatista" (Lapidus, 1988, p. 738). Na Síria, a operação foi feita pelo Partido Baath, fundado na década de 1940 por dois professores primários educados em Paris que, com todo o seu misticismo árabe, eram ideologicamente antiimperialistas e socialistas. A Constituição da Síria não faz menção alguma ao islã. A política iraqueana (até a Guerra do Golfo de 1991) era determinada por várias combinações de oficiais nacionalistas, comunistas e baathistas, todos dedicados à unidade árabe e ao socialismo (pelo menos em teoria), mas claramente não à lei do Corão. Tanto por motivos políticos quanto porque o movimento revolucionário argelino tinha uma ampla base (especialmente entre o grande grupo de trabalhadores braçais emigrados para a França), houve um forte elemento islâmico presente na revolução argelina. Contudo, os revolucionários acertaram especificamente (em 1956) que "a sua era uma luta para destruir uma colonização anacrônica, mas não uma guerra de religião" (Lapidus, 1988, p. 693), e propuseram formar uma república social e democrática, que se tornou constitucionalmente uma república socialista unipartidária. Na verdade, o período de antifascismo é o único em que partidos comunistas de fato tiveram apoio e influência substanciais dentro de algumas partes do mundo islâmico, notadamente na Síria, Iraque e Irã. Só muito depois é que as vozes seculares e modernizantes de liderança política foram afogadas e silenciadas pela política de massa do redespertar fundamentalista (ver capítulos 12 e 15).

Apesar de seus conflitos de interesse, que iriam ressurgir após a guerra, o antifascismo dos países ocidentais desenvolvidos e o antiimperialismo de suas colônias viram-se convergindo para o que ambos encaravam como um futuro de transformação social no pós-guerra. A URSS e o comunismo local ajudaram a transpor o fosso, já que significavam antiimperialismo para os primeiros e compromisso total com a vitória para o outro. Contudo, ao contrário dos teatros de guerra da Europa, os teatros não europeus não trouxeram grandes triunfos políticos aos comunistas, a não ser nos casos especiais onde (como na Europa) o antifascismo coincidiu com a libertação nacional/social: na China e Coréia, onde os colonialistas eram os japoneses, e na Indochina (Vietnã, Camboja, Laos), onde os inimigos imediatos da liberdade continuaram sendo os franceses, cuja administração local se subordinara aos japoneses quando esses haviam tomado a região. Esses eram os países onde o comunismo estava destinado a triunfar na era do pós-guerra, sob Mao, Kim Il Sung e Ho Chi Minh. Em outras partes, os líderes dos Estados que iriam ser descolonizados vinham de movimentos em geral da esquerda, mas menos preocupados em 1941-5 em dar à derrota do Eixo prioridade sobre tudo o mais. Ainda assim, mesmo esses não podiam deixar de ver com algum otimismo a situação do mundo após a derrota do Eixo. As duas superpotências não eram amigas do velho colonialismo, pelo menos no papel. Um conhecido partido anticolonialista chegara ao poder no coração do maior dos impérios. A força e legitimidade do velho colonialismo haviam sido seriamente solapadas. As possibilidades de liberdade pareciam melhores do que jamais antes. Isso se revelou verdade, mas não sem algumas brutais ações reacionárias dos velhos impérios.

VIII

Assim, a derrota do Eixo — mais precisamente da Alemanha e Japão — deixou pouca saudade, a não ser na Alemanha e no Japão, cujos povos tinham lutado, com obstinada lealdade e formidável eficiência, até o último dia. No fim, o fascismo não tinha mobilizado nada além de seus países originais, a não ser um punhado de minorias ideológicas da direita radical, a maioria das quais teria sido marginalizada em seus próprios países, uns poucos grupos nacionalistas que esperavam atingir seus objetivos com uma aliança germânica, e um monte de refugos do fluir e refluir da guerra e conquista, recrutados para a bárbara soldadesca auxiliar da ocupação nazista. Os japoneses não mobilizaram nada além de uma simpatia temporária pela pele amarela, em vez da branca. O grande atrativo do fascismo europeu, que fornecia proteção contra os movimentos da classe trabalhadora, o socialismo, o comunismo e o quartel-general do demônio ateu em Moscou que os inspirava a todos, tinha conquistado apoio considerável entre os conservadores ricos, embora o apoio do grande capital fosse sempre mais pragmático que de princípios. Não era uma atração que sobrevivesse ao fracasso e à derrota. De qualquer modo, o efeito líquido de doze anos de nacional-socialismo foi que grande parte da Europa estava agora à mercê dos bolcheviques.

Assim, o fascismo dissolveu-se como um torrão de terra lançado num rio, e praticamente desapareceu do cenário político de vez a não ser na Itália, onde um modesto movimento neofascista (o Movimento Sociale Italiano), homenageando Mussolini, tem uma presença permanente na política italiana. Isso não se deveu apenas à exclusão da política de pessoas antes destacadas em regimes fascistas, embora não dos serviços do Estado e da vida pública, e menos ainda da vida econômica. Não se deveu tampouco ao trauma dos bons alemães (e, de um modo diferente, dos japoneses leais) cujo mundo desabou no caos físico e moral de 1945, e para os quais a simples fidelidade a suas velhas crenças tornou-se contraproducente. Atrapalhou sua adaptação a uma vida nova e inicialmente incompreensível, sob as potências ocupantes, que lhes impuseram suas instituições e costumes: que determinaram os caminhos por onde teriam necessariamente de seguir dali em diante. O nacional-socialismo nada tinha a oferecer à Alemanha pós-1945, a não ser lembranças amargas. É típico que numa parte marcadamente nacional-socialista da Alemanha de Hitler, a Áustria (que, por uma manobra de diplomacia internacional, se viu classificada mais entre os inocentes do que entre os culpados), a política do pós-guerra logo voltasse exatamente ao que fora antes da abolição da democracia em 1933, a não ser por uma ligeira virada para a esquerda (ver Flora, 1983, p. 99). O fascismo desapareceu com a crise mundial que lhe permitira surgir. Jamais fora, mesmo em teoria, um programa ou projeto político universal.

Por outro lado, o antifascismo, por mais heterogêneo e transitório que fosse sua mobilização, conseguiu unir uma extraordinária gama de forças. E o que é mais, essa unidade não foi negativa, mas positiva, e em certos aspectos duradoura. Ideologicamente, baseava-se nos valores e aspirações partilhados do Iluminismo e da Era das Revoluções: progresso pela aplicação da razão e da ciência; educação e governo popular; nenhuma desigualdade baseada em nascimento ou origem; sociedades voltadas mais para o futuro que para o passado. Algumas dessas semelhanças existiam apenas no papel, embora não seja inteiramente sem importância o fato de entidades políticas distantes da democracia ocidental, e na verdade de qualquer democracia, como Etiópia de Mengistu, a Somália antes da queda de Siad Bare, a Coréia do Norte de Kim Il Sung, a Argélia e a Alemanha Oriental preferirem atribuir-se o título oficial de República Democrática do Povo (ou Popular). É um título que regimes fascistas, autoritários e mesmo conservadores tradicionais teriam rejeitado com desprezo no entreguerras.

Em outros aspectos, as aspirações comuns não eram tão distantes da realidade comum. O capitalismo constitucional ocidental, os sistemas comunistas e o Terceiro Mundo estavam igualmente comprometidos com iguais direitos para todas as raças e ambos os sexos, mas não de uma forma que distinguisse sistematicamente um grupo de outro, ou seja, todos ficavam aquém do objetivo comum.* Eram todos Estados seculares. Mais precisamente, após 1945 eram quase todos Estados que, deliberada e ativamente, rejeitaram a supremacia do mercado e acreditaram na administração e planejamento da economia pelo Estado. Por mais difícil que seja lembrar, na era da teologia do neoliberalismo econômico, como entre o início da década de 1940 e a de 1970 os mais prestigiosos e até então influentes defensores da completa liberdade de mercado, como por exemplo Friedrich von Hayek, viram-se e a seus semelhantes como profetas no deserto, advertindo em vão um capitalismo ocidental que não lhes dava ouvidos, de que estava trilhando a "Estrada da Servidão" (Hayek, 1944). Na verdade, avançava para uma era de milagres econômicos (ver capítulo 9). Os governos capitalistas estavam convencidos de que só o intervencionismo econômico podia impedir um retorno às catástrofes econô-

(*) Notadamente, todos esqueceram o importante papel desempenhado pelas mulheres na guerra, na Resistência e na libertação.

micas do entreguerras e evitar os perigos políticos de pessoas radicalizadas a ponto de preferirem o comunismo, como antes tinham preferido Hitler. Países do Terceiro Mundo acreditavam que só a ação pública podia tirar suas economias do atraso e dependência. No mundo descolonizado, seguindo a inspiração da União Soviética, a estrada para o futuro parecia ser a do socialismo. A União Soviética e sua nova e extensa família acreditavam apenas no planejamento central. Todas as três regiões do mundo avançaram no pós-guerra com a convicção de que a vitória sobre o Eixo, conseguida através da mobilização política e de políticas revolucionárias, além de sangue e ferro, abria uma nova era de transformação social.

Em certo sentido, tinham razão. Jamais a face do globo e a vida humana foram tão dramaticamente transformadas quanto na era que começou sob as nuvens em cogumelo de Hiroxima e Nagasaki. Mas como sempre a história tomou apenas consciência marginal das intenções humanas, mesmo as dos formuladores de decisões nacionais. A verdadeira transformação social não foi pretendida nem planejada. E de qualquer modo, a primeira contingência que se teve de enfrentar foi o imediato colapso da grande aliança antifascista. Assim que não mais houve um fascismo para uni-los contra si, capitalismo e comunismo mais uma vez se prepararam para enfrentar um ao outro como inimigos mortais.

6
AS ARTES 1914-45

A Paris dos surrealistas é também um pequeno "universo" [...] *No maior, o cosmo, as coisas não parecem diferentes. Também ali há encruzilhadas onde sinais espectrais lampejam no trânsito, e inconcebíveis analogias e ligações entre fatos são a ordem do dia. É a região da qual se comunica a lírica poesia do surrealismo.*

Walter Benjamin, "Surrealismo", in *Rua de mão única* (1979, p. 231)

A nova arquitetura parece fazer pouco progresso nos EUA [...] *Os defensores do novo estilo estão muito ansiosos, e alguns falam no estridente estilo pedagógico dos crentes no Imposto Único* [...] *mas, a não ser no nível dos projetos de fábricas, parecem não estar fazendo muitos seguidores.*

H. L. Mencken, 1931

I

O motivo pelo qual brilhantes desenhistas de moda, uma raça notoriamente não analítica, às vezes conseguem prever as formas dos acontecimentos futuros melhor que os profetas profissionais é uma das mais obscuras questões da história; e, para o historiador da cultura, uma das mais fundamentais. É sem dúvida fundamental para quem queira entender o impacto da era dos cataclismos no mundo da alta cultura, das artes da elite, e sobretudo na vanguarda. Pois aceita-se geralmente que essas artes previram o colapso da sociedade liberal-burguesa com vários anos de antecedência (ver *A era dos impérios*). Em 1914, praticamente tudo que se pode chamar pelo amplo e meio indefinido termo de "modernismo" já se achava a postos: cubismo; expressionismo; abstracionismo puro na pintura; funcionalismo e ausência de ornamentos na arquitetura; o abandono da tonalidade na música; o rompimento com a tradição na literatura.

Um grande número de nomes que iria constar da lista de "modernistas" eminentes da maioria das pessoas já se encontravam maduros, produtivos ou mesmo famosos em 1914.* Até mesmo T. S. Eliot, cuja poesia só foi publicada de 1917 em diante, já fazia parte do cenário vanguardista de Londres [como colaborador (com Pound) de *Blast*, de Wyndham Lewis]. Esses filhos da — no mais tardar — década de 1880 continuavam sendo ícones da modernidade quarenta anos depois. O fato de que vários homens e mulheres que só começaram a surgir após a guerra também chegassem às listas de eminentes "modernistas" da alta cultura surpreende menos que o domínio da geração mais velha.** (Assim, mesmo os sucessores de Schönberg — Alban Berg e Anton Webern — pertencem à geração de 1880.)

Na verdade, as únicas inovações formais depois de 1914 no mundo da vanguarda "estabelecida" parecem ter sido duas: o *dadaísmo*, que se transformou ou antecipou o *surrealismo* na metade ocidental da Europa, e o construtivismo soviético na oriental. O *construtivismo*, uma excursão por esqueléticas construções tridimensionais e de preferência móveis, que têm seu análogo mais próximo em algumas estruturas de parque de diversão (rodas gigantes, carecas enormes etc.), foi logo absorvido pelo estilo dominante da arquitetura e do desenho industrial, em grande parte por meio da Bauhaus (da qual falaremos mais à frente). Seus mais ambiciosos projetos, como a famosa torre inclinada giratória de Tatlin, em homenagem à Internacional Comunista, jamais chegaram a ser construídos, ou então tiveram vidas evanescentes como decoração dos primeiros rituais públicos soviéticos. Apesar de novo, o construtivismo pouco mais fez do que ampliar o repertório do modernismo arquitetônico.

O *dadaísmo* tomou forma no meio de um grupo misto de exilados em Zurique (onde outro grupo de exilados, sob Lenin, aguardava a revolução), em 1916, como um angustiado mas irônico protesto niilista contra a guerra mundial e a sociedade que a incubara, inclusive contra sua arte. Como rejeitava toda arte, não tinha características formais, embora tomasse emprestados alguns truques das vanguardas cubista e futurista pré-1914, entre eles a colagem, ou montagem de pedaços de imagens, inclusive de fotos. Basicamente, qualquer coisa que pudesse causar apoplexia entre os amantes de arte burguesa convencional era dadaísmo aceitável. O escândalo era seu princípio de coesão. Assim, a exposição por Marcel Duchamp (1887-1968) de um vaso de mictório público como "arte instantânea" em Nova York, em 1917, encaixava-se perfeitamente no espírito do dadaísmo, a que ele se juntou ao voltar dos EUA; mas sua discreta recusa posterior a ter qualquer relação com a arte — preferia jogar xadrez — não. Pois nada havia de discreto no dadaísmo.

(*) Matisse e Picasso; Schönberg e Stravinsky; Gropius e Mies van der Rohe; Proust, James Joyce, Thomas Mann e Franz Kafka; Yeats, Ezra Pound, Alexander Blok e Anna Akhmatova.

(**) Entre outros, Isaac Babel (1894); Le Corbusier (1897); Ernest Hemingway (1899); Bertolt Brecht, Garcia Lorca e Hamus Eisler (todos nascidos em 1898); Kurt Weill (1900); Jean-Paul Sartre (1905); e W. H. Auden (1907).

O *surrealismo*, embora igualmente dedicado à rejeição da arte como era até então conhecida, igualmente dado a escândalos públicos e (como veremos) ainda mais atraído pela revolução social, era mais que um protesto negativo; como seria de esperar de um movimento centrado principalmente na França, um país onde toda moda exige uma teoria. Na verdade, podemos dizer que, enquanto o dadaísmo naufragava no início da década de 1920 com a era de guerra e revolução que lhe dera origem, o surrealismo saía dela com o que se tem chamado de "uma súplica pela ressurreição da imaginação, baseada no Inconsciente revelado pela psicanálise, os símbolos e sonhos" (Willett, 1978).

Sob certos aspectos, foi uma ressurreição, em trajes do século XX (ver *A era das revoluções*, capítulo 14), porém com mais senso de absurdo e diversão. Ao contrário das vanguardas "modernistas" dominantes, mas como o dadaísmo, o surrealismo não se interessava pela inovação formal como tal: se o Inconsciente se expressava num fluxo aleatório de palavras ("escrita automática"), ou no meticuloso estilo acadêmico século XIX em que Salvador Dalí (1904-89) pintava seus deliqüescentes relógios em paisagens desertas, pouco importava. O que contava era reconhecer a capacidade da imaginação espontânea, não mediada por sistemas de controle racional, para extrair coesão do incoerente, e uma lógica aparentemente necessária do visivelmente ilógico ou mesmo impossível. O *Castelo nos Pireneus*, de René Margritte (1898-1967), cuidadosamente pintado à maneira de um postal, sai do topo de uma rocha imensa, como se houvesse brotado ali. Só que a rocha, como um ovo gigante, está flutuando no céu acima do mar, pintados com igual cuidado realista.

O surrealismo foi uma contribuição autêntica ao repertório das artes de vanguarda e sua novidade foi atestada por sua capacidade de causar impacto, incompreensão ou, o que era a mesma coisa, de provocar um riso às vezes embaraçado, mesmo entre os membros da vanguarda mais antiga. Essa foi a minha própria reação, admitidamente juvenil, à Exposição Surrealista Internacional de 1936 em Londres, e depois a um amigo pintor surrealista em Paris, cuja insistência em produzir o exato equivalente em óleo de uma foto de entranhas humanas achei difícil de entender. Apesar disso, em retrospecto, deve ser visto como um movimento admiravelmente fértil, sobretudo na França e em países como os hispânicos, onde a influência francesa era forte. Influenciou poetas de primeira categoria na França (Éluard, Aragón); Espanha (Garcia Lorca); Europa Oriental e América Latina (César Vallejo no Peru, Pablo Neruda no Chile); e na verdade parte dele ainda ecoa na literatura de "realismo mágico" daquele continente muito tempo depois. Suas imagens e visões — Max Ernst (1891-1976), Magritte, Joan Miró (1893-1983) e sim, mesmo Salvador Dalí — tornaram-se parte das nossas. E, ao contrário da maioria das vanguardas ocidentais anteriores, de fato fertilizou a principal arte do século XX, a da câmera. Não por acaso o cinema tem dívidas com o surrealismo não apenas de Luis Buñuel (1900-83), mas também do principal roteirista do cinema francês nessa era, Jacques Prévert (1900-77), enquanto o fotojornalismo tem dívidas com o surrealismo de Henri Cartier-Bresson (1908-).

No entanto, somando-se tudo, estas foram ampliações da revolução da vanguarda nas grandes artes, que já se dera antes que o mundo cujo colapso ela expressava se fizesse de fato em pedaços. Três coisas se podem observar sobre essa revolução na era dos cataclismos: a vanguarda se tornou, por assim dizer, parte da cultura estabelecida; foi pelo menos em parte absorvida pela vida cotidiana; e — talvez acima de tudo — tornou-se dramaticamente politizada, talvez mais que as grandes artes em qualquer período desde a Era das Revoluções. E, no entanto, jamais devemos esquecer que, durante todo esse período, continuou isolada dos gostos e preocupações das massas do próprio público ocidental, embora agora o invadisse mais do que esse público em geral admitia. A não ser por uma minoria um tanto maior que antes de 1914, não era do que a maioria das pessoas real e conscientemente gostavam.

Dizer que a nova vanguarda se tornou fundamental para as artes estabelecidas não é afirmar que tomou o lugar do clássico e da moda, mas que complementou os dois, e se tornou a prova de um sério interesse por assuntos culturais. O repertório operístico internacional continuou sendo essencialmente o que era na Era dos Impérios, tendo compositores nascidos no início da década de 1860 (Richard Strauss, Mascagni), ou mesmo antes (Puccini, Leoncavallo, Janacek), como os extremos limites da "modernidade", como, em termos gerais, ainda continuam.*

Contudo, o parceiro tradicional da ópera, o balé, foi transformado num considerável veículo de vanguarda pelo grande empresário russo Sergei Diaghilev (1872-1929), sobretudo durante a Primeira Guerra Mundial. Após sua montagem de 1917, em Paris, de *Parade* (desenhos de Picasso, música de Satie, libreto de Jean Cocteau, notas do programa de Guillaume Apollinaire), cenários de gente como os cubistas George Braque (1882-1963) e Joan Gris (1887-1927); música composta ou reescrita por Stravinsky, De Falla, Milhaud e Poulenc tornaram-se *de rigueur*, enquanto os estilos de dança e coreografia eram modernizados de acordo. Antes de 1914, pelo menos na Grã-Bretanha, a Exposição Pós-Impressionista fora vaiada por um público filistino, enquanto Stravinsky causava escândalo aonde quer que fosse, como causou o Armory Show em Nova York e em outras partes. Após a guerra, os filistinos calaram-se diante das provocativas exposições do "modernismo", das deliberadas declarações de independência do desacreditado mundo do pré-guerra, manifestos de revolução cultural. E, através do balé modernista, explorando sua combinação única de apelo esnobe, magnetismo da voga (mais a nova *Vogue*)

(*) É significativo o fato de que, com relativamente raras exceções — Alban Berg, Benjamin Britten — as grandes criações para o palco musical após 1918 — por exemplo *A ópera dos três vinténs*, *Mahagonny*, *Porgy and Bess* — não tenham sido escritas para teatros de ópera oficiais.

e *status* artístico de elite, a vanguarda irrompeu de sua paliçada. Graças a Diaghilev, escreveu uma figura típica do jornalismo cultural britânico da década de 1920, "a multidão apreciou positivamente os cenários dos melhores e mais ridicularizados pintores vivos. Ele nos deu Música Moderna sem lágrimas e Pintura Moderna sem risos" (Mortimer, 1925).

O balé de Diaghilev não era simplesmente um veículo para a difusão das artes de vanguarda, que, de qualquer modo, variavam de um país para outro. Nem, na verdade, foi a mesma vanguarda difundida por todo o mundo ocidental, pois, apesar da continuada hegemonia de Paris sobre grandes regiões de elite cultural, reforçada depois de 1918 pelo afluxo de expatriados americanos (a geração de Hemingway e Scott Fitzgerald), não mais havia na verdade uma alta cultura unificada no Velho Mundo. Na Europa, Paris competia com o Eixo Moscou—Berlim, até que o triunfo de Stalin e Hitler silenciou ou dispersou as vanguardas russa e alemã. Os fragmentos dos antigos impérios habsburgo e otomano seguiram seu próprio caminho em literatura, isolados por línguas que ninguém tentava séria ou sistematicamente traduzir até a era da diáspora antifascista na década de 1930. O extraordinário florescimento da poesia em língua espanhola dos dois lados do Atlântico não teve impacto quase nenhum até que a Guerra Civil Espanhola de 1936-9 a revelasse. Mesmo as artes menos prejudicadas pela torre de Babel, as de imagem e som, eram menos internacionais do que se poderia supor, como mostra uma comparação da posição relativa de, digamos, Hindemith dentro e fora da Alemanha, ou de Poulenc dentro e fora da França. Os cultos amantes de arte ingleses, inteiramente familiarizados mesmo com os membros conhecidos da École de Paris do entreguerras, talvez sequer tivessem ouvido falar dos nomes de pintores expressionistas alemães importantes como Nolde e Franz Marc.

Só havia na verdade duas artes de vanguarda que todos os porta-vozes da novidade artística, em todos os países, podiam com certeza admirar, e as duas vinham mais do Novo que do Velho Mundo: o cinema e o *jazz*. O cinema foi cooptado pela vanguarda durante algum tempo durante a Primeira Guerra Mundial, depois de inexplicavelmente ignorado por ela (ver *A era dos impérios*). Não apenas se tornou essencial admirar essa arte, e notadamente sua maior personalidade, Charles Chaplin (a quem poucos poetas modernos de respeito deixaram de dedicar uma composição), como também os próprios artistas de vanguarda se lançaram na realização cinematográfica, mais especialmente na Alemanha de Weimar e na Rússia soviética, onde na verdade dominaram a produção. O cânone de "filmes de arte" que se esperava que os fãs intelectuais admirassem em pequenos templos de cinema especializados durante a era dos cataclismos, de um lado a outro do globo, consistia essencialmente de criações da vanguarda como: *Encouraçado Potemkim*, de Sergei Eisenstein (1898-1948), de 1925, em geral considerado como a obra-prima de todos os tempos. A seqüência da escadaria de Odessa nessa obra, que quem tenha visto — como eu vi num cinema de vanguarda de Charing Cross, na década de 1930 — jamais esquece, foi descrita como "a seqüência clássica do cinema mudo, e possivelmente os mais influentes seis minutos da história do cinema" (Manvell, 1944, pp. 47-8).

De meados da década de 1930 em diante, os intelectuais favoreceram o cinema francês populista de René Clair; Jean Renoir (não atipicamente, filho do pintor); Marcel Carné; o ex-surrealista Prévert; e Auric, ex-membro do cartel musical de vanguarda *Les Six*. Estes, como críticos não intelectuais gostavam de observar, eram menos agradáveis, embora sem dúvida mais artisticamente refinados que o grosso daquilo que centenas de milhões (incluindo os intelectuais) viam toda semana em palácios do cinema cada vez mais gigantescos e luxuosos, ou seja, a produção de Hollywood. Do outro lado, os *showmen* realistas de Hollywood foram quase tão rápidos quanto Diaghilev em perceber a contribuição da vanguarda ao lucro. "Tio" Carl Laemmle, o chefão da Universal Studios, talvez o menos intelectualmente ambicioso dos mandachuvas de Hollywood, cuidava de abastecer-se com os mais recentes homens e idéias nas visitas anuais à sua Alemanha natal, com o resultado de que o produto característico de seus estúdios, o filme de horror (Frankenstein, Drácula etc.), era às vezes uma cópia bastante próxima de modelos expressionistas alemães. O fluxo de diretores da Europa Central, como Lang, Lubitsch e Wilder, para o outro lado do Atlântico — e praticamente todos eles eram vistos como intelectuais em suas terras nativas — iria ter impacto considerável sobre a própria Hollywood, para não falar de técnicos como Karl Freund (1890-1969) ou Eugen Schufftan (1893-1977). Contudo, o caminho do cinema e das artes populares será examinado mais adiante.

O "*jazz*" da "Era do Jazz", ou seja, uma espécie de combinação de negros americanos, *dance music* rítmica sincopada e uma instrumentação não convencional pelos padrões tradicionais, quase certamente despertou aprovação universal entre a vanguarda, menos por seus próprios méritos que como mais um símbolo de modernidade, da era da máquina, um rompimento com o passado — em suma, outro manifesto de revolução cultural. A equipe da Bauhaus se fez fotografar com um saxofone. A paixão autêntica pelo tipo de *jazz* hoje reconhecido como a grande contribuição dos EUA à música do século XX continuou sendo rara entre intelectuais estabelecidos, de vanguarda ou não, até a segunda metade do século. Os que a cultivaram, como eu depois da visita de Duke Ellington a Londres em 1933, eram uma pequena minoria.

Qualquer que fosse a linhagem local de modernismo, entre as guerras ele se tornou o emblema dos que queriam provar que eram cultos e atualizados. Se se gostava ou não, ou mesmo se se tinha ou não lido, visto ou ouvido obras dos nomes aprovados e reconhecidos — por exemplo pelos alunos de literatura inglesa da primeira metade da década de 1930, T. S. Eliot, Ezra Pound, James Joyce e D. H. Lawrence —, era inconcebível não falar deles com conhecimento. E o que é talvez mais interessante: a vanguarda intelectual de cada país reescreveu ou revalorizou o passado para encaixá-lo nas exigências contemporâneas. Os ingleses receberam firmes instruções de esquecer Milton e Tennyson, mas admirar John Donne. O mais influente crítico britânico da época, F. R. Leavis, de Cambridge, chegou mesmo a idealizar um cânone, ou "grande tradição", de romances ingleses que era o exato oposto de uma verdadeira tradição, pois omitia da sucessão histórica qualquer coisa de que o crítico não gostasse, como tudo de Dickens, com exceção de um romance até então tido como uma das obras menores do mestre, *Hard times*.*

Para os amantes da pintura espanhola, Murilo agora estava fora de moda, mas a admiração por El Greco era obrigatória. Acima de tudo, porém, qualquer coisa relacionada com a Era do Capital e a Era dos Impérios (fora sua arte de vanguarda) era não apenas rejeitada: tornou-se praticamente invisível. Isso foi demonstrado não só pela queda vertical dos preços da pintura acadêmica do século XIX (e a correspondente, mas ainda modesta, ascensão dos impressionistas e modernistas posteriores): continuaram quase invendáveis até a década de 1960. As próprias tentativas de reconhecer algum mérito na construção vitoriana tinham em si um ar de deliberada provocação ao *verdadeiro* bom gosto, associada a reacionários de mau gosto. Este autor, criado entre os grandes monumentos arquitetônicos da burguesia liberal que cercam a velha "cidade interna" de Viena, ficou sabendo, por uma espécie de osmose cultural, que eles deviam ser encarados como inautênticos ou pomposos, ou as duas coisas juntas. Tais prédios só foram de fato destruídos *en masse* nas décadas de 1950 e 1960, as mais desastrosas na arquitetura moderna, motivo pelo qual uma Sociedade Vitoriana para proteção de prédios do período 1840-1914 só foi estabelecida na Grã-Bretanha em 1958 (mais de vinte anos depois de um Grupo Georgiano, para proteger a menos proscrita herança do século XVIII).

O impacto da vanguarda no cinema comercial já sugere que o "modernismo" começava a deixar sua marca na vida diária. Fez isso obliquamente, com produções que o grande público não considerava "arte", e conseqüentemente não tinham de ser julgadas por um critério de valor estético *a priori*: primeiramente na publicidade, no desenho industrial, na arte gráfica comercial e em objetos genuínos. Assim, entre os defensores da modernidade, a famosa cadeira tubular de Marcel Breuer (1925-9) trazia uma enorme carga ideológica e estética (Giedion, 1948, pp. 488-95). Contudo, iria abrir caminho para o mundo moderno não como um manifesto, e sim como a modesta mas universalmente útil cadeira móvel empilhável. Porém não pode haver dúvida alguma de que, menos de vinte anos depois da eclosão da Primeira Guerra Mundial, a vida metropolitana de todo o mundo ocidental encontrava-se claramente mar-

(*) Para ser justo, o dr. Leavis acabou, embora um pouco relutantemente, encontrando palavras mais adequadas de apreciação para esse grande escritor.

cada pelo modernismo, mesmo em países como os EUA e a Grã-Bretanha, que pareciam não receptivos a ele na década de 1920. A aerodinâmica, que varreu o *design* americano de produtos adequados e inadequados a ela a partir do início da década de 1930, ecoava o futurismo italiano. O estilo *art déco* (derivado da Exposição de Artes Decorativas de Paris, de 1925) domesticou a angularidade e abstração modernistas. A revolução moderna do livro em brochura na década de 1930 (Penguin Books) abria caminho para a tipografia de vanguarda de Jan Tschichold (1902-74). O ataque frontal do modernismo ainda era desviado. Só depois da Segunda Guerra Mundial o chamado Estilo Internacional de arquitetura modernista transformou o cenário urbano, embora seus principais propagandistas e praticantes — Gropius, Le Corbusier, Mies van der Rohe, Frank Lloyd Wright etc. — estivessem em atividade há muito tempo. Com algumas exceções, o grosso dos prédios públicos, inclusive de projetos habitacionais de municipalidades da esquerda, que se poderia esperar simpatizassem com a nova arquitetura de preocupações sociais, mostravam pouco sinal de sua influência, a não ser uma aparente antipatia pelo enfeite. A maior parte da maciça reconstrução da "Viena Vermelha" operária na década de 1920 foi feita por arquitetos que mal figuram, caso figurem, na maioria das histórias da arquitetura. Mas os equipamentos menores da vida diária foram rapidamente remodelados pela modernidade.

Devemos deixar que o historiador de arte decida até onde isso se deveu à herança dos movimentos de artes e ofícios e da *art nouveau*, em que a arte de vanguarda se empenhara para uso diário; até onde veio dos construtivistas russos, alguns dos quais decidiram deliberadamente revolucionar o desenho de produção de massa; até onde veio da adequação do purismo modernista à moderna tecnologia doméstica (por exemplo, o *design* de cozinha). Permanece o fato de que um estabelecimento de vida curta, que começou principalmente como centro de vanguarda política e artística, veio a dar o tom na arquitetura e nas artes aplicadas de duas gerações. Foi a Bauhaus, ou a escola de arte e desenho de Weimar e depois Dessau na Alemanha Central (1919-33), cuja existência coincidiu com a República de Weimar — acabou dissolvida pelos nacional-socialistas pouco depois de Hitler tomar o poder. A lista de nomes de uma forma ou de outra associados à Bauhaus parece um *Who's Who* das artes avançadas entre o Reno e os Urais: Gropius e Mies van der Rohe; Lyonel Feininger, Paul Klee e Wassily Kandinsky; Malevich, El Lissitzky, Moholy-Nager etc. Sua influência se baseava não só nesses talentos, mas — a partir de 1921 — num deliberado afastamento da velha tradição de artes e ofícios e belas artes (de vanguarda) em direção a *designs* de uso prático e produção industrial: carrocerias de carros (de Gropius), poltronas de aviões, arte gráfica publicitária (uma paixão do construtivista russo El Lissitzky), além do desenho das cédulas de 1 e 2 milhões de marcos durante a grande hiperinflação alemã de 1923.

A Bauhaus — como mostram seus problemas com políticos hostis a ela — foi considerada profundamente subversiva. E na verdade algum tipo de compromisso político domina as artes "sérias" na Era da Catástrofe. Na década de 1930, chegou até a Grã-Bretanha, ainda um porto seguro de estabilidade social e política em meio à revolução européia, e aos EUA, distantes da guerra mas não da Grande Depressão. Esse compromisso político não era de modo algum apenas da esquerda, embora os amantes radicais de arte achassem difícil, sobretudo quando jovens, aceitar que gênio criador e opiniões progressistas não andassem juntos. Contudo, especialmente na literatura, opiniões profundamente reacionárias, às vezes traduzidas em práticas fascistas, eram bastante comuns na Europa Ocidental. Os poetas T. S. Eliot e Ezra Pound na Grã-Bretanha e no exílio; William Butler Yeats (1865-1939) na Irlanda; o romancista Knut Hamsun (1859-1952) na Noruega, um apaixonado colaborador dos nazistas; D. H. Lawrence na Grã-Bretanha e Louis Ferdinand Céline na França (1884-1961) são exemplos óbvios. Os brilhantes talentos dos emigrados russos não podem, claro, ser automaticamente classificados como "reacionários", embora alguns deles o fossem, ou assim se tornassem; pois a recusa a aceitar o bolchevismo unia emigrados de opiniões políticas largamente diferentes.

Apesar disso, provavelmente seria seguro dizer que no ambiente da guerra mundial e da Revolução de Outubro, e mais ainda na era de antifascismo das décadas de 1930 e 1940, foi a esquerda, muitas vezes a esquerda revolucionária, que basicamente atraiu a vanguarda. Na verdade, guerra e revolução politizaram vários movimentos de vanguarda não políticos antes da guerra na França e na Rússia. (A maior parte da vanguarda russa, porém, não mostrou qualquer entusiasmo inicial pelo movimento de Outubro.) Como a influência de Lenin trouxe o marxismo de volta ao mundo ocidental, também assegurou a conversão das vanguardas ao que os nacional-socialistas, não incorretamente, chamavam de "bolchevismo cultural" (*Kulturbolschewismus*). O dadaísmo era a favor da revolução. Seu sucessor, o surrealismo, só tinha problemas para decidir que tipo de revolução, a maioria da seita preferindo Trotski a Stalin. O Eixo Moscou—Berlim, que influenciou tão grande parte da cultura, baseava-se em simpatias comuns. Mies van der Rohe construiu um monumento aos líderes espartaquistas assassinados Karl Liebknecht e Rosa Luxemburgo para o Partido Comunista alemão. Gropius, Bruno Taut (1880-1938), Le Corbusier, Hannes Mayer e toda a "Brigada Bauhaus" aceitaram encomendas soviéticas — verdade que numa época em que a Grande Depressão tornava a URSS não apenas ideológica, mas também profissionalmente atraente para os arquitetos ocidentais. Mesmo o cinema alemão, em essência não muito político, foi radicalizado, como atesta o maravilhoso diretor G. W. Pabst (1885-1967), um homem mais interessado em apresentar mulheres que assuntos públicos, e mais tarde bastante disposto a trabalhar sob os nazistas. Contudo, nos últimos anos de Weimar foi autor de alguns dos filmes mais radicais, incluindo *A ópera dos três vinténs*, de Brecht-Weill.

A tragédia dos artistas modernistas, de esquerda ou direita, foi que o compromisso político muito mais efetivo de seus próprios movimentos de massa e de seus próprios governantes — para não falar de seus adversários — os rejeitaram. Com a parcial exceção do fascismo italiano influenciado pelo futurismo, os novos regimes autoritários da direita e da esquerda preferiam prédios e vistas monumentais anacrônicos e gigantescos, representações edificantes na pintura e na escultura, elaboradas interpretações dos clássicos no palco e ideologia aceitável em literatura. Hitler, claro, era um pintor frustrado que acabou encontrando um jovem arquiteto competente para realizar suas concepções gigantescas, Albert Speer. Contudo, nem Mussolini, nem Stalin, nem o general Franco, os quais inspiraram todos seus próprios dinossauros arquitetônicos, começaram a vida com tais ambições pessoais. Nem a vanguarda alemã, nem a russa, portanto, sobreviveram à ascensão de Hitler e Stalin, e os dois países, na ponta de tudo que era avançado e reconhecido nas artes da década de 1920, quase desapareceram do panorama cultural.

Retrospectivamente, podemos perceber melhor que os contemporâneos o desastre cultural que o triunfo de Hitler e Stalin se revelou, ou seja, como as artes de vanguarda tinham raízes no solo revolucionário da Europa Central e Oriental. O melhor vinho das artes parecia dar nas encostas raiadas de lava dos vulcões. Não era apenas que as autoridades culturais de regimes politicamente revolucionários davam mais reconhecimento oficial, isto é, patrocínio, aos revolucionários artísticos que os conservadores que eles substituíram, mesmo que suas autoridades políticas não mostrassem entusiasmo. Anatol Lunacharsky, o "Comissário para Esclarecimento", estimulava a vanguarda, embora o gosto de Lenin em arte fosse bastante convencional. O governo social-democrata da Prússia, antes de ser expulso do cargo em 1933 (sem resistência) pelas autoridades do Reich alemão, mais de direita, encorajou o maestro radical Otto Klemperer a transformar um dos teatros de ópera de Berlim numa vitrine de tudo que era avançado em música entre 1928 e 1931. Contudo, de uma maneira indefinível, também parece que as épocas de cataclismo aumentaram as sensibilidades, aguçaram as paixões dos que as viveram, na Europa Central e Oriental. A visão deles era dura, sem alegria, e a própria dureza e o senso trágico que a infundiam eram o que às vezes dava a talentos não especialmente destacados uma amarga eloqüência denunciatória, por exemplo B. Traven, um insignificante emigrante boêmio anarquista antes ligado à breve República Soviética de Munique de 1919, que passou a escrever sobre marinheiros e o México (*O tesouro de sierra Madre*, de Huston e com Bogart, baseou-se nele). Sem isso, ele teria continuado em merecida obscuridade. Quando um artista desses perdia o senso de que o mundo era intolerável, como fez o selvagem satirista alemão George Grosz ao emigrar para os EUA após 1933, restava-lhe apenas sentimentalismo tecnicamente competente.

A arte de vanguarda centro-européia da era dos cataclismos raramente expressou esperança, embora seus membros politicamente revolucionários estivessem comprometidos com uma visão positiva do futuro, por convicções ideológicas. Suas mais vigorosas realizações, a maioria datando dos anos anteriores à supremacia de Hitler e Stalin — "Não posso pensar no que dizer sobre Hitler",* brincava o grande satirista austríaco Karl Kraus, que a Primeira Guerra Mundial deixara tudo menos mudo (Kraus, 1922) —, brotaram do apocalipse e da tragédia: a ópera *Wozzek* de Alban Berg (apresentada pela primeira vez em 1926); *A ópera dos três vinténs* (1928) e *Mahagonny* (1931), de Brecht e Weill; *Die Massnahme* (1930), de Brecht-Eisler; os contos da *Cavalaria vermelha* (1926), de Isaac Babel; o filme *Encouraçado Potemkim* (1925), de Eisenstein; ou *Berlin-Alexanderplatz* (1929), de Alfred Döblin. Quanto ao colapso do império habsburgo, produziu uma extraordinária explosão de literatura, que foi da denúncia de *Os últimos dias da humanidade* (1922), de Karl Kraus, passando pela ambígua bufoneria de *O bravo soldado Schwejk* (1921), até a melancólica lamentação de *Radetskymarsch* (1932), de Joseph Roth, e a interminável auto-reflexão de *O homem sem qualidades* (1930), de Robert Musil. Nenhum conjunto de acontecimentos políticos do século XX teve um impacto tão profundo sobre a imaginação criadora, embora à sua maneira a revolução e guerra civil irlandesas (1916-22), com O'Casey, e de um modo mais simbólico a Revolução Mexicana (1910-20), com seus muralistas — mas não a Revolução Russa —, tivessem influenciado as artes em seus respectivos países. Um império destinado a cair como metáfora de uma elite cultural ocidental minada e em desmoronamento ela própria: essas imagens há muito rondavam os escuros desvãos da imaginação centro-européia. O fim da ordem encontrou expressão nas *Elegias de Duíno* (1913-23), do grande poeta Rainer Maria Rilke (1875-1926). Outro escritor de Praga, de língua alemã, apresentou um sentido ainda mais absoluto da incompreensibilidade da situação humana, individual e coletiva: Franz Kafka (1883-1924), cuja obra foi quase toda publicada postumamente.

Essa, pois, foi a arte criada

nos dias em que o mundo desabava
nas horas em que fugiam as fundações da Terra

para citar o intelectual clássico e poeta A. E. Housman, que estava longe da vanguarda (Housman, 1988, p. 138). Essa era uma arte com a visão do "anjo da história", que o marxista judeu alemão Walter Benjamin (1892-1940) dizia reconhecer no quadro *Angelus novus*, de Paul Klee:

> O rosto volta-se para o passado. Onde vemos uma cadeia de acontecimentos à nossa frente, *ele* vê uma única catástrofe, que prossegue amontoando detritos sobre ruínas até chegarem a seus pés. Se ao menos ele pudesse ficar para acordar

(*) "*Mir fällt zu Hitler nichts ein.*" Isso não impediu Kraus, após um longo silêncio, de escrever umas cem páginas sobre o assunto, que no entanto ultrapassou sua compreensão.

os mortos e juntar os fragmentos do que se quebrou! Mas sopra uma tempestade dos lados do Paraíso, batendo em suas asas com tal força que o Anjo não mais pode fechá-las. Essa tempestade o leva irresistivelmente para o futuro, para o qual dá as costas, enquanto o monte de detritos a seus pés chega aos céus. Essa tempestade é o que chamamos de progresso. (Benjamin, 1971, pp. 84-5)

A Oeste da zona de colapso e revolução, o senso de inelutável cataclismo era menor, mas o futuro parecia igualmente enigmático. Apesar do trauma da Primeira Guerra Mundial, a continuidade com o passado não foi tão obviamente rompida até a década de 1930, a da Grande Depressão, do fascismo e da guerra.* Mesmo assim, em retrospecto, o estado de espírito dos intelectuais ocidentais parece menos desesperado e mais esperançoso que os dos centro-europeus, agora espalhados e isolados de Moscou a Hollywood, ou dos europeus do Leste, cativos silenciados pelo fracasso e o terror. Continuavam a achar que defendiam valores ameaçados, mas ainda não destruídos, para revitalizar o que estava vivo em sua sociedade, se necessário transformando-a. Como veremos (capítulo 18), grande parte da cegueira ocidental para com os erros da União Soviética de Stalin deveu-se à convicção de que, afinal, ela representava os valores do Iluminismo contra a desintegração da razão; do "progresso" no sentido antigo e simples, muito menos problemático que o "vento soprando do Paraíso" de Walter Benjamin. Só entre os ultra-reacionários encontrávamos o sentido do mundo como uma tragédia incompreensível, ou melhor, como para o maior romancista britânico da época, Evelyn Waugh (1903-66), uma comédia negra para estóicos; ou, como para o romancista francês Louis Ferdinand Céline, um pesadelo até para os cínicos. Embora o melhor e mais inteligente jovem poeta da vanguarda britânica da época, W. H. Auden (1907-73), percebesse a história como tragédia — *Spain*, *Palais des Beaux-Arts* —, o estado de espírito do grupo do qual ele era o centro achava a situação humana bastante aceitável. Os mais impressionantes artistas de vanguarda britânicos, o escultor Henry Moore (1898-1986) e o compositor Benjamin Britten (1913-76), dão a impressão de que estariam bastante dispostos a deixar que a crise mundial os contornasse, caso ela não se houvesse intrometido. Mas ela o fez.

As artes de vanguarda ainda eram um conceito restrito à cultura da Europa e seus entornos e dependências, e mesmo lá os pioneiros na fronteira da revolução artística muitas vezes ainda se voltavam ansiosos para Paris e mesmo — em medida menor, mas surpreendente — para Londres.** Ainda não se

(*) Na verdade, os grandes ecos literários da Primeira Guerra Mundial só começaram a reverberar lá pelo fim da década de 1920, quando *Nada de novo no front* (1929; filme de Hollywood, 1930), de Erich Maria Remarque, vendeu 2,5 milhões de exemplares em um ano e meio, em 25 línguas.

(**) O escritor argentino Jorge Luís Borges (1899-1986) era conhecidamente anglófilo e voltado para a Inglaterra; o extraordinário poeta grego alexandrino K. P. Kaváfis (1863-1933) na verdade tinha o inglês como primeira língua, assim como — pelo menos para fins literários —

voltavam para Nova York. O que isso significa é que a vanguarda não européia mal existia fora do hemisfério ocidental, onde se achava firmemente ancorada tanto na experimentação artística quanto na revolução social. Seus mais conhecidos representantes nessa época, os pintores muralistas da revolução mexicana, discordavam apenas sobre Stalin e Trotski, mas não sobre Zapata e Lenin, a quem Diego de Rivera (1886-1957) insistiu em incluir num afresco destinado ao novo Rockefeller Center em Nova York (um triunfo de *art déco* que só ficava atrás do prédio da Chrysler), para desprazer dos Rockefeller.

Contudo, para a maioria dos artistas no mundo não ocidental o problema era a modernidade, não o modernismo. Como iriam seus escritores transformar vernáculos falados em idiomas literários flexíveis e compreensíveis para o mundo contemporâneo, como faziam os bengaleses desde meados do século XIX na Índia? Como os homens (talvez, naqueles novos tempos, até as mulheres) iriam escrever poesia em urdu, e não mais no persa clássico até então obrigatório para tais fins? Em turco, e não mais no árabe clássico que a revolução de Atatürk lançara na lata de lixo da história, junto com o fez e o véu das mulheres? Que iriam fazer, em países de culturas antigas, com relação as suas tradições? Artes que, por mais atraentes que fossem, não pertenciam ao século XX? Abandonar o passado era revolucionário o suficiente para fazer parecer irrelevante ou mesmo incompreensível a revolta ocidental de uma fase da modernidade contra a outra. Tchecov e Tolstoi podiam parecer modelos mais adequados que James Joyce para os que achavam que sua tarefa — e sua inspiração — era "ir ao povo" e pintar um quadro realista de seus sofrimentos e ajudá-lo a revoltar-se. Até os escritores japoneses, que aderiram ao modernismo na década dc 1920 (provavelmente pelo contato com o futurismo italiano), tinham um contingente "proletário" socialista ou comunista forte, e de quando em quando dominante (Keene, 1984, capítulo 15). Na verdade, o primeiro grande escritor moderno chinês, Lu Hsün (1881-1936), rejeitou deliberadamente os modelos ocidentais e voltou-se para a literatura russa, onde "podemos ver a boa alma dos oprimidos, seus sofrimentos e lutas" (Lu Hsün, 1975, p. 23).

Para a maioria dos talentos criativos do mundo não europeu que não estavam confinados por suas tradições nem eram simples ocidentalizadores, a tarefa principal parecia ser descobrir, erguer o véu e apresentar a realidade contemporânea de seus povos. O realismo era o movimento deles.

II

De certa forma, esse desejo uniu as artes do Oriente e do Ocidente. Pois

---

Fernando Pessoa (1888-1935), o maior poeta português do século. É bem conhecida a influência de Kipling sobre Brecht.

ficava cada vez mais claro que o século XX era o do homem comum, e dominado pelas artes produzidas por e para ele. Dois instrumentos interligados tornaram o mundo do homem comum visível e capaz de documentação como jamais antes: a reportagem e a câmera. Nenhum dos dois era novo (ver *A era do capital*, capítulo 15; *A era dos impérios*, capítulo 9), mas entraram numa era de ouro de consciência própria depois de 1914. Os escritores, sobretudo nos EUA, não apenas se viam como registradores ou repórteres, mas escreviam para jornais e na verdade eram ou tinham sido jornalistas: Ernest Hemingway (1889-1961), Theodore Dreiser (1871-1945), Sinclair Lewis (1885-1951). "Reportagem" — o termo aparece pela primeira vez em dicionários franceses em 1929, e em ingleses em 1931 — tornou-se um gênero aceito de literatura socialmente crítica e de apresentação visual na década de 1920, em grande parte sob a influência da vanguarda revolucionária russa, que louvava o fato acima da diversão popular que a esquerda européia sempre condenara como o ópio do povo. O jornalista comunista tcheco Egon Erwin Kisch, que se orgulhava do nome de "Repórter com Pressa" (*Der rasende Reporter*, 1925, era o título da primeira de uma série de suas reportagens), parece ter posto o termo em circulação na Europa Central. A palavra se espalhou, sobretudo através do cinema, pela vanguarda ocidental. Suas origens são claramente visíveis nas partes denominadas "Jornal da tela" e "O olho da câmera" — alusão ao cinedocumentarista Dziga Vertov — com que a narrativa é entrecortada na trilogia *USA*, de John dos Passos (1896-1970), escrita no período esquerdista do romancista. Nas mãos da vanguarda de esquerda, o "cinedocumentário" se tornou um movimento com consciência própria, mas na década de 1930 mesmo os profissionais menos ousados do ramo de notícias e revistas reivindicavam um *status* intelectual e criativo mais elevado, transformando alguns jornais da tela, em geral despretensiosos tapa-buracos, em mais grandiosos documentários como "Marcha do tempo", e tomando de empréstimo as inovações de fotógrafos da vanguarda, como os pioneiros do comunista AIZ da década de 1920, para criar uma era de ouro da revista ilustrada: *Life* nos EUA, *Picture Post* na Grã-Bretanha, *Vu* na França. Contudo, fora dos países anglo-saxônicos, ela só começou a florescer em massa após a Segunda Guerra Mundial.

O novo fotojornalismo devia seus méritos não só aos homens talentosos — às vezes até mulheres — que descobriram a fotografia como meio de comunicação, à ilusória crença de que "a câmera não mente", ou seja, que de algum modo ela representava a verdade "real", e às melhorias técnicas que tornaram fáceis as fotos não posadas com as novas câmeras em miniatura (a Leica foi lançada em 1924), mas talvez acima de tudo ao domínio universal do cinema. Homens e mulheres aprenderam a ver a realidade através de lentes de câmeras. Pois embora aumentasse a circulação da palavra impressa (agora também cada vez mais intercalada com fotos de rotogravura na imprensa sensacionalista), esta perdeu terreno para o cinema. A Era da Catástrofe foi a era da tela grande de cinema. Em fins da década de 1930, para cada britânico que comprava um jornal diário, dois compravam um ingresso de cinema (Stevenson, pp. 396, 403). Na verdade, à medida que se aprofundava a Depressão e o mundo era varrido pela guerra, a freqüência nos cinemas no Ocidente atingia o mais alto pico de todos os tempos.

No novo veículo visual, as artes de vanguarda e de massa se fertilizavam umas às outras. Na verdade, nos velhos países do Ocidente o domínio das camadas educadas e um certo elitismo penetraram mesmo o veículo de massa do cinema, produzindo uma época de ouro para o cinema mudo alemão durante a era de Weimar, para o filme sonoro francês na década de 1930, e para o cinema italiano assim que retiraram a manta do fascismo que encobria seus talentos. Desses, talvez o cinema populista francês da década de 1930 tenha sido o mais bem-sucedido na combinação do que os intelectuais queriam de cultura com o que o grande público queria de diversão. Foi o único cinema intelectual que jamais esqueceu a importância da trama, especialmente de amor e crime, e o único capaz de fazer boas piadas. Onde a vanguarda (política e artística) fez somente o que quis inteiramente, como no movimento documentário ou na arte agitprop [agitação e propaganda], seu trabalho raramente atingiu mais que pequenas minorias.

Contudo, não é a contribuição da vanguarda que torna importantes as artes de massa da época. É sua hegemonia cultural cada vez mais inegável, embora, como vimos, fora dos EUA ainda não tivessem escapado inteiramente da supervisão da elite cultural. As artes (ou melhor, diversões) que se tornaram dominantes foram as que se dirigiam a massas mais amplas do que o grande, e crescente, público de classe média e classe média baixa com gostos tradicionais. Estas ainda dominavam o "boulevard" europeu, ou o teatro do "West End", ou seus equivalentes, pelo menos até Hitler dispersar os fabricantes de tais produtos, mas seu interesse é pequeno. O fato mais interessante nessa região média foi o crescimento extraordinário, explosivo, de um gênero que dera alguns sinais de vida antes de 1914, mas nenhum indício de seus triunfos posteriores: a história policial, agora escrita em tamanho de livro. O gênero era basicamente britânico — talvez um tributo ao Sherlock Holmes de A. Conan Doyle, que se tornou internacionalmente conhecido na década de 1890 — e, o que é mais surpreendente, em grande parte feminino e acadêmico. Sua pioneira, Agatha Christie (1891-1976), continua sendo *best-seller* até hoje. As versões internacionais desse gênero ainda eram bastante inspiradas pelo modelo britânico, ou seja, tratavam quase exclusivamente de assassinatos como um jogo de salão, que exigia a mesma engenhosidade dos jogos de palavras cruzadas com dicas enigmáticas de alta classe, que eram uma especialidade ainda mais britânica. O gênero é melhor visto como uma curiosa invocação a uma ordem social ameaçada mas ainda não rompida. O assassinato, que agora se tornava o crime central, quase único, para mobilizar o detetive, estoura num ambiente caracteristicamente ordeiro — a casa de campo, ou algum meio profissional conhecido — e é reconstituído até apontar uma das maçãs podres que confirmam a sanidade do resto do barril. Restaura-se a ordem com a razão, aplicada ao problema pelo detetive, que representa ele próprio (ainda era quase sempre um homem) o ambiente. Daí talvez a insistência no investigador *privado*, a menos que o próprio policial fosse, ao contrário da maioria de sua espécie, um membro das classes alta ou média. Era um gênero profundamente conservador, embora ainda autoconfiante, ao contrário da ascensão contemporânea do mais histérico *thriller* de agente secreto (também basicamente britânico), um gênero com grande futuro na segunda metade do século. Seus autores, homens de méritos literários modestos, muitas vezes encontravam um cenário adequado no serviço secreto de seu país.*

Em 1914, os veículos de comunicação de massa em escala moderna já podiam ser tidos como certos em vários países ocidentais. Mesmo assim, seu crescimento na era dos cataclismos foi espetacular. A circulação de jornais nos EUA cresceu muito mais rápido que a população, dobrando entre 1920 e 1950. Nessa altura, vendia-se entre trezentos e 350 jornais por cada cem homens, mulheres e crianças de um país "desenvolvido" típico, embora os escandinavos e australianos consumissem ainda mais publicações, e os urbanizados britânicos, talvez por ser sua imprensa mais nacional que local, compravam espantosos seiscentos exemplares para cada mil habitantes (*UN Statistical Yearbook*, 1948). A imprensa atraía os alfabetizados, embora em países de escolaridade de massa fizesse o melhor possível para satisfazer os semi-alfabetizados com ilustrações e histórias em quadrinhos, ainda não admiradas pelos intelectuais, e desenvolvendo uma linguagem muito colorida, apelativa e pseudodemótica, que evitava palavras de muitas sílabas. Sua influência na literatura não foi pequena. O cinema, por outro lado, fazia poucas exigências à alfabetização, e depois que aprendeu a falar, em fins da década de 1920, praticamente nenhuma ao público de língua inglesa.

Contudo, ao contrário da imprensa, que na maioria das partes do mundo interessava apenas a uma pequena elite, o cinema foi quase desde o início um veículo de massa internacional. O abandono da linguagem potencialmente universal do filme mudo, com seus códigos testados de comunicação intercultural, com certeza muito fez para tornar internacionalmente familiar o inglês falado, e com isso ajudou a estabelecer a língua como o patoá global do fim do século. Pois na era de ouro de Hollywood os filmes eram principalmente

(*) Os ancestrais do moderno *thriller* ou romance policial "grosso" eram muito mais demóticos. Dashiell Hammett (1894-1961) começou como agente da Pinkerton e publicou em revistas *pulp* [de pacotilha]. Aliás, o único autor a transformar a história policial em literatura autêntica, o belga Georges Simenon (1903-89), era um escritor autodidata que escrevia por contrato.

americanos — a não ser no Japão, onde se faziam quase tantos longas-metragens quanto nos EUA. Quanto ao resto do mundo, às vésperas da Segunda Guerra Mundial Hollywood fazia quase tantos filmes quanto todas as outras indústrias combinadas, mesmo incluindo a Índia, que já produzia cerca de 170 por ano para um público tão grande quanto o do Japão e quase tanto quanto o dos EUA. Em 1937, produziu 567 filmes, ou cerca de mais de dez por semana. A diferença entre a capacidade hegemônica do capitalismo e a do socialismo burocratizado é a que existe entre esse número e os 41 filmes que a URSS dizia ter produzido em 1938. Apesar disso, por motivos lingüísticos óbvios, o predomínio global tão extraordinário de uma única indústria não podia durar. De qualquer modo, não sobreviveu à desintegração do "sistema de estúdios", que atingiu seu auge nessa época como uma máquina de produção de sonhos em massa, mas desmoronou pouco depois da Segunda Guerra Mundial.

O terceiro dos veículos de massa era inteiramente novo: o rádio. Ao contrário dos outros dois, baseava-se sobretudo na propriedade privada do que ainda era um maquinário sofisticado, e assim se restringia, em essência, aos países "desenvolvidos" relativamente prósperos. Na Itália, o número de aparelhos de rádio não ultrapassou o de automóveis até 1931 (Isola, 1990). As grandes concentrações de aparelhos de rádio se encontravam, na véspera da Segunda Guerra Mundial, nos EUA, Escandinávia, Nova Zelândia e Grã-Bretanha. Contudo, nesses países ele avançou em ritmo espetacular, e mesmo os pobres podiam comprá-lo. Dos 9 milhões de aparelhos da Grã-Bretanha em 1939, metade foi comprada por pessoas que ganhavam entre 2,5 e quatro libras por semana — uma renda modesta — e outros 2 milhões por pessoas ganhando menos que isso (Briggs, 1961, vol. 2, p. 254). Talvez não surpreenda o fato de que a audiência de rádio duplicou nos anos da Grande Depressão, quando sua taxa de crescimento foi mais rápida do que antes ou depois. Pois o rádio transformava a vida dos pobres, e sobretudo das mulheres pobres presas ao lar, como nada fizera antes. Trazia o mundo à sua sala. Daí em diante, os mais solitários não precisavam mais ficar inteiramente sós. E toda a gama do que podia ser dito, cantado, tocado ou de outro modo expresso em som estava agora ao alcance deles. Surpreende, portanto, que um veículo desconhecido, quando a Primeira Guerra Mundial acabou, houvesse conquistado 10 milhões de lares nos EUA no ano da quebra da Bolsa, mais de 27 milhões em 1939 e mais de 40 milhões em 1950?

Ao contrário do cinema, ou mesmo da nova imprensa de massa, o rádio não transformou de nenhum modo profundo a maneira humana de perceber a realidade. Não criou novos meios de ver ou estabelecer relações entre as impressões dos sentidos e as idéias (ver *A era dos impérios*). Era simplesmente um veículo, não uma mensagem. Mas sua capacidade de falar simultaneamente a incontáveis milhões, cada um deles sentindo-se abordado como indivíduo, transformava-o numa ferramenta inconcebivelmente poderosa de informação de massa, como governantes e vendedores logo perceberam, para propaganda política e publicidade. No início da década de 1930, o presidente dos EUA já descobrira o potencial da "conversa ao pé da lareira" pelo rádio, e o rei da Grã-Bretanha o das transmissões de Natal da família real (1932 e 1933, respectivamente). Na Segunda Guerra Mundial, com sua interminável demanda de notícias, o rádio alcançou a maioridade como instrumento político e meio de informação. O número de aparelhos de rádio na Europa Continental aumentou substancialmente em todos os países, a não ser nos muito arrasados por batalhas (Briggs, 1961, vol. 3, apêndice C). Em vários casos, seu número duplicou ou mais que duplicou. Na maioria dos países não europeus, sua ascensão foi ainda mais acentuada. Seu uso pelo comércio, embora desde o começo dominasse as ondas aéreas nos EUA, teve uma conquista mais difícil em outras partes, uma vez que, por tradição, os governos relutavam em abrir mão do controle sobre um meio tão poderoso de influenciar cidadãos. A BBC manteve seu monopólio público. Onde a transmissão comercial foi tolerada, esperava-se ainda assim que acatasse a voz oficial.

É difícil reconhecer as inovações da cultura do rádio, pois muito daquilo que ele iniciou tornou-se parte da vida diária — o comentário esportivo, o noticiário, o programa de entrevistas com celebridades, a novela, e também todos os tipos de seriado. A mais profunda mudança que ele trouxe foi simultaneamente privatizar e estruturar a vida de acordo com um horário rigoroso, que daí em diante governou não apenas a esfera do trabalho, mas a do lazer. Contudo, curiosamente, esse veículo — e, até o surgimento do vídeo e do videocassete, sua sucessora, a televisão — embora essencialmente centrado no indivíduo e na família, criou sua própria esfera pública. Pela primeira vez na história pessoas desconhecidas que se encontravam provavelmente sabiam o que cada uma tinha ouvido (ou, mais tarde, visto) na noite anterior: o grande jogo, o programa humorístico favorito, o discurso de Winston Churchill, o conteúdo do noticiário.

A arte mais significativamente afetada pelo rádio foi a música, pois ele abolia as limitações acústicas ou mecânicas do alcance dos sons. A música, a última das artes a romper a velha prisão corporal que limita a comunicação oral, já tinha entrado na era da reprodução mecânica antes de 1914, com o gramofone, embora este ainda não estivesse ao alcance das massas. Os anos do entreguerras sem dúvida puseram gramofones e discos ao alcance das massas, embora o virtual colapso do mercado de "discos raciais", isto é, música típica dos pobres, durante a Depressão americana, demonstrasse a fragilidade dessa expansão. Contudo, o disco, embora sua qualidade técnica melhorasse depois de cerca de 1930, tinha seus limites, entre outros de duração. Além disso, seu alcance dependia das vendas. O rádio, pela primeira vez, permitiu que música fosse ouvida a distância por mais de cinco minutos ininterruptos, e por um número teoricamente ilimitado de ouvintes. Tornou-se assim um popularizador único da música de minorias (incluindo a clássica e, de longe, o mais poderoso meio de venda de discos, como de fato continua sendo). O rádio não mudou a música — certamente afetou-a menos que o teatro ou o cinema, que também aprendeu a reproduzir sons — mas o papel da música na vida contemporânea, não excluindo o de pano de fundo para a vida cotidiana, é inconcebível sem ele.

As forças que dominaram as artes populares foram assim basicamente tecnológicas e industriais: imprensa, câmera, cinema, disco e rádio. Contudo, desde o fim do século XIX uma verdadeira fonte de inovação criativa autônoma vinha se acumulando nos setores populares e de diversão de algumas grandes cidades (ver *A era dos impérios*). Estava longe de exaurida, e a revolução nas comunicações levou seus produtos muito além de seus ambientes originais. Assim, o tango argentino formalizado, e sobretudo ampliado de dança para canção, provavelmente atingiu o auge nas décadas de 1920 e 1930, e quando seu maior astro, Carlos Gardel (1890-1935), morreu num acidente aéreo, foi chorado por toda a América espanhola, e (graças aos discos) transformado numa presença permanente. O samba, destinado a simbolizar o Brasil como o tango a Argentina, é filho da democratização do Carnaval do Rio na década de 1920. Contudo, o acontecimento mais impressionante e, a longo prazo, influente dessa área foi o desenvolvimento do *jazz* nos EUA, em grande parte sob o impacto da migração dos negros dos estados do Sul para as grandes cidades do Meio-Oeste e Nordeste: uma autêntica arte musical do artista profissional (basicamente negro).

O impacto de algumas dessas inovações ou acontecimentos populares ainda era restrito fora de seus ambientes locais. Também era ainda menos revolucionário do que viria a tornar-se na segunda metade do século, quando — para tomar o exemplo óbvio — um idioma diretamente derivado do *blues* negro americano se tornou, na forma de *rock'n'roll*, uma linguagem global de nossa cultura. Apesar disso, porém — com exceção do cinema —, o impacto dos meios de comunicação de massa e da criação popular foi mais modesto do que se tornou na segunda metade do século (o que será examinado em seguida); já era enorme em quantidade e impressionante em qualidade, sobretudo nos EUA, que começaram a exercer uma inquestionável hegemonia nesses campos, graças a sua extraordinária preponderância econômica, seu firme compromisso com o comércio e a democracia, e, após a Grande Depressão, a influência do populismo rooseveltiano. No campo da cultura popular, o mundo era americano ou provinciano. Com uma exceção, nenhum outro modelo nacional ou regional se estabeleceu globalmente, embora alguns tivessem substancial influência regional (por exemplo, a música egípcia dentro do mundo islâmico), e um toque exótico ocasional entrasse na cultura popular comercial global de vez em quando, como os componentes caribenhos e latino-americanos de dança e música. A única exceção foi o esporte. Nesse setor de cultura popular — e quem, tendo visto a seleção brasileira em seus dias de glória, negará sua pretensão à condição de arte? — a influência americana permaneceu restrita à área de dominação política de Washington. Do mesmo modo que o críquete só é jogado como esporte de massa onde a bandeira britânica drapejou um dia, também o beisebol causou pouco impacto, a não ser onde os *marines* americanos desembarcaram um dia. O esporte que o mundo tornou seu foi o futebol de clubes, filho da presença global britânica, que introduziu times com nomes de empresas britânicas ou compostos de expatriados britânicos (como o São Paulo Atlético Club) do gelo polar ao Equador. Esse jogo simples e elegante, não perturbado por regras e/ou equipamentos complexos, e que podia ser praticado em qualquer espaço aberto mais ou menos plano do tamanho exigido, abriu caminho no mundo inteiramente por seus próprios méritos, e, com o estabelecimento da Copa do Mundo em 1930 (conquistada pelo Uruguai), tornou-se genuinamente universal.

E no entanto, por nossos padrões, os esportes de massa, embora agora globais, permaneceram extraordinariamente primitivos. Seus praticantes ainda não tinham sido absorvidos pela economia capitalista. As grandes estrelas ainda eram amadores, como no tênis (isto é, assimilados ao *status* burguês tradicional), ou profissionais que ganhavam um salário não muito superior ao de um operário industrial qualificado, como no futebol britânico. Ainda tinham de ser apreciados pessoalmente, pois mesmo o rádio só podia traduzir a visão real do jogo ou corrida nos crescentes decibéis da voz do locutor. A era da televisão e dos esportistas pagos ainda estava alguns anos à frente. Mas, como veremos (capítulos 9 a 11), não tantos assim.

7
O FIM DOS IMPÉRIOS

Ele se tornou um revolucionário terrorista em 1911. Seu guru esteve presente em sua noite de núpcias, e ele jamais morou com a esposa durante os dez anos até a morte dela, em 1928. Era uma regra férrea para os revolucionários manter distância das mulheres [...] *Ele me dizia que a Índia ia se libertar pela luta, como os irlandeses. Foi quando estava com ele que li* Minha luta pela liberdade irlandesa, *de Dan Breen. Dan Breen era o ideal de Masterda. Ele chamou sua organização de "Exército Republicano Indiano, setor de Chittagong", por causa do Exército Republicano Irlandês.*

Kalpana Dutt (1945, pp. 16-7)

A raça de administradores coloniais nascida no paraíso tolerava e até mesmo estimulava o sistema de suborno-corrupção porque este proporcionava um maquinário barato para o exercício do controle sobre populações agitadas e muitas vezes dissidentes. Pois o que isso significa na verdade é que o que um homem deseja (isto é, ganhar seu processo judicial ou obter um emprego oficial) pode ser conseguido fazendo um favor ao homem com poder de dar ou negar. O "favor" feito não precisa ser uma doação em dinheiro (isso é grosseiro, e poucos europeus na Índia sujavam as mãos desse jeito). Pode ser uma doação de amizade e respeito, pródiga hospitalidade, ou de fundos para uma "boa causa", mas acima de tudo, lealdade ao raj.

M. Carritt (1985, pp. 63-4)

I

Durante o século XIX, alguns países — sobretudo aqueles às margens do Atlântico Norte — conquistaram o resto do globo não europeu com ridícula facilidade. Onde não se deram ao trabalho de ocupar e dominar, os países do Ocidente estabeleceram uma superioridade ainda mais incontestável com seu sistema econômico e social, sua organização e tecnologia. O capitalismo e a sociedade burguesa transformaram e dominaram o mundo, e ofereceram o modelo — até 1917 o *único* modelo — para os que não queriam ser devorados ou deixados para trás pela máquina mortífera da história. Depois de 1917, o comunismo soviético ofereceu um modelo alternativo, mas essencialmente do mesmo tipo, exceto por dispensar a empresa privada e as instituições liberais. A história do século XX do mundo não ocidental, ou mais exatamente não norte-ocidental, é portanto determinada por suas relações com os países que se estabeleceram no século XIX como os senhores da espécie humana.

Nessa medida, a história do Breve Século XX continua sendo geograficamente distorcida, e só pode ser escrita dessa maneira, pelo historiador que deseja concentrar-se na dinâmica da transformação global. Isso não significa que partilhemos do senso de superioridade condescendente e demasiadas vezes etnocêntrico, ou mesmo racista, e do completamente injustificável farisaísmo ainda comuns nos países favorecidos. Na verdade, este historiador se opõe apaixonadamente ao que E. P. Thompson chamou de "enorme condescendência" para com os atrasados e pobres do mundo. Apesar disso, permanece o fato de que a dinâmica da maior parte da história do mundo no Breve Século XX é derivada, não original. Consiste essencialmente das tentativas das elites das sociedades não burguesas de imitar o modelo em que o Ocidente foi pioneiro, visto como o de sociedades que geram progresso, e a forma de poder e cultura da riqueza, com o "desenvolvimento" tecno-científico, numa variante capitalista ou socialista.* Não havia outro modelo operacional além da "ocidentalização" ou "modernização", ou o que se queira chamá-lo. Por outro lado, só o eufemismo político separa os vários sinônimos de "atraso" (como Lenin não hesitava em descrever a situação de seu próprio país e dos "países coloniais e atrasados") que a diplomacia internacional espalhou por um mundo descolonizado ("subdesenvolvidos", "em desenvolvimento" etc.).

O modelo operacional de "desenvolvimento" podia ser combinado com vários outros conjuntos de crenças e ideologias, contanto que não interferissem com ele, isto é, contanto que o país interessado não proibisse, por exemplo, a construção de aeroportos por não terem sido autorizados pelo Corão ou a Bíblia, ou por entrarem em conflito com a edificante tradição da cavalaria medieval, ou por serem incompatíveis com a profundidade da alma eslava. Por outro lado, onde tais conjuntos de crenças se opunham ao processo de "desen-

(*) Vale a pena observar que a simples dicotomia "capitalista"/"socialista" é mais política que analítica. Reflete o surgimento de movimentos trabalhistas de massa cuja ideologia socialista era, na prática, pouco mais que o conceito da atual sociedade ("capitalismo") virada pelo avesso. Isso foi reforçado, após a Revolução de Outubro de 1917, pela longa Guerra Fria Vermelho/Antivermelho do Breve Século XX. Em vez de classificar o sistemas econômicos de, digamos, EUA, Coréia do Sul, Áustria, Hong Kong, Alemanha Ocidental e México sob o mesmo título de "capitalismo", seria perfeitamente possível classificá-los sob vários.

volvimento" *na prática*, e não apenas em teoria, asseguravam o fracasso e a derrota. Por mais forte e sincera que fosse a crença em que a magia desviaria balas de metralhadora, ela funcionava demasiado raramente para fazer muita diferença. O telefone e o telégrafo eram melhores meios de comunicação que a telepatia do taumaturgo.

Isso não significa descartar as tradições, crenças ou ideologias, imutáveis ou modificadas, pelas quais as sociedades que entravam em contato com o novo mundo de "desenvolvimento" o julgavam. Tradicionalismo e socialismo concordavam ao detectar um espaço moral vazio no centro do triunfante liberalismo capitalista econômico — e político — que destruía todos os laços entre indivíduos, exceto os baseados na "tendência a trocar" de Adam Smith e na busca de satisfação e interesses pessoais. Como sistema moral, maneira de ordenar o lugar dos seres humanos no mundo, de reconhecer o que e quanto o "desenvolvimento" e o "progreso" destruíam, as ideologias e sistemas de valores pré ou não capitalistas eram muitas vezes superiores às crenças que as canhoneiras, comerciantes, missionários e administradores coloniais traziam consigo. Como meio de mobilizar as massas em sociedades tradicionais contra a modernização, capitalista ou socialista, ou mais precisamente contra os forasteiros que a traziam, esses movimentos podiam em certas condições ser muito eficazes, embora na verdade nenhum dos que foram bem-sucedidos na libertação do mundo atrasado, antes da década de 1970, tivesse sido inspirado ou estabelecido em ação por ideologias tradicionais ou neotradicionais. Isso apesar do fato de que um desses movimentos, a breve agitação de Khilafat na Índia britânica (1920-1), exigindo a manutenção do sultão turco como califa de todos os fiéis, a manutenção do império otomano com suas fronteiras de 1914 e o controle muçulmano sobre os lugares santos do islã (inclusive a Palestina), provavelmente impôs a não-cooperação e a desobediência civil em massa a um hesitante Congresso Nacional Indiano (Minault, 1982). As mais características mobilizações de massa sob os auspícios da religião — a "Igreja" mantinha melhor seu domínio sobre a gente simples que o "rei" — foram ações reacionárias, embora às vezes tenazes e heróicas, como a resistência camponesa à Revolução Mexicana secularizante, sob a bandeira de "Cristo Rei" (1926-32), descrita pelo seu principal historiador em termos épicos como "a Cristíada" (Meyer, 1973-9). A religião fundamentalista como dínamo poderoso de mobilização das massas pertence às últimas décadas do século XX, que testemunharam até um bizarro retorno à moda, entre alguns intelectuais, do que seus pais cultos teriam descrito como superstição e barbarismo.

Por outro lado, eram ocidentais as ideologias, os programas, mesmo os métodos e formas de organização política que inspiraram a emancipação dos países dependentes e atrasados de sua dependência e atraso: liberais; socialistas; comunistas e/ou nacionalistas; secularistas e desconfiados do clericalismo; e fazendo uso dos mecanismos desenvolvidos para os fins da vida pública

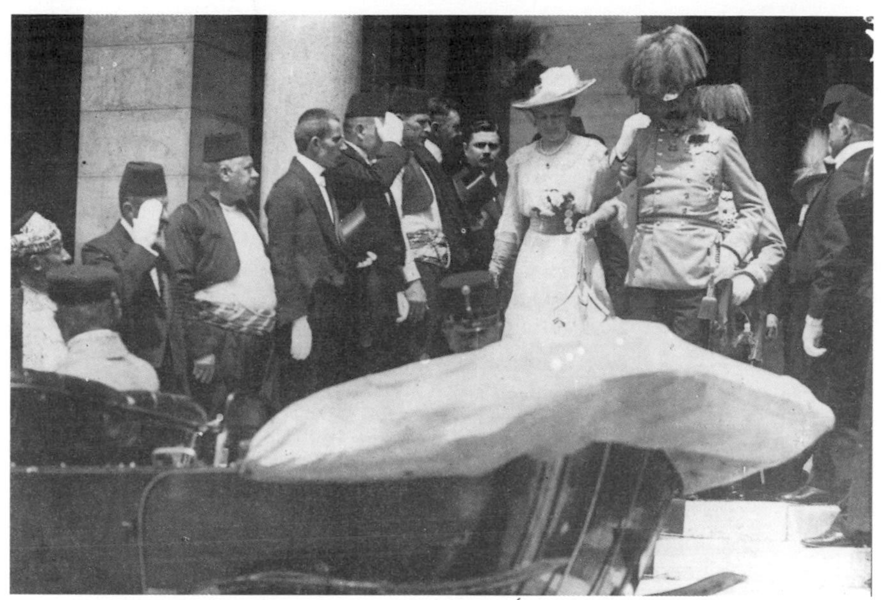

1. Sarajevo: o arquiduque Francisco Ferdinando da Áustria e sua esposa deixam o Paço Municipal de Sarajevo, a caminho de seu assassinato, que provocou a Primeira Guerra Mundial (28 de junho de 1914).

2. Os campos de massacre da França, vistos pelos agonizantes: soldados canadenses em crateras de granadas, 1918.

3. Os campos de massacre da França, vistos pelos sobreviventes: cemitério de guerra, Chalons-sur-Marne.

4. Rússia, 1917: soldados com faixas revolucionárias ("Operários de todo o mundo, uni-vos!").

5. Revolução de Outubro: imagem de Lenin (o "grande líder do proletariado"). A faixa dos revolucionários diz "Todo poder aos sovietes".

6. Revolução mundial, vista num cartaz do Dia do Trabalho soviético, *c.* 1920. A bandeira vermelha envolvendo o globo tem a inscrição "Operários de todo o mundo, uni-vos!".

7. A traumática inflação do pós-guerra, cuja lembrança ainda persegue a Alemanha: uma cédula bancária alemã de 20 milhões de marcos (julho de 1923).

BROOKLYN DAILY EAGLE

And Complete Long Island News

LATE NEWS

NEW YORK CITY, THURSDAY, OCTOBER 24, 1929.

32 PAGES

WALL ST. IN PANIC AS STOCKS CRASH

Attempt Made to Kill Italy's Crown Prince

STOCKS CRASH IN RUSH TO SELL; BILLIONS LOST

ASSASSIN CAUGHT IN BRUSSELS MOB; PRINCE UNHURT

Hollywood Fire Destroys Films Worth Millions

FEAR 52 PERISHED IN LAKE MICHIGAN; FERRY IS MISSING

PIECE OF PLANE LIKE DITEMAN'S IS FOUND AT SEA

High Duty Group Gave $700,000 to Coolidge Drive

ATTEMPT MADE ON LIFE

FOR MORE LOBBYISTS

JOSEPH R. GRUNDY

CARNEGIE CHARGE OF PAID ATHLETES ROUSES COLLEGES

HOOVER'S TRAIN HALTED BY AUTO PLACED ON RAILS

WARDER SOUGHT TO KEEP SEA TRIP SECRET, AID SAYS

SOMERS NAMED AS HEAD OF NEW EXCHANGE BANK

10 ARABS SENTENCED TO LIFE TERMS FOR PALESTINE MASSACRE

Today's News

DANCERS IN PANIC AS MAN IS STABBED; POLICE SEIZE 5 MEN

DOG TALKIE STAR KEEPS SILENCE IN AUTO STORE WRECK

Two Are Held in Bail As Speakeasy Owners

THE EAGLE INDEX

8. Portal para a Grande Depressão: o *crash* de Wall Street em 1929.

9. Homens sem trabalho: desempregados britânicos na década de 1930.

10. Os dois líderes do fascismo: Adolf Hitler (1889-1945) e Benito Mussolini (1883-1945) tinham muitos motivos para sorrir em 1938.

11. O *Duce*: jovens fascistas italianos desfilam perante Mussolini.

12. O *Führer*: comício nazista em Nuremberg.

13. Guerra Civil Espanhola de 1936-9: milícia anarquista em Barcelona, 1936, num veículo blindado improvisado.

14. Triunfo do fascismo? Adolf Hitler, conquistador da Europa, 1940-1, na Paris ocupada.

15. Segunda Guerra Mundial: as bombas. "Fortalezas voadoras" americanas atacam Berlim.

16. Segunda Guerra Mundial: os tanques. Veículos blindados soviéticos atacam na maior batalha de tanques da história, Kursk, 1943.

17. A guerra dos não-combatentes: Londres em chamas, 1940.

18. A guerra dos não-combatentes: Dresden incendiada, 1945.

19. A guerra dos não-combatentes: Hiroxima após a bomba atômica, 1945.

20. A guerra dos resistentes: Josip Broz (marechal Tito, 1892-1980), durante a luta de *partisans* pela libertação da Iugoslávia.

21. O império antes da queda: um cartaz de guerra britânico.

22. O império na queda: a Argélia na iminência de conquistar sua independência da França, 1961.

23. Depois do império: a primeira-ministra Indira Gandhi (1917-84) encabeça o desfile anual da Parada da Independência em Nova Délhi.

24. (*esq.*) Míssil Cruise americano.

25. (*abaixo*) Um silo de mísseis superfície-superfície soviéticos.

26. Dois mundos divididos: o Muro de Berlim (1961-89), separando capitalismo e “socialismo real”, perto do Portão de Brandenburgo.

27. Terceiro Mundo em fermentação: o exército rebelde de Fidel Castro entra em Santa Clara liberada antes de tomar o poder em Cuba em 1º de janeiro de 1959.

28. Os *guerrilleros*: insurretos em El Salvador na década de 1980, preparando granadas de mão.

29. Dos guerrilheiros do Terceiro Mundo aos estudantes do Primeiro Mundo: manifestação contra a guerra dos EUA no Vietnã, Grosvenor Square, Londres, 1968.

30. Revolução social em nome de Deus: Irã, em 1979, o primeiro grande levante social do século XX que rejeitou as tradições de 1789 e 1917.

31. Fim da Guerra Fria: o homem que a acabou, Mikhail Sergueievitch Gorbachev, secretário-geral do Partido Comunista da União Soviética (1985-91).

32. Fim da Guerra Fria: cai o Muro de Berlim, 1989.

33. Queda do comunismo europeu: Stalin retirado de Praga.

em sociedades burguesas — imprensa, comícios, partidos, campanhas de massa — mesmo quando o discurso adotado era, e tinha de ser, calcado no vocabulário religioso usado pelas massas. O que isso significou é que a história dos responsáveis pelas transformações no Terceiro Mundo neste século é a história de minorias de elite, às vezes relativamente minúsculas, pois — além da quase total ausência de instituições de política democrática — só uma minúscula camada possuía o necessário conhecimento, educação, ou mesmo alfabetização elementar. Afinal, antes da independência, mais de 90% da população do subcontinente indiano eram analfabetos. O número dos alfabetizados numa língua ocidental (isto é, inglês) era ainda mais exíguo — digamos meio milhão em mais ou menos 300 milhões antes de 1914, ou um em seiscentos.* Até a região mais sedenta de educação (Bengala Ocidental) na época da independência (1949-50), com apenas 272 estudantes universitários para cada 100 mil habitantes, tinha cinco vezes mais que a região central norte-indiana. O papel desempenhado por essas minorias numericamente insignificantes era enorme. Os 38 mil parses da presidência de Bombaim, uma das principais divisões da Índia britânica no fim do século XIX, mais de um quarto deles alfabetizado *em inglês*, não surpreendentemente se tornaram a elite de comerciantes, industriais e financistas em todo o subcontinente. Entre os cem advogados da Suprema Corte de Bombaim admitidos entre 1890 e 1900 contavam-se dois grandes líderes nacionais da Índia independente (Mohandas Karamchand Gandhi e Vallabhai Patel) e o futuro fundador do Paquistão, Muhammad Ali Jinnah (Seal, 1968, p. 884; Misra, 1961, p. 382). A função abrangente de tais elites educadas no Ocidente pode ser ilustrada por uma família indiana conhecida do autor. O pai, um proprietário de terras, próspero advogado e figura social sob os britânicos, tornou-se diplomata e acabou sendo governador estadual após 1947. A mãe foi a primeira mulher ministra nos governos provinciais do Partido do Congresso de 1937. Dos quatro filhos (todos educados na Grã-Bretanha), três filiaram-se ao Partido Comunista, um tornou-se comandante-em-chefe do exército indiano; outro acabou tornando-se membro da Assembléia pelo partido; um terceiro — após complexos azares políticos — ministro no governo da sra. Gandhi; enquanto o quarto prosperou nos negócios.

Nada disso quer dizer que as elites ocidentalizadas aceitassem necessariamente os valores dos Estados e culturas que tomavam como modelos. Suas opiniões pessoais podiam ir de 100% de assimilacionismo a uma profunda desconfiança do Ocidente, combinada com a convicção de que só pela adoção de suas inovações se poderia preservar ou restaurar os valores específicos da civilização nativa. O objetivo do mais convicto e bem-sucedido plano de "oci-

(*) Com base nos dados para os que tinham educação escolar secundária do tipo ocidental (Seal, 1968, pp. 21-2).

dentalização", o Japão a partir da Restauração Meiji, não era ocidentalizar, mas ao contrário tornar viável o Japão tradicional. Do mesmo modo, o que os ativistas do Terceiro Mundo liam nas ideologias e programas de que se apropriavam não era tanto o texto ostensivo quanto o próprio subtexto deles. Assim, no período de independência, o socialismo (isto é, a versão comunista soviética) atraía os governos descolonizados não apenas porque a causa do antiimperialismo sempre pertencera à esquerda metropolitana, mas ainda mais porque viam a URSS como um modelo para superar o atraso através de uma industrialização planejada, questão de muito mais interesse para eles do que a emancipação do que se pudesse ver em seus países como "o proletariado" (ver pp. 350 e 376). Do mesmo modo, embora o Partido Comunista brasileiro jamais vacilasse em seu compromisso com o marxismo, um determinado tipo de nacionalismo desenvolvimentista se tornou "um ingrediente fundamental na política do partido desde o início da década de 30, mesmo quando isso conflitava com interesses trabalhistas considerados separadamente de outros" (Martins. Rodrigues, 1984, p. 437). Mesmo assim, quaisquer que fossem os objetivos conscientes ou inconscientes dos que moldavam a história do mundo atrasado, a modernização, ou seja, a imitação de modelos derivados do Ocidente, era o caminho necessário e indispensável para atingi-los.

Isso era tanto mais óbvio quando as perspectivas das elites do Terceiro Mundo e as do grosso de suas populações divergiam substancialmente, exceto na medida em que o racismo branco (isto é, do Atlântico Norte) proporcionava um laço comum de ressentimento que podia ser partilhado por marajás e varredores. Ainda assim, podia acontecer de ser menos sentido por homens, e sobretudo mulheres, acostumados a *status* inferiores em qualquer sociedade, independentemente da cor da pele de seus membros. Fora do mundo islâmico, a possibilidade de uma religião oferecer essa ligação — neste caso de imutável superioridade em relação aos infiéis — era incomum.

II

A economia de capitalismo da Era dos Impérios penetrou e transformou praticamente todas as partes do globo, mesmo tendo, após a Revolução de Outubro, parado nas fronteiras da URSS. Esse é o motivo pelo qual a Grande Depressão de 1929-33 iria ser um marco milenar na história do antiimperialismo e dos movimentos de libertação do Terceiro Mundo. Fossem quais fossem a economia, a riqueza, as culturas e sistemas políticos dos países antes de chegarem ao alcance do polvo do Atlântico Norte, foram todos sugados para dentro do mercado mundial, quando não descartados por homens de negócios e governos estrangeiros como economicamente desinteressantes, embora pitorescos, como os beduínos dos grandes desertos antes da descoberta de petróleo e gás natural em seu inóspito hábitat. Seu valor para o mercado mundial era, essencialmente, como fornecedores de produtos primários — matérias-primas para a indústria, energia e produtos agrícolas — e como uma saída para o investimento do capital nortista, sobretudo em empréstimos a governos e para a infra-estrutura de transportes, comunicações e cidades, sem o que os recursos dos países dependentes não podiam ser eficazmente explorados. Em 1913, mais de três quartos de todos os investimentos britânicos no além-mar — sendo que os britânicos exportavam mais capital que todo o resto do mundo junto — estavam em ações de governos, ferrovias, portos e navios (Brown, 1963, p. 153).

A industrialização do mundo dependente ainda não fazia parte dos planos de ninguém, mesmo em países como os do Cone Sul da América Latina, onde parecia lógico processar alimentos localmente produzidos, como a carne, em forma de mais fácil transporte, como as latas de carne em conserva. Afinal, o enlatamento de sardinhas e o engarrafamento de vinho não haviam industrializado Portugal, nem se pretendia que o fizessem. Na verdade, o padrão básico na mente da maioria dos governos e empresários do Norte era que o mundo dependente pagasse a importação de suas manufaturas com a venda de produtos primários. Essa fora a base da economia mundial dominada pelos britânicos no período pré-1914 (*A era dos impérios*, capítulo 2), embora, com exceção dos países do chamado "capitalismo colonial", o mundo dependente não fosse um mercado de exportação particularmente compensador para manufaturas. Os 300 milhões de habitantes do subcontinente indiano, os 400 milhões de chineses, eram pobres demais e satisfaziam localmente uma proporção muito grande de suas necessidades para comprar muita coisa de alguém. Felizmente para os britânicos em sua era de hegemonia econômica, esses 700 milhões de vinténs somavam o bastante para manter a indústria de algodão de Lancashire no ramo. Seu interesse, como o de todos os produtores do Norte, era obviamente tornar o mercado subordinado, tal como estava, completamente dependente da produção hortista, ou seja, torná-lo agrário.

Tivessem ou não esse objetivo, não conseguiram sucesso, em parte porque os mercados locais criados pela própria absorção de economias numa sociedade de mercado mundial, uma sociedade de compra e venda, estimulavam a produção de bens de consumo, que era mais barata se estabelecida localmente, e em parte porque muitas das economias nas regiões dependentes, sobretudo na Ásia, eram estruturas muitíssimo complexas, com longos históricos de manufatura, considerável sofisticação e impressionantes recursos e potencial técnicos e humanos. Assim, as gigantescas cidades portuárias *entrepôt* que vieram a ser os elos típicos entre o Norte e o mundo dependente — de Buenos Aires e Sydney a Bombaim e Saigon — desenvolveram indústrias locais no abrigo de sua temporária proteção contra importações, mesmo não sendo esta a intenção de seus dominadores. Não era preciso muito incentivo para fazer com que produtores de têxteis em Ahmedabad ou Xangai, nativos ou agentes de alguma empresa estrangeira, abastecessem o mercado indiano ou chinês próximos, em detrimento dos produtos de algodão até então importados da distante Lancashire a custos dispendiosos. Na verdade, foi isso que aconteceu depois da Primeira Guerra Mundial, estrangulando a indústria de algodão britânica.

E no entanto, quando pensamos como parecia lógica a previsão de Marx sobre a eventual disseminação da Revolução Industrial pelo resto do globo, é espantoso ver como a indústria pouco saíra do mundo do capitalismo desenvolvido antes do fim da Era dos Impérios, e mesmo até a década de 1970. Em fins da década de 1930, a única grande mudança no mapa mundial da industrialização se devia aos Planos Qüinqüenais soviéticos (ver capítulo 2). Ainda em 1960 os velhos centros de industrialização na Europa Ocidental e América do Norte produziam mais de 70% do produto mundial bruto e quase 80% do "valor acrescentado na manufatura", ou seja, da produção industrial (Harris, 1987, pp. 102-3). A grande virada da indústria para longe do velho Ocidente — incluindo a ascensão da indústria japonesa, que em 1960 produzia apenas perto de 4% da produção industrial mundial — ocorreu no último terço do século. Só na década de 1970 os economistas começaram a escrever livros sobre "a divisão internacional de trabalho", ou seja, o início da desindustrialização dos velhos centros.

Evidentemente o imperialismo, a velha "divisão internacional de trabalho", tinha uma tendência inata de reforçar o monopólio industrial dos velhos países-núcleo. Nessa medida, os marxistas do entreguerras, mais tarde acompanhados pelos "teóricos da dependência" de várias escolas pós-1945, tinham bases visíveis para seus ataques ao imperialismo como um modo de assegurar a continuação do atraso nos países atrasados. Contudo, paradoxalmente, foi a relativa imaturidade do desenvolvimento da economia mundial capitalista e, mais exatamente, da tecnologia de transporte e comunicação, que manteve a indústria localizada em suas terras natais originais. Nada havia na lógica do empreendimento com fins lucrativos e acumulação de capital que impedisse a fabricação de aço na Pensilvânia ou no Ruhr para sempre, embora não cause surpresa o fato de que os governos dos países industriais, sobretudo quando inclinados ao protecionismo ou com grandes impérios coloniais, fizessem o possível para impedir que competidores potenciais prejudicassem a sua indústria. Mas mesmo governos imperiais podiam ter motivos para industrializar suas colônias, embora o único caso em que isso tivesse sido sistematicamente feito fosse pelo Japão, que desenvolveu indústrias pesadas na Coréia (anexada em 1911) e, depois de 1931, na Manchúria e Taiwan, porque essas colônias ricas em recursos ficavam suficientemente próximas da pátria exígua e notoriamente pobre em matérias-primas para servir diretamente à industrialização nacional japonesa. Contudo, mesmo na maior das colônias, a constatação, durante a Primeira Guerra Mundial, de que a Índia não estivera em condições de fabricar bastante para a auto-suficiência industrial e a defesa militar levou a uma política de proteção e participação direta do governo no desenvolvimento econômico do país (Misra, 1961, pp. 239 e 256). Se a guerra tornou claras aos administradores imperiais as deficiências de uma indústria colonial insuficiente, a Depressão de 1929-33 os submeteu à pressão financeira. À medida que caíam as rendas da agricultura, a renda do governo colonial tinha de ser escorada por maiores impostos sobre bens manufaturados, incluindo os da própria metrópole, britânicos, franceses ou holandeses. Pela primeira vez, as empresas ocidentais, que haviam até então importado livremente, tiveram um forte incentivo a estabelecer instalações para a produção local nesses mercados marginais (Holland, 1985, p. 13). Ainda assim, mesmo descontando-se a guerra e a Depressão, o mundo dependente na primeira metade do Breve Século XX permaneceu em sua maioria agrário e rural. Por isso o "*grande salto avante*" da economia mundial no terceiro quartel do século iria se revelar uma tão dramática virada da sorte.

III

Praticamente todas as partes da Ásia, África e América Latina/Caribe eram e sentiam-se dependentes do que acontecia nuns poucos Estados do hemisfério norte, mas (fora das Américas) a maioria delas era também ou propriedade deles, ou administrada, ou de outro modo dominada e comandada por eles. Isso se aplicava mesmo às que mantinham suas próprias autoridades nativas (por exemplo, como "protetorados" ou principados), pois estava claro que o "conselho" do representante britânico ou francês na corte do emir, bei, rajá, rei ou sultão local era compulsório. Era o que acontecia mesmo em Estados formalmente independentes como a China, onde os estrangeiros gozavam de direitos territoriais extras e de supervisão de algumas das funções centrais dos Estados soberanos, como a coleta de impostos. Nessas áreas, era inevitável que surgisse o problema de como livrar-se do domínio estrangeiro. O mesmo não ocorria nas Américas Central e do Sul, que consistiam quase inteiramente de Estados soberanos, embora os EUA — mas ninguém mais — se inclinassem a tratar os pequenos países da América Central como protetorados de fato, sobretudo no primeiro e último terços do século.

O mundo colonial fora tão completamente transformado numa coleção de Estados nominalmente soberanos depois de 1945 que retrospectivamente pode parecer que isso não só era inevitável como aquilo que os povos coloniais sempre haviam querido. Isso é com certeza verdadeiro nos países que tinham atrás de si uma longa história como entidades políticas, como os grandes impérios asiáticos — China, Pérsia, os otomanos — e talvez um ou dois outros países como o Egito; sobretudo quando eram construídos em torno de um substancial *staatvolk*, ou Estado do povo, a exemplo dos chineses han ou dos crentes no islamismo xiita como religião nacional do Irã. Nesses países, era fácil politizar o sentimento popular contra os estrangeiros. Não por acaso a China, Turquia e Irã foram cenários de importantes revoluções autóctones. Contudo, esses casos eram excepcionais. Com mais freqüência, o próprio conceito de uma entidade política permanente, com fronteiras fixas separando-a de outras entidades idênticas, e sujeita exclusivamente a uma autoridade permanente, ou seja, a idéia do Estado soberano independente que temos como certa, não fazia sentido para as pessoas, pelo menos (mesmo na área de agricultura permanente e fixa) acima do nível da aldeia. Na verdade, mesmo onde existia um "povo" que claramente se tinha ou era reconhecido como tal, e que os europeus gostavam de descrever como uma "tribo", a idéia de que ele podia ser territorialmente separado de outro povo com o qual coexistia, se misturava e dividia funções era difícil de captar, porque fazia pouco sentido. Nessas regiões, a única base para tais Estados independentes do tipo do século XX eram os territórios nos quais a conquista e a rivalidade imperial os havia dividido, em geral sem qualquer respeito às estruturas locais. O mundo pós-colonial está assim quase inteiramente dividido pelas fronteiras do imperialismo.

Além disso, os habitantes do Terceiro Mundo que mais se ressentiam dos ocidentais (fosse como infiéis, como trazedores de todo tipo de perturbadoras e atéias inovações modernas, ou simplesmente por resistência a qualquer mudança na vida da gente simples, que eles, não sem razão, julgavam seria para pior) opunham-se igualmente à justificada convicção das elites de que a modernização era indispensável. Isso tornava difícil uma frente comum contra os imperialistas, mesmo em países coloniais onde todos os membros do povo súdito suportavam o fardo comum do desprezo dos colonizadores pela raça inferior.

A grande tarefa dos movimentos nacionalistas de classe média nesses países era como conquistar o apoio das massas essencialmente tradicionalistas e antimodernas sem pôr em perigo seu próprio projeto modernizante. O dinâmico Bal Ganghadar Tilak (1856-1920), nos primeiros dias do nacionalismo indiano, tinha razão em supor que a melhor maneira de conquistar apoio de massa, mesmo entre as baixas classes médias — e não só em sua parte nativa da Índia — era defendendo a santidade das vacas e o casamento de meninas de dez anos, e afirmando a superioridade espiritual da antiga civilização hindu ou "ariana" e sua religião sobre a civilização "ocidental" moderna e seus admiradores nativos. A primeira fase importante de militância nacionalista indiana, de 1905 a 1910, foi feita em grande parte nesses termos "nativistas", especialmente entre os jovens terroristas de Bengala. Mohandas Karamchand Gandhi (1869-1948) iria acabar conseguindo mobilizar as aldeias e bazares da Índia, às dezenas de milhões, em grande parte com o mesmo apelo ao nacionalismo da espiritualidade hindu, embora tendo o cuidado de não romper a frente comum com os modernizadores (dos quais, num sentido real, ele fazia parte — ver *A era dos impérios*, capítulo 13) e de evitar o antagonismo à Índia maometana, sempre implícito na visão militantemente hindu do nacionalismo. Ele inventou o político como santo, a revolução pelo ato coletivo de passividade ("não-cooperação não violenta"), e até a modernização social, como a rejeição do sistema de castas, através do potencial reformador contido nas abrangentes ambigüidades em eterna mutação do hinduísmo em evolução. Teve um êxito muito acima do esperado (ou temido) por todos. E no entanto, como ele próprio reconheceu no fim da vida, antes de ser assassinado por um militante da tradição tilakiana de exclusivismo hindu, fracassara em seu esforço fundamental. A longo prazo, foi impossível conciliar o que movia as massas com o que precisava ser feito. No fim, a Índia livre seria governada por aqueles que "não se voltavam para uma ressurreição da Índia dos tempos antigos", que "não tinham qualquer simpatia ou compreensão deles [...] voltavam-se para o Ocidente e se sentiam muitíssimo atraídos pelo progresso ocidental" (Nehru, 1936, pp. 23-4). Contudo, na época em que este livro está sendo escrito, a tradição de antimodernismo Tilak, agora representada pelo militante Partido BJP, continuava sendo o grande foco de oposição popular e — então como agora — a maior força divisiva na Índia, não só entre as massas, mas também entre os intelectuais. A breve tentativa de Mahatma Gandhi de um hinduísmo ao mesmo tempo popular e progressista desapareceu de vista.

Um esquema semelhante surgiu no mundo muçulmano, embora ali (a não ser após revoluções vitoriosas) todos os modernizadores sempre tivessem de prestar seus respeitos à religiosidade popular universal, quaisquer que fossem suas crenças privadas. Contudo, ao contrário da Índia, as tentativas de passar uma mensagem reformadora ou modernizadora no islã não se destinavam a mobilizar as massas, e não o fizeram. Os discípulos de Jamal al-Din al Afghani (1839-97) no Irã, Egito e Turquia; de seu seguidor Mohammed Abduh (1849-1905) no Egito; do argelino Abdul Hamid ben Badis (1889-1940) não se encontravam nas aldeias, mas nas escolas e faculdades, onde uma mensagem de resistência às potências européias teria de qualquer modo encontrado audiências simpáticas.* Apesar disso, os verdadeiros revolucionários do mundo islâmico, e os que chegaram ao poder lá, eram como vimos (capítulo 5) modernizadores seculares não islâmicos: homens como Kemal Atatürk, que substituiu o fez turco (ele próprio uma inovação do século XIX) pelo chapéu-coco, a escrita árabe característica do islã por letras romanas, e de fato rompeu as ligações entre o islamismo, o Estado e a lei. Apesar disso, como a história recente mais uma vez confirma, é mais fácil obter a mobilização das massas

(*) No Norte da África francês, a religiosidade rural era dominada por vários homens santos sufitas ("Marabouts"), alvos escolhidos da denúncia dos reformadores.

com base na religiosidade antimoderna ("fundamentalismo islâmico"). Em suma, um profundo conflito separava os modernizadores, que eram também os nacionalistas (um conceito inteiramente não tradicional), e a gente comum do Terceiro Mundo.

Os movimentos antiimperialistas e anticoloniais de antes de 1914 eram, portanto, menos destacados do que se poderia pensar, em vista da quase total liquidação dos impérios coloniais ocidentais e japonês no decorrer do meio século que se seguiu à eclosão da Primeira Guerra Mundial. Mesmo na América Latina, a hostilidade à dependência econômica em geral e aos EUA em particular, o único Estado imperialista que insistiu numa presença militar na região, não era então um ponto tão importante na política local. O único império que enfrentava sérios problemas em algumas áreas — isto é, problemas que não podiam ser tratados com operações de polícia — era o britânico. Em 1914, já havia concedido autonomia interna às colônias de assentamento branco massivo, conhecidas desde 1907 como "domínios" (Canadá, Austrália, Nova Zelândia e África do Sul), e estava comprometido com a autonomia ("Governo Interno") para a sempre problemática Irlanda. Na Índia e no Egito, já ficara claro que os interesses imperiais e as exigências locais de autonomia, e mesmo de independência, poderiam exigir soluções políticas. Depois de 1905, podia-se mesmo falar num certo elemento de apoio de massa para o movimento nacionalista na Índia e no Egito.

Contudo, a Primeira Guerra Mundial foi o primeiro conjunto de acontecimentos que abalou seriamente a estrutura do colonialismo mundial, além de destruir dois impérios (o alemão e o otomano, cujas antigas possessões foram divididas entre os britânicos e os franceses), e derrubar temporariamente um terceiro, a Rússia (que recuperou suas dependências asiáticas dentro de poucos anos). As tensões da guerra nas regiões dependentes, cujos recursos a Grã-Bretanha precisou mobilizar, geraram agitação. O impacto da Revolução de Outubro e o colapso geral de velhos regimes, seguidos pela independência irlandesa *de facto* para os 26 condados do Sul (1921), fizeram pela primeira vez os impérios parecerem mortais. No fim da guerra, um partido egípcio, o *Wafd* ("delegação") de Said Zaghlul, inspirado pela retórica do presidente Wilson, pediu pela primeira vez independência completa. Três anos de luta (1919-22) obrigaram os britânicos a transformar seu protetorado num Egito semi-independente sob controle britânico, uma fórmula que a Grã-Bretanha também achou conveniente para a administração de todas as áreas asiáticas (com exceção de uma) que tomara do império turco: o Iraque e a Transjordânia. (A exceção foi a Palestina, que eles administraram diretamente, tentando em vão conciliar as promessas feitas durante a guerra aos judeus sionistas, em troca de apoio contra a Alemanha, e aos árabes, em troca de apoio contra os turcos.)

Foi menos fácil para a Grã-Bretanha encontrar uma fórmula fácil para manter o controle sobre a maior de suas colônias, a Índia, onde o *slogan* do "autogoverno" (*swaraj*), adotado pelo Partido do Congresso pela primeira vez em 1906, agora se aproximava cada vez mais da independência completa. Os anos revolucionários de 1918-22 transformaram a política nacionalista de massa no subcontinente, em parte por voltar as massas muçulmanas contra os britânicos, em parte pela sangrenta histeria de um general britânico, no turbulento ano de 1919, que massacrou uma multidão desarmada numa área sem saída, matando várias centenas (o "Massacre de Amristar"), mas sobretudo pela combinação de uma onda de greves operárias com a desobediência civil em massa convocada por Gandhi e um Congresso radicalizado. Naquele momento, um estado de espírito quase milenar tomou o movimento de libertação: Gandhi anunciou que o *swaraj* seria conquistado até o fim de 1921. O governo "não procura minimizar de modo algum o fato de que a situação causa grande ansiedade", uma vez que as cidades estavam paralisadas pela não-cooperação, o campo, em grandes áreas do norte da Índia, Bengala, Orissa e Assam, se achava em polvorosa e "uma grande parte da população maometana em todo o país está amargurada e mal-humorada" (Cmd 1586, 1922, p. 13). Dali em diante, a Índia tornou-se intermitentemente ingovernável. É provável que só a hesitação da maioria dos líderes do Congresso, incluindo Gandhi, em mergulhar o país nas trevas selvagens de uma insurreição incontrolável das massas, sua própria falta de confiança, e a convicção da maioria dos líderes nacionalistas, abalada mas não totalmente destruída, de que os britânicos estavam genuinamente empenhados na reforma indiana, tenham salvo o domínio britânico. Depois que Gandhi suspendeu a campanha de desobediência civil no início de 1922, alegando que ela levara ao massacre de policiais numa aldeia, pode-se afirmar que o domínio da Grã-Bretanha na Índia dependia da moderação dele — muito mais do que da polícia e do exército.

A convicção não era injustificada. Embora houvesse um poderoso bloco de empedernido imperialismo na Grã-Bretanha, do qual Winston Churchill se fez porta-voz, a opinião efetiva da classe dominante britânica após 1919 era de que em última análise seria inevitável alguma forma de autogoverno indiano semelhante ao "*status* de domínio", e o futuro da Grã Bretanha na Índia dependia de um acordo com a elite indiana, incluindo os nacionalistas. O fim do domínio unilateral britânico na Índia a partir daí era apenas uma questão de tempo. Como a Índia era o núcleo de todo o império britânico, o futuro desse império como um todo, portanto, agora parecia incerto, a não ser na África e nas ilhas dispersas do Caribe e do Pacífico, onde o paternalismo ainda reinava inconteste. Nunca uma área tão grande do globo estivera sob controle britânico, formal ou informal, quanto entre as duas guerras, mas jamais os governantes da Grã-Bretanha haviam sentido tão pouca confiança na manutenção de sua velha supremacia imperial. Esse foi um dos grandes motivos pelos quais, quando a posição se tornou insustentável após a Segunda Guerra Mundial, os britânicos, em geral, não resistiram à descolonização. É também talvez o motivo pelo qual outros impérios, notadamente o francês — mas também o holandês —, lutaram de armas na mão para manter suas posições coloniais após 1945. Seus impérios não haviam sido abalados pela Primeira Guerra Mundial. A única grande dor de cabeça dos franceses era que ainda não haviam concluído a conquista do Marrocos, mas as tribos berberes guerreiras das montanhas Atlas eram um problema mais militar que político, e na verdade ainda maior para a colônia marroquina da Espanha, onde um intelectual montanhês local, Abd-el-Krim, proclamou a República Rif em 1923. Entusiasticamente apoiado pelos comunistas franceses e outros da esquerda, Abd-el-Krim foi derrotado em 1926 com ajuda francesa, após o que os berberes montanheses retornaram a seus afazeres habituais, combatendo nos exércitos coloniais francês e espanhol no exterior, e resistindo a qualquer tipo de governo central em sua terra. Um movimento anticolonial modernizante nas colônias islâmicas francesas e na Indochina francesa só veio a surgir bem depois da Primeira Guerra Mundial, a não ser por uma modesta antecipação na Tunísia.

IV

Os anos de revolução abalaram principalmente o império britânico, mas a Grande Depressão atingiu todo o mundo dependente. Para praticamente todos esses países, a era de imperialismo fora de quase contínuo crescimento, não interrompido nem pela guerra mundial, da qual a maior parte permaneceu distante. Claro, muitos de seus habitantes ainda não participavam muito da economia mundial em expansão, ou não sentiam que sua participação se desse de qualquer modo novo, pois que importava para homens e mulheres pobres, que haviam cavado e carregado fardos desde o início dos tempos, em que exato contexto global faziam isso? Mesmo assim, a economia imperialista levou substanciais transformações à vida da gente simples, sobretudo nas regiões de produção primária voltada para a exportação. Às vezes essas mudanças já se haviam expressado no tipo de política que os governantes nativos ou estrangeiros reconheciam. Assim, enquanto as *haciendas* peruanas eram transformadas, entre 1900 e 1930, em usinas de açúcar costeiras e fazendas comerciais de ovelhas nas montanhas, e o pinga-pinga de migração índia para o litoral e a cidade se tornava um rio, novas idéias vazavam para os tradicionais interiores. No início da década de 1930, Huasicancha, uma comunidade "especialmente remota" a uns 3 mil metros de altura nas inacessíveis encostas dos Andes, já debatia qual dos dois partidos radicais nacionais representaria melhor seus interesses (Smith, 1989, esp. p. 175). Contudo, com muito mais freqüência ninguém, com exceção dos locais, sabia ainda, nem se importava, o quanto eles mudavam.

Que significava, por exemplo, para economias que mal tinham usado dinheiro, ou só o tinham usado para poucos fins, entrar numa economia onde ele era um meio universal de troca, como acontecia nos mares do Indo-Pacífico? O sentido de bens, serviços e transações entre povos foi transformado, e por conseqüência, também os valores morais da sociedade, assim como sua forma de distribuição social. Entre os matrilineares camponeses plantadores de algodão de Negri Sembilan (Malásia), as terras ancestrais, cultivadas sobretudo pelas mulheres, só podiam ser herdadas por elas ou através delas, mas os novos campos abertos na selva pelos homens, e nos quais se plantavam safras suplementares, como frutas e legumes, podiam ser transmitidos diretamente para homens. Com o surgimento, porém, da borracha, uma safra mais lucrativa que o arroz, mudou o equilíbrio entre os sexos, à medida que ganhava importância a herança de homem para homem. E isso, por sua vez, fortaleceu os líderes de mentalidade patriarcal do islamismo, que de qualquer modo tentavam sobrepor a ortodoxia à lei consuetudinária local, para não falar do governante local e sua família, outra ilha de descendência patrilinear no lago matrilinear local (Firth, 1954). O mundo dependente estava repleto de tais mudanças e transformações em comunidades de pessoas cujo contato direto com o vasto mundo era mínimo — talvez, neste caso, só através de um comerciante chinês, ele próprio na maioria dos casos de origem camponesa ou um artesão emigrante de Fukien, cuja cultura o acostumara ao esforço consistente, porém acima de tudo à sofisticação em questões de dinheiro, mas fora isso igualmente distante do mundo de Henry Ford e da General Motors (Friedman, 1959).

E no entanto, a economia mundial como tal parecia remota, porque seu impacto imediato, reconhecível, não era cataclísmico, a não ser talvez nos crescentes enclaves industriais de mão-de-obra barata em regiões como a Índia e a China, onde o conflito trabalhista, e mesmo a organização dos trabalhadores nos moldes do Ocidente, se espalharam a partir de 1917, e nas gigantescas cidades portuárias e industriais através das quais o mundo dependente se comunicava com a economia mundial que determinava seus destinos: Bombaim, Xangai (cuja população cresceu de 200 mil no século XIX para 3,5 milhões na década de 1930), Buenos Aires, ou, em menor escala, Casablanca, cuja população alcançou 250 mil menos de trinta anos depois de inaugurada como um porto moderno (Bairoch, 1985, pp. 517 e 525).

A Grande Depressão mudou tudo isso. Pela primeira vez, os interesses de economias dependentes e metropolitanas entraram claramente em choque, inclusive porque os preços dos produtos primários, dos quais dependia o Terceiro Mundo, caíram muito mais dramaticamente que os dos bens manufaturados que eles compravam do Ocidente (capítulo 3). Pela primeira vez, colonialismo e dependência se tornaram inaceitáveis mesmo para os que até então se beneficiavam com eles. "Os estudantes se amotinaram no Cairo, Rangun e Jacarta (Batávia), não porque sentissem que algum milênio político estava ao alcance, mas porque a Depressão derrubara de repente os esteios que tinham tornado o colonialismo tão aceitável para a geração de seus pais" (Holland, 1985, p. 12). Mais que isso: pela primeira vez (exceto durante as guerras) a vida da gente simples era abalada por terremotos que não eram de origem natural, e que exigiam mais protestos do que preces. Passou a existir uma base de massa para a mobilização política, sobretudo onde os camponeses tinham se envolvido maciçamente na economia de dinheiro-safra do mercado mundial, como na costa ocidental africana e no Sudeste Asiático. Ao mesmo tempo, a Depressão desestabilizou a política nacional e internacional do mundo dependente.

Os anos 1930 foram portanto uma década crucial para o Terceiro Mundo, não tanto porque a Depressão levou à radicalização, mas antes porque estabeleceu contato entre as minorias politizadas e a gente comum de seus países. Isso se deu mesmo em países como a Índia, onde o movimento nacionalista já tinha mobilizado apoio de massa. Uma segunda onda de não-cooperação em massa no início da década de 1930, uma nova Constituição negociada pelos britânicos, e as primeiras eleições em âmbito nacional em 1937 demonstraram o apoio nacional ao Congresso, cujos membros no interior do território do Ganges subiram de cerca de 60 mil em 1935 para 1,5 milhão no fim da década (Tomlinson, 1976, p. 86). Isso tornou-se mais óbvio em países até então menos mobilizados. Começavam a surgir, claramente ou não, as tendências gerais da política de massa do futuro: populismo latino-americano baseado em líderes autoritários buscando o apoio dos trabalhadores urbanos; mobilizações políticas por líderes sindicais que teriam futuro como líderes partidários, como no Caribe britânico; um movimento revolucionário com forte base entre trabalhadores migrantes para a França e de lá retornados, como na Argélia; uma resistência nacional de base comunista com fortes laços agrários, como no Vietnã. No mínimo, como na Malásia, os anos de Depressão quebraram os laços entre as autoridades coloniais e as massas camponesas, deixando espaço para o surgimento de futuros políticos.

No fim da década de 1930, a crise do colonialismo já se espalhara para outros impérios, embora dois deles, o italiano (que acabava de conquistar a Etiópia) e o japonês (que tentava conquistar a China), ainda se achassem em expansão, se bem que não por muito tempo. Na Índia, a nova Constituição de 1935, uma infeliz negociação com as forças crescentes do nacionalismo indiano, revelou-se uma grande concessão a ele, através do triunfo eleitoral quase nacional do Congresso. Na África do Norte Francesa, sérios movimentos políticos surgiam pela primeira vez na Tunísia, Argélia — havia até algumas perturbações no Marrocos —, enquanto a agitação de massa sob liderança comunista, ortodoxa ou dissidente, se tornava substancial pela primeira vez na Indochina francesa. Os holandeses conseguiam manter controle na Indonésia, uma região que "sente os movimentos no Oriente como não o fazem muitos outros países" (Van Asbeck, 1939), não porque ela estivesse calma, mas sobretudo porque as forças de oposição — islâmicas, comunistas e nacionalistas seculares — se achavam divididas entre si e umas contra as outras. Mesmo no que os ministros coloniais encaravam como o tranqüilo Caribe, uma série de greves nos campos de petróleo de Trinidad e nas fazendas e cidades da Jamaica, entre 1935 e 1938, transformou-se em motins e choques por toda a ilha, revelando uma até então não percebida insatisfação de massa.

Só a África Central e Setentrional ainda continuava calma, embora mesmo ali os anos da Depressão provocassem as primeiras greves trabalhistas em massa após 1935, começando no cinturão do cobre centro-africano, e Londres passasse a exortar os governos coloniais a criar ministérios de Trabalho, tomar medidas para melhorar as condições dos trabalhadores e estabilizar as forças do trabalho, reconhecendo o sistema corrente de migração de homens do campo para as minas como social e politicamente desestabilizador. A onda de greves de 1935-40 varreu toda a África, mas ainda não era política no sentido anticolonial, a menos que consideremos política a disseminação de igrejas e profetas voltados para os negros, e de opositores de governos mundanos como o movimento milenar Watchtower (com origem nos EUA) no cinturão do cobre. Pela primeira vez, os governos coloniais começavam a refletir sobre o efeito desestabilizador da mudança econômica na sociedade rural africana — que na verdade passava por uma notável era de prosperidade — e a encorajar a pesquisa do tema por antropólogos sociais.

Contudo, o perigo político parecia remoto. No campo, essa foi a era de ouro do administrador branco, com ou sem o "chefe" obediente, às vezes criado para esse fim onde a administração colonial era "indireta". Nas cidades, uma classe insatisfeita de africanos urbanos educados já era suficientemente grande em meados da década de 1930 para manter uma florescente imprensa política, como o *African Morning Post* na Costa do Ouro (Gana), o *West African Pilot* na Nigéria e o *Éclaireur de la Côte d'Ivoire* na Costa do Marfim ("liderou uma campanha contra os chefes e a polícia; exigiu medidas de reconstrução social; defendeu a causa dos desempregados e dos agricultores africanos atingidos pela crise econômica") (Hodgkin, 1961, p. 32). Os líderes do nacionalismo político local já surgiam, influenciados pelas idéias do movimento negro nos EUA, da França da era da Frente Popular, pelas idéias que circulavam na União dos Estudantes da África Ocidental, e até do movimento comunista.* Alguns dos futuros presidentes das futuras repúblicas africanas já estavam em cena — Jomo Kenyatta (1889-1978) do Quênia; dr. Namdi Azikiwe, que mais tarde seria o presidente da Nigéria. Nada disso causava ainda noites de insônia nos ministérios coloniais europeus.

Embora provável, parecia na verdade iminente em 1939 o fim universal dos impérios coloniais? Não, se pode servir de guia a lembrança que tem este

(*) Contudo, nem uma única figura africana destacada se tornou ou continuou sendo comunista.

escritor de uma "escola" para comunistas britânicos e "coloniais" naquele ano. E mais ninguém que os apaixonados jovens militantes marxistas teria grandes expectativas naquela época. O que transformou a situação foi a Segunda Guerra Mundial. Embora tivesse sido mais que isso, foi também uma guerra interimperialista, e até 1943 os grandes impérios coloniais estavam do lado perdedor. A França desabou ignominiosamente, e muitos de seus dependentes sobreviveram por permissão das potências do Eixo. Os japoneses tomaram conta do havia de colônias britânicas, holandesas e outras no Sudeste Asiático e no Pacífico ocidental. Mesmo no Norte da África os alemães ocuparam o que quiseram até quase a cidade de Alexandria. A certa altura, os britânicos pensaram seriamente em retirar-se do Egito. Só a África ao Sul dos desertos permaneceu sob firme controle ocidental, e, de fato, lá os britânicos conseguiram liquidar o império italiano, no Chifre da África, com pouca dificuldade.

O que prejudicou fatalmente os velhos colonialistas foi a prova de que os brancos e seus Estados podiam ser derrotados, total e vergonhosamente, e que as velhas potências coloniais encontravam-se fracas demais, mesmo após uma guerra vitoriosa, para restaurar suas antigas posições. O teste do domínio britânico na Índia não foi a grande rebelião organizada pelo Congresso em 1942 sob o *slogan* "Deixe a Índia", pois foi sufocada sem séria dificuldade. Foi que, pela primeira vez, um número que pode ter chegado a 55 mil soldados indianos passou para o inimigo, para formar um "Exército Nacional Indiano" sob um líder esquerdista do Congresso, Subhas Chandra Bose, que decidira buscar apoio japonês para a independência indiana (Bhargava & Singh Gill, 1988, p. 10; Sareen, 1988, pp. 20-1). Uma "Assembléia das Maiores Nações Asiáticas Orientais" chegou a ser organizada em Tóquio em 1943, com a presença dos "presidentes" e "primeiros-ministros" da China, controlada pelo Japão, Índia, Tailândia, Birmânia e Manchúria (mas não Indonésia, à qual se ofereceu uma "independência" japonesa quando a guerra já estava perdida). Os nacionalistas coloniais eram realistas demais para ser pró-japoneses, embora agradecessem o apoio do Japão, sobretudo quando era substancial, como na Indonésia. Quando os japoneses estavam para perder, as colônias voltaram-se contra eles, mas nunca esqueceram como os velhos impérios ocidentais se haviam mostrado fracos. Tampouco ignoraram o fato de que as duas potências que haviam de fato derrotado o Eixo, os EUA de Roosevelt e a URSS de Stalin, eram ambas, por motivos diferentes, hostis ao velho colonialismo, embora o anticomunismo americano logo tornasse Washington o defensor do conservadorismo no Terceiro Mundo.

V

Não surpreendentemente, os velhos sistemas coloniais ruíram primeiro na Ásia. A Síria e o Líbano (antes franceses) se tornaram independentes em

1945; a Índia e o Paquistão em 1947; Birmânia, Ceilão (Sri Lanka), Palestina (Israel) e as Índias Orientais holandesas (Indonésia) em 1948. Em 1946, os EUA concederam *status* formal de independência às Filipinas, que haviam ocupado desde 1898. O império japonês, claro, desaparecera em 1945. O Norte da África islâmico já estava abalado, mas ainda se segurava. A maior parte da África Central e Setentrional, e as ilhas do Caribe e Pacífico permaneciam relativamente calmas. Só em partes do Sudeste Asiático essa descolonização política sofreu séria resistência, notadamente na Indochina francesa (atuais Vietnã, Camboja e Laos), onde a resistência comunista declarara independência após a libertação, sob a liderança do nobre Ho Chi Minh. Os franceses, apoiados pelos britânicos e depois pelos EUA, realizaram uma desesperada ação para reconquistar e manter o país contra a revolução vitoriosa. Foram derrotados e obrigados a se retirar em 1954, mas os EUA impediram a unificação do país e mantiveram um regime satélite na parte Sul do Vietnã dividido. Depois que este, por sua vez, pareceu à beira do colapso, os EUA travaram dez anos de uma grande guerra, até serem por fim derrotados e obrigados a retirar-se em 1975, depois de lançar sobre o infeliz país um volume de explosivos maior do que o empregado em toda a Segunda Guerra Mundial.

A resistência no resto do Sudeste Asiático foi desigual. Os holandeses (que se revelaram um pouco melhores que os britânicos, descolonizando seu império índico sem dividi-lo) eram fracos demais para manter um poder militar adequado no imenso arquipélago indonésio, cujas ilhas, em sua maioria, estariam dispostas a mantê-los como contrapeso para a predominância dos 55 milhões de javaneses. Eles desistiram quando descobriram que os EUA não consideravam a Indonésia uma frente essencial contra o comunismo mundial, ao contrário do Vietnã. Na verdade, longe de estar sob liderança comunista, os novos nacionalistas indonésios tinham acabado de sufocar uma insurreição do Partido Comunista local em 1948, um fato que convenceu os EUA de que o poder militar holandês seria mais bem empregado contra a suposta ameaça soviética na Europa do que na manutenção de seu império. Assim os holandeses mantiveram apenas uma base colonial na metade ocidental da grande ilha melanésia de Nova Guiné, até que ela também foi incorporada à Indonésia, na década de 1960. Na Malásia, os britânicos se viram colhidos entre os sultões tradicionais, que tinham lucrado com o império, e dois grupos de habitantes diferentes e mutuamente desconfiados, os malaios e os chineses, ambos radicalizados de modos diferentes; os chineses pelo Partido Comunista, que conquistara muita influência como o único grupo de resistência contra os japoneses. Irrompida a Guerra Fria, não havia como permitir comunistas no poder ou ocupando cargos na ex-colônia, muito menos chineses, mas após 1948 os britânicos precisaram de doze anos, 50 mil soldados, 60 mil policiais e uma guarda nacional de 200 mil membros para derrotar uma insurreição e a guerra de guerrilha sobretudo chinesas. Pode-se perguntar se os britânicos teriam arcado com os custos dessa operação com tanta disposição, se o estanho e a borracha da Malásia não fossem tão confiáveis faturadores de dólares, assegurando com isso a estabilidade da libra. Contudo, a descolonização da Malásia teria sido de qualquer forma complexa, e só foi obtida de modo satisfatório para os conservadores malaios e milionários chineses em 1957. Em 1965, a ilha chinesa de Cingapura passou a constituir uma cidade-Estado independente e muito rica.

Ao contrário dos franceses e holandeses, a Grã-Bretanha aprendera com a longa experiência na Índia que, a partir do surgimento de movimentos nacionalistas sérios, a única maneira de manter as vantagens do império era abrir mão do poder formal. Os britânicos retiraram-se do subcontinente indiano em 1947, antes que se tornasse patente sua incapacidade para controlá-lo, e sem a menor resistência. O Ceilão (rebatizado de Sri Lanka em 1972) e a Birmânia também se tornaram independentes, o primeiro com bem-vinda surpresa, a última com alguma hesitação, pois os nacionalistas birmaneses, embora liderados por uma Liga da Liberdade do Povo antifascista, também haviam cooperado com os japoneses. Na verdade, eles eram tão hostis à Grã-Bretanha que a Birmânia foi a única entre todas as possessões britânicas a se recusarem de imediato a entrar na Comunidade Econômica Britânica, associação sem compromisso pela qual Londres tentava manter pelo menos a lembrança do império britânico. Nisso se anteciparam até mesmo à Irlanda, que se declarou república fora da Comunidade Econômica no mesmo ano. Mesmo assim, e embora creditada ao governo trabalhista britânico que assumiu o poder no fim da Segunda Guerra Mundial, a rápida e pacífica retirada da Grã-Bretanha do maior bloco da humanidade já submetido e administrado por um conquistador estrangeiro estava longe de ser um sucesso completo. Foi conseguida à custa da sangrenta divisão da Índia num Paquistão muçulmano e numa Índia não religiosa mas esmagadoramente hindu, no curso da qual talvez várias centenas de milhares de pessoas foram massacradas por adversários religiosos e outros milhões de habitantes expulsos de suas terras ancestrais para o que era agora um país estrangeiro. Isso não fazia parte do plano dos nacionalistas indianos, dos movimentos muçulmanos nem dos governantes imperiais.

Como a idéia de um Paquistão separado, cujo próprio conceito e nome só foram inventados por alguns estudantes em 1932-3, se tornou realidade em 1947 é uma questão que continua a perseguir estudiosos e sonhadores dos "se ao menos" da história. Uma vez que a sabedoria da visão retrospectiva nos mostra que a divisão da Índia segundo credos religiosos estabeleceu um precedente sinistro para o futuro do mundo, isso necessita uma explicação. Em certo sentido, não foi culpa de ninguém, ou foi de todos. Nas eleições sob a Constituição de 1935, o Partido do Congresso triunfara até na maioria das áreas muçulmanas, e o partido nacional que dizia representar a comunidade minoritária, a Liga Muçulmana, se saíra mal. A ascensão do Partido do Congresso, secular e não sectário, naturalmente deixou apreensivos muitos muçulmanos, a maioria deles (assim como dos hindus) ainda não eleitores, pois a maior parte dos líderes do Congresso num país predominantemente hindu provavelmente seria hindu. Em vez de reconhecer esses temores e dar aos muçulmanos uma representação especial, as eleições pareceram fortalecer as pretensões do Congresso de ser o *único* partido nacional, representando hindus e muçulmanos. Foi isso que fez a Liga Muçulmana, sob seu formidável líder Muhammad Ali Jinnah, romper com o Congresso e tomar o que se tornou a estrada para o separatismo potencial. Contudo, só em 1940 Jinnah abandonou sua oposição a um Estado muçulmano separado.

Foi a guerra que dividiu a Índia em duas. Em certo sentido, foi o último grande triunfo do domínio britânico — e ao mesmo tempo seu último suspiro de exaustão. Pela última vez o domínio britânico mobilizou os homens e a economia da Índia para uma guerra britânica, numa escala ainda maior que em 1914-8, desta vez enfrentando a oposição das massas agora representadas por um partido de libertação nacional, e — ao contrário da Primeira Guerra Mundial — a iminente invasão pelo Japão. Foi um feito espantoso, mas a custos elevados. A oposição do Congresso à guerra levou seus líderes a se afastar da política e, depois de 1942, à cadeia. As tensões da economia de guerra alienaram importantes grupos políticos muçulmanos que defendiam o domínio britânico, principalmente no Punjab, portanto empurrando-os para a Liga Muçulmana, que agora se tornava uma força de massa no momento mesmo em que o governo em Délhi, temendo a capacidade do Congresso de sabotar o esforço de guerra, deliberada e sistematicamente explorava a rivalidade hindu-muçulmana para imobilizar o movimento nacional. Dessa vez se pode realmente dizer que a Grã-Bretanha "dividiu para governar". Em seu último e desesperado esforço para vencer a guerra, o domínio britânico destruiu não apenas a si mesmo, mas a sua própria justificativa moral, que era a consecução de um único subcontinente indiano onde as diversas comunidades pudessem coexistir em relativa paz sob uma administração e lei únicas, porque imparciais. Quando a guerra acabou, o motor da política comunal não mais podia ser posto em marcha à ré.

Em 1950, a descolonização asiática estava completa, a não ser pela Indochina. Enquanto isso, a região do islã ocidental, da Pérsia (Irã) ao Marrocos, era transformada por uma série de movimentos populares, golpes revolucionários e insurreições, começando com a nacionalização das empresas de petróleo ocidentais no Irã (1951) e a guinada daquele país para o populismo, sob o comando do dr. Muhammad Mussadiq (1880-1967), apoiado pelo então poderoso Partido Tudeh (Comunista). (Previsivelmente, os partidos comunistas adquiriram alguma influência no Oriente Médio após a grande vitória soviética.) Mussadiq seria derrubado por um golpe organizado pelo serviço secreto anglo-americano em 1953. A revolução dos Oficiais Livres no Egito (1952), liderada por Gamal Abdel Nasser (1918-70), e a posterior derrubada de regimes no Iraque (1958) e Síria não puderam ser tão facilmente revertidos, embora os britânicos e franceses, inidos ao novo Estado antiárabe de Israel, fizessem o possível para derrubar Nasser na crise do Suez em 1956 (ver p. 359). Contudo, os franceses resistiram tenazmente ao levante pela independência nacional na Argélia (1954-62), um dos territórios em que, a exemplo da África do Sul e — de certa maneira — Israel, a coexistência de uma população local com um grande grupo de colonos europeus tornava o problema da descolonização particularmente difícil de resolver. A guerra argelina foi assim um conflito de uma brutalidade peculiar, que ajudou a institucionalizar a tortura nos exércitos, polícia e forças de segurança de países que se diziam civilizados. Popularizou o infame uso posterior e generalizado da tortura com choques elétricos aplicados a línguas, bicos de seios e órgãos genitais, e levou à derrubada da Quarta República (1958) e quase à da Quinta (1961), antes que a Argélia conquistasse a independência que o general De Gaulle há muito reconhecia como inevitável. Enquanto isso, o governo francês havia negociado com discrição a autonomia e (1956) independência de dois outros protetorados norte-africanos: Tunísia (que se tornou uma república) e Marrocos (que continuou sendo uma monarquia). No mesmo ano, os britânicos discretamente abriram mão do domínio sobre o Sudão, que se tornara inviável quando eles perderam o controle do Egito.

Não está claro em que momento os velhos impérios compreenderam que a Era dos Impérios acabara definitivamente. Sem dúvida, em retrospecto, a tentativa da Grã-Bretanha e da França de reafirmar-se como potências imperiais globais na aventura de Suez em 1956 parece mais condenada ao insucesso do que evidentemente parecia aos governos de Londres e Paris, que planejaram junto com Israel uma operação militar para derrubar o governo revolucionário do coronel Nasser, no Egito. O episódio foi um fracasso catastrófico (exceto do ponto de vista de Israel), tanto mais ridículo pela combinação de indecisão, hesitação e inconvincente desfaçatez do primeiro-ministro britânico, Anthony Eden. A operação, mal lançada, foi cancelada por pressão dos EUA, empurrou o Egito para a URSS, e acabou para sempre com o chamado "Momento da Grã-Bretanha no Oriente Médio", a época de inquestionada hegemonia britânica naquela região instaurada a partir de 1918.

De qualquer modo, em fins da década de 1950 já ficara claro para os velhos impérios sobreviventes que o colonialismo formal tinha de ser liquidado. Só Portugal continuou resistindo à sua dissolução, pois sua economia metropolitana atrasada, politicamente isolada e marginalizada não tinha meios para sustentar o neocolonialismo. Precisava explorar seus recursos africanos e, como sua economia não era competitiva, só podia fazê-lo pelo controle direto. A África do Sul e a Rodésia do Sul, os Estados africanos com substanciais populações de colonos brancos (com exceção do Quênia), também se recusaram a adotar políticas que inevitavelmente produziriam regimes controlados por africanos, e os brancos da Rodésia do Sul chegaram a declarar-se independentes (1965) da Grã-Bretanha para evitar esse destino. Contudo, Paris, Londres e Bruxelas (o Congo Belga) decidiram que a concessão de independência com a manutenção da dependência econômica e cultural era preferível a longas lutas que provavelmente acabariam em independência sob governos esquerdistas. Só no Quênia houve uma expressiva insurreição popular e guerra de guerrilha, embora em grande parte limitada a setores de um povo local, o kikuyu (o chamado movimento Mau Mau, 1952-6). Em outras partes, a política de descolonização profilática foi seguida com êxito, exceto no Congo Belga, onde logo conduziu à anarquia, guerra civil e política de potência internacional. Na África britânica, a Costa do Ouro (hoje Gana), que já tinha um partido de massa dirigido por um talentoso político e intelectual pan-africano, Kwame Nkrumah, recebeu independência em 1957. Na África francesa, a Guiné foi arremessada numa precoce e empobrecida independência em 1958, quando seu líder, Sekou Touré, recusou o convite de De Gaulle para entrar numa "Comunidade Francesa", que combinava autonomia com estrita dependência da economia francesa, tornando-se o primeiro líder negro obrigado a buscar ajuda em Moscou. Quase todas as demais colônias britânicas, francesas e belgas foram liberadas em 1960-2, e o restante pouco depois. Só Portugal e os Estados de colonos brancos independentes resistiram à tendência.

As maiores colônias britânicas no Caribe foram tranqüilamente descolonizadas na década de 1960, as ilhas menores em intervalos entre essa data e 1981, as ilhas do Índico e Pacífico em fins da década de 1960 e na de 1970. Na verdade, em 1970 nenhum território de tamanho significativo continuava sob administração direta das ex-potências colonialistas ou seus regimes de colonos, a não ser no Centro e Sul da Ásia — e, claro, no Vietnã em guerra. A era imperial acabara. Menos de três quartos de século antes, parecera indestrutível. Mesmo trinta anos antes, cobria a maior parte dos povos do globo. Parte irrecuperável do passado, tornara-se parte das sentimentalizadas lembranças literárias e cinematográficas dos antigos Estados imperiais, enquanto uma nova geração de escritores nativos dos países outrora coloniais começava a produzir uma literatura que partia da era da independência.

Parte dois
A ERA DE OURO

8
GUERRA FRIA

Embora a Rússia soviética pretenda espalhar sua influência de todas as formas possíveis, a revolução mundial não faz mais parte de seu programa, e nada há nas condições internas da União que possa encorajar um retorno a velhas tradições revolucionárias. Qualquer comparação entre a ameaça alemã antes da guerra e uma ameaça soviética hoje deve levar em conta [...] *diferenças fundamentais* [...] *Há portanto infinitamente menos perigo de uma súbita catástrofe com os russos do que com os alemães.*

Frank Roberts, embaixada britânica, Moscou, para o Foreign Office, Londres, 1946, in Jensen (1991, p. 56)

A economia de guerra proporciona abrigos confortáveis para dezenas de milhares de burocratas com e sem uniforme militar que vão para o escritório todo dia construir armas nucleares ou planejar uma guerra nuclear; milhões de trabalhadores cujo emprego depende do sistema de terrorismo nuclear; cientistas e engenheiros contratados para buscar aquela "inovação tecnológica" final que pode oferecer segurança total; fornecedores que não querem abrir mão de lucros fáceis; intelectuais guerreiros que vendem ameaças e bendizem guerras.

Richard Barnet (1981, p. 97)

I

Os 45 anos que vão do lançamento das bombas atômicas até o fim da União Soviética não formam um período homogêneo único na história do mundo. Como veremos nos capítulos seguintes, dividem-se em duas metades, tendo como divisor de águas o início da década de 1970 (ver capítulos 9 e 14). Apesar disso, a história desse período foi reunida sob um padrão único pela situação internacional peculiar que o dominou até a queda da URSS: o constante confronto das duas superpotências que emergiram da Segunda Guerra Mundial na chamada "Guerra Fria".

A Segunda Guerra Mundial mal terminara quando a humanidade mergulhou no que se pode encarar, razoavelmente, como uma Terceira Guerra Mundial, embora uma guerra muito peculiar. Pois, como observou o grande filósofo Thomas Hobbes, "a guerra consiste não só na batalha, ou no ato de lutar: mas num período de tempo em que a vontade de disputar pela batalha é suficientemente conhecida" (Hobbes, capítulo 13). A Guerra Fria entre EUA e URSS, que dominou o cenário internacional na segunda metade do Breve Século XX, foi sem dúvida um desses períodos. Gerações inteiras se criaram à sombra de batalhas nucleares globais que, acreditava-se firmemente, podiam estourar a qualquer momento, e devastar a humanidade. Na verdade, mesmo os que não acreditavam que qualquer um dos lados pretendia atacar o outro achavam difícil não ser pessimistas, pois a Lei de Murphy é uma das mais poderosas generalizações sobre as questões humanas ("Se algo pode dar errado, mais cedo ou mais tarde vai dar"). À medida que o tempo passava, mais e mais coisas podiam dar errado, política e tecnologicamente, num confronto nuclear permanente baseado na suposição de que só o medo da "destruição mútua inevitável" (adequadamente expresso na sigla MAD, das iniciais da expressão em inglês — *mutually assured destruction*) impediria um lado ou outro de dar o sempre pronto sinal para o planejado suicídio da civilização. Não aconteceu, mas por cerca de quarenta anos pareceu uma possibilidade diária.

A peculiaridade da Guerra Fria era a de que, em termos objetivos, não existia perigo iminente de guerra mundial. Mais que isso: apesar da retórica apocalíptica de ambos os lados, mas sobretudo do lado americano, os governos das duas superpotências aceitaram a distribuição global de forças no fim da Segunda Guerra Mundial, que equivalia a um equilíbrio de poder desigual mas não contestado em sua essência. A URSS controlava uma parte do globo, ou sobre ela exercia predominante influência — a zona ocupada pelo Exército Vermelho e/ou outras Forças Armadas comunistas no término da guerra — e não tentava ampliá-la com o uso de força militar. Os EUA exerciam controle e predominância sobre o resto do mundo capitalista, além do hemisfério norte e oceanos, assumindo o que restava da velha hegemonia imperial das antigas potências coloniais. Em troca, não intervinha na zona aceita de hegemonia soviética.

Na Europa, linhas de demarcação foram traçadas em 1943-5, tanto a partir de acordos em várias conferências de cúpula entre Roosevelt, Churchill e Stalin, quanto pelo fato de que só o Exército Vermelho podia derrotar a Alemanha. Havia indefinições, sobretudo acerca da Alemanha e da Áustria, as quais foram solucionadas pela divisão da Alemanha segundo as linhas das forças de ocupação orientais e ocidentais e a retirada de todos os ex-beligerantes da Áustria. Esta se tornou uma espécie de segunda Suíça — um pequeno país comprometido com a neutralidade, invejado por sua persistente prosperidade, e portanto descrito (corretamente) como "chato". A URSS aceitou com relutância Berlim Ocidental como um enclave dentro de seu território alemão, mas não estava preparada para lutar pela questão.

A situação fora da Europa era menos definida, a não ser pelo Japão, onde os EUA desde o início estabeleceram uma ocupação completamente unilateral que excluía não só a URSS, mas qualquer outro co-beligerante. O problema é que o fim dos velhos impérios coloniais era previsível e, na verdade, em 1945, considerado iminente na Ásia, mas a futura orientação dos novos Estados pós-coloniais não estava nada clara. Como veremos (capítulos 12 e 15), foi nessa área que as duas superpotências continuaram a competir, por apoio e influência, durante toda a Guerra Fria, e por isso a maior zona de atrito entre elas, aquela onde o conflito armado era mais provável, e onde de fato irrompeu. Ao contrário do que ocorrera na Europa, nem mesmo os limites da área sob futuro controle comunista podiam ser previstos, quanto mais acertados de antemão por negociações, ainda que provisórias e ambíguas. Assim, a URSS não queria muito a tomada do poder pelos comunistas na China,* mas ela se deu assim mesmo.

Contudo, mesmo no que depois veio a ser chamado de "Terceiro Mundo", em poucos anos as condições para a estabilidade internacional começaram a surgir, quando ficou claro que a maioria dos novos Estados pós-coloniais, por menos que gostasse dos EUA e seu campo, não era comunista; com efeito: a maioria era anticomunista em sua política interna e "não alinhada" (ou seja, fora do campo soviético) nos assuntos internacionais. Em suma, o "campo comunista" não deu sinais de expansão significativa entre a Revolução Chinesa e a década de 1970, quando a China estava fora dele (ver capítulo 16).

De fato, a situação mundial se tornou razoavelmente estável pouco depois da guerra, e permaneceu assim até meados da década de 1970, quando o sistema internacional e as unidades que o compunham entraram em outro período de extensa crise política e econômica. Até então, as duas superpotências aceitavam a divisão desigual do mundo, faziam todo esforço para resolver disputas de demarcação sem um choque aberto entre suas Forças Armadas que pudesse levar a uma guerra e, ao contrário da ideologia e da retórica da Guerra Fria, trabalhavam com base na suposição de que a coexistência pacífica entre elas era possível a longo prazo. Na verdade, na hora da decisão, ambas confiavam na moderação uma da outra, mesmo nos momentos em que se achavam oficialmente à beira da guerra, ou mesmo já nela. Assim, durante a Guerra da

(*) Houve uma notável falta de referência — em qualquer contexto — à China no relatório de Zhdanov sobre a situação mundial que abriu a conferência de fundação do Departamento de Informação Comunista (Cominform) em setembro de 1947, embora a Indonésia e o Vietnã fossem classificados como "entrando no campo antiimperialista", e a Índia, Egito e Síria como "simpatizantes" dele (Spriano, 1983, p. 286). Já em abril de 1949, quando Chang Kai-chek abandonou sua capital Nanquim, o embaixador soviético juntou-se a ele — o *único* do corpo diplomático — em sua retirada para Cantão. Seis meses depois, Mao proclamava a República Popular (Walker, 1993, p. 63).

Coréia de 1950-3, em que os americanos se envolveram oficialmente, mas os russos não, Washington sabia que pelo menos 150 aviões chineses eram na verdade aviões soviéticos com pilotos soviéticos (Walker, 1993, pp. 75-7). A informação foi mantida em segredo, porque se supunha, corretamente, que a última coisa que Moscou queria era guerra. Durante a crise dos mísseis cubanos de 1962, como agora sabemos (Ball, 1992; Ball, 1993), a principal preocupação dos dois lados era impedir que gestos belicosos fossem interpretados como medidas efetivas para a guerra.

Até a década de 1970, esse acordo tácito de tratar a Guerra Fria como uma Paz Fria se manteve. A URSS sabia (ou melhor, percebera), já em 1953, quando não houve reação aos tanques soviéticos que restabeleceram o controle diante de uma séria revolta operária na Alemanha Oriental, que os apelos americanos para "fazer retroceder" o comunismo não passavam de histrionismo radiofônico. Daí em diante, como confirmou a revolução húngara de 1956, o Ocidente se manteria fora da região de domínio soviético. A Guerra Fria que de fato tentou corresponder à sua retórica de luta pela supremacia ou aniquilação não era aquela em que decisões fundamentais eram tomadas pelos governos, mas a nebulosa disputa entre seus vários serviços secretos reconhecido e não reconhecidos, que no Ocidente produziu esse tão característicos subproduto da tensão internacional, a ficção de espionagem e assassinato clandestino. Nesse gênero, os britânicos, com o James Bond de Ian Fleming e os heróis agridoces de John le Carré — ambos tinham trabalhado nos serviços secretos britânicos —, mantiveram uma firme superioridade, compensando assim o declínio de seu país no mundo do poder real. Contudo, a não ser em alguns dos países mais fracos do Terceiro Mundo, as operações da KGB, CIA e órgãos semelhantes eram triviais em termos de verdadeira política de poder, embora muitas vezes dramáticas.

Terá havido, nessas circunstâncias, verdadeiro perigo de guerra mundial em algum momento desse longo período de tensão — a não ser, claro, pelo tipo de acidente que inevitavelmente ameaça os que patinam muito tempo sobre gelo fino? Difícil dizer. Provavelmente o período mais explosivo foi aquele entre a enunciação formal da Doutrina Truman, em março de 1947 ("Creio que a política dos Estados Unidos deve ser a de apoiar os povos livres que resistem a tentativas de subjugação por minorias armadas ou por pressões de fora"), e abril de 1951, quando o mesmo presidente americano demitiu o general Douglas MacArthur, comandante das forças americanas na Guerra da Coréia, que levou sua ambição militar longe demais. Esse foi o período em que o medo americano de uma desintegração social ou revolução social nas partes não soviéticas da Eurásia não era de todo fantástico — afinal, em 1949 os comunistas assumiram o poder na China. Por outro lado, os EUA com quem a URSS se defrontava tinham o monopólio das armas nucleares e multiplicavam declarações de anticomunismo militantes e agressivas, enquanto surgiam as primeiras fendas na solidez do bloco soviético com a saída da Iugoslávia de Tito (1948). Além disso, de 1949 em diante a China esteve sob um governo que não apenas mergulhou imediatamente numa grande guerra na Coréia, como — ao contrário de todos os outros governos — se dispunha de fato a enfrentar um holocausto nuclear e sobreviver.* Qualquer coisa poderia acontecer.

Assim que a URSS adquiriu armas nucleares — quatro anos depois de Hiroxima no caso da bomba atômica (1949), nove meses depois dos EUA no caso da bomba de hidrogênio (1953) — as duas superpotências claramente abandonaram a guerra como instrumento de política, pois isso equivalia a um pacto suicida. Não está muito claro se chegaram a considerar seriamente a possibilidade de uma ação nuclear contra terceiros — os EUA na Coréia em 1951, e para salvar os franceses no Vietnã em 1954; a URSS contra a China em 1969 —, mas de todo modo as armas não foram usadas. Contudo, ambos usaram a ameaça nuclear, quase com certeza sem intenção de cumpri-la, em algumas ocasiões: os EUA para acelerar as negociações de paz na Coréia e no Vietnã (1953, 1954), a URSS para forçar a Grã-Bretanha e a França a retirar-se de Suez em 1956. Infelizmente, a própria certeza de que nenhuma das superpotências iria de fato *querer* apertar o botão nuclear tentava os dois lados a usar gestos nucleares para fins de negociação, ou (nos EUA) para fins de política interna, confiantes em que o outro tampouco queria a guerra. Essa confiança revelou-se justificada, mas ao custo de abalar os nervos de várias gerações. A crise dos mísseis cubanos de 1962, um exercício de força desse tipo inteiramente supérfluo, por alguns dias deixou o mundo à beira de uma guerra desnecessária, e na verdade o susto trouxe à razão por algum tempo até mesmo os mais altos formuladores de decisões.**

II

Como então vamos explicar os quarenta anos de confronto armado e mobilizado, baseado na sempre implausível suposição — neste caso claramente

(*) Informa-se que Mao declarou ao líder italiano Palmiro Togliatti: "Quem lhe disse que a Itália deve sobreviver? Restarão 3 milhões de chineses, e isso será bastante para a raça humana continuar". "A jovial disposição de Mao de aceitar a inevitabilidade de uma guerra nuclear e sua possível utilidade como um meio de provocar a derrota final do capitalismo deixou tontos seus camaradas de outros países" em 1957 (Walker, 1993, p. 126).

(**) O líder soviético Nikita S. Kruschev decidiu colocar mísseis soviéticos em Cuba, para contrabalançar os mísseis americanos já instalados do outro lado da fronteira soviética com a Turquia (Burlatsky, 1992). Os EUA o obrigaram a retirá-los com a ameaça de guerra, mas também retiraram os mísseis da Turquia. Os mísseis soviéticos, como o presidente Kennedy foi informado na época, não faziam diferença para o equilíbrio estratégico, embora fizessem considerável diferença nas relações públicas presidenciais (Ball, 1992, p. 18; Walker, 1988). Os mísseis americanos retirados foram descritos como "obsoletos".

infundada — de que a instabilidade do planeta era de tal ordem que uma guerra mundial podia explodir a qualquer momento, possibilidade essa afastada apenas pela incessante dissuasão mútua? Em primeiro lugar, a Guerra Fria baseava-se numa crença ocidental, retrospectivamente absurda mas bastante natural após a Segunda Guerra Mundial, de que a Era da Catástrofe não chegara de modo algum ao fim; de que o futuro do capitalismo mundial e da sociedade liberal não estava de modo algum assegurado. A maioria dos observadores esperava uma séria crise econômica pós-guerra, mesmo nos EUA, por analogia com o que ocorrera após a Primeira Guerra Mundial. Um futuro prêmio Nobel de economia em 1943 falou da possibilidade, nos EUA, do "maior período de desemprego e deslocamento industrial que qualquer economia já enfrentou" (Samuelson, 1943, p. 51). Na verdade, os planos do governo americano para o pós-guerra se preocupavam muito mais em impedir uma nova Grande Depressão do que em evitar outra guerra, uma questão a que Washington dava apenas uma atenção esparsa e provisória antes da vitória (Kolko, 1969, pp. 244-6).

Se Washington previa "os grandes problemas do pós-guerra" que minavam "a estabilidade — social e econômica — no mundo" (Dean Acheson, citado in Kolko, 1969, p. 485), era porque no fim da guerra os países beligerantes, com exceção dos EUA, haviam se tornado um campo de ruínas habitado pelo que pareciam aos americanos povos famintos, desesperados e provavelmente propensos à radicalização, mais que dispostos a ouvir o apelo da revolução social e de políticas econômicas incompatíveis com o sistema internacional de livre empresa, livre comércio e investimento pelo qual os EUA e o mundo iriam ser salvos. Além disso, o sistema internacional pré-guerra desmoronara, deixando os EUA diante de uma URSS enormemente fortalecida em amplos trechos da Europa e em outros espaços ainda maiores do mundo não europeu, cujo futuro político parecia bastante incerto — a não ser pelo fato de que qualquer coisa que acontecesse nesse mundo explosivo e instável tinha maior probabilidade de enfraquecer o capitalismo e os EUA, e de fortalecer o poder que passara a existir pela e para a revolução.

A situação do imediato pós-guerra em muitos países liberados e ocupados parecia solapar a posição dos políticos moderados, com pouco apoio além do de aliados ocidentais, e assediados dentro e fora de seus governos pelos comunistas, que emergiam da guerra em toda parte mais fortes que em qualquer época no passado, e às vezes como os maiores partidos e forças eleitorais de seus países. O primeiro-ministro (socialista) da França foi a Washington advertir que, sem apoio econômico, era provável que se inclinasse para os comunistas. A péssima safra de 1946, seguida pelo inverno terrível de 1946, deixou ainda mais nervosos os políticos europeus e os assessores presidenciais americanos.

Nessas circunstâncias, não surpreende que a aliança da época da guerra entre os grande países capitalistas e o poder socialista agora à frente de sua própria zona de influência se tenha rompido, como muitas vezes acontece, no fim das guerras, até mesmo com coalizões menos heterogêneas. Contudo, isso com certeza não basta para explicar por que a política americana — os aliados e clientes de Washington, com a possível exceção da Grã-Bretanha, estavam consideravelmente menos superaquecidos — deveria basear-se, pelo menos em suas declarações públicas, num cenário de pesadelo da superpotência moscovita pronta para a conquista imediata do globo, e dirigindo uma "conspiração comunista mundial" atéia sempre disposta a derrubar os reinos de liberdade. É ainda mais inadequada para explicar a retórica de campanha de John F. Kennedy em 1960, numa época em que era inconcebível dizer que aquilo que o primeiro-ministro britânico Harold Macmillan chamava "nossa moderna sociedade livre — a nova forma de capitalismo" (Horne, 1980, vol. II, p. 283) passasse por qualquer dificuldade imediata.*

Por que a perspectiva dos "profissionais do Departamento de Estado" no pós-guerra podia ser descrita como "apocalíptica" (Hughes, 1969, p. 28)? Por que até mesmo o calmo diplomata britânico que rejeitava qualquer comparação da URSS com a Alemanha nazista iria dizer então, em Moscou, que o mundo se achava "diante do perigo de um equivalente moderno das guerras religiosas do século XVI, em que o comunismo soviético lutará com a democracia social ocidental e a versão americana do capitalismo pelo domínio do mundo" (Jensen, 1991, pp. 41, 53-4; Roberts, 1991)? Pois hoje é evidente, e era razoavelmente provável mesmo em 1945-7, que a URSS não era expansionista — e menos ainda agressiva — nem contava com qualquer extensão maior do avanço comunista além do que se supõe houvesse sido combinado nas conferências de cúpula de 1943-5. Na verdade, nas áreas em que Moscou controlava seus regimes clientes e movimentos comunistas, estes se achavam especificamente comprometidos a *não* erguer Estados segundo o modelo da URSS, mas economias mistas sob democracias parlamentares multipartidárias, distintas da "ditadura do proletariado" e, "mais ainda", de partido único. Estes eram descritos em documentos partidários internos como "nem úteis nem necessários" (Spriano, 1983, p. 265). (Os únicos regimes comunistas que se recusaram a seguir essa linha foram aqueles cujas revoluções, ativamente desencorajadas por Stalin, escaparam ao controle de Moscou — por exemplo, a Iugoslávia.) Além do mais, embora isso não fosse muito notado, a União Soviética desmobilizou suas tropas — sua maior vantagem militar — quase tão rapidamente quanto os EUA, reduzindo a força do Exército Vermelho de um pico de quase 12 milhões, em 1945, para 3 milhões em fins de 1948 (*New York Times*, 24/10/1946; 24/10/1948).

(*) "O inimigo é o próprio sistema comunista — implacável, insaciável, incessante em sua corrida para a dominação mundial [...] Não é uma luta por supremacia de armas apenas. É também uma luta pela supremacia entre duas ideologias conflitantes: a liberdade sob Deus *versus* a tirania brutal e atéia" (Walker, 1993, p. 132).

Em qualquer avaliação racional, a URSS não apresentava perigo imediato para quem estivesse fora do alcance das forças de ocupação do Exército Vermelho. Saíra da guerra em ruínas, exaurida e exausta, com a economia de tempo de paz em frangalhos, com o governo desconfiado de uma população que, em grande parte fora da Grande Rússia, mostrara uma nítida e compreensível falta de compromisso com o regime. Em sua própria periferia ocidental, continuou tendo problemas, durante anos, com as guerrilhas na Ucrânia e em outras regiões. Era governada por um ditador que demonstrara ser tão avesso a riscos fora do território que controlava diretamente quanto implacável dentro dele: Y. V. Stalin (ver capítulo 13). Precisava de toda a ajuda que conseguisse obter e, portanto, não tinha interesse imediato em antagonizar a única potência que podia dá-la, os EUA. Sem dúvida Stalin, como comunista, acreditava que o capitalismo seria inevitavelmente substituído pelo comunismo, e nessa medida qualquer coexistência dos dois sistemas não seria permanente. Contudo, os planejadores soviéticos não viam o capitalismo em crise no fim da Segunda Guerra Mundial. Não tinham dúvida de que ele continuaria por um longo tempo sob a hegemonia dos EUA, cuja riqueza e poder, enormemente aumentados, eram simplesmente óbvios demais (Loth, 1988, pp. 36-7). Isso, na verdade, era o que a URSS suspeitava e receava.* Sua postura básica após a guerra não era agressiva, mas defensiva.

Contudo, dessa situação surgiu uma política de confronto dos dois lados. A URSS, consciente da precariedade e insegurança de sua posição, via-se diante do poder mundial dos EUA, conscientes da precariedade e insegurança da Europa Central e Ocidental e do futuro incerto de grande parte da Ásia. O confronto provavelmente teria surgido mesmo sem ideologia. George Kennan, o diplomata americano que no início de 1946 formulou a política de "contenção" que Washington adotou com entusiasmo, não acreditava que a Rússia estivesse em cruzada pelo comunismo, e — como provou em sua carreira posterior — estava longe de ser um cruzado ideológico (a não ser, possivelmente, contra a política democrata, sobre a qual tinha pífia opinião). Era apenas um especialista em Rússia da velha escola de política de potência — havia muitos desses nos ministérios das Relações Exteriores europeus — que via a Rússia, czarista ou bolchevique, como uma sociedade atrasada e bárbara, governada por homens movidos por um "tradicional e instintivo senso de insegurança russo", sempre se isolando do mundo externo, sempre dirigida por autocratas, sempre buscando "segurança" apenas na luta paciente e mortal para a destruição total de uma potência rival, jamais em acordos ou compromissos com ela; sempre, em conseqüência, respondendo apenas à "lógica da força", jamais à

(*) Eles teriam ficado ainda mais desconfiados se soubessem que os chefes do Estado-Maior conjunto elaboraram um plano para lançar bombas atômicas sobre as vinte principais cidades soviéticas dez semanas depois do fim da guerra (Walker, 1993, pp. 26-7).

razão. O comunismo, claro, em sua opinião tornava a Rússia ainda mais perigosa, reforçando a mais brutal das grandes potências com a mais implacável das ideologias utópicas, ou seja, de conquista do mundo. Mas a implicação da tese era que a única "potência rival" da Rússia, ou seja, os EUA, teria de "conter" a pressão desta por uma resistência inflexível, mesmo que ela não fosse comunista.

Por outro lado, do ponto de vista de Moscou, a única estratégia racional para defender e explorar a vasta, mas frágil, nova posição de potência internacional era exatamente a mesma: nenhum acordo. Ninguém sabia melhor que Stalin como era fraca a sua mão de jogo. Não poderia haver negociações sobre as posições oferecidas por Roosevelt e Churchill na época em que o esforço soviético era essencial para vencer Hitler, e ainda considerado fundamental para derrotar o Japão. A URSS poderia estar disposta a recuar de qualquer posição exposta além da posição fortificada que ela considerava ter sido combinada nas conferências de cúpula de 1943-5, sobretudo em Yalta — por exemplo, nas fronteiras de Irã e Turquia em 1945-6 —, mas qualquer tentativa de reabrir Yalta só podia ser respondida com uma recusa direta. Na verdade, tornou-se notório o "Não" do ministro das Relações Exteriores de Stalin, Molotov, em todas as reuniões internacionais depois de Yalta. Os americanos tinham o poder; embora só até certo ponto. Até dezembro de 1947 não havia aviões para transportar as doze bombas atômicas existentes, nem militares capazes de montá-las (Moisi, 1981, pp. 78-9). A URSS *não* o tinha. Washington só abriria mão de alguma coisa em troca de concessões, mas estas eram precisamente o que Moscou não podia se dar o luxo de bancar, mesmo em troca de ajuda econômica, extremamente necessária, a qual, de qualquer modo, os americanos não queriam dar-lhe, alegando ter "perdido" o pedido soviético de um empréstimo no pós-guerra, feito antes de Yalta.

Em suma, enquanto os EUA se preocupavam com o perigo de uma possível supremacia mundial soviética num dado momento futuro, Moscou se preocupava com a hegemonia de fato dos EUA, então exercida sobre todas as partes do mundo não ocupadas pelo Exército Vermelho. Não seria preciso muito para transformar a exausta e empobrecida URSS numa região cliente da economia americana, mais forte na época que todo o resto do mundo junto. A intransigência era a tática lógica. Que pagassem para ver o blefe de Moscou.

Contudo, a política de intransigência mútua, e mesmo de permanente rivalidade de poder, não implicava perigo diário de guerra. As secretarias das Relações Exteriores do século XIX, que tinham como certo que os impulsos expansionistas da Rússia czarista deviam ser "contidos" continuamente, sabiam muito bem que os momentos de confronto aberto eram raros, e as crises de guerra mais ainda. Menos ainda intransigência mútua implica uma política de luta de vida ou morte, ou guerra religiosa. Contudo, dois elementos na situação ajudavam a fazer o confronto passar do reino da razão para o da emoção. Como a URSS, os EUA eram uma potência representando uma ideologia, que a maioria dos americanos sinceramente acreditava ser o modelo para o mundo. Ao contrário da URSS, os EUA eram uma democracia. É triste, mas deve-se dizer que estes eram provavelmente mais perigosos.

Pois o governo soviético, embora também demonizasse o antagonista global, não precisava preocupar-se com ganhar votos no Congresso, ou com eleições presidenciais e parlamentares. O governo americano precisava. Para os dois propósitos, um anticomunismo apocalíptico era útil, e portanto tentador, mesmo para políticos não de todo convencidos de sua própria retórica ou do tipo do secretário de Estado da marinha do presidente Truman, James Forrestal (1882-1949), clinicamente louco o bastante para suicidar-se porque via a chegada dos russos de sua janela no hospital. Um inimigo externo ameaçando os EUA não deixava de ser conveniente para governos americanos que haviam concluído, corretamente, que seu país era agora uma potência mundial — na verdade, de longe a maior — e que ainda viam o "isolacionismo" ou protecionismo defensivo como seu grande obstáculo interno. Se a própria América não estava segura, não havia como recusar as responsabilidades — e recompensas — da liderança mundial, como após a Primeira Guerra Mundial. Mais concretamente, a histeria pública tornava mais fácil para os presidentes obter de cidadãos famosos, por sua ojeriza a pagar impostos, as imensas somas necessárias para a política americana. E o anticomunismo era genuína e visceralmente popular num país construído sobre o individualismo e a empresa privada, e onde a própria nação se definia em termos exclusivamente ideológicos ("americanismo") que podiam na prática conceituar-se como o pólo oposto ao comunismo. (Tampouco devemos esquecer o voto dos imigrantes da Europa Oriental sovietizada.) Não foi o governo americano que iniciou o sinistro e irracional frenesi da caça às bruxas anticomunista, mas demagogos exceto isso insignificantes — alguns deles, como o notório senador Joseph McCarthy, nem mesmo particularmente anticomunistas — que descobriram o potencial político da denúncia em massa do inimigo interno.* O potencial burocrático já fora há muito descoberto por J. F. Edgard Hoover (1895-1972), o praticamente irremovível chefe do Departamento Federal de Investigações (FBI). O que um dos principais arquitetos da Guerra Fria chamou de "ataque dos primitivos" (Acheson, 1970, p. 462) facilitava e ao mesmo tempo limitava a política de Washington levando-a a extremos, sobretudo nos anos após a vitória dos comunistas na China, pela qual Moscou foi naturalmente responsabilizada.

Ao mesmo tempo, a exigência esquizóide, feita por políticos sensíveis ao voto, de uma política que ao mesmo tempo fizesse retroceder a maré de "agressão comunista", poupasse dinheiro e interferisse o mínimo possível no

(*) O único político de verdadeira solidez a surgir do submundo dos caçadores de bruxas foi Richard Nixon, o mais antipático dos presidentes americanos do pós-guerra (1968-74).

conforto dos americanos, comprometeu Washington e, com ela, o resto da aliança, não apenas com uma estratégia voltada mais para as bombas nucleares que para os homens, como também com a sinistra estratégia de "retaliação em massa" anunciada em 1954. O agressor potencial era ameaçado com armas nucleares mesmo no caso de um ataque limitado convencional. Em suma, os EUA viram-se comprometidos com uma posição agressiva, de mínima flexibilidade tática.

Os dois lados viram-se assim comprometidos com uma insana corrida armamentista para a mútua destruição, e com o tipo de generais e intelectuais nucleares cuja profissão exigia que não percebessem essa insanidade. Os dois também se viram comprometidos com o que o presidente em fim de mandato, Eisenhower, militar moderado da velha escola que se via presidindo essa descida à loucura sem ser exatamente contaminado por ela, chamou de "complexo industrial-militar", ou seja, o crescimento cada vez maior de homens e recursos que viviam da preparação da guerra. Mais do que nunca, esse era um interesse estabelecido em tempos de paz estável entre as potências. Como era de se esperar, os dois complexos industrial-militares eram estimulados por seus governos a usar sua capacidade excedente para atrair e armar aliados e clientes, e, ao mesmo tempo, conquistar lucrativos mercados de exportação, enquanto reservavam apenas para si os armamentos mais atualizados e, claro, suas armas nucleares. Pois na prática as superpotências mantiveram seu monopólio nuclear. Os britânicos conseguiram bombas próprias em 1952, por ironia com o objetivo de afrouxar sua dependência dos EUA; os franceses (cujo arsenal nuclear era na verdade independente dos EUA) e os chineses na década de 1960. Enquanto durou a Guerra Fria, nada disso contou. Nas décadas de 1970 e 1980, outros países conseguiram a capacidade de fazer armas nucleares, notadamente Israel, África do Sul e provavelmente a Índia, mas essa proliferação nuclear só se tornou um problema internacional sério após o fim da ordem bipolar de superpotências em 1989.

Assim, quem foi responsável pela Guerra Fria? Como o debate sobre esta questão foi durante longo tempo uma partida de tênis entre os que punham a culpa apenas na URSS e os dissidentes (sobretudo, deve-se dizer, americanos) que culparam basicamente os EUA, é tentador juntarmo-nos aos mediadores históricos que a atribuem ao medo mútuo do confronto que aumentou até os dois "campos armados começarem a mobilizar-se sob suas bandeiras opostas" (Walker, 1993, p. 55). Claro que isso é verdade, mas não toda a verdade. Explica o que foi chamado de "congelamento" dos *fronts* em 1947-9; a paulatina divisão da Alemanha, de 1947 até a construção do Muro de Berlim em 1961; o fato de os anticomunistas do lado ocidental não conseguirem evitar o completo envolvimento na aliança militar dominada pelos EUA (com exceção da França do general De Gaulle); e o fato de o lado oriental não conseguir escapar à completa subordinação a Moscou (com exceção do marechal Tito, na Iugoslávia). Mas não explica o *tom* apocalíptico da Guerra Fria. Ela se originou na América. Todos os governos europeus ocidentais, com ou sem grandes partidos comunistas, eram empenhadamente anticomunistas, e decididos a proteger-se de um possível ataque militar soviético. Nenhum deles teria hesitado, caso solicitados a escolher entre os EUA e a URSS, mesmo aqueles que, por história, política ou negociação, estavam comprometidos com a neutralidade. Contudo, a "conspiração comunista mundial" não era um elemento sério das políticas internas de nenhum dos governos com algum direito a chamar-se democracias políticas, pelo menos após os anos do imediato pós-guerra. Entre as nações democráticas, *só* nos EUA os presidentes eram eleitos (como John F. Kennedy em 1960) para combater o comunismo, que, em termos de política interna, era tão insignificante naquele país quanto o budismo na Irlanda. Se alguém introduziu o caráter de cruzada na *Realpolitik* de confronto internacional de potências, e o manteve lá, esse foi Washington. Na verdade, como demonstra a retórica de campanha de John F. Kennedy com a clareza da boa oratória, a questão não era a acadêmica ameaça de dominação mundial comunista, mas a manutenção de uma supremacia americana concreta.* Deve-se acrescentar, no entanto, que os governos membros da OTAN, embora longe de satisfeitos com a política dos EUA, estavam dispostos a aceitar a supremacia americana como o preço da proteção contra o poderio militar de um sistema político antipático, enquanto este continuasse existindo. Tinham tão pouca disposição a confiar na URSS quanto Washington. Em suma, "contenção" era a política de todos; destruição do comunismo, não.

III

Embora o aspecto mais óbvio da Guerra Fria fosse o confronto militar e a cada vez mais frenética corrida armamentista no Ocidente, não foi esse o seu grande impacto. As armas nucleares não foram usadas. As potências nucleares se envolveram em três grandes guerras (mas não umas contra as outras). Abalados pela vitória comunista na China, os EUA e seus aliados (disfarçados como Nações Unidas) intervieram na Coréia em 1950 para impedir que o regime comunista do Norte daquele país se estendesse ao Sul. O resultado foi um empate. Fizeram o mesmo, com o mesmo objetivo, no Vietnã, e perderam. A URSS retirou-se do Afeganistão em 1988, após oito anos nos quais forneceu ajuda militar ao governo para combater guerrilhas apoiadas pelos americanos

(*) "Vamos moldar nossa força e nos tornar os primeiros de novo. Não os primeiros se. Não os primeiros mas. Mas primeiros e ponto. Quero que o mundo se pergunte não o que o sr. Kruschev está fazendo. Quero que eles se perguntem o que os Estados Unidos estão fazendo" (Beschloss, 1991, p. 28).

e abastecidas pelo Paquistão. Em suma, o material caro e de alta tecnologia da competição das superpotências revelou-se pouco decisivo. A ameaça constante de guerra produziu movimentos internacionais de paz essencialmente dirigidos contra as armas nucleares, os quais de tempos em tempos se tornaram movimentos de massa em partes da Europa, sendo vistos pelos cruzados da Guerra Fria como armas secretas dos comunistas. Os movimentos pelo desarmamento nuclear tampouco foram decisivos, embora um movimento contra a guerra específico, o dos jovens americanos contra o seu recrutamento para a Guerra do Vietnã (1965-75), se mostrasse mais eficaz. No fim da Guerra Fria, esses movimentos deixaram recordações de boas causas e algumas curiosas relíquias periféricas, como a adoção do logotipo antinuclear pelas contraculturas pós-1968 e um entranhado preconceito entre os ambientalistas contra qualquer tipo de energia nuclear.

Muito mais óbvias foram as conseqüências políticas da Guerra Fria. Quase de imediato, ela polarizou o mundo controlado pelas superpotências em dois "campos" marcadamente divididos. Os governos de unidade antifascista que tinham acabado com a guerra na Europa (exceto, significativamente, os três principais Estados beligerantes, URSS, EUA e Grã-Bretanha) dividiram-se em regimes pró-comunistas e anticomunistas homogêneos em 1947-8. No Ocidente, os comunistas desapareceram dos governos e foram sistematicamente marginalizados na política. Os EUA planejaram intervir militarmente se os comunistas vencessem as eleições de 1948 na Itália. A URSS fez o mesmo eliminando os não-comunistas de suas "democracias populares" multipartidárias, daí em diante reclassificadas como "ditaduras do proletariado", isto é, dos "partidos comunistas". Para enfrentar os EUA criou-se uma Internacional Comunista curiosamente restrita e eurocêntrica (o Cominform, ou Departamento de Informação Comunista), que foi discretamente dissolvida em 1956, quando as temperaturas internacionais baixaram. O controle direto soviético estendeu-se a toda a Europa Oriental, exceto, muito curiosamente, a Finlândia, que estava à mercê dos soviéticos e excluiu de seu governo o forte Partido Comunista, em 1948. Permanece obscuro o motivo pelo qual Stalin se absteve de lá instalar um governo satélite. Talvez a elevada probabilidade de os finlandeses voltarem a pegar em armas (como fizeram em 1939-40 e 1941-4) o tenha dissuadido, pois ele com certeza não queria correr o risco de entrar numa guerra que podia fugir ao seu controle. Ele tentou, sem êxito, impor o controle soviético à Iugoslávia de Tito, que em resposta rompeu com Moscou em 1948, sem se juntar ao outro lado.

As políticas do bloco comunista foram daí em diante previsivelmente monolíticas, embora a fragilidade do monolito se tornasse cada vez mais óbvia depois de 1956 (ver capítulo 16). A política dos Estados europeus alinhados com os EUA era menos monocromática, uma vez que praticamente todos os partidos locais, com exceção dos comunistas, se uniam em sua antipatia aos soviéticos. Em termos de política externa, não importava quem estava no poder. Contudo, os EUA simplificaram as coisas em dois países ex-inimigos seus, Japão e Itália, criando o que equivalia a um sistema unipartidário permanente. Em Tóquio, encorajou a fundação do Partido Liberal-Democrata (1955), e na Itália, insistiu na total exclusão do partido de oposição natural ao poder, porque acontecia ser comunista e entregou o país aos democrata-cristãos, apoiados quando a ocasião o exigia por uma série de partidos nanicos — liberais, republicanos etc. A partir do início da década de 1960, os socialistas, que formavam o único parido de oposição substancial, entraram na coalizão de governo, após desembaraçar-se de uma longa aliança com os comunistas depois de 1956. A conseqüência nesses dois países foi a de estabilizar os comunistas (no Japão, os socialistas) como o maior partido de oposição e instalar um regime de governo de corrupção institucional em escala tão sensacional que, quando finalmente revelada em 1992-3, chocou até mesmo os italianos e japoneses. Governo e oposição, assim congelados até a imobilidade, desabaram com o equilíbrio das superpotências que tinham mantido a existência deles.

Embora os EUA logo revertessem as políticas reformadoras antimonopolistas que seus assessores rooseveltianos haviam de início imposto na Alemanha e Japão ocupados, felizmente para a paz de espírito dos aliados dos americanos a guerra eliminara do panorama público aceitável o nacional-socialismo, o fascismo, o declarado nacionalismo japonês e grande parte do setor direitista e nacionalista que compunha o espectro político. Portanto, ainda era impossível mobilizar esses elementos anticomunistas, inquestionavelmente eficazes para a luta do "mundo livre" contra o "totalitarismo", como podiam ser as restantes grandes corporações alemãs e o *zaibatsu* japonês.* A base política dos governos ocidentais da Guerra Fria ia da esquerda social-democrata de antes da guerra à direita não nacionalista moderada também anterior à guerra. Aí os partidos ligados à Igreja Católica se mostraram úteis, pois as credenciais anticomunistas e conservadoras da Igreja não ficavam atrás das de ninguém, mas seus partidos "democrata-cristãos" (ver capítulo 4) tinham tanto uma sólida folha de serviços antifascistas quanto um programa social (não socialista). Esses partidos desempenharam, assim, um papel central na política ocidental após 1945, temporariamente na França, mais permanentemente na Alemanha, Itália, Bélgica e Áustria (ver também pp. 277-8).

Contudo, o efeito da Guerra Fria foi mais impressionante na política internacional do continente europeu que em sua política interna. Provocou a criação da "Comunidade Européia", com todos os seus problemas; uma forma de organização sem precedentes, ou seja, um arranjo permanente (ou pelo menos duradouro) para integrar as economias, e em certa medida os sistemas

(*) Contudo, ex-fascistas foram sistematicamente usados desde o começo pelos serviços de espionagem e em outras funções longe das vistas do público.

legais, de vários *Estados-nação* independentes. Inicialmente (1957) formada por seis Estados (França, República Federal da Alemanha, Itália, Países Baixos, Bélgica e Luxemburgo), ao final do Breve Século XX, quando o sistema começou a balançar, como todos os outros produtos da Guerra Fria, nela já haviam entrado outros seis (Grã-Bretanha, Irlanda, Espanha, Portugal, Dinamarca, Grécia), e em teoria ela se comprometia com uma integração política ainda mais estreita, além da econômica. Isso devia levar a uma união federada ou confederada permanente da "Europa".

A "Comunidade", como tantas outras coisas na Europa pós-1945, era ao mesmo tempo a favor e contra os EUA. Ilustra tanto o poder e a ambigüidade daquele país quanto os seus limites; mas também mostra a força dos temores que manteve unida a aliança anti-soviética. Não eram apenas temores em relação à URSS. Para a França, a Alemanha continuava sendo o perigo principal, e o temor de uma potência gigantesca revivida na Europa Central era compartilhado, em menor medida, pelos outros Estados europeus que haviam participado da guerra ou sido ocupados, todos eles agora trancados dentro da aliança da OTAN tanto com os EUA quanto com uma Alemanha economicamente revigorada e rearmada, embora felizmente dividida. Havia também, claro, temores em relação aos EUA, um aliado indispensável contra a URSS, mas um aliado suspeito, porque não confiável, sem mencionar que, previsivelmente, podia pôr os interesses da supremacia americana no mundo acima de tudo mais — incluindo os interesses dos seus aliados. Não se deve esquecer que em todos os cálculos sobre o mundo do pós-guerra, e em todas as decisões do pós-guerra, "a premissa de todos os formuladores de políticas era a preeminência econômica americana" (Maier, 1987, p. 125).

Felizmente para os aliados dos EUA, a situação da Europa Ocidental em 1946-7 parecia tão tensa que Washington sentiu que o fortalecimento da economia européia e, um pouco depois, também da japonesa, era a prioridade mais urgente, e o Plano Marshall, um projeto maciço para a recuperação européia, foi lançado, em junho de 1947. Ao contrário da ajuda anterior, que fazia claramente parte de uma agressiva diplomacia econômica, essa assumiu mais a forma de verbas que de empréstimos. Mais uma vez, e felizmente para aqueles, o plano americano original para uma economia pós-guerra de livre comércio, livre conversão e livres mercados, dominada pelos EUA, mostrou-se inteiramente irrealista, quanto mais que os desesperadores problemas de pagamento da Europa e do Japão, sedentos de cada dólar cada vez mais escasso, significavam que não haveria perspectiva imediata para liberalizar o comércio e os pagamentos. Tampouco estavam os EUA em posição de impor aos Estados europeus seu ideal de um plano europeu único, de preferência conduzindo a uma única Europa modelada com base nos EUA, tanto em sua estrutura política quanto em sua florescente economia de livre empresa. Nem os britânicos, que ainda se viam como uma potência mundial, nem os franceses, que sonhavam com uma França forte e uma Alemanha fraca e dividida, gostavam disso. Contudo, para os americanos uma Europa efetivamente restaurada, parte da aliança militar anti-soviética que era o complemento lógico do Plano Marshall — a Organização do Tratado do Atlântico Norte (OTAN) de 1949 — tinha de basear-se realisticamente na força econômica alemã, reforçada pelo rearmamento do país. O melhor que os franceses podiam fazer era entrelaçar os negócios alemães ocidentais e franceses de tal modo que o conflito entre os dois velhos adversários fosse impossível. Os franceses, portanto, propuseram sua própria versão de união européia, a "Comunidade Européia do Carvão e do Aço" (1950), que se transformou numa "Comunidade Econômica Européia, ou Mercado Comum" (1957), depois simplesmente "Comunidade Européia", e, a partir de 1993, "União Européia". O quartel-general era em Bruxelas, mas o núcleo era a unidade franco-germânica. A Comunidade Européia foi estabelecida como uma *alternativa* ao plano americano de integração européia. Mais uma vez, o fim da Guerra Fria iria solapar a fundação sobre a qual se haviam erguido a Comunidade Européia e a parceria franco-alemã; não menos pelo desequilíbrio causado pela reunificação alemã de 1990 e os imprevistos problemas econômicos que isso trouxe.

Contudo, embora os EUA fossem incapazes de impor em detalhes seus planos político-econômicos aos europeus, eram suficientemente fortes para dominar seu comportamento internacional. A política da aliança contra a URSS era dos EUA, e também seus planos militares. A Alemanha foi rearmada, os anseios de neutralismo europeu foram firmemente eliminados, e a única tentativa de potências européias de se empenhar numa política mundial independente dos EUA, ou seja, a guerra anglo-francesa de Suez contra o Egito em 1956, foi abortada por pressão americana. O máximo que um Estado aliado ou cliente podia permitir-se fazer era recusar a completa integração na aliança militar, sem na verdade deixá-la (como o general De Gaulle).

E, no entanto, à medida que a era da Guerra Fria se estendia, abria-se um crescente fosso entre a dominação esmagadoramente militar, e portanto política, que Washington exercia na aliança e o enfraquecimento da predominância econômica dos EUA. O peso econômico da economia mundial passava então dos EUA para as economias européia e japonesa, as quais os EUA julgavam ter salvo e reconstruído (ver capítulo 9). Os dólares, tão escassos em 1947, haviam fluído para fora dos EUA numa torrente crescente, acelerada — sobretudo na década de 1960 — pela tendência americana a financiar o déficit gerado pelos enormes custos de suas atividades militares globais, notadamente a Guerra do Vietnã (depois de 1965), e pelo mais ambicioso programa de bem-estar social da história americana. O dólar, moeda-chave da economia mundial do pós-guerra planejada e garantida pelos EUA, enfraqueceu. Em teoria apoiado pelos lingotes de Fort Knox, que abrigava quase três quartos das reservas de ouro do mundo, na prática consistia sobretudo em dilúvios de papel ou moeda contábil — mas como a estabilidade do dólar era garantida por sua ligação com determinada quantidade de ouro, os cautelosos europeus, encabeçados pelos ultracautelosos franceses de olho no metal, preferiram trocar papel potencialmente desvalorizado por sólidos lingotes. O ouro, portanto, rolou do Fort Knox, o preço aumentando com o crescimento da demanda. Durante a maior parte da década de 1960, a estabilidade do dólar, e com ela a do sistema de pagamento internacional, não mais se baseava nas reservas dos EUA, mas na disposição dos bancos centrais europeus — sob pressão americana — de não trocar seus dólares por ouro, e entrar num "*Pool* do Ouro" para estabilizar o preço do metal no mercado. Isso não durou. Em 1968 o "*Pool* do Ouro", esgotado, dissolveu-se. *De facto*, acabou a conversibilidade do dólar. Foi formalmente abandonada em agosto de 1971, e com ela a estabilidade do sistema de pagamentos internacional, e chegou ao fim o seu controle pelos EUA ou por qualquer outra economia nacional.

Quando a Guerra Fria terminou, restava tão pouco da hegemonia econômica americana que mesmo a hegemonia militar não mais podia ser financiada com os recursos do próprio país. A Guerra do Golfo, em 1991, contra o Iraque, uma operação essencialmente americana, foi paga, com boa ou má vontade, pelos outros países que apoiaram Washington. Foi uma das raras guerras com as quais uma grande potência na verdade teve lucro. Felizmente para todos envolvidos, com exceção dos infelizes habitantes do Iraque, acabou em poucos dias.

IV

Em determinado momento do início da década de 1960, a Guerra Fria pareceu dar alguns passos hesitantes em direção à sanidade. Os anos perigosos de 1947 até os dramáticos fatos da Guerra da Coréia (1950-3) haviam passado sem uma explosão mundial. O mesmo acontecera com os abalos sísmicos que sacudiram o bloco soviético após a morte de Stalin (1953), sobretudo em meados da década de 1950. Assim, longe de ter de lutar contra a crise social, os países da Europa Ocidental começaram a observar que estavam na verdade vivendo uma era de inesperada e disseminada prosperidade, que será discutida com mais amplitude no próximo capítulo. No jargão tradicional dos diplomatas da velha guarda, o afrouxamento da tensão era a *détente*. A palavra tornou-se então familiar.

Ela aparecera primeiro nos últimos anos da década de 1950, quando N. S. Kruschev estabeleceu sua supremacia na URSS após alarmes e excursões pós-Stalin (1958-64). Esse admirável diamante bruto, um crente na reforma e na coexistência pacífica, que aliás esvaziou os campos de concentração de Stalin, dominou o cenário internacional por poucos anos seguintes. Foi talvez o único camponês a governar um grande Estado. Contudo, a *détente* primeiro teve de sobreviver ao que pareceu um período extraordinariamente tenso de confrontos entre o gosto de Kruschev pelo blefe e os gestos políticos de John F. Kennedy (1960-3), o mais superestimado presidente americano do século. As duas superpotências foram assim levadas a duas operações de alto risco num momento em que — é difícil lembrar — o Ocidente capitalista sentia estar perdendo terreno para as economias comunistas, que haviam crescido mais rapidamente na década de 1950. Não acabavam elas de demonstrar uma (breve) superioridade tecnológica em relação aos EUA com o sensacional triunfo dos satélites e cosmonautas soviéticos? Além disso, não tinha o comunismo — para surpresa de todos — acabado de triunfar em Cuba, um país a apenas algumas dezenas de milhas da Flórida (ver capítulo 15)?

Por outro lado, a URSS se preocupava não só com a retórica ambígua, porém muitas vezes apenas belicosa demais, de Washington, mas com o rompimento fundamental da China, que agora acusava Moscou de amolecer diante do capitalismo, forçando assim o pacífico Kruschev a uma posição pública mais inflexível em relação ao Ocidente. Ao mesmo tempo, a súbita aceleração da descolonização e de revolução no Terceiro Mundo (ver capítulos 7, 12 e 15) parecia favorecer os soviéticos. Os EUA, nervosos mas confiantes, enfrentavam assim uma URSS confiante mas nervosa por Berlim, pelo Congo, por Cuba.

Na verdade, o resultado líquido dessa fase de ameaças e provocações mútuas foi um sistema internacional relativamente estabilizado, e um acordo tácito das duas superpotências para não assustar uma à outra e ao mundo, simbolizado pela instalação da "linha quente" telefônica que então (1963) passou a ligar a Casa Branca com o Kremlin. O Muro de Berlim (1961) fechou a última fronteira indefinida entre Oriente e Ocidente na Europa. Os EUA aceitaram uma Cuba comunista em sua soleira. As pequenas chamas da guerra de libertação e de guerrilha acendidas pela Revolução Cubana na América Latina, e pela onda de descolonização na África, não se transformaram em incêndios na floresta, mas pareceram extinguir-se (ver capítulo 15). Kennedy foi assassinado em 1963; Kruschev foi mandado para casa em 1964 pelo *establishment* soviético, que preferia uma visão menos impetuosa da política. Os anos 60 e 70 na verdade testemunharam algumas medidas significativas para controlar e limitar as armas nucleares: tratados de proibição de testes, tentativas de deter a proliferação nuclear (aceitas pelos que já tinham armas nucleares ou jamais esperaram tê-las, mas não pelos que estavam construindo seus próprios arsenais nucleares, como a China, a França e Israel), um Tratado de Limitação de Armas Estratégicas (SALT) entre os EUA e a URSS, e mesmo alguns acordos sobre os Mísseis Antibalísticos (ABMs) de cada lado. Mais objetivamente, o comércio entre os EUA e a URSS, politicamente estrangulado de ambos os lados por tanto tempo, começou a florescer à medida que os anos 60 desembocavam nos 70. As perspectivas pareciam boas.

Não eram. Em meados da década de 1970, o mundo entrou no que se chamou de Segunda Guerra Fria (ver capítulo 15). Coincidiu com uma grande mudança na economia mundial, o período de crise a longo prazo que caracterizaria as duas décadas a partir de 1973, e que atingiu o clímax no início da década de 1980 (capítulo 14). Contudo, de início a mudança no clima econômico não foi muito notada pelos participantes do jogo das superpotências, a não ser por um súbito salto nos preços da energia provocado pelo bem-sucedido golpe do cartel de produtores de petróleo, a OPEP, um dos vários acontecimentos que pareceram sugerir um enfraquecimento no domínio internacional dos EUA. As duas superpotências estavam razoavelmente satisfeitas com a solidez de suas economias. Os EUA foram visivelmente menos afetados pela nova crise econômica que a Europa; a URSS — os deuses tornam primeiro complacentes aqueles a quem desejam destruir — achava que tudo ia a seu favor. Leonid Brejnev, sucessor de Kruschev, que presidiu os vinte anos que os reformadores soviéticos chamariam de "era da estagnação", parecia ter algum motivo de otimismo, no mínimo porque a crise do petróleo de 1973 acabara de quadruplicar o valor de mercado das gigantescas novas jazidas de petróleo e gás natural que haviam sido descobertas na URSS desde meados da década de 1960.

Contudo, economia à parte, dois acontecimentos inter-relacionados pareciam então alterar o equilíbrio das duas superpotências. O primeiro era a presumida derrota e desestabilização nos EUA, quando esse país se lançou numa nova grande guerra. A Guerra do Vietnã desmoralizou e dividiu a nação, em meio a cenas televisadas de motins e manifestações contra a guerra; destruiu um presidente americano; levou a uma derrota e retirada universalmente previstas após dez anos (1965-75); e, o que interessa mais, demonstrou o isolamento dos EUA. Pois nenhum de seus aliados europeus mandou sequer contingentes nominais de tropas para lutar junto às suas forças. Por que os EUA foram se envolver numa guerra condenada, contra a qual seus aliados, os neutros e até a URSS os tinham avisado,* é quase impossível compreender, a não ser como parte daquela densa nuvem de incompreensão, confusão e paranóia dentro da qual os principais atores da Guerra Fria tateavam o caminho.

E, se o Vietnã não bastasse para demonstrar o isolamento dos EUA, a guerra do Yom Kipur de 1973 entre Israel — que os americanos permitiram tornar-se seu mais estreito aliado no Oriente Médio — e as forças de Egito e Síria, abastecidas pelos soviéticos, mostrou isso de forma mais evidente. Pois quando Israel, duramente pressionado, com poucos aviões e munição, apelou aos EUA para mandar suprimentos depressa, os aliados europeus, com a única

(*) "Se vocês querem, vão em frente e combatam nas selvas do Vietnã. Os franceses lutaram lá durante sete anos e mesmo assim tiveram de acabar saindo. Talvez os americanos possam agüentar mais um pouco, mas vão acabar tendo de sair também." — Kruschev a Dean Rusk em 1961 (Beschloss, 1991, p. 649).

exceção do último bastião do fascismo pré-guerra, Portugal, se recusaram até mesmo a permitir o uso das bases aéreas americanas em seu território para esse fim. (Os suprimentos chegaram a Israel via Açores.) Os EUA acreditavam — não se sabe exatamente por quê — que seus interesses vitais estavam em causa. Na verdade, o secretário de Estado americano, Henry Kissinger (cujo presidente, Richard Nixon, se achava empenhado inutilmente em defender-se de seu *impeachment*), decretou o primeiro alerta nuclear desde a crise dos mísseis cubanos, uma ação típica, em sua brutal insinceridade, desse hábil e cínico operador. Isso não abalou os aliados dos EUA, muito mais preocupados com o fornecimento de petróleo do Oriente Médio do que em apoiar uma manobra local americana que Washington dizia, sem convencer, ser essencial para a luta global contra o comunismo. Pois, através da OPEP, os Estados árabes do Oriente Médio tinham feito o possível para impedir o apoio a Israel, cortando fornecimentos de petróleo e ameaçando com embargos. Ao fazer isso, descobriram sua capacidade de multiplicar o preço do petróleo no mundo. E os ministérios das Relações Exteriores do mundo todo não podiam deixar de observar que os todo-poderosos EUA não faziam nem podiam fazer nada imediatamente a respeito.

O Vietnã e o Oriente Médio enfraqueceram os EUA, embora isso não alterasse o equilíbrio global das superpotências, ou a natureza do confronto nos vários teatros regionais da Guerra Fria. Contudo, entre 1974 e 1979, uma nova onda de revoluções surgiu numa grande parte do globo (ver capítulo 15). Esta, a terceira rodada dessas revoltas no Breve Século XX, na verdade parecia que podia mudar o equilíbrio das superpotências desfavoravelmente aos EUA, pois vários regimes na África, Ásia e mesmo no próprio solo das Américas eram atraídos para o lado soviético e — mais concretamente — forneciam à URSS bases militares, e sobretudo navais, fora de seu núcleo interior. Foi a coincidência dessa terceira onda de revolução mundial com o fracasso público e a derrota americanos que produziu a Segunda Guerra Fria. Mas foi também a coincidência desses dois fatos com o otimismo e auto-satisfação da URSS de Brejnev na década de 1970 que a tornou certa. Essa fase de conflito se deu por uma combinação entre guerras locais no Terceiro Mundo, travadas indiretamente pelos EUA, que agora evitavam o erro de empenhar suas próprias forças cometido no Vietnã, e uma extraordinária aceleração da corrida armamentista nuclear; as primeiras menos evidentemente irracionais que a última.

Como a situação na Europa estava nitidamente estabilizada — nem mesmo a revolução portuguesa de 1974 e o fim do regime de Franco na Espanha a mudaram — e as linhas tinham sido tão nitidamente traçadas, na verdade as duas superpotências haviam transferido sua competição para o Terceiro Mundo. A *détente* na Europa dera aos EUA de Nixon (1968-74) e Kissinger a oportunidade de faturar dois grandes sucessos: a expulsão dos soviéticos do Egito e, muito mais significativo, o recrutamento informal da China para a aliança anti-soviética. A nova onda de revoluções, todas provavelmente contra os regimes conservadores dos quais os EUA se haviam feito os defensores globais, deu à URSS a oportunidade de recuperar a iniciativa. À medida que o esboroante império africano de Portugal (Angola, Moçambique, Guiné-Cabo Verde) passava para o domínio comunista e a revolução que derrubou o imperador da Etiópia se voltava para o Leste; à medida que a velozmente desenvolvida marinha soviética passava a contar com grandes novas bases nos dois lados do oceano Índico; à medida que o xá do Irã caía, um clima beirando a histeria foi tomando conta do público americano e do debate privado. De que outro modo (a não ser, em parte, por uma ignorância assombrosa da topografia asiática) vamos explicar a visão americana, apresentada a sério na época, de que a entrada de tropas soviéticas no Afeganistão assinalava o primeiro passo de um avanço soviético que logo chegaria ao oceano Índico e ao golfo Pérsico?* (Ver pp. 463-4)

A injustificada auto-satisfação dos soviéticos estimulou esse clima sombrio. Muito antes de os propagandistas americanos explicarem, *post facto*, que os EUA haviam decidido ganhar a Guerra Fria levando seu antagonista à bancarrota, o regime de Brejnev começara a conduzir a si próprio à falência, mergulhando num programa de armamentos que elevou os gastos com defesa numa taxa anual de 4% a 5% (em termos reais) durante vinte anos após 1964. A corrida fora sem sentido, embora desse à URSS a satisfação de poder afirmar que chegara à paridade com os EUA em lançadores de mísseis em 1971 e a 25% de superioridade em 1976 (continuava muito abaixo em número de ogivas). Mesmo o pequeno arsenal nuclear soviético detivera os EUA durante a crise de Cuba, e os dois lados há muito teriam podido reduzir um ao outro a múltiplas camadas de entulho. O sistemático esforço da URSS para obter uma marinha com presença mundial nos oceanos — ou melhor, sob eles, já que sua força principal estava nos submarinos — não era muito mais sensato em termos estratégicos, mas pelo menos era compreensível como um gesto político de uma superpotência global, que reivindicava o direito à exibição global da sua bandeira. Contudo, o próprio fato de a URSS não mais aceitar seu confinamento regional pareceu aos adeptos da Guerra Fria americanos uma prova clara de que a supremacia ocidental poderia acabar, se não fosse reafirmada por uma demonstração de força. A crescente confiança que levou Moscou a abandonar a cautela pós-Kruschev nas questões internacionais confirmava essas opiniões.

A histeria em Washington não se baseava, claro, num raciocínio realista. Em termos reais, o poder americano, ao contrário de seu prestígio, continuava decisivamente maior que o soviético. Quanto às economias e tecnologias dos

(*) A sugestão de que os sandinistas nicaragüenses representavam perigo militar a uma distância de alguns dias de caminhão da fronteira texana era outro, e característico, exemplo de geopolítica de atlas escolar.

dois campos, a superioridade ocidental (e japonesa) superava qualquer cálculo. Os soviéticos, rudes e inflexíveis, podiam com esforços titânicos ter construído a melhor economia da década de 1980 em qualquer parte do mundo (para citar Jowitt, 1991, p. 78), mas de que adiantava à URSS o fato de que em meados da década de 1980 ela produzia 80% mais aço, duas vezes mais ferro-gusa e cinco vezes mais tratores que os EUA, quando não se adaptara a uma economia que dependia de silício e *software* (ver capítulo 16)? Não havia absolutamente indício algum, nem probabilidade, de que a URSS queria uma guerra (a não ser, talvez, contra a China), quanto mais que estivesse planejando um ataque militar ao Ocidente. Os febris roteiros de ataque nuclear que vinham da publicidade governamental e dos mobilizados adeptos da Guerra Fria ocidentais, no início da década de 1980, eram gerados por eles mesmos. Na verdade tiveram o efeito de convencer os soviéticos de que um ataque nuclear preemptivo do Ocidente à URSS era possível, ou mesmo — como em momentos de 1983 — iminente (Walker, 1993, capítulo 11), e de provocar o maior movimento de massa pela paz antinuclear na Europa de toda a Guerra Fria, a campanha contra a instalação de mísseis de novo alcance naquele continente.

Os historiadores do século XXI, longe das lembranças vivas das décadas de 1970 e 1980, vão ficar intrigados com a aparente insanidade dessa explosão de febre militar, a retórica apocalíptica e o muitas vezes bizarro comportamento internacional de governos americanos, sobretudo nos primeiros anos do presidente Reagan (1980-8). Terão de avaliar a profundidade dos traumas subjetivos da derrota, impotência e ignomínia pública que laceraram o *establishment* político americano na década de 1970, e que se tornaram ainda mais dolorosos devido à aparente desordem na Presidência americana ao longo dos anos, quando Richard Nixon (1968-74) teve de renunciar por causa de um escândalo sórdido, seguindo-se dois sucessores insignificantes. Culminaram no humilhante episódio dos diplomatas americanos mantidos como reféns no Irã revolucionário, na revolução comunista em dois pequenos Estados centro-americanos e numa segunda crise internacional de petróleo, quando a OPEP mais uma vez elevou seu preço a um máximo histórico.

A política de Ronald Reagan, eleito para a Presidência em 1980, só pode ser entendida como uma tentativa de varrer a mancha da humilhação sentida demonstrando a inquestionável supremacia e invulnerabilidade dos EUA, se necessário com gestos de poder militar contra alvos imóveis, como a invasão da pequena ilha caribenha de Granada (1983), o maciço ataque aéreo e naval à Líbia (1986), e a ainda mais maciça e sem sentido invasão do Panamá (1989). Reagan, talvez por ser apenas um ator mediano de Hollywood, entendia o estado de espírito de seu povo e a profundidade das feridas causadas à sua auto-estima. No fim, o trauma só foi curado pelo colapso final, imprevisto e inesperado, do grande antagonista, que deixou os EUA sozinhos como potência global. Mesmo então, podemos detectar na Guerra do Golfo, em 1991, contra o Iraque, uma compensação tardia pelos pavorosos momentos de 1973 e 1979 quando a maior potência da Terra não pôde achar resposta para um consórcio de fracos Estados do Terceiro Mundo que ameaçava estrangular seus abastecimentos de petróleo.

A cruzada contra o "Império do Mal" a que — pelo menos em público — o governo do presidente Reagan dedicou suas energias destinava-se assim a agir mais como uma terapia para os EUA do que como uma tentativa prática de reestabelecer o equilíbrio de poder mundial. Isso, na verdade, fora feito discretamente em fins da década de 1970, quando a OTAN — sob um governo democrata nos EUA e governos social-democratas e trabalhistas na Alemanha e Grã-Bretanha — havia começado seu próprio rearmamento, e os novos Estados esquerdistas na África tinham sido contidos desde o início por movimentos ou Estados apoiados pelos americanos, com bastante sucesso no Sul e Centro da África, onde os EUA podiam agir em conjunto com o pavoroso regime de *apartheid* da República da África do Sul, e menos no Chifre da África. (Nas duas áreas, os russos tiveram a inestimável assistência de forças expedicionárias de Cuba, atestando o compromisso de Fidel Castro com a revolução no Terceiro Mundo, além de sua aliança com a URSS.) A contribuição reaganista para a Guerra Fria foi de um tipo diferente.

Não foi tanto prática quanto ideológica — parte da reação do Ocidente aos problemas da era de dificuldades e incertezas em que o mundo parecera entrar após o fim da Era de Ouro (ver capítulo 14). Encerrou-se um extenso período de governo centrista e moderadamente social-democrata, quando as políticas econômicas e sociais da Era de Ouro pareceram fracassar. Governos da direita ideológica, comprometidos com uma forma extrema de egoísmo comercial e *laissez-faire*, chegaram ao poder em vários países por volta de 1980. Entre esses, Reagan e a confiante e temível sra. Thatcher na Grã-Bretanha (1979-90) eram os mais destacados. Para essa nova direita, o capitalismo assistencialista patrocinado pelo Estado das décadas de 1950 e 1960, não mais escorado, desde 1973, pelo sucesso econômico, sempre havia parecido uma subvariedade de socialismo ("a estrada para a servidão", como a chamava o economista e ideólogo Von Hayek) da qual, em sua ótica, a URSS era o lógico produto final. A Guerra Fria reaganista era dirigida não contra o "Império do Mal" no exterior, mas contra a lembrança de F. D. Roosevelt em casa: contra o Estado do Bem-estar Social, e contra qualquer outro Estado interventor. Seu inimigo era tanto o liberalismo (a "palavra iniciada com L", usada com bom efeito em campanhas eleitorais presidenciais) quanto o comunismo.

Como a URSS ia desmoronar pouco antes do fim da era Reagan, os propagandistas americanos naturalmente afirmariam que fora derrubada por uma militante campanha americana para quebrá-la e destruí-la. Os EUA tinham travado e ganho a Guerra Fria e destruído completamente o inimigo. Não precisamos levar a sério essa versão anos 80 das Cruzadas. Não há sinal de que o governo americano esperasse ou previsse o colapso iminente da URSS, ou estivesse de alguma forma preparado para ele quando veio. Embora sem dúvida esperasse pôr a economia soviética sob pressão, fora informado (erroneamente) por sua própria espionagem de que ela estava em boa forma e capaz de sustentar a corrida armamentista com os EUA. Em princípios da década de 1980, a URSS ainda era vista (também erroneamente) como empenhada numa confiante ofensiva global. Na verdade, o próprio presidente Reagan, qualquer que fosse a retórica posta à sua frente pelos seus redatores de discursos, e o que quer que passasse por sua mente nem sempre lúcida, acreditava na coexistência de EUA e URSS, mas uma coexistência que não se baseasse num antipático equilíbrio de terror nuclear. Ele sonhava era com um mundo inteiramente sem armas nucleares. E o mesmo pensava o novo secretário-geral do Partido Comunista da União Soviética, Mikhail Sergueievich Gorbachev, como ficou claro em sua estranha e excitada conferência de cúpula que realizaram na escuridão subártica da outonal Islândia, em 1986.

A Guerra Fria acabou quando uma ou ambas superpotências reconheceram o sinistro absurdo da corrida nuclear, e quando uma acreditou na sinceridade do desejo da outra de acabar com a ameaça nuclear. Provavelmente era mais fácil para um líder soviético que para um americano tomar essa iniciativa, porque, ao contrário de Washington, Moscou jamais encarara a Guerra Fria como uma cruzada, talvez porque não precisasse levar em conta uma excitada opinião pública. Por outro lado, exatamente por isso, seria mais difícil para um líder soviético convencer o Ocidente de que falava sério. Desse modo, o mundo tem uma dívida enorme com Mikhail Gorbachev, que não apenas tomou essa iniciativa como conseguiu, sozinho, convencer o governo americano e outros no Ocidente de que falava a verdade. Contudo, não vamos subestimar a contribuição do presidente Reagan, cujo idealismo simplista rompeu o extraordinariamente denso anteparo de ideólogos, fanáticos, desesperados e guerreiros profissionais em torno dele para deixar-se convencer. Para fins práticos, a Guerra Fria terminou nas duas conferências de cúpula de Reykjavik (1986) e Washington (1987).

O fim da Guerra Fria implicou o fim do sistema soviético? Os dois fenômenos são historicamente separáveis, embora obviamente ligados. O socialismo do tipo soviético se pretendia uma alternativa global para o sistema mundial capitalista. Como o capitalismo não desmoronou, nem pareceu que ia desmoronar — embora nos perguntemos o que teria acontecido se todos os devedores socialistas e do Terceiro Mundo se houvessem unido em 1981 para deixar de pagar simultaneamente seus empréstimos ao Ocidente —, as perspectivas do socialismo como alternativa global dependiam de sua capacidade de competir com a economia mundial capitalista, reformada após a Grande Depressão e a Segunda Guerra Mundial, e transformada pela revolução "pós-industrial" nas comunicações e tecnologia de informação na década de 1970. Ficou claro, depois de 1960, que o socialismo estava ficando para trás em ritmo acelerado. Não era mais competitivo. Na medida em que essa competição assumia a forma de um confronto entre duas superpotências políticas, militares e econômicas, a inferioridade tornou-se ruinosa.

As duas superpotências estenderam e distorceram demais suas economias com uma corrida armamentista maciça e muito dispendiosa, mas o sistema capitalista mundial podia absorver os 3 bilhões de dólares de dívida — essencialmente para gastos militares — a que chegaram, na década de 1980, os EUA, até então o maior Estado credor do mundo. Não havia ninguém, interna ou externamente, para absorver a tensão equivalente dos gastos soviéticos, que, de qualquer modo, representavam uma proporção muito maior da produção soviética — talvez um quarto — que os 7% do titânico PIB americano destinados às despesas de guerra em meados da década de 1980. Os EUA, graças a uma combinação de sorte histórica e política, tinham visto seus dependentes transformarem-se em economias tão florescentes que superavam a sua própria. No fim da década de 1970, a Comunidade Européia e o Japão juntos eram 60% maiores que a economia americana. Por outro lado, os aliados e dependentes dos soviéticos jamais andaram sobre os próprios pés. Continuaram sendo um dreno constante e enorme de dezenas de milhões de dólares anuais sobre a URSS. Geográfica e demograficamente, os países atrasados, cujas mobilizações revolucionárias, esperava Moscou, iriam um dia superar o predomínio global do capitalismo, representavam 80% do mundo. Em termos econômicos, eram periferia. Quanto à tecnologia, como a superioridade ocidental crescia quase exponencialmente, não havia disputa. Em suma, a Guerra Fria, desde o começo, foi uma guerra de desiguais.

Mas não foi o confronto hostil com o capitalismo e seu superpoder que solapou o socialismo. Foi mais a combinação entre seus próprios defeitos econômicos, cada vez mais evidentes e paralisantes, e a acelerada invasão da economia socialista pela muito mais dinâmica, avançada e dominante economia capitalista mundial. Na medida em que a retórica da Guerra Fria via capitalismo e socialismo, o "mundo livre" e o "totalitarismo", como dois lados de um abismo intransponível, e rejeitava qualquer tentativa de estabelecer uma ponte,* podia-se até dizer que, à parte a possibilidade de suicídio mútuo da guerra nuclear, ela assegurava a sobrevivência do adversário mais fraco. Pois, entrincheirada por trás de cortinas de ferro, mesmo a ineficiente e frouxa economia de comando por planejamento centralizado era viável — talvez cedendo aos poucos, mas de nenhum modo passível de desabar de uma hora para outra.** Foi a interação da economia do tipo soviético com a economia mundial capitalista, a partir da década de 1960, que tornou o socialismo vulnerá-

(*) Cf. o uso americano do termo "finlandização" como um insulto.

(**) Para tomar o caso extremo, a pequena república montanhesa comunista da Albânia era pobre e atrasada, mas viável durante os vinte ou trinta anos em que praticamente se isolou do mundo. Só quando os muros que a separavam da economia mundial foram derrubados ela desmoronou num monte de entulho econômico.

vel. Quando os líderes socialistas na década de 1970 preferiram explorar os recursos recém-disponíveis do mercado mundial (preços de petróleo, empréstimos fáceis etc.), em vez de enfrentar o difícil problema de reformar seu sistema econômico, cavaram suas próprias covas (ver capítulo 16). O paradoxo da Guerra Fria é que o que derrotou e acabou despedaçando a URSS não foi o confronto, mas a *détente*.

Contudo, em certo sentido, os radicais da Guerra Fria de Washington não estavam inteiramente errados. A verdadeira Guerra Fria, como podemos ver com facilidade em retrospecto, acabou na conferência de cúpula de Washington em 1987, mas não pôde ser *universalmente* reconhecida como encerrada até a URSS deixar visivelmente de ser uma superpotência, ou na verdade qualquer tipo de potência. Quarenta anos de medo e suspeita, de semear e colher obstáculos industrial-militares, não podiam ser tão facilmente revertidos. As engrenagens dos serviços da máquina de guerra continuaram rodando dos dois lados. Serviços secretos profissionalmente paranóicos continuaram suspeitando que cada medida do outro lado fosse um astuto truque para desarmar a vigilância do inimigo e derrotá-lo com mais facilidade. Foi o colapso do império soviético em 1989, a desintegração e dissolução da própria URSS em 1989-91 que tornaram impossível fingir, quanto mais acreditar, que nada tinha mudado.

V

Mas o que mudara exatamente? A Guerra Fria transformara o panorama internacional em três aspectos. Primeiro, eliminara inteiramente, ou empanara, todas as rivalidades e conflitos que moldavam a política mundial antes da Segunda Guerra Mundial, com exceção de um. Alguns deixaram de existir porque os impérios da era imperial desapareceram, e com eles as rivalidades das potências coloniais pelo domínio de territórios dependentes. Outros acabaram porque todas as "grandes potências" (com exceção de duas) haviam sido relegadas à segunda ou terceira divisão da política internacional, e suas relações umas com as outras não eram mais autônomas ou, na verdade, tinham interesse apenas local. A França e a Alemanha (Ocidental) enterraram o velho machado depois de 1947 não porque um conflito franco-alemão se houvesse tornado impensável — os governos franceses pensavam nisso o tempo todo — mas porque sua filiação comum no campo americano e a hegemonia de Washington sobre a Europa não deixariam a Alemanha escapar do controle. Mesmo assim, é espantoso ver como as grandes preocupações típicas de Estados depois de grandes guerras sumiram de vista: ou seja, a preocupação dos vencedores com os planos de recuperação dos perdedores, e os planos dos perdedores para reverter sua derrota. Poucos no Ocidente se preocuparam seriamente com o sensacional retorno a *status* de grande potência da Alemanha e Japão, armados, embora não com artefatos nucleares, uma vez que os dois eram, na verdade, membros subordinados da aliança americana. Mesmo a URSS e seus aliados, embora denunciassem o perigo alemão, do qual tinham amarga experiência, o faziam mais por propaganda do que por medo de fato. O que Moscou temia não eram as Forças Armadas alemãs, mas os mísseis da OTAN em solo alemão. Mas após a Guerra Fria outros conflitos de poder poderiam surgir.

Segundo, a Guerra Fria congelara a situação internacional, e ao fazer isso estabilizara um estado de coisas essencialmente não fixo e provisório. A Alemanha era o exemplo mais óbvio. Durante 46 anos permaneceu dividida — *de facto*, se não, por longos períodos, *de jure* — em quatro setores: a Ocidental, que se tornou a República Federal em 1949; a do meio, que se tornou a República Democrática Alemã em 1954; e a Oriental, além da linha do Oder-Neisse, que expulsou a maioria de seus alemães e se tornou parte da Polônia e da URSS. O fim da Guerra Fria e a desintegração da URSS reuniram os dois setores ocidentais e deixaram as partes da Prússia oriental anexadas à URSS soltas e isoladas, separadas do resto da Rússia pelo agora independente Estado da Lituânia. Isso deixou os poloneses com promessas alemãs de aceitar as fronteiras de 1945, o que não os tranqüilizou. Estabilização não significava paz. Exceto na Europa, a Guerra Fria não foi uma era em que se esqueceu a luta. Dificilmente houve um ano entre 1948 e 1989 sem um conflito armado bastante sério em alguma parte. Apesar disso, os conflitos eram controlados, ou sufocados, pelo receio de que provocassem uma guerra aberta — isto é, nuclear — entre as superpotências. As reivindicações do Iraque contra o Kuwait — o pequeno protetorado britânico rico em petróleo, no topo do golfo Pérsico, independente desde 1961 — eram antigas e constantemente reafirmadas. Só levaram à guerra quando o golfo Pérsico deixou de ser um quase automático ponto explosivo de confronto das superpotências. Antes de 1989, é certo que a URSS, principal fornecedora de armas ao Iraque, teria desencorajado vigorosamente qualquer aventureirismo de Bagdá naquela área.

O desenvolvimento das políticas internas de Estados, claro, não se congelou da mesma forma — a não ser onde tais mudanças modificavam, ou davam a impressão de modificar, a aliança de um Estado com sua superpotência dominante. Os EUA não estavam mais inclinados a tolerar comunistas ou filocomunistas no poder na Itália, Chile ou Guatemala do que a URSS disposta a abdicar de seu direito de enviar tropas para Estados irmãos com governos dissidentes, como a Hungria e a Tchecoslováquia. É verdade que a URSS tolerava muito menos variedade em seus regimes amigos e satélites, mas por outro lado sua capacidade de afirmar-se dentro deles era muito menor. Mesmo antes de 1970, perdera completamente qualquer controle que porventura tivesse sobre Iugoslávia, Albânia e China; tivera de tolerar comportamentos bastante individualistas dos líderes de Cuba e da Romênia; e, quanto aos países do

Terceiro Mundo a que fornecia armas, e que partilhavam sua hostilidade ao imperialismo americano, comunidade de interesses à parte, ela não tinha verdadeiro domínio sobre eles. Dificilmente algum deles tolerava sequer a existência legal de partidos comunistas. Apesar disso, a combinação de poder, influência política, suborno e a lógica da bipolaridade e antiimperialismo manteve as divisões do mundo mais ou menos estáveis. Com exceção da China, nenhum Estado importante de fato mudou de lado, a não ser por uma revolução autóctone, que as superpotências não podiam provocar nem impedir, como os EUA descobriram na década de 1970. Mesmo os aliados dos EUA que viam suas próprias políticas cada vez mais limitadas pela aliança, como os governos alemães após 1969 na questão da *Ostpolitik*, não saíram de um alinhamento cada vez mais problemático. Entidades políticas politicamente impotentes, instáveis e indefensáveis, incapazes de sobreviver numa verdadeira selva internacional — a região entre o mar Vermelho e o golfo Pérsico estava cheia delas —, de algum modo continuaram existindo. A sombra do cogumelo de nuvens garantia a sobrevivência não de democracias liberais na Europa Ocidental, mas de regimes como os da Arábia Saudita e do Kuwait. A Guerra Fria foi a melhor época para ser um míni-Estado — assim como, depois dela, a diferença entre problemas resolvidos e problemas arquivados tornou-se óbvia demais.

Terceiro, a Guerra Fria encheu o mundo de armas num grau que desafia a crença. Era o resultado natural de quarenta anos de competição constante entre grandes Estados industriais para armar-se com vistas a uma guerra que podia estourar a qualquer momento; quarenta anos de competição das superpotências para fazer amigos e influenciar pessoas distribuindo armas por todo o globo, para não falar de quarenta anos de constante guerra de "baixa intensidade", com ocasionais irrupções de grande conflito. Economias largamente militarizadas, e de qualquer modo com enormes e influentes complexos industrial-militares, tinham interesse econômico em vender seus produtos no exterior, no mínimo para reconfortar seus governos com provas de que *não* estavam engolindo os astronômicos e economicamente improdutivos orçamentos militares que os mantinham em funcionamento. A moda global sem precedentes de governos militares (ver capítulo 12) proporcionou um mercado agradecido, alimentado não só por generosidade das superpotências, mas — depois da revolução nos preços do petróleo — pelas rendas locais multiplicadas além da imaginação de antigos sultões e xeques do Terceiro Mundo. Todo mundo exportava armas. Economias socialistas e alguns Estados capitalistas em declínio, como a Grã-Bretanha, pouco mais tinham a exportar que fosse competitivo no mercado mundial. O tráfico da morte se fazia não apenas com as grandes peças que somente governos podiam usar. Uma era de guerra de guerrilha e terrorismo também desenvolveu uma grande demanda de artefatos leves, portáteis e adequadamente destrutivos e mortais, e os submundos das cidades de fins do século XX podiam oferecer um mercado civil para tais produtos.

Nesses ambientes, a metralhadora Uzi (israelense), o fuzil Kalachnikov (russo) e o explosivo Semtex (tcheco) se tornaram nomes conhecidos.

Desta forma a Guerra Fria se perpetuou. As guerrinhas que antes punham clientes de uma superpotência contra os de outra continuaram depois que o conflito cessou, em base local, resistindo aos que as haviam lançado e agora queriam encerrá-las. Os rebeldes da UNITA em Angola continuaram em campo contra o governo, embora a África do Sul e os cubanos se houvessem retirado do infeliz país, e embora os EUA e a ONU os houvessem desautorizado e reconhecido o outro lado. Eles não ficariam sem armas. A Somália, armada primeiro pelos russos, quando o imperador da Etiópia estava do lado dos EUA, depois pelos EUA, quando a Etiópia revolucionária se voltou para Moscou, entrou no mundo pós-Guerra Fria como um território devastado pela fome e em anárquica guerra de clãs, sem nada a não ser um quase ilimitado suprimento de armas, munição, minas de terra e transporte militar. Os EUA e a ONU se mobilizaram para levar alimentos e paz. Isso se mostrou mais difícil do que inundar o país de armas. No Afeganistão, os EUA distribuíram a rodo mísseis antiaéreos portáteis "Stinger", com lançadores, a guerrilheiros tribais anticomunistas, calculando, corretamente, que eles contrabalançariam o domínio aéreo soviético. Quando os russos se retiraram, a guerra continuou como se nada houvesse mudado, a não ser que, na ausência de aviões, as tribos podiam agora explorar elas mesmas a florescente demanda de Stingers, que vendiam lucrativamente no mercado internacional de armas. Em desespero, os EUA se ofereceram para comprá-los de volta a 100 mil dólares cada, com espetacular falta de sucesso (*International Herald Tribune*, p. 24, 5/7/1993; *Repubblica*, 6/4/1994). Como exclamou o aprendiz de feiticeiro de Goethe: "*Die ich rief die Geister, werd' ich nun nicht los*".

O fim da Guerra Fria retirou de repente os esteios que sustentavam a estrutura internacional e, em medida ainda não avaliada, as estruturas dos sistemas políticos internos mundiais. E o que restou foi um mundo em desordem e colapso parcial, porque nada havia para substituí-los. A idéia, alimentada por pouco tempo pelos porta-vozes americanos, de que a velha ordem bipolar podia ser substituída por uma "nova ordem" baseada na única superpotência restante, logo se mostrou irrealista. Não poderia haver retorno ao mundo de antes da Guerra Fria, porque coisas demais haviam mudado, coisas demais haviam desaparecido. Todos os marcos haviam caído, todos os mapas tinham de ser alterados. Políticos e economistas acostumados a um tipo de mundo até mesmo achavam difícil ou impossível avaliar a natureza dos problemas de outro tipo. Em 1947, os EUA haviam reconhecido a necessidade de um imediato e gigantesco projeto para restaurar as economias européias ocidentais, porque o suposto perigo para elas — o comunismo e a URSS — era facilmente definido. As conseqüências econômicas e políticas do colapso da União Soviética e da Europa Oriental foram ainda mais dramáticas que os problemas da

Europa Ocidental, e se revelariam de muito mais longo alcance. Elas eram bastante previsíveis em fins da década de 1980, e até visíveis — mas nenhuma das ricas economias do capitalismo tratou essa crise iminente como uma emergência global a exigir ação urgente e maciça, porque suas conseqüências *políticas* não eram tão facilmente especificadas. Com a possível exceção da Alemanha Ocidental, reagiram preguiçosamente — e mesmo os alemães não compreenderam e subestimaram totalmente a natureza do problema, como se veria por seus apuros com a anexação da antiga República Democrática Alemã.

É provável que as conseqüências do fim da Guerra Fria teriam sido enormes de qualquer modo, mesmo que ele não coincidisse com uma grande crise na economia capitalista e com a crise final da União Soviética e seu sistema. Como o mundo do historiador é o que aconteceu, e não o que poderia ter acontecido se tudo fosse diferente, não precisamos levar em conta a possibilidade de outros roteiros. O fim da Guerra Fria provou ser não o fim de um conflito internacional, mas o fim de uma era: não só para o Oriente, mas para todo o mundo. Há momentos históricos que podem ser reconhecidos, mesmo entre contemporâneos, por assinalar o fim de uma era. Os anos por volta de 1990 foram uma dessas viradas seculares. Mas, embora todos pudessem ver que o antigo mudara, havia absoluta incerteza sobre a natureza e as perspectivas do novo.

Só uma coisa parecia firme e irreversível entre essas incertezas: as mudanças fundamentais, extraordinárias, sem precedentes que a economia mundial, e conseqüentemente as sociedades humanas, tinham sofrido no período desde o início da Guerra Fria. Elas ocuparão, ou deveriam ocupar, um lugar muito maior nos livros de história do terceiro milênio que a Guerra da Coréia, as crises de Berlim e Cuba, e os mísseis Cruise. Para essas transformações é que nos voltaremos agora.

9
OS ANOS DOURADOS

Foi nos últimos quarenta anos que Modena viu de fato o grande salto à frente. *O período que vai da Unificação italiana até então fora uma longa era de espera, ou de lentas e intermitentes modificações, antes que a transformação se acelerasse até a velocidade do raio. As pessoas agora podem desfrutar um padrão de vida antes restrito a uma minúscula elite.*

Giuliano Muzzioli (1993, p. 323)

Nenhum homem faminto e sóbrio pode ser convencido a gastar seu último dólar em outra coisa que não comida. Mas uma pessoa bem alimentada, bem vestida, bem abrigada e em tudo mais bem cuidada pode ser convencida a escolher entre um barbeador e uma escova de dentes elétrica. Juntamente com preços e custos, a demanda do consumidor se torna sujeita a administração.

J. K. Galbraith, *The new industrial state* (1967, p. 24)

I

A maioria dos seres humanos atua como os historiadores: só em retrospecto reconhece a natureza de sua experiência. Durante os anos 50, sobretudo nos países "desenvolvidos" cada vez mais prósperos, muita gente sabia que os tempos tinham de fato melhorado, especialmente se suas lembranças alcançavam os anos anteriores à Segunda Guerra Mundial. Um primeiro-ministro conservador britânico disputou e venceu uma eleição geral em 1959 com o *slogan* "Você nunca esteve tão bem", uma afirmação sem dúvida correta. Contudo, só depois que passou o grande *boom*, nos perturbados anos 70, à espera dos traumáticos 80, os observadores — sobretudo, para início de conversa, os economistas — começaram a perceber que o mundo, em particular o mundo do capitalismo desenvolvido, passara por uma fase excepcional de sua história; talvez uma fase única. Buscaram nomes para descrevê-la: "os trinta anos gloriosos" dos franceses (*les trente glorieuses*), a Era de Ouro de um quarto de século dos anglo-americanos (Marglin & Schor, 1990). O dourado fulgiu com mais brilho contra o pano de fundo baço e escuro das posteriores Décadas de Crise.

Vários motivos explicam por que se demorou tanto a reconhecer a natureza excepcional da era. Para os EUA, que dominaram a economia do mundo após a Segunda Guerra Mundial, ela não foi tão revolucionária assim. Simplesmente continuaram a expansão dos anos da guerra, que, como vimos, foram singularmente bondosos com aquele país. Não sofreram danos, aumentaram seu PNB em dois terços (Van der Wee, 1987, p. 30), e acabaram a guerra com quase dois terços da produção industrial do mundo. Além disso, considerando o tamanho e avanço da economia americana, seu desempenho de fato durante os Anos Dourados não foi tão impressionante quanto a taxa de crescimento de outros países, que partiram de uma base bem menor. Entre 1950 e 1973, os EUA cresceram mais devagar que qualquer outro país, com exceção da Grã-Bretanha, e, o que é mais a propósito, seu crescimento não foi maior que nos mais dinâmicos períodos anteriores de seu desenvolvimento. Em todos os demais países industriais, incluindo até a lerda Grã-Bretanha, a Era de Ouro bateu todos os recordes anteriores (Maddison, 1987, p. 650). Na verdade, para os EUA essa foi, econômica e tecnologicamente, uma época mais de relativo retardo que de avanço. A distância entre eles e outros países, medida em produtividade por homem-hora, diminuiu, e se em 1950 desfrutavam de uma riqueza nacional (PIB) per capita que era o dobro da da França e Alemanha, mais de cinco vezes a do Japão, e mais da metade maior que a da Grã-Bretanha, os outros Estados se aproximavam rapidamente, e continuaram a fazê-lo nas décadas de 1970 e 1980.

Recuperar-se da guerra era a prioridade esmagadora dos países europeus e do Japão, e nos primeiros anos depois de 1945 eles mediram seu sucesso tomando como base o quanto se haviam aproximado de um objetivo estabelecido em referência ao passado, não ao futuro. Nos Estados não comunistas, a recuperação também significava deixar para trás o medo de revolução social e avanço comunista, herança da guerra e da Resistência. Enquanto a maioria dos países (além de Alemanha e Japão) voltava a seus níveis pré-guerra em 1950, o início da Guerra Fria e a persistência de poderosos partidos comunistas na França e Itália desencorajavam a euforia. De qualquer modo, os benefícios materiais do crescimento levaram algum tempo para se fazer sentir. Na Grã-Bretanha, só em meados da década de 1950 eles se tornaram palpáveis. Nenhum político antes disso poderia ter ganho uma eleição com o *slogan* de Harold Macmillan. Mesmo numa região tão próspera como a Emilia-Romagna, os benefícios da "*afluent society*" só se tornaram gerais na década de 1960 (Francia & Muzziolli, 1984, pp. 327-9). Além disso, a arma secreta de uma sociedade de riqueza *popular*, ou seja, de pleno emprego, só se tornou real na década de 1960, quando a média de desemprego na Europa Ocidental estacionou em 1,5%. Na década de 1950, a Itália ainda tinha quase 8% de desempregados. Em suma, só na década de 1960 a Europa veio a tomar sua prosperidade como coisa certa. A essa altura, na verdade, observadores sofisticados começaram a supor que, de algum modo, tudo na economia iria para a frente e para o alto eternamente. "Não há motivo especial para duvidar de que as tendências subjacentes de crescimento no início e meados da década de 1970 continuarão em grande parte como nas de 1960", dizia um relatório em 1972. "Não se pode prever hoje nenhuma influência especial que vá mudar drasticamente o ambiente externo das economias européias." O clube de economias industriais capitalistas avançadas, a OCDE (Organização de Cooperação e Desenvolvimento Econômico), reviu para cima suas previsões de crescimento à medida que os anos 60 avançavam. No início da década de 1970, esperava-se que fossem ("a médio prazo") superiores a 5% (Glyn, Hughes, Lipietz & Singh, 1990, p. 39). Não seriam.

Hoje é evidente que a Era de Ouro pertenceu essencialmente aos países capitalistas desenvolvidos, que, por todas essas décadas, representaram cerca de três quartos da produção do mundo, e mais de 80% de suas exportações manufaturadas (*OCDE Impact*, pp. 18-9). Outra razão pela qual essa característica da era só lentamente foi reconhecida é que na década de 1950 o surto econômico pareceu quase mundial e independente de regimes econômicos. Na verdade, de início pareceu que a parte socialista do mundo, recém-expandida, levava vantagem. A taxa de crescimento da URSS na década de 1950 foi mais veloz que a de qualquer país ocidental, e as economias da Europa Oriental cresceram quase com a mesma rapidez — mais depressa em países até então atrasados, mais devagar nos já industrializados ou parcialmente industrializados. A Alemanha Oriental, porém, ficou para trás da Alemanha Federal não comunista. Embora o Bloco Oriental perdesse o ritmo na década de 1960, seu PIB per capita em toda a Era de Ouro continuou crescendo ligeiramente mais rápido (ou, no caso da URSS, um pouco menos) que o dos grandes países industriais capitalistas (FMI, 1990, p. 65). Mesmo assim, na década de 1960 ficou claro que o capitalismo avançava mais que o comunismo.

Apesar disso, a Era de Ouro foi um fenômeno mundial, embora a riqueza geral jamais chegasse à vista da maioria da população do mundo — os que viviam em países para cuja pobreza e atraso os especialistas da ONU tentavam encontrar eufemismos diplomáticos. Entretanto, a população do Terceiro Mundo aumentou num ritmo espetacular — o número de africanos, leste-asiáticos e sul-asiáticos mais que duplicou nos 35 anos depois de 1950, o número de latino-americanos mais ainda (*World Resources*, 1986, p. 11). As décadas de 1970 e 1980 mais uma vez se familiarizaram com a fome endêmica, com a imagem clássica, a criança exótica morrendo de inanição, vista após o jantar em toda tela de TV do Ocidente. Durante as décadas douradas não houve fome endêmica, a não ser como produto de guerras e loucura política, como na China (ver pp. 466-7). Na verdade, à medida que a população se multiplicava, a expectativa de vida aumentava em média sete anos — e até dezessete anos, se compararmos o fim da década de 1930 com o fim da década de 1960 (Morawetz, 1977, p. 48). Isso significa que a produção em massa de alimentos cresceu mais rápido que a população, tanto nas áreas desenvolvidas quanto em toda grande área do mundo não industrial. Na década de 1950, aumentou mais de 1% ao ano per capita em toda a região do "mundo em desenvolvimento", com exceção da América Latina, e mesmo lá houve um aumento per capita, embora mais modesto. Na década de 1960, ainda cresceu em partes do mundo não industrial, mas (mais uma vez com exceção da América Latina, agora à frente do resto) apenas ligeiramente. Apesar disso, a produção total de alimentos no mundo pobre, nas décadas de 1950 e 1960, aumentou mais rapidamente que no mundo desenvolvido.

Na década de 1970, as disparidades entre as diferentes partes do mundo pobre tornam inúteis essas cifras globais. A essa altura algumas regiões, como o Extremo Oriente e a América Latina, tinham produção superior à taxa de crescimento de suas populações, enquanto a África ficava para trás em mais de 1% ao ano. Na década de 1980, a produção de alimentos per capita do mundo pobre não cresceu de modo algum, fora do Sudeste e Leste Asiáticos (e mesmo ali alguns países produziram menos per capita que na década de 1970 — Bangladesh, Sri Lanka, Filipinas). Algumas regiões ficaram bem atrás dos níveis da década de 1970, ou até continuaram a cair, notadamente África, América Central e o Oriente Próximo asiático (Van der Wee, 1987, p. 106; FAO, 1989, anexo, tabela 2, pp. 113-5).

Enquanto isso, o problema do mundo desenvolvido era que produzia tanto alimento que não sabia o que fazer com o excedente, e na década de 1980 decidiu plantar substancialmente menos, ou então (como na Comunidade Européia) vender suas "montanhas de manteiga" e "lagos de leite" abaixo do custo, com isso solapando os produtores nos países pobres. Ficou mais barato comprar queijo holandês nas ilhas do Caribe que na Holanda. Curiosamente, o contraste entre excedentes de alimentos de um lado e gente faminta do outro, que tanto revoltara o mundo durante a Grande Depressão da década de 1930, causou menos comentário em fins do século XX. Foi um aspecto da crescente divergência entre o mundo rico e o mundo pobre que se tornou cada vez mais evidente a partir da década de 1960.

O mundo industrial, claro, se expandia por toda parte: nas regiões capitalistas e socialistas e no "Terceiro Mundo". No velho Ocidente, houve impressionantes exemplos de revolução industrial, como a Espanha e a Finlândia. No mundo do "socialismo realmente existente" (ver capítulo 13), países predominantemente agrários como a Bulgária e a Romênia ganharam expressivos setores industriais. No Terceiro Mundo, o fato mais espetacular dos chamados "países em recente industrialização" (NICs em inglês) ocorreu depois da Era de Ouro, mas por toda parte diminuiu acentuadamente o número de países que dependentes da agricultura, pelo menos para financiar suas importações do resto do mundo. Com uma exceção (Nova Zelândia), todos estavam na África subsaariana e na América Latina (FAO, 1989, anexo, tabela 11, pp. 149-51).

A economia mundial, portanto, crescia a uma taxa explosiva. Na década de 1960, era claro que jamais houvera algo assim. A produção mundial de manufaturas quadruplicou entre o início da década de 1950 e o início da década de 1970, e, o que é ainda mais impressionante, o comércio mundial de produtos manufaturados aumentou dez vezes. Como vimos, a produção agrícola mundial também disparou, embora não espetacularmente. E o fez não tanto (como muitas vezes no passado) com o cultivo de novas terras, mas elevando sua produtividade. A produção de grãos por hectare quase duplicou entre 1950-2 e 1980-2 — e mais que duplicaram na América do Norte, Europa Ocidental e Leste Asiático. As indústrias de pesca mundial, enquanto isso, triplicaram suas capturas antes de voltar a cair (*World Resources*, 1986, pp. 47 e 142).

Mal se notava ainda um subproduto dessa extraordinária explosão, embora em retrospecto ele já parecesse ameaçador: a poluição e a deterioração ecológica. Durante a Era de Ouro, isso chamou pouca atenção, a não ser de entusiastas da vida silvestre e outros protetores de raridades humanas e naturais, porque a ideologia de progresso dominante tinha como certo que o crescente domínio da natureza pelo homem era a medida mesma do avanço da humanidade. A industrialização nos países socialistas foi por isso particularmente cega às conseqüências ecológicas da construção maciça de um sistema industrial algo arcaico, baseado em ferro e fumaça. Mesmo no Ocidente, o velho lema do homem de negócios do século XIX, "Onde tem lama, tem grana" (ou seja, poluição quer dizer dinheiro), ainda era convincente, sobretudo para construtores de estradas e "incorporadores" imobiliários, que descobriram os incríveis lucros a serem obtidos numa era de *boom* secular de especulação que não podia dar errado. Tudo que se precisava fazer era esperar que o valor do terreno certo subisse até a estratosfera. Um único prédio bem situado podia fazer do sujeito um multimilionário praticamente sem custo, pois ele podia tomar empréstimos sob a garantia da futura construção, e mais empréstimos ainda quando o valor desta (construída ou não, ocupada ou não) continuasse a crescer. Acabou, como sempre, havendo um *crash* — a Era de Ouro acabou, como os *booms* anteriores, num colapso de imóveis e bancos —, mas até então os centros das cidades, grandes e pequenos, foram postos abaixo e "incorporados" por todo o mundo, incidentalmente destruindo catedrais medievais em cidades como Worcester na Grã-Bretanha ou capitais coloniais espanholas como Lima, no Peru. Como as autoridades no Oriente e Ocidente também descobriram que se podia usar métodos industriais para construir rapidamente conjuntos habitacionais baratos, enchendo os arredores das cidades de prédios de apartamentos visivelmente ameaçadores, a década de 1960 provavelmente ficará como a mais desastrosa na história da urbanização humana.

Na verdade, longe de se preocupar com o meio ambiente, parecia haver motivos de auto-satisfação, pois os resultados da poluição do século XIX davam lugar à tecnologia e consciência ecológica no século XX. A simples proibição do uso do carvão como combustível em Londres, a partir de 1953, não aboliu, de um só golpe, o impenetrável *fog* tão conhecido dos romances de Dickens, que periodicamente cobria a cidade? Não havia mais uma vez, alguns anos depois, salmões nadando no outrora morto rio Tâmisa? Fábricas menores, mais limpas, espalhavam-se pelo campo, em vez das vastas usinas cobertas de fumaça que antes significavam "indústria". Aeroportos substituíram as estações de estrada de ferro como a quintessência dos edifícios que representam o transporte. À medida que o campo se esvaziava, as pessoas, ou pelo menos as pessoas da classe média que se mudavam para aldeias e granjas abandonadas, podiam sentir-se mais perto que nunca da natureza.

Contudo, não há como negar que o impacto das atividades humanas sobre a natureza, sobretudo as urbanas e industriais, mas também, como se acabou compreendendo, as agrícolas, aumentou acentuadamente a partir de meados do século. Isso se deveu em grande parte ao enorme aumento no uso de combustíveis fósseis (carvão, petróleo, gás natural etc.), cujo possível esgotamento vinha preocupando os que pensavam no futuro desde meados do século XIX. Descobriam-se novas fontes mais depressa do que se podia usá-las. O fato de o consumo total de energia ter disparado — na verdade triplicou nos EUA entre 1950 e 1973 (Rostow, 1978, p. 256; tabela III, p. 58) — está longe de surpreender. Um dos motivos pelos quais a Era de Ouro foi de ouro é que o preço do barril de petróleo saudita custava em média menos de dois dólares durante todo o período de 1950 a 1973, com isso tornando a energia ridiculamente barata, e barateando-a cada vez mais. Ironicamente, só depois de 1973, quando o cartel de produtores de petróleo, a OPEP, decidiu finalmente cobrar o que o mercado podia pagar (ver p. 458), os ecologistas deram séria atenção aos efeitos da conseqüente explosão no tráfego movido a petróleo, que já escurecia os céus acima das grandes cidades nas partes motorizadas do mundo, em particular na americana. A poluição da atmosfera foi, compreensivelmente, a preocupação imediata. Contudo, as emissões de dióxido de carbono que aqueciam a atmosfera quase triplicaram entre 1950 e 1973, quer dizer, a concentração desse gás na atmosfera aumentou quase 1% ao ano (*World Resources*, 1986, tabela 11.1, p. 318; 11.4, p. 319; Smil, 1990, p. 4, fig. 2). A produção de clorofluorcarbonos, produtos químicos que afetam a camada de ozônio, subiu quase verticalmente. No fim da guerra, mal eram usados, mas em 1974 mais de 300 mil toneladas de um composto e mais de 400 mil de outro eram liberadas na atmosfera todo ano (*World Resources*, 1986, tabela 11.2, p. 319). Os países ricos do Ocidente naturalmente eram responsáveis pela parte do leão nessa poluição, embora a industrialização extraordinariamente suja da URSS produzisse quase a mesma quantidade de dióxido de carbono que os EUA; quase cinco vezes mais em 1985 que em 1950. (Per capita, claro, os EUA continuaram muito à frente.) Só os britânicos na verdade baixaram a taxa que registra quantidade emitida por habitante nesse período (Smil, 1990, tabela I, p. 14).

II

De início, essa espantosa explosão da economia pareceu apenas uma versão gigantesca do que acontecia antes; por assim dizer, uma globalização da situação dos EUA pré-1945, tomando esse país como um modelo de socialidade industrial capitalista. E de certa forma era mesmo. A era do automóvel há muito chegara à América do Norte, mas depois da guerra atingiu a Europa e mais tarde, mais modestamente, o mundo socialista e as classes médias latino-americanas, enquanto o combustível barato fazia do caminhão e do ônibus o grande meio de transporte na maior parte do globo. Se se pode medir o aumento da riqueza na sociedade ocidental pelo número de carros particulares — dos 750 mil da Itália em 1938 para os 15 milhões, no mesmo país, em 1975 (Rostow, 1978, p. 212; *UN Statistical Yearbook*, 1982, tabela 175, p. 960) —, podia-se reconhecer o desenvolvimento econômico de muitos países do Terceiro Mundo pelo aumento do número de caminhões.

Muito do grande *boom* mundial foi assim um alcançar ou, no caso dos EUA, um continuar de velhas tendências. O modelo de produção em massa de Henry Ford espalhou-se para indústrias do outro lado dos oceanos, enquanto nos EUA o princípio fordista ampliava-se para novos tipos de produção, da construção de habitações à chamada *junk food* (o McDonald's foi uma história de sucesso do pós-guerra). Bens e serviços antes restritos a minorias eram agora produzidos para um mercado de massa, como no setor de viagens a praias ensolaradas. Antes da guerra, não mais de 150 mil norte-americanos viajaram para a América Central ou o Caribe em um ano, mas entre 1950 e 1970 esse número cresceu de 300 mil para 7 milhões (*US Historical Statistics*, vol. I, p. 403). Os números para a Europa foram, sem surpresa, ainda mais espetaculares. A Espanha, que praticamente não tinha turismo de massa até a década de 1950, recebia mais de 44 milhões de estrangeiros por ano em fins da década de 1980, um número ligeiramente superado apenas pelos 45 milhões da Itália (Stat. Jahrbuch, 1990, p. 262). O que antes era um luxo tornou-se o padrão do conforto desejado, pelo menos nos países ricos: a geladeira, a lavadora de roupas automática, o telefone. Em 1971, havia mais de 270 milhões de telefones no mundo, quer dizer, esmagadoramente na América e na Europa Ocidental, e sua disseminação se acelerava. Dez anos depois, esse número quase dobrara. Nas economias de mercado desenvolvidas havia mais de um telefone para cada dois habitantes (*US World Social Situation*, 1985, tabela 19, p. 63). Em suma, era agora possível o cidadão médio desses países viver como só os muito ricos tinham vivido no tempo de seus pais — a não ser, claro, pela mecanização que substituíra os criados pessoais.

Contudo, o que mais nos impressiona nesse período é a extensão em que o surto econômico parecia movido pela revolução tecnológica. Nessa medida, multiplicaram-se não apenas produtos melhorados de um tipo preexistente, mas outros inteiramente sem precedentes, incluindo muitos quase inimagináveis antes da guerra. Alguns produtos revolucionários, como os materiais sintéticos conhecidos como "plásticos", haviam sido desenvolvidos no período entreguerras, ou até começado a entrar em produção comercial, como o náilon (1935), poliestireno e politeno. Outros, como a televisão e a gravação em fita magnética, mal se achavam no estágio experimental. A guerra, com suas demandas de alta tecnologia, preparou vários processos revolucionários para posterior uso civil, embora um pouco mais do lado britânico (depois assumido pelos EUA) que entre os alemães com seu espírito científico: radar, motor a jato e várias idéias e técnicas que prepararam o terreno para a eletrônica e a tecnologia de informação do pós-guerra. Sem elas o transistor (inventado em 1947) e os primeiros computadores digitais civis (1946) teriam aparecido consideravelmente mais tarde. Talvez felizmente, a energia nuclear, utilizada primeiro durante a guerra para destruição, permaneceu em grande parte à margem da economia civil, a não ser (até agora) por uma contribuição marginal para a geração de energia elétrica no mundo — cerca de 5% em 1975. Se essas inovações se basearam na ciência do entreguerras ou do pós-guerra, no pioneirismo técnico ou mesmo comercial do período compreendido entre os conflitos, ou no grande avanço pós-1945 — os circuitos integrados desenvolvidos na década de 1950, os lasers na de 1960 ou os vários subprodutos dos foguetes espaciais —, isso pouco importa para nosso objetivo. Mais que qualquer período anterior, a Era de Ouro se baseou na mais avançada e muitas vezes esotérica pesquisa científica, que agora encontrava aplicação prática em poucos anos. A indústria e mesmo a agricultura pela primeira vez ultrapassavam decididamente a tecnologia do século XIX (ver capítulo 18).

Três coisas nesse terremoto tecnológico impressionam o observador. *Primeiro*, ele transformou absolutamente a vida cotidiana no mundo rico e mesmo, em menor medida, no mundo pobre, no qual o rádio podia agora, graças ao transistor e à miniaturizada bateria de longa duração, chegar às mais remotas aldeias, a "revolução verde" transformou o cultivo do arroz e do trigo, e as sandálias de plástico substituíram os pés descalços. Qualquer leitor europeu deste livro que faça um rápido inventário de seus pertences pessoais pode atestar isso. A maior parte do conteúdo da geladeira ou freezer (nenhum dos quais a maioria das casas teria tido em 1945) é novo: comida desidratada congelada, hortigranjeiros industrializados, carne recheada de enzimas e vários produtos químicos para modificar o seu gosto, ou mesmo feita por "simulação de carne de primeira sem osso" (Considine, 1982, pp. 1164 e ss.), para não falar de produtos frescos importados por avião de países muito distantes, o que teria sido impossível então.

Em comparação com 1950, o uso de materiais naturais ou tradicionais — madeira e metal tratados à maneira antiga, fibras ou estofos naturais, e mesmo a cerâmica — em nossas cozinhas, móveis e roupas pessoais baixou de maneira impressionante, embora a badalação em torno de tudo que é produzido pela indústria de higiene pessoal tenha sido tanta que obscureceu (pelo exagero sistemático) o grau de novidade de sua produção muitíssimo aumentada e diversificada. Pois a revolução tecnológica entrou na consciência do consumidor em tal medida que a novidade se tornou o principal recurso de venda para tudo, desde os detergentes sintéticos (que passaram a existir na década de 1950) até os computadores *laptop*. A crença era que "novo" equivalia não só a melhor, mas a absolutamente revolucionado.

Quanto aos produtos que visivelmente representavam novidade tecnológica, a lista é interminável, e não exige comentário: televisão; discos de vinil (os LPs surgiram em 1948), seguidos de fitas (as fitas cassete surgiram na década de 1960) e dos *compact discs*; pequenos rádios portáteis transistorizados — este autor recebeu o seu primeiro de presente de um amigo japonês em fins da década de 1950 —, relógios digitais, calculadoras de bolso a bateria e depois a energia solar; e os eletrodomésticos, equipamentos de foto e vídeo. Um aspecto não menos significativo dessas inovações é o sistemático processo de miniaturização de tais produtos, ou seja, a *portabilidade*, que ampliou imensamente seu alcance e mercado potenciais. Contudo, a revolução tecnológica talvez tenha sido de igual modo simbolizada por produtos aparentemente inalterados e que desde a Segunda Guerra Mundial se transformaram de alto a baixo, como os veleiros de lazer. Seus mastros e cascos, velas e cordames, o equipamento de navegação pouco ou nada tinham em comum com os barcos do entreguerras, a não ser na forma e função.

Segundo, quanto mais complexa a tecnologia envolvida, mais complexa a estrada que ia da descoberta ou invenção até a produção, e mais elaborado e dispendioso o processo de percorrê-la. "Pesquisa e Desenvolvimento" [R & D em inglês] tornaram-se fundamentais para o crescimento econômico e, por esse motivo, reforçou-se a já enorme vantagem das "economias de mercado desenvolvidas" sobre as demais. (Como veremos no capítulo 16, a inovação tecnológica não floresceu nas economias socialistas.) O "país desenvolvido" típico tinha mais de mil cientistas e engenheiros para cada milhão de habitantes na década de 1970, mas o Brasil tinha cerca de 250, a Índia 130, o Paquistão uns sessenta, o Quênia e a Nigéria cerca de trinta (UNESCO, 1985, tabela 5.18). Além disso, o processo de inovação passou a ser tão contínuo que os gastos com o desenvolvimento de novos produtos se tornaram uma parte cada vez maior e mais indispensável dos custos de produção. No caso extremo das indústrias de armamentos, onde, reconhecidamente, o dinheiro não era problema, mal novas máquinas entravam em uso e já eram trocadas por equipamentos ainda mais avançados (e, claro, imensamente mais caros), com considerável lucro das empresas envolvidas. Nas indústrias mais voltadas para o mercado de massa, como os produtos farmacêuticos, uma droga genuinamente nova e necessária, sobretudo quando protegida da competição por direitos de patente, podia fazer várias fortunas, que eram justificadas por seus produtores como necessárias para mais pesquisas. Inovadores menos protegidos tinham de ganhar dinheiro o mais depressa, pois assim que outros produtos entravam no mercado o preço despencava.

Terceiro, as novas tecnologias eram, esmagadoramente, de capital intensivo e (a não ser por cientistas e técnicos altamente qualificados) exigiam pouca mão-de-obra, ou até mesmo a substituíam. A grande característica da Era de Ouro era precisar cada vez mais de maciços investimentos e cada vez menos gente, a não ser como consumidores. Contudo, o ímpeto e rapidez do surto econômico eram tais que, durante uma geração, isso não foi óbvio. Pelo contrário, a economia cresceu tão depressa que mesmo nos países industrializados a classe operária industrial manteve ou mesmo aumentou seu número de empregados. Em todos os países avançados, com exceção dos EUA, os reservatórios de mão-de-obra preenchidos durante a depressão pré-guerra e a desmobilização do pós-guerra se esvaziaram, novos contingentes de mão-de-obra foram atraídos da zona rural e da imigração estrangeira, e mulheres casadas, até então mantidas fora do mercado de trabalho, entraram nele em número crescente. Apesar disso, o ideal a que aspirava a Era de Ouro, embora só se realizasse aos poucos, era a produção, ou mesmo o serviço, sem seres humanos, robôs automatizados montando carros, espaços silenciosos cheios de bancos de computadores controlando a produção de energia, trens sem maquinistas. Os seres humanos só eram essenciais para tal economia num aspecto: como compradores de bens e serviços. Aí estava o seu problema central. Na Era de Ouro, isso ainda parecia irreal e distante, como a futura morte do universo por entropia, da qual os cientistas vitorianos haviam avisado a raça humana.

Pelo contrário. Todos os problemas que perseguiam o capitalismo em sua era da catástrofe pareceram dissolver-se e desaparecer. O terrível e inevitável ciclo de prosperidade e depressão, tão fatal entre as guerras, tornou-se uma sucessão de brandas flutuações, graças a — era o que pensavam os economistas keynesianos que agora assessoravam os governos — sua inteligente administração macroeconômica. Desemprego em massa? Onde se poderia encontrá-lo no mundo desenvolvido da década de 1960, quando a Europa tinha uma média de 1,5% de sua força de trabalho sem emprego e o Japão 1,3% (Van der Wee, 1987, p. 77)? Só na América do Norte ele ainda não fora eliminado. Pobreza? Naturalmente a maior parte da humanidade continuava pobre, mas nos velhos centros industrializados, que significado poderia ter o "De pé, ó vítimas da fome!" da "Internationale" para trabalhadores que agora esperavam possuir seu carro e passar férias anuais remuneradas nas praias da Espanha? E se os tempos se tornassem difíceis para eles, não haveria um Estado previdenciário universal e generoso pronto a oferecer-lhes proteção, antes nem sonhada, contra os azares da doença, da desgraça e mesmo da terrível velhice dos pobres? Suas rendas cresciam ano a ano, quase automaticamente. Não continuariam crescendo para sempre? A gama de bens e serviços oferecidos pelo sistema produtivo, e ao alcance deles, tornava antigos luxos itens do consumo diário. E isso aumentava a cada ano. Que mais, em termos materiais, podia a humanidade querer, a não ser estender os benefícios já desfrutados pelos povos favorecidos de alguns países aos infelizes habitantes de outras partes do mundo, reconhecidamente ainda a maioria da humanidade, que não haviam entrado no "desenvolvimento" e na "modernização"?

Que problemas restavam para ser resolvidos? Um destacado político socialista britânico, extremamente inteligente, escreveu em 1956:

> Tradicionalmente, o pensamento socialista tem sido dominado pelos problemas econômicos colocados por capitalismo, pobreza, desemprego em massa, miséria, instabilidade, e até a possibilidade do colapso de todo o sistema [...] O capitalismo foi reformado a ponto de ficar irreconhecível. Apesar de depressões menores ocasionais e crises de balanço de pagamento, é provável que se mantenham o pleno emprego e pelo menos um tolerável grau de estabilidade. Pode-se esperar que a automação solucione todos os problemas de subprodução existentes. Fazendo uma previsão, nossa atual taxa de crescimento nos dará uma produção nacional três vezes maior em cinqüenta anos. (Crosland, 1957, p. 517)

III

Como vamos explicar esse extraordinário e inteiramente inesperado triunfo de um sistema que, durante metade de uma vida, parecera à beira da ruína? O que exige explicação, claro, não é o simples fato de um extenso período de expansão econômica e bem-estar seguir-se a um período semelhante de problemas econômicos e outras perturbações. Essa sucessão de "ondas longas", de cerca de meio século de extensão, formou o ritmo básico da história econômica do capitalismo desde fins do século XVIII. Como vimos (capítulo 2), a Era da Catástrofe chamara a atenção para esse padrão de flutuações seculares, cuja natureza permanece obscura. São conhecidas em geral pelo nome do economista russo Kondratiev. Numa perspectiva longa, a Era de Ouro foi mais uma reviravolta ascendente na curva de Kondratiev, como o grande *boom* vitoriano de 1850-73 — curiosamente, as datas quase coincidem, com o intervalo de um século — e a *belle époque* dos vitorianos tardios e eduardianos. Como outras viradas ascendentes anteriores, foi precedida e seguida por "curvas descendentes". O que exige explicação não é isso, mas a escala e profundidade extraordinárias desse *boom* secular, que é uma espécie de contrapartida da escala e profundidade extraordinária da era anterior de crises e depressões.

Na verdade não há explicações satisfatórias para a enorme escala desse *Grande Salto Adiante* da economia mundial capitalista, e portanto para suas conseqüências sociais sem precedentes. Naturalmente, outros países tinham condições de se equipararem à economia modelo de sociedade industrial de inícios do século XX, a dos EUA, um país que não fora devastado por guerra, derrota ou vitória, embora ligeiramente abalado pela Grande Depressão. Outros países tentaram sistematicamente imitar os EUA, um processo que acelerou o desenvolvimento econômico, uma vez que sempre é mais fácil adaptar-se a uma tecnologia existente do que inventar uma nova. Isso poderia vir depois, como demonstraria o exemplo japonês. Contudo, havia mais no *Grande Salto* do que apenas isso. Havia uma substancial reestruturação e reforma do capitalismo e um avanço bastante espetacular na globalização e internacionalização da economia.

A primeira produziu uma "economia mista", que ao mesmo tempo tornou mais fácil aos Estados planejar e administrar a modernização econômica e aumentou enormemente a demanda. As grandes histórias de sucesso econômico em países capitalistas no pós-guerra, com raríssimas exceções (Hongkong), são histórias de industrialização sustentadas, supervisionadas, orientadas e às vezes planejadas e administradas por governos: da França e Espanha na Europa a Japão, Cingapura e Coréia do Sul. Ao mesmo tempo, o compromisso político de governos com o pleno emprego e — em menor medida — com redução da desigualdade econômica, isto é, um compromisso com a seguridade social e previdenciária, pela primeira vez proporcionou um mercado de consumo de massa para bens de luxo que agora podiam passar a ser aceitos como necessidades. Quanto mais pobres as pessoas, maior a proporção da renda que têm de gastar em produtos essenciais, como comida (uma observação sensata conhecida como "Lei de Engels"). Na década de 1930, mesmo nos ricos EUA, cerca de um terço dos gastos domésticos ainda se destinava à comida, mas no início da década de 1980 esse índice era de apenas 13%. O resto ficava disponível para outras despesas. A Era de Ouro democratizou o mercado.

A segunda multiplicou a capacidade produtiva da economia mundial, tornando possível uma divisão de trabalho internacional muito mais elaborada e sofisticada. De início, isso se limitou em grande parte ao conjunto das chamadas "economias de mercado desenvolvidas", ou seja, os países do campo americano. A maior parte do mundo socialista estava dividida (ver capítulo 13), e os países em desenvolvimento mais dinâmicos no Terceiro Mundo, na década de 1950, optaram pela industrialização segregada e planejada, substituindo sua própria produção pela importação de manufaturas. Os países que compunham o núcleo do capitalismo ocidental comerciavam, é claro, com o mundo de além-mar, e com grande vantagem, pois os termos de comércio os favoreciam — ou seja, podiam obter matérias-primas e alimentos mais baratos. Mesmo assim, o que de fato explodiu foi o comércio de produtos industrializados, sobretudo entre os países centrais industriais. O comércio mundial de manufaturas multiplicou-se por mais de dez em vinte anos após 1953. Os fabricantes, que compunham uma fatia constante do comércio mundial desde o século XIX, de pouco menos da metade, agora disparavam para mais de 60% (W. A. Lewis, 1981). A Era de Ouro continuou ancorada nas economias dos países-núcleo do capitalismo — mesmo em termos puramente quantitativos. Em 1957, só os Sete Grandes do capitalismo (Canadá, EUA, Japão, França, Alemanha Federal, Itália e Grã-Bretanha) possuíam três quartos de todos os carros de passageiros do globo, e uma proporção quase igualmente alta de seus telefones (*UN Statistical Yearbook*, 1982, pp. 955 e ss., 1018 e ss.). Apesar disso, a nova revolução industrial não estava restrita a nenhuma região.

A reestruturação do capitalismo e o avanço na internacionalização da economia foram fundamentais. Não é tão seguro que a revolução tecnológica explique a Era de Ouro, embora fosse expressiva. Como foi mostrado, muito da industrialização nessas décadas deveu-se à disseminação a novos países de processos baseados em velhas tecnologias: a industrialização de carvão, ferro e aço do século XIX estendeu-se aos países socialistas agrários; as indústrias americanas de petróleo e motores de combustão interna do século XX chegaram aos países europeus. O impacto da tecnologia gerada pela alta pesquisa na indústria civil provavelmente só se tornou substancial nas Décadas de Crise depois de 1973, quando se deu a grande inovação na tecnologia de informação e na engenharia genética, além de vários outros saltos no desconhecido. As principais inovações que começaram a transformar o mundo assim que a guerra acabou talvez tenham sido as do setor químico e farmacêutico. Seu impacto na demografia do Terceiro Mundo foi imediato (ver capítulo 12). Os efeitos culturais foram um pouco mais lentos, mas não muito, pois a revolução sexual no Ocidente, nas décadas de 1960 e 1970, se tornou possível em função dos antibióticos — desconhecidos antes da Segunda Guerra Mundial — que pareceram eliminar os grandes riscos da promiscuidade, tornando as doenças venéreas facilmente curáveis, e da pílula anticoncepcional, cuja disponibilidade se ampliou na década de 1960. (O risco, no campo sexual, ia retornar na década de 1980, com a AIDS.)

O capitalismo do pós-guerra foi inquestionavelmente, como assinala a citação de Crosland, um sistema "reformado a ponto de ficar irreconhecível", ou, nas palavras do primeiro-ministro britânico Harold Macmillian, uma "nova" versão do velho sistema. O que aconteceu foi muito mais que um retorno do sistema, após alguns evitáveis "erros" do entreguerras, para seu objetivo "normal" de "tanto manter um alto nível de emprego quanto [...] desfrutar uma taxa não desprezível de crescimento econômico" (Johnson, 1972, p. 6). Essencialmente, foi uma espécie de casamento entre liberalismo econômico e democracia social (ou, em termos americanos, política do New Deal rooseveltiano), com substanciais empréstimos da URSS, que fora pioneira na idéia do planejamento econômico. Por isso a reação contra ele, dos defensores teológicos do livre mercado, seria tão apaixonada nas décadas de 1970 e 1980, quando as políticas baseadas nesse casamento já não eram salvaguardadas pelo sucesso econômico. Homens como o economista austríaco Friedrich von Hayek (1899-1992) jamais haviam sido pragmatistas, dispostos (embora com relutância) a ser persuadidos de que atividades econômicas que interferiam com o *laissez-faire* funcionavam; embora sem dúvida negassem, com argumentos sutis, que pudessem funcionar. Eram verdadeiros crentes da equação "Livre Mercado = Liberdade do Indivíduo", e conseqüentemente condenavam qualquer desvio dela, como, por exemplo, *A estrada para a servidão*, para citar o título do livro de Hayek publicado em 1944. Tinham defendido a pureza do mercado na Grande Depressão. Continuavam a condenar as políticas que faziam de ouro a Era de Ouro, quando o mundo ficava mais rico e o capitalismo (acrescido do liberalismo político) tornava a florescer com base na mistura de mercados e governos. Mas entre a década de 1940 e a de 1970 ninguém dava ouvidos a tais Velhos Crentes.

Tampouco podemos duvidar de que o capitalismo foi deliberadamente reformado, em grande parte pelos homens em posição de fazê-lo nos EUA e Grã-Bretanha, durante os últimos anos da guerra. É um engano supor que as pessoas jamais aprendem com a história. A experiência do entreguerras e, sobretudo, a Grande Depressão tinham sido tão catastróficas que ninguém podia sonhar, como muitos homens na vida pública tinham feito após a Primeira Guerra Mundial, em retornar o mais breve possível à época anterior, ao toque das sirenes de ataque aéreo. Todos os homens (as mulheres ainda eram dificilmente aceitas no primeiro escalão da vida pública) que esboçavam aquilo que, em sua opinião, devia constituir os princípios da economia mundial no pós-guerra e o futuro da ordem econômica global haviam vivido a Grande Depressão. Alguns, como J. M. Keynes, se achavam na vida pública desde 1914. E se a memória econômica da década de 1930 não fosse o bastante para aguçar seu apetite por reformar o capitalismo, os riscos políticos fatais de não fazê-lo eram patentes para todos os que acabavam de combater a Alemanha de Hitler, filha da Grande Depressão, e enfrentavam a perspectiva do comunismo e do poder soviético avançando para oeste sobre as ruínas de economias capitalistas que não funcionavam.

Quatro coisas pareciam claras para esses formuladores de decisões. A catástrofe do entreguerras, que de modo nenhum se devia deixar retornar, se devera em grande parte ao colapso do sistema comercial e financeiro global e à conseqüente fragmentação do mundo em pretensas economias ou impérios nacionais autárquicos em potencial. O sistema global fora um dia estabilizado pela hegemonia, ou pelo menos centralidade, da economia britânica e sua moeda, a libra esterlina. No entreguerras a Grã-Bretanha e a libra não eram mais suficientemente fortes para carregar esse fardo, que agora só podia ser assumido pelos EUA e o dólar. (A conclusão, naturalmente, despertava entusiasmo mais genuíno em Washington que em outras partes.) Terceiro, a Grande

Depressão se devera ao fracasso do livre mercado irrestrito. Daí em diante o mercado teria de ser suplementado pelo esquema de planejamento público e administração econômica, ou trabalhar dentro dele. Finalmente, por motivos sociais e políticos, não se devia permitir um retorno do desemprego em massa.

Formuladores de decisões fora dos países anglo-saxônicos pouco podiam fazer em relação à reconstrução do sistema comercial e financeiro mundial, mas achavam bastante conveniente a rejeição do velho liberalismo de livre mercado. Forte orientação e planejamento estatais em assuntos econômicos não eram novidades em vários países, da França ao Japão. Mesmo a posse e administração de indústrias pelo Estado eram bastante conhecidas, e haviam se ampliado bastante em países ocidentais após 1945. Não era de forma alguma uma questão particular entre socialistas e anti-socialistas, embora a virada geral para a esquerda da política de Resistência lhe desse mais destaque do que teria tido antes da guerra, como por exemplo nas Constituições francesa e italiana de 1946-7. Assim, mesmo após quinze anos de governo socialista, em 1960 a Noruega tinha um setor público proporcionalmente (e, claro, absolutamente) menor que a Alemanha Ocidental, que não era um país dado a nacionalizações.

Quanto aos partidos socialistas e movimentos trabalhistas que tanto se destacaram na Europa após a guerra, enquadraram-se prontamente no novo capitalismo reformado, porque para fins práticos não tinham política econômica própria, a não ser os comunistas, cuja política consistia em adquirir poder e depois seguir o modelo da URSS. Os pragmáticos escandinavos deixaram intato o seu setor privado. O governo trabalhista britânico de 1945 não, mas nada fez para reformá-lo, e mostrou uma falta de interesse pelo planejamento bastante surpreendente, sobretudo quando comparado com a entusiástica modernização planejada de governos franceses contemporâneos (e não socialistas). Na verdade, a esquerda concentrava-se em melhorar as condições de seus eleitorados operários e em reformas sociais para esse fim. Como não tinham soluções alternativas a não ser exigir a abolição do capitalismo, o que nenhum governo social-democrata sabia como fazer, nem tentara fazer, tinham de depender de uma economia capitalista forte e criadora de riqueza para financiar seus objetivos. Na verdade, um capitalismo reformado, que reconhecesse a importância da classe trabalhadora e das aspirações social-democratas, lhes parecia bastante adequado.

Em suma, por diversos motivos, os políticos, autoridades e mesmo muitos dos homens de negócios do Ocidente do pós-guerra se achavam convencidos de que um retorno ao *laissez-faire* e ao livre mercado original estava fora de questão. Alguns objetivos políticos — pleno emprego, contenção do comunismo, modernização de economias atrasadas, ou em declínio, ou em ruínas — tinham absoluta prioridade e justificavam a presença mais forte do governo. Mesmo regimes dedicados ao liberalismo econômico e político podiam agora, e precisavam, dirigir suas economias de uma maneira que antes seria rejeitada como "socialista". Afinal, fora assim que a Grã-Bretanha e mesmo os EUA haviam orientado suas economias de guerra. O futuro estava na "economia mista". Embora houvesse momentos em que as velhas ortodoxias de retidão fiscal, moedas e preços estáveis ainda contassem, não eram mais absolutamente obrigatórias. Desde 1933 os espantalhos da inflação e financiamento de dívida não espantavam mais os passarinhos dos campos econômicos, mas as safras ainda pareciam crescer.

Não foram mudanças pequenas. Eles levaram um estadista americano de férreas credenciais capitalistas — Averrel Harriman — a dizer a seus compatriotas, em 1946: "As pessoas deste país não têm mais medo de palavras como 'planejamento' [...] as pessoas aceitaram o fato de que o governo tem de planejar tanto quanto os indivíduos deste país" (Maier, 1987, p. 129). Elas fizeram um defensor do liberalismo econômico e admirador da economia americana, Jean Monnet (1888-1979), tornar-se apaixonado defensor do planejamento econômico francês. Transformaram Lionel (Lord) Robbins, um economista adepto do livre mercado que antes defendia a ortodoxia contra Keynes, e dirigira um seminário em conjunto com Hayek na London School of Economics, num diretor da semi-socialista economia de guerra britânica. Durante mais ou menos trinta anos houve consenso entre os pensadores e formuladores de decisões "ocidentais", notadamente nos EUA, acerca do que outros países do lado não comunista podiam fazer, ou melhor, o que não podiam. Todos queriam um mundo de produção e comércio externo crescentes, pleno emprego, industrialização e modernização, e estavam preparados para consegui-lo, se necessário, por meio de um sistemático controle governamental e administração de economias mistas, e da cooperação com movimentos trabalhistas organizados, contanto que não fossem comunistas. A Era de Ouro do capitalismo teria sido impossível sem esse consenso de que a economia de empresa privada ("livre empresa" era o nome preferido)* precisava ser salva de si mesma para sobreviver.

Contudo, embora o capitalismo sem dúvida se reformasse, devemos estabelecer uma clara distinção entre a disposição geral de fazer algo então impensável e a eficácia efetiva das novas receitas que os *chefs* dos novos restaurantes econômicos estavam criando. Isso é difícil de avaliar. Os economistas, como os políticos, sempre tendem a atribuir os sucessos à sagacidade de suas políticas, e durante a Era de Ouro, quando mesmo economias fracas como a britânica floresceram e cresceram, pareceu haver bastante espaço para a autocongratulação. Mesmo assim assim, a política deliberada emplacou alguns su-

(*) Evitava-se no discurso público a palavra "capitalismo", assim como "imperialismo", pois tinham associações negativas na mente do público. Só na década de 1970 encontramos políticos e publicistas declarando-se com orgulho "capitalistas", o que fora ligeiramente antecipado a partir de 1965 no slogan da revista econômica *Forbes*, que, invertendo uma expressão do jargão dos comunistas americanos, passara a descrever-se como um "instrumento do capitalismo".

cessos impressionantes. Em 1945-6, a França, por exemplo, seguiu, bastante conscientemente, um rumo de planejamento econômico para modernizar sua economia industrial. Essa adaptação de idéias soviéticas a uma economia capitalista mista deve ter tido algum efeito, pois entre 1950 e 1979 a França, até então um sinônimo de atraso econômico, aproximou-se com mais êxito que qualquer outro dos principais países industriais da produtividade americana, mais mesmo que a Alemanha (Maddison, 1982, p. 46). Apesar disso, devemos deixar os economistas, uma tribo notadamente contenciosa, para discutir os méritos e deméritos e a eficácia das políticas dos vários governos (a maioria associada ao nome de J. M. Keynes, que morrera em 1946).

IV

A diferença entre intenção geral e aplicação detalhada é particularmente clara na reconstrução da economia internacional, pois aqui a "lição" da Grande Depressão (a palavra aparece constantemente no discurso da década de 1940) se traduziu pelo menos em parte em medidas concretas. A supremacia americana era, claro, um fato. A pressão política por ação vinha de Washington, mesmo quando muitas idéias e iniciativas partiam da Grã-Bretanha, e onde as opiniões divergiram, como a discordância entre Keynes e o porta-voz americano Harry White,* sobre o novo Fundo Monetário Internacional (FMI), os EUA prevaleceram. Contudo, o plano original para a nova ordem econômica mundial via essa supremacia como parte de uma nova ordem política mundial, também planejada durante os últimos anos da guerra como as Nações Unidas, e só depois que o modelo original da ONU desmoronou, na Guerra Fria, as duas únicas instituições internacionais de fato criadas sob os Acordos de Bretton Woods de 1944, o Banco Mundial ("Banco Internacional para Reconstrução e Desenvolvimento") e o FMI, ambos ainda existentes, tornaram-se *de facto* subordinadas à política americana. Iriam promover o investimento internacional e manter a estabilidade do câmbio, além de tratar de problemas de balanças de pagamento. Outros pontos no programa internacional não geraram instituições especiais (por exemplo, para controlar o preço de produtos primários e para adotar medidas internacionais destinadas a manter o pleno emprego), ou foram implementados de modo incompleto. A proposta Organização do Comércio Internacional tornou-se o muito mais modesto Acordo Geral sobre Tarifas e Comércio (GATT), uma estrutura para reduzir barreiras comerciais por meio de barganhas periódicas.

Em suma, na medida em que tentavam construir um conjunto de instituições funcionais para dar vida a seus projetos, os planejadores do admirável

(*) Ironicamente, White se tornou uma vítima da caça às bruxas americana como suposto simpatizante secreto do Partido Comunista.

mundo novo fracassaram. O mundo não emergiu da guerra sob a forma de um eficiente sistema internacional, multilateral, de livre comércio e pagamentos, e as medidas americanas para estabelecê-lo desabaram dois anos após a vitória. Porém, ao contrário das Nações Unidas, o sistema internacional de comércio e pagamentos deu certo, embora não do modo originalmente previsto ou pretendido. Na prática, a Era de Ouro foi a era do livre comércio, livres movimentos de capital e moedas estáveis que os planejadores do tempo da guerra tinham em mente. Sem dúvida isso se deveu basicamente à esmagadora dominação econômica dos EUA e do dólar, que funcionou como estabilizador por estar ligado a uma quantidade específica de ouro, até a quebra do sistema em fins da década de 1960 e princípios da de 1970. Deve-se ter sempre em mente que em 1950 só os EUA tinham mais ou menos 60% de todo o estoque de capital de todos os países capitalistas avançados, produziam mais ou menos 60% de toda a produção deles, e mesmo no auge da Era de Ouro (1970) ainda detinham mais de 50% do estoque total de capital de todos esses países e eram responsáveis por mais da metade de sua produção (Armstrong, Glyn & Harrison, 1991, p. 151).

Isso também se devia ao temor do comunismo. Pois, ao contrário das convicções americanas, o principal obstáculo a uma economia capitalista internacional de livre comércio não era o instinto protecionista dos estrangeiros, mas a combinação das tradicionalmente altas tarifas internas dos EUA e o impulso para uma vasta expansão das exportações americanas, que os planejadores do tempo da guerra em Washington encaravam como "essencial para atingir o pleno e efetivo emprego nos EUA" (Kolko, 1969, p. 13). Uma expansão agressiva estava visivelmente na mente dos formuladores da política americana assim que a guerra acabou. Foi a Guerra Fria que os encorajou a adotar uma visão mais ampla, convencendo-os de que era politicamente urgente ajudar seus futuros competidores a crescer o mais rápido possível. Chegou-se a argumentar que, dessa forma, a Guerra Fria foi o principal motor da grande prosperidade global (Walker, 1993). Isso é provavelmente um exagero, mas a gigantesca generosidade do Plano Marshall (ver pp. 237-8) sem dúvida ajudou a modernizar os países que queriam usá-la para esse fim — como fizeram sistematicamente a França e a Áustria —, e a ajuda americana foi decisiva na aceleração da transformação da Alemanha Ocidental e do Japão. Sem dúvida esses dois países teriam se tornado grandes potências econômicas de qualquer modo. O simples fato de, como países derrotados, não serem senhores de sua política externa lhes deu uma vantagem, pois não os tentou a despejar mais que um mínimo de recursos no estéril buraco dos gastos militares. No entanto, devemos nos perguntar o que teria acontecido à economia alemã se sua recuperação tivesse dependido dos europeus, que temiam seu renascimento. Com que rapidez a economia japonesa teria se recuperado, se os EUA não tivessem se dedicado a fazer do Japão a base industrial para a Guerra da Coréia e depois a do Vietnã em 1965? Os EUA financiaram a duplicação da produção de manufaturas do Japão, e não por acaso 1966-70 foram os anos de pico do crescimento japonês — não menos que 16% ao ano. O papel da Guerra Fria, portanto, não pode ser subestimado, mesmo que a longo prazo o efeito econômico do vasto desvio de recursos dos Estados para armamentos competitivos fosse prejudicial. No caso extremo da URSS, foi provavelmente fatal. Contudo, mesmo os EUA trocaram força militar por crescente enfraquecimento econômico.

Uma economia capitalista mundial desenvolveu-se assim em torno dos EUA. Ergueu menos obstáculos aos movimentos internacionais de fatores de produção que qualquer outra desde o período médio-vitoriano, com uma exceção: a migração internacional demorou a recuperar-se do estrangulamento do entreguerras. Isso foi, em parte, uma ilusão de ótica. O grande *boom* da Era de Ouro foi alimentado não apenas pela mão-de-obra dos ex-desempregados, mas por vastos fluxos de migração interna — do campo para a cidade, da agricultura (sobretudo de regiões de solos montanheses pobres), de regiões mais pobres para outras mais ricas. Assim, os sulistas italianos inundaram as fábricas da Lombardia e do Piemonte, e 400 mil camponeses meeiros toscanos deixaram suas terras em vinte anos. A industrialização do Leste Europeu foi em essência um desses processos de migração em massa. Além disso, alguns desses migrantes internos eram na verdade migrantes internacionais, só que haviam chegado ao país não em busca de emprego, mas como parte do terrível êxodo em massa de refugiados e populações expulsas após 1945.

Apesar disso, é notável que numa era de espetacular crescimento econômico e crescente escassez de mão-de-obra, e num mundo ocidental dedicado a livres movimentos na economia, os governos resistissem à livre imigração, e, quando de fato começaram a permiti-la (como no caso dos habitantes do Caribe e outros membros da Comunidade Britânica, que tinham o direito de assentar-se porque legalmente eram britânicos), acabassem por interrompê-la. Em muitos casos só se concedia a esses imigrantes, a maioria vinda dos países menos desenvolvidos do Mediterrâneo, permanência condicional e temporária, para que pudessem ser facilmente repatriados, embora a expansão da Comunidade Econômica Européia, passando inclusive vários países de imigrantes (Itália, Espanha, Portugal, Grécia), tornasse isso mais difícil. Mesmo assim, no início da década de 1970 cerca de 7,5 milhões haviam migrado para os países europeus desenvolvidos (Potts, 1990, pp. 146-7). Mesmo na Era de Ouro a imigração era uma questão politicamente delicada. Nas difíceis décadas após 1973, ia levar a uma aguda elevação da xenofobia pública na Europa.

Contudo, a economia mundial na Era de Ouro continuou sendo mais *internacional* que *transnacional*. Os países comerciavam uns com os outros em medida cada vez maior. Mesmo os EUA, que tinham sido em grande parte auto-suficientes antes da Segunda Guerra Mundial, quadruplicaram suas exportações para o resto do mundo entre 1950 e 1970, mas também se tornaram um maciço importador de bens de consumo a partir do final da década de

1950. Em fins da década de 1960, começaram até a importar automóveis (Block, 1977, p. 145). Contudo, embora as economias industriais comprassem e vendessem cada vez mais suas respectivas produções, o grosso de suas atividades econômicas continuou centrado no mercado interno. No auge da Era de Ouro, os EUA exportaram apenas pouco menos de 8% de seu PIB, e, mais surpreendentemente, o Japão, tão voltado para a exportação, só um pouco mais (Marglin & Schor, p. 43, tabela 2.2).

Apesar disso, começou a surgir, sobretudo a partir da década de 1960, uma economia cada vez mais *transnacional*, ou seja, um sistema de atividades econômicas para as quais os territórios e fronteiras de Estados não constituem o esquema operatório básico, mas apenas fatores complicadores. No caso extremo, passa a existir uma "economia mundial" que na verdade não tem base ou fronteiras determináveis, e que estabelece, ou antes impõe, limites ao que mesmo as economias de Estados muito grandes e poderosos podem fazer. Em dado momento do início da década de 1970, uma economia transnacional assim tornou-se uma força global efetiva. E continuou a crescer, no mínimo mais rapidamente que antes, durante as Décadas de Crise após 1973. Na verdade, seu surgimento criou em grande parte os problemas dessas décadas. Claro que foi acompanhada de uma crescente *internacionalização*. Entre 1965 e 1990, a porcentagem do produto mundial destinado às exportações iria duplicar (*World Development*, 1992, p. 235).

Três aspectos dessa transnacionalização foram particularmente óbvios: as empresas transnacionais (muitas vezes conhecidas como "multinacionais"), a nova divisão internacional do trabalho e o aumento de financiamento *offshore* (externo). Este último foi não só uma das primeiras formas de transnacionalismo a desenvolver-se, mas também uma das que demonstraram mais vividamente a maneira como a economia capitalista escapava do controle nacional, ou de qualquer outro.

O termo *offshore* entrou no vocabulário público civil a certa altura da década de 1960, para descrever a prática de registrar a sede legal da empresa num território fiscal generoso, em geral minúsculo, que permitia aos empresários evitar os impostos e outras restrições existentes em seu próprio país. Pois todo Estado ou território sério, por mais comprometido que estivesse com a liberdade de obter lucros, havia estabelecido em meados da década de 1960 certos controles e restrições à conduta de negócios legítimos, no interesse de seu povo. Uma combinação convenientemente complexa e engenhosa de buracos legais nas leis empresariais e trabalhistas dos bondosos miniterritórios — por exemplo, Curaçao, Ilhas Virgens e Liechtenstein — podia produzir maravilhas no balanço da empresa. Pois "a essência da prática do *offshore* está em transformar um enorme número de buracos numa estrutura empresarial viável mas não regulamentada" (Raw, Page & Hodgson, 1972, p. 83). Por motivos óbvios, a prática do *offshore* prestava-se particularmente a transações financeiras, embora o Panamá e a Libéria há muito subsidiassem seus políticos com a renda do registro de navios mercantes de outros países cujos donos achavam a mão-de-obra e os regulamentos de segurança patrícios demasiado onerosos.

Em dado momento da década de 1960, um pouco de engenhosidade transformou o velho centro internacional financeiro, a *City* de Londres, num grande centro *offshore* global, com a invenção da "euromoeda", ou seja, sobretudo "eurodólares". Os dólares depositados em bancos não americanos e não repatriados, sobretudo para evitar as restrições da legislação bancária americana, tornaram-se um instrumento financeiro negociável. Esses dólares em livre flutuação, acumulando-se em grandes quantidade graças aos crescentes investimentos americanos no exterior e aos enormes gastos políticos e militares do governo dos EUA, se tornaram a fundação de um mercado global, sobretudo de empréstimos a curto prazo, que escapava a qualquer controle. Seu crescimento foi sensacional. O mercado de euromoeda líquida subiu de cerca de 14 bilhões de dólares em 1964 para aproximadamente 160 bilhões em 1973 e quase 500 bilhões cinco anos depois, quando esse mercado se tornou o principal mecanismo para reciclar o Klondike de lucros do petróleo que os países da OPEP de repente se viram imaginando como gastar e investir (ver p. 473). Os EUA foram o primeiro país a se ver à mercê dessas vastas e multiplicantes enxurradas de capital solto que varriam o globo de moeda em moeda, em busca de lucros rápidos. Todos os governos acabaram sendo vítimas disso, pois perderam o controle das taxas de câmbio e do volume de dinheiro em circulação no mundo. Em princípios da década de 1990, até mesmo a ação conjunta de grandes bancos centrais revelou-se impotente.

Que empresas baseadas num país, mas operando em vários, expandissem suas atividades era bastante natural. Tampouco eram novas essas "multinacionais". As empresas americanas desse tipo aumentaram suas filiais estrangeiras de cerca de 7,5 mil em 1950 para mais de 23 mil em 1966, a maioria na Europa Ocidental e no hemisfério ocidental (Spero, 1977, p. 92). Contudo, empresas de outros países as foram seguindo cada vez mais. A empresa química alemã Hoechst, por exemplo, estabeleceu-se ou associou-se com 117 fábricas em 45 países, em todos os casos, com exceção de seis, depois de 1950 (Fröbel, Heinrichs & Kreye, 1986, Tabela IIIA, p. 281 ff.). A novidade estava mais na escala abrangente dessas entidades transnacionais. No início da década de 1980, as empresas transnacionais americanas respondiam por mais de três quartos das exportações e quase metade das importações do país, e tais empresas (britânicas e estrangeiras) eram responsáveis por mais de 80% das exportações da Grã-Bretanha (*UN Transnational*, 1988, p. 90).

Em certo sentido, estes números são irrelevantes, pois a principal função dessas empresas era "internalizar mercados ignorando fronteiras nacionais", isto é, tornar-se independentes do Estado e seu território. Muito do que as estatísticas (ainda basicamente coletadas de país em país) mostram como importações ou exportações é na verdade comércio *interno* dentro de uma entidade transnacional como a General Motors, que operava em quarenta países. A capacidade de operar desse jeito reforçou naturalmente a tendência à concentração de capital, conhecida desde Karl Marx. Em 1960, já se estimava que as vendas das duzentas maiores empresas do mundo (não socialista) equivaliam a 17% do PNB daquele setor do mundo, e em 1984 dizia-se que equivaliam a 26%.* A maioria dessas transnacionais se situavam em Estados substancialmente "desenvolvidos". Na verdade, 85% das "duzentas grandes" tinham sede nos EUA, Japão, Grã-Bretanha e Alemanha, com empresas de onze outros países formando o resto. Contudo, mesmo sendo provável que as ligações dessas supergigantes com seus governos de origem fossem estreitas, no fim da Era de Ouro é duvidoso que qualquer uma dessas empresas, com exceção das japonesas e de algumas essencialmente militares, pudesse ser descrita sem hesitação como *identificada* com os interesses de seu governo ou país. Não era mais tão claro quanto parecia antes que, segundo as palavras de um magnata de Detroit que entrou no governo americano, "o que é bom para a General Motors é bom para os EUA". Como poderia sê-lo, quando suas operações no país de origem eram simplesmente num mercado entre os cem onde, digamos, a Mobil Oil era ativa, ou os 170 onde a Daimler-Benz se achava presente? A lógica comercial obrigaria uma empresa internacional de petróleo a adotar, em relação a seu país de origem, uma estratégia e política exatamente igual à que tinha com a Arábia Saudita ou a Venezuela, ou seja, em termos de lucros e perdas de um lado, e do relativo poder da empresa e do governo de outro.

A tendência de transações e empresas comerciais — e não apenas de algumas dezenas de gigantes — emanciparem do tradicional Estado-nação tornou-se ainda mais acentuada à medida que a produção industrial começava, lentamente a princípio, mas com crescente rapidez, a sair dos países europeus e da América do Norte pioneiros na industrialização e no desenvolvimento capitalista. Esses países continuaram sendo a usina de força do crescimento da Era de Ouro. Em meados da década de 1950, os países industriais tinham vendido cerca de três quintos de suas exportações manufaturadas uns aos outros, no início da de 1970 três quartos. Entretanto, as coisas começaram então a mudar. O mundo desenvolvido passou a exportar um pouco mais de suas manufaturas para o resto do mundo, porém — mais significativamente — o Terceiro Mundo passou a exportar manufaturas para os países industriais desenvolvidos em escala substancial. À medida que as tradicionais exportações primárias de regiões atrasadas perdiam terreno (com exceção, após a revolução da OPEP, dos combustíveis minerais), elas começaram, irregular mas rapidamente, a industrializar-se. Entre 1970 e 1983, a fatia das exportações

(*) Essas estimativas devem ser usadas com cuidado, e é melhor encará-las apenas como ordens de grandeza.

industriais globais que cabia ao Terceiro Mundo, até então estável em cerca de 5%, mais que dobrou (Fröbel, Heinrichs, Kreye, 1986, p. 200).

Uma nova divisão internacional do trabalho, portanto, começou a solapar a antiga. A empresa alemã Volkswagen instalou fábricas na Argentina, Brasil (três), Canadá, Equador, Egito, México, Nigéria, Peru, África do Sul e Iugoslávia — como sempre, sobretudo após meados da década de 1960. Novas indústrias do Terceiro Mundo abasteciam não apenas os crescentes mercados locais, mas também o mercado mundial. Podiam fazer isso tanto exportando artigos inteiramente produzidos pela indústria local (como os têxteis, a maioria dos quais em 1970 tinha emigrado dos velhos países para os "em desenvolvimento"), quanto *tornando-se parte de um processo transnacional de manufatura.*

Essa foi a inovação decisiva da Era de Ouro, embora só atingisse plenamente a maioridade depois. Isso só poderia ter acontecido graças à revolução no transporte e comunicação, que tornou possível e economicamente factível dividir a produção de um único artigo entre, digamos, Houston, Cingapura e Tailândia, transportando por frete aéreo o produto parcialmente completo entre esses centros e controlando centralmente todo o processo com a moderna tecnologia de informação. Grandes fabricantes de produtos eletrônicos começaram a globalizar-se a partir de meados da década de 1960. A linha de produção cruzava agora não hangares gigantescos num único local, mas o globo. Algumas delas paravam nas extraterritoriais "zonas francas" ou fábricas *offshore*, que agora começavam a espalhar-se, esmagadoramente pelos países pobres com mão-de-obra barata, e sobretudo feminina e jovem, outro novo artifício para escapar ao controle de um só Estado. Assim, uma das primeiras, Manaus, no interior da floresta amazônica, fabricava artigos têxteis, brinquedos, produtos de papel, eletrônicos e relógios digitais para empresas americanas, holandesas e japonesas.

Tudo isso produziu uma mudança paradoxal na estrutura política da economia mundial. À medida que o globo se tornava sua unidade real, as economias nacionais dos grandes Estados foram dando lugar a tais centros *offshore*, a maioria situada nos pequenos ou minúsculos míni-Estados que se haviam convenientemente multiplicado quando os velhos impérios coloniais se despedaçaram. No fim do Breve Século XX, o mundo, segundo o Banco Mundial, possuía 71 economias com populações de menos de 2,5 milhões de habitantes (dezoito delas com populações de menos de 100 mil), ou seja, dois terços de todas as unidades políticas oficialmente tratadas como "economias" (*World Development*, 1992). Até a Segunda Guerra Mundial, essas unidades eram encaradas como piadas econômicas, e na verdade nem como Estados de fato.*

(*) Só no início da década de 1990 os antigos estadilhos da Europa — Andorra, Liechtenstein, Mônaco, San Marino — foram tratados como membros potenciais da ONU.

Eram e certamente são incapazes de defender sua independência nominal na selva internacional, mas na Era de Ouro se tornou evidente que podiam florescer tanto quanto e às vezes mais que grandes economias nacionais, oferecendo serviços diretamente à economia global. Daí o surgimento de novas cidades-Estado (Hongkong, Cingapura), uma forma de organização política que florescera pela última vez na Idade Média; pedaços do deserto do golfo Pérsico foram transformados em grandes participantes no mercado de investimento global (Kuwait), e dos muitos refúgios *offshore* da legislação de Estado.

Essa situação iria oferecer aos movimentos étnicos nacionalistas de fins do século XX, que se multiplicavam, instrumentos inconvincentes em favor da viabilidade de uma Córsega ou ilhas Canárias independentes. Inconvincentes porque a única independência conseguida por secessão era a separação do Estado-nação a que tais territórios se achavam antes ligados. Economicamente, a separação iria quase com certeza torná-los mais dependentes das entidades transnacionais que cada vez mais determinavam essas questões. O mundo mais conveniente para os gigantes multinacionais é aquele povoado por Estados anões, ou sem Estado algum.

V

Era natural que a indústria se transferisse de locais de mão-de-obra cara para outros onde ela era barata assim que isso se tornasse possível e economicamente viável, e a (previsível) descoberta de que a força de trabalho não branca era pelo menos tão qualificada e educada quanto a branca iria ser um bônus extra para as indústrias de alta tecnologia. Contudo, havia um motivo particularmente convincente para o *boom* da Era de Ouro provocar o abandono dos países-núcleo da velha industrialização. Era a incomum combinação "keynesiana" de crescimento econômico numa economia capitalista baseada no consumo de massa de uma força de trabalho plenamente empregada e cada vez mais bem paga e protegida.

Essa combinação era, como vimos, uma construção política. Apoiou-se num consenso político efetivo entre a direita e a esquerda na maioria dos países "ocidentais", tendo a extrema direita fascista-ultranacionalista sido eliminada do cenário político pela Segunda Guerra Mundial e a extrema esquerda comunista pela Guerra Fria. Também se baseou num consenso tácito ou explícito entre patrões e organizações trabalhistas para manter as reivindicações dos trabalhadores dentro de limites que não afetassem os lucros, e as perspectivas futuras de lucros suficientemente altos para justificar os enormes investimentos sem os quais o espetacular crescimento da produtividade da mão-de-obra da Era de Ouro não poderia ter ocorrido. Na verdade, nas dezesseis economias de mercado mais industrializadas o investimento cresceu a uma taxa anual de 4,5%, quase três vezes mais rapidamente que durante os anos de 1870 a 1913, mesmo levando-se em conta a taxa um tanto menos impressionante na América do Norte, que empurrou a média geral para baixo (Maddison, 1982, tabela 5.1, p. 96). *De facto*, o arranjo era triangular, com os governos, formal ou informalmente, presidindo as negociações institucionalizadas entre capital e trabalho, agora habitualmente descritos, pelo menos na Alemanha, como "parceiros sociais". Após o fim da Era de Ouro, esses arranjos foram barbaramente atacados pelos crescentes teólogos do livre mercado sob o nome de "corporativismo", uma palavra que tinha associações meio esquecidas e inteiramente irrelevantes com o fascismo do entreguerras (ver p. 114).

Tratava-se de um pacto aceitável para todos os lados. Os patrões, que pouco se incomodavam com altos salários num longo *boom* de altos lucros, apreciavam a previsibilidade que tornava mais fácil o planejamento. A mão-de-obra recebia salários que subiam regularmente e benefícios extras, e um Estado previdenciário sempre mais abrangente e generoso. O governo conseguia estabilidade política, partidos comunistas fracos (exceto na Itália) e condições previsíveis para a administração macroeconômica que todos os Estados então praticavam. E as economias dos países capitalistas industrializados se deram esplendidamente bem, no mínimo porque pela primeira vez (fora dos EUA e talvez da Australásia) passava a existir uma economia de consumo de massa com base no pleno emprego e rendas reais em crescimento constante, escorada pela seguridade social, por sua vez paga pelas crescentes rendas públicas. Na verdade, nos eufóricos anos 60 alguns governos incautos chegaram a garantir aos desempregados — poucos então — 80% de seus antigos salários.

Até fins da década de 1960, a política da Era de Ouro refletiu esse estado de coisas. À guerra se seguiram, em toda parte, governos fortemente reformistas, rooseveltiano nos EUA, dominados pelos social-democratas em praticamente toda a Europa Ocidental ex-beligerante, com exceção da Alemanha Ocidental ocupada (onde não houve instituições nem eleições independentes até 1949). Mesmo os comunistas estavam no governo até 1947 (ver p. 238). O radicalismo dos anos da Resistência afetou até os partidos conservadores que surgiam — os democrata-cristãos alemães-ocidentais achavam o capitalismo ruim para a Alemanha até 1949 (Leaman, 1988) — ou pelo menos tornava difícil nadar contra a corrente. O Partido Conservador britânico reivindicava crédito pelas reformas do governo trabalhista de 1945.

Um tanto surpreendentemente, o reformismo logo bateu em retirada, embora não o consenso. O grande *boom* da década de 1950 foi presidido, quase em toda parte, por governos de conservadores moderados. Nos EUA (a partir de 1952), Grã-Bretanha (de 1951), França (a não ser por breves episódios de coalizão), Alemanha Ocidental, Itália e Japão, a esquerda estava inteiramente fora do poder, embora a Escandinávia continuasse sendo social-democrata e partidos socialistas estivessem no poder em coalizões em outros países pequenos. Não pode haver dúvida sobre o recesso da esquerda. Isso não se deveu à perda maciça de apoio dos socialistas, nem mesmo dos comunistas na França e Itália, onde eram os maiores partidos da classe operária.* Tampouco se deveu à Guerra Fria, exceto talvez na Alemanha, onde o Partido Social-Democrata (SPD) era "irrealista" em relação à unidade alemã, e na Itália, onde ele permaneceu aliado aos comunistas. Todos, com exceção dos comunistas, eram confiavelmente anti-russos. O clima da década de prosperidade era contra a esquerda. Não era tempo de mudança.

Na década de 1960, o centro de gravidade do consenso mudou para a esquerda; talvez em parte devido ao crescente recuo do liberalismo econômico diante da administração keynesiana, mesmo em bastiões anticoletivistas como a Bélgica e a Alemanha Ocidental, talvez em parte porque os velhos senhores que presidiam a estabilização e ressurreição do sistema capitalista deixaram a cena — Dwight Eisenhower (nascido em 1890) em 1960, Konrad Adenauer (n. 1876) em 1965, Harold Macmillan (n. 1890) em 1964. Mesmo o grande general De Gaulle (n. 1890) acabou partindo. Verificou-se certo rejuvenescimento da política. Na verdade, os anos de pico da Era de Ouro pareceram tão convenientes para a esquerda moderada, mais uma vez no governo em muitos Estados europeus ocidentais, quanto a década de 1950 fora inconveniente. Essa virada para a esquerda se deveu em parte a mudanças eleitorais, como na Alemanha Ocidental, Áustria e Suécia, e anteciparam mudanças ainda mais impressionantes na década de 1970 e inícios da de 1980, quando os socialistas franceses e os comunistas italianos alcançaram seu pico histórico, mas em essência os padrões de votos continuaram estáveis. Os sistemas eleitorais exageravam mudanças relativamente menores.

Contudo, há um claro paralelismo entre a mudança para a esquerda e os acontecimentos públicos mais significativos da década, ou seja, o aparecimento de Estados de Bem-estar no sentido literal da palavra, quer dizer, Estados em que os gastos com a seguridade social — manutenção de renda, assistência, educação — se tornaram a *maior parte* dos gastos públicos totais, e as pessoas envolvidas em atividades de seguridade social formavam o maior corpo de todo o funcionalismo público — por exemplo, em meados da década de 1970, 40% na Grã-Bretanha e 47% na Suécia (Therborn, 1983). Os primeiros Estados de Bem-estar, nesse sentido, apareceram por volta de 1970. Claro, o declínio dos gastos militares durante os anos da *détente* fez aumentar auto-

(*) Contudo, todos os partidos de esquerda eram minorias eleitorais, embora grandes. A maior votação alcançada por um desses partidos foi de 48,8% do Partido Trabalhista britânico em 1951, ironicamente numa eleição ganha pelos conservadores com uma votação ligeiramente menor, graças aos caprichos do sistema eleitoral britânico.

maticamente a proporção de gastos em outros setores, mas o exemplo dos EUA mostra que houve uma mudança real. Em 1970, quando a Guerra do Vietnã estava no auge, o número de empregados em escolas nos EUA pela primeira vez se tornou significativamente maior que o de "pessoal militar e civil da defesa" (*US Historical Statistics* 1976, vol. II, pp. 1102, 1104 e 1141). No fim da década de 1970, todos os Estados capitalistas avançados se haviam tornado "Estados do Bem-estar" desse tipo, com seis deles gastando mais de 60% de seus orçamentos na seguridade social (Austrália, Bélgica, França, Alemanha Ocidental, Itália, Países Baixos). Isso iria produzir consideráveis problemas após o fim da Era de Ouro.

Enquanto isso, a política das "economias de mercado desenvolvidas" parecia tranqüila, se não sonolenta. Que havia de excitante, a não ser o comunismo, os perigos de guerra nuclear e as crises internas que as atividades imperiais no exterior traziam, como a aventura de Suez de 1956, na Grã-Bretanha, a Guerra da Argélia, na França (1954-61), e, depois de 1965, a Guerra do Vietnã, nos EUA? Foi por isso que a súbita e quase mundial explosão de radicalismo estudantil em 1968 e por volta dessa data pegou tão de surpresa os políticos e os intelectuais mais velhos.

Era um sinal de que o equilíbrio da Era de Ouro não podia durar. Economicamente, esse equilíbrio dependia de uma coordenação entre o crescimento da produção e os ganhos que mantinham os lucros estáveis. Um afrouxamento na ascensão contínua de produtividade e/ou um aumento desproporcional nos salários resultariam em desestabilização. Dependia do que estivera tão dramaticamente ausente no entreguerras, um equilíbrio entre o crescimento da produção e a capacidade dos consumidores de comprá-la. Os salários tinham de subir com rapidez suficiente para manter o mercado ativo, mas não para espremer os lucros. Como, porém, controlar salários numa era de demanda excepcionalmente florescente? Como, em outras palavras, controlar a inflação, ou pelo menos mantê-la dentro de limites? Por último, a Era de Ouro dependia do esmagador domínio político e econômico dos EUA, que atuavam — às vezes sem pretender — como o estabilizador e assegurador da economia mundial.

Durante a década de 1960, tudo isso dava sinais de desgaste. A hegemonia dos EUA declinou e, enquanto caía, o sistema monetário com base no dólar-ouro desabou. Houve alguns sinais de diminuição na produtividade da mão-de-obra em vários países, e sem dúvida sinais de que o grande reservatório de mão-de-obra da migração interna, que alimentara o *boom* industrial, chegava perto da exaustão. Após vinte anos, tornara-se adulta uma nova geração, para a qual a experiência do entreguerras — desemprego em massa, insegurança, preços estáveis ou em queda — era história, e não parte de sua experiência. Eles haviam ajustado suas expectativas à única experiência de seu grupo etário, de pleno emprego e inflação contínua (Friedman, 1968, p. 11). Qualquer que tenha sido a situação responsável pela "explosão mundial de salários" no fim da década de 1960 — escassez de mão-de-obra, crescentes esforços dos patrões para conter os salários reais, ou, como na França e na Itália, as grandes rebeliões estudantis —, tudo se assentava na descoberta, feita por uma geração de trabalhadores acostumados a ter ou conseguir emprego, de que os regulares e bem-vindos aumentos há tanto negociados por seus sindicatos eram na verdade muito menos do que se podia arrancar do mercado. Detectemos ou não um retorno à luta de classes nesse reconhecimento de realidades do mercado (como afirmaram muitos na "nova esquerda" pós-68), não há dúvida sobre a impressionante mudança de estado de espírito entre a moderação e a calma das negociações salariais antes de 1968 e os últimos anos da Era de Ouro.

Uma vez que era diretamente relevante para o modo como a economia funcionava, a mudança no estado de espírito dos trabalhadores teve muito mais peso que a grande explosão de agitação estudantil em 1968 e por volta dessa data, embora os estudantes oferecessem material mais sensacional para os meios de comunicação e muito mais alimento para os comentaristas. A rebelião estudantil foi um fenômeno fora da economia e da política. Mobilizou um setor minoritário da população, ainda mal reconhecido como um grupo definido na vida pública, e — como a maioria de seus membros ainda estava sendo educada — em grande parte fora da economia, a não ser como compradores de discos de *rock*: a juventude (classe média). Seu significado cultural foi muito maior que o político, que foi passageiro — ao contrário de tais movimentos em países do Terceiro Mundo e ditatoriais (ver pp. 325-6 e 431-2). Contudo, serviu como aviso, uma espécie de *memento mori* a uma geração que em parte acreditava ter solucionado para sempre os problemas da sociedade ocidental. Os grandes textos do reformismo da Era de Ouro: *The future of socialism* [O futuro do socialismo], de Crosland; *The affluent society* [A sociedade rica], de J. K. Galbraith; *Beyond the welfare State* [Além do Estado do Bem-estar], de Gunnar Myrdal; *The end of ideology* [O fim da ideologia], de Daniel Bell, todos escritos entre 1956 e 1960, baseavam-se na presunção da crescente harmonia interna de uma sociedade agora basicamente satisfatória, se bem que aperfeiçoável, ou seja, na confiança na economia de consenso social organizado. Esse consenso não sobreviveu à década de 1960.

Portanto, 1968 não foi nem um fim, nem um princípio, mas apenas um sinal. Ao contrário da explosão salarial, do colapso do sistema financeiro internacional de Bretton Woods em 1971, do *boom* de produtos de 1972-3 e da crise da OPEP de 1973, não entra muito na explicação dos historiadores econômicos sobre o fim da Era de Ouro. Seu fim não era exatamente inesperado. A expansão da economia no início da década de 1970, acelerada por uma inflação em rápida ascensão, maciços aumentos nos meios circulantes do mundo, e pelo vasto déficit americano, tornou-se febril. No jargão dos economistas, o sistema ficou "superaquecido". Nos dozes meses a partir de julho de 1972, o PIB real nos países da OCDE subiu 7,5%, e a produção industrial real 10%. Historiadores que não esqueceram como terminou o grande *boom* médio-vitoriano bem poderiam ter se perguntado se o sistema não se encaminhava para uma queda. Teriam estado certos, embora eu não creia que alguém tenha previsto a queda de 1974. Tampouco, talvez, a levaram tão a sério quanto ela revelou ser, pois, embora o PNB dos países industriais avançados na verdade *caísse* substancialmente — coisa que não acontecia desde a guerra —, as pessoas ainda pensavam em crise econômica nos termos de 1929, e não havia sinal de catástrofe. Como sempre, a reação imediata dos chocados contemporâneos foi buscar razões especiais para o colapso do antigo *boom*, "um incomum acúmulo de perturbações infelizes, sem probabilidade de se repetir na mesma escala, cujo impacto foi agravado por alguns erros inevitáveis", para citar a OCDE (McCracken, 1977, p. 14). Os mais simplórios atribuíam tudo à ganância dos xeques do petróleo da OPEP. Qualquer historiador que atribui grandes mudanças na configuração da economia do mundo ao azar e a acidentes inevitáveis deve pensar de novo. E essa foi uma grande mudança. A economia mundial não recuperou seu antigo ritmo após o *crash*. Uma era chegava ao fim. As décadas a partir de 1973 seriam de novo uma era de crise.

A Era de Ouro perdeu o seu brilho. Apesar disso, iniciara, na verdade realizara, a mais impressionante, rápida e profunda revolução nos assuntos humanos de que a história tem registro. Para isso vamos nos voltar agora.

10
A REVOLUÇÃO SOCIAL
1945-90

Lily: *Minha avó conta pra gente as coisas da Depressão. Você também podia ler a respeito.*

Roy: *Vivem dizendo que a gente devia estar feliz por ter comida e tudo mais, porque nos anos 30 diziam que a gente, os pobres, estava tudo morrendo de fome, sem emprego e essa coisa toda.*

* * *

Bucky: *Eu nunca tive uma Depressão, por isso ela não me preocupa mesmo.*

Roy: *Pelo que eu soube, você ia detestar viver naquele tempo.*

Bucky: *Ora, eu não estou vivendo naquele tempo.*

Studs Terkel, *Hard times* (1970, pp. 22-3)

Quando [*o general De Gaulle*] *chegou ao poder, havia 1 milhão de aparelhos de televisão na França* [...] *Quando saiu, havia 10 milhões* [...] *O Estado é sempre uma questão de show-biz. Mas o Estado-teatro de ontem era coisa muito diferente do Estado-TV que existe hoje.*

Régis Debray (1994, p. 34)

I

Quando enfrentam o que seu passado não as preparou para enfrentar, as pessoas tateiam em busca de palavras para dar nome ao desconhecido, mesmo quando não podem defini-lo nem entendê-lo. Em determinado ponto do terceiro quartel do século, podemos ver esse processo em andamento entre os intelectuais do Ocidente. A palavra-chave era a pequena preposição "após", geralmente usada na forma latinizada "pós" ou "post" como prefixo para qualquer dos inúmeros termos que durante algumas gerações foram usados para assinalar o território mental da vida no século XX. O mundo, ou seus aspectos relevantes, tornou-se pós-industrial, pós-imperial, pós-moderno, pós-estruturalista, pós-marxista, pós-Gutenberg, qualquer coisa. Como os funerais, esses prefixos tomaram conhecimento oficial da morte sem implicar qualquer consenso, ou na verdade certeza, sobre a natureza da vida após a morte. Assim a transformação mais sensacional, rápida e universal na história humana entrou na consciência das mentes pensadoras que a viveram. Essa transformação é o tema do presente capítulo.

A novidade dessa transformação está tanto em sua extraordinária rapidez quanto em sua universalidade. Claro, as partes desenvolvidas do mundo, isto é, para fins práticos, as partes central e ocidental da Europa e a América do Norte, além de uma pequena faixa de ricos e cosmopolitas em toda parte, há muito viviam num mundo de constante mudança, transformação tecnológica e inovação cultural. Para eles, a revolução da sociedade global significou uma aceleração ou intensificação de movimento a que já se achavam acostumados em princípio. Afinal, os nova-iorquinos de meados da década de 1930 já olhavam para cima e viam um arranha-céu, o Empire State Building (1934), cuja altura só foi ultrapassada na década de 1970, e mesmo então por uns modestos trinta metros, mais ou menos. Foi preciso algum tempo para se notar, e outro tanto para se avaliar, a transformação de crescimento material quantitativo em distúrbios qualitativos da vida, mesmo naquelas partes do mundo. Mas para a maior parte do globo as mudanças foram igualmente súbitas e sísmicas. Para 80% da humanidade, a Idade Média acabou de repente em meados da década de 1950; ou talvez melhor, *sentiu-se* que ela acabou na década de 1960.

Em muitos aspectos, os que viveram de fato essas transformações na hora não captaram toda a sua extensão, pois as experimentaram paulatinamente, ou como mudanças na vida dos indivíduos que, por mais dramáticas que sejam, não são concebidas como revoluções permanentes. Por que a decisão da população rural de procurar trabalho na cidade implicaria, na mente deles, uma transformação mais duradoura do que o engajamento nas Forças Armadas ou em qualquer setor da economia de guerra implicou para homens e mulheres britânicos e alemães nas duas guerras mundiais? Eles não pretendiam mudar seu estilo de vida para sempre, mesmo que acabassem por fazê-lo. São os que os vêem de fora, revisitando periodicamente os cenários de tais transformações, que reconhecem quanta coisa mudou. Como estava absolutamente diferente, por exemplo, a Valença de princípios da década de 1980 da mesma cidade e região na década de 1950, quando este escritor vira pela última vez aquela parte da Espanha. Como se sentiria desorientado um camponês siciliano que dormisse e acordasse duas décadas depois — na verdade, um bandido local que ficara na prisão por duas décadas a partir de meados da década de 1950 — quando voltasse aos arredores de Palermo, nesse entretempo tornados irreconhecíveis pela especulação imobiliária. "Onde antes havia vinhedos, hoje há *palazzi*", ele me disse, balançando a cabeça, descrente. De fato, a rapidez da mudança foi tal que o tempo histórico podia ser medido em intervalos ainda mais curtos. Menos de dez anos (1962-71) separaram uma Cusco onde, fora dos limites da cidade, a maioria dos homens índios ainda usava trajes tradicionais de uma Cusco onde uma substancial proporção deles já usava o *cholo*, isto é, roupas européias. No fim da década de 1970, barraqueiros na feira de uma aldeia mexicana já faziam as contas de seus clientes em pequenas calculadoras de bolso japonesas, ali desconhecidas no início da década.

Não há meio de leitores não velhos e viajados o suficiente para ter visto a história mudar dessa maneira, a partir de 1950, tentarem reproduzir essas experiências, embora a partir da década de 1960, quando os jovens ocidentais descobriram que viajar a países do Terceiro Mundo era factível e estava na moda, tudo que se tem precisado para ver a transformação global é um par de olhos abertos. De qualquer modo, os historiadores não podem continuar satisfeitos com imagens e historinhas, por mais significativas que sejam. Precisam especificar e contar.

A mudança social mais impressionante e de mais longo alcance da segunda metade deste século, e que nos isola para sempre do mundo do passado, é a morte do campesinato. Pois desde a era neolítica a maioria dos seres humanos vivia da terra e seu gado ou recorria ao mar para a pesca. Com exceção da Grã-Bretanha, camponeses e agricultores continuaram sendo uma parte maciça da população empregada, mesmo em países industrializados, até bem adiantado o século XX. Tanto assim que nos dias de estudante deste escritor, na década de 1930, a recusa dos camponeses a desaparecer ainda era usada correntemente como um argumento contra a previsão de Karl Marx de que eles se extinguiriam. Afinal, às vésperas da Segunda Guerra Mundial, só havia um país industrial, além da Grã-Bretanha, onde a agricultura e a pesca empregavam menos de 20% da população, a Bélgica. Mesmo na Alemanha e nos EUA, as maiores economias industriais, a população agrícola, apesar de estar de fato em declínio constante, ainda equivalia mais ou menos a um quarto dos habitantes; na França, Suécia e Áustria, ainda estava entre 35% e 40%. Quanto aos países agrários atrasados — digamos, na Europa, a Bulgária e a Romênia —, cerca de quatro em cada cinco habitantes trabalhavam na terra.

Contudo, vejam o que aconteceu no terceiro quartel do século. Talvez não seja demasiado surpreendente o fato de que, no início da década de 1980, menos de três em cada cem britânicos ou belgas estavam na agricultura, de modo que era muito mais provável o britânico médio, no decorrer de sua vida diária, encontrar uma pessoa que outrora trabalhara a terra na Índia ou Bangladesh do que no Reino Unido. A população agrícola dos EUA caíra para idêntica proporção, mas, em vista de seu acentuado declínio há muito tempo, isso era menos surpreendente do que o fato de essa minúscula fração da força de trabalho ter condições de abastecer os EUA e o mundo com indizíveis quantidades de alimentos. O que poucos na década de 1940 poderiam prever era que, no início da de 1980, *nenhum* país a oeste das fronteiras da "cortina de ferro" tivesse mais de 10% de sua população na atividade agrícola, com exceção da República da Irlanda (que estava apenas um pouco acima deste número) e dos Estados ibéricos. Mas fala por si mesmo o fato de na Espanha e em Portugal o número de pessoas empregadas na agricultura, que atingia pouco menos da metade da população em 1950, estar reduzido a 14,5% e 17,6%, respectivamente, trinta anos depois. O campesinato espanhol foi reduzido à metade em vinte anos após 1950, o português nos vinte anos após 1960 (ILO, 1990, tabela 2A; FAO, 1989).

São números espetaculares. No Japão, por exemplo, os camponeses foram reduzidos de 52,4% da população em 1947 a 9% em 1985, isto é, entre a época em que um jovem soldado voltou das batalhas da Segunda Guerra Mundial e aquela em que se aposentou de sua posterior carreira civil. Na Finlândia — para tomar uma história da vida real conhecida do escritor — uma jovem nascida como filha de um agricultor, e que se tornou esposa de um agricultor no primeiro casamento, teve condições, antes de muito entrada na meia-idade, de transformar-se numa intelectual cosmopolita e figura política. Mas também, em 1940, quando o pai dela morreu na guerra de inverno contra a Rússia, deixando mãe e bebê na propriedade da família, 57% dos finlandeses eram agricultores e madeireiros. Quando ela estava com 45 anos, menos de 10% o eram. Que haverá de mais natural, nessas circunstâncias, do que os finlandeses começarem como camponeses e acabarem em circunstâncias bastante diferentes?

Contudo, se a previsão de Marx de que a industrialização eliminaria o campesinato estava por fim evidentemente se concretizando em países de rápida industrialização, o fato realmente extraordinário foi o declínio da população agrícola em países cuja óbvia falta desse desenvolvimento as Nações Unidas tentavam disfarçar com uma variedade de eufemismos para as palavras "atrasado" e "pobre". No momento mesmo em que esperançosos jovens esquerdistas citavam a estratégia de Mao Tsé-tung para fazer triunfar a revolução pela mobilização de incontáveis milhões de habitantes da zona rural contra os encastelados bastiões do *status quo*, esses mesmos milhões abandonavam suas aldeias e mudavam-se para as cidades. Na América Latina, a porcentagem de camponeses se reduziu à metade em vinte anos na Colômbia (1951-73), no México (1960-80) e — quase — no Brasil (1960-80). Caiu em dois terços, ou quase isso, na República Dominicana (1960-81), Venezuela (1961-81) e Jamaica (1953-81). Em todos esses países — com exceção da Venezuela —, no fim da Segunda Guerra Mundial os camponeses formavam metade, ou a maioria absoluta, da população ocupada. Mas já em 1970 *não* havia na América Latina — fora dos mini-Estados da tripa de terra centro-americana e do Haiti — um único país em que os camponeses não fossem minoria. A situação era semelhante nos países do islã ocidental. O número de agricultores na Argélia diminuiu de 75% da população para 20%; na Tunísia, de 68% para 23% em pouco mais de trinta anos; o Marrocos, menos acentuadamente, perdeu sua maioria camponesa em dez (1971-82). A Síria e o Iraque ainda tinham metade de seus habitantes na agricultura em meados da década de 1950. Vinte anos depois, o primeiro reduzira essa porcentagem à metade, e o segundo a menos de um terço. O Irã caiu de cerca de 55% de camponeses em meados da década de 1950 para 29% em meados da de 1980.

Enquanto isso, claro, os camponeses da Europa agrária ainda aravam a terra. Na década de 1980, mesmo os antigos bastiões da agricultura camponesa no leste e sudeste do continente não tinham mais de um terço, mais ou menos, de sua força de trabalho no campo (Romênia, Polônia, Iugoslávia, Grécia), e alguns muito menos, notadamente a Bulgária (16,5% em 1985). Só um bastião camponês restava na Europa e no Oriente Médio ou seus arredores — a Turquia, onde o campesinato declinou, mas em meados da década de 1980 ainda continuava sendo maioria absoluta.

Só três regiões do globo permaneceram essencialmente dominadas por aldeias e campos: a África subsaariana, o sul e o sudeste da Ásia continental e a China. Apenas nessas regiões era possível encontrar países que tinham passado ao largo do declínio dos agricultores, nos quais os que plantavam e cuidavam de animais continuaram sendo durante todas as tempestuosas décadas uma proporção constante da população — mais de 90% no Nepal, cerca de 70% na Libéria, cerca de 60% em Gana, ou mesmo, um tanto surpreendentemente, cerca de 70% na Índia durante todos os 25 anos após a independência e um pouco menos (66,4%) mesmo em 1981. Essas regiões de dominação camponesa ainda representavam reconhecidamente metade da raça humana no fim do nosso período. Contudo, mesmo elas já desmoronavam pelas bordas sob as pressões do desenvolvimento econômico. O sólido bloco camponês da Índia era cercado por países cujas populações agrícolas declinavam muito depressa: Paquistão, Bangladesh e Sri Lanka, onde os camponeses há muito haviam deixado de ser maioria; como ocorrera, na década de 1980, na Malásia, Filipinas e Indonésia e, claro, nos novos Estados industriais do leste da Ásia, Taiwan e Coréia do Sul, que tinham mais de 60% de seus habitantes nos campos ainda em 1961. Além disso, na África, a predominância camponesa de vários países do sul era uma ilusão dos bantustans. A agricultura, praticada sobretudo por mulheres, era o lado visível de uma economia que na verdade dependia em grande parte das remessas da mão-de-obra masculina migrante para as cidades e minas brancas no sul.

O estranho nesse maciço e silencioso êxodo do campo na maior parte da massa de terra do mundo, e mais ainda de suas ilhas,* é que só parcialmente se deveu ao progresso agrícola, pelo menos nas antigas áreas camponesas. Como vimos (capítulo 9), os países industriais desenvolvidos, com uma ou duas exce-

(*) Cerca de três quintos da área de terra do globo, excluindo-se o inabitável continente da Antártica.

ções, também se transformaram nos grandes produtores agrícolas para o mercado mundial, e fizeram isso enquanto reduziam sua população agrícola a uma porcentagem pequena, e às vezes absurdamente minúscula, de seu povo. Isso foi conseguido graças a uma extraordinária explosão de produtividade per capita, de capital intensivo, promovida pelos agricultores. O aspecto imediato mais visível foi a expressiva quantidade de maquinário que o agricultor em países ricos e desenvolvidos tinha agora à sua disposição, e que realizava os grandes sonhos de abundância com a agricultura mecanizada que inspiravam todos aqueles tratoristas de peito nu das fotos de propaganda da jovem república soviética, e a que a agricultura soviética tão simbolicamente não correspondeu. Menos visíveis, mas igualmente significativas, foram as realizações cada vez mais impressionantes da química agrícola, criação seletiva e biotecnologia. Nessas circunstâncias, a agricultura simplesmente não mais precisava dos números de mãos e braços sem os quais, nos dias pré-tecnológicos, uma safra não podia ser colhida, nem na verdade do número de famílias camponesas regulares e seus empregados permanentes. E onde precisava, o transporte moderno tornava desnecessário mantê-los no campo. Assim, na década de 1970, criadores de ovelhas em Perthshire (Escócia) acharam economicamente compensador importar hábeis tosquiadores especializados da Nova Zelândia para a (curta) temporada de tosquia local, que, naturalmente, não coincidia com a do hemisfério sul.

Nas regiões pobres do mundo, a revolução agrícola não esteve ausente, embora fosse mais irregular. Na verdade, não fosse pela irrigação e a contribuição da *ciência*, através da chamada "revolução verde",* por mais controvertidas que possam ser as conseqüências de ambas a longo prazo, grandes partes do sudeste e sul da Ásia teriam sido incapazes de alimentar uma população que se multiplicava velozmente. Contudo, no todo, os países do Terceiro Mundo e partes do (antes ou ainda socialista) Segundo Mundo não mais se alimentavam a si mesmos, e muito menos produziam os grandes excedentes exportáveis de alimentos que se poderiam esperar de países agrários. Na melhor das hipóteses, eram encorajados a concentrar-se em safras especializadas para o mercado do mundo desenvolvido, enquanto seus camponeses, quando não compravam os baratos excedentes de alimentos exportados do norte, continuavam ceifando e arando à maneira antiga, de mão-de-obra intensiva. Não havia motivo para deixarem uma agricultura que precisava de seu trabalho, a não ser talvez a explosão populacional, que poderia fazer a terra escassear. Mas as regiões das quais os camponeses saíam em massa eram muitas vezes, como na América Latina, pouco povoadas e cultivadas, e tinham fronteiras abertas para as quais uma pequena proporção dos compatriotas

(*) A introdução sistemática, em partes do Terceiro Mundo, de novas variedades de colheitas de alta produtividade, cultivadas com métodos especificamente adequados a elas. Sobretudo a partir da década de 1960.

migrava como posseiros e colonos livres, freqüentemente, como na Colômbia e no Peru, oferecendo a base para movimentos de guerrilha locais. Por outro lado, as regiões asiáticas em que o campesinato se manteve melhor foram talvez a zona mais densamente assentada do mundo, com densidades por milha quadrada que iam de 250 a 2 mil (a média para a América Latina é 41,5).

Quando o campo se esvazia, as cidades se enchem. O mundo da segunda metade do século XX tornou-se urbanizado como jamais fora. Em meados da década de 1980, 42% de sua população era urbana, e, não fosse o peso das enormes populações rurais da China e da Índia, que totalizavam três quartos de camponeses asiáticos, teria sido maioria (Population, 1984, p. 214). Mas mesmo nos núcleos do interior rural as pessoas se mudavam dos campos para as cidades, e sobretudo para a cidade grande. Entre 1960 e 1980, a população urbana do Quênia dobrou, embora em 1980 só tivesse alcançado 14,2%; mas quase seis em cada dez habitantes urbanos agora viviam em Nairobi, enquanto vinte anos antes eram só quatro em dez. Na Ásia, multiplicaram-se as cidades de muitos milhões de habitantes, em geral capitais. Seul, Teerã, Karachi, Jacarta, Manila, Nova Délhi, Bancoc, todas tinham entre 5 milhões e 8 milhões de habitantes em 1980, e esperava-se que tivessem entre 10 milhões e 13,5 milhões no ano 2000. Em 1950, nenhuma delas (com exceção de Jacarta) tinha mais que cerca de 1,5 milhão (*World Resources*, 1986). De fato, de longe as mais gigantescas aglomerações urbanas no fim da década de 1980 eram encontradas no Terceiro Mundo: Cairo, Cidade do México, São Paulo e Xangai, cujas populações se contavam na casa das dezenas de milhões. Pois, paradoxalmente, embora o mundo desenvolvido continuasse muito mais urbanizado que o mundo pobre (a não ser por partes da América Latina e da zona islâmica), suas cidades gigantescas se dissolviam. Haviam atingido o auge no início do século XX, antes que a fuga para os subúrbios e comunidades-satélite fora das cidades se acelerasse, e os velhos centros urbanos se tornassem cascas ocas à noite, quando os trabalhadores, compradores e os que buscavam diversão voltavam para casa. Enquanto a Cidade do México quase quintuplicava nos trinta anos após 1950, Nova York, Londres e Paris lentamente saíam do time das grandes cidades, ou caíam para escalões mais baixos.

Contudo, de modo curioso, o Velho e o Novo Mundo convergiam. A "cidade grande" típica do mundo desenvolvido tornou-se uma região de assentamentos conectados, em geral concentrados numa área ou áreas centrais de comércio ou administração reconhecíveis do ar como uma espécie de cadeia de montanhas de prédios altos e arranha-céus, a não ser onde (como em Paris) essas construções não eram permitidas.* Sua interconexão, ou talvez o colapso do tráfego motorizado privado sob a maciça pressão dos carros particulares,

(*) Esses centros elevados, conseqüência natural dos altos preços da terra nesses distritos, eram extremamente incomuns antes de 1950. Nova York era praticamente única. Tornaram-se

foram demonstrados, a partir da década de 1960, por uma nova revolução no transporte público. Jamais, desde a primeira construção de sistemas de bonde e metrô urbanos em fins do século XIX, tantos novos sistemas de metrô e transporte rápido suburbanos foram construídos ao mesmo tempo: de Viena a San Francisco, de Seul ao México. Simultaneamente, a descentralização se espalhou, à medida que a maioria das comunidades ou complexos suburbanos componentes dessas cidades desenvolvia seus próprios serviços de lojas e lazer, notadamente através de *shopping centers* na periferia (no que os americanos foram pioneiros).

Por outro lado, a cidade do Terceiro Mundo, embora também ligada por sistemas de transporte (em geral obsoletos e inadequados) e uma miríade de ônibus privados e "táxis coletivos" caindo aos pedaços, não podia deixar de ser dispersa e desestruturada, quando mais não fosse porque não há como não o serem aglomerações de 10 a 20 milhões, sobretudo se a maior parte de seus assentamentos permanentes começou como favelas baixas, quase sempre estabelecidas por grupos de posseiros num espaço aberto baldio. Os habitantes dessas cidades às vezes têm de gastar várias horas por dia viajando na ida e volta do emprego (pois o emprego estável é precioso), e podem estar dispostos a fazer peregrinações de igual extensão a lugares de ritual público como o Estádio do Maracanã, no Rio de Janeiro (200 mil lugares), onde os cariocas adoram as divindades do futebol, mas na verdade as conurbações do Velho e do Novo Mundo eram cada vez mais reuniões de comunidades nominalmente — ou, no Ocidente, muitas vezes formalmente — autônomas, embora no rico Ocidente, pelo menos nos arredores, contivessem muito mais espaços verdes que nos superpovoados Leste e Sul. Enquanto nos cortiços e favelas os seres humanos viviam em simbiose com os resistentes ratos e baratas, a estranha terra de ninguém entre cidade e campo que cercava o que restava dos "centros urbanos" do mundo desenvolvido era colonizada pela fauna dos bosques: doninha, raposa e guaxinim.

II

Quase tão dramático quanto o declínio e queda do campesinato, e muito mais universal, foi o crescimento de ocupações que exigiam educação secundária e superior. A educação primária universal, isto é, a alfabetização básica, era na verdade a aspiração de todos os governos, tanto assim que no fim da década de 1980 só os Estados mais honestos e desvalidos admitiam ter até metade de sua população analfabeta, e só dez — todos, com exceção do

comuns a partir da década de 1960, mesmo as cidades baixas e descentralizadas, como Los Angeles, adquirindo um desses "centros" (*downtown*).

Afeganistão, na África — estavam dispostos a admitir que menos de 20% de sua população sabia ler e escrever. E a alfabetização fez um progresso sensacional, não menos nos países revolucionários sob governo comunista, cujas realizações neste aspecto foram de fato as mais impressionantes, mesmo quando as afirmações de ter "liquidado" o analfabetismo num período implausivelmente curto eram às vezes otimistas. Contudo, se a alfabetização em massa era geral ou não, a demanda de vagas na educação secundária e sobretudo superior multiplicou-se em ritmo extraordinário. E o mesmo se deu com o número de pessoas que a tinham tido ou estavam tendo.

A explosão de números foi particularmente dramática na educação universitária, até aí tão incomum que chegava a ser demograficamente negligenciável, a não ser nos EUA. Antes da Segunda Guerra Mundial, mesmo a Alemanha, França e Grã-Bretanha, três dos maiores países, mais desenvolvidos e instruídos, com uma população total de 150 milhões, não tinham juntos mais que aproximadamente 150 mil universitários, um décimo de 1% de suas populações somadas. Contudo, no fim da década de 1980 os estudantes eram contados aos milhões na França, República Federal da Alemanha, Itália, Espanha e URSS (para citar apenas países europeus), isso sem falar no Brasil, Índia, México, Filipinas e, claro, EUA, que tinham sido pioneiros na educação universitária em massa. A essa altura, em países educacionalmente ambiciosos, os estudantes formavam mais de 2,5% da população *total* — homens, mulheres e crianças — ou mesmo, em casos excepcionais, mais de 3%. Não era incomum 20% do grupo etário de vinte a 24 anos estar recebendo educação formal. Mesmo os países academicamente mais conservadores — Grã-Bretanha e Suíça — haviam aumentado essa taxa para 1,5%. Além disso, alguns dos corpos estudantis relativamente maiores se encontravam em países longe de avançados: Equador (3,2%), Filipinas (2,7%) ou Peru (2%).

Tudo isso era não apenas novo, mas bastante súbito. "O fato mais impressionante extraído do estudo dos universitários latino-americanos em meados da década de 1960 é que eram tão poucos em número" (Liebman, Walker & Glazer, 1972, p. 35), escreveram estudiosos americanos durante aquela década, convencidos de que isso refletia o modelo básico elitista-europeu de educação superior ao sul do Rio Grande. E isso apesar do fato de que os números deles vinham crescendo cerca de 8% ao ano. Na verdade, só na década de 1960 se tornou inegável que os estudantes tinham constituído, social e politicamente, uma força muito mais importante do que jamais haviam sido, pois em 1968 as explosões de radicalismo estudantil em todo o mundo falaram mais alto que as estatísticas. Mas também estas se tornaram impossíveis de ignorar. Entre 1960 e 1980, para ficar na Europa bem escolarizada, o número de estudantes triplicou ou quadruplicou no país mais típico, exceto onde se multiplicou por quatro ou cinco, como na Alemanha Federal, Irlanda e Grécia; por cinco a sete, como na Finlândia, Islândia, Suécia e Itália; e por sete a nove, como na Espanha e Noruega (Burloiu, 1983, pp. 62-3). À primeira vista, parece curioso que, no todo, a corrida para as universidades tenha sido menos acentuada nos países socialistas, apesar do orgulho deles quanto à educação, e no caso da China de Mao aberrante. O Grande Timoneiro praticamente aboliu toda educação superior durante a Revolução Cultural (1966-76). À medida que os problemas dos sistemas socialistas aumentavam nas décadas de 1970 e 1980, eles ficavam mais para trás do Ocidente. A porcentagem da população na Hungria e Tchecoslováquia que recebia educação superior era menor do que em praticamente todos os outros Estados europeus.

Isso parecerá tão curioso a um segundo olhar? Talvez não. O extraordinário crescimento da educação superior, que no início da década de 1950 produziu pelo menos sete países com mais de 100 mil *professores* no nível universitário, deveu-se à pressão do consumidor, a que os governos socialistas não estavam preparados para responder. Era óbvio para planejadores e governos que a economia moderna exigia muito mais administradores, professores e especialistas técnicos que no passado, e que eles tinham de ser formados em alguma parte — e as universidades ou instituições semelhantes de educação superior vinham, por tradição, funcionando em grande parte como escolas de formação para o serviço público e as profissões especializadas. Mas embora isso, tanto quanto a tendência geral democrática, justificasse a substancial expansão da educação superior, a escala da explosão estudantil excedia em muito o que o planejamento racional poderia ter previsto.

Na verdade, as famílias corriam a pôr os filhos na educação superior sempre que tinham a opção e a oportunidade, porque esta era de longe a melhor chance de conquistar para eles uma renda melhor e, acima de tudo, um status social superior. Dos estudantes latino-americanos entrevistados por pesquisadores americanos em meados da década de 1960 em vários países, entre 79% e 95% estavam convencidos de que o estudo os colocaria numa classe social superior dentro de dez anos. Só entre 21% e 38% achavam que o estudo ia trazer-lhes um status econômico muito superior ao de suas famílias (Liebman, Walker & Glazer, 1972). Claro que, quase certamente, lhes daria uma renda maior que a dos não diplomados, e, em países de pequena educação, onde o diploma garantia um lugar na máquina do Estado, e portanto poder, influência e extorsão financeira, podia ser a chave para a verdadeira riqueza. A maior parte dos estudantes, claro, vinha de famílias em melhores condições que a maioria — de que outro modo teriam podido pagar alguns anos de estudo de jovens adultos em idade de trabalho? —, mas não necessariamente ricas. Muitas vezes os sacrifícios que os pais faziam eram reais. Já se disse que o milagre educacional coreano se apoiou nas carcaças de vacas vendidas por pequenos agricultores para empurrar os filhos para a honorável e privilegiada classe dos intelectuais. (Em oito anos — 1975-83 —, os estudantes coreanos aumentaram de 0,8% para quase 3% da população.) Ninguém que tenha a experiência de ser o primeiro da família a ir para a universidade em tempo integral terá a menor dificuldade para entender as motivações deles. O grande *boom* mundial tornou possível para incontáveis famílias modestas — empregados de escritórios e funcionários públicos, lojistas e pequenos comerciantes, fazendeiros e, no Ocidente, até prósperos operários qualificados — pagar estudo em tempo integral para seus filhos. O Estado de Bem-estar social ocidental, começando com os subsídios americanos para ex-pracinhas após 1945, ofereceu substancial auxílio estudantil de uma forma ou de outra, embora a maioria dos estudantes ainda esperasse uma vida claramente sem luxo. Em países democráticos e igualitários, uma espécie de direito dos formados em escolas secundárias a passar automaticamente para escolas superiores era aceito com freqüência, a tal ponto que na França a admissão seletiva a uma universidade do Estado ainda era encarada como constitucionalmente impossível em 1991. (Nada desse tipo existia nos países socialistas.) À medida que rapazes e moças recebiam educação superior, os governos — pois, fora dos EUA, Japão e uns poucos outros países, as universidades eram mais instituições públicas que privadas — multiplicavam o número de novos estabelecimentos para recebê-los, sobretudo na década de 1970, quando o número das universidades no mundo quase dobrou.* E, claro, as colônias recém-independentes, que se multiplicaram na década de 1960, faziam de suas próprias instituições de educação superior um símbolo de independência, assim como uma bandeira, uma empresa aérea ou um exército.

Essas massas de rapazes e moças e seus professores, contadas aos milhões ou pelo menos centenas de milhares em todos os Estados, a não ser nos muito pequenos e excepcionalmente atrasados, e concentradas em *campi* ou "cidades universitárias" grandes e muitas vezes isolados, constituíam um novo fator na cultura e na política. Eram transnacionais, movimentando-se e comunicando idéias e experiências através de fronteiras com facilidade e rapidez, e provavelmente estavam mais à vontade com a tecnologia das comunicações que os governos. Como revelou a década de 1960, eram não apenas radicais e explosivas, mas singularmente eficazes na expressão nacional, e mesmo internacional, de descontentamento político e social. Nos países ditatoriais, em geral elas forneciam os *únicos* grupos de cidadãos capazes de uma ação política coletiva, e é significativo o fato de que, enquanto outras populações estudantis latino-americanas cresciam, seu número no Chile do ditador militar Pinochet, após 1973, foi forçado a cair: de 1,5% para 1,1% da população. E se houve um momento, nos anos de ouro posteriores a 1945, que correspondeu ao levante mundial simultâneo com que os revolucionários sonhavam após 1917, foi sem dúvida 1968, quando os estudantes se rebelaram desde os EUA e o México, no Ocidente, até a Polônia, Tchecoslováquia e Iugoslávia, socialis-

(*) Também aqui o mundo socialista estava sob pressão menor.

tas, em grande parte estimulados pela extraordinária irrupção de maio de 1968 em Paris, epicentro de um levante estudantil continental. Estava longe de ser a revolução, embora fosse consideravelmente mais que o "psicodrama" ou "teatro de rua" descartado por observadores velhos e não simpatizantes como Raymond Aron. Afinal, 1968 encerrou a era do general De Gaulle na França, de presidentes democratas nos EUA, as esperanças de comunismo liberal na Europa Central comunista e (pelos silenciosos efeitos posteriores do massacre de estudantes de Tlatelolco) assinalou o início de uma nova era na política mexicana.

O motivo pelo qual 1968 (com seu prolongamento em 1969 e 1970) não foi a revolução, e jamais pareceu que seria ou poderia ser, era que apenas os estudantes, por mais numerosos e mobilizáveis que fossem, não podiam fazê-la sozinhos. A efetividade política deles estava em sua capacidade de agir como sinais e detonadores para grupos maiores mas que se inflamavam com menos facilidade. A partir da década de 1960, tiveram alguns êxitos nessa atuação. Provocaram enormes ondas de greves operárias na França e Itália em 1968, mas, após vinte anos de melhoria sem paralelos para os assalariados em economias de pleno emprego, revolução era a última coisa em que as massas proletárias pensavam. Só na década de 1980 — e mesmo então em países não democráticos muito diferentes, como China, Coréia do Sul e Tchecoslováquia — as rebeliões estudantis pareceram realizar seu potencial de detonar a revolução, ou pelo menos forçar governos a tratá-los como um sério perigo público, massacrando-os em grande escala, como na praça Tiananmen, em Pequim. Após o fracasso dos grandes sonhos, alguns estudantes radicais tentaram de fato fazer a revolução sozinhos, através do terrorismo de pequenos grupos, mas, embora tais movimentos recebessem muita publicidade (com isso atingindo pelo menos um de seus grandes objetivos), raramente tiveram qualquer impacto político sério. Onde ameaçaram tê-lo, foram eliminados rapidamente, tão logo as autoridades decidiram agir: na década de 1970, com brutalidade sem par e tortura sistemática nas "guerras sujas" da América Latina, com suborno e negociações escusas na Itália. Os únicos sobreviventes importantes dessas iniciativas na última década do século eram o grupo terrorista nacionalista basco ETA e a guerrilha camponesa teoricamente comunista Sendero Luminoso no Peru, uma indesejada dádiva dos corpos docente e discente da Universidade de Ayacucho a seus compatriotas.

No entanto, isso nos deixa com uma questão ligeiramente intrigante: por que só o movimento desse novo grupo social de estudantes, entre os novos e velhos atores da Era de Ouro, optou pelo radicalismo de esquerda? Pois (se deixarmos de fora rebeldes contrários aos regimes comunistas) mesmo os movimentos estudantis nacionalistas tendiam a pregar o emblema vermelho de Marx, Lenin ou Mao em suas bandeiras até a década de 1980.

Em certos aspectos, isso nos leva inevitavelmente muito além da estratificação social, pois o novo corpo estudantil era, por definição, também um grupo de jovens, isto é, encontrava-se num ponto de parada obrigatório na passagem humana pela vida, e além disso continha um crescente e desproporcionalmente grande contingente de mulheres, suspensas entre a impermanência de sua idade e a permanência de seu sexo. Mais tarde examinaremos o desenvolvimento de culturas especiais da juventude, que ligavam estudantes a outros de sua geração, e da nova consciência feminina, que também ia além das universidades. Os grupos jovens, ainda não assentados na idade adulta estabelecida, são o *locus* tradicional da alegria, motim e desordem, como sabiam até mesmo os reitores de universidades medievais, e as paixões revolucionárias são mais comuns aos dezoito anos que aos 35, como têm dito gerações de pais burgueses na Europa a gerações de filhos e (mais tarde) filhas céticos. Na verdade, essa crença se achava tão entranhada nas culturas ocidentais que o *establishment* em vários países — talvez sobretudo nos latinos dos dois lados do Atlântico — já contava com a militância estudantil, chegando mesmo à guerrilha armada, na geração jovem. Quando muito, era mais um sinal de personalidade agitada do que lerda. Os estudantes da San Marcos (Peru), como dizia a piada, "prestavam seu serviço revolucionário" em alguma seita ultramaoísta antes de se assentar numa sólida e apolítica profissão de classe média — enquanto ainda prosseguia naquele infeliz país alguma coisa parecida com uma vida normal (Lynch, 1990). Os estudantes mexicanos logo aprenderam que: *a)* o aparelho do Estado e do partido recrutava seus quadros essencialmente nas universidades; e *b)* quanto mais revolucionários fossem os estudantes, maiores as chances de que lhes oferecessem bons empregos após a formatura. Mas mesmo na respeitável França tornou-se familiar o ex-maoísta fazer brilhante carreira no serviço público.

No entanto, isso não explica por que grupos de jovens obviamente a caminho de um futuro muito melhor que o de seus pais, ou, de qualquer modo, que o da maioria dos não estudantes, se sentiriam — com raras exceções — atraídos pelo radicalismo político.* Na verdade, um elevado número deles provavelmente não sentia essa atração, preferindo concentrar-se na obtenção dos diplomas que lhes garantiriam um futuro; no entanto, eram menos notados que o grupo menor — mas ainda assim numericamente grande — dos politicamente ativos, sobretudo quando estes dominavam as áreas visíveis da vida universitária, com manifestações públicas que iam de paredes cobertas de pichação e cartazes a comícios, marchas e piquetes. Ainda assim, mesmo esse grau

(*) Entre essas raras exceções colocamos a Rússia, onde, ao contrário de outros países comunistas da Europa Oriental e da China, os estudantes enquanto grupo não se destacaram nem exerceram influência nos anos do colapso do comunismo. O movimento democrático na Rússia foi descrito como "uma revolução dos de quarenta anos", observada por uma juventude despolitizada e desmoralizada (Riordan, 1991).

de radicalização de esquerda era novo nos países desenvolvidos, embora não nos atrasados e dependentes. Antes da Segunda Guerra Mundial, a grande maioria dos estudantes na Europa Central e Ocidental e na América do Norte era apolítica ou de direita.

A expressiva explosão do número de estudantes já sugere uma possível resposta. No fim da Segunda Guerra Mundial havia menos de 100 mil estudantes na França. Em 1960, eram mais de 200 mil e, nos dez anos seguintes, esse número triplicou para 651 mil (Flora, 1983, p. 582; *Deux ans*, 1990, p. 4). (Durante esses dez anos, o número de estudantes de humanidades multiplicou-se por quase 3,5, e o de ciências sociais, por quatro.) A conseqüência mais imediata e direta foi uma inevitável tensão entre essa massa de estudantes, em sua maioria de primeira geração, despejada nas universidades e instituições que não estavam física, organizacional e intelectualmente preparadas para tal influxo. Além disso, à medida que uma crescente proporção de população em idade escolar tinha oportunidade de estudar — na França era de 4% em 1950, 15,5% em 1970 —, ir para a universidade deixou de ser um privilégio especial que já constituía uma recompensa em si, e as limitações que isso impunha a jovens adultos (geralmente sem dinheiro) deixavam-nos mais ressentidos. O ressentimento contra um tipo de autoridade, a universidade, ampliava-se facilmente para o ressentimento contra qualquer autoridade e, portanto (no Ocidente), inclinava os estudantes para a esquerda. Assim, não surpreende de modo algum que a década de 1960 se tenha tornado a década da agitação estudantil *par excellence*. Motivos especiais a intensificaram neste ou naquele país — hostilidade à Guerra do Vietnã nos EUA (isto é, serviço militar), ressentimento racial no Peru (Lynch, 1990, pp. 32-7) —, mas o fenômeno era demasiado geral para exigir explicações especiais *ad hoc*.

E no entanto, num sentido mais geral, mais indefinível, essa nova massa de estudantes ficava, por assim dizer, numa posição meio incômoda em relação ao resto da sociedade. Ao contrário de outras classes ou agrupamentos sociais mais velhos e estabelecidos, eles não tinham, nela, um lugar determinado nem um padrão de relações — pois como poderiam os novos exércitos de estudantes comparar-se aos contingentes relativamente minúsculos do pré-guerra (40 mil na bem-educada Alemanha de 1939), que não passavam de uma fase juvenil da vida da classe média? Em muitos aspectos, a existência mesma das novas massas implicava questões sobre a sociedade que as engendrara; e das questões à crítica é só um passo. Como nela se encaixavam? Que espécie de sociedade era aquela? A própria juventude do corpo estudantil, a própria largura do abismo de gerações entre esses filhos do mundo do pós-guerra e seus pais, estes capazes de lembrar e comparar, tornavam seus problemas mais urgentes, sua atitude mais crítica. Pois as insatisfações dos jovens não eram amortecidas pela consciência de ter vivido épocas de impressionante melhoria, muito melhores do que seus pais algum dia esperaram ver. Os novos tempos eram os únicos que os rapazes e moças que iam para a universidade conheciam. Ao contrário, eles sentiam que tudo podia ser diferente e melhor, mesmo não sabendo exatamente como. Os mais velhos, acostumados a tempos de aperto e desemprego, ou pelo menos lembrando-os, não esperavam mobilizações radicais numa época em que, sem dúvida, o incentivo econômico a elas nos países desenvolvidos era menor do que nunca. Mas a explosão de agitação estudantil irrompeu no auge mesmo do grande *boom* global, porque era dirigida, mesmo que vaga e cegamente, contra o que eles viam como característico *daquela* sociedade, não contra o fato de que a velha sociedade talvez não houvesse melhorado o bastante. Mas, paradoxalmente, o fato de que o ímpeto para o novo radicalismo vinha de grupos não afetados pela insatisfação econômica estimulou mesmo os grupos acostumados a mobilizar-se em base econômica a descobrir que, afinal, podiam pedir mais da nova sociedade do que tinham imaginado. O efeito mais imediato da rebelião estudantil européia foi uma onda de greves operárias por maiores salários e melhores condições de trabalho.

III

Ao contrário das populações do campo e universitárias, as classes operárias industriais não sofreram terremotos demográficos até que, na década de 1980, começaram a declinar muito visivelmente. Isso é surpreendente, considerando-se o quanto se falava, mesmo da década de 1950 em diante, numa "sociedade pós-industrial"; considerando-se como foram revolucionárias, de fato, as transformações técnicas da produção, a maioria das quais economizou, afastou ou eliminou a mão-de-obra humana; e considerando-se como os partidos e movimentos baseados na classe operária entraram obviamente em crise após 1970 ou por volta dessa data. Contudo, a impressão generalizada de que de alguma forma a velha classe operária industrial estava morrendo era estatisticamente errada, pelo menos em escala global.

Com a única grande exceção dos EUA, onde a porcentagem de pessoas empregadas na manufatura passou a declinar a partir de 1965, e muito nitidamente após 1970, as classes operárias industriais continuaram bastante estáveis durante todos os anos dourados mesmo nos velhos países industriais,* constituindo cerca de um terço da população empregada. Na verdade, em oito de 21 países da OCDE — o clube dos mais desenvolvidos — ela continuou a crescer entre 1960 e 1980. Naturalmente, cresceu nas partes recém-industrializadas da Europa (não comunista), e depois permaneceu estável até 1980, enquanto no Japão subiu de maneira impressionante, permanecendo bastante estável nas décadas de 1970 e 1980. Nos países comunistas que passavam por

(*) Bélgica, Alemanha (Ocidental), Grã-Bretanha, França, Suécia, Suíça.

rápida industrialização, notadamente na Europa Oriental, o número de proletários multiplicou-se mais rápido que nunca, o mesmo ocorrendo nas partes do Terceiro Mundo que encetaram sua própria industrialização — Brasil, México, Índia, Coréia e outros. Em suma, no fim dos anos dourados havia sem dúvida mais operários no mundo, em números absolutos, e quase com certeza maior proporção de empregados em manufatura na população global do que jamais houvera antes. Com muito poucas exceções, como a Grã-Bretanha, Bélgica e EUA, em 1970 os operários provavelmente constituíam uma proporção maior do total da população empregada do que na década de 1890 em todos os países onde enormes partidos socialistas haviam de repente surgido no fim do século XIX com base na consciência proletária. Só nas décadas de 1980 e 1990 podemos detectar sinais de uma grande contração da classe operária.

A ilusão de uma classe operária em colapso se deveu mais a mudanças dentro dela, e dentro do processo de produção, do que a uma hemorragia demográfica. As velhas indústrias do século XIX e inícios do XX declinaram, e sua própria visibilidade no passado, quando muitas vezes simbolizavam a "indústria", tornou mais impressionante o seu declínio. Os mineiros de carvão, que outrora se contavam às centenas de milhares, passaram a ser menos comuns que os formados por universidades. A indústria siderúrgica americana agora empregava menos pessoas que as lanchonetes McDonald's. Mesmo quando não desapareceram, essas indústrias tradicionais mudaram-se de velhos para novos países industriais. Produtos têxteis, roupas e calçados migraram em massa. O número de pessoas empregadas nas indústrias têxtil e de roupas dentro da República Federal da Alemanha caiu em mais da metade entre 1964 e 1984, mas no início da década de 1980, para cada cem operários alemães, a indústria de roupas alemã empregava 34 no exterior. Mesmo em 1966 eram menos de três. Ferro, aço e indústria naval praticamente desapareceram das terras de industrialização mais antiga, mas reapareceram no Brasil e na Coréia, na Espanha, Polônia e Romênia. Velhas áreas industriais tornaram-se "cinturões de ferrugem" — termo inventado nos EUA na década de 1970 —, ou mesmo países inteiros identificados com uma fase anterior da indústria, como a Grã-Bretanha, foram largamente desindustrializados, transformando-se em museus vivos ou agonizantes de um passado desaparecido, que empresários exploravam, com certo êxito, como atrações turísticas. Enquanto as últimas minas de carvão desapareciam do sul de Gales, onde mais de 130 mil ganhavam a vida como mineiros no início da Segunda Guerra Mundial, velhos sobreviventes desciam em poços mortos para mostrar a grupos de turistas o que outrora faziam ali em eterna escuridão.

E mesmo quando novas indústrias substituíam as velhas, não eram as mesmas indústrias, muitas vezes não nos mesmos lugares, e provavelmente com estruturas diferentes. O jargão da década de 1980 que falava em "pós-fordismo" sugere isso.* A imensa fábrica de produção em massa construída em torno da correia de transmissão, a cidade ou região dominada por uma só indústria, caso de Detroit ou Turim na área automobilística, a classe operária local unida pela segregação residencial e o local de trabalho numa unidade de muitas cabeças pareciam ter sido características da era industrial clássica. Era uma imagem irrealista, mas representava mais que uma verdade simbólica. Onde as velhas estruturas industriais floresciam no fim do século XX, como no Terceiro Mundo recém-industrializado ou em economias industriais socialistas, colhidos em sua (deliberada) distorção de tempo fordista, eram evidentes as semelhanças com o entreguerras, ou mesmo com o mundo industrial ocidental pré-1914 — até no surgimento de poderosas organizações trabalhistas em importantes centros industriais baseados em grandes indústrias automobilísticas (como em São Paulo), ou estaleiros navais (como em Gdansk). Assim também surgiram, das grandes greves de 1937, as centrais sindicais de operários nas indústrias automobilística e siderúrgica no que é hoje o cinturão de ferrugem do Meio-Oeste americano. Por outro lado, embora a grande empresa de produção em massa e a grande fábrica sobrevivessem até a década de 1990, mesmo que automatizadas e alteradas, as novas indústrias eram *muito* diferentes. As clássicas regiões industriais "pós-fordistas" — por exemplo, o Veneto, a Emilia-Romagna e a Toscana no norte e centro da Itália — não tinham as grandes cidades industriais, as empresas dominantes, as fábricas enormes. Eram mosaicos ou redes de empresas que iam da oficina de fundo de quintal à fábrica modesta (mas de alta tecnologia), espalhados pela cidade e o país. Que tal acharia a cidade de Bolonha, perguntou a seu prefeito uma das grandes empresas da Europa, se uma de suas fábricas enormes se instalasse ali? O prefeito** desviou polidamente a sugestão. Sua cidade e região, prósperas, sofisticadas e, na verdade, comunistas, sabiam como cuidar da situação econômica e social da nova economia agroindustrial: que Turim e Milão enfrentassem os problemas típicos de cidade industrial.

Claro, as classes operárias acabaram — e de maneira muito clara após a década de 1990 — tornando-se vítimas das novas tecnologias; sobretudo os homens e mulheres não qualificados das linhas de produção em massa, que podiam ser mais facilmente substituídos por maquinário automatizado. Ou antes, à medida que as grandes décadas de *boom* de 1950 e 1960 davam lugar a uma era de dificuldades econômicas mundiais nos anos de 1970 e 1980, a indústria não mais se expandiu no velho ritmo que inchara as forças de trabalho mesmo quando a produção passou a depender menos de mão-de-obra (ver capítulo 14).

(*) A expressão, que surgiu das tentativas de repensar análises esquerdistas da sociedade industrial, foi popularizada por Alain Lipetz, que tomou o termo "fordismo" de Gramsci.

(**) Ele mesmo me contou.

As crises econômicas do início da década de 1980 recriaram o desemprego em massa pela primeira vez em quarenta anos, pelo menos na Europa.

Em alguns países desavisados, a crise produziu um verdadeiro holocausto industrial. A Grã-Bretanha perdeu 25% de sua indústria manufatureira em 1980-4. Entre 1973 e fins da década de 1980, o número total de pessoas empregadas na manufatura nos seis velhos países industriais da Europa caiu 7 milhões, ou cerca de um quarto, mais ou menos metade dos quais entre 1979 e 1983. Em fins da década de 1980, enquanto as classes operárias nos velhos países industriais se erodiam e as novas surgiam, a força de trabalho empregada na manufatura estabilizou-se em cerca de um quarto de todo o emprego civil em todas as regiões desenvolvidas ocidentais, com exceção dos EUA, onde a essa altura estava bem abaixo de 20% (Bairoch, 1988). Estava muito longe do velho sonho marxista da população gradualmente proletarizada pelo desenvolvimento da indústria até a maioria das pessoas ser trabalhadores (braçais). Com exceção dos casos mais raros, dos quais a Grã-Bretanha era o mais notável, a classe operária industrial sempre fora uma minoria da população trabalhadora. Apesar disso, a aparente crise da classe operária e seus movimentos, sobretudo no Velho Mundo industrial, era patente muito tempo antes de haver — em termos globais — qualquer questão de sério declínio.

Era uma crise não de classe, mas de sua consciência. No fim do século XIX (ver *A era dos impérios*, capítulo 5), as próprias populações misturadas e heterogêneas que ganhavam a vida nos países desenvolvidos vendendo seu trabalho braçal por salários aprenderam a ver-se como uma única classe trabalhadora, e a encarar esse fato como de longe a coisa mais importante em sua situação como seres humanos na sociedade. Ou pelo menos chegou a essa conclusão um número de operários suficiente para transformar partidos e movimentos que os atraíam essencialmente como trabalhadores (o que é indicado pelo próprio nome — Partido Trabalhista, Parti Ouvrier etc.) em imensas forças políticas no período de poucos anos. Claro que estavam unidos não só por salários e por sujarem as mãos no trabalho. Eram, esmagadoramente, pobres e economicamente inseguros, pois, embora os pilares essenciais dos movimentos trabalhistas estivessem longe da miséria ou do pauperismo, o que eles esperavam e obtinham da vida era modesto, e muito abaixo das expectativas das classes médias. Na verdade, a economia de bens de consumo duráveis para as massas os deixara de lado em toda parte antes de 1914, e em toda parte menos nos EUA e na Austrália entre as guerras. Um organizador comunista britânico enviado para as fábricas de armamentos em Coventry do tempo da guerra, tão militantes quanto prósperas, voltou boquiaberto. "Vocês percebem", perguntou aos amigos londrinos, entre eles eu próprio, "que lá em cima os camaradas têm *carros*?"

Eram unidos também por maciça segregação social, por estilos de vida ou até de roupas diferenciados e pela limitação de oportunidades de vida, que os separavam da camada de trabalhadores de escritórios, socialmente mais móveis, se bem que economicamente também apertados. Os filhos dos operários não esperavam ir, e raramente iam, para a universidade. A maioria deles não esperava ir à escola de modo algum após a idade escolar mínima (em geral catorze anos). Nos Países Baixos de antes da guerra, 4% dos garotos de dez a dezenove anos iam para escolas secundárias além dessa idade, e nas democráticas Suécia e Dinamarca a proporção era ainda menor. Os operários tinham uma vida diferente dos outros, com diferentes expectativas, em diferentes lugares. Como disse um dos primeiros de seus filhos (britânicos) com educação universitária na década de 1950, quando essa segregação ainda era bastante óbvia: "Essas pessoas têm seus próprios estilos reconhecíveis de habitação [...] suas casas são geralmente alugadas, e não próprias" (Hogart, 1958, p. 8).*

Eram unidos, por fim, pelo elemento central de suas vidas, a coletividade: o domínio do "nós" sobre o "eu". O que dava aos partidos e movimentos operários sua força original era a justificada convicção dos trabalhadores de que pessoas como eles não podiam melhorar sua sorte pela ação individual, mas só pela ação coletiva, de preferência através de organizações, fosse pela ajuda mútua, a greve ou o voto. E, por outro lado, que os números e a situação peculiar dos trabalhadores braçais punha ao seu alcance a ação coletiva. Em lugares onde os operários viam rotas de fuga particulares de sua classe, como nos EUA, sua consciência de classe, embora longe de ausente, era menos uma característica particular, definidora de sua identidade. Mas "nós" dominava "eu" não apenas por motivos instrumentais, e sim porque — com a maior e muitas vezes trágica exceção da dona de casa operária, casada, presa entre quatro paredes — a vida operária tinha de ser em grande parte pública, por ser o espaço privado tão inadequado. E mesmo a dona de casa partilhava da vida pública da feira, da rua e dos parques vizinhos. As crianças tinham de brincar na rua ou no parque. Os rapazes e moças tinham de dançar e fazer a corte no espaço externo. Os homens confraternizavam em "casas públicas". Até surgir o rádio, que no entreguerras transformou a vida da mulher da classe operária presa à casa — e apenas nuns poucos países favorecidos —, todas as formas de diversão, além da festa particular, tinham de ser públicas, e nos países mais pobres mesmo a televisão foi, em seus primeiros anos, vista em locais públicos. Da partida de futebol ao comício ou passeio no feriado, a vida era experimentada, naquilo que visava ao prazer, *en masse*.

Na maioria dos aspectos, essa consciente coesão operária atingiu o auge, nos países desenvolvidos mais antigos, no fim da Segunda Guerra Mundial. Durante as décadas de ouro quase todos os seus elementos foram minados.

(*) Cf. também: "A predominância da indústria, com sua abrupta divisão entre trabalhadores e administração, tende a estimular as diferentes classes a viverem separadas, de modo que determinado distrito de uma cidade se torna uma reserva ou gueto" (Allen, 1968, pp. 32-3).

A combinação de *boom* secular, pleno emprego e uma sociedade de autêntico consumo de massa transformou totalmente a vida dos operários nos países desenvolvidos, e continuou transformando-a. Pelos padrões de seus pais, e na verdade, se suficientemente velhos, pelas suas próprias lembranças, já não eram pobres. Vidas imensuravelmente mais prósperas que qualquer não-americano ou não-australiano jamais tinham esperado eram privatizadas pela tecnologia do dinheiro e a lógica do mercado: a televisão tornava desnecessário ir ao jogo de futebol, do mesmo modo como TV e vídeo tornaram desnecessário ir ao cinema, ou os telefones substituíam as fofocas com amigos na praça ou na feira. Os sindicalistas ou membros de partidos que outrora iam às assembléias locais ou reuniões políticas porque, entre outras coisas, isso era também uma espécie de diversão ou entretenimento agora podiam pensar em formas mais atraentes de passar o tempo, a não ser nos casos excepcionais dos militantes. (Por outro lado, o corpo-a-corpo deixou de ser uma forma efetiva de campanha eleitoral, embora continuasse a ser feito, por tradição e para animar ativistas de partido cada vez menos típicos.) A prosperidade e a privatização destruíram o que a pobreza e a coletividade na vida pública haviam construído.

Não que os operários se tornassem irreconhecíveis como tais, embora estranhamente, como veremos, a moda em roupas e músicas da nova cultura juvenil independente (ver pp. 317 e ss.), a partir do final da década de 1950, fosse influenciada pela juventude operária. Era mais porque algum tipo de riqueza estava agora ao alcance da maioria, e a diferença entre o dono de um Fusca e o de um Mercedes era muito menor que entre o dono de qualquer carro e o dono de carro nenhum, sobretudo se os carros mais caros se achavam (em teoria) disponíveis em prestações mensais. Os operários, sobretudo nos últimos anos de juventude, antes que o casamento e as despesas domésticas dominassem o orçamento, agora podiam gastar em luxo, e a industrialização da alta-costura e do comércio da beleza a partir da década de 1960 respondeu imediatamente. Entre o topo e a base dos mercados de luxo de alta tecnologia que agora se desenvolviam — por exemplo, entre as mais caras câmeras Hasseblad e as mais baratas Olympus ou Nikon, que produziam resultados conferindo ao mesmo tempo status — a diferença era apenas de grau. De qualquer modo, a começar pela televisão, diversões até então só disponíveis como serviço particular a milionários estavam agora nas mais modestas salas de visitas. Em suma, o pleno emprego e uma sociedade de consumo orientados para um verdadeiro mercado de massa colocavam a maior parte da classe operária nos velhos países desenvolvidos, pelo menos durante parte de suas vidas, bem acima do patamar abaixo do qual seus pais, ou eles próprios, tinham vivido outrora, quando se gastava a renda sobretudo com necessidades básicas.

Além disso, vários fatos importantes alargaram as fendas entre diferentes setores das classes operárias, embora isso só se tornasse evidente após o fim do pleno emprego, durante a crise econômica das décadas de 1970 e 1980, e depois da pressão do neoliberalismo sobre as políticas assistenciais e sistemas "corporativistas" de relações industriais que tinham dado substancial proteção aos setores mais fracos dos trabalhadores. Pois a ponta de cima da classe operária — os trabalhadores qualificados e supervisores — se adaptou mais facilmente à era da produção moderna de alta tecnologia,* e sua posição era tal que eles podiam na verdade se beneficiar de um livre mercado, mesmo quando seus irmãos menos favorecidos perdiam terreno. Assim, na Grã-Bretanha da sra. Thatcher, reconhecidamente um caso extremo, à medida que se desmantelava a proteção do governo e dos sindicatos, o quinto de operários que estava na base na verdade ficou em pior situação, se comparado com o resto dos operários, do que estava um século antes. E enquanto os 10% de operários que estavam no topo, com rendimentos brutos três vezes maiores que os do décimo inferior, se congratulavam por sua melhoria, era cada vez mais provável refletirem que, como contribuintes nacionais e locais, estavam subsidiando o que veio a ser denominado, na década de 1980, pelo sinistro termo "subclasse", que vivia do sistema assistencial público, que eles próprios esperavam poder dispensar, a não ser nas emergências. Foi revivida a velha divisão vitoriana entre os pobres "respeitáveis" e os "não respeitáveis", talvez de uma forma mais ressentida, pois nos gloriosos dias do *boom* global, quando o pleno emprego parecia cuidar da maioria das necessidades materiais dos trabalhadores, os pagamentos da assistência social tinham se elevado a níveis generosos que, nos novos dias de demanda de assistência em massa, pareciam permitir a um exército dos "não-respeitáveis" viver muito melhor da "assistência" que o antigo *residuum* pobre vitoriano. E muito melhor do que, na opinião de contribuintes que davam duro, tinham direito.

Os qualificados e respeitáveis viram-se assim, talvez pela primeira vez, como defensores potenciais da direita política,** tanto mais quanto as organizações trabalhistas e socialistas tradicionais naturalmente continuavam comprometidas com a redistribuição e a assistência social, sobretudo quando aumentava o número dos que precisavam de proteção pública. Os governos Thatcher na Grã-Bretanha dependiam para seu sucesso, essencialmente, do rompimento dos trabalhadores qualificados com o Partido Trabalhista. A dessegregação, ou antes uma mudança na segregação, promoveu esse desmoronamento do bloco trabalhista. Assim, os qualificados e os ascendentes saíram dos

(*) Assim, nos EUA, os "artesãos e capatazes" declinaram de 16% do total da população empregada para 13% entre 1950 e 1980, enquanto os "trabalhadores braçais" caíram de 31% para 18% no mesmo período.

(**) "O socialismo de redistribuição, do Estado de Bem-estar [...] recebeu um duro golpe com a crise econômica da década de 1970. Importantes setores da classe média, assim como setores dos trabalhadores mais bem pagos, romperam suas ligações com as alternativas de socialismo democrático e emprestaram seu voto para dar novas maiorias a governos conservadores" (*Programma 2000*).

centros comerciais — sobretudo quando as indústrias passaram para a periferia e o campo, deixando os velhos e sólidos distritos operários nos centros, ou "cinturões vermelhos", para serem guetizados ou afidalgados, enquanto as cidades-satélite ou indústrias "verdes" não geravam concentração de uma só classe na mesma escala. Nos centros, conjuntos habitacionais públicos, antes construídos para o sólido núcleo da classe operária, na verdade com uma tendência natural para os que podiam pagar aluguel regularmente, agora se transformavam em assentamentos dos marginalizados, socialmente problemáticos e dependentes da previdência social.

Ao mesmo tempo, a migração em massa trouxe um fenômeno até então limitado, pelo menos desde o fim do império habsburgo, apenas aos EUA e, em menor escala, à França: a diversificação étnica e racial da classe operária e, em conseqüência, os conflitos dentro dela. O problema estava não tanto na diversidade étnica, embora a imigração de pessoas de cor diferente, ou (como os norte-africanos na França) passíveis de ser classificadas como tais, fizesse aflorar um racismo sempre latente mesmo em países considerados imunes a ele, como a Itália e a Suécia. O enfraquecimento dos movimentos trabalhistas tradicionais facilitou isso, pois eles se opunham apaixonadamente a tal discriminação, e assim abafavam a expressão mais anti-social de sentimentos racistas entre seus seguidores. Contudo, deixando de lado o racismo puro, tradicionalmente — e mesmo no século XIX — foi raro a migração de mão-de-obra levar a essa competição direta entre os diferentes grupos étnicos que dividem as classes operárias, pois cada grupo particular de migrantes tendia a encontrar seu próprio nicho na economia, que então colonizava ou mesmo monopolizava. Os imigrantes judeus, na maioria dos países ocidentais, foram em massa para a indústria de roupas, mas não para, digamos, a de automóveis. Para citar um caso ainda mais especializado, o pessoal dos restaurantes indianos tanto em Londres quanto em Nova York, e sem dúvida aonde quer que essa forma de expansão cultural asiática tenha chegado fora do subcontinente indiano, era recrutado basicamente, mesmo na década de 1990, entre emigrantes de um determinado distrito de Bangladesh (Sylhet). Ou então grupos de imigrantes se viam concentrados em determinados distritos, ou fábricas, ou oficinas, ou níveis da mesma indústria, deixando o resto para outros. Num "mercado de trabalho segmentado" dessa forma (para usar o termo do jargão), era mais fácil desenvolver e manter a solidariedade entre diferentes grupos étnicos de trabalhadores, pois os grupos não competiam, e as variações em sua condição nunca — ou só raramente — podiam ser atribuídas ao interesse próprio de outros grupos de trabalhadores.*

Por inúmeros motivos, entre eles o fato de que a imigração na Europa do

(*) Uma exceção é a Irlanda do Norte, onde os católicos foram sistematicamente expulsos das ocupações industriais qualificadas, que cada vez mais se tornaram monopólios protestantes.

pós-guerra foi em grande parte uma solução patrocinada pelo Estado à escassez de mão-de-obra, os novos imigrantes entraram no mesmo mercado de trabalho que os nativos, e com os mesmos direitos, a não ser onde foram oficialmente segregados como uma classe de "trabalhadores convidados" temporários, e portanto inferiores. Os dois casos geraram tensão. Homens e mulheres com direitos formalmente inferiores dificilmente viam seus interesses como idênticos aos de pessoas que gozavam de um status superior. Por outro lado, operários franceses ou britânicos, mesmo quando não se importavam de trabalhar lado a lado com marroquinos, indianos ocidentais, portugueses ou turcos, não estavam de modo algum dispostos a ver estrangeiros promovidos antes deles, sobretudo os encarados como coletivamente inferiores aos nativos.

Além disso, e por motivos semelhantes, havia tensões entre diferentes grupos de imigrantes, mesmo quando todos se ressentiam do tratamento que recebiam dos locais.

Em suma, enquanto, no período em que os partidos e movimentos trabalhistas clássicos se formaram todos os setores operários (a menos que divididos por barreiras nacionais ou religiosas extraordinariamente insuperáveis) podiam com razão supor que as mesmas políticas, estratégias e mudanças institucionais beneficiariam cada um deles, isso não era mais automaticamente válido. Ao mesmo tempo, as mudanças na produção, o surgimento da "sociedade de dois terços", e a fronteira cada vez mais difusa entre o que era trabalho "braçal" e "não braçal" borraram e dissolveram os contornos antes claros do "proletariado".

IV

Uma grande mudança que afetou a classe operária, e também a maioria de outros setores das sociedades desenvolvidas, foi o papel impressionantemente maior nela desempenhado pelas mulheres; e sobretudo — fenômeno novo e revolucionário — as mulheres casadas. A mudança foi de fato sensacional. Em 1940, as mulheres casadas que viviam com os maridos e trabalhavam por salário somavam menos de 14% do total da população feminina dos EUA. Em 1980, eram mais da metade: a porcentagem quase duplicou entre 1950 e 1970. O fato de a mulher ter entrado no mercado de trabalho não era, claro, novo. A partir do fim do século XIX, o trabalho em escritórios, lojas e certos tipos de serviço, por exemplo em centrais telefônicas e profissões assistenciais, estava fortemente feminizado, e essas ocupações terciárias se expandiram e incharam à custa (relativa e por fim absolutamente) dos setores primários e secundários, quer dizer, agricultura e indústria. Na verdade, o aumento do setor terciário foi uma das tendências mais impressionantes do século XX. É menos fácil generalizar sobre a situação das mulheres nas indústrias manufatureiras. Nos velhos países industriais, as indústrias de trabalho intensivo em que as mulheres caracteristicamente se concentravam, como as de tecidos e roupas, se achavam em declínio; mas o mesmo acontecia, nas novas regiões e países do cinturão de ferrugem, com as indústrias pesadas e mecânicas, com sua composição esmagadoramente masculina, para não dizer machista — minas, ferro e aço, estaleiros, fábricas de automóveis e caminhões. Por outro lado, em países recém-desenvolvidos, e nos enclaves de desenvolvimento manufatureiro no Terceiro Mundo, floresceram as indústrias de mão-de-obra intensiva sedentas de trabalho feminino (tradicionalmente menos bem pago e menos rebelde que o masculino). A parte das mulheres na força de trabalho local aumentou, embora o caso das ilhas Maurício, onde saltou de cerca de 20% no início da década de 1970 para mais de 60% em meados da de 1980, seja um tanto extremo. Se aumentou (mas menos que o setor de serviços) ou permaneceu estável nos países industriais, isso dependeu de circunstâncias nacionais. Na prática, a distinção entre mulheres na manufatura ou no setor terciário não era significativa, pois o grosso delas em ambas ocupava posições subalternas, e várias funções confiadas predominantemente a mulheres, sobretudo nos serviços públicos e sociais, achavam-se fortemente sindicalizadas.

As mulheres também entraram, e em número impressionantemente crescente, na educação superior, que era agora a mais óbvia porta de acesso às profissões liberais. Imediatamente após a Segunda Guerra Mundial, elas constituíam entre 15% e 20% de todos os estudantes na maioria dos países desenvolvidos, com exceção da Finlândia — um farol de emancipação feminina — onde já somavam quase 43%. Mesmo em 1960, em parte nenhuma da Europa e da América do Norte elas eram metade dos estudantes, embora a Bulgária — outro, e menos amplamente alardeado, país pró-mulheres — já quase alcançasse essa cifra. (Os Estados socialistas foram no todo mais rápidos na promoção do estudo das mulheres — a RDA deixou para trás a República Federal da Alemanha —, mas fora isso a ficha feminina deles era irregular.) Contudo, em 1980 metade ou mais da metade de todos os estudantes eram mulheres nos EUA, Canadá e seis países socialistas, encabeçados pela Alemanha Oriental e a Bulgária, e em apenas quatro países europeus elas constituíam então menos de 40% (Grécia, Suíça, Turquia e Reino Unido). Numa palavra, o estudo superior era agora tão comum entre as moças quanto entre os rapazes.

A entrada em massa de mulheres casadas — ou seja, em grande parte mães — no mercado de trabalho e a sensacional expansão da educação superior formaram o pano de fundo, pelo menos nos países ocidentais típicos, para o impressionante reflorescimento dos movimentos feministas a partir da década de 1960. Na verdade, os movimentos de mulheres são inexplicáveis sem esses acontecimentos. Desde que as mulheres em tantas partes da Europa e da América do Norte tinham conseguido o grande objetivo do voto e direitos civis iguais depois da Primeira Guerra Mundial e da Revolução Russa (ver *A era dos impérios*, capítulo 8), os movimentos feministas haviam trocado a luz do sol pelas sombras, mesmo onde o triunfo de regimes fascistas e reacionários não os destruíram. Continuaram nas sombras, apesar da vitória do antifascismo e (na Europa Oriental e partes do Leste Asiático) da revolução, que estenderam os direitos conquistados após 1917 à maioria dos países que ainda não os tinham, mais nitidamente dando direito de voto às mulheres da França e Itália na Europa Ocidental, e na verdade às mulheres em todos os países recém-comunistas, em quase todas as ex-colônias e (nos primeiros dez anos do pós-guerra) na América Latina. Na verdade, onde se realizavam eleições, as mulheres em toda parte do mundo haviam adquirido direito de voto na década de 1960, com exceção de alguns Estados islâmicos e, um tanto curiosamente, da Suíça.

Contudo, essas mudanças não foram conseguidas por pressão feminista nem tiveram qualquer repercussão notável imediata sobre a situação das mulheres; mesmo nos relativamente poucos países onde o voto tinha efeito político. No entanto, a partir da década de 1960, começando nos EUA, mas espalhando-se rapidamente pelos países ricos do Ocidente e além, nas elites de mulheres educadas do mundo dependente — mas não, inicialmente, nos recessos do mundo socialista —, encontramos um impressionante reflorescimento do feminismo. Embora esses movimentos pertencessem, essencialmente, ao ambiente de classe média educada, é provável que na década de 1970, e sobretudo na de 1980, uma forma política e ideologicamente menos específica de consciência feminina se espalhasse entre as massas do sexo (que as ideólogas agora insistiam que devia chamar-se "gênero"), muito além de qualquer coisa alcançada pela primeira onda de feminismo. Na verdade, as mulheres como um grupo tornavam-se agora uma força política importante, como não eram antes. O primeiro e talvez mais impressionante exemplo dessa nova consciência de gênero foi a revolta das mulheres tradicionalmente fiéis nos países católicos romanos contra doutrinas impopulares da Igreja, como foi mostrado notadamente nos referendos italianos em favor do divórcio (1974) e de leis de aborto mais liberais (1981); e depois na eleição para a Presidência da Irlanda da beata Mary Robinson, uma advogada muito ligada à liberação do código moral católico (1990). No início da década de 1990, pesquisas de opinião registraram uma impressionante divergência de opiniões políticas entre os sexos em vários países. Não admira que os políticos começassem a cortejar essa nova consciência feminina, sobretudo na esquerda, onde o declínio da consciência operária privava os partidos de parte de seu antigo eleitorado.

Contudo, a própria amplitude da nova consciência de feminilidade e seus interesses torna inadequadas as explicações simples em termos da mudança do papel da mulher na economia. De qualquer modo, o que mudou na revolução social não foi apenas a natureza das atividades da mulher na sociedade, mas também os papéis desempenhados por elas ou as expectativas convencionais do que devem ser esses papéis, e em particular as suposições sobre os papéis *públicos* das mulheres, e sua proeminência pública. Pois enquanto se podia esperar que grandes mudanças, como a entrada em massa de mulheres casadas no mercado de trabalho, produzissem mudanças concomitantes e conseqüentes, nem sempre essas mudanças ocorrem — como atesta a URSS, onde (depois que se abandonaram as aspirações utópico-revolucionárias iniciais da década de 1920) as mulheres casadas em geral se viram carregando o duplo fardo de velhas responsabilidades domésticas e novas responsabilidades no emprego, sem mudanças nas relações entre os sexos ou nas esferas pública e privada. De qualquer modo, os motivos pelos quais as mulheres em geral, e sobretudo as casadas, mergulharam no trabalho pago não tinham relação necessária com sua visão da posição social e dos direitos das mulheres. Talvez se devessem à pobreza, à preferência dos patrões por operárias, por serem mais baratas e mais dóceis, ou simplesmente ao crescente número — sobretudo no mundo dependente — de famílias chefiadas por mulheres. A migração em massa da mão-de-obra masculina, como do campo para as cidades da África do Sul, ou de partes da África e Ásia para os Estados do golfo Pérsico, inevitavelmente deixou as mulheres chefiando a economia familiar em casa. Tampouco devemos esquecer os apavorantes massacres das grandes guerras, que deixaram a Rússia pós-1945 com cinco mulheres para cada três homens.

Mesmo assim, são inegáveis os sinais de mudanças significativas, e até mesmo revolucionárias, nas expectativas das mulheres sobre elas mesmas, e nas expectativas do mundo sobre o lugar delas na sociedade. Era óbvia a nova proeminência de algumas mulheres na política, embora não se possa usar isso de forma alguma como um indicador direto da situação das mulheres como um todo nesses países. Afinal, a porcentagem de mulheres nos parlamentos eleitos da América Latina machista (11%), na década de 1980, era consideravelmente superior à de mulheres nas assembléias equivalentes da nitidamente mais "emancipada" América do Norte. Também uma substancial parcela das mulheres que agora, pela primeira vez, chefiavam Estados e governos no mundo independente conseguiu isso por herança familiar: Indira Gandhi (Índia, 1966-84), Benazir Bhutto (Paquistão, 1988-90; 1994) e Aung San Xi, que teria sido chefe da Birmânia não fosse o veto dos militares, como filhas; Sirimavo Bandaranaike (Sri Lanka, 1960-5; 1970-7), Corazón Aquino (Filipinas, 1986-92) e Isabel Perón (Argentina, 1974-6), como viúvas. Isso em si não teria sido mais revolucionário que a sucessão de Maria Teresa ou Vitória no trono dos impérios habsburgo ou britânico muito antes. Na verdade, o contraste entre governantes mulheres de países como Índia, Paquistão e Filipinas e o estado excepcionalmente deprimido e oprimido das mulheres nessas partes do mundo sublinha a atipicidade delas.

E no entanto, antes da Segunda Guerra Mundial, a sucessão de *qualquer* mulher à liderança de *qualquer* república, em *quaisquer* circunstâncias, teria sido encarada como politicamente impensável. Após 1945, tornou-se politicamente possível — Sirimavo Bandaranaike no Sri Lanka tornou-se a primeira primeira-ministra do mundo em 1966 — e em 1990 mulheres eram ou tinham sido chefes de governo em dezesseis Estados (UN World's Women, p. 32). Na década de 1990, mesmo a mulher que havia chegado ao topo como política profissional era uma parte aceita, embora incomum, da paisagem: como primeira-ministra em Israel (1969); na Islândia (1980); na Noruega (1981); não menos na Grã-Bretanha (1979); na Lituânia (1990); e na França (1991); sob a forma de Doi, líder aceito do principal partido de oposição (socialista), num país que estava longe de ser feminista, o Japão (1986). O mundo político estava de fato mudando rapidamente, embora o reconhecimento público das mulheres (quando nada como grupo de pressão política) em geral ainda assumisse, mesmo em muitos dos mais "avançados" países, formas de representação simbólica ou figurativa em corpos públicos.

Contudo, faz pouco sentido generalizar globalmente sobre o papel das mulheres na esfera pública e as correspondentes aspirações públicas dos movimentos políticos femininos. O mundo dependente, o mundo desenvolvido e o mundo socialista ou ex-socialista só marginalmente são comparáveis. No Terceiro Mundo, como na Rússia czarista, a grande massa de mulheres de classe baixa e pouca educação permaneceu fora da esfera pública, no sentido "ocidental" moderno, embora alguns desses países desenvolvessem, e alguns já tivessem, uma pequena camada de mulheres excepcionalmente emancipadas e "avançadas", sobretudo esposas, filhas e membros de famílias das classes altas e burguesias locais estabelecidas, análogas às correspondentes mulheres da *intelligentsia* e ativistas da Rússia czarista. Essa camada existira no império indiano mesmo nos tempos coloniais, e parece ter surgido em vários dos países islâmicos menos rigorosos — notadamente Egito, Irã, Líbano e o Magreb —, até que a ascensão do fundamentalismo muçulmano empurrou as mulheres de novo para a obscuridade. Para essas minorias emancipadas, existia um espaço nos níveis sociais superiores de seus países onde podiam atuar e sentir-se à vontade, tal como ocorria (com elas ou suas contrapartes) na Europa e na América do Norte, embora provavelmente demorassem mais a abandonar as convenções sexuais e obrigações familiares tradicionais de sua cultura que as ocidentais, ou pelo menos as não católicas.* Neste aspecto, as mulheres emancipadas nos países dependentes "ocidentalizados" estavam muito mais favoravelmente situadas que suas irmãs, digamos, no Extremo

(*) Não será por acaso que as taxas de divórcio e novos casamentos na Itália, Irlanda, Espanha e Portugal foram significativamente mais baixas, na década de 1980, que no resto da área européia ocidental e norte-americana. Taxas de divórcio: 0,58 por mil habitantes, contra 2,5 para em média de nove outros países (Bélgica, França, Alemanha Federal, Países Baixos, Suécia, Suíça, Reino Unido, Canadá, EUA). Os novos casamentos (porcentagem de todos os casamentos): 2,4 contra 18,6 em média de nove países.

Oriente não socialista, onde a força dos papéis e convenções tradicionais a que mesmo as mulheres de elite tinham de se submeter era enorme e sufocante. Japonesas e coreanas educadas que se viam no emancipado Ocidente por alguns anos muitas vezes temiam a volta a suas próprias civilizações e a um senso ainda apenas marginalmente desgastado de subordinação das mulheres.

No mundo socialista, a situação era paradoxal. Praticamente todas as mulheres estavam na força de trabalho assalariada na Europa Oriental — ou pelo menos ela continha quase tantas mulheres quanto homens (90%), uma proporção muito mais alta que em qualquer outra parte. O comunismo como ideologia se empenhara apaixonadamente na igualdade e liberação femininas, em todos os sentidos, incluindo o erótico, apesar da antipatia pessoal de Lenin pela promiscuidade do sexo casual.* (Contudo, tanto Krupskaia quanto Lenin estavam entre os raros revolucionários especificamente favoráveis à divisão de tarefas domésticas entre os sexos.) Além disso, o movimento revolucionário, dos *narodniks* até os marxistas, havia acolhido as mulheres, sobretudo as intelectuais, com excepcional simpatia, e tinha lhes dado excepcional espaço, como ainda era evidente na década de 1970, quando elas tinham representação desproporcional em alguns dos movimentos terroristas de esquerda. Contudo, com exceções um tanto raras (Rosa Luxemburgo, Ruth Fischer, Anna Pauker, La Pasionaria, Federica Montseny), elas não se destacaram nas primeiras fileiras políticas de seus partidos, ou mesmo de qualquer outro modo,** e nos novos Estados governados por comunistas se tornaram ainda menos visíveis. Na verdade, as mulheres em posições políticas de destaque praticamente desapareceram. Como vimos, um ou dois países, notadamente Bulgária e República Democrática Alemã, davam claramente a suas mulheres boas oportunidades de destaque público, bem como de educação superior, mas no todo a posição pública das mulheres nos países comunistas não era muito diferente da que tinham nos países capitalistas desenvolvidos, e onde era isso não trazia necessariamente vantagens. Quando as mulheres corriam para uma profissão a elas aberta, como na URSS, onde a profissão de médico se tornou em grande parte ocupada por mulheres em conseqüência disso, perdiam status e renda. Ao contrário das feministas ocidentais, a maioria das mulheres casadas soviéticas, há muito acostumadas a uma vida de trabalho assalariado, sonhavam com o luxo de ficar em casa e fazer só um trabalho.

Na verdade, o sonho revolucionário original de transformar as relações

(*) Assim, o direito ao aborto, proibido pelo Código Civil alemão, era um importante tema de agitação no Partido Comunista alemão, motivo pelo qual a República Democrática Alemã ia desfrutar uma legislação de aborto muito mais liberal que a República Federal da Alemanha (influenciada pelos democrata-cristãos), com isso complicando os problemas legais da unificação alemã em 1990.

(**) No KPD, 1929, de 63 membros e candidatos a membros do Comitê Central, havia seis mulheres. De 504 destacados membros do partido em 1924-9, apenas 7% eram mulheres.

entre os sexos e alterar as instituições e hábitos que incorporavam o velho domínio masculino em geral encalhou, mesmo onde — como nos primeiros anos da URSS, mas não, em geral, nos novos regimes comunistas europeus após 1944 — foi seriamente buscado. Em países atrasados, e a maioria dos regimes comunistas se estabeleceu nesses países, foi bloqueado pela passiva não-cooperação de populações tradicionais, que insistiam em que na prática, dissesse o que dissesse a lei, as mulheres fossem tratadas como inferiores aos homens. Os heróicos esforços de emancipação feminina não foram, é claro, em vão. Dar às mulheres igualdade de direitos legais e políticos, insistir no seu acesso à educação e ao trabalho e responsabilidades dos homens, mesmo dar-lhes visibilidade e permitir-lhes ir e vir livremente em público, não são mudanças pequenas, como pode atestar todo aquele que compare a situação das mulheres em países onde o fundamentalismo religioso impera ou volta a ser imposto. Além disso, mesmo nos países comunistas onde a realidade feminina ficou bem atrás da teoria, mesmo em épocas em que os governos impuseram uma virtual contra-revolução moral, buscando recolocar a família e as mulheres como basicamente geradoras de filhos (como na URSS na década de 1930), a simples liberdade de escolha pessoal existente para elas no novo sistema, incluindo a liberdade de escolha sexual, era incomparavelmente maior do que poderia ter sido antes do novo regime. Seus verdadeiros limites não eram tanto legais ou convencionais quanto materiais, como a escassez de métodos anticoncepcionais para os quais, como para outras necessidades ginecológicas, a economia planejada só dava o mais leve provimento.

Mesmo assim, quaisquer que sejam as conquistas e fracassos do mundo socialista, não gerou movimentos especificamente feministas, e na verdade dificilmente poderia tê-lo feito, em vista da virtual impossibilidade de quaisquer iniciativas políticas não patrocinadas pelo Estado e o partido antes de meados da década de 1980. Contudo, é improvável que as questões que preocupavam os movimentos feministas no Ocidente tivessem achado muito eco nos Estados comunistas antes dessa época.

Inicialmente, essas questões no Ocidente, e notadamente nos EUA, pioneiros no reflorescimento do feminismo, diziam respeito basicamente a problemas que afetavam mulheres da classe média, ou à forma que as afetava predominantemente. Isso é bastante evidente quando olhamos, nos EUA, as ocupações em que a pressão feminista conseguiu sua grande abertura, e que, supostamente, refletem a concentração de seus esforços. Em 1981, as mulheres haviam não apenas praticamente eliminado os homens das ocupações de escritório e de colarinho-branco, a maioria das quais na verdade eram subalternas, mas respeitáveis, como formavam quase 50% dos agentes e corretores imobiliários, e quase 40% dos bancários e gerentes financeiros, e haviam estabelecido uma presença substancial, se bem que ainda inadequada, nas profissões intelectuais, embora as tradicionais profissões na área de direito e medicina ainda as restringissem a modestas cabeças-de-ponte. Mas se 35% dos professores universitários, mais de um quarto dos especialistas em computador e 22% nas ciências naturais eram agora mulheres, os monopólios masculinos do trabalho braçal, qualificado e não qualificado, permaneceram praticamente inalterados: só 2,7% dos caminhoneiros, 1,6% dos eletricistas e 0,6% dos mecânicos de automóveis eram mulheres. A resistência destes ao influxo feminino não era, sem dúvida, mais fraca que a dos médicos e advogados, que tinham aberto espaço para 14% delas; mas não é despropositado supor que a pressão para conquistar esses bastiões de masculinidade fosse menor.

Mesmo uma leitura desatenta das pioneiras americanas do novo feminismo na década de 1960 sugere uma distinta perspectiva de classe nos problemas femininos (Friedan, 1963; Degler, 1987). Elas se preocupavam maciçamente com a questão de "como a mulher pode combinar carreira ou emprego com casamento e família", um problema fundamental apenas para as que tinham essa opção, inexistente então para a maioria das mulheres do mundo e para todas as pobres. Estavam, com toda a razão, preocupadas com *igualdade* entre homens e mulheres, um conceito que se tornou o principal instrumento para o avanço legal e institucional das mulheres ocidentais, pois a palavra "sexo" foi inserida na Lei dos Direitos Civis americana de 1964, originalmente destinada a proibir apenas a discriminação racial. Mas "igualdade", ou melhor, "igual tratamento" e "igual oportunidade", supõe que não há diferenças significativas entre homens e mulheres, sociais ou outras, e para a maioria das mulheres do mundo, sobretudo as pobres, parecia óbvio que parte de sua inferioridade social se devia à diferença, enquanto sexo, dos homens, e podia portanto exigir remédios específicos de sexo — por exemplo, provimentos para gravidez e maternidade, ou proteção especial contra ataques pelo sexo fisicamente mais forte e mais agressivo. O feminismo americano demorou a abordar interesses vitais da operária, como a licença-maternidade. Uma fase posterior do feminismo na verdade insistiu em diferença de gênero, além de desigualdade de gênero, embora o uso de uma ideologia liberal de individualismo abstrato e o instrumento da lei de "direitos iguais" não fossem de fato compatíveis com o reconhecimento de que as mulheres não eram, e não deviam necessariamente ser, iguais aos homens, e vice-versa.*

Além disso, nas décadas de 1950 e 1960 a própria demanda para romper a esfera doméstica e entrar no mercado de trabalho tinha entre as mulheres casadas prósperas e educadas da classe média uma forte carga ideológica que

(*) Assim, a "ação afirmativa", ou seja, dar a um grupo tratamento *preferencial* no acesso a um recurso ou atividade social, somente se coaduna à noção de igualdade caso se suponha que se trata de uma medida temporária, a ser abandonada aos poucos, quando se houver atingido o acesso igual pelos próprios méritos; isto é, caso se suponha que o tratamento preferencial é apenas a eliminação de uma desvantagem injusta entre os participantes de uma mesma corrida. Este é obviamente o caso às vezes. Mas quando se trata de diferenças permanentes, é descabido. É

não tinha para outras, pois suas motivações nesses ambientes raramente eram econômicas. Entre as pobres, ou as de orçamento apertado, as mulheres casadas saíram para trabalhar após 1945 porque, para pôr a coisa em termos simples, os filhos não mais o faziam. O trabalho infantil no Ocidente quase desaparecera, enquanto, ao contrário, a necessidade de dar aos filhos uma educação que melhorasse suas perspectivas colocava sobre os pais um grande fardo financeiro por mais tempo que antes. Em suma, como já foi dito, "no passado os filhos trabalhavam para que as mães pudessem ficar em casa cumprindo responsabilidades domésticas e reprodutivas. Agora, quando as famílias precisavam de renda extra, as mães trabalhavam no lugar dos filhos" (Tilly & Scott, 1987, p. 219). Isso dificilmente teria sido possível sem a diminuição do número de filhos, embora a substancial mecanização das tarefas domésticas (notadamente através de máquinas de lavar) e o aumento de alimentos preparados e de pronto cozimento facilitassem as coisas. Mas para as mulheres casadas da classe média cujos maridos ganhavam uma renda adequada ao seu status, trabalhar fora raramente trazia um grande acréscimo aos rendimentos da família, quando nada porque se pagava muito menos às mulheres que aos homens nos empregos então à disposição delas. Não podia haver uma contribuição líquida muito significativa à família quando a ajuda paga para cuidar da casa e das crianças tinha de ser contratada (na forma de faxineiras e, na Europa, de moças *au pair*) para permitir à mulher ganhar uma renda externa.

Se havia um incentivo para as mulheres casadas saírem de casa nesses círculos, era a demanda de liberdade e autonomia; a mulher casada ser uma pessoa por si, e não um apêndice do marido e da casa, alguém visto pelo mundo como indivíduo, e não como membro de uma espécie ("apenas esposa e mãe"). A renda entrava nisso não porque fosse necessária, mas porque era algo que a mulher podia gastar ou poupar sem pedir primeiro ao marido. Claro, à medida que casas de classe média com duas rendas se tornavam mais comuns, os orçamentos domésticos foram sendo cada vez mais calculados em termos de duas rendas. Na verdade, à medida que a educação superior para os filhos da classe média se tornava quase universal, e os pais tinham de dar contribuições financeiras a seus rebentos até quando eles já beiravam os vinte anos ou até mais, o trabalho pago para as mulheres casadas da classe média deixou de ser basicamente uma declaração de independência e tornou-se o que há muito era para as pobres, uma maneira de equilibrar o orçamento. Apesar disso, não desapareceu o elemento conscientemente emancipatório nele, como mostrou o aumento dos "casamentos de baldeação". Pois os custos (e não apenas financei-

---

absurdo, mesmo à primeira vista, dar aos homens prioridade no acesso a cursos de canto coloratura, ou insistir que é teoricamente desejável, com base em argumentos demográficos, que 50% dos generais do exército sejam mulheres. Por outro lado, é inteiramente legítimo dar a todo homem com desejo e qualificação, potencial para cantar a *Norma*, e a toda mulher com desejo e potencial para comandar um exército, suas chances de fazê-lo.

ros) de casamentos nos quais cada cônjuge trabalhava em local muitas vezes bastante distante eram altos, embora a revolução nos transportes e comunicações os tornasse cada vez mais comuns em profissões como as acadêmicas, a partir da década de 1970. Contudo, enquanto antes as esposas de classe média (embora não os filhos acima de uma certa idade) quase sempre seguiam automaticamente para onde quer que os novos empregos dos maridos os levassem, agora tornava-se quase impensável, pelo menos nos círculos intelectuais da classe média, perturbar a carreira da mulher e seu direito a decidir onde queria exercê-la. Finalmente, parecia, homens e mulheres se tratavam como iguais neste aspecto.*

Apesar disso, nos países desenvolvidos, o feminismo de classe média, ou o movimento de mulheres educadas ou intelectuais, alargou-se numa espécie de sensação genérica de que chegara a hora da liberação feminina, ou pelo menos da auto-afirmação das mulheres. Isso se dava porque o feminismo específico de classe média inicial, embora às vezes não diretamente relevante para os interesses do resto do grupo feminino ocidental, suscitava questões que interessavam a todas: e essas questões se tornaram urgentes à medida que a convulsão social que esboçamos gerava uma profunda, e muitas vezes súbita, revolução moral e cultural, uma dramática transformação das convenções de comportamento social e pessoal. As mulheres foram cruciais nessa revolução cultural, que girou em torno das mudanças na família tradicional e nas atividades domésticas — e nelas encontraram expressão — de que as mulheres sempre tinham sido o elemento central.

Para isso temos de nos voltar agora.

(*) Embora mais raros, casos em que o marido se via diante do problema de seguir para onde o novo emprego da esposa a levasse também se tornaram mais freqüentes. Qualquer acadêmico da década de 1990 pode se lembrar de alguns exemplos de seu conhecimento pessoal.

11
REVOLUÇÃO CULTURAL

No filme, Carmen Maura faz um homem que passou por uma operação transexual e, devido a um romance infeliz com o pai dele/dela, desistiu dos homens para ter um relacionamento (lésbico) com uma mulher, feita por um famoso travesti de Madri.

Resenha de um filme no *Village Voice*, Paul Berman (1987, p. 572)

As manifestações bem-sucedidas não são necessariamente as que mobilizam o maior número de pessoas, mas as que atraem maior interesse entre os jornalistas. Exagerando apenas um pouco, poder-se-ia dizer que cinqüenta sujeitos inteligentes que conseguem obter cinco minutos na TV para um happening *bem-sucedido podem produzir um efeito político comparável ao de meio milhão de manifestantes.*

Pierre Bourdieu (1994)

I

A melhor abordagem dessa revolução cultural é portanto através da família e da casa, isto é, através da estrutura de relações entre os sexos e gerações. Na maioria das sociedades, essas relações resistiram de maneira impressionante à mudança súbita, embora isso não queira dizer que fossem estáticas. Além do mais, apesar das aparências em contrário, os padrões foram mundiais, ou pelo menos tiveram semelhanças básicas em áreas muito amplas, embora se tenha sugerido, em bases sócio-econômicas e tecnológicas, que há uma grande diferença entre a Eurásia (incluindo os dois lados do Mediterrâneo) de um lado e o resto da África do outro (Goody, 1990, XVII). Assim, a poliginia, considerada quase completamente inexistente ou extinta na Eurásia, a não ser por grupos especialmente privilegiados e no mundo árabe, floresceu na África, onde se diz que mais de um quarto de todos os casamentos é polígamo (Goody, 1990, p. 379).

Apesar disso, cruzando todas as variações, a vasta maioria da humanidade partilhava certo número de características, como a existência de casamento formal com relações sexuais privilegiadas para os cônjuges (o "adultério" é universalmente tratado como crime); a superioridade dos maridos em relação às esposas ("patriarcado") e dos pais em relação aos filhos, assim como às gerações mais jovens; famílias consistindo em várias pessoas; e coisas assim. Quaisquer que sejam a extensão e a complexidade da rede de parentesco e dos direitos e obrigações mútuos dentro dela, uma família nuclear — um casal com filhos — estava geralmente presente em alguma parte, mesmo quando o grupo ou família co-residente ou cooperante era muito maior. A idéia de que a família nuclear, que se tornou o modelo padrão na sociedade ocidental nos séculos XIX e XX, tinha de alguma forma evoluído a partir de unidades familiares e de parentesco muito maiores, como parte do crescimento do individualismo burguês ou qualquer outro, baseia-se numa má compreensão histórica, não menos da natureza da cooperação social e sua justificação nas sociedades pré-industriais. Mesmo numa instituição tão comunista quanto a *zadruga* ou família conjunta dos eslavos balcânicos, "cada mulher trabalha para sua família no sentido estrito da palavra, ou seja, o marido e os filhos, mas também, quando chega a sua vez, para os membros solteiros da comunidade e os órfãos" (Guidetti & Stahl, 1977, p. 58). A existência desse núcleo de família e casa não significa, claro, que os grupos ou comunidades aparentados dentro dos quais ele se encontra sejam semelhantes em outros aspectos.

Contudo, na segunda metade do século XX, esses arranjos básicos e há muito existentes começaram a mudar com grande rapidez, pelo menos nos países ocidentais "desenvolvidos", embora de forma desigual mesmo dentro dessas regiões. Assim, na Inglaterra e no País de Gales — reconhecidamente um exemplo um tanto dramático —, em 1938 houve um divórcio para cada 58 casamentos (Mitchell, 1975, pp. 30-2), mas, em meados da década de 1980, a proporção era de um divórcio para cada 2,2 casamentos (*UN Statistical Yearbook*, 1987). Além disso, podemos ver a aceleração dessa tendência nos desvairados anos 60. No fim da década de 1970, houve mais de dez divórcios para cada mil casais casados na Inglaterra e Gales, ou cinco vezes mais que em 1961 (Social Trends, p. 84).

Essa tendência de modo nenhum se restringia à Grã-Bretanha. Na verdade, a mudança espetacular é vista de maneira mais clara em países de moralidade fortemente impositiva, como os católicos. Na Bélgica, França e Países Baixos, o índice bruto de divórcios (número anual de divórcios por mil habitantes) praticamente triplicou entre 1970 e 1985. Contudo, mesmo em países com tradição de emancipação nessas questões, como a Dinamarca e a Noruega, esse índice dobrou ou quase no período. Era claro que alguma coisa incomum se passava no casamento ocidental. As mulheres que procuravam clínicas ginecológicas na década de 1970 mostravam "uma substancial diminuição no casamento formal, uma redução no desejo de filhos [...] e uma mudança de atitude para a aceitação de uma adaptação bissexual" (Esman, 1990, p. 67). É improvável que tal reação de uma amostragem de mulheres pudesse registrar-se em qualquer parte, mesmo na Califórnia, antes daquela década.

O número de pessoas vivendo sós (isto é, não como membro de nenhum casal ou família maior) também começou a disparar para cima. Na Grã-Bretanha, permaneceu em grande parte o mesmo durante o primeiro terço do século, cerca de 6% de todas as casas, subindo muito suavemente daí em diante. Contudo, entre 1960 e 1980, a porcentagem quase duplicou de 12% para 22% de todas as casas, e em 1991 era mais de um quarto (Abrams, 1945; Carr-Saunders, 1958; Social Trends, p. 26). Em muitas grandes cidades ocidentais, elas somavam cerca de metade de todas as casas. Por outro lado, a família nuclear ocidental clássica, o casal casado com filhos, estava em visível retração. Nos EUA, essas famílias caíram de 44% de todas as casas para 29% em vinte anos (1960-80); na Suécia, onde quase metade de todos os partos em meados da década de 1980 foi de mulheres solteiras (Ecosoc, p. 21), de 37% para 25%. Mesmo nos países desenvolvidos onde ainda formavam mais de metade de todas as casas em 1960 (Canadá, Alemanha Federal, Países Baixos, Grã-Bretanha), eram agora uma clara minoria.

Em casos particulares, deixaram de ser até nominalmente típicas. Assim, em 1991, 58% de todas as famílias negras nos EUA eram chefiadas por uma mulher sozinha, e 70% de todas as crianças tinham nascido de mães solteiras. Em 1940, só 11,3% de famílias "não brancas" eram chefiadas por mães sozinhas, e mesmo nas cidades somavam apenas 12,4% (Franklin Frazier, 1957, p. 317). Mesmo em 1970, esse número era apenas 33% (*New York Times*, 5/10/92).

A crise da família estava relacionada com mudanças bastante dramáticas nos padrões públicos que governam a conduta sexual, a parceria e a procriação. Eram tanto oficiais quanto não oficiais, e a grande mudança em ambas está datada, coincidindo com as décadas de 1960 e 1970. Oficialmente, essa foi uma era de extraordinária liberalização tanto para os heterossexuais (isto é, sobretudo para as mulheres, que gozavam de muito menos liberdade que os homens) quanto para os homossexuais, além de outras formas de dissidência cultural-sexual. Na Grã-Bretanha, a maior parte das práticas homossexuais foi descriminada na segunda metade da década de 1960, poucos anos depois de nos EUA, onde o primeiro estado a tornar a sodomia legal (Illinois) o fez em 1961 (Johansson & Percy, 1990, pp. 304 e 1349). Na própria Itália do papa, o divórcio se tornou legal em 1970, um direito confirmado por referendo em 1974. A venda de anticoncepcionais e a informação sobre controle de natalidade foram legalizadas em 1971, e em 1975 um novo código de família substituiu o velho, que sobrevivera do período fascista. Finalmente, o aborto tornou-se legal em 1978, confirmado por referendo em 1981.

Embora leis permissivas sem dúvida tornassem mais fáceis atos até então proibidos, e dessem muito mais publicidade a essas questões, a lei mais reconhecia do que criava o novo clima de relaxamento sexual. O fato de que na década de 1950 só 1% das britânicas coabitasse, por qualquer período de tempo, com o futuro marido antes do casamento não se devia à legislação, como não se devia a ela o fato de que no início da década de 1980 21% delas o fizessem. Tornavam-se agora permissíveis coisas até então proibidas, não só pela lei e a religião, mas também pela moral consuetudinária, a convenção e a opinião da vizinhança.

Essas tendências, claro, não afetaram igualmente todas as partes do mundo. Enquanto o divórcio aumentava em todos os países onde era permitido (supondo-se, por ora, que a dissolução formal do casamento por ação oficial tivesse o mesmo significado em todos eles), o casamento tornara-se claramente muito menos estável em alguns deles. Na década de 1980, continuava bem mais permanente em países católicos (não comunistas). O divórcio era bem menos comum na península Ibérica e na Itália, e ainda mais raro na América Latina, mesmo em países que se orgulhavam de sua sofisticação: um divórcio por 22 casamentos no México, por 33 no Brasil (mas um por 2,5 em Cuba). A Coréia do Sul continuou sendo incomumente tradicional para um país que andava tão rápido (um por onze casamentos), mas no início da década de 1980 mesmo o Japão tinha uma taxa de divórcio equivalente a menos de um quarto da francesa e muito abaixo dos prontamente divorciáveis britânicos e americanos. Mesmo dentro do mundo (então) socialista havia variações, embora menores que no capitalismo, com exceção da URSS, que só ficava atrás dos EUA (UN World Social Situation, 1989, p. 36). Essas variações não causam surpresa. O que era e é muito mais interessante é que, grandes ou pequenas, as mesmas transformações podem ser identificadas por todo o globo "modernizante". Em parte alguma isso foi mais impressionante que no campo da cultura popular, ou, mais especificamente, jovem.

II

Pois se divórcio, nascimentos ilegítimos e o aumento de famílias com um só dos pais (isto é, esmagadoramente de mães solteiras) indicavam uma crise na relação entre os sexos, o aumento de uma cultura juvenil específica, e extraordinariamente forte, indicava uma profunda mudança na relação entre as gerações. A juventude, um grupo com consciência própria que se estende da puberdade — que nos países desenvolvidos ocorria vários anos mais cedo que nas gerações anteriores (Tanner, 1962, p. 153) — até a metade da casa dos vinte, agora se tornava um agente social independente. Os acontecimentos políticos mais dramáticos, sobretudo nas décadas de 1970 e 1980, foram as mobilizações da faixa etária que, em países menos politizados, fazia a fortuna da indústria fonográfica, que tinha de 70% a 80% de sua produção — sobretudo de *rock* — vendida quase inteiramente a clientes entre as idades de catorze e 25 anos (Hobsbawm, 1993, pp. XXVIII-XXIX). A radicalização política dos anos 60, antecipada por contingentes menores de dissidentes culturais e marginalizados sob vários rótulos, foi dessa gente jovem, que rejeitava o status de crianças e mesmo de adolescentes (ou seja, adultos ainda não inteiramente amadurecidos), negando ao mesmo tempo humanidade plena a qualquer geração acima dos trinta anos de idade, com exceção do guru ocasional.

Exceto na China, onde o ancião Mao mobilizou as forças da juventude com um efeito terrível (ver capítulo 16), os jovens radicais eram liderados — até onde aceitavam líderes — por membros de seu grupo de pares. Isso se aplicava visivelmente aos movimentos estudantis mundiais, mas onde estes provocaram motins operários em massa, como na França e na Itália em 1968-9, a iniciativa também veio de jovens operários. Ninguém com a mínima experiência das limitações da vida real, ou seja, nenhum adulto, poderia ter idealizado os *slogans* confiantes, mas patentemente absurdos, dos dias parisienses de maio de 1968, nem do "outono quente" de 1969: "*tutto e subito*", queremos tudo e já (Albers, Goldschmidt & Oehlke, 1971, pp. 58 e 184).

A nova "autonomia" da juventude como uma camada social separada foi simbolizada por um fenômeno que, nessa escala, provavelmente não teve paralelo desde a era romântica do início do século XIX: o herói cuja vida e juventude acabavam juntas. Essa figura, antecipada na década de 1950 pelo astro de cinema James Dean, foi comum, talvez mesmo um ideal típico, no que se tornou a expressão cultural característica da juventude — o *rock*. Buddy Holly, Janis Joplin, Brian Jones, membro dos Rolling Stones, Bob Marley, Jimi Hendrix e várias outras divindades populares caíram vítimas de um estilo de vida fadado à morte precoce. O que tornava simbólicas essas mortes era que a juventude por eles representada era transitória por definição. Ser ator pode ser uma carreira duradoura, mas não ser um *jeune premier*.

Apesar disso, embora jovens estejam sempre mudando — uma "geração" de estudantes mal dura três ou quatro anos —, suas fileiras estão sempre sendo reabastecidas. O surgimento do adolescente como ator consciente de si mesmo era cada vez mais reconhecido, entusiasticamente, pelos fabricantes de bens de consumo, às vezes com menos boa vontade pelos mais velhos, à medida que viam expandir-se o espaço entre os que estavam dispostos a aceitar o rótulo de "criança" e os que insistiam no de "adulto". Em meados da década de 1960, mesmo o movimento de Baden Powell, os *boy scouts* (escoteiros) ingleses, abandonou a primeira parte de seu nome como uma concessão ao clima da época, e trocou o velho *sombrero* do escoteiro pela menos ostensiva boina (Gillis, 1974, p. 197).

Grupos etários não são novidade nas sociedades, e mesmo na civilização burguesa uma camada dos sexualmente maduros mas ainda em crescimento físico e intelectual, e sem a experiência da vida adulta, já fora reconhecida.

O fato de esse grupo estar se tornando mais jovem em idade à medida que tanto a puberdade quanto as alturas máximas eram atingidas mais cedo (Floud et al; 1990) não mudava, em si, a situação. Simplesmente causava tensão entre os jovens e seus pais e professores, que insistiam em tratá-los como menos adultos do que eles próprios se sentiam. O meio burguês esperava que seus rapazes — diferentemente das moças — passassem por um período de turbulência e "cabeçadas", antes de "assentar-se". A novidade da nova cultura juvenil era tripla.

Primeiro, a "juventude" era vista não como um estágio preparatório para a vida adulta, mas, em certo sentido, como o estágio final do pleno desenvolvimento humano. Como no esporte, atividade em que a juventude é suprema, e que agora definia as ambições de mais seres humanos do que qualquer outra, a vida claramente ia ladeira abaixo depois dos trinta. Na melhor das hipóteses, após essa idade restava um pouco de interesse. O fato de que isso não correspondesse, de fato, a uma realidade social em que (com exceção do esporte, algumas formas de diversão e talvez a matemática pura) poder, influência e realização, além de riqueza, aumentavam com a idade, provava, uma vez mais, que o mundo estava organizado de forma insatisfatória. Pois até a década de 1970 o mundo do pós-guerra era na verdade governado por uma gerontocracia, em maior medida do que na maioria dos períodos anteriores, sobretudo por homens — dificilmente por mulheres ainda — que já eram adultos no fim, ou mesmo no começo, da Primeira Guerra Mundial. Isso se aplicava tanto ao mundo capitalista (Adenauer, De Gaulle, Franco, Churchill) quanto ao comunista (Stalin e Kruschev, Mao, Ho Chi Minh, Tito), bem como aos grandes Estados pós-coloniais (Gandhi, Nehru, Sukarno). Um líder com menos de quarenta anos era uma raridade mesmo em regimes revolucionários surgidos de golpes militares, um tipo de mudança política em geral promovida por jovens oficiais subalternos, porque esses têm menos a perder que os mais graduados. Daí muito do impacto internacional de Fidel Castro, que tomou o poder com 32 anos.

Apesar disso, concessões silenciosas e talvez nem sempre conscientes ao juvenescimento da sociedade foram feitas pelo *establishment* dos velhos e, não menos, pelas florescentes indústrias de cosméticos, de cuidados com os cabelos, de higiene pessoal, que se beneficiaram desproporcionalmente com a riqueza em acumulação de uns poucos países desenvolvidos.* A partir do fim da década de 1960, houve uma tendência a baixar a idade eleitoral para dezoito anos — por exemplo, nos EUA, Grã-Bretanha, Alemanha e França — e também algum sinal de redução da idade de consentimento para o intercurso sexual (heterossexual). Paradoxalmente, à medida que aumentava a expectativa de

(*) Do mercado global de "produtos pessoais" em 1990, 34% estavam na Europa não comunista, 30% na América do Norte e 19% no Japão. Os restantes 85% da população mundial dividiam de 16% a 17% entre seus membros mais ricos (*Financial Times*, 11/4/91).

vida, aumentava a porcentagem de velhos e, pelo menos entre classes alta e média favorecidas, adiava-se o declínio senil, chegava-se mais cedo à aposentadoria e, em tempos de aperto, a "aposentaria antecipada" tornou-se o método favorito de cortar custos com mão-de-obra. Executivos de mais de quarenta anos que perdiam o emprego achavam tão difícil arranjar novos postos quanto os trabalhadores braçais e os funcionários de escritório.

A segunda novidade da cultura juvenil provém da primeira: ela era ou tornou-se dominante nas "economias de mercado desenvolvidas", em parte porque representava agora uma massa concentrada de poder de compra, em parte porque cada nova geração de adultos fora socializada como integrante de uma cultura juvenil autoconsciente, e trazia as marcas dessa experiência, e não menos porque a espantosa rapidez da mudança tecnológica na verdade dava à juventude uma vantagem mensurável sobre grupos etários mais conservadores, ou pelo menos inadaptáveis. Qualquer que fosse a estrutura de idade da administração da IBM ou da Hitachi, os novos computadores eram projetados e os novos programas criados por pessoas na casa dos vinte anos. Mesmo quando essas máquinas e programas eram, esperava-se, à prova de erro, a geração que não crescera com eles tinha uma aguda consciência de sua inferioridade em relação às gerações que o haviam feito. O que os filhos podiam aprender com os pais tornou-se menos óbvio do que o que os pais não sabiam e os filhos sim. Inverteram-se os papéis das gerações. O *blue jeans*, traje deliberadamente popular introduzido nas universidades americanas por estudantes que *não* queriam parecer com seus pais, terminou aparecendo, em dias de semana e feriados, ou mesmo, no caso de ocupações "criativas" e outras avançadinhas, no trabalho, embaixo de muita cabeça grisalha.

A terceira peculiaridade da nova cultura jovem nas sociedades urbanas foi seu espantoso internacionalismo. O *blue jeans* e o *rock* se tornaram marcas da juventude "moderna", das minorias destinadas a tornar-se maiorias, em todo país onde eram oficialmente tolerados e em alguns onde não eram, como na URSS a partir da década de 1960 (Starr, 1990, capítulos 12 e 13). Letras de *rock* em inglês muitas vezes nem eram traduzidas. Isso refletia a esmagadora hegemonia cultural dos EUA na cultura popular e nos estilos de vida, embora se deva notar que os próprios núcleos da cultura jovem ocidental eram o oposto do chauvinismo cultural, sobretudo em seus gostos musicais. Acolhiam estilos importados do Caribe, da América Latina e, a partir da década de 1980, cada vez mais, da África.

Essa hegemonia cultural não era nova, mas seu *modus operandi* mudara. Entre as guerras, seu principal vetor fora a indústria cinematográfica americana, a única com distribuição global maciça. Era vista por um público de centenas de milhões, que atingiu seu volume máximo pouco antes da Segunda Guerra Mundial. Com o surgimento da televisão, da produção cinematográfica internacional e o fim do sistema de estúdio hollywoodiano, a indústria americana perdeu um pouco de sua predominância e mais de seu público. Em 1960, ela respondia por apenas um sexto da produção mundial de filmes, mesmo sem contar o Japão e a Índia (*UN Statistical Yearbook*, 1961), embora acabasse recuperando grande parte de sua hegemonia. Os EUA jamais conseguiram estabelecer um domínio comparável sobre os vastos e lingüisticamente mais sofisticados mercados de televisão. Seus estilos juvenis se difundiam diretamente, ou através da amplificação de seus sinais *via* a intermediária cultural Grã-Bretanha, por uma espécie de osmose informal. Difundiam-se através dos discos e depois fitas, cujo grande veículo de promoção, então como antes e depois, era o velho rádio. Difundiam-se através da distribuição mundial de imagens; através dos contatos internacionais do turismo juvenil, que distribuía pequenos mas crescentes e influentes fluxos de rapazes e moças de *jeans* por todo o globo; através da rede mundial de universidades, cuja capacidade de rápida comunicação internacional se tornou óbvia na década de 1960. Difundiam-se ainda pela força da moda na sociedade de consumo que agora chegava às massas, ampliada pela pressão dos grupos de seus pares. Passou a existir uma cultura jovem global.

Ela poderia ter surgido em qualquer período anterior? Quase certamente não. O número de seus adeptos teria sido muito menor, em termos relativos e absolutos, pois a extensão do tempo de educação e sobretudo a criação de vastas populações de rapazes e moças vivendo juntos como um grupo etário em universidades expandiram-na espetacularmente. Além disso, mesmo os adolescentes que entravam no mercado de trabalho em tempo integral na idade de deixar a escola (entre catorze e dezesseis anos no país "desenvolvido" típico) tinham muito mais poder aquisitivo que seus antecessores, graças à prosperidade e pleno emprego da Era de Ouro e à maior prosperidade dos pais, que tinham menos necessidade do dinheiro dos filhos para o orçamento familiar. Foi a descoberta desse mercado jovem em meados da década de 1950 que revolucionou o comércio da música popular e, na Europa, o mercado de massa das indústrias da moda. O "*boom* adolescente" britânico que começou nessa época baseou-se nas concentrações urbanas de moças relativamente bem pagas nos escritórios e lojas em expansão, muitas vezes com mais para gastar do que os rapazes, e naquela época menos comprometidas com os padrões de gastos masculinos em cerveja e cigarro. O *boom* "revelou primeiro sua força em áreas em que as compras das moças se destacavam, como blusas, saias, cosméticos e discos populares" (Allen, 1968, pp. 62-3), para não falar nos concertos populares, dos quais elas eram as freqüentadoras mais destacadas e audíveis. Pode-se medir o poder do dinheiro jovem pelas vendas de discos nos EUA, que subiram de 277 milhões de dólares em 1955, quando o *rock* apareceu, para 600 milhões em 1959, e 2 bilhões em 1973 (Hobsbawm, 1993, p. XXIX). Cada membro do grupo etário de cinco a dezenove anos, nos EUA, gastava pelo menos cinco vezes mais em discos em 1970 do que em 1955. Quanto maior o país, maior o negócio fonográfico: jovens nos EUA, Suécia, Alemanha Ocidental, Países Baixos e Grã-Bretanha gastavam entre sete e dez vezes mais por cabeça que os de países mais pobres porém em rápido desenvolvimento, como Itália e Espanha.

O poder de mercado independente tornou mais fácil para a juventude descobrir símbolos materiais ou culturais de identidade. Contudo, o que acentuou os contornos dessa identidade foi o enorme abismo histórico que separava as gerações nascidas antes de, digamos, 1925 das nascidas depois de, digamos, 1950; um abismo muito maior que o entre pais e filhos no passado. A maioria dos pais com filhos adolescentes passou a ter uma aguda consciência disso na década de 1960 e depois. Os jovens viviam em sociedades secionadas de seu passado por revolução, como na China, Iugoslávia ou Egito; por conquista e ocupação, como na Alemanha e Japão; ou por libertação colonial. Eles não tinham lembrança de antes do dilúvio. A não ser talvez pela experiência partilhada de uma grande guerra nacional, como a que ligou velhos e jovens por algum tempo na Rússia ou na Grã-Bretanha, eles não tinham como entender o que seus mais velhos haviam vivido ou sentido — mesmo quando estes se dispunham a falar do passado, pois a maioria dos alemães, japoneses e franceses se mostravam relutantes em fazê-lo. Como poderia um jovem indiano, para quem o Partido do Congresso era uma máquina governamental ou política, compreender alguém para quem esse partido fora a expressão da luta de uma nação para libertar-se? Como podiam os brilhantes jovens economistas indianos que inundaram os departamentos universitários do mundo entender seus próprios professores, para os quais o auge da ambição no período colonial era simplesmente tornar-se "tão bons quanto" seus modelos metropolitanos?

A Era de Ouro alargou esse abismo, pelo menos até a década de 1970. Como rapazes e moças criados numa era de pleno emprego podiam compreender a experiência da década de 1930, ou, ao contrário, uma geração mais velha entender jovens para os quais um emprego não era um porto seguro após mares tempestuosos (sobretudo um emprego garantido, com direitos de aposentadoria), mas uma coisa que podia ser conseguida a qualquer hora, e abandonada a qualquer hora que a pessoa tivesse vontade de ir passar alguns meses no Nepal? Essa versão do abismo de gerações não se restringiu aos países industriais, pois o impressionante declínio do campesinato criou um abismo semelhante entre gerações rurais e ex-rurais, braçais e mecanizadas. Os professores de história franceses, criados numa França onde toda criança vinha de uma fazenda ou lá passava as férias, descobriram que tinham de explicar aos estudantes na década de 1970 o que faziam as ordenhadoras, e que aparência tinha um terreiro de fazenda com um monte de estrume. E o que é mais, esse abismo de gerações afetava mesmo aqueles — a maioria dos habitantes do mundo — para os quais os grandes acontecimentos políticos do século haviam passado ao largo ou que não tinham opiniões particulares sobre eles, a não ser na medida em que afetavam suas vidas privadas.

Mas, claro, quer tais acontecimentos tivessem passado ao largo deles ou não, a maioria da população do mundo era agora mais jovem que nunca. Na maior parte do Terceiro Mundo, onde ainda não se dera a transição demográfica de altas para baixas taxas de natalidade, era provável que alguma coisa entre dois quintos e metade dos habitantes, em algum momento da segunda metade do século, tivessem menos de catorze anos. Por mais fortes que fossem os laços de família, por mais poderosa que fosse a teia de tradição que os interligasse, não podia deixar de haver um vasto abismo entre a compreensão da vida deles, suas experiências e expectativas, e as das gerações mais velhas. Os exilados políticos sul-africanos que voltaram a seu país no início da década de 1990 tinham uma compreensão do que significava lutar pelo Congresso Nacional Africano diferente da dos "camaradas" jovens que carregavam a mesma bandeira nos aldeamentos africanos. Por outro lado, que poderia a maioria em Soweto, nascida muito depois de Nelson Mandela ter ido para a prisão, fazer dele senão um símbolo ou um ícone? Em muitos aspectos, em tais países o abismo de gerações era ainda maior que no Ocidente, onde instituições permanentes e continuidade política uniam velhos e jovens.

III

A cultura jovem tornou-se a matriz da revolução cultural no sentido mais amplo de uma revolução nos modos e costumes, nos meios de gozar o lazer e nas artes comerciais, que formavam cada vez mais a atmosfera respirada por homens e mulheres urbanos. Duas de suas características são portanto relevantes. Foi ao mesmo tempo informal e antinômica, sobretudo em questões de conduta pessoal. Todo mundo tinha de "estar na sua", com o mínimo de restrição externa, embora na prática a pressão dos pares e a moda impusessem tanta uniformidade quanto antes, pelo menos dentro dos grupos de pares e subculturas.

Que as camadas sociais superiores se deixassem inspirar pelo que encontravam no meio do "povo" não era uma novidade em si. Mesmo deixando de lado a rainha Maria Antonieta a representar leiteiras, os românticos adoravam a cultura do folclore rural, a música e a dança folclóricas, seus hiperintelectuais (Baudelaire) tinham fantasiado a *nostalgie de la boue* (a nostalgia da lama) urbana, e muito vitoriano achava extraordinariamente recompensador o sexo com alguém das camadas inferiores, o gênero sexual dependendo do gosto. (Tais sentimentos estão longe de extintos no fim do século XX.) Na Era dos Impérios, as influências culturais começaram pela primeira vez a moverse sistematicamente de baixo para cima (ver *A era dos impérios*, capítulo 9), tanto através do forte impacto das artes plebéias em desenvolvimento recente quanto através do cinema, diversão do mercado de massa por excelência. Contudo, a maioria das diversões populares e comerciais entre as guerras permaneceu em muitos aspectos sob a hegemonia da classe média, ou foi posta sob suas asas. A clássica indústria cinematográfica de Hollywood era, acima de tudo, *respeitável*; seu ideal social era o da versão americana dos "sólidos valores da família"; sua ideologia, a da retórica patriota. Sempre que, buscando a fila nas bilheterias, descobria um gênero incompatível com o universo moral dos quinze "filmes de Andy Hardy" (1937-47), que ganharam o Oscar por "promover o estilo de vida americano" (Halliwell, 1988, p. 321), como por exemplo nos primeiros filmes de gângster que ameaçavam idealizar os delinqüentes, a ordem moral era logo restaurada, quando já não estava nas mãos seguras do Código de Produtores de Hollywood (1934-66), que limitava o tempo permissível dos beijos na tela (de boca fechada) a no máximo trinta segundos. Os maiores triunfos de Hollywood — por exemplo, *...E o vento levou* — baseavam-se em romances destinados à leitura de nível intelectual mediano da classe média, e pertenciam tão firmemente a esse universo cultural quanto *Vanity fair*, de Thackeray, ou *Cyrano de Bergerac*, de Rostand. Só o gênero demótico e anárquico da comédia cinematográfica de variedades e oriunda do circo resistiu por algum tempo a esse afidalgamento, embora na década de 1930 mesmo ele batesse em retirada sob a pressão de um brilhante gênero de *boulevard*, a "comédia maluca" de Hollywood.

Também aqui, o triunfante "musical" da Broadway dos anos entreguerras, e as músicas para dançar e baladas que o recheavam, era um gênero burguês, embora impensável scm a influência do *jazz*. Era escrito para um público nova-iorquino de classe média, com libretos e letras visivelmente dirigidos a uma platéia adulta, pessoas que se viam como emancipadas, sofisticadas e urbanas. Uma rápida comparação das letras de Cole Porter com as dos Rolling Stones mostrará isso. Como a era de ouro de Hollywood, a era de ouro da Broadway baseava-se numa simbiose de plebeu e respeitável, mas não era vulgar.

A novidade da década de 1950 foi que os jovens das classes alta e média, pelo menos no mundo anglo-saxônico, que cada vez mais dava a tônica global, começaram a aceitar a música, as roupas e até a linguagem das classes baixas urbanas, ou o que tomavam por tais, como seu modelo. O *rock* foi o exemplo mais espantoso. Em meados da década de 1950, subitamente irrompeu do gueto de catálogos de "Raça" ou "Rhythm and blues" das gravadoras americanas, dirigidos aos negros pobres dos EUA, para tornar-se o idioma universal dos jovens, e notadamente dos jovens *brancos*. Os jovens operários almofadinhas do passado às vezes tomavam seus estilos da alta moda na camada social alta ou de subculturas de setores da classe média, como a boemia artística; as moças operárias, mais ainda. Agora parecia verificar-se uma curiosa inversão. O mercado de moda para os jovens plebeus estabeleceu sua independência e começou a dar o tom para o mercado grã-fino. À medida que o *blue jeans* (para ambos os sexos) avançava, a *haute couture* de Paris recuava, ou antes aceitava a derrota usando seus prestigiosos nomes para vender produtos do mercado de massa, diretamente ou sob franquia. O ano de 1965, a propósito, foi o primeiro em que a indústria francesa de roupas femininas produziu mais calças que saias (Veillon, 1992, p. 6). Jovens aristocratas começaram a abandonar os sotaques que, na Grã-Bretanha, identificavam infalivelmente os membros de sua classe, e passaram a falar de modo aproximado ao linguajar da classe operária.* Rapazes respeitáveis, e cada vez mais moças, começaram a copiar o que antes era uma moda machista estritamente não respeitável entre os operários braçais, soldados e pessoas assim, o uso ocasional de palavrões na conversa. A literatura não ficou atrás: um brilhante crítico teatral levou a palavra *fuck* (foder) para o público do rádio. Pela primeira vez na história do conto de fadas, Cinderela tornou-se a beldade do baile *não* usando roupas esplêndidas.

Essa guinada para o popular nos gostos dos jovens de classe alta e média do mundo ocidental, que teve até alguns paralelos no Terceiro Mundo, como a defesa do samba pelos intelectuais brasileiros,** pode ou não ter tido alguma coisa a ver com a corrida dos estudantes da classe média para a política e ideologia revolucionárias poucos anos depois. A moda é muitas vezes profética, ninguém sabe como. Foi quase certamente reforçada entre a juventude masculina pelo aparecimento público, no novo clima de liberalismo, de uma subcultura homossexual com singular importância como determinadora de tendências na moda e nas artes. Contudo, talvez baste apenas supor que o estilo informal foi uma forma conveniente de rejeitar os valores das gerações paternas ou, mais precisamente, uma linguagem em que os jovens podiam buscar meios de lidar com um mundo para o qual as regras e valores dos mais velhos não mais pareciam relevantes.

A antinomia essencial da nova cultura jovem surgiu mais claramente nos momentos em que encontrou expressão intelectual, como nos instantaneamente famosos cartazes dos dias de maio de 1968 em Paris: "É proibido proibir", e na máxima do radical *pop* americano Jerry Rubin, de que não se deve confiar em ninguém que não tenha dado um tempo (na cadeia) (Wiener, 1984, p. 204). Ao contrário das primeiras aparências, estas não eram declarações políticas de princípios no sentido tradicional — mesmo no sentido estreito de visar à abolição de leis repressivas. Não era esse o seu objetivo. Eram anúncios públicos de sentimentos e desejos privados. Como dizia um *slogan* de maio de 1968: "Tomo meus desejos por realidade, pois acredito na realidade

(*) Os jovens de Eton começaram a fazer isso no fim da década de 1950, segundo um vice-preboste daquela instituição de elite.

(**) Chico Buarque de Holanda, figura destacada no panorama da música popular brasileira, é filho de um eminente historiador progressista, que foi figura central no reflorescimento intelectual e cultural em seu país na década de 1930.

de meus desejos" (Katsiaficas, 1987, p. 101). Mesmo quando tais desejos eram acompanhados de manifestações, grupos e movimentos públicos; mesmo no que parecia, e às vezes tinha, o efeito de rebelião de massa, a essência era de subjetivismo. "O pessoal é político" tornou-se um importante *slogan* do novo feminismo, talvez o resultado mais duradouro dos anos de radicalização. Significava mais que simplesmente o fato de o compromisso político ter motivação e satisfações pessoais, e que o critério do êxito político era o quanto ele afetava as pessoas. Em algumas bocas, significava simplesmente "Chamarei de política qualquer coisa que me preocupe", como no título de um livro da década de 1970, *Fat is a feminist issue* [Gordura é uma questão feminista].

O *slogan* de maio de 1968, "Quando penso em revolução quero fazer amor", teria intrigado não só Lenin, mas também Ruth Fischer, a jovem militante comunista vienense cuja defesa da promiscuidade sexual Lenin atacou (Zetkin, 1968, pp. 28 e ss.). Contudo, por outro lado, mesmo para o neomarxista-leninista radical, conscientemente político, típico das décadas de 1960 e 1970, o agente do Comintern de Brecht que, como o caixeiro-viajante, "fazia sexo com outras coisas em mente" ("*Der Liebe pflegte ich achtlos*" — Brecht, 1976, vol. II, p. 722), teria sido incompreensível. Para eles, o importante era sem dúvida não o que os revolucionários esperavam conseguir com suas ações, mas o que faziam e como se sentiam fazendo-o. Não se podia claramente separar fazer amor e fazer revolução.

Liberação pessoal e liberação social, assim, davam-se as mãos, sendo sexo e drogas as maneiras mais óbvias de despedaçar as cadeias do Estado, dos pais e do poder dos vizinhos, da lei e da convenção. O primeiro, em suas múltiplas formas, não tinha de ser descoberto. O que o melancólico poeta conservador queria dizer com o verso "O intercurso sexual começou em 1963" (Larkin, 1988, p. 167) não era que essa atividade fosse incomum antes da década de 1960, nem mesmo que ele não a praticara, mas que o ato mudara seu caráter público com — exemplos dele — o julgamento de lady Chatterley e "o primeiro LP dos Beatles". Onde uma atividade era antes proibida, tais gestos contra os velhos costumes eram fáceis. Onde era tolerada, oficial ou não oficialmente, como por exemplo relações de lesbianismo, o fato de que *era* um gesto tinha de ser especialmente estabelecido. Um compromisso público com o até então proibido ou inconvencional ("mostrar a cara") tornava-se portanto importante. As drogas, por outro lado, com exceção do álcool e do tabaco, haviam até então se limitado a pequenas subculturas de sociedade alta, baixa e marginal, e não se beneficiavam de legislação permissiva. Espalharam-se não só como um gesto de rebelião, pois as sensações que elas tornavam possíveis podiam ser atração suficiente. Apesar disso, o uso de drogas era por definição uma atividade proscrita, e o próprio fato de a droga mais popular entre os jovens ocidentais, a maconha, ser provavelmente menos prejudicial que o álcool e o tabaco tornava o fumá-la (tipicamente uma atividade social) não apenas um ato de desafio, mas de superioridade em relação aos que a proibiam. Nas loucas praias dos anos 60 americanos, onde se reuniam os fãs de *rock* e estudantes radicais, o limite entre ficar drogado e erguer barricadas muitas vezes parecia difuso.

O recém-ampliado campo de comportamento publicamente aceitável, incluindo o sexual, na certa aumentou a experimentação e a freqüência de comportamento até então considerado inaceitável ou desviante, e sem dúvida aumentou sua visibilidade. Assim, nos EUA, o surgimento público de uma subcultura homossexual abertamente praticada, mesmo nas duas cidades que determinavam tendências, San Francisco e Nova York, e se influenciavam uma à outra, só ocorreu quando já bem avançados os anos 60, e sua influência como grupo de pressão política só nos 70 (Duberman et al., 1989, p. 460). Contudo, o grande significado dessas mudanças foi que, implícita ou explicitamente, rejeitavam a ordenação histórica e há muito estabelecida das relações humanas em sociedade, que as convenções e proibições sociais expressavam, sancionavam e simbolizavam.

Mais significativo ainda é que essa rejeição não se dava em nome de outro padrão de ordenação da sociedade, embora o novo libertarismo recebesse uma justificação daqueles que sentiam que ele precisava de tais rótulos,* mas em nome da ilimitada autonomia do desejo humano. Supunha um mundo de individualismo voltado para si mesmo levado aos limites. Paradoxalmente, os que se rebelavam contra as convenções e restrições partilhavam as crenças sobre as quais se erguia a sociedade de consumo de massa, ou pelo menos as motivações psicológicas que os que vendiam bens de consumo e serviços achavam mais eficazes para promover sua venda.

Assumia-se tacitamente agora que o mundo consistia em vários bilhões de seres humanos definidos pela busca de desejo individual, incluindo desejos até então proibidos ou malvistos, mas agora permitidos — não porque se houvessem tornado moralmente aceitáveis, mas porque tantos egos os tinham. Assim, até a década de 1990 a liberalização quase chegou à legalização das drogas. Elas continuaram sendo proibidas com variados graus de severidade e um alto grau de ineficiência. A partir da década de 1990, desenvolveu-se com grande rapidez um enorme mercado para a cocaína, basicamente entre as classes médias prósperas da América do Norte e, um pouco depois, da Europa Ocidental. Isso, como o crescimento um tanto mais plebeu do mercado de heroína (também basicamente americano), transformou o crime pela primeira vez num negócio autenticamente grande (Arlacchi, 1983, pp. 208 e 215).

(*) Contudo, não houve quase nenhum reflorescimento da única ideologia que acreditava que a ação espontânea, não organizada, antiautoritária e libertária traria uma sociedade nova, justa e sem Estado, ou seja, o *anarquismo* de Bakunin ou Kropotkin, embora ele correspondesse muito mais de perto às idéias de fato da maioria dos rebeldes estudantes das décadas de 1960 e 1970 que o marxismo então na moda.

IV

A revolução cultural de fins do século XX pode assim ser mais bem entendida como o triunfo do indivíduo sobre a sociedade, ou melhor, o rompimento dos fios que antes ligavam os seres humanos em texturas sociais. Pois essas texturas consistiam não apenas nas relações de fato entre seres humanos e suas formas de organização, mas também nos modelos gerais dessas relações e os padrões esperados de comportamento das pessoas umas com as outras; seus papéis eram prescritos, embora nem sempre escritos. Daí a insegurança muitas vezes traumática quando velhas convenções de comportamento eram derrubadas ou perdiam sua justificação; ou a incompreensão entre os que sentiam essa perda e aqueles que eram jovens demais para ter conhecido qualquer coisa além da sociedade anômica.

Assim, um antropólogo brasileiro na década de 1980 descrevia a tensão de um homem de classe média, criado num país de cultura mediterrânea que valorizava a honra e a vergonha, diante da contingência cada vez mais comum de um grupo de assaltantes que lhe exigia dinheiro e ameaçava violentar sua namorada. Nessas circunstâncias, sempre se esperara que o cavalheiro defendesse a dama, se não o dinheiro, ao custo da própria vida; a dama, que preferisse a morte a uma sorte proverbialmente "pior que a morte". Contudo, na realidade das cidades grandes de fins do século XX, não era provável que a resistência salvasse nem a "honra" da mulher nem o dinheiro. A política racional nessas circunstâncias era ceder, para impedir que os agressores perdessem a paciência e cometessem verdadeiros danos físicos ou mesmo assassinato. Quanto à honra feminina, tradicionalmente definida como virgindade antes do casamento e total fidelidade conjugal depois, o que exatamente estaria sendo defendido, à luz das suposições e realidades do comportamento sexual vigente entre homens e mulheres que estavam entre os educados e emancipados na década de 1980? E no entanto, como mostraram as pesquisas do antropólogo, previsivelmente isso não tornava a situação menos traumática. Situações menos extremas podiam produzir insegurança e sofrimento mental comparáveis — por exemplo, encontros sexuais comuns. A alternativa para uma velha convenção, por mais irracional que fosse, podia revelar-se não uma nova convenção ou comportamento sexual, mas regra nenhuma, ou pelo menos nenhum consenso sobre o que se devia fazer.

Na maior parte do mundo, as velhas texturas e convenções sociais, embora solapadas por um quarto de século de transformação social e econômica sem paralelos, estavam tensas, mas ainda não em desintegração. Isso era uma felicidade para a maior parte da humanidade, sobretudo os pobres, pois a rede de parentesco, comunidade e vizinhança era essencial para a sobrevivência econômica, e sobretudo para o sucesso num mundo em mudança. Em grande parte do Terceiro Mundo, funcionava como uma combinação de serviço de informação, intercâmbio de trabalho, um *pool* de trabalho e capital, um mecanismo de poupança e um sistema de seguridade social. Na verdade, sem famílias coesas, os sucessos econômicos de algumas partes do mundo — por exemplo, o Oriente Médio — são difíceis de explicar.

Nas sociedades mais tradicionais, as tensões iriam se mostrar basicamente na medida em que o triunfo da economia comercial solapava a legitimidade da ordem social até então aceita, baseada na desigualdade, tanto porque as aspirações se tornavam mais igualitárias quanto porque as justificações funcionais da desigualdade estavam erodidas. Assim, a riqueza e o desregramento dos rajás indianos (como a conhecida isenção de taxação da riqueza da família real britânica, que só foi contestada na década de 1990) não eram invejados nem ressentidos pelos seus súditos, como poderiam ter sido as de um vizinho. Pertenciam e eram sinais do seu papel especial na ordem social — e talvez mesmo econômica — que em certo sentido se acreditava manter, estabilizar e sem dúvida simbolizar o reinado deles. De modo um tanto diferente, os consideráveis privilégios e luxos dos magnatas das empresas japonesas eram menos inaceitáveis, na medida em que eram vistos não como riqueza individualmente apropriada, mas essencialmente como complementos de suas posições oficiais na economia, mais ou menos como os luxos dos ministros de gabinete britânicos — limusines, residências oficiais etc. — que são retirados horas depois que eles deixam de ocupar o posto ao qual estão ligados esses complementos. A verdadeira distribuição de renda no Japão, como sabemos, era consideravelmente menos desigual que nas sociedades comerciais ocidentais. Contudo, quem observasse a situação japonesa na década de 1990, mesmo de longe, dificilmente poderia evitar a impressão de que durante essa década de *boom* a simples acumulação de riqueza e sua ostentação pública tornavam muito mais visível o contraste entre as condições nas quais os japoneses comuns viviam em seu país — muito mais modestamente que seus correspondentes ocidentais — e a condição dos japoneses ricos. Talvez pela primeira vez eles não mais estivessem suficientemente protegidos do que antes se via como privilégios legítimos que acompanham o serviço ao Estado e à sociedade.

No Ocidente, as décadas de revolução social haviam feito estrago muito maior. Os extremos desse colapso são mais facilmente visíveis no discurso ideológico público do *fin-de-siècle* ocidental, sobretudo no tipo de declaração pública que, sem pretensão a qualquer profundeza analítica, era formulada em termos de crenças amplamente aceitas. Lembramo-nos do argumento, em certa época comum na maioria dos círculos feministas, de que o trabalho doméstico feminino deve ser calculado (e, se necessário, pago) segundo uma taxa de mercado, ou a justificação da reforma do aborto em termos de um abstrato e ilimitado "direito de opção" individual (da mulher).* A extensão da in-

(*) A legitimidade de uma reivindicação deve ser claramente distinguida dos argumentos para justificá-la. A relação de marido, esposa e filhos numa família não tem a menor semelhança

fluência da economia neoclássica que, em sociedades seculares ocidentais, foi tomando cada vez mais o lugar da teologia, e (via a hegemonia cultural dos EUA) a influência da ultra-individualista jurisprudência americana encorajaram essa retórica. Ela encontrou expressão política na primeira-ministra britânica Margaret Thatcher: "Não há sociedade, só indivíduos".

Contudo, quaisquer que sejam os excessos de teoria, a prática foi muitas vezes igualmente extrema. A certa altura da década de 1970, reformadores sociais nos países anglo-saxônicos, justamente chocados (como ficavam os pesquisadores de vez em quando) pelos efeitos da institucionalização sobre os doentes ou perturbados mentais, fizeram com êxito campanha para tirar do confinamento tantos deles quanto possível, "a fim de receberem cuidados da comunidade". Mas nas cidades do Ocidente não havia mais comunidade para cuidar deles. Não havia parentesco. Ninguém os conhecia. Só havia ruas de cidade como as de Nova York, cheias de mendigos desabrigados com sacolas de plástico, gesticulando e falando consigo mesmos. Se tinham sorte ou azar (dependia do ponto de vista), acabavam transferidos dos hospitais que os haviam expulsado para as cadeias que, nos EUA, se tornaram o principal receptáculo dos problemas sociais da sociedade americana, sobretudo da parte negra. Em 1991, 15% da maior população carcerária do mundo em termos proporcionais — 426 presos por 100 mil habitantes — era tida como mentalmente doente (Walker, 1991; Human Development, 1991, p. 32, fig. 2.10).

As instituições mais severamente solapadas pelo novo individualismo moral foram a família tradicional e as igrejas organizadas tradicionais no Ocidente, que desabaram de uma forma impressionante no último terço do século. O cimento que agregava as comunidades de católicos romanos desfez-se com espantosa rapidez. No curso da década de 1960, o comparecimento à missa no Quebec (Canadá) caiu de 80% para 20%, e a tradicionalmente alta taxa de nascimentos franco-canadense caiu abaixo da média do país (Bernier & Boily, 1986). A liberação feminina, ou mais precisamente as exigências de controle de natalidade das mulheres, incluindo o aborto e o direito ao divórcio, enfiou talvez a mais profunda cunha entre a Igreja e o que se tornara no século XX o pilar básico dos fiéis (ver *A era do capital*), como ficou cada vez mais evidente em países notoriamente católicos como a Irlanda e a própria Itália do papa, e até — após a queda do comunismo — na Polônia. As vocações para o sacerdócio e outras formas da vida religiosa caíram acentuadamente, como aconteceu com a disposição de praticar o celibato, real ou oficial. Em suma, para melhor ou para pior, a autoridade moral e material da Igreja sobre os fiéis

---

com a de compradores e vendedores num mercado, por mais nocional que seja. Tampouco a decisão de ter ou não ter um filho, mesmo tomada unilateralmente, se refere exclusivamente ao indivíduo que toma essa decisão. Esta afirmação do óbvio é perfeitamente compatível com o desejo de transformar o papel da mulher na família ou favorecer o direito de aborto.

desapareceu no buraco negro que se abriu entre suas regras de vida e moralidade e a realidade do comportamento de fins do século XX. As igrejas ocidentais que tinham um domínio menos compulsório sobre seus membros, incluindo mesmo algumas das mais antigas seitas protestantes, declinaram ainda mais rapidamente.

As conseqüências materiais do afrouxamento dos laços de família tradicionais foram talvez ainda mais sérias. Pois, como vimos, a família não era apenas o que sempre fora, um mecanismo para reproduzir-se, mas também um mecanismo para a cooperação social. Como tal, fora essencial para a manutenção tanto da economia agrária quanto das primeiras economias industriais, locais e globais. Isso se deveu em parte ao fato de não se ter criado nenhuma estrutura comercial capitalista *impessoal* antes da concentração de capital, e de o surgimento da grande empresa começar a gerar a moderna organização corporativa no fim do século XIX, a "mão visível" (Chandler, 1977) que iria suplementar a "mão invisível" do mercado smithiano.* Mas um motivo ainda mais forte foi que o mercado por si só não prevê esse elemento central em qualquer sistema privado de busca ao lucro, o denominado truste; ou seu equivalente legal, o desempenho de contratos. Isso exigia ou o poder do Estado (como bem sabiam os teóricos políticos do individualismo do século XVII), ou os laços do parentesco e da comunidade. Assim, o comércio, o sistema bancário e financeiro internacionais, campos de atividades às vezes fisicamente remotas, de grandes recompensas e de grande insegurança, foram exercidos com mais êxito por corpos de empresários relacionados por parentesco, de preferência grupos com solidariedades religiosas, como os judeus, quacres ou huguenotes. Na verdade, mesmo no fim do século XX, esses laços ainda se mostravam indispensáveis nos negócios criminosos, que não apenas eram contra a lei, mas estavam fora de sua proteção. Numa situação em que nada mais garantia os contratos, só o parentesco e a ameaça de morte podiam fazê-lo. As mais bem-sucedidas famílias da Máfia calabresa, assim, consistiam em um substancial grupo de irmãos (Ciconte, 1992, pp. 361-2).

Contudo, justamente esse laços e solidariedades de grupo não econômicos eram agora minados, como o eram os sistemas morais que os acompanhavam. Estes eram igualmente mais antigos que a moderna sociedade industrial, mas também tinham sido adaptados para formar parte essencial dela. O velho vocabulário moral de direitos e deveres, pecado e virtude, sacrifício, consciência, prêmios e castigos não mais podia ser traduzido na nova linguagem de sa-

(*) O modelo operacional da empresa realmente grande antes da era do capitalismo corporativo ("capitalismo monopolista") não veio da experiência comercial privada, mas da burocracia do Estado ou militar — cf. os uniformes dos empregados das ferrovias. Muitas vezes, na verdade, era, e tinha de ser, diretamente conduzida pelo Estado ou outras autoridades públicas descomprometidas com a maximização dos lucros, como os serviços postais e maioria dos serviços telegráficos e telefônicos.

tisfação dos desejos. Uma vez que tais práticas e instituições não eram mais aceitas como parte de um modo de ordenar a sociedade que ligava as pessoas umas às outras, e que assegurava a cooperação social e a reprodução, desapareceu a maior parte de sua capacidade de estruturar a vida social humana. Foram reduzidas simplesmente a manifestações de preferências individuais, e reivindicações de que a lei reconhecesse a supremacia dessas preferências.* Incerteza e imprevisibilidade eram iminentes. As agulhas das bússolas não tinham mais um norte, os mapas tornaram-se inúteis. Isso foi o que se tornou cada vez mais evidente nos países de maior desenvolvimento a partir da década de 1960. Encontrou expressão ideológica numa variedade de teorias, do extremo liberalismo de mercado ao "pós-modernismo" e coisas que tais, que tentavam contornar inteiramente o problema de julgamento e valores, ou antes reduzi-los ao único denominador da irrestrita liberdade do indivíduo.

De início, claro, as vantagens da liberalização social em massa pareceram enormes a todos, com exceção dos reacionários empedernidos, e seus custos, mínimos; tampouco parecia implicar liberalização econômica. A grande maré de prosperidade que cobria as populações das regiões favorecidas do mundo, reforçada pelos sistemas públicos de seguridade social cada vez mais abrangentes e generosos, parecia eliminar os entulhos da desintegração social. Ser pai solteiro (isto é, esmagadoramente mãe solteira) ainda era de longe a melhor certeza de uma vida de pobreza, mas nos modernos Estados assistenciais também garantia um mínimo de sustento e abrigo. Aposentadorias, serviços previdenciários e, no fim, pavilhões geriátricos cuidavam dos velhos abandonados, dos quais filhos e filhas não podiam ou não se sentiam mais na obrigação de cuidar. Parecia natural tratar do mesmo jeito outras contingências que antes faziam parte da ordem familiar, por exemplo, transferindo o fardo do cuidado dos bebês das mães para creches e jardins-de-infância públicos, como há muito exigiam os socialistas, preocupados com as necessidades de mães assalariadas.

Cálculo racional e desenvolvimento histórico pareciam apontar na mesma direção que vários tipos de ideologia progressista, incluindo as que criticavam a família tradicional por perpetuar a subordinação da mulher ou dos filhos e adolescentes, ou com base em argumentos libertários mais gerais. Do ponto de vista material, o provimento público era nitidamente superior ao que a maioria das famílias podia proporcionar por si mesma, por causa da pobreza ou por outros motivos. O fato de que as crianças em Estados democráticos saíam de guerras na verdade mais saudáveis e bem alimentadas do que antes provava esse ponto. Que os Estados de Bem-estar sobreviviam nos países mais ricos no fim do século, apesar dos ataques sistemáticos de governos e ideólogos do

(*) Essa é a diferença entre a linguagem dos "direitos" (legais ou constitucionais), que se tornou fundamental para a sociedade de incontrolável individualismo, pelo menos nos EUA, e o velho idioma moral no qual direitos e obrigações eram os dois lados da mesma moeda.

livre mercado, confirmava-o. Além disso, era um lugar-comum entre os sociólogos e antropólogos sociais a constatação de que em geral o papel do parentesco "diminui com a importância de instituições do governo". Para melhor ou para pior, ele declinava com "o crescimento do individualismo econômico e social nas sociedades industriais" (Goody, 1968, pp. 402-3). Em suma, como se previra, *Gemeinschaft* cedia espaço a *Gesellschaft*; comunidades davam lugar a indivíduos ligados em sociedades anônimas.

As vantagens materiais da vida num mundo em que a comunidade e a família declinavam eram, e continuam sendo, inegáveis. O que poucos percebiam era o quanto a sociedade industrial moderna, até meados do século XX, dependera de uma simbiose da velha comunidade e velhos valores com a nova sociedade, e portanto como era provável que fossem dramáticos os efeitos de sua desintegração espetacularmente rápida. Isso se tornou evidente na era da ideologia neoliberal, quando o macabro termo "subclasse" entrou ou reentrou no vocabulário sociopolítico, por volta de 1980.* Eram as pessoas que, em sociedades de mercado desenvolvidas após o fim do pleno emprego, não conseguiam ou não queriam ganhar a vida para si mesmas e suas famílias na economia de mercado (suplementada pelo sistema de seguridade social), que parecia funcionar bem para dois terços da maioria dos habitantes desses países, pelo menos até a década de 1990 (daí a expressão "Sociedade dos Dois Terços", cunhada nessa década por um preocupado político social-democrata alemão, Peter Glotz). A própria palavra "subclasse", como a velha "submundo", implicava uma exclusão da sociedade "normal". Essencialmente, essas "subclasses" dependiam da habitação e da previdência públicas, mesmo quando complementavam suas rendas com incursões na economia informal, ou no "crime", isto é, aqueles setores econômicos não alcançados pelos sistemas fiscais dos governos. Contudo, como eram camadas onde a coesão da família em grande parte se rompera, mesmo suas incursões na economia informal, legal ou ilegal, era marginal e instável. Pois, como provaram o Terceiro Mundo e sua nova emigração em massa para os países do Norte, mesmo a economia não oficial das favelas e dos imigrantes ilegais só funciona bem dentro das redes de parentesco.

Os setores pobres da população negra urbana nativa nos EUA, ou seja, a maioria dos negros americanos,** tornaram-se o exemplo típico dessa "subclasse", um corpo de cidadãos praticamente fora da sociedade oficial, não fazendo parte real dela, nem — no caso de muitos de seus homens jovens — do

(*) O equivalente de fins do século XIX para isso na Grã-Bretanha era o *residuum*.

(**) A descrição oficialmente preferida [nos EUA] na época em que escrevo é "afro-americano". Contudo, esses nomes mudam — durante a vida do autor, houve várias dessas mudanças (*coloured* [de cor], *negro*, *black* [preto]) — e continuarão mudando. Eu uso o termo que provavelmente teve mais longo curso entre os que desejavam demonstrar respeito aos descendentes dos escravos africanos nas Américas.

mercado de trabalho. Na verdade, muitos de seus jovens, sobretudo os homens, praticamente se consideravam uma sociedade proscrita, ou anti-sociedade. O fenômeno não se restringia às pessoas de determinada cor de pele. Com o declínio e queda das indústrias que empregavam mão-de-obra no século XIX e início do XX, essas "subclasses" começaram a surgir em vários países. Contudo, nos conjuntos habitacionais construídos por autoridades públicas socialmente responsáveis para todos que não podiam pagar aluguéis de mercado ou comprar casa, mas agora habitados pelas "subclasses", tampouco havia comunidade, e só pouca mutualidade baseada em parentesco regular. Mesmo a "vizinhança", última relíquia de comunidade, mal podia sobreviver ao medo universal, em geral de garotos adolescentes descontrolados, e cada vez mais armados, que tocaiavam essas selvas hobbesianas.

Só naquelas partes do mundo que ainda não haviam entrado no universo onde os seres humanos viviam lado a lado, mas não como seres sociais, a comunidade sobreviveu em certa medida, e com ela uma ordem social, embora, para a maioria dos seres humanos, uma ordem desesperadamente pobre. Quem poderia falar em "subclasse" minoritária num país como o Brasil, onde, em meados da década de 1980, os 20% do topo da população ficavam com mais de 60% da renda do país, enquanto os 40% de baixo recebiam 10% ou até menos (UN World Social Situation, 1984, p. 84)? Em geral, era uma vida de status e renda desiguais. Contudo, na maior parte, ainda não havia a disseminada insegurança da vida urbana existente nas sociedades "desenvolvidas", os velhos guias de comportamento desmantelados e substituídos por um vácuo incerto. O triste paradoxo de *fin-de-siècle* do século XX era que, por todos os critérios mensuráveis de bem-estar e estabilidade sociais, viver numa Irlanda do Norte socialmente retrógrada mas tradicionalmente estruturada, sem emprego, e após vinte anos ininterruptos de algo semelhante a uma guerra civil, era melhor, e na verdade mais seguro, do que viver na maioria das grandes cidades do Reino Unido.

O drama das tradições e valores desmoronados não estava tanto nas desvantagens materiais de não ter os serviços sociais e pessoais outrora oferecidos pela família e pela comunidade. Estes podiam ser substituídos nos Estados de Bem-estar prósperos, embora não nas partes pobres do mundo, onde a grande maioria da humanidade ainda tinha pouco de que depender fora o parentesco, o apadrinhamento e a ajuda mútua (sobre o setor socialista do mundo, ver capítulos 13 e 16). Estava na desintegração dos velhos sistemas de valores e costumes, e das convenções que controlavam o comportamento humano. Essa perda foi sentida. Refletiu-se no surgimento do que veio a ser chamado (de novo nos EUA, onde o fenômeno se tornou visível a partir do fim da década de 1960) de "política de identidade", em geral étnica/nacional ou religiosa, e em movimentos militantemente nostálgicos que buscavam recuperar uma hipotética era passada de ordem e segurança sem problemas. Tais movimentos eram mais gritos de socorro que portadores de programas — gritos pedindo um pouco de "comunidade" a que pertencer num mundo anômico; um pouco de família a que pertencer num mundo de seres socialmente isolados; um pouco de refúgio na selva. Todo observador realista e a maioria dos governos sabiam que não se diminuía nem mesmo se controlava o crime executando-se criminosos ou pela dissuasão de longas sentenças penais, mas todo político conhecia a força enorme e emocionalmente carregada, racional ou não, da exigência em massa dos cidadãos comuns para que se *punisse* o anti-social.

Havia os perigos políticos de desgaste e rompimento das velhas texturas e sistemas de valores sociais. Contudo, à medida que avançava a década de 1980, geralmente sob a bandeira da soberania do puro mercado, tornava-se cada vez mais óbvio que também ele constituía um perigo para a triunfante economia capitalista.

Pois o sistema capitalista, mesmo quando construído em cima das operações do mercado, dependera de várias tendências que não tinham ligação intrínseca com aquela busca da vantagem do indivíduo que, segundo Adam Smith, alimentava o seu motor. Dependia do "hábito do trabalho", que Adam Smith supunha ser um dos motivos fundamentais do comportamento humano, da disposição dos seres humanos de adiar a satisfação imediata por um longo período, isto é, poupar para recompensas futuras, do orgulho da conquista, dos costumes de confiança mútua e de outras atitudes que não estavam implícitas na maximização racional das vantagens de alguém. A família tornou-se parte integral do início do capitalismo porque lhe oferecia várias dessas motivações. O mesmo faziam o "hábito do trabalho", os hábitos de obediência e lealdade, incluindo lealdade aos diretores da empresa, e outras formas de comportamento que não podiam encaixar-se prontamente numa teoria de escolha racional baseada na maximização. O capitalismo podia funcionar sem isso, mas, quando o fez, tornou-se estranho e problemático mesmo para os próprios homens de negócios. Isso se deu durante a moda dos "golpes" piratas de corporações comerciais e outras especulações financeiras que varreram os distritos financeiros dos Estados de mercado ultralivre, como os EUA e a Grã-Bretanha, na década de 1980 e que praticamente quebraram todos os laços entre a busca do lucro e a economia como um sistema de produção. Foi por isso que os países capitalistas que não esqueceram que não se consegue crescimento só com maximização de lucros (Alemanha, Japão, França) tornaram tais ataques difíceis ou impossíveis.

Karl Polanyi, pesquisando as ruínas da civilização do século XIX durante a Segunda Guerra Mundial, observou como eram extraordinárias e sem precedentes as crenças sobre as quais ela fora construída: as do sistema de mercados auto-reguladores e universais. Afirmou que a "tendência" smithiana "de negociar, barganhar e trocar uma coisa por outra" inspirara "um sistema industrial [...] que pratica e teoricamente sugeria que a raça humana era dominada em todas as suas atividades econômicas, se não também em suas buscas políticas, intelectuais e espirituais, por aquela particular inclinação" (Polanyi, 1945, pp. 50-1). Contudo, Polanyi exagerou a lógica do capitalismo em sua época, do mesmo modo como Adam Smith tinha exagerado a medida em que, tomada por si mesma, a busca de vantagem econômica por todos os homens maximizaria automaticamente a riqueza das nações.

Como tomamos por certo o ar que respiramos, e que torna possíveis nossas atividades, também o capitalismo tomou como certa a atmosfera em que operava, e que herdara do passado. Só descobriu como ela fora essencial quando o ar começou a rarear. Em outras palavras, o capitalismo venceu porque não era apenas capitalista. Maximização e acumulação de lucros eram condições necessárias para seu sucesso, mas não suficientes. Foi a revolução cultural do último terço do século que começou a erodir as herdadas vantagens históricas do capitalismo e a demonstrar as dificuldades de operar sem elas. A ironia histórica do neoliberalismo que se tornou moda nas décadas de 1970 e 1980, e que olhava de cima as ruínas dos regimes comunistas, foi que triunfou no momento mesmo em que deixava de ser tão plausível quanto parecera outrora. O mercado dizia triunfar quando não mais se podia ocultar sua nudez e inadequação.

A principal força da revolução cultural foi naturalmente sentida nas "economias de mercado industriais" urbanizadas dos velhos núcleos do mundo capitalista. Contudo, como veremos, as extraordinárias forças econômicas e sociais desencadeadas no fim do século XX também transformaram o que agora se passava a chamar de "Terceiro Mundo".

12
O TERCEIRO MUNDO

[Eu sugeri que], sem livros para ler, a vida nas noites em suas propriedades rurais [egípcias] deveriam ser pesadas, e que uma poltrona e um bom livro numa varanda fresca tornam a vida muito mais agradável. Meu amigo me disse logo: "Você não imagina que um dono de terras no distrito possa sentar-se na varanda após o jantar, com uma luz forte acima da cabeça, sem receber um tiro, imagina?". Eu mesmo podia ter pensado nisso.

Russell Pasha (1949)

Sempre que a conversa na aldeia se encaminhava para a questão da ajuda mútua e oferta de empréstimos como parte dessa ajuda a companheiros aldeões, raramente deixava de suscitar declarações lamentando a decrescente cooperação entre os aldeões [...] Essas declarações eram sempre acompanhadas de referências ao fato de que as pessoas na aldeia estão se tornando cada vez mais calculistas em sua visão das questões de dinheiro. Os aldeões então, infalivelmente, retornavam ao que se chamava de "velhos tempos", quando as pessoas sempre estavam dispostas a oferecer ajuda.

M. b. Abdul Rahim (1973)

I

Descolonização e revolução transformaram de modo impressionante o mapa político do globo. O número de Estados internacionalmente reconhecidos como independentes na Ásia quintuplicou. Na África, onde havia um em 1939, agora eram cerca de cinqüenta. Mesmo nas Américas, onde a descolonização no início do século XIX deixara atrás umas vinte repúblicas latinas, a de então acrescentou mais uma dúzia. Contudo, o importante nelas não era o seu número, mas seu enorme e crescente peso demográfico, e a pressão que representavam coletivamente.

Essa foi a conseqüência de uma espantosa explosão demográfica no mundo dependente após a Segunda Guerra Mundial, que mudou, e continua mudando, o equilíbrio da população mundial. Desde a primeira revolução industrial, possivelmente desde o século XVI, isso viera mudando em favor do mundo "desenvolvido", isto é, de populações da Europa ou lá originadas. De menos de 20% da população global em 1750, estas tinham aumentado até formar quase um terço da humanidade em 1900. A Era da Catástrofe congelou a situação, mas desde meados do século a população cresceu a uma taxa além de todo precedente, e a maior parte desse crescimento ocorreu nas regiões outrora dominadas por um punhado de impérios, ou na iminência de ser por eles conquistadas. Se tomamos os membros dos países ricos da OCDE como representando o "mundo desenvolvido", sua população coletiva no fim da década de 1980 representava uns meros 15% da humanidade; uma fatia inevitavelmente decrescente (a não ser pela migração), pois vários dos países "desenvolvidos" não mais davam à luz filhos suficientes para reproduzir-se.

Essa explosão demográfica nos países pobres do mundo, que causou séria preocupação internacional pela primeira vez no fim da Era de Ouro, é provavelmente a mudança mais fundamental no Breve Século XX, mesmo supondo-se que a população global acabará se estabilizando em 10 bilhões (ou qualquer que seja o atual palpite) em algum momento do século XXI.* Uma população mundial que dobrou nos quarenta anos desde 1950, ou uma população como a da África, que pode esperar dobrar em menos de trinta anos, é inteiramente sem precedente histórico, como o são os problemas práticos que tem de suscitar. Basta pensar na situação social e econômica de um país do qual 60% da população tem menos de quinze anos.

A explosão demográfica no mundo pobre foi tão sensacional porque as taxas de nascimento básicas nesses países foram em geral muito mais altas que as dos períodos históricos correspondentes nos países "desenvolvidos", e porque a enorme taxa de mortalidade, que antes continha a população, caiu como uma pedra a partir da década de 1940 — quatro ou cinco vezes mais rápido que a queda correspondente na Europa do século XIX (Kelley, 1988, p. 168). Pois enquanto na Europa essa queda teve de esperar a melhoria gradual dos padrões de vida e ambientais, a tecnologia moderna varreu o mundo dos países pobres como um furacão na Era de Ouro, sob a forma de remédios modernos e da revolução dos transportes. A partir da década de 1940, a inovação médica e farmacêutica pela primeira vez estava em condições de salvar vidas em escala maciça (por exemplo, com DDT e antibióticos), o que antes nunca

(*) Se continuasse a espetacular aceleração de crescimento que temos experimentado neste século, pareceria inevitável uma catástrofe. A humanidade atingiu seu primeiro bilhão há cerca de duzentos anos. O bilhão seguinte levou 120 anos para ser atingido, o terceiro, 35 anos, o quarto quinze anos. No fim da década de 1980, ela estava em 5,2 bilhões, e esperava-se que passasse dos 6 bilhões no ano 2000.

pudera fazer, a não ser talvez no caso da varíola. Assim, enquanto as taxas de natalidade permaneciam altas, ou mesmo cresciam em tempos de prosperidade, as taxas de mortalidade despencavam — no México, caíram em mais da metade nos 25 anos após 1944 — e a população disparava para cima, embora nem a economia, nem suas instituições houvessem necessariamente mudado muito. Uma conseqüência incidental foi o alargamento do fosso entre ricos e pobres, países avançados e atrasados, mesmo quando as economias das duas regiões cresciam à mesma taxa. Distribuir um PIB duas vezes maior que o de trinta anos antes num país cuja população era estável é uma coisa; distribuí-lo entre uma população que (como a do México) dobrara em trinta anos é completamente diferente.

É importante iniciar qualquer história do Terceiro Mundo com alguma consideração acerca de sua demografia, uma vez que a explosão demográfica é o fato central de sua existência. A história passada nos países desenvolvidos sugere que, mais ou cedo ou mais tarde, também eles vão passar pelo que os especialistas chamam de "transição demográfica", estabilizando uma baixa taxa de natalidade e de mortalidade, isto é, desistindo de ter mais de um ou dois filhos. Contudo, embora houvesse indícios de que a "transição demográfica" estava ocorrendo em vários países, notadamente no Leste Asiático, no fim do Breve Século XX o grosso dos países pobres não fora muito longe nessa estrada, a não ser no ex-bloco soviético. Esse era um dos motivos para continuarem pobres. Vários países de população gigantesca estavam tão apertados com os 10 milhões de bocas a mais que pediam para ser alimentadas todo ano que, de vez em quando, seus governos se empenhavam numa implacável coerção para impor aos cidadãos o controle de natalidade, ou algum tipo de limitação da família (notadamente a campanha de esterilização na Índia na década de 1970 e a política de "um filho só" na China). Não é provável que o problema da população em qualquer país seja resolvido por esses meios.

II

Contudo, quando surgiram no mundo pós-guerra e pós-colonial, essas não foram as primeiras preocupações dos Estados do mundo pobre. Que forma deveriam eles tomar?

Previsivelmente, adotaram, ou foram exortados a adotar, sistemas políticos derivados dos antigos senhores imperiais, ou daqueles que os haviam conquistado. Uma minoria deles, saindo de revoluções sociais ou (o que equivalia à mesma coisa) extensas guerras de libertação, inclinavam-se a adotar o modelo da revolução soviética. Em teoria, portanto, o mundo tinha cada vez mais pretensas repúblicas parlamentares com eleições disputadas, além de uma minoria de "repúblicas democráticas populares" sob um partido único orientador.

(Em teoria, portanto, todo mundo daí em diante era democrático, embora só os regimes comunistas ou social-democratas insistissem em ter "popular" e/ou "democrático" em seu título oficial.)*

Na prática, tais rótulos indicavam no máximo onde esses Estados queriam situar-se internacionalmente. Eram em geral tão irrealistas quanto há muito tendiam a ser as Constituições oficiais das repúblicas latino-americanas, e pelas mesmas razões: na maioria dos casos, faltavam-lhes as condições materiais e políticas para corresponder a eles. Isso se dava mesmo nos novos Estados do tipo comunista, embora sua estrutura basicamente autoritária e o artifício do "partido condutor" único os tornassem um pouco menos inadequados a Estados de origem não ocidental do que as repúblicas liberais. Assim, um dos poucos princípios políticos inabaláveis e inabalados dos Estados comunistas era a supremacia do partido (civil) sobre os militares. Contudo, na década de 1980, entre os Estados de inspiração revolucionária, Argélia, Benin, Birmânia, República do Congo, Etiópia, Madagascar e Somália — mais a um tanto excêntrica Líbia — estavam sob o domínio de soldados que tinham chegado ao poder por intermédio de golpes, como a Síria e o Iraque, ambos sob governos do Partido Socialista Ba'hat, embora em versões rivais.

Na verdade, a predominância de regimes militares, ou a tendência de neles cair, unia Estados do Terceiro Mundo de diversas filiações constitucionais e políticas. Se omitirmos o corpo principal dos regimes comunistas do Terceiro Mundo (Coréia do Norte, China, as repúblicas indochinesas e Cuba), e o regime há muito estabelecido oriundo da Revolução Mexicana, é difícil pensar em quaisquer repúblicas que não tenham conhecido pelo menos episódicos regimes militares depois de 1945. (As poucas monarquias, com algumas exceções — Tailândia —, parecem ter sido mais seguras.) A Índia, claro, continua sendo, de longe, na época em que escrevo, o exemplo mais impressionante de Estado do Terceiro Mundo que manteve ininterrupta supremacia civil e ininterrupta sucessão de governos de eleição popular regular e relativamente honesta, embora justificar o seu rótulo de "a grande democracia do mundo" dependa de como definimos precisamente o "governo do povo, para o povo, pelo povo", de Lincoln.

Acostumamo-nos tanto a golpes e regimes militares no mundo — mesmo na Europa — que vale a pena lembrarmo-nos de que, na escala atual, eles são um fenômeno distintamente novo. Em 1914, nem um único Estado internacio-

(*) Antes do colapso do comunismo, os seguintes Estados tinham as palavras "do povo", "popular", "democrático" ou "socialista" em seus nomes oficiais: Albânia, Angola, Argélia, Bangladesh, Benin, Bulgária, Birmânia, Camboja, Tchecoslováquia, China, Congo, Coréia do Norte, Etiópia, Hungria, Iugoslávia, Laos, Líbia, Madagascar, Moçambique, Mongólia, Polônia, República Democrática Alemã, República Democrática Popular do Iêmen, Romênia, Somália, Sri Lanka, URSS e Vietnã. A Guiana anunciava-se como uma "república cooperativa".

nalmente soberano estava sob regime militar, a não ser na América Latina, onde os *coups d'état* faziam parte da tradição, e mesmo ali, naquela época, a única grande república que não se achava sob governo civil era o México, no meio de uma revolução e guerra civil. Havia muitos Estados militaristas, em que os militares tinham mais que seu quinhão de peso político, e vários outros onde o grosso do corpo de oficiais não tinha simpatia por seus governos — sendo a França um exemplo óbvio. Apesar disso, o instinto e o hábito dos soldados nos Estados adequadamente conduzidos e estáveis eram obedecer e manter-se fora da política; ou, mais precisamente, participar da política apenas à maneira de outro grupo de personagens sem voz, as mulheres da classe dominante, ou seja, por trás das cenas e por meio de intrigas.

A política de golpes militares foi portanto produto da nova era de governo incerto ou ilegítimo. A primeira discussão séria do assunto, *Coup d'état*, de Curzio Malaparte, um jornalista italiano com lembranças de Maquiavel, foi publicada em 1931, na metade dos anos de catástrofe. Na segunda metade do século, quando o equilíbrio de superpotências pareceu estabilizar fronteiras e, em menor medida, regimes, foi cada vez mais comum os homens de armas irem se envolvendo na política, quando mais não fosse porque o globo agora continha até duzentos Estados, a maioria dos quais novos e, portanto, sem qualquer legitimidade tradicional e em sua maior parte onerados por sistemas políticos mais propensos a produzir colapso político do que governo efetivo. Em tais situações, as Forças Armadas eram muitas vezes os únicos corpos capazes de ação política, ou qualquer outra ação, em base estatal ampla. Além disso, como a Guerra Fria entre as superpotências se dava em grande parte através das Forças Armadas dos Estados clientes ou aliados, elas eram subsidiadas e armadas pela superpotência apropriada, como na Somália. Havia mais espaço na política para os homens dos tanques do que jamais antes.

Nos países centrais do comunismo, os militares eram mantidos sob controle pela presunção de supremacia civil através do partido, embora em seus últimos anos lunáticos Mao Tsé-tung chegasse perto de abandoná-la em alguns momentos. Nos países centrais da aliança ocidental, o espaço para a política dos militares permaneceu restrito pela ausência de instabilidade política ou por mecanismos efetivos para mantê-la sob controle. Assim, após a morte do general Franco na Espanha, a transição para a democracia liberal foi negociada com eficiência sob a égide do novo rei, e um *putsch* de oficiais franquistas irredimidos em 1981 foi rapidamente detido, na hora, pela recusa do rei a aceitá-lo. Na Itália, onde os EUA mantinham um potencial de golpe em vista da possibilidade de participação no governo do grande Partido Comunista local, o governo civil continuou existindo, embora a década de 1970 produzisse várias e ainda inexplicadas ameaças de ação nos obscuros desvãos do submundo de militares, do serviço secreto e do terrorismo. Somente onde o trauma da descolonização (isto é, derrota por insurretos coloniais) se mostrou intolerável, foram os oficiais ocidentais tentados a dar golpes militares — como na França durante a luta perdida para manter a Indochina e a Argélia na década de 1950, e em Portugal (com orientação política esquerdista), quando o império africano desmoronava na década de 1970. Nos dois casos, as Forças Armadas logo foram recolocadas sob controle civil. O único regime militar de fato apoiado pelos EUA na Europa foi aquele instalado em 1967 (provavelmente por iniciativa local) por um grupo particularmente idiota de coronéis ultradireitistas gregos, num país onde a guerra civil entre os comunistas e seus adversários (1944-9) deixara amargas memórias de ambos os lados. O regime, que se distinguiu por um gosto pela tortura sistemática dos adversários, desabou sete anos depois sob o peso de sua própria estupidez política.

As condições para a intervenção militar no Terceiro Mundo eram muito mais convidativas, sobretudo nos novos, fracos e muitas vezes minúsculos Estados onde umas poucas centenas de homens armados, reforçados ou às vezes até substituídos por estrangeiros, podiam ter peso decisivo, e onde era provável que governos inexperientes ou incompetentes produzissem recorrentes estados de caos, corrupção e confusão. O típico governante militar da maioria dos países africanos não era um aspirante a ditador, mas alguém que tentava genuinamente limpar aquela bagunça, na esperança — muitas vezes vã — de que um governo civil logo assumisse. Geralmente falhava nos dois esforços, motivo pelo qual poucos chefes políticos militares duravam muito. De qualquer modo, a mais ligeira insinuação de que o governo local poderia cair nas mãos dos comunistas praticamente garantia apoio americano.

Em suma, a política dos militares, como os serviços secretos de informação, tendia a encher o vácuo deixado pela ausência da política ou dos serviços comuns de informação. Não era nenhum tipo particular de política, mas uma função da instabilidade e insegurança em volta. Contudo, foi se tornando cada vez mais difundida no Terceiro Mundo, porque praticamente todos os países da parte anteriormente colonial ou dependente do globo se achavam agora comprometidos, de uma maneira ou de outra, com políticas que exigiam deles exatamente os Estados estáveis, funcionais e eficientes que tão poucos tinham. Estavam comprometidos com a independência econômica e o "desenvolvimento". Após o segundo *round* de guerra mundial, a revolução mundial e sua conseqüência, a descolonização global, aparentemente não havia mais futuro no velho programa de alcançar prosperidade enquanto produtores primários para o mercado mundial dos países imperialistas: o programa dos *estancieros* argentinos e uruguaios, com tanta esperança imitado por Porfírio Díaz no México e Leguía no Peru. De qualquer forma, isso deixara de parecer plausível desde a Grande Depressão. Além disso, tanto o nacionalismo quanto o antiimperialismo pediam políticas menos dependentes dos velhos impérios, e o exemplo da URSS oferecia um modelo alternativo de "desenvolvimento". Jamais esse exemplo pareceu mais impressionante que nos anos após 1945.

Os Estados mais ambiciosos, assim, exigiam o fim do atraso agrário através da industrialização sistemática, fosse com base no modelo soviético de planejamento centralizado, fosse pela substituição da importação. Ambos, de modos diferentes, dependiam de ação e controle do Estado. Mesmo os menos ambiciosos, que não sonhavam com um futuro de grandes siderúrgicas tropicais movidas por imensas instalações hidrelétricas à sombra de represas titânicas, queriam eles próprios controlar e desenvolver seus recursos nacionais. O petróleo era tradicionalmente produzido por empresas privadas ocidentais, em geral tendo as mais estreitas relações com as potências imperiais. Os governos, seguindo o exemplo do México em 1938, passavam agora a nacionalizá-las e operá-las como empresas estatais. Os que se abstinham de nacionalizações descobriam (sobretudo após 1950, quando a ARAMCO ofereceu à Arábia Saudita o até então inimaginável acordo de divisão meio a meio da renda) que a posse física de petróleo e gás lhes dava o domínio das negociações com as empresas estrangeiras. Na prática, a Organização dos Países Exportadores de Petróleo (OPEP), que acabou fazendo o mundo refém na década de 1970, tornou-se possível porque a posse do petróleo do mundo passara das empresas para relativamente poucos governos produtores. Em suma, mesmo os governos de Estados descolonizados ou dependentes que se sentiam muito satisfeitos em depender de capitalistas estrangeiros antigos ou novos ("neocolonialismo", na terminologia esquerdista contemporânea) o faziam dentro de uma economia controlada pelo Estado. Provavelmente o mais bem-sucedido desses Estados até a década de 1980 foi a ex-francesa Costa do Marfim.

Provavelmente, os menos bem-sucedidos foram os novos países que subestimaram as limitações do atraso — falta de especialistas qualificados e experientes, administradores e quadros econômicos; analfabetismo; desconhecimento ou falta de simpatia por programas de modernização econômica —, sobretudo quando seus governos se propunham metas que mesmo países desenvolvidos achavam difíceis, como a industrialização centralmente planejada. Gana, que junto com o Sudão foi o primeiro Estado africano subsaariano a conquistar a independência, jogou fora assim reservas monetárias de 200 milhões, acumuladas graças aos altos preços do cacau e aos ganhos do tempo da guerra — maiores que os balanços em libras da Índia independente —, numa tentativa de construir uma economia industrializada controlada pelo Estado, para não falar nos planos de união pan-africana de Kwame Nkrumah. Os resultados foram desastrosos, e se tornaram ainda piores devido ao colapso dos preços do cacau na década de 1960. Em 1972, os grandes projetos haviam fracassado, as indústrias internas no pequeno país só podiam sobreviver graças a altas barreiras tarifárias, de controle de preços e de licenças de importação, que levaram a um florescente mercado negro e à corrupção generalizada, até hoje inerradicável. Três quartos de todos os assalariados se achavam empregados no setor público, enquanto a agricultura de subsistência (como em muitos outros Estados africanos) era negligenciada. Após a derrubada de Nkrumah pelo costumeiro golpe militar (1966), o país continuou seu desiludido caminho em meio a uma sucessão de militares em geral decepcionados, e um ou outro governo civil.

A triste folha de serviços dos novos Estados da África subsaariana não deve levar-nos a subestimar as substanciais realizações de países anteriormente coloniais ou dependentes mais bem colocados, que escolheram o caminho do desenvolvimento econômico planejado ou patrocinado pelo Estado. Os países que vieram a ser conhecidos a partir da década de 1970, no jargão dos funcionários internacionais, como NICs (*Newly industrializing countries* — Países de industrialização recente) baseavam-se todos, com exceção da cidade-Estado de Hong Kong, nessas políticas. Como atestará qualquer um com o mínimo conhecimento de Brasil ou México, elas produziram burocracia, espetacular corrupção e muito desperdício — mas também uma taxa de crescimento anual de 7% nos dois países durante décadas: em suma, os dois conseguiram a desejada transição para economias industriais modernas. Na verdade, o Brasil se tornou por algum tempo o oitavo maior país industrial do mundo não comunista. Os dois países tinham uma população suficientemente vasta para proporcionar um substancial mercado interno, pelo menos por um tempo bastante longo. Os gastos e atividades públicos mantinham uma alta demanda interna. A certa altura, o setor público brasileiro era responsável por cerca de metade do Produto Interno Bruto e representava dezenove das vinte maiores empresas, enquanto no México esse setor empregava um quinto da força de trabalho total e pagava dois quintos da folha de salários nacional (Harris, 1987, pp. 84-5). O planejamento estatal no Oriente Médio tendia a depender menos da empresa privada direta e mais de grupos empresariais favorecidos dominados pelo controle do governo sobre o crédito e o investimento, mas a dependência do desenvolvimento econômico em relação ao Estado era a mesma. Planejamento e iniciativa de Estado eram a voga em toda parte do mundo nas décadas de 1950 e 1960, e nos NICs até a década de 1990. Se essa forma de desenvolvimento econômico produziu resultados satisfatórios ou decepcionantes, isso dependeu de condições locais e erros humanos.

III

O desenvolvimento, controlado ou não pelo Estado, não era de interesse imediato para a grande maioria dos habitantes do Terceiro Mundo que viviam cultivando sua própria comida; pois mesmo em países ou colônias cujas rendas públicas dependiam dos ganhos com uma ou duas grandes safras de exportação — café, banana ou cacau —, estas se achavam em geral concentradas numas poucas áreas restritas. Na África subsaariana e na maior parte do sul e sudeste da Ásia, assim como na China, o grosso do povo continuava a viver da agricultura. Só no hemisfério ocidental e nas terras áridas do islã ocidental o campo já se despejava nas grandes cidades, transformando sociedades rurais em urbanas em duas dramáticas décadas (ver capítulo 10). Em regiões férteis e não demasiado densamente povoadas, como grande parte da África negra, a maior parte das pessoas teria ficado muito bem se deixada em paz. A maioria dos habitantes não precisava de seus Estados, em geral demasiado fracos para fazer grandes estragos, e que, se começassem a criar muito caso, podiam ser contornados por uma retirada para a auto-suficiência da aldeia. Poucos continentes iniciaram a era de independência com maiores vantagens, que logo seriam jogadas fora. A maior parte dos camponeses islâmicos e asiáticos estava muito mais pobre, ou pelo menos mais mal alimentada — às vezes, como na Índia, desesperadamente e historicamente pobre —, e a pressão de homens e mulheres sobre terras limitadas já era mais grave. Apesar disso, pareceu a muitos deles que a melhor solução para seus problemas seria não se envolver com os que lhes diziam que o desenvolvimento econômico traria inaudita riqueza e prosperidade, mas mantê-los a distância. A longa experiência mostrara a eles e a seus ancestrais que nenhum bem vinha de fora. O cálculo silencioso de gerações lhes havia ensinado que minimizar os riscos era uma política melhor do que maximizar os lucros. Isso não os manteve inteiramente fora do âmbito de uma revolução econômica global, que chegava mesmo às pessoas mais isoladas, sob a forma de sandálias de plástico, latas de gasolina, caminhões velhos e — claro — repartições do governo cheias de papelada, mas que tendiam a dividir a humanidade, em tais áreas, entre os que operavam dentro e através do mundo da escrita e das repartições e o resto. Na maior parte do Terceiro Mundo, a distinção era entre "litoral" e "interior", ou cidade e sertão.*

O problema era que, como modernidade e governo andavam juntos, o "interior" era governado pelo "litoral", o sertão pela cidade, o analfabeto pelo educado. No início, era o verbo. A Casa da Assembléia do que iria brevemente tornar-se o Estado independente de Gana incluía entre seus 104 membros 68 que tinham tido algum tipo de educação pós-primária. Dos 106 membros da Assembléia Legislativa de Telengana (sul da Índia), 97 possuíam educação secundária ou superior, incluindo cinqüenta diplomados. Nas duas regiões, a grande maioria dos habitantes na época era analfabeta (Hodgkin, 1961, p. 29; Gray, 1970, p. 135). E o que é mais: qualquer um que quisesse atuar no governo *nacional* dos Estados do Terceiro Mundo precisava ser alfabetizado não apenas

(*) Divisões semelhantes encontravam-se em algumas das regiões atrasadas dos Estados socialistas, por exemplo no Casaquistão soviético, onde os habitantes locais não mostravam interesse algum em abandonar a agricultura e o gado, deixando a industrialização e as cidades para um corpo correspondentemente grande de imigrantes (russos).

na língua comum da região (que não era necessariamente a da sua comunidade), mas em uma das poucas línguas internacionais (inglês, francês, espanhol, árabe, mandarim, chinês), ou pelo menos na língua franco-regional que os novos governos tendiam a desdobrar em línguas "nacionais" escritas (suaíle, baasa, pidgin). A única exceção estava nas partes da América Latina onde as línguas escritas oficiais (espanhol e português) coincidiam com a língua falada da maioria. Dos candidatos a cargos públicos em Hyderabad (Índia) na eleição geral de 1967, só três (de 34) não falavam inglês (Bernstorff, 1970, p. 146).

Até as pessoas mais distantes e atrasadas, portanto, reconheciam cada vez mais as vantagens da educação superior, mesmo quando não podiam elas próprias dela partilhar; talvez sobretudo quando não podiam. Num sentido literal, conhecimento significava poder, mais obviamente em países onde o Estado parecia a seus súditos uma máquina que lhes extraía os recursos e depois os distribuía aos funcionários públicos. Educação significava um posto, muitas vezes um posto garantido,* no funcionalismo público, com sorte uma carreira, que possibilitava aos homens extorquir subornos e comissões e arranjar empregos para a família e amigos. Uma aldeia, digamos, na África Central, que investia na educação de um de seus jovens, esperava um retorno, em forma de renda e proteção para toda a comunidade, do posto no governo que a educação asseguraria. De qualquer modo, o funcionário público bem-sucedido era o homem mais bem pago da população. Num país como Uganda, na década de 1960, ele podia esperar um salário (legal) 112 vezes maior que a renda per capita de seus compatriotas (contra uma taxa comparável de 10 para 1 na Grã-Bretanha) (UN World Social Situation, 1970, p. 66).

Onde parecia que os pobres de uma região rural podiam partilhar das vantagens da educação, ou proporcioná-las aos filhos (como na América Latina, a região do Terceiro Mundo mais próxima da modernidade e mais distante do colonialismo), o desejo de aprender era praticamente universal. "Todos eles querem aprender alguma coisa", disse ao autor em 1962 um organizador comunista chileno atuando entre os índios mapuche. "Eu não sou intelectual, e não posso ensinar a eles conhecimento escolar, por isso ensino a jogar futebol." A sede de conhecimento explica muito da espantosa migração em massa da aldeia para a cidade que esvaziou o campo do continente sul-americano, a partir da década de 1950. Pois todas as pesquisas concordam em que a atração da cidade estava não menos nas melhores oportunidades de educação e formação para as crianças. Lá, elas "podiam se tornar outra coisa". A escola naturalmente abria as melhores perspectivas, mas, em regiões agrárias atrasadas, mesmo uma qualificação tão simples como dirigir um veículo motorizado podia ser a chave para uma vida melhor. Foi a primeira coisa que um emigrante de

(*) Por exemplo, até meados da década de 1980 em Benin, Congo, Guiné, Somália, Sudão, Mali, Ruanda e República Centro-Africana (*World Labour*, 1989, p. 49).

uma aldeia quechua nos Andes ensinou aos primos e sobrinhos de casa que foram juntar-se a ele na cidade, esperando abrir seu próprio caminho para o mundo moderno, pois não se revelara o emprego dele como motorista de ambulância a base do sucesso de sua família (Julca, 1992)?

Presumivelmente, só na década de 1960 ou depois a população rural latino-americana (exceto de um ou outro ponto isolado) começou a ver sistematicamente a modernidade mais como uma promessa que como uma ameaça. E, no entanto, havia um aspecto da política de desenvolvimento econômico que se poderia esperar que os atraísse, pois afetava diretamente três quintos ou mais dos seres humanos que viviam da agricultura: a reforma agrária. Esse *slogan* geral da política nos países agrários podia cobrir qualquer coisa, desde o desmonte de grandes latifúndios e sua redistribuição a camponeses e trabalhadores sem terra até a abolição de detenções ou servidões feudais; desde a redução de aluguéis e reformas de arrendamento de vários tipos até a revolucionária nacionalização e coletivização da terra.

Provavelmente nunca houve tanta reforma agrária quanto na década após o fim da Segunda Guerra Mundial, pois era praticada ao longo de todo o espectro político. Entre 1945 e 1950, quase metade da raça humana se viu vivendo em países que passavam por algum tipo de reforma agrária — comunista na Europa Oriental e, após 1949, na China, como conseqüência da descolonização no ex-império britânico na Índia, e como conseqüência da derrota do Japão, ou melhor, da política de ocupação americana, no Japão, Taiwan e Coréia. A revolução egípcia de 1952 ampliou seu alcance ao mundo islâmico ocidental: Iraque, Síria e Argélia seguiram o exemplo do Cairo. A revolução popular na Bolívia de 1952 introduziu-a na América do Sul, embora o México desde a revolução de 1910, ou, mais precisamente, desde sua revivescência na década de 1930, há muito defendesse o *agrarismo*. Mesmo assim, apesar de uma crescente inundação de declarações políticas e pesquisas estatísticas sobre o assunto, a América Latina teve demasiado poucas revoluções, descolonizações ou guerras perdidas para ter muita reforma agrária de fato, até que a Revolução Cubana de Fidel Castro (que a introduziu na ilha) pôs a questão na pauta política.

Para os modernizadores, a defesa da reforma agrária era política (conquistar apoio camponês para regimes revolucionários ou para os que queriam adiantar-se à revolução, ou algo parecido), ideológica ("devolver a terra a quem nela trabalha") e, às vezes, econômica, embora a maioria dos revolucionários ou reformadores não esperasse demais de uma simples distribuição de terra a um campesinato tradicional, aos sem-terra ou aos pobres de terra. Na verdade, a produção agrícola caiu drasticamente na Bolívia e no Iraque logo após as respectivas reformas agrárias desses países em 1952 e 1958, embora com justiça se deva acrescentar que, onde a capacidade e produtividade do camponês já eram altas, a reforma agrária podia liberar rapidamente muita produtividade potencial até então mantida de reserva por aldeões céticos, como no Egito, Japão e, mais impressionante, Taiwan (Land Reform, 1968, pp. 571-5). A defesa da manutenção da existência de um grande campesinato era e é não econômica, pois na história do mundo moderno o enorme aumento da produção agrícola foi acompanhado de um declínio igualmente espetacular no número e proporção de agricultores, de forma mais impressionante isso aconteceu desde a Segunda Guerra Mundial. A reforma agrária podia demonstrar, e demonstrou de fato, que a agricultura camponesa, sobretudo quando praticada por agricultores de porte, de mentalidade moderna, podia ser tão eficiente quanto a propriedade agrícola tradicional, a fazenda imperialista, e mais flexível que ele e, na verdade, que tentativas modernas mal-avisadas de fazer reforma agrária em base quase industrial, como as gigantescas fazendas estatais do tipo soviético e o plano britânico de produzir sementes para moagem em Tanganica (atual Tanzânia) após 1945. Safras como café, açúcar e borracha, outrora tidas como essencialmente produzidas em fazenda, não mais o são, embora em alguns casos a fazenda ainda mantenha uma nítida vantagem sobre produtores não qualificados operando em pequena escala. Ainda assim, os grandes progressos da agricultura no Terceiro Mundo desde a guerra, a "revolução verde" das novas safras selecionadas, foram conseguidos por fazendeiros de mentalidade comercial, como no Punjab.

Contudo, a mais forte defesa econômica da reforma agrária não está na produtividade, mas na igualdade. No todo, o desenvolvimento econômico tendeu primeiro a aumentar e depois a diminuir a desigualdade da distribuição da renda nacional a longo prazo, embora o declínio econômico e a crença teológica no livre mercado tenham ultimamente começado a reverter tais resultados aqui e ali. A igualdade, no fim da Era de Ouro, era maior nos países desenvolvidos do que no Terceiro Mundo. Contudo, enquanto a desigualdade de renda atingia seu ponto mais alto na América Latina, seguida pela África, era em geral baixa em vários países asiáticos, onde uma reforma agrária bastante radical fora imposta sob os auspícios das forças de ocupação americanas (ou por seu intermédio): Japão, Coréia do Sul e Taiwan. (Nenhuma, no entanto, foi tão igualitária quanto nos países socialistas da Europa Oriental, ou, na época, na Austrália.) (Kakwani, 1980.) Observadores dos triunfos industrializantes desses países têm naturalmente especulado até onde eles foram acompanhados pelas vantagens sociais ou econômicas dessa situação, do mesmo modo como observadores do muito mais apropriado avanço da economia brasileira, sempre na iminência mas jamais alcançando seu destino como os EUA do hemisfério sul, têm-se perguntado até onde ele tem sido refreado pela espetacular desigualdade de sua distribuição de renda — o que inevitavelmente restringe o mercado interno para a indústria. Na verdade, a impressionante desigualdade social na América Latina dificilmente pode deixar de ter relação com a também impressionante ausência de reforma agrária sistemática em muitos desses países.

A reforma agrária foi sem dúvida bem recebida pelo campesinato do Terceiro Mundo, pelo menos até transformar-se em fazenda coletiva ou cooperativa de produção, como foi em geral nos países comunistas. Contudo, o que os modernizadores viram nela não foi o que significava para os camponeses, desinteressados por problemas macroeconômicos e vendo a política nacional de uma perspectiva diferente da dos reformadores da cidade, e cuja exigência de reforma agrária não se baseava num princípio geral, mas em reivindicações específicas. Assim, a reforma agrária radical instituída pelo governo dos generais reformistas no Peru em 1969, que destruiu de um golpe o sistema de grandes propriedades (*haciendas*) do país, fracassou por esse motivo. Para as comunidades montanhesas, que viviam em instável coexistência com as vastas fazendas de gado andinas para as quais proporcionavam mão-de-obra, a reforma significou simplesmente o justo retorno às "comunidades originárias" das terras e pastagens comuns, outrora delas alienadas pelos latifundiários, cujos limites eram lembrados com precisão no correr dos séculos e cuja perda eles jamais haviam aceitado (Hobsbawm, 1974). Não estavam interessados na manutenção da velha empresa como unidade produtiva (agora propriedade das comunidades e de sua antiga força de trabalho), nem em experiências cooperativas ou em outras novidades agrárias, além da tradicional ajuda mútua dentro da comunidade tão pouco igualitária. Após a reforma, as comunidades voltaram a "invadir" as terras das propriedades cooperativizadas (das quais eram agora co-proprietárias), como se nada houvesse mudado no conflito entre Estado e comunidade (e entre comunidades em disputa por suas terras) (Gómez Rodríguez, 1977, pp. 242-55). No que lhes dizia respeito, nada mudara. A reforma agrária mais próxima do ideal camponês foi provavelmente a mexicana da década de 1930, que deu inalienavelmente a terra comum a comunidades aldeãs para que as organizassem como quisessem. Foi um enorme sucesso político, mas economicamente irrelevante para o posterior desenvolvimento agrário mexicano.

IV

Não surpreende, assim, que as dezenas de Estados pós-coloniais que surgiram após a Segunda Guerra Mundial, junto com a maior parte da América Latina que também pertencia visivelmente às regiões dependentes no velho mundo imperial e industrial, logo se vissem agrupadas como o "Terceiro Mundo" — diz-se que o termo foi cunhado em 1952 (Harris, 1987, p. 18) —, em contraste com o "Primeiro Mundo" dos países capitalistas desenvolvidos e o "Segundo Mundo" dos países desenvolvidos comunistas. Apesar do evidente absurdo de tratar Egito e Gabão, Índia e Papua-Nova Guiné como sociedades

(*) Com as mais raras exceções, notadamente da Argentina que, embora rica, jamais se recuperou do declínio e queda do império britânico, que lhe proporcionara prosperidade como exportadora de carne até 1929.

do mesmo tipo, isso não era inteiramente implausível, na medida em que todos eram pobres (comparados com o mundo desenvolvido),* todos eram dependentes, todos tinham governos que queriam "desenvolver", e nenhum acreditava, no mundo pós-Grande Depressão e Segunda Guerra Mundial, que o mercado mundial capitalista (isto é, a doutrina de "vantagem comparativa" dos economistas) ou a empresa privada espontânea internamente alcançassem esse fim. Além disso, quando a grade de ferro da Guerra Fria se abateu sobre o globo, todos que tinham alguma liberdade de ação queriam evitar juntar-se a qualquer um dos dois sistemas de aliança, isto é, queriam manter-se fora da Terceira Guerra Mundial que todos temiam.

Isso não quer dizer que os "não-alinhados" fossem igualmente opostos aos dois lados na Guerra Fria. Os inspiradores e defensores do movimento (geralmente chamado com o nome de sua primeira conferência em 1955 em Bandung, Indonésia) eram ex-revolucionários coloniais radicais — Jawaharlal Nehru da Índia, Sukarno da Indonésia, coronel Gamal Abdel Nasser do Egito e um dissidente comunista, o presidente Tito da Iugoslávia. Todos esses, como tantos dos ex-regimes coloniais, eram ou se diziam socialistas à sua maneira (ou seja, não soviética), incluindo o socialismo real budista do Camboja. Todos tinham alguma simpatia pela União Soviética, ou pelo menos estavam dispostos a aceitar sua ajuda econômica e militar; o que não surpreende, pois os Estados Unidos haviam de repente abandonado suas velhas tradições anticoloniais, depois que o mundo se dividiu, e visivelmente buscavam apoio entre os elementos mais conservadores do Terceiro Mundo: Iraque (antes da revolução de 1958), Turquia, Paquistão e o Irã do xá, que formaram a Organização do Tratado Central (CENTO, em inglês); Paquistão, Filipinas e Tailândia, a Organização do Tratado do Sudeste Asiático (SEATO), ambas destinadas a completar o sistema militar anti-soviético, cujo pilar principal era a OTAN (nenhuma chegava a tanto). Quando o grupo não-alinhado, essencialmente afro-asiático, se tornou tricontinental após a Revolução Cubana de 1959, seus membros latino-americanos não surpreendentemente vinham das repúblicas do hemisfério ocidental que sentiam menos simpatia pelo Grande Irmão do Norte. Apesar disso, ao contrário dos simpatizantes dos EUA no Terceiro Mundo, que podiam de fato entrar no sistema da aliança ocidental, os Estados não comunistas de Bandung não tinham qualquer intenção de envolver-se num confronto global de superpotências, pois, como provaram as guerras da Coréia e do Vietnã, e a crise dos mísseis de Cuba, eles eram a perpétua linha de frente em tal conflito. Quanto mais a fronteira (européia) entre os dois campos se estabilizasse, mais provável seria, quando os canhões disparassem, que isso se desse em alguma montanha asiática ou matagal africano.

Contudo, embora o confronto de superpotências dominasse e em certa medida estabilizasse as relações inter-Estados em todo o mundo, não as controlava de todo. Em duas regiões, tensões internas do Terceiro Mundo, essencialmente não ligadas à Guerra Fria, criavam condições permanentes de conflito que periodicamente irrompiam em guerra: o Oriente Médio e a parte norte do subcontinente indiano. (As duas, não por acaso, eram herdeiras de esquemas de partilha imperiais.) A última zona de conflito era mais facilmente isolável da Guerra Fria, apesar das tentativas paquistanesas de envolver os americanos, que fracassaram até a guerra afegã da década de 1980 (ver capítulos 8 e 16). Daí o Ocidente pouco saber e menos ainda lembrar das três guerras regionais: a sino-indiana de 1962, pela maldefinida fronteira entre os dois países, vencida pela China; a indo-paquistanesa de 1965 (convenientemente vencida pela Índia); e o segundo conflito indo-paquistanês de 1971, resultado da separação do Paquistão Oriental (Bangladesh), que a Índia apoiou. Os EUA e a URSS tentaram atuar como mediadores neutros e benévolos. A situação no Oriente Médio não podia ser isolada, porque vários dos aliados americanos se achavam diretamente envolvidos: Israel, Turquia e o Irã do xá. Além disso, como provou a sucessão de revoluções locais, militares e civis — do Egito em 1952, passando por Iraque e Síria nas décadas de 1950 e 1960, Arábia Saudita nas décadas de 1960 e 1970 e até o próprio Irã em 1979 —, a região era e continua sendo socialmente instável.

Esses conflitos regionais não tinham ligação essencial com a Guerra Fria: a URSS foi uma das primeiras a reconhecer o novo Estado de Israel, que mais tarde se estabeleceu como principal aliado dos EUA, e os Estados árabes e outros islâmicos, de direita ou esquerda, uniam-se na repressão ao comunismo dentro de suas fronteiras. A principal força de perturbação era Israel, onde os colonos judeus construíram um Estado judeu maior do que o que fora previsto sob a partilha britânica (expulsando 700 mil palestinos não judeus, talvez um número maior que a população judia em 1948) (Calvocoressi, 1989, p. 215), lutando uma guerra por década para isso (1948, 1956, 1967, 1973, 1982). No curso dessas guerras, que podem ser mais bem comparadas às do rei prussiano Frederico II no século XVIII para conquistar reconhecimento de sua posse da Silésia, que ele roubara da vizinha Áustria, Israel também se transformou na mais formidável potência militar da região e adquiriu armas nucleares, mas não conseguiu estabelecer uma base estável de relações com os Estados vizinhos, para não mencionar relações com os permanentemente irados palestinos que vivem dentro de suas ampliadas fronteiras ou na diáspora no Oriente Médio. O colapso da URSS retirou o Oriente Médio da linha de frente da Guerra Fria, mas deixou-o tão explosivo quanto antes.

Três centros menores de conflito ajudaram a mantê-lo assim: o Mediterrâneo oriental, o golfo Pérsico e a região de fronteira entre Turquia, Irã, Iraque e Síria, onde os curdos tentaram em vão conquistar a independência que o presidente Wilson incautamente os exortara a exigir em 1918. Incapazes de encontrar apoio permanente por parte de algum Estado poderoso, eles perturbaram as relações entre todos os seus vizinhos, que os massacraram utilizando todos os meios disponíveis, até mesmo, na década de 1980, gás tóxico, quando não encontraram diante de si a resistência dos proverbialmente hábeis curdos, verdadeiros guerrilheiros da montanha. O Mediterrâneo oriental permaneceu relativamente quieto, pois tanto a Grécia quanto a Turquia eram membros da OTAN, embora o conflito entre os dois levasse a uma invasão turca do Chipre, que foi dividido em 1974. Por outro lado, a rivalidade entre as potências ocidentais, Irã e Iraque, por posições no golfo Pérsico iria levar à bárbara guerra de oito anos entre o Iraque e o Irã revolucionário, em 1980-8 e, após a Guerra Fria, entre os EUA e seus aliados e o Iraque em 1991.

Uma parte do Terceiro Mundo permaneceu muito distante de conflitos internacionais locais e globais até depois da Revolução Cubana: a América Latina. A não ser por pequenos trechos no continente (as Guianas, Belize — então conhecida como Honduras britânica — e as ilhas menores do Caribe), fora descolonizada muito tempo atrás. Cultural e lingüisticamente, tinha populações ocidentais, na medida em que mesmo o grosso de seus pobres era de católicos romanos e, a não ser por algumas áreas nos Andes e na América Central continental, falavam ou entendiam uma linguagem cultural partilhada por europeus. Embora a região herdasse uma elaborada hierarquia racial, também herdara da conquista esmagadoramente masculina uma tradição de maciça miscigenação. Havia poucos brancos genuínos, a não ser no cone sul da América do Sul (Argentina, Uruguai e Brasil), povoado por emigração européia em massa, de escassa população nativa. O México elegeu um reconhecivelmente índio zapoteca, Benito Juárez, como presidente já em 1861. Na época em que escrevo, a Argentina tem como presidente um imigrante muçulmano libanês, e o Peru, um imigrante japonês. Os dois casos ainda eram impensáveis para os EUA. Até hoje, a América Latina ainda permanece fora do círculo vicioso de política e nacionalismo étnicos que devasta os outros continentes.

Além disso, embora a maior parte do continente reconhecesse estar no que agora se chamava dependência "neocolonial" de um único poder imperial dominante, os EUA foram suficientemente realistas para não mandar canhoneiras e fuzileiros aos Estados maiores — não hesitaram em usá-los contra os menores —, e os governos latino-americanos do Rio Grande ao cabo Horn sabiam perfeitamente bem que o mais sensato era ficar do lado certo de Washington. A Organização dos Estados Americanos (OEA), fundada em 1948, com sede em Washington, não era um corpo inclinado a discordar dos EUA. Quando Cuba fez sua revolução, a OEA a expulsou.

V

E no entanto, no momento mesmo em que o Terceiro Mundo e as ideologias nele baseadas se achavam no auge, o conceito começou a desmoronar. Na década de 1970, tornou-se evidente que nenhum nome ou rótulo individual podia cobrir adequadamente um conjunto de países cada vez mais divergentes. O termo ainda era adequado para distinguir os países pobres do mundo dos ricos, e na medida em que o fosso entre as duas zonas, agora muitas vezes chamadas de "Norte" e "Sul", se alargava visivelmente, havia muito sentido na distinção. O fosso em PNB per capita entre o mundo "desenvolvido" e o "atrasado" (isto é, entre os países da OCDE e as "economias baixas e médias")* continuou a alargar-se: o primeiro grupo tinha em média 14,5 vezes o PNB per capita do segundo em 1970, porém mais de 24 vezes o PNB per capita em 1990 dos países pobres (*World Tables*, 1991, tabela I). Contudo, o Terceiro Mundo não é mais, demonstravelmente, uma entidade individual.

O que o dividiu foi basicamente o desenvolvimento econômico. O triunfo da OPEP em 1973 produziu, pela primeira vez, um corpo de Estados do Terceiro Mundo, a maioria atrasada por quaisquer critérios e até então pobre, que agora surgiam como Estados supermilionários em escala mundial, sobretudo quando consistiam em pequenos trechos de areia ou floresta esparsamente habitados, governados (em geral) por xeques ou sultões. Era visivelmente impossível classificar, digamos, os Emirados Árabes Unidos, onde cada um do meio milhão de habitantes (1975) tinha, em teoria, uma fatia do PNB de mais de 13 mil dólares — quase o dobro do PNB per capita dos EUA na época (*World Tables*, 1991, pp. 596 e 604) —, no mesmo escaninho que, digamos, o Paquistão, que então tinha um PNB per capita de 130 dólares. Os Estados do petróleo com grande população não iam tão bem, mas apesar disso tornou-se evidente que os Estados dependentes da exportação de um único produto primário, por menos vantagens que tivessem em outros aspectos, podiam tornar-se extremamente ricos, embora esse dinheiro, também fácil, quase invariavelmente, tentasse-os a jogá-lo pela janela.** No início da década de 1990, mesmo a Arábia Saudita já conseguira entrar em dívidas.

Em segundo lugar, parte do Terceiro Mundo industrializava-se e entrava visível e rapidamente no Primeiro Mundo, embora continuasse muito pobre. A Coréia do Sul, uma espetacular história de sucesso industrial, tinha um PNB per capita (1989) de pouco mais que o de Portugal, de longe o mais pobre dos membros da Comunidade Européia (*World Bank Atlas*, 1990, p. 7). Também aqui, tirando as diferenças qualitativas, a Coréia do Sul não é mais compará-

(*) A OCDE, que compreende a maioria dos países "desenvolvidos", inclui Bélgica, Dinamarca, República Federal da Alemanha, França, Grã-Bretanha, Irlanda, Islândia, Itália, Luxemburgo, Países Baixos, Noruega, Suécia, Suíça, Canadá, EUA, Japão e Austrália. Por motivos políticos essa organização, estabelecida durante a Guerra Fria, também incluiu Grécia, Portugal, Espanha e Turquia.

(**) Não se trata de um fenômeno do Terceiro Mundo. Quando informado da riqueza dos campos de petróleo do mar do Norte, diz-se que um cínico político francês observou: "Vão gastá-la e entrar em crise".

vel com, digamos, Papua-Nova Guiné, embora o PNB per capita dos dois países fosse exatamente o mesmo em 1969 e continuasse da mesma ordem de grandeza até meados da década de 1970: é agora cerca de cinco vezes maior (*World Tables*, 1991, pp. 352 e 456). Como vimos, uma nova categoria, os NICs, entrou no jargão internacional. Não havia definição precisa, mas praticamente todas as listas incluíam os quatro "tigres do Pacífico" (Hong Kong, Cingapura, Taiwan e Coréia do Sul), Índia, Brasil e México, mas o processo de industrialização do Terceiro Mundo é tal que Malásia e Filipinas, Colômbia, Paquistão e Tailândia, além de outros, também foram incluídos. Na verdade, uma categoria de novos e rápidos industrializadores atravessa as fronteiras dos três mundos, pois estritamente também deve incluir "economias de mercado industrializadas" (isto é, países capitalistas) como Espanha e Finlândia, e a maioria dos ex-Estados socialistas da Europa Oriental; para não falar, desde finais da década de 1970, da China comunista.

De fato, na década de 1970 observadores começaram a chamar a atenção para uma "nova divisão internacional de trabalho", ou seja, uma maciça transferência de indústrias que produziam para o mercado mundial, da primeira geração de economias industriais, que antes as monopolizavam, para outras partes do mundo. Isso se deveu em parte à deliberada mudança, por empresas do Velho Mundo industrial, de parte ou de toda a sua produção ou estoques para o Segundo e Terceiro Mundos, seguida eventualmente por algumas transferências até mesmo de processos bastante sofisticados em indústrias de alta tecnologia, como pesquisa e desenvolvimento. A revolução nos transportes e comunicações modernos tornou possível e econômica uma produção verdadeiramente mundial. Também se deveu aos esforços deliberados de governos do Terceiro Mundo para industrializarem-se, conquistando mercados de exportação, se necessário (mas preferentemente não) à custa da velha proteção de mercados internos.

Essa globalização econômica, que pode ser constatada por qualquer um que verifique as origens nacionais de produtos vendidos num centro comercial norte-americano, desenvolveu-se lentamente na década de 1960 e se acelerou de modo impressionante durante as décadas de perturbações econômicas mundiais após 1973. A rapidez com que avançou pode ser ilustrada mais uma vez pela Coréia do Sul, que no fim da década de 1950 ainda tinha quase 80% de sua população trabalhadora na agricultura, da qual extraía quase três quartos da renda nacional (Rado, 1962, pp. 740 e 742-3). Inaugurou o primeiro de seus planos qüinqüenais de desenvolvimento em 1962. Em fins da década de 1980, extraía apenas 10% de seu PIB da agricultura e tornara-se a oitava economia industrial do mundo não comunista.

Em terceiro lugar, surgiram (ou melhor, foram submersos) no pé das estatísticas internacionais vários países que mesmo o eufemismo internacional achava difícil descrever simplesmente como "em desenvolvimento", pois eram visivelmente pobres e cada vez mais atrasados. Com tato, estabeleceu-se um subgrupo de países em desenvolvimento de baixa renda para distinguir os 3 bilhões de seres humanos cujo PNB per capita (se o recebessem) teria dado uma média de 330 dólares em 1989 dos 500 milhões mais afortunados em países menos destituídos, como a República Dominicana, o Equador e a Guatemala, cujo PNB era cerca de três vezes maior, e mesmo dos luxuosos membros do grupo seguinte (Brasil, Malásia, México e outros assim), que tinham em média oito vezes mais. (Os 800 milhões, mais ou menos, do grupo mais próspero gozavam de uma distribuição de PNB teórica per capita de 18 280 dólares, ou 55 vezes mais que os três quintos da base da humanidade.) (World Bank Atlas, 1990, p. 10.) Na verdade, à medida que a economia mundial se tornava global e, sobretudo após a queda da região soviética, mais puramente capitalista e dominada por empresas, investidores e empresários descobriam que grandes partes dela não tinham interesse lucrativo para eles, a não ser, talvez, que pudessem subornar seus políticos e funcionários públicos para gastar dinheiro extraído de seus infelizes cidadãos com armamentos ou projetos de prestígio.*

Um número desproporcionalmente grande desses países se encontrava no infeliz continente africano. O fim da Guerra Fria privou tais Estados de ajuda econômica (isto é, em grande parte militar), que havia transformado alguns deles, como a Somália, em campos armados e eventuais campos de batalha.

Além disso, à medida que cresciam as divisões entre os pobres, também a globalização provocava movimentos mais evidentes de seres humanos que cruzavam as linhas divisórias entre regiões e classificações. Dos países ricos, fluíam turistas para o Terceiro Mundo como jamais antes. Em meados da década de 1980 (1985), para tomar alguns países muçulmanos, os 16 milhões de habitantes da Malásia recebiam 3 milhões de turistas por ano; os 7 milhões de tunisianos, 2 milhões; os 3 milhões de jordanianos, 2 milhões (Din, 1989, p. 545). Dos países pobres, os fluxos de migração de mão-de-obra para os ricos incharam em enormes torrentes, na medida em que não eram represadas por barragens políticas. Em 1968, migrantes do Magreb (Tunísia, Marrocos e, acima de todos, Argélia) já formavam um quarto de todos os estrangeiros na França (em 1975, migrou 5,5% da população argelina), e um terço de todos os imigrantes nos EUA vinha da América Latina — na época ainda esmagadoramente da América Central (Potts, 1990, pp. 145-6 e 150). Tampouco essa migração se dava apenas para velhos países industriais. O número de estrangeiros em Estados produtores de petróleo do Oriente Médio e Líbia disparou de 1,8 milhão para 2,8 milhões nuns meros cinco anos (1975-80) (Population,

(*) "Como norma básica, 55% de 200 mil dólares conquistam a ajuda de um alto funcionário abaixo do nível do topo. Com a mesma porcentagem de 2 milhões, estamos tratando com o secretário permanente. De 20 milhões, entram o ministro e o pessoal da equipe, enquanto uma fatia de 200 milhões 'justifica a séria atenção do chefe de Estado' " (Holman, 1993).

1984, p. 109). A maioria deles vinha da região, mas um grande volume veio do sul da Ásia e até de mais longe. Infelizmente, nas sombrias décadas de 1970 e 1980, tornou-se cada vez mais difícil separar a migração por trabalho das torrentes de homens, mulheres e crianças que fugiam ou eram desenraizados por fome, perseguição política ou étnica, guerra e guerra civil, assim pondo os países do Primeiro Mundo, igualmente empenhados (em teoria) em ajudar aos refugiados e (na prática) impedir a imigração dos países pobres, em sérios problemas de casuísmo político e legal. Com exceção dos EUA, e em menor escala Canadá e Austrália, que encorajavam ou permitiam a imigração em massa do Terceiro Mundo, os países do Primeiro Mundo optaram por mantê-los fora sob a pressão de uma crescente xenofobia entre suas populações locais.

VI

O espantoso "grande salto avante" da economia mundial (capitalista) e sua crescente globalização não apenas dividiram e perturbaram o conceito de Terceiro Mundo como também levaram quase todos os seus habitantes conscientemente para o mundo moderno. Eles não gostaram necessariamente disso. Na verdade, muitos movimentos "fundamentalistas" e outros em teoria tradicionalistas que agora ganhavam terreno em vários países do Terceiro Mundo, sobretudo, mas não de modo exclusivo, na região islâmica, eram especificamente revoltas contra a modernidade, embora isso com certeza não se aplique a todos os movimentos aos quais se prega esse rótulo impreciso.* Mas eles próprios se sabiam parte de um mundo que não era como o de seus pais. Esse mundo lhes chegava em forma de ônibus ou caminhões em poeirentas estradas marginais; a bomba de gasolina; o radinho de pilha transistorizado, que trazia o mundo até eles — talvez até aos analfabetos, em seu próprio dialeto ou língua não escritos, embora isso provavelmente fosse privilégio do imigrante urbano. Mas num mundo onde as pessoas do campo migravam para as cidades aos milhões, e mesmo em países rurais da África com populações urbanas de um terço ou mais tornando-se comuns — Nigéria, Zaire, Tanzânia, Senegal, Gana, Costa do Marfim, Chade, República Centro-Africana, Gabão, Benin, Zâmbia, Congo, Somália, Libéria —, quase todos trabalhavam na cidade ou tinham um parente que lá morava. Aldeia e cidade estavam daí em diante interligadas. Mesmo as mais remotas viviam agora num mundo de embalagem plástica, garrafas de coca-cola, relógios digitais baratos e fibras artificiais. Por uma estranha inversão da história, o país atrasado do Terceiro

(*) Assim a conversão a seitas protestantes "fundamentalistas", comum na América Latina é, quando mais não fosse, uma reação "modernista" ao antigo *status quo* representado pelo catolicismo local. Outros "fundamentalismos" são análogos a nacionalismo étnico, por exemplo na Índia.

Mundo começou até a comercializar suas habilidades no Primeiro Mundo. Nas esquinas da Europa pequenos grupos de peripatéticos índios dos Andes sul-americanos tocavam suas melancólicas flautas e nas calçadas de Nova York, Paris e Roma camelôs negros da África Ocidental vendiam balangandãs aos nativos exatamente como os ancestrais dos nativos haviam feito em suas viagens de negócios ao Continente Negro.

Quase certamente a cidade grande era o cadinho da mudança, ainda mais que ela era moderna por definição. "Em Lima", como contava aos filhos um migrante dos Andes em ascensão, "há mais progresso, muito mais estímulo" (*más roce*) (Julca, 1992). Por mais que grande parte dos migrantes usasse a caixa de ferramentas da sociedade tradicional para construir sua existência urbana, erguendo e estruturando as novas favelas como as velhas comunidades rurais, na cidade coisas demais eram novas e sem precedentes e demasiados dos seus costumes conflitavam com os dos velhos tempos. Em parte alguma isso se mostrava mais dramático que no inesperado comportamento das moças, cujo rompimento com a tradição era deplorado da África ao Peru. Num tradicional *huayno* de Lima ("*La gringa*"), um rapaz imigrante se lamenta:

Quando você veio de sua terra, veio como uma moça da roça
Agora que está em Lima penteia os cabelos como as da cidade
Diz até espere "por favor". Vou dançar o twist
[...]
Não seja pretensiosa, seja menos orgulhosa
[...]
Entre seu cabelo e o meu, não há diferença.

(Mangin, 1970, pp. 31-2.)*

Contudo, a consciência da modernidade espalhou-se da cidade para o campo (até mesmo onde a própria vida rural não foi transformada por novas colheitas, nova tecnologia e novas formas de organização e *marketing*) através da impressionante "revolução verde" da agricultura de colheita de grãos por variedades cientificamente projetadas em partes da Ásia, que se disseminaram a partir da década de 1960, ou, um pouco depois, pelo desenvolvimento de novas colheitas de exportação para o mercado mundial, tornada possível pelo frete aéreo em massa de perecíveis (frutas tropicais, flores) e novos gostos de consumo no mundo "desenvolvido" (cocaína). Não se deve subestimar o efeito de tais mudanças rurais. Em parte nenhuma os velhos costumes e os novos entraram em mais frontal colisão do que na fronteira amazônica da Colômbia,

(*) Ou, da Nigéria, na imagem de um novo tipo de moça africana na literatura de feira de Onitsha: "As moças não são mais aqueles brinquedinhos tradicionais, quietos e modestos dos papais. Escrevem cartas de amor. São espertas. Exigem presentes dos namorados e vítimas. Até enganam os homens. Não são mais as criaturas bobinhas a serem conquistadas através dos pais" (Nwoga, 1965, pp. 178-9).

que na década de 1970 se tornou uma etapa do transporte de coca boliviana e peruana e local dos laboratórios que a transformavam em cocaína. Isso se deu poucos anos depois de a área ter sido assentada por colonos camponeses da fronteira que fugiam de grandes propriedades e latifundiários, e que eram defendidos pelos protetores reconhecidos do estilo de vida camponês, os guerrilheiros (comunistas) das FARCs. Ali o mercado, em sua forma mais implacável, se chocava com os que viviam da agricultura de subsistência e do que o homem podia arranjar com uma arma, um cachorro e uma rede de pesca. Como um roçado de yuca e banana podia competir com a tentação de cultivar uma lavoura que alcançava preços altíssimos — embora instáveis —, e o velho estilo de vida, com os campos de aterrissagem e os prósperos assentamentos dos fabricantes e traficantes de drogas com seus desenfreados pistoleiros, bares e bordéis? (Molano, 1988.)

O campo estava de fato sendo transformado, mas mesmo essa transformação dependia da civilização das cidades e suas indústrias, pois com bastante freqüência sua própria economia dependia dos ganhos dos emigrantes, como nos chamados "aldeamentos negros" da África do Sul do *apartheid*, que geravam apenas 10% a 15% da renda de seus habitantes, o resto vindo dos ganhos de trabalhadores migrantes nos territórios brancos (Ripken & Wellmer, 1978, p. 196). Paradoxalmente, no Terceiro Mundo, como em partes do Primeiro, a cidade podia tornar-se a salvadora de uma economia rural que, não fosse pelo seu impacto, poderia ter sido abandonada por pessoas que haviam aprendido com a experiência dos migrantes — seus próprios vizinhos — que homens e mulheres tinham alternativas. Elas descobriram que não era inevitável que se escravizassem uma vida inteira arrancando um miserável ganha-pão de uma terra marginal, exausta e pedregosa, como tinham feito seus ancestrais. Muitos assentamentos rurais de um lado a outro do globo, em paisagens românticas, e por conseguinte agricolamente marginais, se esvaziaram de todos, com exceção dos velhos, a partir da década de 1960. Contudo, uma comunidade montanhesa cujos emigrantes descobriram um lugarzinho para ocupar na economia na grande cidade — no caso vendendo frutas, ou mais precisamente morangos, em Lima — conseguiu manter ou revitalizar seu caráter pastoral por uma passagem da renda agrícola para a não agrícola, operando através de uma complicada simbiose de famílias migrantes e residentes (Smith, 1989, capítulo 4). Talvez seja significativo o fato de que, neste caso particular, que tem sido incomumente bem estudado, os migrantes raramente tenham se tornado operários. Preferiram encaixar-se na grande rede da "economia informal" do Terceiro Mundo como pequenos comerciantes. Pois a grande mudança no Terceiro Mundo foi provavelmente a feita pelas novas e crescentes classes média e média baixa de migrantes empenhados no mesmo método, e a grande forma de sua vida econômica era — sobretudo nos países mais pobres — a economia informal, que escapava das estatísticas oficiais.

Assim, em algum momento no último terço do século XX, a larga vala que separava as pequenas minorias dominantes modernizantes ou ocidentalizantes dos países do Terceiro Mundo do grosso de seus povos começou a ser tapada pela transformação geral de suas sociedades. Ainda não sabemos como ou quando isso aconteceu, ou que formas tomou a nova consciência dessa transformação, pois a maioria desses países ainda não tinha nem serviços estatísticos oficiais adequados nem a maquinária de pesquisa de mercado e opinião pública, nem os departamentos de ciências sociais acadêmicos com estudantes pesquisadores para mantê-los ativos. De qualquer forma, é difícil descobrir o que ocorre nas bases das sociedades mesmo nos países mais bem documentados, até depois que ocorre, motivo pelo qual os estágios iniciais de novas modas sociais e culturais entre os jovens são imprevisíveis, imprevistos e muitas vezes não reconhecidos nem mesmo por aqueles que vivem ganhando dinheiro com eles, como a indústria da cultura popular, quanto mais pela geração dos pais. Contudo, alguma coisa estava claramente agitando as cidades do Terceiro Mundo abaixo do nível da consciência da elite, mesmo num país na aparência completamente estagnado como o Congo Belga (hoje Zaire), pois de que outro modo podemos explicar que o tipo de música popular ali desenvolvido na inerte década de 1950 se tenha tornado o mais influente na África nas décadas de 1960 e 1970 (Manuel, 1988, pp. 86 e 97-101)? Aliás, como podemos explicar o surgimento de uma consciência política que faz os belgas mandarem o Congo para a independência em 1960, praticamente de uma hora para outra, embora até então essa colônia, quase tão igualmente hostil à educação interna quanto à atividade política local, parecesse à maioria dos observadores "tão provável de permanecer fechada para o resto do mundo quanto o Japão antes da restauração Meiji" (Calvocoressi, 1989, p. 377)?

Quaisquer que tenham sido as agitações da década de 1950, nas de 1960 e 1970 os sinais de grande transformação social eram bastante evidentes no hemisfério norte, e inegáveis no mundo islâmico e nos grandes países do sul e sudeste da Ásia. Paradoxalmente, eram na certa menos visíveis nas partes do mundo socialista que correspondiam ao Terceiro Mundo, por exemplo, a Ásia Central e o Cáucaso soviéticos. Pois muitas vezes não se reconhece que a revolução comunista foi uma máquina de conservadorismo. Embora estivesse decidida a transformar um número específico de aspectos da vida — poder do Estado, relações de propriedade, estrutura econômica e coisas assim —, congelou outros em suas formas pré-revolucionárias, ou pelo menos os protegeu contra a contínua subversão universal da mudança nas sociedades capitalistas. De qualquer modo, sua arma mais forte, o puro e simples poder do Estado, foi menos efetiva para transformar o comportamento humano do que gostavam de pensar a retórica positiva sobre "o novo socialismo" ou a negativa sobre "totalitarismo". Os uzbeques e tadjiques que viviam ao norte da fronteira afegã-soviética eram sem dúvida mais alfabetizados, mais secularizados e mais ricos que os que viviam ao sul, mas talvez não diferissem tanto em seus costumes quanto setenta anos de socialismo nos teriam levado a pensar. As brigas de sangue provavelmente não eram uma grande preocupação das autoridades do Cáucaso desde a década de 1930 (embora durante a coletivização a morte de um homem num acidente com a debulhadeira de um colcós levasse a uma briga que entrou nos anais da jurisprudência soviética), mas no início da década de 1990 observadores advertiam para "o perigo de auto-extermínio nacional [na Tchetchênia], pois a maioria das famílias tchetchênias foi arrastada a um relacionamento tipo vendeta" (Trofimov & Djangava, 1993).

As conseqüências culturais dessa transformação social ainda esperam o historiador. Não podem ser examinadas aqui, embora esteja claro que, mesmo nas sociedades muito tradicionais, a rede de obrigação mútua e costumes sofresse crescente tensão. "A família ampliada em Gana e em toda a África", observou-se (Harden, 1990, p. 67), "funciona sob imensa tensão. Como uma ponte que suportou tráfego de altíssima velocidade por demasiados anos, suas fundações estão rachando [...] Os velhos rurais e os jovens urbanos estão separados por centenas de milhas de más estradas e séculos de desenvolvimento."

Politicamente, é mais fácil avaliar as conseqüências paradoxais. Pois, com a entrada de massas de população, ou pelo menos de pessoas jovens e citadinas, num mundo moderno, o monopólio das pequenas e ocidentalizadas elites que formaram a primeira geração de história pós-colonial estava sendo contestado. E com elas os programas, as ideologias, os próprios vocabulário e sintaxe do discurso político, sobre os quais se apoiavam os novos Estados. Pois as novas massas urbanas e urbanizadas, mesmo as novas classes médias maciças, por mais educadas que fossem, não eram, e pelos seus simples números não podiam ser, as velhas elites, cujos membros podiam defender seus pontos de vista com os colonialistas ou com seus colegas diplomados em escolas européias ou americanas. Muitas vezes — isso era bastante óbvio na África do Sul — se ressentiam delas. De qualquer modo, as massas dos pobres não partilhavam da crença na aspiração ocidental de progresso secular do século XIX. Nos países islâmicos ocidentais, tornou-se patente, e explosivo, o conflito entre os velhos líderes seculares e a nova democracia de massa islâmica. Da Argélia à Turquia, os valores que, nos países de liberalismo ocidental, estão associados a governo constitucional e império da lei, como por exemplo os direitos das mulheres, eram protegidos — até onde existiam — contra a democracia pela força militar dos libertadores da nação, ou seus herdeiros.

O conflito não se restringia aos países islâmicos, nem a reação contra os velhos valores do progresso às massas dos pobres. O exclusivismo hindu do partido BJP na Índia tinha apoio substancial entre o novo capital e as classes médias. O nacionalismo etno-religioso apaixonado e selvagem que na década de 1980 transformou o pacífico Sri Lanka num campo de massacre, comparável apenas a El Salvador, ocorreu, inesperadamente, num próspero país budista. Tinha raízes em duas transformações sociais: a profunda crise de identidade das aldeias cuja ordem social se despedaçara, e o aumento da camada de massa de jovens mais bem-educados (Spencer, 1990). Aldeias transmudadas por migração para fora e para dentro, divididas pelas crescentes diferenças entre ricos e pobres provocadas pela economia da moeda sonante, devastadas pela instabilidade trazida pela desigualdade de uma mobilidade social com base na educação, pelo desaparecimento dos sinais físicos e lingüísticos de casta e *status* que separavam as pessoas, mas também não deixavam dúvida quanto a suas posições — essa aldeias inevitavelmente viviam ansiosas com sua comunidade. Isso foi usado para explicar, entre outras coisas, o aparecimento de novos símbolos e rituais de uma unidade que era em si nova, como o súbito desenvolvimento de formas congregacionais de culto budista na década de 1970, substituindo formas de devoção privadas e familiares; ou a instituição nas escolas de dias esportivos abertos com o hino nacional tocado em toca-fitas emprestados.

Essas eram as políticas de um mundo mutante e inflamável. O que as tornava menos previsíveis era que, em muitos países do Terceiro Mundo, jamais haviam existido, ou não tinham podido funcionar, políticas nacionais no sentido inventado e reconhecido no Ocidente desde a Revolução Francesa. Onde havia uma longa tradição de política com algum tipo de base de massa, ou mesmo uma substancial aceitação, entre os passivos cidadãos, da legitimidade das "classes políticas" que conduziam seus assuntos, podia-se manter um certo grau de continuidade. Os colombianos, como sabem os leitores de García Márquez, continuavam nascendo liberaizinhos ou conservadorezinhos, como acontecia há mais de um século, embora pudessem mudar o conteúdo das garrafas que traziam esses rótulos. O Partido do Congresso indiano mudou, cindiu-se e reformou-se no meio século desde a independência, mas até a década de 1990 as eleições gerais indianas — com apenas exceções passageiras — continuaram a ser ganhas pelos que apelavam para suas metas e tradições históricas. Embora o comunismo se desintegrasse em outras partes, a tradição esquerdista profundamente enraizada da Bengala Hindu (ocidental), assim como uma competente administração, mantiveram o Partido Comunista (marxista) em um quase permanente governo no Estado onde a luta nacional contra os britânicos significava não Gandhi, nem mesmo Nehru, mas os terroristas e Subhas Bose.

Além disso, a própria mudança estrutural podia levar a política em direções conhecidas na história do Primeiro Mundo. Era provável que os "países em recente industrialização" criassem classes operárias industriais que exigissem direitos trabalhistas e sindicatos, como mostraram os registros do Brasil e da Coréia do Sul, e na verdade fizeram os da Europa Oriental. Não precisavam criar partidos trabalhistas populares reminiscentes dos movimentos social-democratas de massa da Europa pré-1914, embora não seja insignificante que o Brasil tenha gerado exatamente um desses bem-sucedidos partidos nacionais na década de 1980, o Partido dos Trabalhadores (PT). (Mas a tradição do movimento trabalhista em sua base interna, a indústria automobilística de São Paulo, era uma combinação de leis trabalhistas populistas e militância comunista nas fábricas, e a dos intelectuais que acorriam a apoiá-lo era solidamente esquerdista, como o era a ideologia do clero católico, cujo apoio ajudou a pô-lo de pé.)* Também aqui, o rápido crescimento industrial tendeu a gerar grandes e educadas classes profissionais que, embora longe de subversivas, teriam acolhido a liberalização cívica de regimes industrializantes autoritários. Tais anseios por liberalização se encontravam, na década de 80, em diferentes contextos e com resultados variados, na América Latina e nos NICs do Extremo Oriente (Coréia do Sul e Taiwan), assim como dentro do bloco soviético.

Apesar disso, em vastas áreas do Terceiro Mundo as conseqüências políticas da transformação social eram de fato impossíveis de prever. A única coisa certa era a instabilidade e inflamabilidade desse mundo, do qual tinha dado testemunho o meio século desde a Segunda Guerra Mundial.

Devemos abordar agora aquela parte do mundo que, para a maioria do Terceiro Mundo após a descolonização, pareceu oferecer um modelo mais adequado e estimulante de progresso que o Ocidente: o "Segundo Mundo" dos sistemas socialistas modelados na União Soviética.

(*) A não ser pela orientação socialista de um e a ideologia anti-socialista do outro, eram impressionantes as semelhanças entre o Partido dos Trabalhadores brasileiro e o movimento Solidariedade polonês contemporâneos: um líder proletário autêntico — um eletricista de estaleiro e um operário qualificado da indústria automobilística —, uma assessoria de alto nível de intelectuais e forte apoio da Igreja. São ainda maiores se nos lembrarmos que o PT buscava substituir a organização comunista, que a ele se opunha.

13
"SOCIALISMO REAL"

A Revolução de Outubro não produziu apenas uma divisão histórica mundial, ao estabelecer os primeiros Estado e sociedade pós-capitalistas, mas também dividiu o marxismo e as políticas socialistas [...] *Após a Revolução de Outubro, as estratégias e perspectivas socialistas começaram a basear-se mais em exemplos políticos que em análises do capitalismo.*

Göran Therborn (1985, p. 227)

Os economistas hoje [...] *entendem muito melhor que antes o modo real versus formal de funcionamento da economia. Sabem da "segunda economia", talvez até de uma terceira também, e de uma mistura de práticas informais mas generalizadas sem as quais nada funciona.*

Moshe Lewin, in Kerblay (1983, p. xxii)

I

Quando se assentou o pó das batalhas de guerra e guerra civil no início da década de 1920, e congelou-se o sangue dos cadáveres e das feridas, a maior parte do que fora antes de 1914 o império russo ortodoxo dos czares emergiu intacta como império, mas sob o governo dos bolcheviques e dedicada à construção do socialismo mundial. Foi o único dos antigos impérios dinástico-religiosos a sobreviver à Primeira Guerra Mundial, que despedaçara tanto o império otomano, cujo sultão era califa de todos os fiéis muçulmanos, quanto o império habsburgo, que mantinha uma relação especial com a Igreja romana. Os dois desabaram sob as pressões da derrota. O fato de a Rússia ter sobrevivido como uma entidade multiétnica única, que se estendia da fronteira polonesa no Ocidente até a fronteira japonesa no Oriente, quase certamente se deveu à Revolução de Outubro, pois as tensões que haviam desmontado os impérios anteriores em toda parte surgiram ou ressurgiram na União Soviética no fim da década de 1980, quando o sistema comunista que mantivera a união intacta desde 1917 abdicou efetivamente. O que quer que trouxesse o futuro, o que emergiu no início da década de 1920 foi um Estado único, desesperadamente empobrecido e atrasado — muito mais atrasado até que a Rússia czarista — mas de enormes dimensões: "um sexto da superfície do mundo", como gostavam de gabar-se os comunistas entre as guerras, dedicado a uma sociedade diferente e oposta ao capitalismo.

Em 1945, as fronteiras da região que se separou do capitalismo mundial ampliaram-se dramaticamente. Na Europa, incluíam agora toda a área a leste de uma linha que ia, grosso modo, do rio Elba na Alemanha até o mar Adriático e toda a península Balcânica, com exceção da Grécia e da pequena parte da Turquia que restava no continente. Polônia, Tchecoslováquia, Hungria, Iugoslávia, Romênia, Bulgária e Albânia passavam agora para a zona socialista, assim como a parte da Alemanha ocupada pelo Exército Vermelho após a guerra e transformada em uma "República Democrática Alemã" em 1954. A maior parte da área perdida pela Rússia depois da guerra e da revolução pós-1917 e um ou dois territórios antes pertencentes ao império habsburgo também foram recuperados ou adquiridos pela União Soviética entre 1939 e 1945. Enquanto isso, uma vasta e nova extensão da futura região socialista se dava no Extremo Oriente, com a transferência do poder para regimes comunistas na China (1949) e, em parte, na Coréia (1945) e no que fora a Indochina francesa (Vietnã, Laos, Camboja), no curso da guerra de trinta anos (1945-75). Houve mais algumas extensões da região comunista um pouco mais tarde, no hemisfério ocidental — Cuba (1959) e África (na década de 1970) —, mas substancialmente o setor socialista do globo já tomara forma em 1950. Graças aos enormes números do povo chinês, incluía agora um terço da população mundial, embora o tamanho médio dos Estados socialistas, tirando a China, a URSS e o Vietnã (58 milhões), não fosse particularmente grande. Suas populações iam de 1,8 milhão na Mongólia a 36 milhões na Polônia.

Essa era a parte do mundo cujos sistemas sociais em determinada altura da década de 1960 vieram a ser chamados, na terminologia da ideologia soviética, de países de "socialismo realmente existente"; um termo ambíguo que implicava, ou sugeria, que podia haver outros e melhores tipos de socialismo, mas na prática esse era o único que funcionava de fato. Foi também a região cujos sistemas econômicos e sociais, assim como os regimes políticos, desmoronaram totalmente na Europa quando a década de 1980 deu lugar à de 1990. No Leste, os sistemas políticos ainda se mantiveram, embora a reestruturação econômica de fato que sofreram em vários graus equivalesse a uma liquidação do socialismo como fora até então entendido por esses regimes, notadamente na China. Os regimes dispersos que imitavam, ou eram inspirados, pelo "socialismo realmente existente" em outras partes do mundo, ou tinham desmoronado, ou provavelmente não iriam ter uma vida longa.

A primeira coisa a observar na região socialista do globo era que, durante a maior parte de sua existência, formou um subuniverso separado e em grande parte auto-suficiente econômica e politicamente. Suas relações com a economia mundial, capitalista ou dominada pelo capitalismo dos países desenvolvidos, eram surpreendentemente escassas. Mesmo no auge do grande *boom* no comércio internacional, durante a Era de Ouro, só alguma coisa tipo 4% das exportações das economias de mercado capitalistas foram para as "economias centralmente planejadas", e na década de 1980 a fatia de exportações do Terceiro Mundo que ia para elas não era muito maior. As economias socialistas mandavam um pouco mais de suas modestas exportações para o resto do mundo, mas mesmo assim dois terços de seu comércio internacional na década de 1960 (1965) se faziam dentro de seu próprio setor* (UN International Trade, 1983, vol. I, p. 1046).

Havia, por motivos óbvios, pouco movimento de pessoas do "primeiro" para o "segundo" mundos, embora alguns Estados do Leste Europeu começassem a estimular o turismo em massa a partir da década de 1960. A emigração para os países não socialistas, bem como a viagem temporária, eram estritamente controladas, e às vezes praticamente impossíveis. Os sistemas políticos do mundo socialista, essencialmente modelados no sistema soviético, não tinham equivalente real em outras partes. Baseavam-se num partido único fortemente hierárquico e autoritário, que monopolizava o poder do Estado — na verdade, às vezes praticamente substituía o Estado —, operando uma economia centralmente planejada e (pelo menos em teoria) impondo uma única ideologia marxista-leninista compulsória aos habitantes do país. A segregação ou auto-segregação do "campo socialista" (como a terminologia soviética passou a chamá-lo em fins da década de 1940) foi desmoronando aos poucos nas décadas de 1970 e 1980. Apesar disso, o mero grau de ignorância e incompreensão mútuas que persistia entre os dois mundos era bastante extraordinário, sobretudo quando se tem em mente que esse foi um período em que tanto a viagem quanto a comunicação de informação foram absolutamente revolucionadas. Durante longos períodos, muito pouca informação sobre esses países pôde sair, e muito pouca sobre outras partes do mundo pôde entrar. Em troca, mesmo cidadãos não especializados mas educados e sofisticados do Primeiro Mundo muitas vezes descobriam que não conseguiam entender o que viam ou ouviam em países cujo passado e presente eram tão diferentes dos seus, e cujas línguas muitas vezes estavam além do seu alcance.

O motivo fundamental para a separação dos dois "campos" era sem dúvida político. Como vimos, após a Revolução de Outubro a Rússia soviética via o capitalismo mundial como o inimigo a ser derrubado pela revolução mundial assim que possível . Essa revolução não se deu, e a Rússia soviética

(*) Os dados se referem, em termos estritos, à URSS e Estados a ela associados, mas servirá como ordem de grandeza.

foi isolada, cercada por um mundo capitalista, do qual a maioria de poderosos governos queria impedir o estabelecimento desse centro de subversão global e, mais tarde, eliminá-lo assim que possível. O simples fato de a URSS não conquistar reconhecimento diplomático oficial de sua existência pelos EUA até 1933 demonstra seu estado proscrito inicial. Além disso, mesmo quando o sempre realista Lenin estava disposto, e até mesmo ansioso, para fazer as concessões de mais longo alcance aos investidores estrangeiros, em troca de sua ajuda ao desenvolvimento econômico russo, na prática não encontrou quem quisesse. Assim, a jovem URSS foi necessariamente lançada num curso de desenvolvimento auto-suficiente, em virtual isolamento do resto da economia mundial. Paradoxalmente, isso logo lhe ofereceria seu mais poderoso argumento ideológico. Ela pareceu imune à gigantesca depressão econômica que devastou a economia capitalista após o *crash* de Wall Street em 1929.

A política mais uma vez ajudou a isolar a economia soviética na década de 1930 e, de modo ainda mais impressionante, na expandida esfera soviética após 1945. A Guerra Fria congelou as relações econômicas e políticas entre os dois lados. Para fins práticos, todas as relações econômicas entre eles, além das mais triviais (ou inconfessáveis), tinham de passar pelos controles de Estado impostos por ambos. O comércio entre os blocos era uma função de suas relações políticas. Só nas décadas de 1970 e 1980 houve sinais de que o universo econômico separado do "campo socialista" estava sendo integrado na economia mundial mais ampla. Em retrospecto, podemos ver que esse foi o começo do fim do "socialismo realmente existente". Contudo, não há motivo teórico por que a economia soviética, tal como emergiu da revolução e guerra civil, não pudesse ter evoluído num relacionamento muito mais estreito com o resto da economia mundial. Economias centralmente planejadas e do tipo ocidental podem ter laços estreitos, como demonstra o caso da Finlândia, que a certa altura (1983) recebia um quarto de suas importações da URSS e mandava para lá uma proporção semelhante de suas exportações. Contudo, o "campo socialista" que interessa ao historiador é o que de fato emergiu, não o que poderia ter sido.

O fato central da União Soviética era o de que seus novos governantes, o Partido Bolchevique, jamais haviam esperado sobreviver em isolamento, quanto mais tornar-se o núcleo de uma economia auto-suficiente ("socialismo num só país"). Nenhuma das condições que Marx ou qualquer um de seus seguidores tinham até então considerado essenciais para o estabelecimento de uma economia socialista estava presente nessa enorme massa de território que era praticamente um sinônimo de atraso econômico e social na Europa. Os fundadores do marxismo supunham que a função da Revolução Russa só podia ser a de provocar a explosão revolucionária nos países industriais mais avançados, onde estavam presentes as condições para a construção do socialismo. Como vimos, isso era exatamente o que parecia acontecer em 1917-8, e parecia justificar a controvertidíssima decisão de Lenin — pelo menos entre os marxistas — de dirigir o curso dos bolcheviques russos para o poder e o socialismo soviéticos. Na visão de Lenin, Moscou seria apenas o quartel-general temporário do socialismo, até que a ideologia pudesse mudar-se para sua capital permanente em Berlim. Não foi por acaso que a língua oficial da Internacional Comunista, criada como o estado-maior da revolução mundial em 1919, era — e continuou sendo — não o russo, mas o alemão.

Quando ficou claro que a Rússia ia ser por algum tempo, que certamente não seria curto, o único país onde a revolução proletária triunfara, a política lógica, na verdade a única convincente para os bolcheviques, era transformar sua economia e sua sociedade atrasadas em avançadas o mais breve possível. A maneira mais óbvia de fazer isso que se conhecia era combinar uma ofensiva total contra o atraso cultural das massas notoriamente "escuras", ignorantes, analfabetas e supersticiosas com uma corrida total para a modernização tecnológica e a Revolução Industrial. O comunismo de base soviética, portanto, passou a ser um programa voltado para a transformação países atrasados em avançados. Essa concentração de crescimento econômico ultra-rápido não deixava de ter apelo mesmo no mundo capitalista desenvolvido em sua era de catástrofe, desesperadamente em busca de uma maneira de recuperar seu dinamismo econômico. Era ainda mais diretamente relevante para os problemas do mundo fora da Europa Ocidental e América do Norte, a maior parte do qual podia reconhecer sua própria imagem no atraso agrário da Rússia soviética. A receita soviética de desenvolvimento econômico — planejamento econômico estatal centralizado, voltado para a construção ultra-rápida das indústrias básicas, e infra-estrutura essencial a uma sociedade industrial moderna — parecia feita para eles. Moscou não era apenas um modelo mais atraente que Detroit ou Manchester porque enfrentava o imperialismo: ao mesmo tempo, parecia um modelo mais adequado, sobretudo para países sem capital privado nem um grande corpo de indústria privada com fins lucrativos. O "socialismo", nesse sentido, inspirou vários dos países recém-independentes após a Segunda Guerra Mundial cujos governos rejeitavam o sistema econômico comunista (ver capítulo 12). Como os países que se juntavam a esse sistema eram também atrasados e agrários, com exceção da Tchecoslováquia, da futura República Democrática Alemã e, em menor medida, da Hungria, a receita econômica soviética também parecia servir-lhes, e seus novos governantes lançaram-se à tarefa de construção econômica com genuíno entusiasmo. Além disso, a receita parecia eficaz. Entre as guerras, e sobretudo durante a década de 1930, a taxa de crescimento da economia soviética andou mais depressa que a de todos os outros países, com exceção do Japão, e nos primeiros quinze anos após a Segunda Guerra Mundial as economias do "campo socialista" cresceram consideravelmente mais rápido que as do Ocidente, tanto que líderes soviéticos como Nikita Kruschev acreditavam sinceramente que, continuando na mesma taxa a curva ascendente de seu crescimento, o socialismo iria produzir mais que o capitalismo dentro de um futuro previsível; como também acreditava o premiê britânico Harold MacMillan. Mais de um observador econômico na década de 1950 se perguntava se isso não poderia acontecer.

Muito curiosamente, nenhuma discussão de "planejamento", que iria ser o critério central do socialismo, nem de rápida industrialização, com prioridade para as indústrias pesadas, se encontrava nos textos de Marx e Engels, embora o planejamento esteja implícito numa economia socializada. Mas os socialistas de antes de 1917, marxistas ou não, andavam demasiado ocupados se opondo ao capitalismo para dar muita atenção à natureza da economia que o substituiria, e após Outubro o próprio Lenin, metendo, como ele mesmo disse, um pé nas águas profundas do socialismo, não fez nenhuma tentativa de mergulhar no desconhecido. Foi a crise da Guerra Civil que levou as coisas ao ponto crítico. Levou à nacionalização de todas as indústrias em meados de 1918, e ao Comunismo de Guerra, por meio do qual um Estado bolchevique em guerra organizou sua luta de vida ou morte contra a contra-revolução e a intervenção estrangeira e tentou levantar os recursos para ela. Todas as economias de guerra, mesmo em países capitalistas, envolvem planejamento e controle pelo Estado. Na verdade, a inspiração específica da idéia de planejamento de Lenin foi a economia de guerra alemã de 1914-8 (que, como vimos, não era provavelmente o melhor modelo para seu período e tipo). As economias de guerra comunistas tendiam naturalmente, por questões de princípio, a substituir propriedade e administração privadas por públicas e a dispensar o mercado e o mecanismo de preços, sobretudo quando nenhum desses era de muita utilidade para improvisar um esforço de guerra nacional de uma hora para outra, e havia de fato comunistas idealistas, como Nicolai Bukharin, que viam a guerra civil como a oportunidade de estabelecer as principais estruturas de uma Utopia Comunista, e a sombria economia de crise, a escassez permanente e universal e a alocação não monetária de necessidades básicas racionadas ao povo em espécie — pão, roupas, passagens de ônibus — como uma espartana mostra prévia de ideal social. Na verdade, à medida que o regime soviético emergia vitorioso das lutas de 1918-20, era evidente que o Comunismo de Guerra, por mais necessário que fosse no momento, não podia continuar, em parte porque os camponeses se rebelariam contra a requisição militar de seus grãos, que tinha sido a base dessa economia de guerra, e os operários contra as privações, em parte porque esse regime não oferecia meios eficazes de restaurar uma economia praticamente destruída: a produção de ferro e aço fora reduzida de 4,2 milhões de toneladas em 1913 para 200 mil em 1920.

Com seu realismo habitual, Lenin introduziu em 1921 a Nova Política Econômica, que na verdade reintroduzia o mercado e, de fato, em suas próprias palavras, recuava do Comunismo de Guerra para o Capitalismo de Estado. Contudo, foi nesse momento mesmo, em que a já retrógrada economia soviética caíra para 10% de suas dimensões pré-guerra (ver capítulo 2), que a necessidade de industrializar maciçamente, e fazê-lo por planejamento do governo, se tornou a tarefa prioritária básica para o governo soviético. E embora a Nova Política Econômica desmantelasse o Comunismo de Guerra, o controle e pressão do Estado continuaram sendo o único modelo conhecido de uma economia de propriedade e administração socializadas. A primeira instituição de planejamento, a Comissão do Estado para Eletrificação da Rússia (GoElRo), em 1920, visava, muito naturalmente, a uma tecnologia modernizante, mas a Comissão de Planejamento do Estado estabelecida em 1921 (Gosplan) tinha objetivos mais universais. Continuou existindo sob esse nome até o fim da URSS. Tornou-se a ancestral e inspiradora de todas as instituições estatais destinadas a planejar ou mesmo exercer supervisão macroeconômica sobre as economias dos Estados do século XX.

A Nova Política Econômica (conhecida como NEP no Ocidente) foi objeto de apaixonado debate na Rússia na década de 1920, e de novo no início dos anos Gorbachev na década de 1980, mas por motivos opostos. Na década de 1920, era claramente reconhecida como uma derrota para o comunismo, ou pelo menos um desvio, das colunas em marcha para o socialismo, da rodovia principal, para a qual, de uma maneira ou de outra, era preciso descobrir o caminho de volta. Os radicais, como os seguidores de Trotski, queriam um rompimento com a NEP o mais breve possível, e uma corrida em massa para a industrialização, que foi a política eventualmente adotada sob Stalin. Os moderados, encabeçados por Bukharin, que deixara para trás o ultra-radicalismo dos anos de Comunismo de Guerra, tinham aguda consciência das limitações políticas e econômicas sob as quais precisava operar o governo bolchevique num país mais esmagadoramente dominado pela agricultura camponesa que antes da revolução. Eles favoreciam uma transformação gradual. As opiniões do próprio Lenin não puderam ser adequadamente expressas depois que a paralisia o atingiu em 1922 — ele sobreviveu apenas até o início de 1924 — mas, embora não pudesse expressar-se, parece ter preferido o gradualismo. Por outro lado, os debates da década de 1980 eram buscas retrospectivas de uma alternativa socialista histórica ao stalinismo que de fato sucedesse a NEP: uma estrada para o socialismo diferente da realmente prevista pela direita e esquerda bolcheviques na década de 1920. Em retrospecto, Bukharin tornou-se uma espécie de proto-Gorbachev.

Esses debates não são mais relevantes. Olhando para trás, podemos ver que a razão original para a decisão de estabelecer um poder socialista na Rússia desapareceu quando a "revolução proletária" não conseguiu conquistar a Alemanha. Pior que isso, a Rússia sobreviveu à Guerra Civil em ruínas e muito mais atrasada do que sob o czarismo. Claro, czar, nobreza, fidalguia e burguesia haviam desaparecido. Dois milhões de pessoas emigraram e com isso o Estado soviético viu-se privado de grande parte de seus quadros qualificados. Mas o mesmo acontecera com o desenvolvimento industrial da era czarista e com a maioria dos operários industriais que formavam a base social e política do Partido Bolchevique. Revolução e Guerra Civil os haviam matado ou dispersado, ou transferido das fábricas para os escritórios do Estado e do partido. O que restava era uma Rússia mais firmemente ancorada no passado, a massa imóvel e imutável de camponeses nas restauradas comunidades aldeãs, às quais a revolução tinha (contra a opinião marxista inicial) dado a terra, ou antes, cuja ocupação e distribuição da terra em 1917-8 ela aceitara como o preço necessário da vitória e sobrevivência. Em muitos aspectos, a NEP foi uma breve era de ouro da Rússia camponesa. Suspenso acima dessa massa estava o Partido Bolchevique, não mais representando ninguém. Como reconheceu Lenin com sua habitual lucidez, tudo que o partido tinha a seu favor era o fato de ser, e provavelmente permanecer sendo, o governo aceito e estabelecido do país. Nada mais tinha. Mesmo assim, o que de fato governava o país era um mato rasteiro de pequenos e grandes burocratas, em média ainda menos escolarizados e qualificados que antes.

Que opções tinha esse regime, que era, além disso, isolado e boicotado por governos e capitalistas estrangeiros, e preocupado com a expropriação de bens e investimentos russos pela revolução? A NEP na verdade teve um brilhante êxito na restauração da economia soviética a partir da ruína de 1920. Em 1926, a produção industrial soviética havia mais ou menos recuperado seu nível pré-guerra, embora isso não significasse grande coisa. A URSS continuava tão esmagadoramente rural quanto em 1913 (82% da população nos dois casos) (Bergson & Levine, 1983, p. 100; Nove, 1969), e na verdade só 7,5% estavam empregados fora da agricultura. O que essa massa de camponeses queria vender às cidades; o que queria comprar delas; quanto de sua renda desejava poupar; e quantos dos muitos milhões que preferiam alimentar-se nas aldeias em vez de enfrentar a pobreza na cidade queriam deixar as fazendas: isso determinou o futuro econômico da Rússia pois, tirando o imposto de renda do Estado, o país não tinha outra fonte disponível de investimento e mão-de-obra. Deixando de lado todas as considerações políticas, uma continuação da NEP, modificada ou não, iria na melhor das hipóteses produzir uma modesta taxa de industrialização. Além disso, enquanto não houvesse muito mais desenvolvimento industrial, pouco havia que os camponeses pudessem comprar na cidade para tentá-los a vender seus excedentes, em vez de comê-los e bebê-los nas aldeias. Isso (que ficou conhecido como a "crise da tesoura") iria ser o laço que acabou estrangulando a NEP. Sessenta anos depois, uma "tesoura" semelhante, mas proletária, solapava a *perestroika* de Gorbachev. Por que, argumentavam os trabalhadores soviéticos, iriam eles elevar sua produtividade para ganhar salários mais altos se a economia não produzisse os bens de consumo a comprar com esses salários maiores? Mas como iriam ser produzidos esses bens se os trabalhadores soviéticos não aumentassem sua produtividade?

Portanto, jamais foi provável que a NEP — isto é, crescimento econômico equilibrado, baseado numa economia de mercado camponesa orientada pelo Estado, que controlava seus picos — se mostrasse uma estratégia duradoura. Para um regime comprometido com o socialismo, os argumentos políticos contra ela eram de qualquer modo esmagadores. Não iria ela pôr as pequenas forças comprometidas com essa nova sociedade à mercê de uma mesquinha produção de bens e um mesquinho empreendimento que regenerariam o capitalismo recém-derrubado? E no entanto, o que fez o Partido Bolchevique hesitar foi o custo em perspectiva da alternativa. Significava industrialização à força: uma segunda revolução, mas desta vez não vinda de baixo, e sim imposta de cima pelo poder do Estado.

Stalin, que presidiu a resultante era de ferro da URSS, era um autocrata de ferocidade, crueldade e falta de escrúpulos excepcionais, alguns poderiam dizer únicas. Poucos homens manipularam o terror em escala mais universal. Não há dúvida de que sob um outro líder do Partido Bolchevique os sofrimentos dos povos da URSS teriam sido minimizados, e o número de vítimas, menor. Apesar disso, qualquer política de rápida modernização na URSS, nas circunstâncias da época, tinha de ser implacável e, porque imposta contra o grosso do povo e impondo-lhe sérios sacrifícios, em certa medida coercitiva. E a economia de comando centralizado que realizou essa corrida com seus "planos" estava, de maneira igualmente inevitável, mais perto de uma operação militar que de um empreendimento econômico. Por outro lado, como os empreendimentos militares com verdadeira legitimidade moral popular, a vertiginosa industrialização dos primeiros Planos Qüinqüenais (1929-41) gerou apoio exatamente pelos "sangue, esforço, lágrimas e suor" impostos ao povo. Como sabia Churchill, o próprio sacrifício pode motivar. Por mais difícil que seja de acreditar, mesmo o sistema stalinista, que mais uma vez transformou camponeses em servos presos à terra e tornou partes importantes da economia dependentes de uma força de trabalho de entre 4 e 13 milhões de pessoas prisioneiras (os *gulags*) (Van der Linden, 1993), quase certamente desfrutava substancial apoio, embora, claro, não entre o campesinato (Fitzpatrick, 1994).

A "economia planejada" dos Planos Qüinqüenais que tomou o lugar da NEP em 1928 era necessariamente um instrumento grosseiro — muito mais grosseiro que os sofisticados cálculos dos economistas pioneiros do Gosplan da década de 1920, que por sua vez eram mais grosseiros que os instrumentos de planejamento de que dispunham os governos e grandes empresas do fim do século XX. Essencialmente, seu objetivo era mais criar novas indústrias do que dirigi-las, e preferiu dar prioridade imediata aos setores básicos da indústria pesada e da produção de energia que eram a fundação de qualquer grande economia industrial: carvão, ferro e aço, eletricidade, petróleo etc. A excepcional riqueza da URSS em matérias-primas adequadas tornava essa opção ao mesmo tempo lógica e conveniente. Como em uma economia de guerra — e a economia planejada soviética era uma espécie de economia de guerra —, as metas de produção podem e na verdade muitas vezes têm de ser estabelecidas sem consideração de custo e custo/benefício; seu acerto é verificado na prática, dependendo de elas poderem ou não ser cumpridas e quando. Como em todos esses esforços de vida ou morte, o método mais eficaz de cumprir metas e prazos é dar ordens urgentes que produzem corridas totais. A crise é sua forma de administrar. A economia soviética instalou-se como um conjunto de rotinas quebradas por freqüentes e quase institucionalizados "esforços de choque" em resposta a ordens vindas de cima. Nikita Kruschev iria depois buscar desesperadamente um meio de fazer o sistema funcionar de algum outro modo diferente do da resposta ao "grito" (Kruschev, 1990, p. 18). Stalin, antes, explorara o "assalto", estabelecendo deliberadamente metas irrealistas que encorajavam esforços sobre-humanos.

Além disso, as metas, uma vez estabelecidas, tinham de ser entendidas e cumpridas até o mais remoto posto avançado de produção na Ásia interior — por administradores, gerentes, técnicos e trabalhadores que, pelo menos na primeira geração, eram inexperientes, mal-escolarizados e mais acostumados a arados de madeira que a máquinas. (O caricaturista David Low, visitando a URSS no início da década de 1930, fez um desenho de uma moça de fazenda coletiva "distraidamente tentando ordenhar um trator".) Isso eliminou os últimos elementos de sofisticação, a não ser no mais alto escalão, que, por esse mesmo motivo, tinha a responsabilidade de uma centralização cada vez mais total. Como Napoleão e seu chefe de estado-maior tiveram outrora de compensar as deficiências técnicas de seus marechais, essencialmente oficiais combatentes não formados, promovidos das fileiras, também todas as decisões eram cada vez mais concentradas no ápice do sistema soviético. A supercentralização do Gosplan compensava a escassez de administradores. A desvantagem desse procedimento foi uma enorme burocratização do aparato econômico e também de outras partes do sistema.*

Enquanto a economia permaneceu no nível da semi-subsistência e teve apenas de estabelecer a fundação da indústria moderna, esse sistema, tosco e improvisado, desenvolvido sobretudo na década de 1930, funcionou. Até desenvolveu sua própria flexibilidade, de uma forma igualmente tosca. O estabelecimento de uma grande quantidade de metas não necessariamente atrapalhava de imediato o estabelecimento de outras, como aconteceria no sofisticado labirinto de uma economia moderna. Na verdade, para um país atrasado e primitivo, isolado de ajuda estrangeira, a industrialização sob ordem, com todos os seus desperdícios e ineficiências, funcionou de modo impressionante. Transformou a URSS numa grande economia industrial em poucos anos, e ca-

(*) "Se se têm de emitir instruções suficientemente claras para cada grande grupo de produto e para cada unidade de produção, e na ausência de planejamento em múltiplos níveis, o centro não pode deixar de ver-se assoberbado por uma colossal carga de trabalho" (Dyker, 1985, p. 9).

paz, como não fora a Rússia czarista, de sobreviver e ganhar a guerra contra a Alemanha apesar da temporária perda de áreas contendo um terço da população e, em muitas indústrias, metade do parque industrial. Deve-se acrescentar que em poucos outros regimes poderia ou quereria o povo suportar os sacrifícios sem paralelos desse esforço de guerra (ver Milward, 1979, pp. 92-7), nem, na verdade, os da década de 1930. Contudo, se o sistema manteve o consumo da população lá embaixo — em 1940 a economia produziu apenas pouco mais de um par de calçados por cada habitante da URSS —, assegurou-lhe esse mínimo social. Deu-lhe trabalho, comida, roupa e habitação a preços controlados (ou seja, subsidiados), aluguéis, pensões, assistência médica e uma certa igualdade, até que o sistema de recompensas com privilégios especiais para a "*nomenklatura*" se descontrolou após a morte de Stalin. Muito mais generosamente, deu educação. A transformação de um país em grande parte analfabeto na moderna URSS foi, por quaisquer padrões, um feito impressionante. E para milhões de habitantes das aldeias para os quais, mesmo nos tempos mais difíceis, o desenvolvimento soviético significou a abertura de novos horizontes, a fuga das trevas e da ignorância para a cidade, a luz e o progresso, sem falar em avanço pessoal e carreiras, a defesa da nova sociedade era inteiramente convincente. De qualquer modo, não conheciam nenhuma outra.

Contudo, essa história de sucesso não incluiu a agricultura e aqueles que dela viviam, pois a industrialização se apoiava nas costas do campesinato explorado. Muito pouco se pode dizer em favor da política camponesa e agrícola, a não ser que os camponeses não foram os únicos a carregar o fardo da "acumulação primitiva socialista" (expressão de um seguidor de Trotski que a favorecia),* como se tem dito. Os trabalhadores também arcaram com parte do fardo de geração de recursos para investir no futuro.

Os camponeses — a maioria da população — eram não apenas legal e politicamente inferiores em status, pelo menos até a (inteiramente inoperante) Constituição de 1936; não apenas eram mais taxados e recebiam menos seguridade, como a política agrícola básica que substituiu a NEP, ou seja, coletivização compulsória em fazendas cooperativas ou estatais, foi e continuou sendo desastrosa. Seu efeito imediato foi baixar a produção de grãos e quase reduzir à metade o gado, com isso produzindo uma grande fome em 1932-3. A coletivização levou a uma queda na já baixa produtividade da agricultura russa, que só reconquistou o nível da NEP em 1940, ou, descontando os outros desastres da Segunda Guerra Mundial, 1950 (Tuma, 1965, p. 102). As mecanizações maciças que tentaram compensar essa queda foram também, e continuaram sendo, maciçamente ineficazes. Após um promissor período pós-guerra em

(*) Nos termos de Marx, a "acumulação primitiva" pela expropriação e o saque foi necessária para possibilitar ao capitalismo adquirir o capital original, que posteriormente empreendeu sua própria acumulação endógena.

que a agricultura soviética chegou a produzir um modesto excedente de grãos para exportação, embora a URSS jamais tenha sequer dado a impressão de tornar-se um grande exportador como fora a Rússia czarista, a agricultura soviética deixou de poder alimentar a população. Do início da década de 1970 em diante, dependeu, às vezes até em um quarto de suas necessidades, do mercado mundial de grãos. Não fosse um leve relaxamento do sistema coletivo, que permitiu aos camponeses produzir para o mercado em pequenos lotes privados de terra — cobriam 4% da área cultivada em 1938 —, e o consumidor soviético teria comido pouco mais que pão preto. Em suma, a URSS trocou uma agricultura camponesa ineficiente por uma agricultura coletiva ineficiente, a um custo imenso.

Como tantas vezes acontece, isso refletia mais a condição social e política da Rússia soviética que a natureza inerente do projeto bolchevique. Cooperação e coletivização, combinadas em graus variados com o cultivo privado — ou mesmo, como no caso dos *kibutzim* israelenses, mais comunistas que qualquer coisa na Rússia —, podem ser bem-sucedidas, enquanto a pura agricultura camponesa tem muitas vezes funcionado melhor para extrair subsídios de governos do que lucros do solo.* Contudo, na URSS não há dúvida de que toda a política agrária foi um fracasso. E um fracasso demasiadas vezes copiado, pelo menos inicialmente, por regimes socialistas posteriores.

O outro aspecto de desenvolvimento soviético em defesa do qual pouco se pode dizer foi a enorme e exagerada burocratização que um governo de comando centralizado engendrou, e que nem Stalin pôde enfrentar. Na verdade, já se sugeriu a sério que o Grande Terror de fins da década de 1930 foi o método desesperado de Stalin "superar o labirinto burocrático e sua habilidade em esquivar-se da maioria dos controles e ordens do governo" (Lewin, 1991, p. 17), ou pelo menos de impedi-lo de assumir como uma ossificada classe governante, como acabaria acontecendo sob Brejnev. Toda tentativa de tornar a administração mais flexível e eficiente simplesmente a inchava e tornava mais indispensável. Nos últimos anos da década de 1930, ela cresceu a uma taxa duas vezes e meia maior que a de empregos em geral. Ao aproximar-se a guerra, havia mais de um administrador para cada dois operários (Lewin, 1991). Sob Stalin, a camada superior desses quadros principais era, como se disse, de "escravos com um poder único, sempre à beira da catástrofe. Seu poder e privilégio eram encobertos por um constante *memento mori*". Depois de Stalin, ou melhor, depois que o último dos "grandes chefões", Nikita Kruschev, foi afastado, em 1964, nada havia no sistema para impedir a estagnação.

(*) Assim, na primeira metade da década de 1980, a Hungria, com uma agricultura em grande parte coletivizada, exportava mais produtos agrícolas do que a França, com uma área agrícola de pouco mais de um quarto da francesa, e cerca de duas vezes mais (em valor) do que a Polônia, com uma área de quase três vezes o tamanho da húngara. A agricultura polonesa, como a francesa, não era coletiva (*FAO Production*, 1986, *FAO Trade*, vol. 40, 1986).

A terceira desvantagem do sistema, e aquela que acabou por afundá-lo, era sua inflexibilidade. Estava engrenado para o crescimento constante na produção de bens cujo caráter e qualidade haviam sido predeterminados, mas não continha qualquer mecanismo interno para variar quantidade (a não ser para cima) e qualidade, nem para inovar. De fato, não sabia o que fazer com as invenções, e não as usava na economia civil, distinta do complexo industrial-militar.* Quanto aos consumidores, não eram servidos nem por um mercado, que teria indicado suas preferências, nem por qualquer tendência a seu favor dentro do sistema econômico ou, como veremos, do político. Ao contrário, a tendência original do sistema para o crescimento máximo de bens de capital era reproduzida pela máquina de planejamento. O máximo que se podia afirmar era que, enquanto a economia crescia, proporcionava mais bens de consumo mesmo quando a estrutura industrial continuava favorecendo os bens de capital. Mesmo assim, o sistema de distribuição era tão ruim e, acima de tudo, o sistema de organização de serviços, tão inexistente que o crescente padrão de vida na URSS — e a melhoria da década de 1940 à de 1970 foi deveras impressionante — só podia funcionar eficientemente com a ajuda ou através de uma "segunda" ou "negra" economia, que cresceu rapidamente, sobretudo a partir do fim da década de 1960. Como as economias não oficiais, por definição, escapam à documentação oficial, só podemos imaginar suas dimensões — mas em fins da década de 1970 estimava-se que a população urbana soviética gastava cerca de 20 bilhões de rublos em consumo privado, assistência médica e legal, além de cerca de 7 bilhões em "gorjetas", para obter serviços (Alexeev, 1990). Isso seria na época uma soma comparável ao total de importações do país.

Em suma, o sistema soviético foi projetado para industrializar o mais rapidamente possível um país muito atrasado e subdesenvolvido, na suposição de que seu povo se satisfaria com um padrão de vida que garantisse um mínimo social e um padrão de vida material pouco acima da subsistência — o quanto, dependia do que pingava do crescimento geral de uma economia engrenada para favorecer a industrialização. Apesar da ineficiência e desperdício, atingiu esses objetivos. Em 1913, o império czarista, com 9,4% da população mundial, produzia 6% do total mundial de "rendas nacionais" e 3,6% de sua produção industrial. Em 1986, a URSS, com menos de 6% da população global, produzia 14% da "renda nacional" do globo e 14,6% de sua produção industrial. (Mas apenas uma fatia um pouco maior da produção agrícola do mundo.) (Bolotin, 1987, pp. 148-52.) A Rússia se transformara numa grande potência industrial, e na verdade seu status de superpotência, mantido por quase meio século, apoiou-se nesse sucesso. Contudo, e ao contrário das expectativas dos comunistas, o motor do desenvolvimento soviético era cons-

(*) "Uma proporção que pode chegar a apenas um terço de todas as invenções encontra aplicação na economia, e mesmo nesses casos sua difusão é rara" (Vernikov, 1989, p. 7). Os dados parecem referir-se a 1986.

truído de modo mais a diminuir a velocidade do que a acelerá-la quando, depois de o veículo avançar uma certa distância, o motorista pisasse fundo no acelerador. Seu dinamismo continha o mecanismo da própria exaustão. Foi esse o sistema que, depois de 1944, se tornou o modelo para as economias sob as quais vivia um terço da raça humana.

Contudo, a revolução soviética também desenvolveu um sistema político muito especial. Os movimentos populares europeus da esquerda, incluindo os movimentos trabalhistas e socialistas marxistas a que pertencia o Partido Bolchevique, recorriam a duas tradições políticas: a eleitoral, e às vezes mesmo a democracia direta, e os esforços revolucionários centralizados voltados para a ação, herdados da fase jacobina da Revolução Francesa. Os movimentos trabalhistas e socialistas de massa que surgiram quase em toda parte na Europa no fim do século XIX, como partidos, sindicatos trabalhistas, cooperativas ou uma combinação disso tudo, eram fortemente democráticos tanto na estrutura interna quanto nas aspirações políticas. Na verdade, onde não existiam ainda constituições baseadas em amplo direito de voto, eram as principais forças a pressionar por elas e, ao contrário dos anarquistas, os marxistas estavam fundamentalmente empenhados na ação *política*. O sistema político da URSS, depois também transferido para o mundo socialista, rompeu decisivamente com o lado democrático dos movimentos socialistas, embora mantendo com eles um compromisso cada vez mais acadêmico em teoria.* Chegava mesmo a ir além da herança jacobina, que, fosse qual fosse seu compromisso com o rigor e a implacável ação revolucionários, não favorecia a ditadura individual. Em suma, a economia soviética era uma economia de comando, portanto a política soviética era uma política de comando.

Essa evolução refletia em parte a história do Partido Bolchevique, em parte as crises e prioridades urgentes do jovem regime soviético e em parte as peculiaridades do ex-seminarista filho do remendão bêbado da Geórgia que se tornou o autocrata da URSS, sob o auto-escolhido nome político de "homem de aço", ou seja, Stalin (1879-1953). O modelo de Lenin do "Partido de Vanguarda", um quadro singularmente eficiente e disciplinado de revolucionários profissionais, preparados para executar as tarefas a eles destinadas por uma liderança central, era potencialmente autoritário, como inúmeros outros marxistas russos igualmente revolucionários haviam indicado desde o início. O que iria deter o "substitutismo" das massas pelo partido que ele dizia conduzir? E o dos membros (eleitos) por seus comitês, ou antes os congressos regulares que

(*) Assim, o centralismo autoritário tão característico dos partidos comunistas reteve o nome oficial de "centralismo democrático", e a Constituição soviética de 1936 é, no papel, uma típica Constituição democrática, com tanto espaço para eleições multipartidárias quanto, digamos, a Constituição americana. Tampouco era isso pura fachada, pois grande parte dela foi escrita por Nicolai Bukharin que, como velho revolucionário marxista pré-1917, sem dúvida acreditava que esse tipo de Constituição servia a uma sociedade socialista.

manifestavam suas opiniões? E o do comitê central pela liderança operacional de fato, e eventualmente pelo líder único (em teoria eleito) que na prática substituía todos esses? O perigo, como se viu, não era menos real pelo fato de Lenin não querer, nem estar, em posição de ser ditador, ou porque o Partido Bolchevique, como todas as organizações da esquerda ideológica, se comportava muito menos como um estado-maior militar e muito mais como uma interminável sociedade de debates. Esse perigo tornou-se mais imediato após a Revolução de Outubro, quando os bolcheviques se transformaram de um corpo de uns poucos milhares de clandestinos num partido de massa de centenas de milhares, eventualmente milhões de mobilizadores, administradores, executivos e controladores profissionais, que submergiram os "Velhos Bolcheviques" e outros socialistas pré-1917 que se juntaram a eles, como Leon Trotski. Não partilhavam de nada da velha cultura política da esquerda. Tudo que sabiam era que o partido estava certo e que as decisões tomadas por autoridades superiores deviam ser executadas, se se queria salvar a revolução.

Qualquer que fosse a atitude pré-revolucionária dos bolcheviques para com a democracia dentro e fora do partido, a liberdade de expressão, as liberdades e tolerância civis, as circunstâncias dos anos 1917-21 impunham um modo cada vez mais autoritário de governo a (e dentro de) um partido comprometido com qualquer ação que fosse (ou parecesse ser) necessária para manter o frágil e acossado poder soviético. Na verdade não começara como um governo unipartidário, nem como um governo que rejeitasse a oposição, mas ganhou a Guerra Civil como uma ditadura unipartidária garantida por um poderoso aparelho de segurança, e usando o terror contra os contra-revolucionários. Igualmente importante, o próprio partido abandonou a democracia interna, quando se proibiu a discussão coletiva de políticas alternativas (em 1921). O "centralismo democrático" que governava em teoria tornou-se simples centralismo. Deixou de atuar segundo sua própria constituição partidária. As assembléias anuais de congressos do partido foram se tornando menos regulares, até que, sob Stalin, acabaram sendo imprevisíveis e ocasionais. Os anos da NEP relaxaram a atmosfera não política, mas não a sensação de que o partido era uma minoria sitiada, que podia ter a história do seu lado, mas trabalhava a contrapelo das massas russas e do presente russo. A decisão de lançar a revolução industrial de cima automaticamente comprometeu o sistema com a imposição de autoridade, talvez mais implacavelmente que nos anos de Guerra Civil, porque sua maquinária para exercer o poder continuamente era agora muito maior. Foi então que os últimos elementos de separação de poderes — o modesto, embora minguante, espaço de manobra do governo soviético enquanto distinto do partido — chegaram ao fim. A liderança política única do partido concentrava agora o poder absoluto em suas mãos, subordinando tudo mais.

Foi nesse ponto que o sistema se tornou uma autocracia sob Stalin, e uma autocracia buscando impor controle total sobre todos os aspectos das vidas e pensamentos de seus cidadãos, ficando toda a existência destes, até onde possível, subordinada à consecução dos objetivos do partido, definidos e especificados pela autoridade suprema. Isso certamente não fora previsto por Marx e Engels, e também não se desenvolvera na II Internacional (marxista) e na maioria de seus partidos. Assim, Karl Liebknecht, que, com Rosa Luxemburgo, tornou-se líder dos comunistas alemães, e com ela foi assassinado em 1919 por oficiais reacionários, nem sequer se dizia marxista, embora fosse filho de um fundador do Partido Social-Democrata alemão. Os austro-marxistas, porém, como o nome sugere, comprometidos com Marx, não hesitavam em seguir seus próprios e variados caminhos, e mesmo quando alguém era rotulado de herege oficial, como foi Eduard Bernstein por seu "revisionismo", ninguém discutia que era um social-democrata legítimo. De fato, ele continuou como editor oficial das obras de Marx e Engels. A idéia de que um Estado socialista forçasse cada cidadão a pensar a mesma coisa, quanto mais a de que dotasse seus líderes, coletivamente, de algo semelhante à infalibilidade papal (que uma só pessoa exercesse essa função era inconcebível), não teria passado pela mente de nenhum socialista importante antes de 1917.

Pode-se no máximo dizer que o socialismo marxista era, para seus adeptos, um apaixonado compromisso pessoal, um sistema de esperança e crença, que tinha algumas características de uma religião secular (embora não mais que a ideologia de grupos de cruzados não socialistas), e, talvez mais objetivamente, que, assim que virou um movimento de massa, a teoria sutil se tornou na melhor das hipóteses um catecismo; na pior, um símbolo de identidade e lealdade, como uma bandeira, que deve ser saudada. Esses movimentos de massa, como havia muito tinham notado socialistas centro-europeus inteligentes, também tendiam a admirar líderes, e mesmo a adorá-los, embora se deva dizer que a conhecidíssima tendência à discussão e rivalidade dentro dos partidos esquerdistas em geral mantinha isso sob certo controle. A construção do mausoléu de Lenin na praça Vermelha, onde o corpo embalsamado do grande líder ficaria eternamente visível para os fiéis, não derivou de nada, nem sequer da tradição revolucionária russa, mas foi uma tentativa óbvia de mobilizar o apelo dos santos e relíquias cristãos para um povo atrasado, em benefício do regime soviético. Pode-se também dizer que no Partido Bolchevique construído por Lenin, a ortodoxia e intolerância foram em certa medida adotadas não como valores em si, mas por motivos pragmáticos. Como um bom general — e Lenin foi fundamentalmente um planejador de ação —, ele não queria que as discussões nas fileiras impedissem a efetividade política. Além disso, como outros gênios práticos, estava convencido de que sabia mais, e tinha pouco tempo para outras opiniões. Em teoria, era um marxista ortodoxo, até mesmo um fundamentalista, porque estava claro para ele que qualquer interferência no texto de uma teoria cuja essência era a revolução provavelmente estimularia moderados e reformistas. Na prática, modificava sem hesitar as opiniões de Marx e fazia-lhes acréscimos livremente, sempre defendendo sua lealdade literal ao mestre. Como, durante a maior parte dos anos antes de 1917, liderou e representou uma aguerrida minoria na esquerda russa e — mesmo dentro da social-democracia russa — adquirira fama de intolerância e dissidência, mas hesitava tão pouco em acolher os adversários assim que a situação mudava quanto em denunciá-los, e mesmo depois de Outubro jamais se valeu de sua autoridade dentro do partido e sim, invariavelmente, da argumentação. Também, como vimos, suas posições jamais passaram incontestadas. Se houvesse vivido, Lenin sem dúvida continuaria denunciando adversários, e, como na Guerra Civil, sua intolerância pragmática não conheceria limites. Contudo, não há indício de que ele previsse, ou sequer tivesse tolerado, a espécie de versão secular de religião de Estado universal e compulsória que se desenvolveu após sua morte. Stalin pode não a ter fundado conscientemente. Pode ter apenas seguido o que via como tendência principal de uma Rússia camponesa atrasada com sua tradição ortodoxa e autocrática. Mas é improvável que, sem ele, essa versão se houvesse desenvolvido e é certo que não teria sido imposta a outros regimes socialistas, nem copiada por eles.

Contudo, uma coisa se deve dizer. A possibilidade de ditadura está implícita em qualquer regime baseado num partido único, irremovível. Num partido organizado na base hierárquica centralizada dos bolcheviques de Lenin, torna-se uma probabilidade. E a irremovibilidade era apenas outro nome para a total convicção dos bolcheviques de que a revolução não devia ser revertida, e de que o seu destino estava nas mãos deles e de ninguém mais. Os bolcheviques diziam que um regime burguês poderia, em segurança, considerar a derrota de um governo conservador e a sucessão de um liberal, uma vez que isso não mudaria o caráter burguês da sociedade, mas não iria nem podia tolerar um regime comunista, pelo mesmo motivo que um regime comunista não podia tolerar ser derrubado por qualquer força que fosse restaurar a velha ordem. Os revolucionários, incluindo os socialistas revolucionários, não são democratas no sentido eleitoral, por mais sinceramente convencidos que estejam de agir no interesse do "povo". Apesar disso, mesmo que a suposição de que o partido era um monopólio político com um "papel liderante" tornasse um regime democrático tão improvável quanto uma Igreja Católica democrática, isso não implicava ditadura pessoal. Foi Stalin quem transformou os sistemas políticos comunistas em monarquias não hereditárias.*

Em muitos aspectos, Stalin, pequenino,** cauteloso, inseguro, cruel, noturno, infinitamente desconfiado, parece mais uma figura saída da *Vidas dos*

(*) A semelhança com a monarquia é indicada pela tendência de alguns desses Estados a ir na direção da sucessão hereditária, um fato que teria parecido absurdamente inconcebível aos primeiros socialistas e comunistas. A Coréia do Norte e a Romênia eram dois casos assim.

(**) Este escritor, que viu o corpo embalsamado de Stalin no mausoléu da praça Vermelha antes de ele ser removido, em 1957, lembra-se do choque da visão de um homem tão minúsculo e no entanto tão todo-poderoso. Significativamente, todos os filmes e fotografias ocultavam o fato de que ele tinha apenas 1,58 metro.

Césares, de Suetônio, do que da política moderna. Externamente pouco imponente e na verdade nada memorável, "uma mancha cinzenta", como o chamou um observador em 1917 (Sukhanov), ele conciliou e manobrou onde foi preciso, até chegar ao topo; mas, claro, seus talentos bastante consideráveis o tinham posto perto do topo mesmo antes da revolução. Foi membro do primeiro governo após o governo revolucionário, como comissário de nacionalidades. Quando finalmente se tornou o líder inconteste do partido e (na verdade) do Estado, faltou-lhe o senso de destino pessoal, o carisma e a autoconfiança que fizeram de Hitler o fundador e senhor aceito de seu partido e mantiveram sua *entourage* leal a ele sem coerção. Stalin dirigiu seu partido, como tudo mais ao alcance de seu poder pessoal, pelo terror e o medo.

Ao transformar-se em algo semelhante a um czar secular, defensor da fé ortodoxa secular, cujo corpo do fundador, transformado em santo secular, esperava os peregrinos diante do Kremlin, Stalin demonstrou um seguro senso de relações públicas. Para um grupo de povos camponeses e pastores vivendo no equivalente ao século XI ocidental, essa era quase certamente a maneira mais eficaz de estabelecer a legitimidade do novo regime, do mesmo modo como os catecismos simples, brutos e dogmáticos a que ele reduziu o "marxismo-leninismo" eram ideais para apresentar idéias à primeira geração de alfabetizados.* Tampouco pode o seu terror ser visto simplesmente como a afirmação do poder pessoal de um tirano. Não há dúvida de que ele gostava do poder, do medo que inspirava, da capacidade de conceder vida ou morte, do mesmo modo como não há dúvida de que era inteiramente indiferente às recompensas materiais que alguém em sua posição podia ter. Contudo, quaisquer que fossem seus caprichos pessoais, o terror de Stalin era, em teoria, uma tática tão racionalmente instrumental quanto sua cautela onde não tinha controle. As duas coisas, na verdade, se baseavam no princípio de evitar riscos, que por sua vez refletia a mesma falta de confiança em sua capacidade de avaliar situações ("fazer uma análise marxista", no jargão comunista) que distinguira Lenin. Sua aterrorizante carreira não faz sentido algum a não ser como uma busca obstinada, ininterrupta daquela meta utópica de uma sociedade comunista a cuja reafirmação ele dedicou a última de suas publicações, poucos meses antes de morrer (Stalin, 1952).

O poder na União Soviética era tudo que os bolcheviques haviam ganho com a Revolução de Outubro. O poder era o único instrumento que eles podiam brandir para mudar a sociedade. E esse poder era assediado por dificuldades constantes, e constantemente renovadas. (Este é o significado da tese de Stalin, fora isso absurda, de que a luta de classes se tornaria mais intensa décadas depois de "o proletariado ter tomado o poder".) Só a determinação de

(*) E não só eles. A *Breve história* do Partido Comunista Soviético, de 1939, fossem quais fossem suas mentiras e limitações intelectuais, era um texto magistralmente pedagógico.

usar consistente e implacavelmente o poder para eliminar todos os obstáculos possíveis ao processo podia assegurar o eventual sucesso.

Três coisas empurraram uma política baseada nessa suposição para um absurdo mortal.

Primeiro, a crença de Stalin em que, em última análise, só ele sabia o caminho à frente e era suficientemente determinado para segui-lo. Muitos políticos e generais têm esse senso de indispensabilidade, mas só os que dispõem de poder absoluto estão em posição de obrigar outros a partilhar essa crença. Assim, os grandes expurgos da década de 1930 que, ao contrário de formas anteriores de terror, foram dirigidos contra o próprio partido e sobretudo sua liderança, começaram depois que muitos bolcheviques curtidos, incluindo os que o tinham apoiado contra as várias oposições da década de 1920 e genuinamente defendido o Grande Salto Avante da Coletivização e Plano Qüinqüenal, concluíram que as implacáveis crueldades da época e os sacrifícios impostos eram maiores do que estavam dispostos a aceitar. Sem dúvida, muitos deles lembravam a recusa de Lenin a apoiar Stalin como seu sucessor por causa de sua excessiva brutalidade. O 17º Congresso do PCUS (b) revelou uma substancial oposição a ele. Se de fato constituía uma ameaça a seu poder, jamais saberemos, pois, entre 1934 e 1939, 4 ou 5 milhões de membros e funcionários do partido foram presos por motivos políticos; quatrocentos ou quinhentos, executados sem julgamento; e o próximo (18º) Congresso do Partido, que se reuniu na primavera de 1939, continha uns míseros 37 sobreviventes dos 1827 delegados que tinham estado presentes no 17º em 1934 (Kerblay, 1983, p. 245).

O que deu a esse terror uma desumanidade sem precedentes foi o fato de que não reconhecia limites convencionais nem de qualquer tipo. Não era tanto a crença em que um grande fim justifica todos os meios necessários para alcançá-lo (embora seja possível que essa fosse a crença de Mao Tsé-tung), ou mesmo em que os sacrifícios impostos à presente geração, por maiores que sejam, em nada são comparáveis aos benefícios que serão colhidos por intermináveis gerações do futuro. Era a aplicação do princípio de guerra total a todos os tempos. O leninismo, talvez por causa da poderosa tensão de voluntarismo que fazia outros bolcheviques desconfiarem de Lenin como "blanquista" ou "jacobino", pensava essencialmente em termos militares, como indicaria a admiração dele por Clausewitz, mesmo que todo o vocabulário da política bolchevique não atestasse isso. "Quem a quem?" ["ou tudo ou nada"] era a máxima básica de Lenin: a luta como um jogo de soma zero em que o vencedor ganhava tudo e o perdedor perdia tudo. Como sabemos, mesmo os Estados liberais travaram as duas guerras nesse espírito, e não reconheciam absolutamente nenhum limite ao sofrimento que estavam dispostos a impor à população do "inimigo", e, na Primeira Guerra Mundial, mesmo às suas próprias Forças Armadas. Na verdade, mesmo a vitimação de blocos inteiros de pessoas, definidas numa base *a priori*, tornou-se parte da guerra: como o internamento durante a Segunda Guerra Mundial de todos os cidadãos de origem japonesa ou de todos os alemães e austríacos residentes na Grã-Bretanha, com base em que podiam conter alguns agentes potenciais do inimigo. Isso fazia parte daquela recaída do progresso civil do século XIX num renascimento do barbarismo, que perpassa como um fio negro todo este livro.

Felizmente, em Estados constitucionais e de preferência democráticos, sob o governo da lei e com uma imprensa livre, há algumas forças contrabalançantes. Em sistemas de poder absoluto não há nenhuma, embora possam acabar desenvolvendo-se convenções de limitação do poder, quando mais não seja por sobrevivência, e porque o uso do poder total pode trazer a própria derrota. A paranóia é seu produto final lógico. Após a morte de Stalin, um entendimento tácito entre seus sucessores decidiu pôr fim à era de sangue, embora (até a era Gorbachev) coubesse aos dissidentes no interior e aos estudiosos no exterior avaliar o custo humano total das décadas de Stalin. Daí em diante os políticos soviéticos morriam em suas camas, e às vezes em idade avançada. Embora os *gulags* se esvaziassem em fins da década de 1950, a URSS continuou sendo uma sociedade que tratava mal seus cidadãos, pelos padrões ocidentais, mas deixou de ser uma sociedade que os prendia e matava em escala maciça única. Na verdade, na década de 1980, tinha uma proporção nitidamente menor de seus habitantes na cadeia do que os EUA (268 prisioneiros por 100 mil habitantes, contra 426 por 100 mil nos EUA) (Walker, 1991, p. 11). Além disso, nas décadas de 1960 e 1970 a URSS se tornou de fato uma sociedade em que o cidadão comum provavelmente corria menor risco de ser deliberadamente morto por crime, conflito civil ou pelo Estado do que em um número substancial de outros países na Ásia, África e Américas. Apesar disso, continuava sendo um Estado policial, uma sociedade autoritária e, por quaisquer padrões realistas, sem liberdade. Só a informação oficialmente autorizada ou permitida chegava ao cidadão — qualquer outro tipo continuou sendo pelo menos tecnicamente punível por lei até a política da *glasnost* (abertura) de Gorbachev — e a liberdade de viajar e fixar-se dependia de permissão oficial, uma restrição cada vez mais nominal dentro da URSS, mas bastante real quando se tinha de cruzar fronteiras mesmo para outro país "socialista" amigo. Em todos esses aspectos, a URSS continuou sendo nitidamente inferior à Rússia czarista. Além disso, embora para a maioria dos fins cotidianos o governo da lei funcionasse, os poderes de prisão ou exílio interno administrativos, isto é, arbitrários, continuaram.

É provável que jamais se possa calcular adequadamente o custo humano das décadas de ferro da Rússia, pois mesmo as estatísticas oficiais de execução e da população dos *gulags* existentes, ou que podem vir a tornar-se disponíveis, não podem cobrir todas as perdas, e as estimativas variam enormemente dependendo da suposição feita pelos estimadores. "Por um sinistro paradoxo", já se disse, "estamos mais bem informados sobre as perdas do gado soviético nessa época do que sobre o número de adversários do regime que foram exterminados" (Kerslay, 1983, p. 26). Só a supressão do censo de 1937 já introduz obstáculos quase insuperáveis. Mesmo assim, quaisquer que sejam as suposições que se façam,* o número de vítimas diretas e indiretas deve medir-se mais na casa dos oito algarismos do que na dos sete. Nessas circunstâncias, não importa muito se optamos por uma estimativa "conservadora" mais próxima de 10 do que de 20 milhões, ou de um número maior: nada pode ser outra coisa que não vergonhoso e além de qualquer paliativo, quanto mais justificado. Acrescento, sem comentário, que a população total da URSS em 1937 era tida como de 164 milhões, ou 16,7 milhões menos que as previsões demográficas do Segundo Plano Qüinqüenal (1933-8).

Apesar de brutal e ditatorial, o sistema soviético não era "totalitário", um termo que se tornou popular entre os críticos do comunismo após a Segunda Guerra Mundial, tendo sido inventado na década de 1920 pelo fascismo italiano para descrever seu próprio projeto. Até então fora usado quase exclusivamente para criticá-lo e ao nacional-socialismo alemão. Representava um sistema centralizado abarcando tudo, que não apenas impunha total controle físico sobre sua população como, por meio do monopólio da propaganda e da educação, conseguia de fato fazer com que o povo internalizasse seus valores. O romance *1984*, de George Orwell (publicado em 1948), deu a essa imagem ocidental da sociedade totalitária sua mais poderosa forma: uma sociedade de massa de cérebro lavado, sob o olhar vigilante do "Grande Irmão", do qual só o ocasional indivíduo solitário discordava.

Isso é sem dúvida o que Stalin teria *querido* alcançar, embora houvesse indignado Lenin e outros Velhos Bolcheviques, para não falar de Marx. Na medida em que visava à virtual deificação do líder (o que foi depois timidamente eufemizado como "culto da personalidade"), ou pelo menos a estabelecê-lo como um compêndio de virtudes, teve algum êxito, que Orwell satirizou. Paradoxalmente, isso pouco se deveu ao poder absoluto de Stalin. Os militantes comunistas fora dos países "socialistas" que choraram lágrimas autênticas quando souberam de sua morte, em 1953 — e muitos o fizeram —, eram convertidos voluntários ao movimento que, acreditavam, ele simbolizara e inspirara. Ao contrário de muitos estrangeiros, todos os russos sabiam bastante bem quanto sofrimento lhes coubera, e ainda cabia. Contudo, em certo sentido pelo simples fato de ser um governante forte e legítimo das terras russas e delas um modernizador, ele representava alguma coisa deles próprios: mais recentemente como seu líder numa guerra que fora, para os grandes russos pelo menos, uma verdadeira luta nacional.

Contudo, em todos os outros aspectos, o sistema não era "totalitário", um fato que lança considerável dúvida sobre a utilidade do termo. Não exercia efe-

(*) Sobre as incertezas de tais procedimentos, ver Kosinski, 1987, pp. 151-2.

tivo "controle da mente", e muito menos conseguia "conversão do pensamento", mas na verdade despolitizou a população num grau espantoso. As doutrinas oficiais do marxismo-leninismo deixaram a maioria da população praticamente intocada, pois não tinham relevância visível para ela, a menos para quem estivesse interessado numa carreira em que se esperava tal conhecimento esotérico. Após quarenta anos de educação num país dedicado ao marxismo, perguntou-se a passantes na praça Marx em Budapeste quem era Karl Marx. Resposta:

> Foi um filósofo soviético; Engels era amigo dele. Bem, que mais posso dizer? Morreu velho. (Outra voz): Claro, um político. Ele era, sabe, ele era, como é mesmo o nome — Lenin, Lenin, as obras de Lenin — bem, ele as traduziu para o húngaro. (Garton Ash, 1990, p. 261)

Para a maior parte dos cidadãos soviéticos, a maioria das declarações públicas sobre ideologia e política vindas do alto provavelmente não era absorvida de forma alguma, a menos que tivesse relação direta com problemas do cotidiano — o que raramente tinha. Só os intelectuais eram obrigados a levá-las a sério numa sociedade construída sobre e em torno de uma ideologia que se dizia racional e "científica". Contudo, paradoxalmente, o fato mesmo de tais sistemas precisarem de intelectuais, e concederem aos que não discordavam publicamente deles substanciais privilégios e vantagens, criava um espaço social fora do controle do Estado. Só um terror tão implacável quanto o de Stalin poderia silenciar completamente o intelecto não oficial. Na URSS, ele ressurgiu tão logo o gelo do medo começou a derreter — *O degelo* (1954) era o título de um influente *roman à thèse* de Ilya Ehrenburg (1891-1967), um talentoso sobrevivente —, na década de 1950. Nas décadas de 1960 e 1970, a discordância, tanto sob a forma de reformistas comunistas incertamente tolerados quanto de total dissidência intelectual, política e cultural, dominou o cenário soviético, embora oficialmente o país continuasse "monolítico" — o termo favorito dos bolcheviques. Isso iria tornar-se evidente na década de 1980.

II

Os Estados comunistas que passaram a existir após a Segunda Guerra Mundial, ou seja, todos, com exceção da URSS, eram controlados por partidos comunistas formados ou modelados nos moldes soviéticos, ou seja, stalinistas. Isso se aplicava até mesmo, em certa medida, ao Partido Comunista chinês, que estabelecera verdadeira autonomia em relação a Moscou na década de 1930, sob Mao Tsé-tung. Talvez se aplicasse menos a recrutas posteriores do "campo socialista" no Terceiro Mundo — Cuba, de Fidel Castro, e vários outros regimes africanos, asiáticos e latino-americanos de vida mais breve, que surgiram na década de 1970, e que também tendiam a assimilar-se oficialmente ao padrão soviético estabelecido. Em todos eles, encontramos sistemas políticos unipartidários com estruturas de autoridade altamente centralizadas; verdade cultural e intelectual oficialmente promulgada, determinada pela autoridade política; economias centrais planejadas pelo Estado; e, até mesmo, relíquia mais óbvia da herança stalinista, líderes supremos de forte perfil. Na verdade, nos Estados diretamente ocupados pelo exército soviético, incluindo os serviços de segurança soviéticos, os governos locais eram obrigados a seguir o exemplo soviético, por exemplo organizando julgamentos e expurgos encenados de comunistas locais segundo o modelo de Stalin, um assunto pelo qual os partidos comunistas locais não demonstravam nenhum entusiasmo espontâneo. Na Polônia e Alemanha Oriental, conseguiram até evitar inteiramente essas caricaturas do processo judicial, e nenhum comunista importante foi assassinado ou entregue aos serviços de segurança soviéticos, embora, depois do rompimento com Tito, destacados líderes locais na Bulgária (Traicho Kostov) e Hungria (Laszlo Rajk) fossem executados, e no último ano de Stalin um julgamento em massa particularmente implausível de destacados líderes tchecos, com tonalidade acentuadamente anti-semita, dizimasse a velha liderança do partido local. Isso pode ou não ter tido alguma relação com o comportamento cada vez mais paranóico do próprio Stalin, que se deteriorava física e mentalmente, e planejava eliminar até mesmo seus seguidores mais leais.

Os novos regimes da década de 1940, não obstante na Europa tivessem se tornado possíveis, todos, pela vitória do Exército Vermelho, só em quatro casos foram impostos exclusivamente pela força das armas: na Polônia; na parte ocupada da Alemanha; na Romênia (onde o movimento de comunistas locais consistia na melhor das hipóteses numas poucas centenas de pessoas, a maioria não romenos étnicos); e, substancialmente, na Hungria. Na Iugoslávia e Albânia foi muito mais um produto doméstico; na Tchecoslováquia os 40% de votos do Partido Comunista em 1947 quase certamente refletiam uma verdadeira força na época, e na Bulgária a influência comunista era reforçada pelo sentimento russófilo tão universal naquele país. O poder comunista na China, na Coréia e na antiga Indochina francesa — ou melhor, após a divisão da Guerra Fria, na parte norte desses países — nada deveu às armas soviéticas, embora depois de 1949 os regimes comunistas menores se beneficiassem, por algum tempo, do apoio chinês. Os acréscimos posteriores ao "campo socialista", a começar por Cuba, abriram seu próprio caminho até lá, embora os movimentos guerrilheiros de libertação na África pudessem contar com sério apoio do bloco soviético.

Contudo, mesmo nos Estados onde o poder comunista foi imposto apenas pelo Exército Vermelho, o novo regime inicialmente gozou de temporária legitimidade e, por algum tempo, de algum apoio genuíno. Como vimos (capítulo 5), a idéia de construir um novo mundo sobre o que era tão visivelmente a ruína do velho inspirou muitos dos jovens e intelectuais. Por mais impopulares que fossem o partido e o governo, a própria energia e determinação que ambos traziam à tarefa de reconstrução do pós-guerra impunham um amplo consentimento, se bem que relutante. Na verdade, era difícil negar o sucesso dos novos regimes nessa tarefa. Nos Estados agrários mais atrasados, como vimos, o compromisso comunista com a industrialização, quer dizer, com o progresso e a modernidade, repercutia muito além das fileiras do partido. Quem podia duvidar de que países como a Bulgária ou a Iugoslávia progrediam muito mais rapidamente do que parecera provável, ou mesmo possível, antes da guerra? Somente onde uma primitiva e brutal URSS ocupara e absorvera à força regiões menos atrasadas, ou, de qualquer modo, regiões com cidades desenvolvidas, como nas áreas transferidas em 1939-40, e na zona soviética da Alemanha (após 1954 República Democrática Alemã), que continuaram após 1945 a ser saqueadas pelos soviéticos para sua própria reconstrução, o balanço pareceu negativo.

Politicamente, os Estados comunistas, autóctones ou impostos, começaram formando um único bloco sob a liderança da URSS, que, com base na solidariedade antiocidental, era apoiada mesmo pelo regime comunista que assumiu o pleno controle da China em 1949, embora a influência de Moscou sobre o Partido Comunista chinês fosse tênue desde que Mao Tsé-tung se tornara seu líder inconteste na década de 1930. Mao seguiu seu próprio caminho em meio a profissões de lealdade à URSS, e Stalin, realista, teve o cuidado de não forçar suas relações com o gigantesco partido irmão oriental efetivamente independente. Quando, no fim da década de 1950, Nikita Kruschev as forçou, o resultado foi um acerbo rompimento, em que a China contestou a liderança soviética do movimento comunista internacional, embora sem muito êxito. A atitude de Stalin em relação aos Estados e partidos comunistas da Europa ocupada pelos exércitos soviéticos foi menos conciliatória, em parte porque seus exércitos ainda se achavam presentes na Europa Oriental, mas também porque ele achava que podia contar com a genuína lealdade dos comunistas locais a Moscou, e a si próprio. Quase certamente se surpreendeu em 1948, quando a liderança comunista iugoslava, leal a ponto de Belgrado ser transformada, apenas poucos meses antes, em quartel-general da reconstituída Internacional Comunista da Guerra Fria (o "Departamento de Informação Comunista", ou Cominform), levou sua resistência às diretrizes de Moscou ao ponto do franco rompimento, e quando o apelo de Moscou à lealdade dos bons comunistas por cima de Tito não encontrou quase nenhuma reação séria na Iugoslávia. Caracteristicamente, a reação de Stalin foi ampliar os expurgos e julgamentos encenados nas lideranças comunistas restantes.

Apesar disso, a secessão da Iugoslávia não afetou o resto do movimento comunista. O desmoronamento político do bloco soviético começou com a morte de Stalin, em 1953, mas sobretudo com os ataques oficiais à era stalinista em geral e, mais cautelosamente, ao próprio Stalin, no XX Congresso do PCUS, em 1956. Embora visando uma platéia soviética muitíssimo restrita — os comunistas estrangeiros foram excluídos do discurso secreto de Kruschev —, logo se espalhou a notícia de que o monolito soviético rachara. Os efeitos dentro da região da Europa dominada pelos soviéticos foi imediato. Em poucos meses, uma liderança comunista reformista na Polônia foi pacificamente aceita por Moscou (na certa com a ajuda ou o conselho dos chineses), e uma revolução estourou na Hungria. Ali, o novo governo, sob outro reformador comunista, Imre Nagy, anunciou o fim do sistema unipartidário, o que os soviéticos talvez pudessem tolerar — as opiniões entre eles estavam divididas — mas também a retirada da Hungria do Pacto de Varsóvia e sua futura neutralidade, o que eles não iriam tolerar. A revolução foi reprimida pelo exército russo em novembro de 1956.

O fato de essa grande crise dentro do bloco soviético não ter sido explorada pela aliança ocidental (a não ser para fins de propaganda) demonstrou a estabilidade das relações Oriente-Ocidente. Os dois lados aceitavam tacitamente as zonas de influência um do outro, e durante as décadas de 1950 e 1960 nenhuma mudança revolucionária local surgiu no globo para perturbar esse equilíbrio, com exceção de Cuba.*

Em regimes onde a política estava tão obviamente sob controle, não se pode traçar nenhuma linha nítida entre fatos políticos e econômicos. Assim, os governos da Polônia e Hungria não puderam deixar de fazer concessões econômicas a povos que haviam tão claramente demonstrado sua falta de entusiasmo pelo comunismo. Na Polônia, a agricultura foi descoletivizada, embora isso não a tornasse notadamente mais eficiente, e, mais importante, a força política de uma classe operária, muito fortalecida pela corrida à industrialização pesada, foi daí em diante tacitamente reconhecida. Afinal, fora um movimento industrial em Poznan que iniciara os acontecimentos de 1956. Daí até o triunfo do Solidariedade, no fim da década de 1980, a política e a economia polonesa foram dominadas pelo confronto dessa massa irresistível, o regime, e desse objeto inamovível, a classe operária, que, a princípio sem organização, acabou organizando-se num movimento trabalhista clássico, aliado como sempre a intelectuais, e formando um movimento político, exatamente como previra Marx. Só que a ideologia desse movimento, como tiveram de observar com melancolia os marxistas, não era anticapitalista, mas anti-socialista. Caracteristicamente, esses confrontos eram sobre as periódicas tentativas de governos poloneses de reduzir os fortes subsídios a custos de vida básicos, au-

(*) As revoluções da década de 1950 no Oriente Médio, Egito em 1952 e Iraque em 1958, ao contrário dos temores ocidentais, não modificaram o equilíbrio, apesar de oferecerem muito espaço para o sucesso diplomático da URSS, sobretudo porque os regimes locais eliminaram impiedosamente seus comunistas, onde eles eram influentes, como na Síria e no Iraque.

mentando os preços. Isso levava a greves, seguidas tipicamente (após uma crise no governo) de retirada. Na Hungria, a liderança imposta pelos soviéticos após a derrota da revolução de 1956 foi mais genuinamente reformista e eficaz. Começou, sob János Kádár (1912-89), a liberalizar sistematicamente (e talvez com tácito apoio de setores influentes na URSS) o regime, conciliar a oposição e, na verdade, a realizar os objetivos de 1956, dentro dos limites do que a URSS encarava como aceitável. Nisso, teve um êxito notável até a década de 1980.

O mesmo não se deu com a Tchecoslováquia, politicamente inerte desde o implacável expurgo do início da década de 1950, mas começando cautelosa e hesitante a desestalinizar-se. Por dois motivos, esse processo foi se avolumando na segunda metade da década de 1960. Os eslovacos (incluindo o componente eslovaco do PC), jamais inteiramente à vontade no Estado binacional, davam apoio a uma potencial oposição dentro do partido. Não por acaso o homem eleito para o secretariado geral num golpe do partido em 1968 era um eslovaco, Alexander Dubcek.

Contudo, inteiramente à parte, foi se tornando cada vez mais difícil resistir à pressão para reformar a economia e introduzir um pouco de racionalidade e flexibilidade no sistema de comando de tipo soviético na década de 1960. Como veremos, essa pressão era sentida então em todo o mundo comunista. A descentralização econômica, não politicamente explosiva em si, tornou-se explosiva quando combinada com a exigência de liberalização econômica e, mais ainda, política. Na Tchecoslováquia, essa exigência era tanto mais forte não apenas porque o stalinismo fora particularmente duro e duradouro, mas também porque tantos de seus comunistas (sobretudo intelectuais, oriundos de um partido com genuíno apoio de massa antes e depois da ocupação nazista) estavam profundamente chocados com o contraste entre as esperanças comunistas que ainda retinham e a realidade do regime. Como tantas vezes aconteceu na Europa ocupada pelos nazistas, onde o partido se tornou o coração do movimento de resistência, atraiu jovens idealistas cujo compromisso nessa época era uma garantia de abnegação. Que mais, além da esperança e possível tortura e morte, poderia esperar alguém que, como um amigo deste escritor, entrou para o partido em Praga em 1941?

Como sempre — como era de fato inevitável, em vista da estrutura dos Estados comunistas —, a reforma veio de cima, isto é, de dentro do partido. A Primavera de Praga, em 1968, precedida e acompanhada de fermentação e agitação político-culturais, coincidiu com a explosão geral de radicalismo estudantil discutida em outra parte (ver capítulo 10): um dos raros movimentos que cruzaram oceanos e as fronteiras de sistemas sociais, e produziram movimentos sociais simultâneos, sobretudo centrados nos estudantes, da Califórnia e México à Polônia e Iugoslávia. O "Programa de Ação" do PC tcheco poderia ou não ter sido — mal-e-mal — aceito pelos soviéticos, embora movesse a ditadura unipartidária perigosamente em direção a uma democracia pluralista. Contudo, a coesão, talvez a própria existência do bloco soviético europeu oriental, pareceram estar em causa, quando a Primavera de Praga revelou, e aumentou, as fendas dentro dele. De um lado, regimes linha-dura, como a Polônia e a Alemanha Oriental, receavam desestabilização interna com o exemplo tcheco, que criticavam duramente; do outro, os tchecos eram entusiasticamente apoiados pela maioria dos partidos comunistas europeus, pelos húngaros reformistas e, fora do bloco, pelo regime comunista independente de Tito na Iugoslávia, além da Romênia, que, desde 1965, começara a assinalar sua distância de Moscou em bases nacionalistas, sob a liderança de um novo líder, Nicolae Ceausescu (1918-89). (Em assuntos internos, Ceausescu era tudo, menos um reformador comunista.) Tanto Tito quanto Ceausescu visitaram Praga e receberam do público acolhidas de heróis. Daí Moscou, embora não sem hesitações e divisões, decidir derrubar o regime de Praga pela força militar. Isso revelou ser o virtual fim do movimento comunista centrado em Moscou, já rachado pela crise de 1956. Contudo, manteve o bloco soviético unido por mais vinte anos, mas daí em diante só pela ameaça de intervenção militar soviética. Nos últimos vinte anos da União Soviética, mesmo a liderança de partidos comunistas governantes parece ter perdido qualquer crença real no que fazia.

Enquanto isso, e inteiramente independente da política, tornava-se cada vez mais urgente a necessidade de reformar ou mudar o sistema econômico de planejamento central do tipo soviético. De um lado, as economias não socialistas desenvolvidas cresceram e floresceram como jamais antes (ver capítulo 9), ampliando o já considerável fosso entre os dois sistemas. Isso era particularmente óbvio na Alemanha, onde os dois conviviam em diferentes partes do mesmo país. Por outro lado, a taxa de crescimento das economias socialistas, que superara a das economias ocidentais até a última parte da década de 1950, começou visivelmente a afrouxar. O PNB soviético, que crescia a uma taxa de 5,7% ao ano na década de 1950 (quase tão rápido quanto nos primeiros doze anos de industrialização, 1928-40), caiu para 5,2% na década de 1960, 3,7% na primeira metade da de 1970, 2,6% na segunda metade dessa década e 2% nos últimos anos antes de Gorbachev (1980-5) (Ofer, 1987, p. 1778). O registro da Europa Oriental era semelhante. Tentativas de tornar o sistema mais flexível, essencialmente pela descentralização, foram feitas na década de 1960 em quase toda parte no bloco soviético, não menos na própria URSS sob o premiê Kosiguin, nessa década. Com exceção das reformas húngaras, não foram notoriamente bem-sucedidas, e em vários casos mal decolaram, ou (como na Tchecoslováquia) não foram permitidas por motivos políticos. Um membro um tanto excêntrico da família dos sistemas socialistas, a Iugoslávia, não foi notadamente mais bem-sucedido quando, por hostilidade ao stalinismo, substituiu a economia centralmente planejada por um sistema de empresas cooperativas autônomas. Quando a economia mundial entrou em novo período de incertezas, na década de 1970, ninguém no Oriente ou Ocidente esperava mais que as economias socialistas "realmente existentes" alcançassem e ultrapassassem, ou mesmo acompanhassem, as não socialistas. Contudo, embora mais problemáticas que antes, o futuro delas não parecia causa de preocupação imediata. Isso logo iria mudar.

Parte três

O DESMORONAMENTO

14
AS DÉCADAS DE CRISE

Perguntaram-me outro dia sobre a competitividade dos Estados Unidos e eu respondi que nunca penso nisso. Nós do NCR pensamos em nós mesmos como uma empresa globalmente competitiva que por acaso tem sede nos Estados Unidos.

Jonathan Schell, *New York Newsday* (1993)

Num nível particularmente nevrálgico, um dos resultados (do desemprego em massa) pode ser um progressivo distanciamento entre o resto da sociedade e os jovens que, segundo pesquisas contemporâneas, ainda querem empregos, por mais difíceis que sejam de conseguir, e ainda esperam carreiras significativas. Em termos mais amplos, deve haver algum perigo de que a próxima década seja uma sociedade em que não apenas "nós" seremos cada vez mais separados "deles" (as duas partes representando, muito grosso modo, a força de trabalho e a administração), mas em que os grupos majoritários se cindirão cada vez mais, com os jovens e relativamente desprotegidos em oposição aos membros mais bem protegidos e mais experientes da força de trabalho.

Secretário-geral da OCDE (*Investing*, 1983, p. 15)

I

A história dos vinte anos após 1973 é a de um mundo que perdeu suas referências e resvalou para a instabilidade e a crise. E, no entanto, até a década de 1980 não estava claro como as fundações da Era de Ouro haviam desmoronado irrecuperavelmente. A natureza global da crise não foi reconhecida e muito menos admitida nas regiões não comunistas desenvolvidas, até depois que uma das partes do mundo — a URSS e a Europa Oriental do "socialismo real" — desabou inteiramente. Mesmo assim, durante muitos anos os problemas econômicos ainda eram "recessões". O tabu de meio século sobre o uso do termo "depressão", lembrança da Era da Catástrofe, não foi inteiramente rompido. O simples uso da palavra poderia conjurar a coisa, embora as "recessões" da década de 1980 fossem "as mais sérias em cinqüenta anos" — uma expressão que na verdade evitava especificar o período de fato, a década de 1930. A civilização que elevara a magia verbal dos publicitários à condição de um princípio básico de economia foi colhida em seu próprio mecanismo de ilusão. Só no início da década de 1990 encontramos o reconhecimento — como, por exemplo, na Finlândia — de que os problemas econômicos do presente eram de fato piores que os da década de 1930.

Em muitos aspectos, isso era intrigante. Por que deveria a economia mundial ter-se tornado menos estável? Como observaram economistas, os elementos que estabilizavam a economia eram de fato mais fortes agora que antes, embora governos de livre mercado, como os dos presidentes Reagan e Bush nos EUA, e da sra. Margaret Thatcher e seu sucessor na Grã-Bretanha, tentassem enfraquecer alguns deles (World Economic Survey, 1989, pp. 10-1). Controle de inventário computadorizado, melhores comunicações e transportes mais rápidos reduziram a importância do volátil "ciclo de estoques" da velha produção em massa, que resultava em enormes estoques "só para a eventualidade" de serem necessários em épocas de expansão, e depois parava de chofre quando os estoques eram liquidados em épocas de contração. O novo método, iniciado pelos japoneses, e tornado possível pelas tecnologias da década de 1970, iria ter estoques muito menores, produzir o suficiente para abastecer os vendedores *just in time* (na hora), e de qualquer modo com uma capacidade muito maior de variar a produção de uma hora para outra, a fim de enfrentar as exigências de mudança. Não seria a era de Henry Ford, mas da Benetton. Ao mesmo tempo, o simples peso do consumo do governo e da parte da renda privada que vinha do governo ("pagamentos de transferência", como a seguridade social e a previdência) também estabilizaram a economia. Juntos, equivaliam a um terço do PIB. Se tanto, ambos aumentaram na era de crise, quando mais não fosse porque aumentou o custo do desemprego, pensões e assistência médica. Como essa era ainda continuava no fim do Breve Século XX, talvez tenhamos de esperar alguns anos até que os economistas possam usar a arma última dos historiadores, a visão retrospectiva, para encontrar uma explicação convincente.

Evidentemente, a comparação dos problemas econômicos das décadas de 1970-90 com os do entreguerras é falha, embora o medo de outra Grande Depressão tenha perseguido essas décadas. "Pode voltar a acontecer?", era a pergunta feita por muitos, sobretudo após um novo e dramático (e global) *crash* na Bolsa americana em 1987 e uma grande crise de câmbio internacional em 1992 (Temin, 1993, p. 99). As Décadas de Crise após 1973 não foram mais uma "Grande Depressão", no sentido dos anos 30, do que as décadas após 1873, embora também elas recebessem esse nome na época. A economia global não desabou, mesmo momentaneamente, embora a Era de Ouro acabasse em 1973-5 como alguma coisa bem semelhante a uma depressão cíclica bastante clássica, que reduziu a produção industrial nas "economias de mercado desenvolvidas" em 10% em um ano, e o comércio internacional em 13% (Armstrong, Glyn, & Harrison, 1991, p. 225). O crescimento econômico no mundo capitalista desenvolvido continuou, embora num ritmo visivelmente mais lento do que durante a Era de Ouro, com exceção de alguns dos "países em recente industrialização", ou NICs (sobretudo asiáticos) (ver capítulo 12), cujas revoluções industriais só haviam começado na década de 1960. O crescimento do PIB das economias avançadas até 1991 mal foi interrompido por breves períodos de estagnação nos anos de recessão de 1973-5 e 1981-3 (OCDE, 1993, pp. 18-9). O comércio internacional nos produtos da indústria, motor do crescimento mundial, continuou, e nos anos de *boom* da década de 1980 até mesmo se acelerou num ritmo comparável ao da Era de Ouro. No fim do Breve Século XX, os países do mundo capitalista desenvolvido se achavam, tomados como um todo, mais ricos e mais produtivos do que no início da década de 1970, e a economia global da qual ainda formavam o elemento central estava imensamente mais dinâmica.

Por outro lado, a situação em regiões particulares do globo era consideravelmente menos cor-de-rosa. Na África, na Ásia ocidental e na América Latina cessou o crescimento do PIB per capita. A maioria das pessoas na verdade se tornou mais pobre na década de 1980, e a produção caiu durante a maior parte dos anos da década nas duas primeiras dessas regiões, e por alguns anos na última (UN *World Economic Survey*, 1989, pp. 8 e 26). Ninguém duvidou seriamente de que, para essas partes do mundo, a década de 1980 foi de severa depressão. Quanto às economias da área antes entendida como de "socialismo real" ocidental, que haviam continuado um modesto crescimento na década de 1980, desabaram completamente após 1989. Nessa região, a comparação das crises após 1989 com a Grande Depressão era perfeitamente adequada, embora subestimasse a devastação do início da década de 1990. O PIB da Rússia caiu 17% em 1990-1, 19% em 1991-2, e 11% em 1992-3. Embora tivesse se iniciado uma certa estabilização no início da década de 1990, a Polônia tinha perdido mais de 21% de seu PIB em 1988-92; a Tchecoslováquia, quase 20%; a Romênia e a Bulgária, 30% ou mais. Sua produção industrial, em meados de 1992, estava entre metade e dois terços da de 1989 (*Financial Times*, 24/2/94; EIB papers, 1992, p. 10).

O mesmo não se dava no Oriente. Nada era mais impressionante do que o contraste entre a desintegração das economias na região soviética e o espetacular crescimento da economia chinesa no mesmo período. Naquele país, e na verdade na maioria do sul e sudeste da Ásia, que saíram da década de 1970 como a região econômica mais dinâmica da economia mundial, o termo "Depressão" não tinha sentido — exceto, muito curiosamente, no Japão do início da década de 1990. Contudo, embora a economia mundial capitalista florescesse, não estava tranqüila. Os problemas que tinham dominado a crítica ao capitalismo antes da guerra, e que a Era de Ouro em grande parte eliminara durante uma geração — "pobreza, desemprego em massa, miséria, instabilidade" (ver p. 263) —, reapareceram depois de 1973. O crescimento foi, mais uma vez, interrompido por várias depressões sérias, distintas das "recessões menores", em 1974-5, 1980-2 e no fim da década de 1980. O desemprego na Europa Ocidental subiu de uma média de 1,5% na década de 1960 para 4,2% na de 1970 (Van der Wee, 1987, p. 77). No auge do *boom* em fins da década de 1980, estava numa média de 9,2% na Comunidade Européia, em 1993, 11%. Metade dos desempregados (1986-7) se achava sem trabalho há mais de um ano, um terço há mais de dois (Human Development, 1991, p. 184). Como a população trabalhadora potencial não era mais inflada, como na Era de Ouro, pela crescente inundação de bebês do pós-guerra, e como os jovens, em bons e maus tempos, tendiam a ter taxas de desemprego muito mais altas que os velhos trabalhadores, seria de esperar que o desemprego permanente diminuísse, se tanto.*

Quanto à pobreza e miséria, na década de 1980 muitos dos países mais ricos e desenvolvidos se viram outra vez acostumando-se com a visão diária de mendigos nas ruas, e mesmo com o espetáculo mais chocante de desabrigados protegendo-se em vãos de portas e caixas de papelão, quando não eram recolhidos pela polícia. Em qualquer noite de 1993 em Nova York, 23 mil homens e mulheres dormiam na rua ou em abrigos públicos, uma pequena parte dos 3% da população da cidade que não tinha tido, num ou noutro momento dos últimos cinco anos, um teto sobre a cabeça (*New York Times*, 16/11/93). No Reino Unido (1989), 400 mil pessoas foram oficialmente classificadas como "sem teto" (Human Development, 1992, p. 31). Quem, na década de 1950, ou mesmo no início da de 1970, teria esperado isso?

O reaparecimento de miseráveis sem teto era parte do impressionante aumento da desigualdade social e econômica na nova era. Pelos padrões mundiais, as ricas "economias de mercado desenvolvidas" não eram — ou ainda não eram — particularmente injustas na distribuição de sua renda. Nas mais desigualitárias entre elas — Austrália, Nova Zelândia, EUA, Suíça — os 20% de famílias do topo recebiam, em média, entre oito e dez vezes mais que o quinto de base, e os 10% de cima em geral levavam para casa entre 20% e 25% da renda total do país; somente os suíços, os neozelandeses do topo e os ricos

(*) Entre 1960 e 1975, a população de quinze a 24 anos aumentou em cerca de 29 milhões nas "economias de mercado desenvolvidas", mas, entre 1970 e 1990, apenas em cerca de 6 milhões. A propósito, as taxas de desemprego dos jovens na Europa na década de 1980 foram surpreendentemente altas, a não ser na Suécia social-democrata e na Alemanha Ocidental. Iam (1982-8) de mais de 20% na Grã-Bretanha a mais de 40% na Espanha e 46% na Noruega (*UN World Economic Survey*, 1989, pp. 15-6).

de Cingapura e Hong Kong levavam muito mais para casa. Isso não era nada comparado com a desigualdade de países como Filipinas, Malásia, Peru, Jamaica ou Venezuela, onde eles ficavam com mais de um terço da renda total do país, e muito menos com Guatemala, México, Sri Lanka e Botsuana, onde levavam mais de 40%, para não falar do candidato a campeão mundial de desigualdade econômica, o Brasil.* Nesse monumento de injustiça social, os 20% mais pobres da população dividiam entre si 2,5% da renda total da nação, enquanto os 20% mais ricos ficavam com quase dois terços dessa renda (UN *World Development*, 1992, pp. 276-7; Human Development, 1991, pp. 152-3, 186).**

Apesar disso, durante as Décadas de Crise, a desigualdade inquestionavelmente aumentou nas "economias de mercado desenvolvidas", principalmente desde que o quase automático aumento nas rendas reais a que as classes trabalhadoras se haviam acostumado na Era de Ouro agora chegara ao fim. Tanto os extremos de pobreza e riqueza subiram, como subiu a gama de distribuição de renda entre eles. Entre 1967 e 1990, o número de negros americanos ganhando menos de 5 mil dólares (1990) e dos que ganhavam mais de 50 mil dólares cresceu à custa das rendas intermediárias (*New York Times*, 25/9/92). Como os países capitalistas ricos estavam muito mais ricos do que nunca e seu povo, em geral, estava agora protegido pelos generosos sistemas de previdência e seguridade social da Era de Ouro (ver p. 278), havia menos inquietação social do que se poderia esperar, embora as finanças do governo se vissem espremidas entre enormes pagamentos de benefícios sociais, que subiam mais depressa que as rendas do Estado em economias cujo crescimento era mais lento do que antes de 1973. Apesar de esforços substanciais, dificilmente algum governo nacional nos países ricos — e sobretudo democráticos — e certamente não nos mais hostis à previdência social pública conseguiu reduzir a vasta proporção de suas despesas para esses fins, ou mesmo mantê-las sob controle.***

Ninguém em 1970 esperara, e muito menos pretendera, que tudo isso acontecesse. No início da década de 1990, um clima de insegurança e ressen-

(*) Os campeões de fato, ou seja, aqueles com um coeficiente Gini de mais de 0,6, eram alguns países muito menores, também nas Américas. O coeficiente Gini, uma medida adequada de desigualdade, mede a desigualdade numa escala de 0,0 — igual distribuição de renda — a 1,0 — desigualdade máxima. O coeficiente para Honduras em 1967-85 era 0,62, para a Jamaica 0,66 (ONU Human Development, 1990, pp. 158-9).

(**) Não há dados comparáveis para alguns dos países mais desigualitários. A lista sem dúvida incluiria também outros Estados africanos e latino-americanos, e, na Ásia, a Turquia e o Nepal.

(***) Em 1972, treze desses Estados gastaram uma média de 48% das despesas de seu governo central com habitação, seguridade social, bem-estar social e saúde. Em 1990, gastaram uma média de 51%. Os Estados são: Austrália e Nova Zelândia, EUA e Canadá, Áustria, Bélgica, Grã-Bretanha, Dinamarca, Finlândia, Alemanha (Federal), Itália, Países Baixos, Noruega e Suécia (calculado a partir do UN *World Development*, 1992, tabela 11).

timento começara a espalhar-se até mesmo em muitos dos países ricos. Como veremos, isso contribuiu para que neles ocorresse o colapso de padrões políticos tradicionais. Entre 1990 e 1993, poucas tentativas se fizeram de negar que mesmo o mundo capitalista desenvolvido estava em depressão. Ninguém afirmava a sério saber o que fazer a respeito, além de esperar que aquilo passasse. Apesar disso, o fato fundamental das Décadas de Crise não é que o capitalismo não mais funcionava tão bem quanto na Era de Ouro, mas que suas operações se haviam tornado incontroláveis. Ninguém sabia o que fazer em relação aos caprichos da economia mundial, nem possuía instrumentos para administrá-la. O grande instrumento para fazer isso na Era de Ouro, a política de governo, coordenada nacional ou internacionalmente, não funcionava mais. As Décadas de Crise foram a era em que os Estados nacionais perderam seus poderes econômicos.

Isso não ficou imediatamente óbvio porque — como sempre — a maioria dos políticos, economistas e homens de negócios não reconheceu a permanência da mudança na conjuntura econômica. Os programas políticos da maioria dos governos na década de 1970, e as políticas da maioria dos Estados, baseavam-se na suposição de que os problemas da década de 1970 eram apenas temporários. Um ano ou dois trariam a volta da velha prosperidade e crescimento. Não havia necessidade de mudar os programas que haviam servido tão bem durante uma geração. Essencialmente, a história dessa década foi de governos comprando tempo — no caso de Estados do Terceiro Mundo e socialistas, muitas vezes pela entrada pesada no que esperavam fossem dívidas de curto prazo — e aplicando as velhas receitas keynesianas de administração econômica. Na verdade, na maioria dos países capitalistas avançados, governos social-democratas ocuparam o poder em grande parte da década de 70, ou a ele retornaram após mal-sucedidos interlúdios conservadores (como na Grã-Bretanha em 1974 e nos EUA em 1976). Não era provável que abandonassem as políticas da Era de Ouro.

A única alternativa oferecida era a propagada pela minoria de teólogos econômicos ultraliberais. Mesmo antes do *crash*, a minoria havia muito isolada de crentes no livre mercado irrestrito já começara seu ataque ao domínio dos keynesianos e outros defensores da economia mista administrada e do pleno emprego. O zelo ideológico dos velhos defensores do individualismo era agora reforçado pela visível impotência e o fracasso de políticas econômicas convencionais, sobretudo após 1973. O recém-criado (1969) Prêmio Nobel de economia deu apoio à tendência liberal após 1974 premiando Friedrich von Hayek (ver p. 266) em 1974 e, dois anos depois, a um defensor do ultraliberalismo econômico igualmente militante, Milton Friedman.* Após 1974, os defensores

(*) O prêmio foi instituído em 1969, e antes de 1974 fora concedido a homens visivelmente *não* ligados à economia do *laissez-faire*.

do livre-mercado estavam na ofensiva, embora só viessem a dominar as políticas de governo na década de 1980, a não ser no Chile, onde após a derrubada do governo popular em 1973, uma ditadura militar terrorista permitiu a assessores americanos instalar uma economia de livre mercado irrestrita, demonstrando assim, aliás, que não havia ligação intrínseca entre o livre mercado e a democracia política. (Para ser justo com o professor von Hayek, ao contrário dos propagandistas comuns da Guerra Fria, ele não dizia haver tal ligação.)

A batalha entre keynesianos e neoliberais não era nem um confronto puramente técnico entre economistas profissionais, nem uma busca de caminhos para tratar de novos e perturbadores problemas econômicos. (Quem, por exemplo, tinha sequer considerado a imprevista combinação de estagnação econômica e preços em rápido crescimento, para a qual se teve de inventar o termo "estagflação" na década de 1970?) Era uma guerra de ideologias incompatíveis. Os dois lados apresentavam argumentos econômicos. Os keynesianos afirmavam que altos salários, pleno emprego e o Estado de Bem-estar haviam criado a demanda de consumo que alimentara a expansão, e que bombear mais demanda na economia era a melhor maneira de lidar com depressões econômicas. Os neoliberais afirmavam que a economia e a política da Era de Ouro impediam o controle da inflação e o corte de custos tanto no governo quanto nas empresas privadas, assim permitindo que os lucros, verdadeiro motor do crescimento econômico numa economia capitalista, aumentassem. De qualquer modo, afirmavam, a "mão oculta" smithiana do livre mercado tinha de produzir o maior crescimento da "Riqueza das Nações" e a melhor distribuição sustentável de riqueza e renda dentro dela; uma afirmação que os keynesianos negavam. Contudo, a economia nos dois casos racionalizava um compromisso ideológico, uma visão *a priori* da sociedade humana. Os neoliberais desconfiavam e sentiam antipatia pela social-democrata Suécia, uma espetacular história de sucesso econômico do século XX, não porque ela ia ter problemas nas Décadas de Crise — como tiveram outros tipos de economia —, mas porque se baseava no "famoso modelo econômico sueco, com seus valores coletivistas de igualdade e solidariedade" (*Financial Times*, 11/11/90). Por outro lado, o governo da sra. Thatcher na Grã-Bretanha era impopular na esquerda, mesmo durante seus anos de sucesso econômico, porque se baseava num egoísmo associal, na verdade anti-social.

Eram posições dificilmente abertas à argumentação. Suponhamos, por exemplo, que se pudesse demonstrar que a melhor maneira de obter sangue para uso médico fosse comprando-o de qualquer um que estivesse disposto a vender um quartilho do seu a preço de mercado. Teria isso enfraquecido o sistema britânico de doadores voluntários gratuitos, tão eloqüente e vigorosamente apresentado por R. M. Titmuss em "*The gift relationship*" [O relacionamento de doação] (Titmuss, 1970)? É claro que não, embora Titmuss também tenha mostrado que a maneira britânica de doar sangue era tão eficiente quanto a maneira comercial, e mais segura.* Tudo mais sendo igual, para muitos de nós uma sociedade em que cidadãos estão dispostos a dar ajuda abnegada a companheiros humanos desconhecidos, por mais simbolicamente que seja, é melhor que uma em que não estão. No início da década de 1990, o sistema político italiano foi destroçado por uma rebelião dos eleitores contra sua corrupção endêmica, não porque muitos italianos houvessem de fato sofrido com ela — um grande número, talvez a maioria, se beneficiara — mas por motivos morais. Os únicos partidos políticos não varridos pela avalanche moral foram os não envolvidos no sistema. Os defensores da liberdade individual absoluta não se abalavam com as evidentes injustiças sociais do capitalismo de mercado irrestrito, mesmo quando (como no Brasil durante a maior parte da década de 1980) não produzia crescimento econômico. Por outro lado, os que acreditavam na igualdade e justiça social (como este autor) acolhiam a oportunidade de argumentar que mesmo o sucesso econômico capitalista deve basear-se com a máxima firmeza numa relativa distribuição igualitária de renda, como no Japão (ver p. 348).** Era secundário que cada lado também traduzisse suas crenças fundamentais em argumentos pragmáticos, por exemplo, se a alocação de recursos através de preços de livre mercado era ideal ou não. Mas, claro, os dois lados tinham de produzir políticas para lidar com a diminuição do ritmo econômico.

A esse respeito, os defensores da economia da Era de Ouro não foram muito bem-sucedidos. Isso se deu em parte porque eles eram limitados por seu compromisso político e ideológico com o pleno emprego, com Estados de Bem-estar e com a política de consenso do pós-guerra. Ou melhor, estavam espremidos entre as demandas de capital e trabalho, quando o crescimento da Era de Ouro não mais permitia que lucros e rendas não comerciais igualmente aumentassem sem interferir uns com os outros. Nas décadas de 1970 e 1980, a Suécia, Estado social-democrata *par excellence*, manteve o pleno emprego com notável sucesso por meio de subsídios industriais, pela disseminação do trabalho e a impressionante expansão do emprego estatal e público, possibilitando assim uma admirável ampliação do sistema previdenciário. Mesmo assim, a política só pôde ser mantida com a contenção dos padrões de vida dos trabalhadores empregados, taxas de impostos punitivas sobre altas rendas e pesados déficits. Na impossibilidade de um retorno aos dias do Grande Salto

(*) Isso foi confirmado no início da década de 1990, quando os serviços de transfusão de sangue de alguns países, mas não da Grã-Bretanha, constataram que pacientes haviam sido infectados com sangue comercialmente adquirido contaminado com o vírus da AIDS (HIV).

(**) Os 20% mais ricos da população na década de 1980 tinham 4,3 vezes a renda total dos 20% mais pobres, o que era menos que a cifra em qualquer outro país industrial (capitalista), mesmo a Suécia. A média para os oito mais industrializados países da Comunidade Européia era 6; a cifra para os EUA, 8,9 (Kidron & Segal, 1991, pp. 36-7). Dizendo de outro modo: os EUA em 1990 tinham 93 bilionários, em dólares; a Comunidade Européia, 59, sem contar os 33 domiciliados na Suíça e Lichtenstein. O Japão tinha nove (ibid.).

Avante, estas não podiam ser medidas temporárias, e a partir de meados da década de 1980 elas foram revertidas. No fim do Breve Século XX, o "Modelo Sueco" batia em retirada mesmo em seu próprio país.

Contudo, o modelo foi também, e talvez ainda mais fundamentalmente, solapado pela globalização da economia após 1970, que pôs os governos de todos os Estados — com a possível exceção dos EUA, com sua enorme economia — à mercê de um incontrolável "mercado mundial". (Além disso, era fato inegável que "o mercado" provavelmente desconfiaria muito mais de governos de esquerda do que de conservadores.) No início da década de 1980, mesmo um país grande e rico como a França, então sob um governo socialista, achava impossível bombear unilateralmente sua economia. Dois anos depois da triunfal eleição do presidente Mitterrand, a França enfrentava uma crise na balança de pagamentos, e foi obrigada a desvalorizar sua moeda e a substituir o estímulo keynesiano de demanda pela "austeridade de face humana".

Por outro lado, os neoliberais também estavam desorientados, como ia tornar-se óbvio no fim da década de 1980. Para eles não era problema atacar a rigidez, a ineficiência e o desperdício econômico tantas vezes abrigados sob as políticas de governo da Era de Ouro, uma vez que estas não eram mais mantidas à tona pela sempre crescente maré de prosperidade, emprego e rendas do governo daquela era. Havia um espaço considerável para aplicar o detergente neoliberal ao incrustado casco do muito bom navio da "Economia Mista", com resultados benéficos. Mesmo a esquerda britânica acabaria admitindo que alguns dos implacáveis choques aplicados à economia britânica pela sra. Thatcher provavelmente eram necessários. Havia bons motivos para parte da desilusão com as indústrias administradas pelo Estado e com a administração pública, que se tornou tão comum na década de 1980.

Apesar disso, a simples crença em que o capital era bom e o governo mau (nas palavras do presidente Reagan, "o governo não era a solução, mas o problema") não constituía uma política econômica alternativa. Tampouco, na verdade, podia ser para um mundo em que, mesmo nos EUA reaganistas, os gastos do governo central equivaliam a cerca de um quarto do Produto Nacional Bruto, e de fato, nos países desenvolvidos da Comunidade Européia, chegavam em média a mais de 40% do PNB (*World Development*, 1992, p. 239). Nacos tão enormes da economia podiam ser administrados de uma maneira objetiva e com um devido senso de custo/benefício (o que nem sempre se dava), mas não operavam nem podiam operar como mercados, mesmo quando ideólogos assim faziam parecer. De qualquer modo, a maioria dos governos neoliberais era obrigada a administrar e orientar suas economias, enquanto afirmava que apenas estimulava as forças do mercado. Além disso, não havia como reduzir o peso do Estado. Após catorze anos no poder, o mais ideológico dos regimes de livre mercado, a Grã-Bretanha thatcherista, na verdade taxava seus cidadãos um tanto mais pesadamente do que eles o tinham sido sob os trabalhistas.

Na verdade, não havia política econômica neoliberal única ou específica, a não ser após 1989 nos ex-Estados socialistas da região soviética, onde se fizeram algumas tentativas previsivelmente desastrosas, a conselho de geniozinhos econômicos ocidentais, de transferir de um dia para o outro as operações da economia para o livre mercado. O maior dos regimes neoliberais, os EUA do presidente Reagan, embora oficialmente dedicado ao conservadorismo fiscal (isto é, orçamentos equilibrados) e ao "monetarismo" de Milton Friedman, na verdade usou métodos keynesianos para sair da depressão de 1979-82, entrando num déficit gigantesco e empenhando-se de modo igualmente gigantesco a aumentar seus armamentos. Assim, longe de deixar o valor do dólar inteiramente entregue à integridade monetária e ao mercado, Washington, após 1984, voltou à administração deliberada através da pressão diplomática (Kuttner, 1991, pp. 88-94). Na verdade, os regimes mais profundamente comprometidos com a economia de *laissez-faire* eram também às vezes, e notadamente no caso dos EUA de Reagan e da Grã-Bretanha de Thatcher, profunda e visceralmente nacionalistas e desconfiados do mundo externo. O historiador não pode deixar de notar que as duas atitudes são contraditórias. De qualquer modo, o triunfalismo neoliberal não sobreviveu aos reveses econômicos de inícios da década de 1990, nem talvez à inesperada descoberta de que a economia mais dinâmica e de crescimento mais rápido do globo, após a queda do comunismo soviético, era a da China comunista, o que levou professores de escolas de comércio ocidentais e autores de manuais de administração, um gênero florescente de literatura, a vasculhar as doutrinas de Confúcio em busca dos segredos do sucesso empresarial.

O que tornava os problemas econômicos das Décadas de Crise extraordinariamente perturbadores, e socialmente subversivos, era que as flutuações conjecturais coincidiam com convulsões estruturais. A economia mundial que enfrentava os problemas das décadas de 1970 e 1980 não era mais a da Era de Ouro, embora fosse, como vimos, o produto previsível daquela era. Seu sistema de produção fora transformado pela revolução tecnológica, globalizado ou "transnacionalizado" em uma extensão extraordinária e com conseqüências impressionantes. Além disso, na década de 1970 tornou-se impossível ignorar as revolucionárias conseqüências sociais e culturais da Era de Ouro, discutidas em capítulos anteriores, assim como suas conseqüências ecológicas potenciais.

A melhor maneira de ilustrar tais conseqüências é através do trabalho e do desemprego. A tendência geral da industrialização foi substituir a capacidade humana pela capacidade das máquinas, o trabalho humano por forças mecânicas, jogando com isso pessoas para fora dos empregos. Supunha-se, corretamente, que o vasto crescimento da economia tornado possível por essa constante revolução industrial criaria automaticamente mais do que suficientes novos empregos em substituição aos velhos perdidos, embora as opiniões divergissem sobre o tamanho do corpo de desempregados necessário para a operação eficiente de uma tal economia. A Era de Ouro aparentemente confirmara esse otimismo. Como vimos (ver capítulo 10), o crescimento da indústria foi tão grande que o número e a proporção de trabalhadores industriais, mesmo nos países mais industrializados, não decresceram seriamente. Contudo, as Décadas de Crise começaram a dispensar mão-de-obra em ritmo espetacular, mesmo nas indústrias visivelmente em expansão. Entre 1950 e 1970, o número de telefonistas interurbanos nos EUA caiu 12%, enquanto o número de telefonemas aumentou cinco vezes; mas entre 1970 e 1980, caiu 40%, enquanto os telefonemas triplicaram (Technology, 1986, p. 328). O número de trabalhadores diminuiu relativamente, absolutamente e, em qualquer caso, rapidamente. O crescente desemprego dessas décadas não foi simplesmente cíclico, mas estrutural. Os empregos perdidos nos maus tempos não retornariam quando os tempos melhoravam: não voltariam jamais.

Isso não ocorria apenas porque a nova divisão internacional do trabalho transferia indústrias de velhos países regionais e continentes para novos, transformando os velhos centros de indústria em "cinturões de ferrugem", ou, ainda mais espectralmente, em paisagens urbanas semelhantes a operações plásticas onde todos os traços da antiga indústria haviam sido removidos. O surgimento de novos países industriais é impressionante. Em meados da década de 1980, sete desses países no Terceiro Mundo já consumiam 24% do aço do mundo e produziam 15% dele — ainda um indicador de industrialização tão bom quanto qualquer outro.* Além disso, num mundo de fluxos econômicos livres que cruzam fronteiras de Estados — exceto, caracteristicamente, de migrantes em busca de trabalho —, as indústrias de trabalho intensivo naturalmente migraram de países de altos salários para os de baixos salários, ou seja, dos ricos países centrais do capitalismo, como os EUA, para países da periferia. Cada trabalhador empregado a tarifas texanas em El Paso era um luxo econômico quando havia um outro à mão, mesmo que inferior, por um décimo do salário do outro lado do rio, na Juárez mexicana.

Contudo, mesmo os países pré-industriais e os novos recém-industrializados eram governados pela lógica férrea da mecanização, que mais cedo ou mais tarde tornava até mesmo o mais barato ser humano mais caro que uma máquina capaz de fazer o seu trabalho, e pela lógica igualmente férrea da competição de livre comércio genuinamente mundial. Mesmo barato como é o trabalho no Brasil, em comparação com Detroit e Wolfsburg, a indústria automobilística em São Paulo enfrentava os mesmos problemas de crescente redundância de trabalho causada pela mecanização que em Michigan e na Baixa Saxônia, ou assim disseram ao autor líderes sindicais em 1992. O desem-

(*) China, Coréia do Sul, Índia, México, Venezuela, Brasil e Argentina (Piel, 1992, pp. 286-9).

penho e a produtividade da maquinaria podiam ser elevados constantemente, e para fins práticos interminavelmente, pelo progresso tecnológico, e seu custo, dramaticamente reduzido. O mesmo não se dava com o desempenho dos seres humanos, como demonstra uma comparação das melhoras na velocidade do transporte aéreo com o recorde dos cem metros. De qualquer modo, o custo do trabalho humano não pode, por nenhum período de tempo, ser reduzido abaixo do custo necessário para manter seres humanos vivos num nível mínimo aceitável como tal em sua sociedade, ou na verdade em qualquer nível. Os seres humanos não foram eficientemente projetados para um sistema capitalista de produção. Quanto mais alta a tecnologia, mais caro o componente humano de produção comparado com o mecânico.

A tragédia histórica das Décadas de Crise foi a de que a produção agora dispensava visivelmente seres humanos mais rapidamente do que a economia de mercado gerava novos empregos para eles. Além disso, esse processo foi acelerado pela competição global, pelo aperto financeiro dos governos, que — direta ou indiretamente — eram os maiores empregadores individuais, e não menos, após 1980, pela então predominante teologia de livre mercado que pressionava em favor da transferência de emprego para formas empresariais de maximização de lucros, sobretudo para empresas privadas que, por definição, não pensavam em outro interesse além do seu próprio, pecuniário. Isso significou, entre outras coisas, que governos e outras entidades públicas deixaram de ser o que se chamou de "empregadores de último recurso" (*World Labour*, 1989, p. 48). O declínio dos sindicatos, enfraquecidos tanto pela depressão econômica quanto pela hostilidade de governos neoliberais, acelerou esse processo, pois a produção de empregos era uma de suas funções mais estimadas. A economia mundial se expandia, mas o mecanismo automático pelo qual essa expansão gerava empregos para homens e mulheres que entravam no mercado de trabalho sem qualificações especiais estava visivelmente desabando.

Em outras palavras, o campesinato, que formara a maioria da raça humana em toda a história registrada, fora tornado supérfluo pela revolução agrícola, mas os milhões não mais necessários na terra eram, no passado, prontamente absorvidos por ocupações necessitadas de mão-de-obra em outros lugares, que exigiam apenas disposição para trabalhar, adaptação de habilidades rurais, como cavar e erguer paredes, ou capacidade de aprender no trabalho. Que aconteceria aos trabalhadores nessas ocupações quando por sua vez se tornassem desnecessários? Mesmo que alguns pudessem ser retreinados para os empregos de alta qualificação da era da informação, que continuavam a expandir-se (a maioria dos quais exigia cada vez mais educação superior), não havia suficientes empregos desse tipo para compensar (Technology, 1986, pp. 7-9 e 335). Que aconteceria, aliás, aos camponeses do Terceiro Mundo que ainda fugiam em massa de suas aldeias?

Nos países ricos do capitalismo, agora esse trabalhadores tinham sistemas previdenciários a que recorrer, embora os que se tornavam permanente-

UM MUNDO EM TRANSFORMAÇÃO

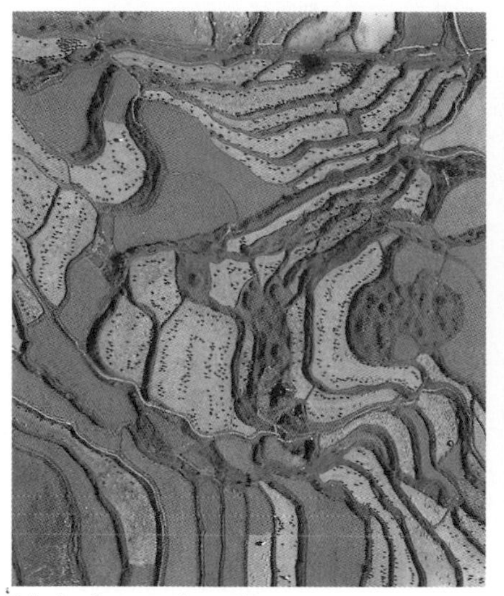

34. As formas do antigo: terraceamento agrícola no vale de Liping, Guizhou, China.

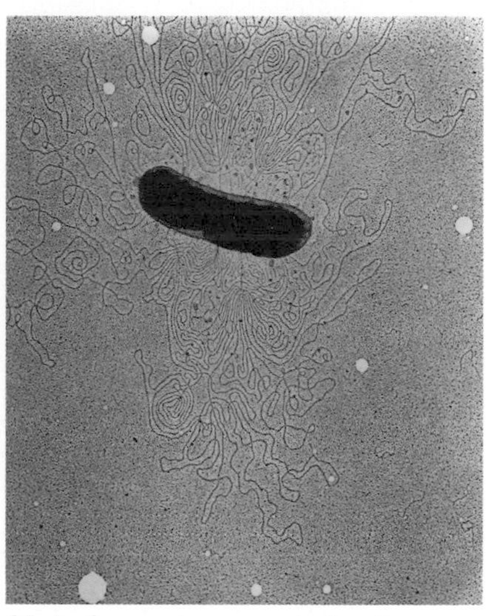

35. As formas do novo: micrógrafo eletrônico de uma bactéria intestinal liberando seus cromossomos (ampliada 55 mil vezes).

DO ANTIGO PARA O NOVO

36. O mundo que acabou após 8 mil anos: camponês chinês arando.

37. O mundo antigo encontra o novo: casal imigrante turco em Berlim Ocidental.

38. Os emigrantes: antilhanos desembarcam cheios de esperanças na Londres da década de 1950.

39. Refugiados: a África no fim do século.

40. Vida urbana: a velha Ahmedabad (Índia).

41. (*esq.*) Vida urbana: a nova Chicago.

43. (*ao lado, acima à esq.*) Transporte: trilhos, a herança do século XIX, Augsburgo, Alemanha.

44. (*ao lado, acima à dir.*) Transporte: o motor de combustão interna venceu no século XX. Auto-estradas, carros e poluição em Houston, Texas.

42. Vida urbana — metrô: hora do *rush* em Shinjuku, Tóquio.

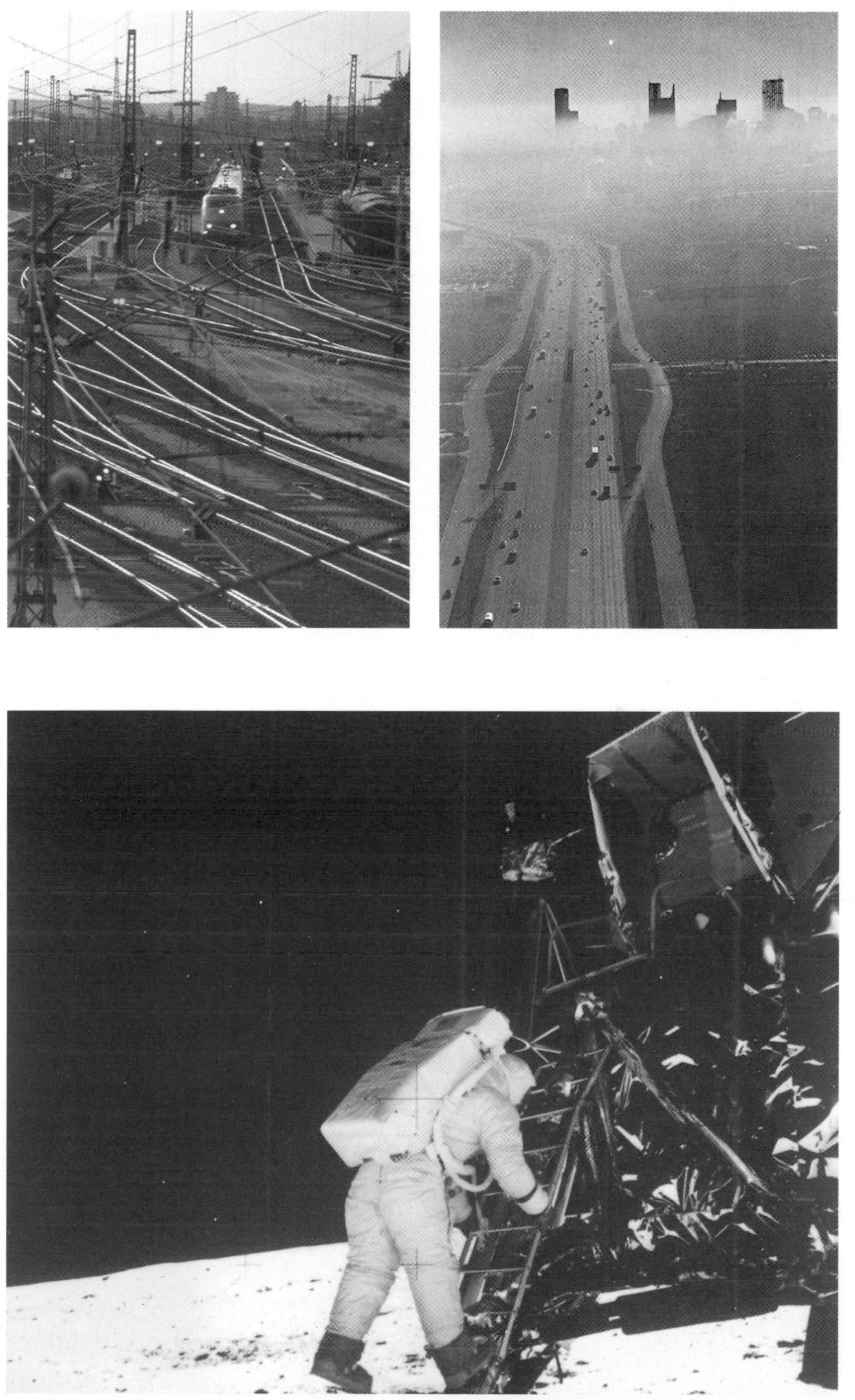

45. Transporte além da terra. A primeira descida na Lua, 1969.

46. Pessoas na produção: uma enlatadora da década de 1930 — Amarillo, Texas.

47. Produção sem pessoas: usina de energia nuclear de Dungeness.

48. Onde pessoas antes produziam: desindustrialização no norte da Inglaterra (Middlesbrough).

UM NOVO COTIDIANO

49. Revolução na cozinha: a geladeira.

50. Revolução na sala de visitas: o aparelho de televisão.

53. O antigo regime — versão civil: Neville Chamberlain (1869-1940), primeiro-ministro britânico em 1937-40, pescando.

54. (*esq.*) O antigo regime — versão de uniforme: Louis (Francis Albert Victor Nicholas), primeiro conde Moutbaten da Birmânia (1900-79), último vice-rei da Índia.

51. (*ao lado, embaixo à esq.*) Transformação nas compras: o supermercado.

52. (*ao lado, embaixo à esq.*) Transformação no lazer: miniaturização e mobilidade — o rádio toca-fitas portátil.

55. O novo regime — o líder como revolucionário: Lenin falando da carroceria de um caminhão, em 1917.

56. O novo regime — o líder como revolucionário: Gandhi deixando uma residência no East End em Londres em 1931 para negociar com o governo britânico.

57. (*esq.*) Stalin (Josif Vissarionovich Djugachvilli, 1879-1950).

58. (*abaixo*) Desfile no aniversário de Hitler, 1939.

59. (*esq.*) "Presidente Mao" da China: Mao Tsé-tung (1893-1976), visto por Andy Warhol.

60. (*abaixo*) O cadáver do Aiatolá Khomeini (1900-89), líder revolucionário do Irã, jaz em estado em Teerã.

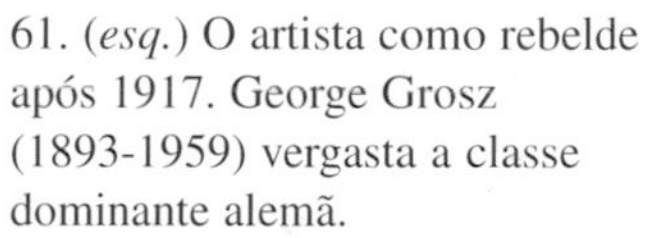

61. (*esq.*) O artista como rebelde após 1917. George Grosz (1893-1959) vergasta a classe dominante alemã.

62. (*abaixo*) A década de 1930 — o proletariado: operários de estaleiros britânicos marcham sobre Londres.

63. A década de 1960 — os estudantes: manifestação contra a Guerra do Vietnã, Berkeley, Califórnia. Observe-se o destaque das mulheres.

OLHANDO PARA A FRENTE

64. Fim do século: pretensões de conquista mundial.

65. Após a Guerra do Golfo, 1991.

66. Após o livre mercado: sem-teto.

67. Antes da liberdade: esperando para votar na África do Sul, 1994.

68. Sarajevo oitenta anos após 1914.

mente dependentes da previdência social sofressem, ao mesmo tempo, ressentimento e desprezo dos que se viam como ganhando a vida com o trabalho. Nos países pobres, entravam na grande e obscura economia "informal" ou "paralela", em que homens, mulheres e crianças viviam, ninguém sabe exatamente como, por meio de uma combinação de pequenos empregos, serviços, expedientes, compra, venda e roubo. Nos países ricos, começavam a constituir ou reconstituir uma "subclasse" cada vez mais separada e segregada, cujos problemas eram *de facto* encarados como insolúveis, mas secundários, pois eles formavam apenas uma minoria permanente. A sociedade de gueto da população negra natural dos EUA* tornara-se o exemplo didático desse submundo social. Não que a "economia negra" estivesse ausente do Primeiro Mundo. Pesquisadores ficaram surpresos ao descobrir que no início da década de 1990 os 22 milhões de famílias da Grã-Bretanha tinham juntos mais de 10 bilhões de libras em dinheiro vivo, ou uma média de 420 libras por família, uma cifra tida como tão alta porque a "economia negra negocia em grande parte com dinheiro" (*Financial Times*, 18/10/93).

II

A combinação de depressão com uma economia maciçamente projetada para expulsar a mão-de-obra humana criou uma acerba tensão que penetrou nas políticas das Décadas de Crise. Uma geração se acostumara ao pleno emprego ou à confiança em que o tipo de trabalho que alguém fazia certamente logo iria aparecer em algum lugar. Embora a depressão do início da década de 1980 houvesse trazido a insegurança de volta à vida dos trabalhadores nas indústrias manufatureiras, só no início da de 1990 os grandes setores de empregados de escritórios e profissionais liberais em países como a Grã-Bretanha sentiram que nem seus empregos, nem seus futuros estavam seguros: quase metade de todas as pessoas nas partes mais prósperas do país achava que poderia perder os seus. Foram tempos em que era provável que as pessoas, com os antigos estilos de vida já solapados e mesmo desmoronando (ver capítulos 10 e 11), perdessem suas referências. Terá sido por acaso que "dos dez maiores assassinatos em massa da história americana [...] oito ocorreram desde 1980", tipicamente atos de homens brancos de meia-idade, em meados da casa dos trinta e quarenta, "após um prolongado período de solidão, frustração e raiva total", e muitas vezes precipitados por uma catástrofe em suas vidas, como perda de emprego ou divórcio?* Será mesmo um acidente a "crescente cultura do ódio nos Estados Unidos", que talvez os tenha encorajado (Butter-

(*) Os imigrantes negros nos EUA vindos do Caribe e da América hispânica se comportavam, em essência, como outras comunidades de imigrantes, e nem de longe deixavam que os expulsassem do mercado de trabalho na mesma medida.

field, 1991)? Esse ódio sem dúvida se tornou audível nas letras da música popular na década de 1980, e evidente na cada vez mais escancarada crueldade do cinema e dos programas de TV.

Essa sensação de desorientação e insegurança produziu significativas fendas e rearrumações tectônicas na política dos países desenvolvidos, mesmo antes que o fim da Guerra Fria destruísse o equilíbrio internacional no qual se apoiava a estabilidade de várias democracias parlamentares ocidentais. Em tempos de dificuldades econômicas, os eleitores se inclinam notoriamente a culpar qualquer partido ou regime que esteja no poder, mas a novidade das Décadas de Crise foi que a reação contra governos não beneficiou necessariamente as forças estabelecidas de oposição. Os maiores perdedores foram os partidos trabalhistas do Ocidente, cujo principal instrumento para satisfazer seus seguidores — ação econômica e social de governos nacionais — perdeu a força, enquanto o núcleo central desses seguidores, a classe trabalhadora, se desfazia em fragmentos (ver capítulo 10). Na nova economia transnacional, os salários internos estavam muito mais diretamente expostos à competição estrangeira que antes, e a capacidade dos governos de protegê-los era muito menor. Ao mesmo tempo, num período de depressão os interesses de várias partes do eleitorado social-democrata tradicional divergiam: aqueles cujos empregos eram (relativamente) seguros; os que estavam inseguros; os das regiões e indústrias velhas e sindicalizadas; os das novas indústrias nas áreas novas e não sindicalizadas; e as universalmente impopulares vítimas dos tempos ruins, que afundavam na "subclasse". Além disso, desde a década de 1970 vários seguidores (sobretudo jovens e/ou classe média) abandonavam os principais partidos da esquerda por movimentos de mobilização mais especializados — notadamente os de defesa do "meio ambiente", feministas e outros chamados "novos movimentos sociais" —, assim enfraquecendo-os. No início da década de 1990, governos trabalhistas e social-democratas tornaram-se tão incomuns quanto tinham sido na década de 1950, pois mesmo administrações nominalmente encabeçadas por socialistas abandonavam suas políticas tradicionais, querendo ou não.

As novas forças políticas que ocuparam esse vácuo eram um agrupamento misto, que ia dos xenófobos e racistas na direita, passando pelos grupos secessionistas (sobretudo mas não apenas étnicos/nacionalistas), até os vários partidos "Verdes" e outros "novos movimentos sociais" que reivindicavam um lugar na esquerda. Várias dessas forças políticas estabeleceram uma presença significativa na política de seus países, às vezes um domínio regional, embora no fim do Breve Século XX nenhuma houvesse de fato substituído os velhos

(*) "Isso se aplica especialmente [...] a alguns milhões de pessoas que melhoraram de situação na meia-idade e mudaram. Chegam lá, e se perdem o emprego na verdade não têm ninguém a quem recorrer."

establishments políticos. O apoio às outras flutuava loucamente. A maioria mais influente delas rejeitava o universalismo da política democrática e cidadã em favor da política de alguma identidade grupal, e conseqüentemente partilhava de uma visceral hostilidade a estrangeiros e gente de fora, e ao Estado abrangente da tradição revolucionária americana e francesa. Examinaremos adiante o surgimento da nova "política de identidade".

Contudo, a importância desses movimentos está não tanto em seu conteúdo positivo como em sua rejeição à "velha política". Dos mais formidáveis deles, diversos se apoiavam essencialmente nessa reivindicação negativa, por exemplo a Liga Nortista na Itália, os 20% do eleitorado americano que apoiaram um rico dissidente texano para presidente em 1992 ou, aliás, os eleitores do Brasil e Peru, que em 1989 e 1990 elegeram homens para a Presidência com base em que deviam ser dignos de confiança, pois nunca tinham ouvido falar neles antes. Na Grã-Bretanha, só o sistema eleitoral sistematicamente não representativo impediu o surgimento de um terceiro partido em vários momentos desde o início da década de 1970, quando os liberais, sós ou em combinação, ou em fusão com uma moderada dissidência social-democrata do Partido Trabalhista, conquistaram quase tanto apoio quanto um ou outro dos dois grandes partidos — ou mesmo mais. Desde o início da década de 1930, outro período de depressão, não houvera nada semelhante ao dramático colapso do apoio eleitoral, em fins da década de 1980 e inícios da de 1990, aos partidos estabelecidos com longas folhas de serviço no governo — o Partido Socialista na França (1990), o Partido Conservador no Canadá (1993), os partidos do governo italiano (1993). Em suma, durante as Décadas de Crise as até então estáveis estruturas da política nos países capitalistas democráticos começaram a desabar. E o que é mais: as novas forças políticas que mostraram o maior potencial de crescimento foram as que combinavam demagogia populista, liderança pessoal altamente visível e hostilidade a estrangeiros. Os sobreviventes da era entreguerras tinham motivos para sentir-se desencorajados.

III

Não foi muito notado que, mais uma vez a partir de 1970, mais ou menos, uma crise semelhante havia começado a solapar o "Segundo Mundo" das "economias centralmente planejadas". Primeiro essa crise foi ocultada, depois acentuada, pela inflexibilidade de seus sistemas políticos, de modo que a mudança, quando veio, foi repentina, como no fim da década de 1970, após a morte de Mao na China e em 1983-5, após a morte de Brejnev na URSS (ver capítulo 16). Economicamente, já estava claro em meados da década de 1960 que o socialismo centralmente planejado pelo Estado necessitava de reforma urgente. A partir da década de 1970, havia fortes sinais de regressão real. Foi o momento mesmo em que essas economias se viram expostas, como todas as demais — embora talvez não na mesma medida — aos incontroláveis movimentos e imprevisíveis flutuações da economia mundial transnacional. A entrada maciça da URSS no mercado internacional de grãos e o impacto das crises de petróleo da década de 1970 dramatizaram o fim do "campo socialista" como uma economia regional praticamente auto-suficiente, protegida dos caprichos da economia mundial (ver p. 365).

Oriente e Ocidente estavam curiosamente amarrados não apenas pela economia transnacional, que nenhum dos dois podia controlar, mas pela estranha interdependência do sistema de poder da Guerra Fria. Isso, como vimos (ver capítulo 8), estabilizou as duas superpotências e o mundo entre elas, e por sua vez iria lançar as duas na desordem quando desabou. A desordem não era simplesmente política, mas econômica. Pois, com o súbito colapso do sistema político soviético, a divisão inter-regional de trabalho e a rede de dependência mútua que se haviam desenvolvido na esfera soviética também desabaram, obrigando países e regiões para ela programados a enfrentar individualmente o mercado mundial, para o qual não estavam equipados. Mas o Ocidente estava igualmente despreparado para integrar os restos do velho "sistema mundial paralelo" comunista em seu próprio mercado mundial, mesmo que quisesse, o que não queria a Comunidade Européia.* A Finlândia, uma das espetaculares histórias de sucesso econômico da Europa do pós-guerra, foi mergulhada numa grande depressão pelo colapso da economia soviética. A Alemanha, maior potência econômica da Europa, ia impor severas tensões à sua própria economia e à Europa como um todo, simplesmente porque seu governo (contra as advertências de seus banqueiros, deve-se dizer) subestimou completamente a dificuldade e os custos da absorção de uma parte relativamente minúscula da economia socialista, os 16 milhões de habitantes da República Democrática Alemã. Essas, contudo, foram conseqüências imprevistas do colapso soviético, que quase ninguém esperava até acontecerem.

Apesar disso, entretanto, e como no Ocidente, idéias inconcebíveis tornavam-se concebíveis no Oriente; problemas invisíveis tornavam-se visíveis. Assim, tanto no Oriente como no Ocidente a defesa do meio ambiente tornou-se um importante tema de campanha na década de 1970, fosse a questão a defesa das baleias ou a preservação do lago Baikal na Sibéria. Em vista das restrições ao debate público, não podemos acompanhar exatamente o desenvolvimento de idéias críticas nessas sociedades, mas em 1980 economistas comunistas de primeira classe e antes reformistas dentro do regime, como János Kornai

(*) Eu me lembro do grito de angústia de um búlgaro num colóquio internacional em 1993: "Que querem que façamos? Nós perdemos nossos mercados nos antigos países socialistas. A Comunidade Européia não quer receber nossas exportações. Como membros leais da ONU, não podemos nem mesmo vender à Sérvia agora, por causa do bloqueio bósnio. Aonde vamos?".

na Hungria, estavam publicando análises notavelmente negativas dos sistemas econômicos socialistas, e as implacáveis sondagens das deficiências do sistema social soviético, que se tornaram conhecidas em meados da década de 1980, vinham claramente sendo gestadas entre os acadêmicos de Novosibirsk e outras partes. É difícil estabelecer quando importantes comunistas desistiram de fato de suas crenças no socialismo, pois após 1989-91 essas pessoas tinham certo interesse em antedatar retrospectivamente sua conversão. O que era verdade na economia o era ainda mais patente na política, como iria mostrar a *perestroika* de Gorbachev, pelo menos nos países socialistas ocidentais. Com toda a sua admiração histórica e ligação a Lenin, há pouca dúvida de que muitos comunistas reformistas teriam querido abandonar grande parte da herança política do leninismo, embora poucos (fora do Partido Comunista italiano, pelo qual os reformadores do Leste se sentiam atraídos) estivessem dispostos a dizê-lo.

O que a maioria dos reformadores no mundo socialista teria desejado era transformar o comunismo em algo semelhante à democracia ocidental. Seu modelo era mais Estocolmo que Los Angeles. Não há sinal de que Hayek e Friedman tivessem muitos admiradores secretos em Moscou ou Budapeste. Seu azar foi que a crise dos sistemas comunistas coincidiu com a crise do capitalismo da Era de Ouro, que também foi a crise dos sistemas social-democratas. Azar ainda maior foi o súbito colapso do comunismo fazer com que um programa de transformação gradual parecesse ao mesmo tempo indesejável e impraticável e ocorrer quando o radicalismo total dos ideólogos do livre mercado puro se achava em (breve) triunfo no Ocidente capitalista. Essa, portanto, se tornou a inspiração teórica dos regimes pós-comunistas, embora na prática se mostrasse tão irrealizável lá quanto em qualquer outro lugar.

Contudo, embora de muitas formas as crises no Leste e no Oeste corressem paralelas e estivessem ligadas numa única crise global pela política e economia, elas diferiam em dois grandes aspectos. Para o sistema comunista, que pelo menos na esfera soviética era inflexível e inferior, tratava-se de uma questão de vida e morte, a que não sobreviveu. A sobrevivência do sistema econômico jamais esteve em questão nos países desenvolvidos do capitalismo, e, apesar do desmoronamento de seus sistemas políticos, tampouco estava, em questão ainda, a viabilidade desses sistemas. Isso pode explicar, embora não justificar, a implausível afirmação de um escritor americano de que, com o fim do comunismo, a história futura da humanidade seria a da democracia liberal. Só num aspecto vital esses sistemas se achavam em risco: sua existência futura como Estados territoriais individuais não estava mais assegurada. Contudo, no início da década de 90, nem um único dos Estados-nações ocidentais ameaçados com movimentos secessionistas se havia de fato dividido.

Durante a Era da Catástrofe, o fim do capitalismo parecera próximo. A Grande Depressão podia ser descrita, como o título de um livro contemporâneo, como *The final crisis* [A crise final] (Hutt, 1935). Poucos se mostravam seriamente apocalípticos em relação ao futuro imediato do capitalismo desenvolvido, embora um historiador e *marchand* francês predissesse firmemente o fim da civilização ocidental em 1976, com base no não insustentável argumento de que o impulso da economia americana, que carregara o resto do mundo capitalista para a frente antes, era agora uma força exaurida (Gimpel, 1992). Ele portanto esperava que a atual depressão fosse "continuar até bem adentrado o próximo milênio". É simplesmente justo acrescentar que, até meados ou mesmo final da década de 1980, poucos também se mostravam apocalípticos em relação às perspectivas da URSS.

Contudo, precisamente por causa do maior e mais incontrolável dinamismo da economia capitalista, a textura social das sociedades ocidentais fora muito menos profundamente minada que a das socialistas, e conseqüentemente, neste aspecto, a crise no Ocidente era mais séria. O tecido social da URSS e da Europa Oriental se despedaçou como conseqüência do colapso do sistema, e não como uma condição dele. Onde eram possíveis comparações, como entre as Alemanhas Ocidental e Oriental, parecia que os valores e hábitos da Alemanha tradicional tinham sido mais bem conservados sob a tampa do comunismo do que na região ocidental de milagres econômicos. Os emigrantes judeus da URSS para Israel lá reviveram o cenário musical clássico, pois vinham de um país onde ir a concertos ao vivo ainda fazia parte do comportamento culto, pelo menos para judeus. O público de concertos ainda não fora reduzido, na verdade, a uma pequena minoria sobretudo de meia-idade ou idosa.* Os habitantes de Moscou e Varsóvia se preocupavam menos com o que perturbava os de Nova York ou Londres: taxa de crime em visível ascensão, insegurança pública e violência imprevisível de jovens anômicos. Havia, obviamente, pouca exibição pública do tipo de comportamento que revoltava os socialmente conservadores ou convencionais, mesmo no Ocidente, que viam isso como um indício do colapso da civilização, e murmuravam sombriamente "Weimar".

Até onde essa diferença entre Oriente e Ocidente se devia à maior riqueza das sociedades ocidentais e ao controle muito mais rígido do Estado no Oriente, é difícil estabelecer. Em alguns aspectos, Oriente e Ocidente haviam evoluído na mesma direção. Em ambos, as famílias se tornaram menores, os casamentos se desfaziam mais livremente que em outras partes, as populações dos Estados — ou, pelo menos, de suas regiões mais urbanizadas e industrializadas — mal se reproduziam, quando o faziam. Em ambos, até onde podemos distinguir, o domínio das religiões ocidentais tradicionais foi drasticamente enfraquecido, embora pesquisadores religiosos afirmassem que havia uma revivescência do sentimento religioso na Rússia pós-soviética, mas não

(*) Em Nova York, um dos maiores centros musicais do mundo, dizia-se no início da década de 1990 que o público de concertos de música clássica era de 20 ou 30 mil pessoas, numa população de 10 milhões.

na freqüência aos ofícios. Como mostraram os fatos depois de 1989, as mulheres polonesas se tornaram tão relutantes a deixar a Igreja Católica ditar seus hábitos sexuais quanto as italianas, embora na era comunista os poloneses houvessem mostrado uma ardente ligação com a Igreja, por motivos nacionalistas e anti-soviéticos. Os regimes comunistas visivelmente ofereciam menos espaço social para subculturas, contraculturas e submundos de todos os tipos, e reprimiam a dissidência. Além disso, era provável que pessoas que haviam passado pelos períodos de terror verdadeiramente implacável e indiscriminado, que rechearam a história da maioria desses Estados, mantivessem a cabeça baixa mesmo quando o exercício do poder se tornou mais brando. Apesar disso, a relativa tranqüilidade da vida socialista não se devia ao medo. O sistema isolava seus cidadãos do pleno impacto da transformação social ocidental porque os isolava do pleno impacto do capitalismo ocidental. Qualquer mudança que tenham sofrido veio por meio do Estado ou da sua reação ao Estado. O que o Estado não decidiu mudar continuou em grande parte como era antes. O paradoxo do comunismo no poder é que ele era conservador.

IV

Sobre a vasta área do Terceiro Mundo (incluindo as partes que agora se industrializavam), dificilmente será possível fazer generalizações. Na medida do possível, tentei examinar seus problemas como um todo nos capítulos 7 e 12. As Décadas de Crise, como vimos, afetaram as regiões de maneiras bastante diferentes. Como vamos comparar a Coréia do Sul, onde a propriedade de aparelhos de televisão passou de 6,4% da população para 99,1% nos quinze anos de 1970 a 1985 (Jon, 1993), com um país como o Peru, onde metade da população se achava abaixo da linha da pobreza — mais que em 1972 — e o consumo per capita estava caindo (Anuario, 1989), para não mencionar os devastados países da África subsaariana? As tensões num subcontinente como a Índia eram as de uma economia em crescimento e as de uma sociedade em transformação. As de áreas como Somália, Angola e Libéria eram de países em dissolução, num continente cujo futuro poucos viam com otimismo.

Só uma generalização era bastante segura: desde 1970, quase todos os países dessa região haviam mergulhado profundamente em dívida. Em 1990, iam dos três gigantes da dívida internacional (60 bilhões a 110 bilhões de dólares) — Brasil, México e Argentina —, passando pelos outros 28 que deviam mais de 10 bilhões cada, até as arraias-miúdas que deviam 1 ou 2 bilhões. O Banco Mundial (que tinha motivos para saber) contava apenas sete economias, entre as 96 de "baixa" e "média renda" que acompanhava, que tinham dívidas externas substancialmente abaixo de 1 bilhão de dólares — países como Lesoto e Chade —, e mesmo essas eram muitas vezes maiores que vinte anos antes. Em termos mais realistas, em 1980 seis países tinham uma dívida praticamente tão grande quanto todo o seu PNB, ou maior; em 1990, 24 países deviam mais do que produziam, incluindo *toda* a África subsaariana, tomando-se a região como um todo. Os países mais pesadamente endividados, relativamente, não surpreendentemente se encontravam na África (Moçambique, Tanzânia, Somália, Zâmbia, Congo, Costa do Marfim), alguns perturbados pela guerra, outros pelo colapso do preço de suas exportações. Contudo, os países que tinham de suportar o custo mais pesado do serviço dessas imensas dívidas, quer dizer, onde elas equivaliam a um quarto ou mais das exportações do país, achavam-se ainda mais regularmente espalhados. Na verdade, entre as regiões do mundo, a África subsaariana estava um tanto abaixo dessa cifra, em melhores condições sob esse aspecto do que o sul da Ásia, a América Latina e o Caribe e o Oriente Médio.

Praticamente nada desse dinheiro tinha probabilidade de um dia ser pago, mas enquanto os bancos continuassem a ganhar juros sobre ele — uma média de 9,6% em 1982 (UNCTAD) —, não se incomodavam. Houve um momento de verdadeiro pânico no início da década de 1980, quando, começando com o México, os grandes devedores latino-americanos não mais puderam pagar, e o sistema bancário ocidental esteve à beira do colapso, pois vários dos maiores bancos tinham emprestado seu dinheiro com tal volúpia na década de 1970 (quando os petrodólares entravam a rodo, clamando por investimento) que agora ficariam tecnicamente na bancarrota. Por sorte para a economia dos países ricos, os três gigantes latinos da dívida não agiram em conjunto, fizeram-se acordos separados para programar as dívidas, e os bancos, apoiados por governos e agências internacionais, tiveram tempo de ir cancelando contabilmente, aos poucos, os bens perdidos e mantendo a solvência técnica. A crise da dívida continuou, mas não era mais potencialmente fatal. Esse foi provavelmente o momento mais perigoso para a economia mundial capitalista desde 1929. A história completa ainda está por ser escrita.

Enquanto suas dívidas cresciam, os bens reais ou potenciais dos Estados pobres não o faziam. A economia mundial capitalista, que julga exclusivamente por lucro ou lucro potencial, decidiu claramente cancelar uma grande parte do Terceiro Mundo nas Décadas de Crise. Das 42 "economias de baixa renda" em 1970, dezenove tinham zero investimento estrangeiro líquido. Em 1990, os investidores estrangeiros diretos tinham perdido todo o interesse em 26. Na verdade, havia substancial investimento (mais de 500 milhões de dólares) em apenas catorze de quase cem países de baixa e média renda fora da Europa, e investimento maciço (de cerca de 1 bilhão para cima) em apenas oito, dos quais quatro estavam no leste e sudeste da Ásia (China, Tailândia, Malásia, Indonésia) e três na América Latina (Argentina, México, Brasil).*

(*) O outro atraidor de investimento era, um tanto surpreendentemente, o Egito.

A economia mundial transnacional, cada vez mais integrada, não ignorou inteiramente as regiões proscritas. As menores e mais pitorescas tinham potencial como paraísos turísticos e refúgios *offshore* dos controles de governos, e a descoberta de algum recurso conveniente num território até então desinteressante podia muito bem mudar a situação. Contudo, no todo, grande parte do mundo caía fora da economia mundial. Após o colapso do bloco soviético, esse pareceu ser também o caso da área entre Trieste e Vladivostok. Em 1990, os únicos ex-Estados socialistas da Europa Oriental que atraíam algum investimento estrangeiro líquido eram a Polônia e a Tchecoslováquia (*World Development*, 1992, tabelas 21, 23 e 24). Dentro da vasta área da ex-URSS, havia visivelmente distritos ou repúblicas ricos em recursos que atraíam algum dinheiro sério, e zonas que eram abandonadas à própria sorte miserável. De uma maneira ou de outra, a maior parte do ex-Segundo Mundo estava sendo assimilada a um status de Terceiro Mundo.

O principal efeito das Décadas de Crise foi assim ampliar o fosso entre países ricos e pobres. O verdadeiro PIB per capita da África subsaariana caiu de 14% do dos países industriais para 8% entre 1960 e 1987; o dos países "menos desenvolvidos" (que incluíam africanos e não africanos), de 9% para 5%.* (Human Development, 1991, tabela 6).

V

Quando a economia transnacional estabeleceu seu domínio sobre o mundo, solapou uma grande instituição, até 1945 praticamente universal: o Estado-nação territorial, pois um Estado assim já não poderia controlar mais que uma parte cada vez menor de seus assuntos. Organizações cujo campo de ação era efetivamente limitado pelas fronteiras de seu território, como sindicatos, parlamentos e sistemas públicos de rádio e televisão nacionais, saíram portanto perdendo, enquanto organizações não limitadas desse jeito, como empresas transnacionais, o mercado de moeda internacional e os meios de comunicação da era do satélite, saíram ganhando. O desaparecimento das superpotências, que podiam de qualquer modo controlar os Estados-satélites, iria reforçar essa tendência. Mesmo a mais insubstituível função que os Estados-nações haviam desenvolvido durante o século, a de redistribuir sua renda entre suas populações através das "transferências sociais" dos serviços de previdência, educa-

(*) Os "países menos desenvolvidos" são uma categoria estabelecida pela ONU. Em sua maioria, têm um PNB per capita por ano de menos de trezentos dólares. "PIB real per capita" é uma maneira de expressar essa cifra em termos do que poderia comprar localmente, em vez de simplesmente em termos de taxas oficiais de câmbio, segundo uma escala de "paridades internacionais de poder de compra".

ção e saúde, e outras alocações de fundos, não mais podia ser territorialmente auto-suficiente em teoria, embora a maior parte tivesse de continuar sendo na prática, a não ser onde entidades supranacionais como a Comunidade ou União Européias a complementasse em alguns aspectos. Durante o auge dos teólogos do livre mercado, o Estado foi solapado mais ainda pela tendência de desmontar atividades até então exercidas, em princípio, por órgãos públicos deixando-as entregues ao "mercado".

Paradoxalmente, mas talvez não surpreendentemente, esse enfraquecimento do Estado-nação foi acompanhado de uma nova moda de recortar os velhos Estados-nações territoriais em supostos Estados novos (menores), baseados sobretudo na exigência, por algum grupo, de um monopólio étnico-lingüístico. Para começar, o surgimento de tais movimentos autonomistas e separatistas, sobretudo após 1970, era basicamente um fenômeno ocidental, observável na Grã-Bretanha, Espanha, Canadá, Bélgica e até na Suíça e Dinamarca, mas também, a partir do início da década de 1970, no menos centralizado dos Estados socialistas, a Iugoslávia. A crise do comunismo espalhou-o para o Oriente, onde iriam se formar após 1991 mais Estados novos e nominalmente nacionais que em qualquer outra época do século XX. Até a década de 1990, o fenômeno praticamente não afetou o hemisfério ao sul da fronteira canadense. Nas áreas onde as décadas de 1980 e 1990 trouxeram o colapso e desintegração de Estados, como no Afeganistão e em partes da África, a alternativa para o velho Estado não era tanto uma divisão em novos Estados, mas a anarquia.

O fato foi paradoxal, pois era perfeitamente claro que os novos mini-Estados-nações sofriam precisamente das mesmas deficiências dos velhos, só que, sendo menores, mais ainda. Era menos surpreendente do que parecia, simplesmente porque o único modelo de Estado de fato existente no fim do século XX era o do território delimitado com suas próprias instituições autônomas — em suma, o modelo de Estado-nação da Era das Revoluções. Além disso, desde 1918 todos os regimes se achavam comprometidos com o princípio de "auto-determinação nacional", que fora cada vez mais sendo definido em termos étnico-lingüísticos. Nesse aspecto, Lenin e o presidente Wilson concordavam. Tanto a Europa dos tratados de paz de Versalhes quanto o que se tornou a URSS foram concebidos como reuniões desses Estados-nações. No caso da URSS (e da Iugoslávia, que depois seguiu seu exemplo), foram reuniões de Estados-nações que, em teoria — embora não na prática —, mantinham seu direito de secessão.* Quando essas uniões se desfizessem, naturalmente seria ao longo de linhas de divisão predeterminadas.

Contudo, na verdade o novo nacionalismo separatista das Décadas de

(*) Nisso diferiam dos Estados dos EUA, que desde o fim da Guerra Civil americana em 1865 não têm tido direito de secessão, com exceção possivelmente do Texas.

Crise era um fenômeno bastante diferente da criação do Estado-nação do século XIX e princípios do XX. Era de fato uma combinação de três fenômenos. Um era a resistência dos Estados-nações existentes à sua demolição. Isso se tornou cada vez mais claro na década de 1980, com as tentativas de membros ou membros potenciais da Comunidade Européia, às vezes de colorações políticas largamente diferentes, como a Noruega e a Grã-Bretanha da sra. Thatcher, de reter sua autonomia regional, em assuntos que achavam importantes, dentro da estandardização européia. Contudo, era significativo que o principal esteio tradicional de autodefesa do Estado-nação, o protecionismo, estivesse incomparavelmente mais fraco nas Décadas de Crise do que na Era da Catástrofe. O livre comércio global continuou sendo o ideal e, em medida surpreendente, a realidade — mais ainda após a queda das economias comandadas por Estados —, embora vários Estados desenvolvessem métodos até então não conhecidos de proteger-se contra a competição estrangeira. Os japoneses e franceses eram tidos como especialistas nisso, mas provavelmente o sucesso dos italianos em manter a parte do leão de seu mercado interno de automóveis em mãos italianas (isto é, a Fiat) foi mais impressionante. Apesar disso, essas eram ações de retaguarda, mesmo tendendo a ser cada vez mais encarniçadas e às vezes bem-sucedidas. Eram provavelmente contestadas com mais ira onde a questão não era simplesmente econômica, mas de identidade cultural. Os franceses, e em menor medida os alemães, lutaram para manter os vastos subsídios a seus camponeses, não apenas porque os agricultores representavam votos vitais, mas também por sentirem sinceramente que a destruição da agricultura camponesa, por mais ineficiente e não competitiva que fosse, iria significar a destruição de uma paisagem, de uma tradição, de uma parte do caráter da nação. Os franceses, apoiados por outros europeus, resistiam à exigência americana de livre comércio em filmes e produtos audiovisuais, e não apenas porque isso teria inundado suas telas públicas e privadas de produtos americanos, dado que a indústria de diversões com base nos EUA (embora a essa altura de propriedade internacional e internacionalmente controlada) restabelecera um monopólio mundial potencial na escala do poder da velha Hollywood. Também achavam, intolerável e com razão, que puros cálculos de custo e lucratividade comparativos levassem ao fim da produção cinematográfica em língua francesa. Quaisquer que fossem os argumentos econômicos, havia coisas na vida que tinham de ser protegidas. Algum governo pensaria seriamente em destruir a Catedral de Chartres ou o Taj Mahal, se se pudesse demonstrar que a construção de um hotel de luxo, um *shopping center* e um centro de conferências no local (supondo-se que fosse vendido a compradores privados) traria um acréscimo líquido maior ao PIB do país do que o movimento turístico existente? A pergunta só precisava ser feita para ser respondida.

O segundo é mais bem descrito como o egoísmo coletivo da riqueza, e refletia as crescentes disparidades entre continentes, países e regiões. Governos de Estados-nações anacrônicos, centralizados ou federais, além de entidades supranacionais, como a Comunidade Européia, tinham aceitado a responsabilidade pelo desenvolvimento de todos os seus territórios e, portanto, em certa medida, pela equalização de fardos e benefícios por todos eles. Isso significava que as regiões mais pobres e atrasadas eram subsidiadas (através de algum sistema de distribuição central) pelas ricas e mais avançadas, ou mesmo recebiam preferência em investimentos a fim de reduzir seu atraso. A Comunidade Européia foi suficientemente realista para só admitir como membros Estados cujos atraso e pobreza não impusessem grande tensão sobre o resto, um realismo inteiramente ausente da NAFTA (Área de Livre Comércio Norte-Americana) de 1993, que atrelou os EUA e o Canadá (PNB per capita de 1990 de cerca de 20 mil dólares) ao México, que tinha um oitavo desse PNB per capita.* A relutância de áreas ricas a subsidiar as pobres há muito era conhecida do governo local, sobretudo nos EUA. O problema do "deteriorado centro das cidades", habitado pelos pobres, e com uma base de impostos encolhendo por causa da fuga para as áreas residenciais, deveu-se em grande parte a isso. Quem queria pagar pelos pobres? Áreas residenciais ricas de Los Angeles, como Santa Mônica e Malibu, preferiram separar-se da cidade, e no início da década de 1990 Staten Island votou por sua separação de Nova York pelo mesmo motivo.

Parte do separatismo nacionalista das Décadas de Crise visivelmente se alimentava desse egoísmo coletivo. A pressão para a divisão na Iugoslávia vinha da Eslovênia e da Croácia "européias"; e a pressão pela divisão da Tchecoslováquia, da vociferantemente "ocidental" República Tcheca. A Catalunha e o país basco eram as partes mais ricas e mais "desenvolvidas" da Espanha, e os únicos sinais de separatismo significativo na América Latina vinham do estado mais rico do Brasil, Rio Grande do Sul. O mais puro exemplo do fenômeno foi o súbito surgimento em fins da década de 1980 da Liga Lombarda (depois: Liga Nortista), que visava à secessão da região cujo centro é Milão, a "capital econômica" da Itália, de Roma, a capital política. A retórica da Liga, com suas referências a um glorioso passado medieval e ao dialeto lombardo, era a de sempre em qualquer agitação nacionalista, mas a verdadeira questão era o desejo da região rica de manter seus recursos para si mesma.

Possivelmente o terceiro elemento era, principalmente, uma resposta à "revolução cultural" da segunda metade do século, à extraordinária dissolução de normas, texturas e valores sociais tradicionais que deixou tantos dos habitantes do mundo desenvolvido órfãos e sem herança. Jamais a palavra "comunidade" foi usada mais indiscriminada e vaziamente do que nas décadas em que as comunidades no sentido sociológico se tornaram difíceis de encontrar na vida real — a "comunidade de informações", a "comunidade de relações públi-

(*) Em 1990 o membro mais pobre da União Européia, Portugal, teve um PIB equivalente a um terço da média dos países da Comunidade Européia.

cas", a "comunidade *gay*". O surgimento de "grupos de identidade" — agrupamentos humanos aos quais a pessoa podia "pertencer", inequivocamente e sem incertezas e dúvidas — foi observado a partir de fins da década de 1960 por escritores nos sempre autovigilantes EUA. A maioria deles, por motivos óbvios, apelava para uma "etnicidade" comum, embora outros grupos de pessoas que buscavam o separatismo coletivo usassem a mesma linguagem nacionalista (como quando ativistas homossexuais falavam em "nação homossexual").

Como sugere o surgimento desse fenômeno no mais sistematicamente multiétnico dos Estados, a política de grupos de identidade não tinha ligação intrínseca com "autodeterminação nacional", isto é, com o desejo de criar Estados territoriais identificados com um determinado "povo", que era a essência do nacionalismo. A secessão não fazia sentido para negros ou italianos americanos, nem fazia parte de sua política étnica. Os políticos ucranianos no Canadá não eram ucranianos, mas canadenses.* Na verdade, a essência da política étnica ou assemelhada em sociedades urbanas, ou seja, sociedades quase por definição heterogêneas, era competir com outros grupos semelhantes por uma fatia dos recursos do Estado não étnico, usando a ferramenta política da lealdade grupal. Os políticos eleitos para os distritos eleitorais municipais de Nova York, divididos para dar representação específica a blocos de votação latinos, orientais e homossexuais, queriam mais da cidade de Nova York, não menos.

O que a política de identidade étnica teve em comum com o nacionalismo étnico *fin-de-siècle* foi a insistência em que a identidade de grupo da pessoa consistia numa característica existencial, supostamente primordial, imutável e portanto permanente, partilhada com outros membros do grupo e com mais ninguém. O exclusivismo era-lhe absolutamente essencial, pois as diferenças de fato que separavam as comunidades humanas umas das outras eram atenuadas. Jovens judeus americanos buscavam suas "raízes" quando as coisas que os marcavam indelevelmente como judeus não eram mais marcas de judeidade; não menos a segregação e discriminação dos anos de antes da Segunda Guerra Mundial. Embora o nacionalismo do Quebec insistisse em separação porque se dizia uma "sociedade distinta", na verdade surgiu como força significativa precisamente quando o Quebec deixou de ser a "sociedade distinta" que tão patente e inequivocamente tinha sido até a década de 1960 (Ignatieff, 1993, pp. 115-7). A própria fluidez da etnicidade em sociedades urbanas tornava sua escolha arbitrária e artificial, se posta como único critério do grupo.

(*) No máximo, podiam-se formar comunidades imigrantes locais chamadas de "nacionalismo a distância" em favor de suas pátrias originais ou escolhidas, em geral representando os extremos da política nacionalista naqueles países. Os irlandeses e judeus americanos foram os pioneiros nesse campo, mas as diásporas globais criadas pela migração multiplicaram tais organizações, por exemplo entre os migrantes sikhs da Índia. O nacionalismo a distância atingiu a maioridade com o colapso do mundo socialista.

Nos EUA, com exceção dos negros, hispânicos e os de origem inglesa e alemã, pelo menos 60% das americanas natas de *todas* as origens étnicas casavam-se fora de seu grupo (Lieberson & Waters, 1988, p. 173). A identidade da pessoa tinha de ser cada vez mais construída insistindo-se na não-identidade de outros. De que outra maneira podiam os carecas neonazistas na Alemanha, usando os uniformes, penteados e gostos musicais da cultura juvenil cosmopolita, estabelecer sua germanidade essencial, a não ser espancando turcos e albaneses locais? Como, a não ser eliminando os que não "pertenciam", se poderia estabelecer o caráter "essencialmente" croata e sérvio de uma região na qual, durante a maior parte da história, uma variedade de etnias e religiões vivera como vizinhos?

A tragédia dessa política de identidade exclusionária, quisesse ela ou não estabelecer Estados independentes, era que não podia dar certo de jeito nenhum. Só podia fazer de conta. Os ítalo-americanos do Brooklyn, que (talvez em número crescente) insistiam em sua italianidade e falavam italiano uns com os outros, desculpando-se pela falta de fluência no que supunham ser sua língua nativa,* trabalhavam numa economia americana na qual a italianidade como tal não era importante, a não ser como chave para um nicho relativamente modesto do mercado. A pretensão de que havia uma verdade negra, hindu, russa ou feminina incompreensível e portanto essencialmente incomunicável aos de fora do grupo, não poderia sobreviver fora de instituições cuja única função era estimular tais opiniões. Os fundamentalistas islâmicos que estudavam física não estudavam física islâmica; os engenheiros judeus não aprendiam engenharia hassídica; mesmo os franceses e alemães mais culturalmente nacionalistas aprendiam que a atuação na aldeia global dos cientistas e especialistas técnicos que faziam o mundo funcionar exigia comunicação numa única língua global análoga ao latim medieval, que por acaso se baseava no inglês. Mesmo um mundo dividido em territórios étnicos teoricamente homogêneos construído pelo genocídio, a expulsão em massa e a "limpeza étnica" era inevitavelmente heterogeneizado novamente por movimentos em massa de pessoas (trabalhadores, turistas, comerciantes, técnicos), por estilos, e pelos tentáculos da economia global. Isso, afinal, foi o que aconteceu nos países da Europa Central, "etnicamente limpos" durante e depois da Segunda Guerra Mundial. Era o que inevitavelmente voltaria a acontecer num mundo cada vez mais urbanizado.

Assim, a política de identidade e o nacionalismo *fin-de-siècle* eram não tanto programas, menos ainda programas efetivos para lidar com os problemas de fins do século XX, mas antes reações emocionais a esses problemas. E no entanto, à medida que o século chegava ao fim, a ausência de instituições e mecanismos de fato capazes de lidar com esses problemas se tornava cada vez

(*) Escutei essas conversas numa loja de departamentos em Nova York. Os pais e avós deles, quase certamente, não falavam italiano, mas napolitano, siciliano ou calabrês.

mais evidente. O Estado-nação não era mais capaz de lidar com eles. Quem, ou o quê, seria?

Vários mecanismos tinham sido inventados com esse propósito desde que as Nações Unidas foram estabelecidas em 1945, na suposição, imediatamente desautorizada, de que os EUA e a URSS continuariam a concordar o suficiente para tomar decisões globais. O melhor que se pode dizer dessa organização é que, ao contrário de sua antecessora, a Liga das Nações, a ONU continuou existindo por toda a segunda metade do século XX e na verdade se tornou um clube cuja filiação, cada vez mais, mostrava que um Estado fora formalmente aceito como soberano internacionalmente. Não tinha, pela natureza de sua constituição, poderes nem recursos independentes dos que lhe eram destinados pelas nações membros e, portanto, não tinha poderes de ação independente.

A simples necessidade de coordenação global multiplicou as organizações internacionais mais rápido que nunca nas Décadas de Crise. Em meados da década de 1980, havia 365 organizações intergovernamentais e nada menos que 4615 não governamentais, ou seja, acima de duas vezes mais que no início da década de 1970 (Held, 1988, p. 15). Além disso, a ação global em problemas como conservação e meio ambiente era cada vez mais reconhecida como urgente. Contudo, infelizmente, os únicos procedimentos formais para consegui-la, ou seja, por tratados internacionais separadamente assinados e ratificados por Estados-nações soberanos, eram lentos, desajeitados e inadequados, como ficou demonstrado pelos esforços para preservar o continente antártico e proibir permanentemente a caça às baleias. O fato mesmo de na década de 1980 o governo do Iraque ter matado milhares de seus cidadãos com gás venenoso, violando assim uma das poucas convenções internacionais verdadeiramente universais, o Protocolo de Genebra de 1925 contra o emprego de guerra química, acentuou a fraqueza dos instrumentos internacionais existentes.

Apesar disso, havia duas maneiras de assegurar-se a ação universal, e as Décadas de Crise viram as duas substancialmente aplicadas. Uma foi a voluntária abdicação de poder nacional para autoridades supranacionais por Estados médios que não mais se sentiam suficientemente fortes para garantir-se no mundo. A Comunidade Econômica Européia (rebatizada como Comunidade Européia na década de 1980, e União Européia na de 1990) duplicou de tamanho na década de 1970, e preparava-se para expandir-se ainda mais na de 1990, reforçando ao mesmo tempo sua autoridade sobre os assuntos dos Estados membros. O fato dessa dupla extensão era inquestionável, embora fosse provocar considerável resistência nacional, tanto de governos membros como da opinião pública em seus países. A força da Comunidade/União estava no fato de que sua autoridade central, não eleita, em Bruxelas, tomava iniciativas políticas independentes e era praticamente imune às pressões da política democrática, a não ser muito indiretamente, através das periódicas reuniões e negociações de representantes de seus governos membros (eleitos). Esse estado de coisas possibilitava-lhe funcionar como uma autoridade supranacional efetiva, sujeita apenas a vetos específicos.

O outro instrumento de ação internacional era igualmente, senão mais, protegido contra Estados-nações e democracias. A autoridade dos organismos financeiros internacionais estabelecidos depois da Segunda Guerra Mundial, sobretudo o Fundo Monetário Internacional e o Banco Mundial (ver pp. 269 e ss.). Apoiados pela oligarquia dos grandes países capitalistas, que, sob o vago rótulo de "Grupo dos Sete", se tornaram cada vez mais institucionalizados a partir da década de 1970, eles adquiriram crescente autoridade durante as Décadas de Crise, à medida que as incontroláveis incertezas das trocas globais, a crise da dívida do Terceiro Mundo e, após 1989, o colapso das economias do bloco soviético tornaram um número cada vez maior de países dependentes da disposição dos países ricos de conceder-lhes empréstimos. Esses empréstimos eram cada vez mais condicionados à busca local de políticas agradáveis às autoridades bancárias globais. O triunfo da teologia neoliberal na década de 1980 na verdade traduziu-se em políticas de privatização sistemática e capitalismo de livre mercado impostas a governos demasiado falidos para resistir-lhes, fossem elas imediatamente relevantes para seus problemas econômicos ou não (como na Rússia pós-soviética). É interessante mas, infelizmente, sem sentido, especular sobre o que J. M. Keynes e Harry Dexter White teriam achado das instituições que eles construíram tendo em mente objetivos muito diferentes, entre os quais, não menos, o do pleno emprego em seus respectivos países.

Mesmo assim, essas ainda eram autoridades internacionais efetivas, de qualquer modo para a imposição pelos ricos de políticas aos países pobres. No fim do século, ainda se esperava para ver quais as conseqüências dessas políticas, e quais os seus efeitos sobre o desenvolvimento mundial.

Duas vastas regiões do mundo estavam para testá-las. Uma era a região da URSS e suas economias européias e asiáticas associadas, que, após a queda dos sistemas comunistas ocidentais, agora jaziam em ruínas. A outra era o depósito de explosivo social que ocupava tão grande parte do Terceiro Mundo. Como veremos no próximo capítulo, formava, desde a década de 1950, o maior elemento de instabilidade política do globo.

15
TERCEIRO MUNDO E REVOLUÇÃO

Em janeiro de 1974, o general Beleta Abebe parou no quartel de Gode, a caminho de uma inspeção [...] No dia seguinte, chegou ao palácio um comunicado incrível: o general fora preso pelos soldados, que estão obrigando-o a comer o que eles comem. Comida tão obviamente podre que alguns receiam que o general caia doente e morra. O imperador [da Etiópia] manda a unidade aerotransportada de sua guarda, que libera o general e o leva para o hospital.

Ryszard Kapuczinski, *The emperor* (1983, p. 120)

A gente matou todo o gado [da fazenda experimental da universidade] que pôde. Mas, enquanto matávamos, as camponesas se puseram a chorar: pobres animais, por que estão matando eles assim, que foi que eles fizeram? Quando as señoras começaram a chorar, ó coitadinhas, a gente parou, mas já tinha matado cerca de um quarto, coisa de oitenta cabeças. A gente queria matar todas, mas não pôde porque as camponesas começaram a chorar.

Depois que estávamos ali há algum tempo, um cavalheiro a cavalo, a caminho de Ayacucho, contou por lá o que se passava. Assim, no dia seguinte, saiu no noticiário da estação de rádio La Voz. *Naquela hora a gente estava voltando, alguns camaradas tinham aqueles radinhos, e assim a gente ouviu, e, bem, isso fez a gente se sentir bem, não?*

Um jovem membro do Sendero Luminoso, *Tiempos* (1990, p. 198)

I

Como quer que interpretemos as mudanças no Terceiro Mundo e sua gradual decomposição e fissão, em seu todo ele diferia do Primeiro Mundo em um aspecto fundamental. Formava uma zona mundial de revolução — recémrealizada, iminente ou possível. O Primeiro Mundo era, de longe, política e socialmente estável quando começara a Guerra Fria global. O que quer que fumegasse sob a superfície do Segundo Mundo, era abafado pela tampa do poder do partido e da potencial intervenção militar soviética. Por outro lado, muito poucos Estados do Terceiro Mundo, de qualquer tamanho, atravessaram o período a partir de 1950 (ou da data de sua fundação) sem revolução; golpes militares para suprimir, impedir ou promover revolução; ou alguma outra forma de conflito armado interno. As principais exceções até a data em que escrevo são a Índia e umas poucas colônias governadas por paternalistas autoritários e longevos como o dr. Banda, de Malavi (ex-colônia de Niassalândia), e o (até 1994) indestrutível M. Félix Houphouet-Boigny, da Costa do Marfim. Essa persistente instabilidade social e política do Terceiro Mundo dava-lhe seu denominador comum.

Essa instabilidade era igualmente evidente para os EUA, protetores do *status quo* global, que a identificavam com o comunismo soviético, ou pelo menos a encaravam como uma vantagem permanente e potencial para o outro lado na grande luta global pela supremacia. Quase desde o início da Guerra Fria, os EUA partiram para combater esse perigo por todos os meios, desde a ajuda econômica e a propaganda ideológica até a guerra maior, passando pela subversão militar oficial e não oficial; de preferência em aliança com um regime local amigo ou comprado, mas, se necessário, sem apoio local. Foi isso que manteve o Terceiro Mundo como uma zona de guerra, quando a Primeira e Segunda Guerras Mundiais se resolveram na maior era de paz desde o século XIX. Antes do colapso do sistema soviético, estimava-se que cerca de 19 — talvez mesmo 20 — milhões de pessoas haviam sido mortas em mais de cem "guerras maiores e ações e conflitos militares" entre 1945 e 1983, praticamente todas no Terceiro Mundo: mais de 9 milhões no leste da Ásia; 3,5 milhões na África; 2,5 milhões no sul da Ásia; cerca de meio milhão no Oriente Médio, sem contar a mais assassina de suas guerras, o conflito Irã-Iraque de 1980-8, que mal começara; e um pouco menos na América Latina (*UN World Social Situation*, 1985, p. 14). A Guerra da Coréia, de 1950-3, cujos mortos foram estimados entre 3 e 4 milhões (em um país de 30 milhões) (Halliday & Cumings, 1988, pp. 200-1), e os trinta anos de guerras do Vietnã (1945-75) foram de longe as maiores guerras, e as únicas em que as próprias forças americanas se envolveram diretamente em grande escala. Em cada uma delas, cerca de 50 mil americanos foram mortos. As perdas dos vietnamitas e outros povos indochineses são difíceis de estimar, mas a estimativa mais modesta chega a 2 milhões. Contudo, algumas das guerras anticomunistas travadas indiretamente foram de barbaridade comparável, sobretudo na África, onde se diz que cerca de 1,5 milhão de pessoas morreram entre 1980 e 1988 nas guerras contra os governos de Moçambique e Angola (população conjunta de cerca de 23 milhões), com 12 milhões deslocados de suas terras ou ameaçados de fome (*UN África*, 1989, p. 6).

O potencial revolucionário do Terceiro Mundo era igualmente evidente nos países comunistas, quando nada porque, como vimos, os líderes da libertação colonial tendiam a encarar-se como socialistas, empenhados no mesmo tipo de projeto de emancipação, progresso e modernização que a União Soviética, e nas mesmas linhas. Quando educados no estilo ocidental, podiam até mesmo julgar-se inspirados por Lenin e Marx, embora fossem incomuns os partidos comunistas poderosos no Terceiro Mundo, e (fora Mongólia, China e Iêmen) nenhum se tornou a força principal de movimentos de libertação nacional. Contudo, vários novos regimes reconheciam a utilidade do tipo de partido leninista e construíam ou tomavam de empréstimo o seu, como Sun Yat-sen fizera na China depois de 1920. Alguns partidos comunistas que conquistaram força e influência particulares foram postos de lado (como no Irã e Iraque na década de 1950), ou eliminados por massacres, como na Indonésia em 1965, onde algo como meio milhão de comunistas ou supostos comunistas foram mortos após o que se disse ter sido um golpe militar pró-comunista — provavelmente a maior carnificina política na história.

Durante várias décadas, a URSS adotou uma visão essencialmente pragmática de sua relação com os movimentos revolucionários, radicais e de libertação do Terceiro Mundo, pois nem pretendia nem esperava aumentar a região sob governo comunista além da extensão da ocupação soviética no Ocidente, ou da intervenção chinesa (que não podia controlar inteiramente) no Oriente. Isso não mudou nem no período de Kruschev (1956-64), quando várias revoluções autóctones, em que os comunistas não tomaram parte, chegaram ao poder com energia própria, notadamente em Cuba (1959) e Argélia (1962). A descolonização africana também levou ao poder líderes que não pediam nada melhor que o título de antiimperialistas, socialistas e amigos da União Soviética, sobretudo quando esta levava ajuda técnica e outras não maculadas pelo velho colonialismo: Kwame Nkrumah em Gana, Sekou Touré na Guiné, Modibo Keita em Mali, e o trágico Patrice Lumumba no Congo Belga, cujo assassinato fez dele um ícone e mártir do Terceiro Mundo. (A URSS rebatizou a Universidade da Amizade dos Povos que estabelecera para estudantes do Terceiro Mundo em 1960 como "Universidade Lumumba".) Moscou simpatizava com os novos regimes e ajudou-os, embora logo abandonando o excesso de otimismo sobre os novos Estados africanos. No ex-Congo Belga, deu apoio armado ao lado lumumbista contra os clientes ou títeres dos EUA e dos belgas na guerra civil (com intervenções de forças das Nações Unidas, igualmente antipatizadas pelas duas superpotências) que se seguiu à precipitada concessão da independência à vasta colônia. Os resultados foram decepcionantes.* Quando um dos novos regimes, o de Fidel Castro em Cuba, se declarou de fato ofi-

(*) Um brilhante jornalista polonês, então escrevendo da província (teoricamente) lumumbista, deu a mais vívida versão da trágica anarquia congolesa (Kapuczinski, 1990).

cialmente comunista, para surpresa de todos, a URSS tomou-o sob sua proteção, mas não a ponto de pôr permanentemente em perigo suas relações com os EUA. Apesar disso, não há indício concreto de que ela pretendesse ampliar as fronteiras do comunismo até meados da década de 1970 e, mesmo então, os indícios sugerem que a URSS usou uma conjuntura favorável que não criara. As esperanças de Kruschev, como lembrarão os leitores mais velhos, eram de que o capitalismo fosse sepultado pela superioridade econômica do socialismo.

Na verdade, quando a liderança soviética do movimento comunista internacional foi desafiada em 1960 pela China, em nome da revolução, para não falar das várias dissidências comunistas, os partidos moscovitas no Terceiro Mundo mantiveram sua política escolhida, de estudada moderação. O inimigo nesses países não era o capitalismo, até onde este existia, mas o pré-capitalismo, os interesses locais e o imperialismo (americano) que os apoiava. O caminho não era a luta armada, mas uma ampla frente popular ou nacional da qual era aliada a burguesia ou pequeno-burguesia "nacional". Em suma, a estratégia de Moscou para o Terceiro Mundo continuava a linha do Comintern da década de 1930, contra todas as denúncias de traição da causa da Revolução de Outubro (ver capítulo 5). Essa estratégia, que enfurecia os que preferiam o caminho das armas, às vezes pareceu dar certo, como no Brasil e na Indonésia no início da década de 1960, e no Chile em 1970. Talvez não surpreendentemente, quando chegou a esse ponto, foi detida de chofre por golpes militares seguidos de terror, como no Brasil após 1964, na Indonésia em 1965, e no Chile em 1973.

Apesar disso, o Terceiro Mundo agora se tornava o pilar central da esperança e fé dos que ainda acreditavam na revolução social. Representava a grande maioria dos seres humanos. Parecia um vulcão global prestes a entrar em erupção, um campo sísmico cujos tremores anunciavam os grandes terremotos futuros. Mesmo o analista do que ele mesmo chamou "o fim da ideologia" no Ocidente capitalista estabilizado e liberal da Era de Ouro (Bell, 1960) admitiu que a era de esperança revolucionária e milenarista ainda não morrera. Tampouco era o Terceiro Mundo importante apenas para os velhos revolucionários da tradição de Outubro, ou para os românticos, que fugiam da mediocridade vulgar, se bem que próspera, da década de 1950. Toda a esquerda, incluindo humanitários liberais e social-democratas moderados, precisava de algo mais que legislação de seguridade social e salários reais crescentes. O Terceiro Mundo podia preservar seus ideais; e os partidos pertencentes à grande tradição do Iluminismo precisam de ideais, além de políticas práticas. Não podem sobreviver sem eles. De que outro modo podemos explicar a verdadeira paixão por dar ajuda a países do Terceiro Mundo em bastiões de progresso não revolucionário como os países escandinavos, Países Baixos e o Conselho Mundial de Igrejas (protestantes), que era o equivalente, no final do século XX, ao apoio ao trabalho missionário no XIX? Em fins do século XX, esses ideais levaram liberais europeus a apoiar ou manter revolucionários e revoluções do Terceiro Mundo.

II

O que impressionava tanto os adversários da revolução quanto os revolucionários era que, após 1945, a forma básica de luta revolucionária no Terceiro Mundo, ou seja, em qualquer parte do mundo, parecia ser a guerra de guerrilha. Uma "cronologia de grandes guerras de guerrilha" compilada em meados da década de 1970 relacionava 32 delas depois do fim da Segunda Guerra Mundial. Todas, com exceção de três (a guerra civil na Grécia de fins da década de 1940, a luta do Chipre contra a Grã-Bretanha na década de 1950, e a do Ulster, começada em 1969), aconteceram fora da Europa e da América do Norte (Laqueur, 1977, p. 442). Podia-se prolongar a lista facilmente. A imagem da revolução como surgindo exclusivamente das montanhas não era muito precisa. Subestimava o papel dos golpes militares esquerdistas, que reconhecidamente pareciam implausíveis na Europa até o dramático exemplo da espécie ocorrido em Portugal em 1974, mas eram bastante comuns no mundo islâmico e não inesperados na América Latina. A revolução boliviana de 1952 foi feita por uma combinação de mineiros e insurretos do exército; a mais radical reforma da sociedade peruana, por um regime militar em fins da década de 1960 e na de 1970. Também aquela imagem subestimava o potencial revolucionário de ações de massa urbanas fora de moda, que iria ser demonstrado pela revolução iraniana de 1979, e daí em diante na Europa Oriental. Contudo, no terceiro quartel do século todos os olhos estavam nas guerrilhas. Suas táticas, além disso, eram fortemente propagadas por ideólogos da esquerda radical, críticos da política soviética. Mao Tsé-tung (após sua cisão com a URSS) e, depois de 1959, Fidel Castro, ou antes seu camarada, o belo e peripatético Che Guevara (1928-67), inspiravam esses ativistas. Os comunistas vietnamitas, de longe os mais formidáveis e bem-sucedidos praticantes da estratégia da guerrilha, e internacionalmente muito admirados por derrotar os franceses e o poderio dos EUA, não encorajavam seus admiradores a tomar partido nas brigas ideológicas intestinas da esquerda.

A década de 1950 foi cheia de guerras de guerrilha no Terceiro Mundo, praticamente todas nos países coloniais em que, por um motivo ou outro, as antigas potências coloniais ou colonos locais resistiram à descolonização pacífica — Malásia, Quênia (o movimento Mau Mau) e Chipre no império britânico em dissolução; as guerras muito mais sérias na Argélia e no Vietnã no império francês em dissolução. Curiosamente, foi um movimento relativamente pequeno — sem dúvida menor que a insurgência malaia (Thomas, 1971, p. 1040) —, atípico mas bem-sucedido, que pôs a estratégia da guerrilha nas primeiras páginas do mundo: a revolução que tomou a ilha caribenha de Cuba em 1º de janeiro de 1959. Fidel Castro (1927-   ) era uma figura não característica na política latino-americana: um jovem forte e carismático de boa família proprietária de terras, de política indefinida, mas que estava decidido a demonstrar bravura pessoal e ser um herói de qualquer causa da liberdade contra a tirania, que se apresentasse no momento certo. Mesmo seus *slogans* ("Pátria ou morte" — originalmente "Vitória ou morte" — e "Venceremos") pertencem a uma era mais antiga de libertação: admiráveis mas sem muita precisão. Após um período obscuro entre os bandos de pistoleiros da política estudantil da Universidade de Havana, escolheu a rebelião contra o governo do general Fulgêncio Batista (figura conhecida e tortuosa da política cubana desde sua estréia num golpe do exército em 1933, como o então sargento Batista), que voltara a tomar o poder em 1952 e ab-rogara a Constituição. O método de Fidel era ativista: um ataque a um quartel do exército em 1953, cadeia, exílio e a invasão de Cuba por uma força guerrilheira que, na segunda tentativa, se estabeleceu nas montanhas da província mais remota. A jogada mal preparada deu certo. Em termos puramente militares, o desafio era modesto. Che Guevara, o médico argentino altamente talentoso como líder guerrilheiro, partiu para conquistar o resto de Cuba com 148 homens, que se elevaram a trezentos quando já praticamente o conseguira. As guerrilhas do próprio Fidel só capturaram sua primeira cidade de mil habitantes em dezembro de 1958 (Thomas, 1971, pp. 997, 1020 e 1024). O máximo que havia demonstrado em 1958 — embora fosse muito — era que uma força irregular podia controlar um grande "território liberado" e defendê-lo contra uma ofensiva de um exército reconhecidamente desmoralizado. Fidel venceu porque o regime de Batista era frágil, não tinha apoio real, a não ser o motivado pela conveniência e o interesse próprio, e era liderado por um homem tornado indolente por longa corrupção. Desmoronou assim que a oposição de todas as classes políticas, da burguesia democrática aos comunistas, se uniram contra ele, e os próprios agentes, soldados, policiais e torturadores do ditador concluíram que o tempo dele se esgotara. Fidel provou que se esgotara, e, muito naturalmente, suas forças herdaram o governo. Um mau regime que poucos apoiavam fora derrubado. A vitória do exército rebelde foi genuinamente sentida pela maioria dos cubanos como um momento de libertação e infinita promessa, encarnada em seu jovem comandante. Provavelmente nenhum líder no Breve Século XX, uma era cheia de figuras carismáticas em sacadas e diante de microfones, idolatradas pelas massas, teve menos ouvintes céticos ou hostis que esse homem grande, barbudo, impontual, de uniforme de combate amassado, que falava horas seguidas, partilhando seus pensamentos um tanto assistemáticos com as multidões atentas e crédulas (incluindo este escritor). Uma vez na vida, a revolução foi sentida como uma lua-de-mel coletiva. Aonde iria levar? Tinha de ser para algum lugar melhor.

Os rebeldes latino-americanos na década de 1950 inevitavelmente se viram não só recorrendo à retórica de seus libertadores históricos, de Bolívar ao José Martí da própria Cuba, mas à tradição antiimperialista e social-revolucionária da esquerda pós-1917. Eram a favor da "reforma agrária", o que quer que quisesse dizer isso (ver p. 346), e, pelo menos implicitamente, contra os norte-americanos, sobretudo na pobre América Central, tão longe de Deus, tão perto dos EUA, na expressão do velho homem forte mexicano Porfírio Díaz. Embora radicais, nem Fidel Castro, nem qualquer de seus camaradas eram comunistas, nem (com duas exceções) jamais disseram ter simpatias marxistas de qualquer tipo. Na verdade, o Partido Comunista cubano, o único partido comunista de massa além do chileno, era notadamente não simpático a Fidel, até que algumas de suas partes juntaram-se a ele, meio tardiamente, em sua campanha. As relações entre eles eram visivelmente geladas. Os diplomatas e conselheiros americanos debatiam constantemente se o movimento era ou não pró-comunista — se fosse, a CIA, que já derrubara um governo reformador na Guatemala em 1954, sabia o que fazer —, mas claramente concluiu que não era.

No entanto, tudo empurrava o movimento fidelista na direção do comunismo, desde a ideologia social-revolucionária daqueles que tinham probabilidade de fazer insurreições armadas de guerrilha até o anticomunismo apaixonado dos EUA na década de 1950 do senador McCarthy, que automaticamente inclinava os rebeldes latinos antiimperialistas a olhar Marx com mais bondade. A Guerra Fria global fez o resto. Se o novo regime antagonizasse os EUA, o que era quase certo que faria, quando nada ameaçando os investimentos americanos, podia contar com os quase certos garantia e apoio do maior antagonista dos EUA. Além disso, a forma de governo de Fidel, através de monólogos informais diante de milhões de pessoas, não era um meio de governar, nem mesmo um pequeno país ou uma revolução, por qualquer período de tempo. Mesmo o populismo precisa de organização. O Partido Comunista era o único organismo do lado da revolução que podia proporcionar-lhe isso. Os dois precisavam um do outro, e convergiram. Além disso, em março de 1960, muito antes de Fidel descobrir que Cuba ia ser socialista e que ele próprio era comunista, embora muitíssimo à sua maneira, os EUA já haviam decidido tratá-lo como tal, e a CIA foi autorizada a providenciar sua derrubada (Thomas, 1971, p. 271). Em 1961, tentaram uma invasão de exilados na baía dos Porcos, e fracassaram. Uma Cuba comunista sobreviveu a setenta milhas de Key West, isolada pelo bloqueio americano e cada vez mais dependente da URSS.

Nenhuma revolução poderia ter sido mais bem projetada para atrair a esquerda do hemisfério ocidental e dos países desenvolvidos, no fim de uma década de conservadorismo global; ou para dar à estratégia da guerrilha melhor publicidade. A revolução cubana era tudo: romance, heroísmo nas montanhas, ex-líderes estudantis com a desprendida generosidade de sua juventude — os mais velhos mal tinham passado dos trinta —, um povo exultante, num paraíso turístico tropical pulsando com os ritmos da rumba. E o que era mais: podia ser saudada por toda a esquerda revolucionária.

Na verdade, era mais provável que fosse saudada pelos críticos de

Moscou, há muito insatisfeitos com a prioridade dos soviéticos para a coexistência pacífica entre ela e o capitalismo. O exemplo de Fidel inspirou os intelectuais militantes em toda parte da América Latina, um continente de gente ligeira no gatilho e com gosto pela bravura desprendida, sobretudo em posturas heróicas. Após algum tempo, Cuba passou a estimular a insurreição continental, exortada por Che Guevara, o defensor da revolução latino-americana e da criação de "dois, três, muitos Vietnãs". Uma ideologia adequada foi fornecida por um brilhante jovem esquerdista francês (quem mais?), que sistematizou a idéia de que, num continente maduro para a revolução, só se precisavam importar pequenos grupos de militantes armados para as montanhas adequadas e formar "focos" para a luta de libertação em massa (Debray, 1965).

Por toda a América Latina, entusiasmados grupos de jovens lançaram-se em lutas de guerrilha uniformemente condenadas de antemão sob a bandeira de Fidel, ou Trotski, ou Mao Tsé-tung. Com exceção da América Central e da Colômbia, onde havia uma velha base de apoio camponês a tropas armadas irregulares, a maioria dessas iniciativas desmoronou quase imediatamente, deixando atrás de si os cadáveres dos famosos — o próprio Che Guevara na Bolívia; o igualmente bonito e carismático padre rebelde Camilo Torres na Colômbia — e dos desconhecidos. Foi uma estratégia espetacularmente malconcebida, tanto mais porque, nas condições corretas, movimentos de guerrilha efetivos e duradouros em muitos desses países *eram* possíveis, como provaram as FARCs (comunistas oficiais), Forças Armadas da Revolução Colombiana na Colômbia, de 1964 até o momento em que escrevo, e o movimento Sendero Luminoso (maoísta) no Peru, na década de 1980.

Contudo, mesmo quando os camponeses tomavam a estrada da guerrilha, esta raramente era um movimento camponês — as FARCs da Colômbia são uma rara exceção. Eram feitas esmagadoramente na área rural do Terceiro Mundo por jovens intelectuais, vindos inicialmente das classes médias estabelecidas de seus países, mais tarde reforçadas pela nova geração de filhos e (mais raramente) filhas estudantes da crescente pequena-burguesia rural. Isso também valeu quando a tática de guerrilha foi transferida do interior rural para as grandes cidades, como algumas partes da esquerda revolucionária do Terceiro Mundo (por exemplo, na Argentina, no Brasil e no Uruguai e na Europa) começaram a fazer a partir de fins da década de 1960.* Na verdade, as operações de guerrilha urbana são muito mais fáceis de montar do que as rurais, pois não precisam contar com solidariedade ou conivência de massa, mas podem

(*) A principal exceção são os ativistas do que se pode chamar de movimentos de guerrilha de "gueto", como o IRA no Ulster, os "Panteras Negras", de curta existência, nos EUA, e os guerrilheiros palestinos, filhos da diáspora dos campos de refugiados, que podem vir em grande parte ou inteiramente das crianças de rua, e não do seminário; sobretudo quando os guetos não contêm classes médias significativas.

explorar o anonimato da cidade grande, além do poder de compra do dinheiro e um mínimo de simpatizantes, na maioria da classe média. Esses grupos de "guerrilha urbana", ou "terroristas", acharam mais fácil produzir dramáticos golpes publicitários e assassinatos espetaculares (como o do almirante Carrero Blanco, sucessor indicado de Franco, pelo ETA basco em 1973; e o do premiê italiano Aldo Moro pelas Brigadas Vermelhas em 1978), para não falar de ataques para levantar fundos, do que revolucionar seus países.

Pois mesmo na América Latina as grandes forças da mudança política eram políticos civis — e exércitos. A onda de regimes militares direitistas que começou a inundar grandes partes da América do Sul na década de 1960 — o governo militar jamais saíra de moda na América Central, com exceção do México revolucionário e da pequena Costa Rica, que na verdade aboliu seu exército após uma revolução em 1948 — não respondia, basicamente, a rebeldes armados. Na Argentina, eles derrubaram o caudilho populista Juan Domingo Perón (1895-1974), cuja força estava na organização dos trabalhadores e na mobilização dos pobres (1955), após o que se viram retomando o poder a intervalos, pois o movimento de massa peronista se revelou indestrutível e não se pôde construir nenhuma alternativa civil estável. Quando Perón voltou do exílio em 1973, dessa vez com grande parte da esquerda local pendurada nas abas de sua casaca, demonstrando mais uma vez a predominância de seus seguidores, os militares mais uma vez assumiram o poder com sangue, tortura e retórica patriótica, até serem desalojados após a derrota de suas Forças Armadas na breve, inútil mas decisiva guerra anglo-argentina de 1982.

As Forças Armadas tomaram o poder no Brasil em 1964 contra um inimigo bastante semelhante: os herdeiros do grande líder populista brasileiro Getúlio Vargas (1883-1954), que se deslocavam para a esquerda no início da década de 1960 e ofereciam democratização, reforma agrária e ceticismo em relação à política americana. As pequenas tentativas de guerrilha de fins da década, que proporcionaram uma desculpa para a implacável repressão do regime, jamais representaram um verdadeiro desafio a ele; mas deve-se dizer que após o início da década de 1970 o regime começou a relaxar e devolveu o país a um governo civil em 1985. No Chile, o inimigo foi a esquerda unida de socialistas, comunistas e outros progressistas — o que a tradição européia (e aliás a chilena também) conhecia como "frente popular" (ver capítulo 5). Uma frente dessas já ganhara uma eleição no Chile na década de 1930, quando Washington se mostrava menos nervosa e o Chile era um sinônimo de constitucionalismo civil. Seu líder, o socialista Salvador Allende, foi eleito presidente em 1970, teve seu governo desestabilizado e, em 1973, foi derrubado por um golpe militar fortemente apoiado, talvez mesmo organizado, pelos EUA, que introduziram o Chile nos traços característicos dos regimes militares da década de 1970 — execuções ou massacres, oficiais e para-oficiais, tortura sistemática de prisioneiros e o exílio em massa de adversários políticos. O chefe militar, general Pinochet, permaneceu no poder dezessete anos, os quais ele usou para impor uma política de ultraliberalismo econômico no Chile, assim demonstrando, entre outras coisas, que liberalismo político e democracia não são parceiros naturais do liberalismo econômico.

É possível que a tomada do poder pelos militares na Bolívia revolucionária após 1964 tivesse alguma ligação com os temores americanos de influência cubana naquele país, onde o próprio Che Guevara morreu numa improvisada tentativa de insurreição guerrilheira, mas a Bolívia não é um país que algum soldado local, por mais brutal que seja, possa controlar prontamente por qualquer período de tempo. A era militar terminou após quinze anos, preenchidos por uma rápida sucessão de generais, cada vez mais de olho nos lucros do tráfico de drogas. Embora no Uruguai os militares tomassem um movimento de "guerrilha urbana" particularmente inteligente e eficaz como desculpa para os habituais assassinatos e torturas, é o surgimento de uma frente popular de "Ampla Esquerda", competindo com o tradicional sistema bipartidário, que provavelmente explica a tomada militar de 1972 no único país sul-americano que podia ser descrito como uma verdadeira democracia duradoura. Os uruguaios retiveram o suficiente de sua tradição para acabar derrubando a algemada Constituição que lhes fora oferecida por seus governantes militares, e em 1985 voltaram ao poder civil.

Embora já houvesse conseguido e provavelmente fosse conseguir mais sucessos impressionantes na América Latina, Ásia e África, nos países desenvolvidos a estrada da guerrilha fazia pouco sentido. Contudo, não surpreende que, por meio de suas guerrilhas, rurais e urbanas, o Terceiro Mundo tenha inspirado o crescente número de jovens rebeldes e revolucionários, ou simplesmente dissidentes culturais do Primeiro Mundo. Repórteres de *rock* compararam as massas juvenis do festival de música de Woodstock (1969) a um "exército de guerrilheiros pacíficos" (Chapple & Garofalo, 1977, p. 144). Imagens de Che Guevara eram carregadas como ícones por manifestantes estudantis em Paris e Tóquio, e seu rosto barbudo, inquestionavelmente másculo e de boina fez bater corações mesmo não políticos na contracultura. Nenhum nome (excetuando-se o do filósofo Marcuse) é mais mencionado que o dele numa bem informada pesquisa da "Nova Esquerda" global de 1968 (Katsaficas, 1987), embora, na prática, o nome do líder vietnamita Ho-Chi-Minh ("Ho Ho Ho-Chi-Minh") fosse entoado com mais freqüência nas manifestações da esquerda do Primeiro Mundo. Pois foi o apoio aos guerrilheiros do Terceiro Mundo e, nos EUA após 1965, a resistência a ser mandado para combatê-los que mobilizaram a esquerda mais que qualquer outra coisa, com a possível exceção das armas nucleares. *Os deserdados da Terra*, escrito por um psicólogo caribenho que tomou parte da guerra de libertação da Argélia, tornou-se um texto de enorme influência entre ativistas intelectuais, que ficaram emocionados com seu elogio da violência como uma forma de libertação espiritual para os oprimidos.

Em suma, a imagem de guerrilheiros de pele escura em meio a uma vegetação tropical era parte essencial, talvez a principal inspiração, da radicalização do Primeiro Mundo da década de 1960. O "terceiro-mundismo", a crença em que o mundo seria emancipado pela libertação de sua "periferia" empobrecida e agrária, explorada e forçada à dependência pelos "países-núcleo" do que uma crescente literatura chamava de "sistema mundial", tomou conta de grande parte dos teóricos da esquerda do Primeiro Mundo. Se, como sugeriam os teóricos do "sistema mundial", as raízes dos problemas do mundo estavam não na ascensão do capitalismo industrial moderno, mas na conquista do Terceiro Mundo por colonialistas europeus no século XVI, então a inversão desse processo histórico no século XX oferecia aos impotentes revolucionários do Primeiro Mundo uma saída de sua impotência. Não admira que alguns dos mais poderosos argumentos nesse sentido viessem de marxistas americanos, que dificilmente poderiam contar com uma vitória do socialismo por forças internas dos EUA.

III

Nos florescentes países do capitalismo industrial, ninguém mais levava a sério a clássica perspectiva de revolução social por insurreição e ação de massa. E no entanto, no auge mesmo da prosperidade ocidental, no núcleo mesmo da sociedade capitalista, os governos de repente, inesperadamente e, à primeira vista, inexplicavelmente se viram diante de uma coisa que não apenas parecia a velha revolução, mas também revelava a fraqueza de regimes aparentemente firmes. Em 1968-9, uma onda varreu os três mundos, ou grande parte deles, levada essencialmente pela nova força social dos estudantes, cujos números se contavam agora às centenas de milhares mesmo em países ocidentais de tamanho médio, e logo se contariam aos milhões (ver capítulo 10). Além disso, seus números eram reforçados por três características políticas que multiplicavam sua eficácia política. Eram facilmente mobilizados nas enormes usinas de conhecimento que os continham, deixando-os ao mesmo tempo mais livres que os operários em fábricas gigantescas. Eram encontrados em geral nas capitais, sob os olhos dos políticos e das câmeras dos meios de comunicação. E, sendo membros das classes educadas, muitas vezes filhos da classe média estabelecida, e — quase em toda parte, mas sobretudo no Terceiro Mundo — base de recrutamento para a elite dominante de suas sociedades, não eram tão fáceis de metralhar quanto as classes mais baixas. Na Europa Oriental e Ocidental não houve baixas sérias, nem mesmo nos imensos motins e combates de rua em Paris, em maio de 1968. As autoridades cuidavam para que não houvessem mártires. Onde houve um grande massacre, como na Cidade do México em 1968 — a contagem oficial foi de 28 mortos e duzentos feridos, quando o exército dispersou uma manifestação pública (González Casanova, 1975, vol. II, p. 564) —, o curso posterior da política mexicana mudou permanentemente.

As rebeliões de estudantes eram assim desproporcionalmente eficazes, sobretudo onde, como na França em 1968 e no "outono quente" da Itália em 1969, eles provocaram imensas ondas de greves operárias que paralisaram temporariamente a economia de países inteiros. E no entanto, claro, não foram verdadeiras revoluções, nem era provável que se transformassem em tais. Para os operários, nos lugares onde delas participaram, foram apenas a oportunidade de descobrir o poder de barganha industrial que haviam, sem notar, acumulado nos últimos vinte anos. Não eram revolucionários. Os estudantes do Primeiro Mundo raramente se interessavam por questões banais como derrubar governos e tomar o poder, embora na verdade os franceses chegassem bastante perto de derrubar o general De Gaulle em maio de 1968, e certamente encurtassem seu reinado (ele se aposentou um ano depois), e o protesto estudantil americano contra a guerra tirasse o presidente L. B. Johnson no mesmo ano. (Os estudantes do Terceiro Mundo estavam mais próximos das realidades do poder; os do Segundo Mundo sabiam que estavam necessariamente distantes delas.) A rebelião dos estudantes ocidentais foi mais uma revolução cultural, uma rejeição de tudo o que, na sociedade, representasse os valores paternos de "classe média", e como tal foi discutida nos capítulos 10 e 11.

Apesar disso, essa rebelião ajudou a politizar um número substancial da geração estudantil rebelde, que naturalmente se voltou para os inspiradores aceitos da revolução radical e total transformação social — Marx, os ícones não stalinistas da Revolução de Outubro e Mao. Pela primeira vez desde a era antifascista, o marxismo, não mais restrito à ortodoxia de Moscou, atraía grande número de intelectuais ocidentais. (Jamais, claro, deixara de atraí-los no Terceiro Mundo.) Era um marxismo peculiar, voltado para o seminário, combinado com diversas outras modas diferentes das então correntes na academia, e às vezes com outras ideologias, nacionalistas ou religiosas, pois vinha da sala de aula e não da experiência de vidas de trabalho. Na verdade, esse marxismo pouca relação tinha com o comportamento político desses novos discípulos de Marx, que em geral pediam o tipo de militância radical que não precisa de análise. Depois que se evaporaram as expectativas utópicas da rebelião original, muitos retornaram, ou antes se voltaram, para os velhos partidos da esquerda, que (como o Partido Socialista francês, reconstruído nesse período, ou o Partido Comunista italiano) foram revividos em parte pela infusão de entusiasmo jovem. Como o movimento era em grande parte de intelectuais, muitos foram recrutados para a profissão acadêmica. Nos EUA, esta conseqüentemente adquiriu um contingente sem precedentes de radicais político-culturais.

Outros viam-se como revolucionários na tradição de Outubro e entraram ou recriaram as organizações de "vanguarda" de quadros nas linhas leninistas, pequenas, disciplinadas, de preferência clandestinas, para infiltrarem-se em organizações de massa ou para fins terroristas. Aqui o Ocidente convergiu com o Terceiro Mundo, também cheio de organizações de combatentes ilegais esperando compensar a derrota da massa pela violência de grupo pequeno. As várias "Brigadas Vermelhas" italianas da década de 1970 foram provavelmente as mais importantes entre os grupos europeus de origem bolchevista. Surgiu um curioso mundo clandestino de conspiração mundial, em que os grupos de ação direta, de ideologia nacionalista e social-revolucionária, às vezes as duas coisas juntas, se relacionavam numa rede internacional que consistia de vários — em geral minúsculos — "Exércitos Vermelhos". Palestinos, insurretos bascos, o IRA e outros, sobrepondo-se a outras redes ilegais, infiltradas por serviços de espionagem, protegidas e onde necessário auxiliadas por Estados árabes ou orientais.

Era um ambiente idealmente adequado para escritores de histórias de espionagem e terror, para os quais a década de 1970 foi uma era de ouro. Foi também a era mais sombria de tortura e contraterror na história do Ocidente. Foi o período mais negro até então registrado na história moderna da tortura, com "esquadrões da morte" não identificados nominalmente, bandos de seqüestro e assassinato em carros sem identificação que "desapareciam" pessoas, mas que todos sabiam que faziam parte do exército e da polícia; de Forças Armadas, dos serviços de informação, de segurança e da polícia de espionagem que se tornavam praticamente independentes de governos, quanto mais de controle democrático; de "guerras sujas" indizíveis.* Isso se viu mesmo num país de velhas e poderosas tradições de lei e procedimento constitucional como a Grã-Bretanha, quando os primeiros anos do conflito na Irlanda do Norte levaram a alguns sérios abusos, que chamaram a atenção do relatório da Anistia Internacional sobre tortura (1975). Foi provavelmente pior na América Latina. Embora isso não fosse muito notado, os países socialistas mal foram afetados por essa onda sinistra. Já haviam deixado para trás suas eras de terror, e não tinham movimentos terroristas em suas fronteiras, só grupelhos de dissidentes públicos que sabiam que, nas circunstâncias, a caneta era mais poderosa do que a espada, ou melhor, a máquina de escrever (além do protesto público ocidental) do que a bomba.

A revolta estudantil de fins da década de 1960 foi a última arremetida da velha revolução mundial. Foi revolucionária tanto no antigo sentido utópico de buscar uma inversão permanente de valores, uma sociedade nova e perfeita, quanto no sentido operacional de procurar realizá-la pela ação nas ruas e barrica-

(*) A melhor estimativa do número de pessoas "desaparecidas" ou assassinadas na "guerra suja" argentina de 1976-82 é de cerca de 10 mil (Las Cifras, 1988, p. 33).

das, pela bomba e pela emboscada na montanha. Foi global, não só porque a ideologia da tradição revolucionária, de 1789 a 1917, era universal e internacionalista — mesmo um movimento tão exclusivamente nacionalista quanto o ETA separatista basco, produto típico da década de 1960, dizia ser em certo sentido marxista — mas porque, pela primeira vez, o mundo, ou pelo menos o mundo em que viviam os ideólogos dos estudantes, era verdadeiramente global. Os mesmos livros eram publicados, quase simultaneamente, nas livrarias de estudantes em Buenos Aires, Roma e Hamburgo (em 1968 quase certamente incluindo Herbert Marcuse). Os mesmos turistas da revolução cruzavam oceanos e continentes de Paris a Havana, a São Paulo, à Bolívia. A primeira geração da humanidade a tomar a viagem aérea e as telecomunicações rápidas e baratas como coisas do cotidiano, os estudantes de final da década de 1960, não tinha dificuldade para reconhecer o que acontecia na Sorbonne, em Berkeley, em Praga como parte do mesmo acontecimento, na mesma aldeia global em que, segundo o guru canadense Marshall McLuhan (outro nome da moda na década de 1960), vivíamos todos.

E no entanto não era a revolução mundial como a geração de 1917 a compreendia, mas o sonho de uma coisa que não mais existia: freqüentemente não muito mais que fazer de conta que agir como se houvesse barricadas erguidas as fizesse de algum modo aparecer, por magia complacente. O inteligente conservador Raymond Aron chegou a descrever os "acontecimentos de maio de 1968" em Paris, não de todo imprecisamente, como teatro de rua ou psicodrama.

Ninguém mais esperava revolução social no mundo ocidental. A maioria dos revolucionários não mais sequer encarava a classe operária industrial, a "coveira do capitalismo" de Marx, como fundamentalmente revolucionária, a não ser por lealdade à doutrina ortodoxa. No hemisfério ocidental, entre a ultra-esquerda comprometida com a teoria da América Latina ou entre os rebeldes estudantis sem teoria da América do Norte, o velho "proletariado" chegou a ser descartado como um inimigo do radicalismo, fosse uma aristocracia operária favorecida, fossem patrióticos defensores da Guerra do Vietnã. O futuro da revolução estava no interior camponês (em rápido esvaziamento) do Terceiro Mundo, mas o fato mesmo de que seus habitantes tinham de ser sacudidos de sua passividade por apóstolos armados da revolta vindos de longe, comandados por Castros e Guevaras, sugeria um certo afrouxamento na crença em que a inevitabilidade histórica asseguraria que os "condenados da terra", cantados pela Internacional, romperiam sozinhos as suas cadeias.

Além disso, mesmo onde a revolução era uma realidade, ou uma probabilidade, seria ainda genuinamente mundial? Os movimentos em que os revolucionários da década de 1960 punham suas esperanças eram o oposto de ecumênicos. Os vietnamitas, os palestinos, os vários movimentos de guerrilha pela libertação colonial só se interessavam por seus assuntos nacionais. Só se relacionavam com o mundo mais vasto na medida em que eram comandados por comunistas que tinham tais compromissos mais vastos, ou na medida em que a estrutura bipolar do sistema mundial da Guerra Fria automaticamente os fazia amigos dos inimigos de seu inimigo. O quanto o velho ecumenismo deixara de ser essencial foi demonstrado pela China comunista, que, apesar da retórica de revolução global, seguiu uma política implacavelmente centrada em si mesma, que iria levá-la, nas décadas de 1970 e 1980, a uma política de alinhamento com os EUA contra a URSS comunista, e a um virtual conflito armado tanto com a URSS quanto com o Vietnã comunista. A revolução com vistas além das fronteiras nacionais sobreviveu apenas sob a forma atenuada de movimentos regionais: pan-africano, pan-árabe, e especialmente pan-latino-americano. Esses movimentos tinham uma certa realidade, pelo menos para militantes intelectuais que falavam a mesma língua (espanhol, árabe) e passavam livremente de país em país, como exilados ou planejadores de revoltas. Podia-se até mesmo dizer que alguns deles — notadamente a versão fidelista — continham elementos globalistas genuínos. Afinal, o próprio Che Guevara lutou por algum tempo no Congo, e Cuba iria mandar suas tropas para ajudar os regimes revolucionários do Chifre da África e de Angola na década de 1970. E, no entanto, fora da esquerda latino-americana, quantos esperavam de fato um triunfo pan-africano ou pan-árabe de emancipação socialista? Não se demonstrou a fragilidade, e mesmo a irrealidade política, das revoluções supranacionais no desmonte da breve República Árabe Unida, de Egito e Síria, com um Iêmen meio frouxo no meio (1958-61), assim como os constantes atritos entre os regimes igualmente pan-árabes e socialistas do Partido Ba'hat na Síria e Iraque?

Na verdade, a mais sensacional prova do desaparecimento da revolução mundial foi a desintegração do movimento internacional a ela dedicado. Depois de 1956, a URSS e o movimento internacional sob sua liderança perderam o monopólio do apelo revolucionário, e da teoria e ideologia que o unificavam. Havia agora muitas espécies diferentes de marxistas, várias de marxistas-leninistas, e até dois ou três diferentes tipos entre os poucos partidos comunistas que, após 1956, mantinham o retrato de Yosif Stalin em sua bandeira (os chineses, os albaneses, o bastante diferente P.C. [marxista] que se cindiu do Partido Comunista indiano ortodoxo).

O que restava do movimento internacional comunista centrado em Moscou desintegrou-se entre 1956 e 1968, quando a China rompeu com a URSS em 1958-60 e pediu, com pouco sucesso, a secessão dos Estados do bloco soviético e a formação de partidos comunistas rivais, enquanto partidos comunistas (sobretudo ocidentais), encabeçados pelos italianos, começavam a distanciar-se abertamente de Moscou, e quando o próprio "campo socialista" original de 1947 se dividia agora em Estados com variados graus de lealdade à URSS, indo dos inteiramente comprometidos búlgaros* à totalmente independente Iugos-

(*) Parece que a Bulgária na verdade pediu para ser incorporada à URSS como república soviética, mas foi recusada por motivos de diplomacia internacional.

lávia. A invasão soviética da Tchecoslováquia em 1968, com o propósito de substituir uma forma de política comunista por outra, finalmente bateu o último prego no caixão do "internacionalismo proletário". Daí em diante, tornou-se normal mesmo partidos comunistas alinhados com Moscou criticarem a URSS em público e adotarem políticas distintas das moscovitas ("eurocomunismo"). O fim do movimento comunista internacional foi também o fim de qualquer tipo de internacionalismo socialista ou social-revolucionário, pois as forças dissidentes e antimoscovitas não criaram organizações internacionais além de sínodos sectários rivais. O único organismo que ainda lembrava levemente a tradição de liberação ecumênica era a velha, ou antes revivida, Internacional Socialista (1951), que agora representava governos e outros partidos, sobretudo ocidentais, que haviam abandonado formalmente a revolução, mundial ou não, e na maioria dos casos até mesmo a crença nas idéias de Marx.

IV

Contudo, se a tradição de revolução social no estilo de Outubro de 1917 — ou mesmo, como alguns diziam, a tradição original de revolução no estilo dos jacobinos franceses de 1793 — se exaurira, continuava existindo a instabilidade social e política que gerava revoluções. O vulcão não deixara de estar ativo. À medida que a Era de Ouro do capitalismo mundial chegava ao fim, no início da década de 1970, uma nova onda de revolução varria grandes partes do mundo, seguida na década de 1980 pela crise dos sistemas comunistas ocidentais, que levou ao seu colapso em 1989.

Embora ocorressem esmagadoramente no Terceiro Mundo, as revoluções da década de 1970 formaram um conjunto geográfica e politicamente mal distribuído. Começaram, muito surpreendentemente, na Europa, com a derrubada, em abril de 1974, do regime português do mais longevo sistema direitista do continente e, pouco depois, com o colapso de uma muito mais breve ditadura militar ultradireitista na Grécia (ver pp. 341-2). Após a morte há muito esperada do general Franco, em 1975, a transição pacífica do autoritarismo para o governo parlamentar completou esse retorno à democracia constitucional no sul da Europa. Essas transformações ainda podiam ser consideradas como a liquidação de um serviço deixado inacabado desde a era do fascismo europeu e da Segunda Guerra Mundial.

O golpe de oficiais radicais que revolucionou Portugal foi engendrado nas longas e frustrantes guerras contra guerrilhas de libertação colonial na África, que o exército português vinha travando desde inícios da década de 1960, sem maiores problemas, a não ser na pequena colônia de Guiné-Bissau, onde o talvez mais hábil de todos os líderes libertadores africanos, Amílcar Cabral, os levara a um impasse no fim daquela década. Os movimentos de guerrilha africanos haviam se multiplicado na década de 60, após o conflito do Congo e o endurecimento da política de *apartheid* sul-africana (a criação dos "lares nacionais"; o massacre de Sharpeville), mas sem sucesso significativo, além de enfraquecidos por rivalidades intertribais e sino-soviéticas. Com crescente ajuda soviética — a China se achava ocupada com o bizarro cataclismo da "Grande Revolução Cultural" de Mao — esses movimentos renasceram no início da década de 1970, mas foi a revolução portuguesa que possibilitou às colônias conquistar finalmente sua independência em 1975. (Moçambique e Angola logo foram mergulhados numa guerra civil muito mais assassina, de novo pela intervenção conjunta da África do Sul e dos EUA.)

Contudo, enquanto o império português desabava, uma grande revolução explodia no mais velho país independente da África, a Etiópia devastada pela fome, onde o imperador foi derrubado (1974) e acabou substituído por uma junta militar esquerdista fortemente alinhada com a URSS, que assim mudou seu apoio na região, até aí dado à ditadura militar de Siad Barre na Somália (1969-91), que também então professava entusiasmo por Marx e Lenin. Dentro da Etiópia, o novo regime foi contestado, e acabou sendo derrubado em 1991 por movimentos regionais de libertação ou secessão igualmente inclinados para o marxismo.

Essas mudanças criaram uma moda de regimes dedicados, pelo menos no papel, à causa do socialismo. O Daomé se declarou uma República Popular sob o habitual líder militar, e mudou seu nome para Benin; a ilha de Madagascar (Malagasy) declarou seu compromisso com o socialismo, também em 1975, após o habitual golpe militar; o Congo (que não deve ser confundido com seu gigantesco vizinho, o ex-Congo Belga, agora rebatizado de Zaire, sob o sensacionalmente rapace pró-americano Mobutu) enfatizou seu caráter de República Popular, também sob os militares; e na Rodésia do Sul (Zimbábue), a tentativa de estabelecer um Estado branco independente, que já durava onze anos, chegou ao fim em 1976, sob a crescente pressão de dois movimentos de guerrilha, divididos por identidade tribal e orientação política (russa e chinesa respectivamente). Em 1980, o Zimbábue se tornou independente sob um dos líderes guerrilheiros.

Embora no papel esses movimentos pertencessem à velha família revolucionária de 1917, na realidade pertenciam claramente a uma espécie diferente, o que era inevitável, em vista das diferenças entre as sociedades para as quais se destinavam as análises de Marx e Lenin e as da África subsaariana pós-colonial. O único país africano a que se aplicavam algumas das condições dessas análises era o capitalismo dos colonos da África do Sul, economicamente desenvolvido e industrializado, onde surgiu um verdadeiro movimento de libertação de massa, cruzando fronteiras tribais e raciais — o Congresso Nacional Africano —, com a ajuda de um verdadeiro movimento sindical de massa e um eficiente Partido Comunista. Após o fim da Guerra Fria, até mesmo o regime do *apartheid* foi obrigado por ele a recuar. Contudo, também aí o movimento era desproporcionalmente forte entre certas tribos africanas e relativamente muito mais fraco entre outras (por exemplo, os zulus), uma situação explorada com algum proveito pelo regime do *apartheid*. Em todas as outras partes, com exceção do pequeno e às vezes minúsculo quadro dos intelectuais urbanos educados e ocidentalizados, as mobilizações "nacionais" e outras baseavam-se essencialmente em lealdades ou alianças tribais, uma situação que ia possibilitar aos imperialistas mobilizar outras tribos contra os novos regimes — como notadamente em Angola. A única importância do marxismo-leninismo para esses países foi uma receita para formar partidos de quadros disciplinados e governos autoritários.

A retirada dos EUA da Indochina reforçou o avanço do comunismo. Todo o Vietnã se achava agora sob governo comunista inconteste, e governos semelhantes assumiram no Laos e no Camboja, no último caso sob a liderança do Khmer Vermelho, uma combinação particularmente assassina do maoísmo de café parisiense do seu líder Pol Pot (1925-) com o campesinato armado da mata, decidido a destruir a civilização das cidades. O novo regime matou seus cidadãos em números enormes mesmo para os padrões de nosso tempo — não pode ter eliminado muito menos que 20% da população — até ser expulso do poder por uma invasão vietnamita que restaurou um governo humano em 1978. Depois disso — num dos mais deprimentes episódios da diplomacia —, a China e o bloco americano continuaram a apoiar os restos do regime de Pol Pot, por motivos anti-soviéticos c antivietnamitas.

O fim da década de 1970 viu a onda de revolução lançar seus salpicos sobre os EUA, quando a América Latina e o Caribe, inquestionável área de dominação de Washington, pareceram inclinar-se para a esquerda. Nem a Revolução Nicaragüense de 1979, que derrubou a família Somoza, peões do controle americano nas pequenas repúblicas da região, nem o crescente movimento de guerrilha em El Salvador, nem mesmo o criador de casos general Omar Torrijos, postado no canal do Panamá, enfraqueceram seriamente o domínio dos EUA, não mais que a Revolução Cubana; menos ainda a revolução na minúscula ilha de Granada em 1983, contra a qual o presidente Reagan mobilizou todo o seu poderio armado. E, no entanto, o sucesso desses movimentos contrastou de maneira impressionante com o seu anterior fracasso na década de 1960, e causou uma atmosfera que beirou a histeria em Washington no período do presidente Reagan (1980-8). Apesar disso, foram sem dúvida fenômenos revolucionários, embora de um tipo latino-americano conhecido; a grande novidade, ao mesmo tempo intrigante e perturbadora para os da velha tradição esquerdista, basicamente seculares e anticlericais, foi o surgimento de padres católico-marxistas, que apoiavam, e mesmo participavam e lideravam, insurreições. A tendência, legitimizada por uma "teologia da libertação", apoiada por uma conferência episcopal na Colômbia (1968), surgira após a Revolução

Cubana,* e encontrara poderoso apoio intelectual no setor mais inesperado, os jesuítas, e na menos inesperada oposição do Vaticano.

Enquanto o historiador vê quão longe estavam da Revolução de Outubro mesmo essas revoluções da década de 1970, que proclamavam afinidade com ela, os governos dos EUA inevitavelmente as encaravam em essência como parte de uma ofensiva global da superpotência comunista. Isso se devia em parte ao suposto papel do jogo de soma zero da Guerra Fria. A perda de um jogador devia ser o ganho do outro, e, como os EUA se haviam alinhado com as forças conservadoras na maior parte do Terceiro Mundo, e mais que nunca na década de 1970, viram-se do lado perdedor das revoluções. Além disso, Washington julgava ter algum motivo para nervosismo com o progresso do armamento soviético. De qualquer modo, a Era de Ouro do capitalismo, e a centralidade do dólar nele, chegava ao fim. A posição dos EUA como superpotência estava inevitavelmente enfraquecida pela universalmente prevista derrota no Vietnã, do qual a maior potência militar da terra foi obrigada finalmente a retirar-se em 1975. Desde que Golias fora derrubado pela funda de Davi, não havia uma *débâcle* assim. Será demasiado supor, sobretudo em vista da Guerra do Golfo contra o Iraque em 1991, que uns EUA mais confiantes não teriam aceitado tão passivamente o golpe da OPEP em 1973? O que era a OPEP, além de um grupo de Estados na maioria árabes, sem significado político além de seus poços de petróleo, e ainda não armados até os dentes graças aos altos preços do petróleo que agora podiam arrancar?

Os EUA inevitavelmente viam qualquer enfraquecimento em sua supremacia global como um desafio a ela, e como um sinal da sede soviética de dominação mundial. As revoluções da década de 1970 levaram portanto ao que se chamou de "Segunda Guerra Fria" (Halliday, 1983), travada, como de hábito, por procuração entre os dois lados, sobretudo na África e depois no Afeganistão, onde o próprio exército soviético se envolveu fora de suas fronteiras pela primeira vez desde a Segunda Guerra Mundial. Contudo, não podemos discutir a afirmação de que a própria URSS achou que as novas revoluções lhe permitiam mudar o equilíbrio global ligeiramente a seu favor — ou, mais exatamente, contrabalançar, ao menos em parte, a grande perda diplomática sofrida na década de 1970 com os reveses na China e no Egito, cujos alinhamentos Washington conseguiu mudar. A URSS manteve-se fora das Américas, mas interveio em outras partes, sobretudo na África, em medida bem maior que antes e com algum sucesso. O simples fato de que a URSS permitiu ou encorajou a Cuba de Fidel Castro a mandar tropas para ajudar a Etiópia contra a nova cliente americana, a Somália (1977), e Angola contra o movimento rebelde

(*) Este escritor lembra-se de que ouviu o próprio Fidel Castro, num de seus grandes monólogos públicos em Havana, manifestar seu espanto com esse fato, ao exortar seus seguidores a acolher os surpreendentes novos aliados.

UNITA, apoiado pelos americanos e o exército sul-africano, fala por si. As declarações soviéticas agora falavam em "Estados de orientação socialista", além dos plenamente comunistas. Angola, Moçambique, Etiópia, Nicarágua, Iêmen do Sul e Afeganistão compareceram ao funeral de Brejnev em 1982 com esse título. A URSS nem fizera, nem controlava essas revoluções, mas visivelmente as acolhia, com certa alacridade, como aliadas.

Apesar disso, a próxima sucessão de regimes a desabar ou a ser derrubados demonstrou que nem a ambição soviética, nem a "conspiração comunista mundial" podiam ser responsabilizadas por essas revoltas, quando nada porque, de 1980 em diante, foi o próprio sistema soviético que começou a ser desestabilizado e, no fim da década, se desintegrou. A queda do "socialismo realmente existente" e a questão de até onde essas revoltas podem ser tratadas como revoluções serão discutidas em outro capítulo. Contudo, mesmo a grande revolução que antecedeu as crises orientais, embora fosse um golpe maior para os EUA do que outras mudanças de regime na década de 1970, nada teve a ver com a Guerra Fria.

Foi a derrubada do xá do Irã em 1979, de longe a maior de todas as revoluções da década de 1970, e que entrará na história como uma das grandes revoluções sociais do século XX. Era a resposta ao programa relâmpago de modernização e industrialização (para não falar de armamentos) empreendido pelo xá, com base em sólido apoio dos EUA e na riqueza petrolífera do país, de valor multiplicado após 1973 pela revolução de preços da OPEP. Sem dúvida, além de outros sinais da megalomania habitual entre governantes absolutos com uma formidável e temida polícia secreta, ele esperava tornar-se o poder dominante na Ásia ocidental. Modernização significava a reforma agrária na visão do xá, que transformou grande número de meeiros e arrendatários em grande número de subeconomias de pequenos proprietários e trabalhadores desempregados, que migraram para as cidades. Teerã passou de 1,8 milhão de habitantes (1960) para 6 milhões. O agricomércio de capital intensivo e alta tecnologia favorecido pelo governo criou mais excedente de mão-de-obra, mas não ajudou a produção per capita da agricultura, que decaiu nas décadas de 1960 e 1970. Em fins da década de 1970, o Irã importava a maior parte de seus alimentos.

O xá dependia cada vez mais, portanto, de uma industrialização financiada pelo petróleo a qual, incapaz de competir no mundo, era promovida e protegida internamente. A combinação de agricultura em declínio, indústria ineficiente, maciças importações estrangeiras — não menos de armas — e o *boom* do petróleo produziu inflação. É possível que o padrão de vida da maioria dos iranianos não diretamente envolvidos no moderno setor da economia, e/ou nas crescentes e florescentes classes comerciais urbanas, tenha caído nos anos que antecederam a revolução.

A vigorosa modernização cultural do xá também se voltou contra ele. Não era provável que o genuíno apoio dele (e da imperatriz) à melhoria na condição das mulheres fosse popular num país muçulmano, como os comunistas afegãos logo iriam descobrir. E seu entusiasmo igualmente genuíno pela educação aumentou a alfabetização em massa (mas cerca de metade da população continuou analfabeta) e produziu um grande corpo de estudantes e intelectuais revolucionários. A industrialização fortaleceu a posição estratégica da classe operária, sobretudo na indústria de petróleo.

Como o xá fora reposto no trono em 1953 por um golpe organizado pela CIA, contra um grande movimento popular, não acumulara um capital de lealdade e legitimidade a que pudesse recorrer. Sua própria dinastia, os Pahlavi, só remontava até um golpe dado pelo fundador, Reza Shah, um soldado da brigada de cossacos que assumiu o título imperial em 1925. Ainda, nas décadas de 1960 e 1970, a velha oposição comunista e nacional fora sufocada pela polícia secreta e os movimentos regionais e étnicos haviam sido reprimidos, como o foram os habituais grupos de guerrilheiros, marxistas ortodoxos ou islâmico-marxistas. Não podiam oferecer a centelha para a explosão, que — um retorno à antiga tradição de revolução, de Paris em 1789 a Petrogrado em 1917 — foi essencialmente um movimento das massas urbanas. O campo permaneceu quieto.

Seu líder, o aiatolá Ruholá Khomeini, velho, eminente e vingativo, estava no exílio desde meados da década de 1960, quando liderara manifestações contra um proposto referendo sobre reforma agrária e a repressão policial a atividades clericais na cidade santa de Qum. De lá, denunciou a monarquia como não islâmica. A partir do início da década de 1970, passou a pregar uma forma de governo islâmico total, o dever do clero de rebelar-se contra autoridades despóticas e, na verdade, tomar o poder: em suma, uma revolução islâmica. Foi uma inovação radical, mesmo para o clero xiita politicamente ativista. Esses sentimentos eram comunicados às massas através da engenhoca póscorânica da fita cassete, e as massas ouviam. Os jovens estudantes religiosos na cidade santa agiram em 1978, fazendo uma manifestação contra um suposto assassinato pela polícia secreta, e foram metralhados. Organizaram-se outras manifestações de luto pelos mártires, repetidas a cada quarenta dias. E esses foram aumentando, até que no fim do ano milhões de pessoas iam para as ruas manifestar-se contra o regime. Os guerrilheiros voltaram a entrar em ação. Os trabalhadores do petróleo fecharam os campos petrolíferos numa greve crucialmente eficaz, os dos bazares fecharam suas lojas. O país ficou num impasse, e o exército não conseguiu ou se recusou a suprimir o levante. Em 16 de janeiro de 1979, o xá ia para o exílio, e a Revolução Iraniana tinha vencido.

A novidade dessa revolução era ideológica. Quase todos os fenômenos reconhecidos como revolucionários até aquela data tinham seguido a tradição, a ideologia e, em geral, o vocabulário da revolução ocidental desde 1789; mais precisamente: de algum tipo de esquerda secular, sobretudo socialista ou comunista. A esquerda tradicional esteve de fato presente e ativa no Irã, e sua parte na derrubada do xá, por exemplo, com as greves operárias, longe esteve de ser insignificante. Contudo, foi quase imediatamente eliminada pelo novo regime. A Revolução Iraniana foi a primeira feita e ganha sob uma bandeira de fundamentalismo religioso, e a substituir o velho regime por uma teocracia populista, cujo programa professo era um retorno ao século VII d.C., ou antes, já que estamos num ambiente islâmico, à situação após a Hégira, quando se escreveu o Corão. Para revolucionários do velho tipo, tratava-se de um acontecimento tão bizarro quanto se o papa Pio IX houvesse assumido a liderança da revolução romana de 1848.

Isso não quer dizer que daí em diante os movimentos religiosos fossem alimentar revoluções, embora a partir da década de 1970 no mundo islâmico eles sem dúvida se tornassem uma força política de massa entre as classes médias e intelectuais das crescentes populações de seus países, e adotassem um tom insurrecional, sob a influência da Revolução Iraniana. Fundamentalistas islâmicos revoltaram-se e foram barbaramente reprimidos na Síria baathista, atacaram o mais sagrado dos santuários na Arábia Saudita e assassinaram o presidente do Egito (sob a liderança de um engenheiro eletricista), tudo em 1979-82.* Nenhuma doutrina individual de revolução nem qualquer projeto dominante individual para mudar o mundo substituiu a velha tradição revolucionária de 1789-1917, somente para derrubá-lo.

Não significa sequer que a velha tradição tenha desaparecido do cenário político, ou perdido toda a força para derrubar regimes, embora a queda do comunismo soviético praticamente a eliminasse em grande parte do mundo. As velhas ideologias mantiveram substancial influência na América Latina, onde o mais assustador movimento insurgente da década de 1980, o Sendero Luminoso, peruano, apregoava seu maoísmo. Estavam vivas na África e na Índia. Além disso, para surpresa dos que foram criados com base nos lugares-comuns da Guerra Fria, os partidos governantes de "vanguarda" do tipo soviético sobreviveram à queda da URSS, sobretudo em países atrasados do Terceiro Mundo. Venceram eleições autênticas nos Bálcãs e demonstraram em Cuba e na Nicarágua, em Angola e mesmo em Cabul, após a retirada do exército soviético, que eram mais que simples clientes de Moscou. Contudo, mesmo aí a velha tradição foi erodida, e muitas vezes destruída por dentro, como na Sérvia, onde o Partido Comunista se transformou num partido de chauvinismo da Grande Sérvia, ou no movimento palestino, onde a liderança da esquerda secular era cada vez mais minada pela ascensão do fundamentalismo islâmico.

(*) Outros movimentos de política violenta aparentemente religiosos que ganharam terreno nessa época não têm, e na verdade excluem deliberadamente, o apelo universalista, e são mais bem-vistos como subvariedades de mobilização étnica, por exemplo o budismo militante dos cingaleses no Sri Lanka, e os extremismos hinduísta e sikh na Índia.

V

As revoluções de fins do século XX, assim, tiveram duas características: uma foi a atrofia da tradição de revolução estabelecida; outra, a revivescência das massas. Como vimos (ver capítulo 2), poucas revoluções desde 1917-8 foram feitas a partir das bases. A maioria o foi pelas minorias ativistas dos engajados e organizados, ou impostas de cima, como por golpes de exército ou conquista militar, o que não significa que não tenham sido, nas circunstâncias adequadas, autenticamente populares. Raramente poderiam estabelecer-se de outro modo, exceto quando vinham com conquistadores estrangeiros. Contudo, em fins do século XX as "massas" retornaram à cena mais em papéis principais que coadjuvantes. O ativismo de minoria, em forma de guerrilhas e terrorismo rurais ou urbanos, continuou, e na verdade se tornou endêmico no mundo desenvolvido e em partes significativas do sul da Ásia e da zona islâmica. Os incidentes de terrorismo internacional, na contagem do Departamento de Estado americano, aumentaram quase continuamente de 125 em 1968 para 831 em 1987, e o número de suas vítimas de 241 para 2905 (UN World Social Situation, 1989, p. 165).

A lista de assassinatos políticos encompridou — o presidente Anwar Sadat do Egito (1981); Indira Gandhi (1984) e Rajiv Gandhi (1991) da Índia, para citar só alguns. As atividades do Exército Republicano Provisório Irlandês no Reino Unido e do ETA basco na Espanha são características desse tipo de violência de pequeno grupo, que tinha a vantagem de poder ser realizada por algumas centenas, ou mesmo dezenas, de ativistas, com a ajuda de explosivos e armamentos extremamente potentes, baratos e portáteis que um florescente tráfico internacional de armas agora espalhava em atacado pelo globo. Eram um sintoma da crescente barbarização de todos os três mundos, e acrescentavam-se à poluição devida à violência e insegurança generalizadas da atmosfera que a humanidade urbana aprendeu a respirar no fim do milênio. Contudo, sua contribuição à revolução política era pequena.

O mesmo não se aplica, como mostrou a Revolução Iraniana, à disposição das pessoas a sair às ruas aos milhões. Ou, como na Alemanha Oriental dez anos depois, à decisão de cidadãos da República Democrática Alemã — desorganizada, espontânea, embora decisivamente facilitada pela decisão da Hungria de abrir suas fronteiras — de votar com seus pés e seus carros contra o regime, migrando para a Alemanha Ocidental. Em dois meses, 130 mil alemães orientais tinham feito isso (Umbruch, 1990, pp. 7-10), antes da queda do Muro de Berlim. Ou, como na Romênia, onde a televisão pela primeira vez captou o momento da revolução, no rosto desabado do ditador, quando a multidão, convocada pelo regime na praça pública, se pôs a vaiar em vez de aplaudir. Ou nas partes ocupadas da Palestina, quando o movimento de não-cooperação em massa da *intifada*, iniciado em 1987, demonstrou que dali em diante só a repressão ativa, e não a passividade ou mesmo aceitação tácita, mantinha a ocupação israelense. O que quer que tenha estimulado as populações até então inertes a entrar em ação — comunicações modernas como TV e gravadores de fita tornavam difícil isolar mesmo as mais isoladas das questões mundiais —, era a disposição das massas de manifestar-se que decidia as questões.

Essas ações de massa, por si mesmas não derrubaram, nem poderiam derrubar, regimes. Podiam até mesmo ser detidas por coerção e armas, como o foi a mobilização em massa pela democracia na China, em 1989, com o massacre da praça Tiananmen em Pequim. (Contudo, apesar de enorme, esse movimento estudantil e urbano representava apenas uma modesta minoria na China, e mesmo assim foi suficientemente grande para causar séria hesitação no regime.) O que essa mobilização das massas conseguia era demonstrar a perda de legitimidade de um regime. No Irã, como na Petrogrado de 1917, a perda de legitimidade foi demonstrada da maneira mais clássica, pela recusa do exército e da polícia a obedecer ordens. Na Europa Oriental, convenceu velhos regimes, já desmoralizados pela recusa de ajuda soviética, de que seu tempo se esgotara. Foi uma demonstração didática da máxima de Lenin de que a votação com os pés dos cidadãos podia ser mais eficaz do que a votação em eleições. Claro que só o simples ruído dos pés dos cidadãos em massa não podia fazer revoluções. Não eram exércitos, mas multidões, ou agregados estatísticos de indivíduos. Precisavam de líderes, estruturas ou estratégias políticas para ser eficazes. O que os mobilizou no Irã foi uma campanha de protesto político de adversários do regime; mas o que transformou essa campanha em revolução foi a disposição de milhões de pessoas de juntar-se a ela. Do mesmo modo, há exemplos anteriores maciços dessa intervenção direta das massas respondendo a um apelo político vindo de cima — do Partido do Congresso na Índia para abster-se de cooperação com os britânicos nas décadas de 1920 e 1930 (ver capítulo 7), ou dos seguidores do presidente Perón para exigir a libertação de seu herói preso, no famoso "Dia da Lealdade", na plaza de Mayo, em Buenos Aires (1945). Além disso, o que contava não eram números absolutos, mas números agindo numa situação que os tornava operacionalmente eficazes.

Ainda não entendemos por que a votação com os pés, em massa, se tornou parte tão mais significativa da política nas últimas décadas do século. Uma das razões deve ser que, nesse período, o fosso entre governantes e governados se alargou em quase toda parte, embora nos Estados que ofereciam mecanismos para saber o que pensavam seus cidadãos, e meios para que eles expressassem suas preferências políticas de tempos em tempos, fosse improvável produzir-se uma revolução ou completa perda de contato. Era mais provável ocorrerem demonstrações de quase unânime falta de confiança em regimes que, ou tinham perdido, ou (como Israel nos territórios ocupados) nunca tinham tido legitimidade, sobretudo quando ocultavam isso de si mesmos.* Mesmo assim, as manifestações em massa de rejeição a sistemas políticos ou partidários existentes tornaram-se bastante comuns mesmo em sistemas parlamentares estabelecidos e estáveis, como testemunham a crise italiana de 1992-3 e o surgimento de novas e grandes forças eleitorais em vários países, cujo denominador comum era simplesmente *não* serem identificadas com nenhum dos velhos partidos.

Contudo, há outro motivo para a revivescência das massas: a urbanização do globo, sobretudo no Terceiro Mundo. Na era clássica da revolução, de 1789 a 1917, os velhos regimes eram derrubados nas grandes cidades, mas os novos se tornavam permanentes pelos inarticulados plebiscitos da área rural. A novidade da fase de revoluções pós-década de 1930 era que eram feitas no campo e, uma vez vitoriosas, importadas para as cidades. No fim do século XX, tirando umas poucas regiões retrógradas, a revolução mais uma vez vinha da cidade, mesmo no Terceiro Mundo. Tinha de vir, tanto porque a maioria dos habitantes de qualquer grande Estado agora vivia na cidade, ou parecia provável que vivesse, quanto porque a grande cidade, sede de poder, podia sobreviver e defender-se contra o desafio rural, não menos graças à tecnologia moderna, contanto que as autoridades não perdessem a lealdade de sua população. A guerra no Afeganistão (1979-88) demonstrou que um regime com base na cidade podia manter-se num país de guerrilha clássica, eriçado de insurretos rurais apoiados, financiados e equipados com armamentos de alta tecnologia moderna, mesmo após a retirada do exército estrangeiro no qual se apoiava. O governo do presidente Najibullah, para surpresa de todos, sobreviveu alguns anos depois da partida do exército soviético; e quando caiu, não foi porque Cabul não pôde mais resistir aos exércitos rurais, mas porque uma parte de seus próprios guerreiros profissionais decidiu mudar de lado. Após a Guerra do Golfo de 1991, Saddam Hussein manteve-se no Iraque contra grandes insurreições no norte e sul de seu país e num Estado militarmente fraco, essencialmente porque não perdeu Bagdá. As revoluções no fim do século XX têm de ser urbanas, se querem vencer.

Revoluções continuarão ocorrendo? As quatro grandes ondas do século XX, de 1917-20, 1944-62, 1974-8 e 1989- , poderão ser seguidas de outras rodadas de colapso e derrubada? Ninguém que olhe em retrospecto um século em que não mais que um punhado de Estados hoje existentes passou a existir, ou sobreviveu, sem passar por revolução, contra-revolução armada, golpes militares ou conflito civil armado** apostaria seu dinheiro no triunfo universal

(*) Quatro meses antes do colapso da República Democrática Alemã, eleições locais naquele Estado tinham dado ao partido governante uma votação de 98,85%.

(**) Omitindo-se os mini-Estados de menos de meio milhão de habitantes, os únicos Estados consistentemente "constitucionais" são os EUA, Austrália, Canadá, Nova Zelândia, Irlanda,

da mudança pacífica e constitucional, como previsto em 1989 por alguns eufóricos crentes na democracia liberal. O mundo que entra no terceiro milênio não é um mundo de Estados ou sociedades estáveis.

Contudo, se é praticamente certo que o mundo, ou pelo menos grande parte dele, estará repleto de mudanças violentas, a natureza dessas mudanças é obscura. O mundo do fim do Breve Século XX se acha mais em estado de colapso que de crise revolucionária, embora naturalmente contenha países nos quais, como o Irã na década de 1970, existem as condições para a derrubada de regimes odiados que perderam a legitimidade, por levante popular sob liderança de forças capazes de substituí-los: por exemplo, no momento em que escrevo, a Argélia e, antes da abdicação do regime do *apartheid*, a África do Sul. (Não se segue que condições revolucionárias potenciais ou reais produzam revoluções bem-sucedidas.) Apesar disso, esse tipo de descontentamento concentrado com o *status quo* é hoje menos comum que uma rejeição desconcentrada do presente, uma ausência ou desconfiança da organização política, ou simplesmente um processo de desintegração a que as políticas interna e internacional dos Estados se adaptam o melhor que podem.

Está também repleto de violência — mais violência que no passado — e, o que talvez seja igualmente importante, de armas. Nos anos antes da acessão de Hitler ao poder na Alemanha e na Áustria, por mais agudas que fossem as tensões e ódios raciais, é difícil imaginar que assumissem a forma de adolescentes carecas nazistas incendiando uma casa habitada por imigrantes, matando seis membros de uma família turca. Contudo, em 1993, um incidente desse choca, mas não mais surpreende, quando ocorre no coração da tranqüila Alemanha, casualmente em uma cidade (Solingen) com uma das mais antigas tradições de socialismo operário no país.

Além disso, a acessibilidade de armas e explosivos altamente destrutivos hoje é tal que o habitual monopólio de armamentos do Estado em sociedades desenvolvidas não pode mais ser tomado como certo. Na anarquia de pobreza e ganância que substituiu o ex-bloco soviético, não era mais inconcebível nem mesmo que armas nucleares, ou os meios para fabricá-las, pudessem chegar às mãos de grupos outros que não os governos.

O mundo do terceiro milênio portanto quase certamente continuará a ser de política violenta e mudanças políticas violentas. A única coisa incerta nelas é aonde irão levar.

Suécia, Suíça e Grã Bretanha (excluindo a Irlanda do Norte). Os Estados ocupados durante e depois da Segunda Guerra Mundial não foram classificados como desfrutando ininterrupta constitucionalidade, mas, se necessário, umas poucas ex-colônias ou países atrasados que jamais tiveram golpes militares nem desafio armado interno podiam ser também encarados como "não revolucionários" — por exemplo, Guiana, Butão e Emirados Árabes Unidos.

16
FIM DO SOCIALISMO

[A] saúde [da Rússia revolucionária], porém, está sujeita a uma condição indispensável: que jamais (como um dia aconteceu mesmo à Igreja) se abra um mercado negro de poder. Se a correlação européia de poder e dinheiro penetrasse também na Rússia, talvez não o país, nem mesmo o Partido, mas o comunismo na Rússia estaria perdido.

Walter Benjamin (1979, pp. 195-6)

Não é mais verdade que um credo oficial único seja o único guia operativo para a ação. Coexistem mais que uma ideologia, uma mistura de modos de pensar e esquemas de referência, e não apenas na sociedade em geral, mas também dentro do Partido e dentro da liderança [...] *Um "marxismo-leninismo" rígido e codificado não poderia, a não ser na retórica oficial, responder às verdadeiras necessidades do regime.*

M. Lewin, in Kerblay (1983, p. xxvi)

A chave para atingir a modernização é o desenvolvimento de ciência e tecnologia [...] *Conversa mole não vai levar nosso programa de modernização a parte alguma; precisamos ter conhecimento e pessoal treinado* [...] *Agora parece que a China está uns bons vinte anos atrás dos países desenvolvidos em ciência, tecnologia e educação* [...] *Já na Restauração Meiji, os japoneses começaram a fazer um grande esforço em ciência, tecnologia e educação. A Restauração Meiji foi uma espécie de campanha de modernização empreendida pela emergente burguesia japonesa. Como proletários devemos, e podemos, fazer mais.*

Deng Xiaoping, "Respeitem o conhecimento, respeitem o pessoal treinado", 1977

I

Um país socialista na década de 1970 preocupava-se particularmente com seu relativo atraso econômico, quando nada porque o vizinho, o Japão, era o mais espetacularmente bem-sucedido dos Estados capitalistas. O comunismo chinês não pode ser encarado simplesmente como uma subvariedade do comunismo soviético, e menos ainda como parte do sistema de satélites soviético. Antes de mais nada, triunfou num país com uma população muito maior que a da URSS, ou, aliás, de qualquer outro Estado. Mesmo descontando-se as incertezas da demografia chinesa, alguma coisa em torno de um em cada cinco seres humanos era um chinês vivendo na China continental. (Havia também uma substancial diáspora chinesa no leste e sudeste da Ásia.) Além disso, a China era não só muito mais nacionalmente homogênea que a maioria dos outros países — cerca de 94% da população era de chineses han —, mas formara uma unidade política única, embora intermitentemente perturbada, provavelmente por um período de no mínimo 2 mil anos. Mais objetivamente ainda, durante a maior parte desses dois milênios o império chinês, e presumivelmente a maioria de seus habitantes que tinham opinião sobre essas questões, havia considerado a China o centro e modelo da civilização mundial. Com raras exceções, *todos* os demais países onde triunfaram regimes comunistas, da URSS em diante, eram e viam-se como culturalmente atrasados e marginais, em relação a algum centro avançado e paradigmático de civilização. A própria estridência com que a URSS insistia, nos anos de Stalin, em sua não-dependência intelectual e tecnológica do Ocidente e na origem interna de todas as grandes invenções, do telefone aos aviões, era um sintoma denunciador desse senso de inferioridade.*

O mesmo não se dava com a China, que, muito corretamente, via sua civilização, arte, escrita e sistema de valores sociais clássicos como a reconhecida inspiração e modelo para outros — não menos o próprio Japão. Certamente não tinha nenhum senso de qualquer inferioridade cultural e intelectual, coletivo ou individual, em comparação com qualquer outro povo. O fato mesmo de a China não ter Estados vizinhos que pudessem mesmo levemente ameaçá-la, e, graças à adoção de armas de fogo, não ter qualquer dificuldade de repelir os bárbaros em sua fronteira, confirmava o senso de superioridade, embora deixasse o Império despreparado para a expansão imperial do Ocidente. A inferioridade cultural da China, que se tornou demasiado evidente no século XIX, não se deveu a alguma incapacidade técnica ou educacional, mas ao próprio senso de auto-suficiência e autoconfiança da civilização chinesa tradicional. Isso a fez relutar em fazer o que fizeram os japoneses após a Restauração Meiji, em 1868: mergulhar na "modernização", adotando no atacado modelos europeus.

(*) As conquistas intelectuais e científicas da Rússia entre 1830 e 1930 foram de fato extraordinárias, e incluíram algumas impressionantes inovações tecnológicas, que o atraso raramente permitiu que fossem economicamente desenvolvidas. Contudo, o brilho e significação mundial de uns poucos russos só tornam mais óbvia para o Ocidente a inferioridade geral da Rússia.

Isso só poderia ser feito e só o seria sobre as ruínas do antigo império chinês, guardião da antiga civilização, e pela revolução social, que foi ao mesmo tempo uma revolução cultural contra o sistema confuciano.

O comunismo chinês, portanto, era ao mesmo tempo social e, se assim se pode dizer, nacional. O explosivo social que alimentou a revolução comunista foi a extraordinária pobreza e opressão do povo chinês, inicialmente das massas trabalhadoras nas grandes cidades costeiras do centro e do sul da China, que formavam enclaves sob controle imperialista estrangeiro e, às vezes, da própria indústria moderna — Xangai, Cantão, Hong Kong —, e, depois, do campesinato, que formava 90% da vasta população do país. Sua condição era muito pior até mesmo que a da população urbana chinesa, cujo consumo, per capita, era qualquer coisa tipo duas vezes e meia maior. A simples pobreza da China já é difícil de imaginar para leitores ocidentais. Assim, na época da tomada comunista (dados de 1952), o chinês médio vivia essencialmente com meio quilo de arroz ou grãos por dia, e consumia pouco menos de 0,08 quilo de chá *por ano*. Adquiria um novo par de calçados a cada cinco anos, mais ou menos (China Statistics, 1989, tabelas 3.1, 15.2 e 15.5).

O elemento nacional no comunismo chinês operava tanto através dos intelectuais de origem nas classes alta e média, que proporcionaram a maior parte da liderança de todos os movimentos políticos chineses do século XX, quanto através do sentimento, sem dúvida generalizado entre as massas chinesas, de que os bárbaros estrangeiros não representavam nada de bom nem para os indivíduos chineses com quem tinham negócios, nem para a China como um todo. Como a China fora atacada, derrotada, dividida e explorada por todo Estado estrangeiro ao alcance desde meados do século XX, essa suposição não era implausível. Movimentos antiimperialistas de massa com uma ideologia tradicional já eram conhecidos antes do fim do império chinês, por exemplo a chamada Rebelião dos Boxers, de 1900. Há pouca dúvida de que a resistência à conquista japonesa da China foi o que transformou os comunistas chineses de uma derrotada força de agitadores sociais, o que eram em meados da década de 1930, nos líderes e representantes de todo o povo chinês. O fato de que também exigiam a libertação social dos pobres chineses fazia seu apelo de libertação e regeneração nacionais soar mais convincente para as massas (sobretudo rurais).

Nisso, os comunistas tinham uma vantagem sobre seus rivais, o (mais velho) Partido do Kuomintang, que tentara reconstruir uma república chinesa única, poderosa, a partir dos fragmentos dispersos do império chinês, comandado por líderes militarizados locais, após sua queda, em 1911. Os objetivos a curto prazo dos dois partidos não pareciam incompatíveis, a base política dos dois se achava nas cidades mais avançadas do sul da China (onde a república estabelecera sua capital), e sua liderança consistia em grande parte no mesmo tipo de elite educada, descontando-se uma certa tendência para comerciantes em um, e para camponeses e operários em outro. Os dois, por exemplo, continham praticamente a mesma porcentagem de homens vindos dos latifúndios tradicionais e da fidalguia culta, as elites da China imperial, embora os comunistas tendessem a ter mais líderes com educação superior do tipo ocidental (North & Pool, 1966, pp. 378-82). Os dois vinham do movimento antiimperial da década de 1900, reforçado pelo "Movimento de Maio", o levante nacional de estudantes e professores em Pequim após 1919. Sun Yat-sen, o líder do Kuomintang, era um patriota, democrata e socialista, que contava para aconselhamento e apoio com a Rússia soviética — única potência revolucionária e antiimperialista — e achava o modelo bolchevique de Estado de partido único mais adequado que os modelos ocidentais para a sua tarefa. Na verdade, os comunistas se tornaram uma força poderosa em grande parte graças a essa ligação soviética, que lhes permitiu integrar-se no movimento nacional oficial, e, após a morte de Sun Yat-sen, em 1925, partilhar do grande avanço pelo qual a República estendeu sua influência à metade da China que não controlava. O sucessor de Sun, Chiang Kai-shek (1897-1975), jamais conseguiu estabelecer completo controle sobre o país, embora em 1927 rompesse com os russos e eliminasse os comunistas, cujo principal corpo de apoio de massa nessa época se achava entre a pequena classe operária urbana.

Os comunistas, obrigados a voltar sua atenção principal para o campo, travaram então uma guerra de guerrilha contra o Kuomintang — graças, não menos, a suas próprias divisões e confusões e à distância de Moscou das realidades chinesas —, em geral com pouco sucesso. Em 1934 seus exércitos foram forçados a recuar para um canto remoto do extremo noroeste, na heróica "Longa Marcha". Esses fatos fizeram de Mao Tsé-tung, que há muito defendia a estratégia rural, o indisputado líder do Partido Comunista em seu exílio em Yenan, mas não ofereceram nenhuma perspectiva imediata de progresso comunista. Ao contrário, o Kuomintang foi estendendo constantemente seu controle sobre a maior parte do país até a invasão japonesa de 1937.

Contudo, a falta de genuíno apelo de massa do Kuomintang para os chineses, além do abandono do projeto revolucionário, que era ao mesmo tempo um projeto de modernização e regeneração, não o tornava um páreo para seus rivais comunistas. Chiang Kai-shek jamais se tornou um Ataturk — outro chefe de uma revolução modernizante, antiimperialista e nacional que se viu fazendo amizade com a jovem república soviética, usando os comunistas locais para seus próprios fins e dando-lhes as costas, embora de modo menos estridente que Chiang. Como Ataturk, ele tinha o exército: mas não era um exército com lealdade nacional, isso para não falar no moral revolucionário dos exércitos comunistas, e sim uma força recrutada entre homens para os quais, em momentos de problemas e colapso social, um uniforme e uma arma são a melhor maneira de ir levando, e tendo como oficiais homens que sabiam — como o próprio Mao Tsé-tung — que nessas horas o "poder surgia do cano de uma arma", e também o lucro e a riqueza. Chiang Kai-shek tinha bastante apoio da classe média urbana, e talvez mais ainda de ricos chineses do além-mar: mas 90% dos chineses, e quase todo o território do país, estavam fora das cidades. Estas eram controladas, se eram, por notáveis locais e homens de força, desde os chefes locais com seus homens armados até famílias fidalgas e relíquias da estrutura de poder imperial, com os quais Chiang Kai-shek chegou a um acordo. Quando os japoneses partiram para conquistar a China a sério, os exércitos do Kuomintang não puderam impedi-los de quase imediatamente tomar as cidades costeiras, onde estava a sua verdadeira força. No resto da China, eles se tornaram o que sempre tinham sido potencialmente: mais um regime corrupto de chefes e senhores locais, resistindo ineficazmente aos japoneses, quando resistiam. Enquanto isso, os comunistas mobilizavam efetivamente a resistência de massa aos japoneses nas áreas ocupadas. Quando tomaram a China, em 1949, tendo varrido quase com desprezo as forças do Kuomintang numa breve guerra civil, os comunistas eram para todos, com exceção dos restos de poder do Kuomintang em fuga, o governo legítimo da China, verdadeiros sucessores das dinastias imperiais após um interregno de quarenta anos. E foram tanto mais aceitos como tais porque, com sua experiência de partido marxista-leninista, puderam forjar uma organização disciplinada nacional capaz de levar a política do governo do centro até as mais remotas aldeias do gigantesco país — como devia fazer, na mente da maioria dos chineses, um império de verdade. *Organização*, mais que doutrina, foi a principal contribuição do bolchevismo de Lenin para mudar o mundo.

Contudo, claro, os comunistas eram mais que o Império revivido, embora sem dúvida se beneficiassem das enormes continuidades da história chinesa, que estabelecia tanto o modo como o chinês comum esperava relacionar-se com qualquer governo que desfrutasse o "mandato do céu" quanto o modo como os que administravam a China esperavam pensar sobre suas tarefas. Em nenhum outro país os debates políticos dentro de um sistema comunista se realizariam com referência ao que um mandarim leal dissera ao imperador Chiaching, da dinastia Ming, no século XVI.* A isso se referia um inflexível observador da China — o correspondente do *Times* de Londres — na década de 1950, ao afirmar, chocando os que o ouviram na época, como este autor, que não restaria comunismo algum no século XXI a não ser na China, onde sobreviveria como a ideologia nacional. Para a maioria dos chineses, tratava-se de uma revolução que era basicamente uma restauração: de ordem e paz; de bem-estar; de um sistema de governo cujos funcionários públicos se viam apelan-

(*) Cf. o artigo "Hai Tui repreende o imperador", no *Diário do Povo* em 1959. O mesmo autor (Wu Han) compôs um libreto para uma ópera clássica de Pequim, *A demissão de Hai Tui*, em 1960, que alguns anos depois ofereceu a ocasião que disparou a Revolução Cultural (Leys, 1977, pp. 30 e 34).

do para precedentes da dinastia T'ang; da grandeza de um excelso império e civilização.

E, nos primeiros anos, era isso que a maioria dos chineses parecia estar obtendo. Os camponeses elevaram sua produção de grãos em mais de 70% entre 1949 e 1956 (China Statistics, 1989, p. 165), supostamente porque ainda não se interferia muito com eles, e embora a intervenção da China na Guerra da Coréia de 1950-2 criasse um sério pânico, a capacidade do exército chinês de primeiro derrotar e depois manter a distância os poderosos EUA dificilmente deixaria de impressionar. O planejamento do desenvolvimento industrial e educacional começou no início da década de 1950. Contudo, muito em breve a nova República Popular, sob o agora incontestado e incontestável Mao, começou a entrar em duas décadas de catástrofes em grande parte arbitrárias provocadas pelo grande timoneiro. A partir de 1956, as relações em rápida deterioração com a URSS, que terminaram no clamoroso racha entre as duas potências comunistas em 1960, levaram à retirada da importante ajuda material e de outras, vindas de Moscou. Contudo, isso mais complicou que causou o calvário do povo chinês, assinalado por três estações principais da cruz: a ultra-rápida coletivização da agricultura camponesa em 1955-7; o "Grande Salto Avante" da indústria em 1958, seguido pela grande fome de 1959-61, provavelmente a maior do século XX;* e os dez anos de Revolução Cultural, que acabaram com a morte de Mao, em 1976.

Concorda-se em geral que esses mergulhos cataclísmicos se deveram, em grande parte, ao próprio Mao, cujas políticas eram muitas vezes recebidas com relutância na liderança do partido, e às vezes — mais notadamente no caso do "grande salto avante" — com franca oposição, que ele só superou lançando a Revolução Cultural. Contudo, não podem ser entendidas sem um senso das peculiaridades do comunismo chinês, do qual Mao se fez o porta-voz. Ao contrário do comunismo russo, o chinês praticamente não tinha relação direta com Marx e o marxismo. Foi um movimento pós-Outubro, que chegou a Marx *via* Lenin, ou, mais precisamente, via o "marxismo-leninismo" de Stalin. O conhecimento de teoria marxista do próprio Mao parece ter derivado quase inteiramente da *História do PCUs* [*b*]: *breve curso*, de 1939. E no entanto, por baixo da cobertura marxista-leninista havia — e isso é bastante evidente no caso de Mao, que nunca viajou para fora da China até tornar-se chefe de Estado, e cuja formação intelectual era inteiramente nacional — um utopismo muito chinês. Este, naturalmente, tinha pontos de contato com o marxismo:

(*) Segundo estatísticas oficiais chinesas, a população do país em 1959 era 672,07 milhões. Na taxa de crescimento natural dos sete anos anteriores, que era de pelo menos 20 por mil ao ano (na verdade uma média de 21,7 por mil), seria de esperar que a população chinesa em 1961 fosse 699 milhões. Na verdade, era 658,59 milhões, ou *40 milhões* menos do que seria de esperar (China Statistics, 1989, tabelas T3.1 e T3.2).

todas as utopias social-revolucionárias têm alguma coisa em comum, e Mao, sem dúvida com toda a sinceridade, pegou os aspectos de Marx e Lenin que se encaixavam em sua visão e usou-os para justificá-la. Contudo, essa visão de sociedade ideal unida por um consenso total, e na qual, já se disse, "a total abnegação do indivíduo e a total imersão na coletividade (são) bens últimos [...] uma espécie de misticismo coletivista", é o oposto do marxismo clássico, que, pelo menos em teoria e como objetivo último, previa a completa liberação e auto-realização do indivíduo (Schwartz, 1966). A ênfase característica no poder de transformação espiritual para se conseguir isso, remodelando o homem, embora recorra à crença de Lenin e depois de Stalin, na consciência e no voluntarismo, foi muito além dela. Com toda a sua crença no papel da ação e decisão políticas, Lenin jamais perdeu de vista o fato — como poderia tê-lo feito? — de que circunstâncias práticas impunham severas limitações à efetividade da ação, e mesmo Stalin reconhecia que seu poder tinha limites. Contudo, sem a crença em que "forças subjetivas" eram todo-poderosas, e que os homens *podiam* mover montanhas e tomar o céu de assalto se quisessem, são inconcebíveis as loucuras do "grande salto avante". Especialistas diziam o que se podia fazer e não fazer, mas só o fervor revolucionário poderia superar todos os obstáculos materiais, e a mente transformar a matéria. Daí, ser "vermelho" era não só muito mais importante que ser especialista, mas sua alternativa. Uma enorme onda de entusiasmo em 1958 iria industrializar a China *imediatamente*, saltando para o futuro por cima de eras, quando o comunismo entrasse *imediatamente* em plena operação. Os incontáveis altos-fornozinhos de fundo de quintal, de baixa qualidade, com os quais a China iria duplicar sua produção de aço dentro de um ano — e na verdade mais que triplicou em 1960, antes de recair em 1962 para menos que antes do "grande salto" — representaram um lado da transformação. As 24 mil "comunas populares" de agricultores, estabelecidas nuns meros dois meses de 1958, representaram o outro lado. Eram completamente comunistas, porque não apenas todos os aspectos da vida camponesa haviam sido coletivizados, inclusive a familiar — as creches e refeitórios comunais libertando as mulheres das tarefas domésticas e do cuidado das crianças e mandando-as, arregimentadas, para os campos —, mas também o fornecimento gratuito de seis serviços básicos iria substituir salários e a renda em dinheiro. Esses seis serviços eram alimentação, assistência médica, educação, funerais, corte de cabelo e cinema. Visivelmente, não deu certo. Em poucos meses, diante da resistência passiva, abandonaram-se os aspectos mais extremos do sistema, embora não antes de ele ter se (como a coletivização de Stalin) combinado com a natureza para produzir a fome de 1960-1.

Num aspecto, essa crença na capacidade de transformar pela vontade se apoiava numa crença maoísta mais específica no "povo", disposto a ser transformado e portanto a participar, criativamente e com toda a inteligência e engenhosidade tradicionais chinesas, na grande marcha avante. Era a visão essencialmente romântica de um artista, embora, segundo depreendemos por aqueles que podem julgar a poesia e caligrafia que ele gostava de praticar, não um artista muito bom. ("Não tão ruim quanto a pintura de Hitler, mas não tão boa quanto a de Churchill", na opinião do orientalista britânico Arthur Waley, usando a pintura como uma analogia para a poesia.) Isso o levou, contra os céticos e a opinião realista de outros líderes chineses, a convocar intelectuais da velha elite a contribuir com seus talentos para a campanha das "Cem Flores" de 1956-7, na suposição de que a revolução, e talvez ele próprio, já os tivesse transformado. ("Que desabrochem cem flores, que disputem cem escolas de pensamento.") Quando, como camaradas menos inspirados haviam previsto, essa explosão de livre-pensamento se mostrou deficiente em entusiasmo unânime pela nova ordem, confirmou-se a desconfiança inata de Mao dos intelectuais como tais, que iria encontrar expressão espetacular nos dez anos da Grande Revolução Cultural, quando a educação superior praticamente parou e os intelectuais que já existiam foram regenerados em massa pelo trabalho braçal compulsório no campo.* Apesar disso, a crença de Mao nos camponeses, exortados a resolver todos os problemas de produção durante o "grande salto", segundo o princípio de "que todas as escolas [isto é, de experiência local] disputem", permaneceu inalterada. Pois — e esse era mais um aspecto do pensamento de Mao que encontrava apoio no que ele lia na dialética marxista — ele estava fundamentalmente convencido da importância da luta, do conflito e da alta tensão como algo não apenas essencial à vida, mas que também impedia a recaída da antiga sociedade chinesa em insistir na permanência e harmonia imutáveis, o que fora sua fraqueza. A revolução e o próprio comunismo só poderiam ser salvos de degenerar em estagnação por uma luta constantemente renovada. A revolução não podia acabar nunca.

A peculiaridade da política maoísta era ser "ao mesmo tempo uma forma extrema de ocidentalização e uma reversão parcial aos padrões tradicionais", sobre os quais, na verdade, se apoiava em grande parte, pois o velho império chinês se caracterizava, pelo menos nos períodos em que o poder do imperador era forte e assegurado, e portanto legítimo, pela autocracia do governante e a aquiescência e obediência dos súditos (Hu, 1966, p. 241). O simples fato de que 84% das famílias camponesas chinesas se deixaram tranqüilamente ser coletivizadas num único ano (1956), ao que parece sem nenhuma das conseqüências

(*) Em 1970, o número total de estudantes em todas as Instituições de Ensino Superior da China era 48 mil; nas escolas técnicas do país (1969), 23 mil; e nas Escolas de Formação de Professores (1969), 15 mil. A ausência de quaisquer dados sobre pós-graduados sugere que não havia provisão alguma para eles. Em 1970, um total de 4260 jovens começou a estudar ciências naturais nas Instituições de Ensino Superior, e um total de noventa começou a estudar ciências sociais. Isto num país de, na época, 830 milhões de pessoas (China Statistics, 1989, tabelas T17.4, T17.8 e T17.10).

da coletivização soviética, já fala por si. A industrialização, no modelo soviético voltado para a indústria pesada, era a prioridade incondicional. Os absurdos mortais do "grande salto" se deveram basicamente à convicção, que o regime chinês partilhava com o soviético, de que a agricultura devia ao mesmo tempo alimentar a industrialização e manter-se sem o desvio de recursos de investimento industrial para ela. Em essência, isso queria dizer substituir incentivos "materiais" por "morais", o que significava, na prática, pôr o volume quase ilimitado de braços humanos disponíveis na China no lugar da tecnologia que não havia. Ao mesmo tempo, o campo continuou sendo a base do sistema de Mao, como sempre fora desde a época da guerrilha, e, ao contrário da URSS, o modelo do "grande salto" fez dele também o *locus* preferido de industrialização. Ao contrário da URSS, a China não passou por industrialização em massa sob Mao. Só na década de 1980 a população rural foi cair abaixo de 80%.

Por mais que nos possamos chocar com o registro dos vinte anos maoístas, um registro que combina desumanidade e obscurantismo em massa com os absurdos surrealistas das afirmações feitas em nome dos pensamentos do divino líder, não devemos esquecer que, pelos padrões do Terceiro Mundo, assolado pela pobreza, o povo chinês ia indo bem. No fim do período de Mao, o consumo médio de alimento chinês (em calorias) estava pouco acima da média de todos os países, acima do de catorze países nas Américas, 38 na África e mais ou menos metade dos asiáticos — bem acima do sul e sudeste da Ásia, com exceção da Malásia e Cingapura (Taylor & Jodice, 1983, tabela 4.4). A expectativa de vida média no nascimento subiu de 35 anos em 1949 para 68 em 1982, sobretudo devido à impressionante e — exceto nos anos da fome — contínua queda da mortalidade (Liu, 1986, pp. 323-4). Como a população chinesa, mesmo descontando-se a grande fome, aumentou de cerca de 540 milhões para cerca de 950 milhões entre 1949 e a morte de Mao, é evidente que a economia conseguiu alimentá-los — um pouco acima do nível de começos da década de 50 — e melhorou ligeiramente seu nível de roupas (China Statistics, 1989, tabela T15.1). A educação, mesmo no nível elementar, sofreu tanto com a fome, que reduziu a freqüência em 25 milhões, quanto com a Revolução Cultural, que a reduziu em 15 milhões. Apesar disso, não há como negar que no ano da morte de Mao seis vezes mais crianças iam à escola primária do que quando ele chegou ao poder — isto é, uma taxa de matrícula de 96%, comparada com menos de 50% mesmo em 1952. Claro, ainda em 1987 mais de um quarto da população acima dos doze anos continuava analfabeta e "semi-analfabeta" — entre as mulheres essa cifra chegava a 38% —, mas não devemos esquecer que a alfabetização na China é excessivamente difícil, e só se podia esperar que uma proporção bastante pequena dos 34% nascidos antes de 1949 a tivesse adquirido inteiramente (China Statistics, 1989, pp. 69-72 e 695). Em suma, embora as realizações do período maoísta possam não impressionar observadores ocidentais céticos — havia muitos sem ceticismo — certamente teriam parecido impressionante para, digamos, observadores indianos e indonésios, e talvez não parecessem particularmente decepcionantes para os 80% de chineses rurais, isolados do mundo, cujas expectativas eram as de seus pais.

Apesar disso, era inegável que, internacionalmente, a China perdera terreno desde a revolução, e notadamente em relação a vizinhos não comunistas. Sua taxa de crescimento econômico per capita, embora impressionante nos anos de Mao (1960-75), foi menor que a do Japão, Hong Kong, Cingapura, Coréia do Sul e Taiwan — para citar os países leste-asiáticos nos quais os observadores chineses certamente teriam ficado de olho. Embora imenso, seu PNB era quase igual ao do Canadá, menor que o da Itália, e um simples quarto do Japão (Taylor & Jodice, 1983, tabelas 3.5 e 3.6). O desastroso curso em ziguezague seguido pelo Grande Timoneiro desde meados da década de 1950 só continuara porque Mao, em 1965, com apoio militar, lançou um movimento anárquico, inicialmente estudantil, de jovens "Guardas Vermelhos" contra a liderança do partido que o pusera discretamente de lado, e contra os intelectuais de todo tipo. Foi a Grande Revolução Cultural que devastou a China por algum tempo, até que Mao chamou o exército para restaurar a ordem, e de qualquer modo se viu obrigado a restaurar algum tipo de controle do partido. Como ele se achava visivelmente nas últimas, e o maoísmo sem ele teria pouco apoio de fato, não sobreviveu à sua morte, em 1976, e à quase imediata prisão dos ultramaoístas do "Bando dos Quatro", encabeçados pela viúva do líder, Jiang Quing. O novo curso, sob o pragmático Deng Xiaoping, começou imediatamente.

II

O novo curso de Deng na China foi o mais franco reconhecimento público de que eram necessárias mudanças dramáticas na estrutura do "socialismo realmente existente", mas à medida que a década de 1970 passava para a de 1980, foi ficando cada vez mais claro que havia alguma coisa de seriamente errado em todos os sistemas socialistas que assim se consideravam. A diminuição no ritmo da economia soviética era palpável: a taxa de crescimento de quase tudo que nela contava, e podia ser contado, caiu constantemente de um período de cinco anos para outro após 1970: produto interno bruto, produção industrial, produção agrícola, investimento de capital, produtividade de trabalho, renda real per capita. Se não estava de fato em regressão, a economia avançava no passo de um boi cada vez mais cansado. Além disso, muito longe de se tornar um gigante do comércio mundial, a URSS parecia estar regredindo internacionalmente. Em 1960, suas grandes exportações eram maquinaria, equipamentos, meios de transporte e metais ou artigos de metal, mas em 1985 dependia basicamente para suas exportações (53%) de energia (isto é, petróleo e gás). Por outro lado, quase 60% de suas importações consistiam em máquinas, metais etc. e artigos de consumo industriais (SSSR, 1987, pp. 15-7, 32-3). Tornara-se algo assim como uma colônia produtora de energia para economias industriais mais avançadas — na prática, em grande parte, para seus próprios satélites ocidentais, notadamente a Tchecoslováquia e a República Democrática Alemã, cujas indústrias podiam contar com o mercado ilimitado e não exigente da URSS, sem ter de mudar muita coisa para corrigir suas próprias deficiências.*

Na verdade, na década de 1970 era claro que não só o crescimento econômico estava ficando para trás, mas mesmo os indicadores sociais básicos, como o da mortalidade, estavam deixando de melhorar. Isso minou a confiança no socialismo talvez mais que qualquer outra coisa, pois sua capacidade de melhorar a vida da gente comum através de maior justiça social não dependia basicamente de sua capacidade de gerar maior riqueza. O fato de a expectativa de vida na URSS, Polônia e Hungria permanecer quase imutada durante os últimos vinte anos antes do colapso do comunismo — na verdade, de vez em quando chegava a cair — era causa de séria preocupação, pois na maioria dos outros países ela continuava a subir (incluindo, deve-se dizer, Cuba e os países comunistas asiáticos sobre os quais dispomos de dados). Em 1969, austríacos, finlandeses e poloneses podiam esperar morrer na mesma média de idade (70,1 anos), mas em 1989 os poloneses tinham uma expectativa de vida cerca de quatro anos mais curta que os austríacos e finlandeses. Isso pode ter tornado as pessoas mais saudáveis, como sugeriam os demógrafos, mas só porque nos países socialistas morriam pessoas que podiam ter sido mantidas vivas em países capitalistas (Riley, 1991). Os reformadores na URSS e em outras partes não deixavam de observar essas tendências com crescente ansiedade (*World Bank Atlas*, 1990, pp. 6-9; e *World Tables*, 1991, passim).

Por essa época, outro sintoma de reconhecido declínio na URSS se reflete no surgimento do termo *nomenklatura* (que parece ter chegado ao Ocidente através de textos de dissidentes). Até então o corpo de oficiais dos *cadres* do partido, que constituía o sistema de comando dos Estados leninistas, era encarado no exterior com respeito e relutante admiração, embora oposicionistas derrotados de dentro, como os trotskistas e — na Iugoslávia — Milovan Djilas (Djilas, 1957), houvessem apontado seu potencial de degeneração burocrática e corrupção pessoal. Na verdade, na década de 1950, e mesmo na de 1960, o tom geral do comentário ocidental, e sobretudo americano, era que ali — no sistema organizacional dos partidos comunistas e seu monolítico corpo de quadros, desprendidos de si mesmo, que cumpriam lealmente (se

(*) "Parecia aos formuladores de política soviéticos que o mercado soviético era inexaurível, e que a União Soviética podia assegurar a quantidade de energia necessária para um continuado e extenso crescimento econômico" (Rozsati & Mizsei, 1989, p. 10).

bem que brutalmente) "a linha" — estava o segredo do avanço global comunista (Fainsod, 1956; Brzezinski, 1962; Duverger, 1972).

Por outro lado, o termo *nomenklatura*, praticamente desconhecido antes de 1980, a não ser como parte do jargão administrativo do PCUS, passou a sugerir precisamente a fraqueza da interesseira burocracia do partido da era Brejnev: uma combinação de incompetência e corrupção. E, na verdade, tornou-se cada vez mais evidente que a própria URSS operava basicamente por um sistema de patronato, nepotismo e suborno.

Com exceção da Hungria, as tentativas sérias de reformar as economias socialistas na Europa tinham sido, na verdade, abandonadas em desespero após a Primavera de Praga. No tocante às tentativas ocasionais de reverter as velhas economias de comando, na forma stalinista (como na Romênia de Ceausescu) ou na forma maoísta, que substituía a economia por voluntarismo e suposto zelo moral (como Fidel Castro), quanto menos se falasse delas, melhor. Os anos Brejnev iriam ser chamados pelos reformadores de "era da estagnação", essencialmente porque o regime parara de tentar fazer qualquer coisa séria em relação a uma economia em visível declínio. Comprar trigo no mercado mundial era mais fácil que tentar resolver a aparentemente crescente incapacidade da agricultura soviética de alimentar o povo da URSS. Lubrificar o enferrujado motor da economia com um sistema universal e onipresente de suborno e corrupção era mais fácil que limpá-lo e ressintonizá-lo, quanto mais substituí-lo. Quem sabia o que aconteceria a longo prazo? A curto, parecia mais importante manter os consumidores satisfeitos, ou, de qualquer forma, manter o descontentamento dentro de limites. Daí, provavelmente, na primeira metade da década de 1970, a maioria dos habitantes da URSS estar e sentir-se em melhores condições que em qualquer outra época na memória viva.

O problema do "socialismo realmente existente" na Europa era que, ao contrário da URSS do entreguerras, praticamente fora da economia mundial e portanto imune à Grande Depressão, agora o socialismo estava cada vez mais envolvido nela, e portanto não imune aos choques da década de 1970. É uma ironia da história o fato de que as economias "socialistas reais" da Europa e da URSS, além de partes do Terceiro Mundo, se tenham tornado as verdadeiras vítimas da crise pós-Era de Ouro da economia capitalista global, enquanto as "economias de mercado desenvolvidas", embora abaladas, conseguiam atravessar os anos difíceis sem grandes problemas, pelo menos até o início da década de 1990. Até então algumas delas, na verdade, como a Alemanha e o Japão, mal tinham tropeçado em sua marcha à frente. O "socialismo real", porém, agora enfrentava não apenas seus próprios problemas sistêmicos insolúveis, mas também os de uma economia mundial mutante e problemática, na qual se achava cada vez mais integrado. Isso pode ser ilustrado pelo ambíguo exemplo da crise internacional do petróleo que transformou o mercado de energia mundial após 1973: ambíguo porque seus efeitos foram potencialmente negativos e positivos. Sob pressão do cartel de produtores de petróleo, a OPEP, o preço do produto, então baixo e, em termos reais, caindo desde a guerra, mais ou menos quadruplicou em 1973, e mais ou menos triplicou de novo no fim da década de 1970, após a Revolução Iraniana. Na verdade, a gama real de flutuações foi ainda mais sensacional: em 1970 o petróleo era vendido a um preço médio de 2,53 dólares o barril, mas em fins da década de 1980 o barril valia 41 dólares.

A crise do petróleo teve duas conseqüências aparentemente felizes. Para os produtores de petróleo, dos quais a URSS por acaso era um dos mais importantes, transformou o líquido negro em ouro. Era como um bilhete premiado garantido de loteria toda semana. Os milhões simplesmente rolavam para dentro sem esforço, adiando a necessidade de reforma econômica e, de quebra, possibilitando à URSS pagar suas importações rapidamente crescentes do Ocidente capitalista com a energia exportada. Entre 1970 e 1980, as exportações soviéticas para as "economias de mercado desenvolvidas" subiram de pouco menos de 19% das exportações totais para 32% (SSSR, 1987, p. 32). Sugeriu-se que foi essa bonança imprevista que tentou o regime de Brejnev a entrar numa política internacional mais ativa de competição com os EUA em meados da década de 1970 enquanto a agitação revolucionária mais uma vez varria o Terceiro Mundo (ver capítulo 15), e em um curso suicida de tentar igualar a superioridade de armamentos americana (Maksimenko, 1991).

A outra conseqüência aparentemente feliz da crise do petróleo foi a inundação de dólares que agora esguichavam dos multibilionários Estados da OPEP, muitas vezes com populações minúsculas, e que eram distribuídos pelo sistema bancário internacional sob a forma de empréstimos a quem quisesse. Poucos países em desenvolvimento resistiram à tentação de aceitar os milhões assim carreados para seus bolsos, e que iriam provocar a crise da dívida mundial de inícios da década de 1980. Para os países socialistas que sucumbiram a ela — notadamente Polônia e Hungria —, os empréstimos pareceram uma forma providencial de ao mesmo tempo pagar o investimento da aceleração do crescimento e elevar o padrão de vida de seus povos.

Isso só tornou mais aguda a crise da década de 1980, pois as economias socialistas — e notadamente a gastadora economia polonesa — eram demasiado inflexíveis para utilizar produtivamente o influxo de recursos. O simples fato de que o consumo de petróleo na Europa Ocidental (1973-85) caiu 40% em resposta à alta dos preços, mas na URSS e Europa Oriental apenas pouco mais de 20% no mesmo período, fala por si (Köllö, 1990, p. 39). O fato de que os custos da produção soviética subiram acentuadamente, enquanto os campos de petróleo romenos secavam, torna ainda mais impressionante a não-economia de energia. Em princípios da década de 1980, a Europa Oriental se achava numa aguda crise de energia. Isso por sua vez produziu escassez de alimentos e bens manufaturados (a não ser onde, como na Hungria, o país mergulhou ainda mais maciçamente em dívidas, acelerando a inflação e baixando os salários reais). Essa foi a situação em que o "socialismo realmente existente" na Europa entrou no que revelou ser sua década final. A única maneira efetiva imediata de lidar com essa crise era o tradicional recurso stalinista a estritas ordens e restrições centrais, pelo menos onde o planejamento central ainda atuava (o que não mais acontecia na Hungria e Polônia). Deu certo, entre 1981 e 1984. A dívida caiu 35% a 70% (exceto naqueles dois países). Isso chegou a encorajar ilusórias esperanças de retorno a um crescimento econômico dinâmico sem reformas básicas, que "trouxesse um Grande Salto Atrás em relação à crise da dívida e à deterioração das perspectivas econômicas" (Köllö, 1990, p. 41). Foi o momento em que Mikhail Sergueievitch Gorbachev se tornou o líder da URSS.

III

Neste ponto, devemos retornar da economia para a política do "socialismo realmente existente", pois a política, tanto a alta quanto a baixa, é que iria provocar o colapso euro-soviético de 1989-91.

Politicamente, a Europa Oriental era o calcanhar de Aquiles do sistema soviético, e a Polônia (e também, em menor medida, a Hungria) seu ponto mais vulnerável. Após a Primavera de Praga, ficou claro, como vimos, que os regimes satélites comunistas haviam perdido legitimidade como tal na maior parte da região.* Tinham sua existência mantida por coerção do Estado, apoiado pela ameaça de intervenção soviética, ou, na melhor das hipóteses — como na Hungria —, dando aos cidadãos condições materiais e relativa liberdade muito superiores à média leste-européia, mas que a crise econômica tornava impossíveis de manter. Contudo, com uma exceção, nenhuma forma séria de oposição política organizada ou qualquer outra era possível. Na Polônia, a conjunção de três fatores produziu essa possibilidade. A opinião pública do país estava esmagadoramente unida não apenas pela antipatia ao regime, mas por um nacionalismo anti-russo (e antijudeu) e conscientemente católico romano; a Igreja retinha uma organização independente nacional; e a classe operária demonstrara seu poder político com greves maciças, em intervalos, desde meados da década de 1950. O regime há muito se resignara a uma tolerância tácita, ou mesmo à retirada — como quando as greves da década de 1970 forçaram a abdicação do então líder comunista —, enquanto a oposição estivesse desorganizada, embora seu espaço de manobra encolhesse perigosamente.

(*) As partes menos desenvolvidas da península Balcânica — Albânia, sul da Iugoslávia, Bulgária — podem ser uma exceção, pois os comunistas ainda ganharam as primeiras eleições multipartidárias após 1989. Contudo, mesmo ali a fraqueza do sistema logo se tornou patente.

Mas a partir de meados da década de 1970, teve de enfrentar tanto um movimento trabalhista politicamente organizado, apoiado por uma assessoria de dissidentes intelectuais politicamente sofisticados, sobretudo ex-marxistas, quanto também uma Igreja cada vez mais agressiva, encorajada em 1978 pela eleição do primeiro papa polonês da história, Karol Wojtyla (João Paulo II).

Em 1980, o triunfo do movimento sindical Solidariedade como, na verdade, um movimento de oposição pública nacional, brandindo a arma da greve geral, demonstrou duas coisas: que o regime do Partido Comunista na Polônia chegara ao fim da corda; mas também que não podia ser derrubado por agitação de massa. Em 1981, Igreja e Estado concordaram discretamente em adiantar-se ao perigo de intervenção militar soviética (que foi seriamente considerada) com alguns anos de lei marcial sob o comandante das Forças Armadas, que podia, de maneira plausível, alegar legitimidade comunista e nacionalista. A ordem foi restabelecida com pouca dificuldade mais pela polícia que pelo exército, mas na verdade o governo, tão desamparado como sempre para enfrentar os problemas econômicos, nada tinha para usar contra a oposição, que continuou existindo como manifestação organizada da opinião pública do país. Ou os russos decidiam intervir, ou, mais cedo que mais tarde, o regime teria de abandonar a posição-chave dos regimes comunistas, o sistema unipartidário sob o "papel dirigente" do partido de Estado, ou seja, abdicar. Mas, com o resto dos governos-satélites observando nervosos o desenrolar desse roteiro, a maioria tentando impedir seu próprio povo de também fazer o mesmo, tornou-se cada vez mais evidente que os soviéticos não mais estavam dispostos a intervir.

Em 1985, um reformador apaixonado, Mikhail Gorbachev, chegou ao poder como secretário-geral do Partido Comunista soviético. Não foi por acaso. Na verdade, não fosse a morte do desesperadamente doente secretário-geral e ex-chefe do aparato de segurança soviético, Iuri Andropov (1914-84), que fizera de fato o rompimento decisivo com a era Brejnev em 1983, a era de mudança teria começado um ano ou dois antes. Era inteiramente evidente para todos os demais governos comunistas, dentro e fora da órbita soviética, a iminência de grandes transformações, embora não fosse nada claro, mesmo para o novo secretário-geral, o que elas trariam.

A "era de estagnação" (*zastoi*) que Gorbachev denunciou fora na verdade uma era de aguda fermentação política e cultural entre a elite soviética. Esta incluía não só o grupo relativamente minúsculo de autocooptados chefetes do Partido Comunista no topo da hierarquia da União, único lugar onde verdadeiras decisões eram, ou podiam ser, tomadas, mas o relativamente vasto grupo de classe média educada e tecnicamente formada, além de administradores econômicos que de fato mantinham o país andando: acadêmicos, *intelligentsia* técnica, especialistas e executivos de vários tipos. Em certos aspectos, o próprio Gorbachev representava essa nova geração de quadros educados — estudou direito, enquanto a clássica escada para o velho quadro stalinista antes era (e ainda, surpreendentemente, continuava sendo muitas vezes) a da oficina da fábrica, via um diploma de engenharia ou agronomia, para o aparato. A profundidade dessa fermentação não se mede pelo tamanho do grupo de fato de dissidentes públicos que agora aparecia — umas poucas centenas, no máximo. Proibidas ou semilegalizadas (pela influência de bravos editores como o do famoso "jornal denso" *Novy Mir*), críticas e autocríticas impregnavam o ambiente cultural da URSS metropolitana sob Brejnev, incluindo importantes setores do partido e do Estado, notadamente nos serviços de segurança e relações exteriores. Dificilmente se pode explicar de outro modo a enorme e súbita resposta ao apelo de Gorbachev por *glasnost* ("abertura" ou "transparência").

Contudo, a resposta das camadas política e intelectual não deve ser tomada como uma resposta do grosso dos povos soviéticos. Para estes, ao contrário dos povos da maioria dos Estados comunistas europeus, o regime soviético era legítima e inteiramente aceito, quando nada porque não conheciam e não podiam conhecer nenhum outro (a não ser sob ocupação alemã em 1941-4, dificilmente atraente). Todo húngaro acima dos sessenta anos em 1990 tinha alguma lembrança adolescente ou adulta da era pré-comunista, mas nenhum habitante da URSS original abaixo dos 88 poderia ter tido tal experiência de primeira mão. E se o programa do Estado soviético tinha uma ininterrupta continuidade que se estendia para trás até o fim da Guerra Civil, o próprio país tinha uma continuidade ininterrupta, ou praticamente ininterrupta, que se estendia ainda mais longe, a não ser por territórios ao longo da fronteira ocidental adquiridos ou readquiridos em 1939-40. Era o velho império czarista sob nova administração. Esse, a propósito, é o motivo pelo qual antes da década de 1980 não houve sinal algum de separatismo político sério em parte alguma, a não ser nos países bálticos (que tinham sido Estados independentes de 1918 a 1940), na Ucrânia ocidental (que era parte do império habsburgo, e não do russo, antes de 1918), e talvez na Bessarábia (Moldávia), que fora parte da Romênia de 1918 a 1940. Mesmo nos Estados bálticos havia um pouco mais de dissidência declarada que na Rússia (Lieven, 1993).

Além disso, o regime soviético não era apenas autóctone e com raízes internas — com a passagem do tempo, mesmo o partido, originalmente muito mais forte entre os grandes russos que entre outras nacionalidades, recrutava em grande parte a mesma porcentagem de habitantes nas repúblicas européias e transcaucasianas — mas as próprias pessoas, de formas difíceis de especificar, se encaixavam nele, à medida que o regime a elas se adaptava. Como observou o satirista dissidente Zinoviev, realmente havia um "novo homem soviético" (ou mulher, na medida em que era levada em conta, o que dificilmente acontecia), embora não correspondesse mais à sua imagem pública oficial do que qualquer outra coisa na URSS. Ele/ela estava à vontade no sistema (Zinoviev, 1979), que lhe assegurava um meio de vida e uma abrangente seguridade social, em nível modesto mas real, uma sociedade social e economicamente igualitária e pelo menos uma das aspirações tradicionais do socialismo, o "Direito ao ócio", de Paul Lafargue (Lafargue, 1883). Além disso, para a maioria dos cidadãos soviéticos, a era Brejnev significou não "estagnação", mas os melhores dias que eles e seus pais, ou mesmo seus avós, já haviam conhecido.

Não admira que reformadores radicais se vissem enfrentando, além da burocracia soviética, a humanidade soviética. No tom característico de irritado elitismo antiplebeu, um reformador escreveu:

> Nosso sistema gerou uma categoria de indivíduos sustentados pela sociedade, e mais interessados em receber do que dar. Isso é a conseqüência de uma política de chamado igualitarismo que [...] invadiu totalmente a sociedade soviética [...] O fato de a sociedade se dividir em duas partes, os que decidem e distribuem e os que são comandados e recebem, constitui um dos maiores freios ao desenvolvimento de nossa sociedade. O Homo sovieticus [...] é ao mesmo tempo lastro e freio. De um lado, se opõe à reforma, por outro, constitui a base de apoio para o sistema existente (Afanassiev, 1991, pp. 13-4).

Social e politicamente, a maior parte da URSS era uma sociedade estável, sem dúvida, em parte graças à ignorância em relação a outros países mantida pela autoridade e a censura, mas de modo algum só por esse motivo. Será por acaso que não houve um equivalente da rebelião estudantil de 1968 na URSS, Polônia, Tchecoslováquia e Hungria? Que mesmo sob Gorbachev o movimento de reforma não mobilizou os jovens em nenhuma medida importante (exceto alguns grupos nacionalistas ocidentais)? Que tenha sido, como se dizia, "uma rebelião dos de trinta e quarenta anos", ou seja, da geração nascida após o fim da guerra mas antes do confortável torpor dos anos Brejnev? De onde quer que tenha vindo a pressão pela mudança na URSS, das bases não foi.

Na verdade veio, como tinha de vir, do topo. Ainda não está claro de que maneira, exatamente, um reformista comunista obviamente apaixonado e sincero veio a ser sucessor de Stalin à frente do PC soviético em 15 de março de 1985, e continuará pouco claro até que a história soviética das últimas décadas se torne tema mais da história do que de acusação e auto-exculpação. De qualquer modo, o que conta não são os que entram e saem na política do Kremlin, mas as duas condições que permitiram a alguém como Gorbachev chegar ao poder. Primeiro, a crescente e cada vez mais escancarada corrupção da liderança do Partido Comunista na era Brejnev não podia deixar de indignar o setor do partido que ainda acreditava em sua ideologia, mesmo do modo mais oblíquo. E um Partido Comunista, por mais degenerado que estivesse, já não seria possível sem alguns líderes socialistas, tanto quanto uma Igreja Católica sem alguns bispos e cardeais cristãos, pois ambos se baseiam em genuínos sistemas de crença. Segundo, as camadas educadas e tecnicamente competentes que mantinham de fato a economia soviética funcionando tinham aguda consciência de que sem uma mudança drástica, na verdade fundamental, ela iria inevitavelmente afundar mais cedo ou mais tarde, não apenas por causa da inata ineficiência e inflexibilidade do sistema, mas porque a fraqueza era agravada pelas demandas de status de superpotência militar, que não podia ser sustentado em uma economia em declínio. A tensão militar sobre a economia na verdade aumentara perigosamente desde 1980, quando, pela primeira vez em muitos anos, as Forças Armadas soviéticas se viram diretamente envolvidas numa guerra. Enviaram uma força para o Afeganistão para estabelecer algum tipo de estabilidade naquele país, que desde 1978 era governado por um Partido Democrático Popular comunista dividido em facções conflitantes, ambas antagonizadas por latifundiários locais, o clero muçulmano e outros crentes no *status quo*, devido a atividades atéias como reforma agrária e direitos para as mulheres. O país estivera discretamente na esfera soviética desde o início da década de 1950, sem elevar notadamente a pressão sangüínea ocidental. Contudo, os EUA preferiram ou escolheram ver a jogada soviética como uma grande ofensiva militar dirigida contra o "mundo livre". Portanto (via Paquistão), despejou dinheiro e armamentos avançados sem limites nas mãos de guerreiros fundamentalistas muçulmanos das montanhas. Como era de esperar, o governo afegão, com maciço apoio soviético, teve pouca dificuldade para manter as grandes cidades do país, mas o custo para a URSS foi desordenadamente alto. O Afeganistão se tornou — como algumas pessoas em Washington sem dúvida pretendiam que se tornasse — o Vietnã da União Soviética.

Mas que podia fazer o novo líder soviético para mudar a situação na URSS, além de pôr fim, o mais cedo possível, ao confronto da Segunda Guerra Fria com os EUA, que estava dessangrando a economia? Esse, claro, era o objetivo imediato de Gorbachev, e foi o seu maior êxito, pois, num período surpreendentemente curto, ele convenceu mesmo governos ocidentais céticos de que essa era de fato a intenção soviética. Isso conquistou-lhe uma imensa e duradoura popularidade no Ocidente, que contrastava de maneira impressionante com a falta de entusiasmo por ele na URSS, pela qual acabou sendo vitimado em 1991. Se algum homem sozinho pôs fim a uns quarenta anos de guerra fria global, foi ele.

Os objetivos dos reformadores econômicos comunistas desde a década de 1950 eram tornar as economias de comando centralmente planejadas mais racionais e flexíveis, com a introdução do sistema de preços de mercado e cálculos de lucro e perda nas empresas. Os reformadores húngaros haviam se adiantado um pouco nessa direção e, não fosse a ocupação soviética de 1968,

(*) Ele se identificara em público com a posição extremamente "ampla" e praticamente social-democrata do Partido Comunista italiano mesmo antes de sua eleição oficial (Montagni, 1989, p. 85).

os reformadores tchecos teriam ido ainda mais longe: ambos esperavam, com isso, também que fosse mais fácil liberalizar e democratizar o sistema político. Essa foi também a posição de Gorbachev,* que ele naturalmente via como uma maneira de restaurar e restabelecer um socialismo melhor do que o "realmente existente". É possível, mas bastante improvável, que algum reformador influente na URSS pensasse no abandono do socialismo, quando nada porque isso parecia inteiramente impraticável em termos políticos, embora em outros lugares economistas formados, que se haviam associado a reformas, começassem a concluir que o sistema, cujos defeitos foram analisados sistematicamente em público pela primeira vez na década de 80, não podia ser reformado de dentro.*

IV

Gorbachev lançou sua campanha para transformar o socialismo soviético com os *slogans perestroika*, ou reestruturação (da estrutura econômica e política), e *glasnost*, ou liberdade de informação.**

Entre eles havia o que se revelou um conflito insolúvel. A única coisa que fazia o sistema soviético funcionar, e podia talvez transformá-lo, era a estrutura de comando do partido/Estado herdada dos dias stalinistas. Era uma situação conhecida na história russa, mesmo nos dias dos czares. A reforma vinha de cima. Mas a estrutura de partido/Estado era, ao mesmo tempo, o principal obstáculo para a transformação de um sistema que ele criara, ao qual se adaptara, no qual tinha um grande interesse investido, e para o qual achava difícil conceber uma alternativa.*** Esse sistema estava longe de ser o único obstáculo, e os reformadores, não apenas na Rússia, sempre foram tentados a culpar a "burocracia" pelo fato de seu país e povo não responderem às suas iniciativas, mas é inegável que grande parte do aparato do partido/Estado recebia qualquer grande reforma com uma inércia que ocultava a hostilidade. A *glasnost* destinava-se a mobilizar apoio dentro e fora do aparato contra essa resistência. Mas sua conseqüência lógica foi solapar a única força que podia agir.

(*) Os textos fundamentais aqui são do húngaro Janos Kornai, notadamente *A economia da escassez* (Amsterdã, 1980).

(**) Constitui um interessante sinal da interpenetração do pensamento dos reformadores oficiais e dos dissidentes da era Brejnev o fato de que *glasnost* era o que o escritor Alexander Soljenitsin pedira em sua carta aberta ao Congresso da União de Escritores Soviéticos em 1967, antes de ser expulso da URSS.

(***) Como disse a este autor um burocrata comunista chinês em 1984, no meio de uma "reestruturação" semelhante: "Estamos reintroduzindo elementos de capitalismo em nosso sistema, mas como podemos saber no que estamos nos metendo? Desde 1949, ninguém na China, exceto talvez alguns velhos em Xangai, teve qualquer experiência do que é o capitalismo".

Como se sugeriu acima, a estrutura do sistema soviético e seu *modus operandi* eram essencialmente militares. Democratizar exércitos não melhora a sua eficiência. Por outro lado, se não se quer um sistema militar, deve-se cuidar para que haja uma alternativa civil antes de destruí-lo, pois senão a reforma produz não reconstrução, mas colapso. A URSS sob Gorbachev caiu nesse fosso em expansão entre *glasnost* e *perestroika*.

O que tornava a situação pior era que, na mente dos reformadores, *glasnost* era um programa muito mais específico que *perestroika*. Significava a introdução, ou reintrodução, de um Estado constitucional e democrático baseado no império da lei e no gozo de liberdades civis como comumente entendidos. Isso implicava a separação de partido e Estado, e (ao contrário de todo acontecimento desde a ascensão de Stalin) a mudança do *locus* de governo efetivo de partido para Estado. Isso, por sua vez, implicaria o fim do sistema unipartidário e do "papel condutor" do partido. Também, obviamente, significaria revivescência dos sovietes em todos os níveis, em forma de assembléias eleitas genuinamente representativas, que culminariam num Soviete Supremo, uma assembléia legislativa genuinamente soberana, que concederia poder a um Executivo forte mas seria capaz de controlá-lo. Essa, pelo menos, era a teoria.

Na verdade, o novo sistema constitucional acabou sendo instalado. O novo sistema econômico da *perestroika* mal foi esboçado em 1987-8 com a tíbia legalização de pequenas empresas privadas ("cooperativas") — ou seja, de grande parte da "segunda economia" — e com a decisão de, em princípio, deixar que empresas estatais em permanente déficit fossem à bancarrota. Na verdade, o fosso entre a retórica da reforma econômica e a realidade de uma economia visivelmente emperrada se alargava dia a dia.

Essa situação era desesperadamente perigosa, pois a reforma constitucional apenas desmontava um conjunto de mecanismos políticos e substituía-o por outro. Deixava aberta a questão do que iriam fazer as novas instituições, embora os processos de decisão fossem presumivelmente mais incômodos numa democracia do que num sistema de comando militar. Para a maioria das pessoas, a diferença seria simplesmente que, em um caso, elas tinham uma verdadeira opção eleitoral de quando em quando, e também a opção, no meio tempo, de ouvir políticos da oposição criticarem o governo. Por outro lado, o critério de *perestroika* era, e tinha de ser orientado não pelos princípios que dirigiam a economia, mas como de fato ela atuava todo dia, em formas que pudessem ser facilmente especificadas e medidas. Só podia ser julgada pelos resultados. Para a maioria dos cidadãos soviéticos, estes se mediam pelo que acontecia a suas rendas reais, ao esforço para ganhá-las, à quantidade e gama dos bens e serviços a seu alcance e à facilidade com que podiam adquiri-los. Mas embora fosse muito claro o que os reformadores econômicos combatiam e desejavam abolir, sua alternativa positiva, uma "economia de mercado socialista", com empresas autônomas e economicamente viáveis, cooperativas públicas e privadas, macroeconomicamente orientadas pelo "centro de tomada de decisões econômicas", pouco mais era que uma expressão. Significava simplesmente que os reformadores desejavam ter as vantagens do capitalismo sem perder as do socialismo. Ninguém tinha a menor idéia de como, na prática, a transição de uma economia de comando de Estado centralizada para um novo sistema seria feita e — igualmente importante — como funcionaria de fato no futuro previsível o que inevitavelmente iria continuar sendo uma economia dupla, estatal e não estatal. O apelo da ideologia de livre mercado ultra-radical, thatcherista ou reaganista, para os jovens reformadores intelectuais, estava em sua promessa de proporcionar uma solução drástica mas também *automática* para esses problemas. (Como se poderia prever, não proporcionou.)

Provavelmente a coisa mais próxima de um modelo de transição para os reformadores de Gorbachev foi a vaga lembrança histórica da Nova Política Econômica de 1921-8. Essa, afinal, dera "resultados espetaculares na revitalização da agricultura, comércio, indústria, finanças, durante várias décadas depois de 1921", e devolvera a saúde a uma economia em colapso, porque "se baseava nas forças de mercado" (Vernikov, 1989, p. 13). Além disso, uma política de liberalização e descentralização de mercado bastante semelhante produzira, desde o fim do maoísmo, resultados sensacionais na China, cujo crescimento do PNB na década de 1980, superado apenas pelo da Coréia do Sul, atingia uma média de quase 10% ao ano (*World Bank Atlas*, 1990). Contudo, não havia comparação entre a Rússia desesperadamente pobre, tecnologicamente atrasada e esmagadoramente rural da década de 1920 e a URSS altamente industrializada e urbanizada da de 1980, cujo mais avançado setor industrial, o complexo científico-industrial-militar (incluindo o programa espacial), de qualquer modo dependia de um mercado que consistia em um único cliente. É seguro dizer que a *perestroika* teria funcionado um tanto melhor se a Rússia em 1980 ainda fosse (como a China naquela data) um país de 80% de aldeões, cuja idéia de riqueza, além dos sonhos de avareza, seria um aparelho de televisão. (Mesmo no início da década de 1970, cerca de 70% da população soviética via televisão durante uma média de uma hora e meia por dia) (Kerblay, 1983, pp. 140-1).

Apesar disso, o contraste entre a *perestroika* soviética e a chinesa não é inteiramente explicado por tais descompassos de tempo, nem mesmo pelo fato óbvio de que os chineses tiveram o cuidado de manter intacto o seu sistema de comando central. O quanto se beneficiaram das tradições culturais do Extremo Oriente, que revelaram favorecer o crescimento independentemente de sistemas sociais, é algo que deve ser deixado para historiadores do século XXI investigarem.

Teria sido possível supor seriamente, em 1985, que seis anos depois a URSS e seu Partido Comunista teriam deixado de existir, e na verdade que todos os outros regimes comunistas na Europa teriam desaparecido? A julgar pela completa falta de preparo dos governos ocidentais para o súbito colapso de 1989-91, as previsões do iminente falecimento do inimigo ideológico do Ocidente não passavam de rebotalhos de retórica pública. O que levou a União Soviética com rapidez crescente para o precipício foi a combinação de *glasnost*, que equivalia à desintegração de autoridade, com uma *perestroika* que equivalia à destruição dos velhos mecanismos que faziam a economia mundial funcionar, sem oferecer qualquer alternativa; e conseqüentemente o colapso cada vez mais dramático do padrão de vida dos cidadãos. O país avançava para uma política eleitoral pluralista no momento mesmo em que desabou em anarquia econômica: pela primeira vez desde o início do planejamento, a Rússia em 1989 não mais tinha um Plano Qüinqüenal (Di Leo, 1992, p. 100n). Foi uma combinação explosiva, porque solapou as rasas fundações da unidade econômica e política da URSS.

Pois a URSS evoluíra cada vez mais para uma descentralização estrutural, seus elementos mantidos juntos basicamente pelas instituicões nacionais do partido, exército, forças de segurança e o plano central, e essa evolução aconteceu mais rapidamente que nunca nos longos anos Brejnev. *De facto*, grande parte da União Soviética era um sistema de domínios feudais autônomos. Seus chefetes locais — os secretários do partido das repúblicas da União com seus comandantes territoriais subordinados, e os administradores das grandes e pequenas unidades de produção, que mantinham a economia em operação — eram unidos por pouco mais que a dependência do aparato central do partido em Moscou, que nomeava, transferia, depunha e cooptava, e pela necessidade de "cumprir o plano" elaborado em Moscou. Dentro desses limites bastante amplos, os chefetes territoriais tinham considerável independência. Na verdade, a economia não teria funcionado de modo algum sem o desenvolvimento, feito pelos que realmente tinham de dirigir instituições com funções reais, de uma rede de relações laterais independente do centro. Esse sistema de acordos, arranjos de permutas e trocas de favores com outros quadros em posições semelhantes era outra "segunda economia" dentro do todo nominalmente planejado. Pode-se acrescentar que, à medida que a URSS se tornava uma sociedade industrial e urbana mais complexa, os quadros encarregados de fato da produção, distribuição e cuidado geral dos cidadãos sentiam decrescente simpatia pelos ministérios e pelas figuras puramente partidárias que eram seus superiores, mas cujas funções concretas não mais eram claras além das de se arrumar seus ninhos, como muitos deles fizeram espetacularmente no período Brejnev. A repulsa à cada vez mais monumental e generalizada corrupção da *nomenklatura* foi o combustível inicial para o processo de reforma, e Gorbachev teve apoio bastante sólido dos quadros econômicos à *perestroika*, sobretudo dos pertencentes ao complexo industrial-militar, que queriam verdadeiramente melhorar a administração de uma economia estagnante e, em termos científicos e técnicos, paralítica. Ninguém sabia melhor que eles como tudo ficara realmente ruim. Além disso, não precisavam do partido para prosseguir com suas atividades. Se a burocracia do partido desaparecesse, eles ainda estariam ali. Eram indispensáveis, ela não. Na verdade, eles ainda *estavam* lá depois do colapso da URSS, agora organizados como grupo de pressão na nova (1990) "União Científico-Industrial" (NPS) e seus sucessores; após o fim do comunismo, tornaram-se os donos (potencialmente) legais das empresas que haviam comandado antes sem direitos legais de propriedade.

Apesar disso, por mais corrupto, ineficiente e em grande parte parasita que tivesse sido o partido, este continuava sendo essencial numa economia baseada no comando. A alternativa para a autoridade do partido não era a autoridade constitucional e democrática, mas, a curto prazo, autoridade nenhuma. Foi de fato o que aconteceu. Gorbachev, como seu sucessor, Yeltsin, mudou sua base de poder do partido para o Estado, e, como presidente constitucional, acumulava legalmente poderes para governar por decreto, em alguns casos poderes maiores em teoria do que qualquer líder soviético anterior desfrutara formalmente, mesmo Stalin (Di Leo, 1992, p. 111). Ninguém deu a menor atenção a isso, fora das recém-estabelecidas assembléias democráticas, ou antes constitucionais e públicas, o Congresso do Povo e o Soviete Supremo (1989). Ninguém governava, ou melhor, ninguém mais obedecia na União Soviética.

Como um gigantesco navio-tanque avariado aproximando-se dos recifes, uma União Soviética sem leme vagava assim para a destruição. As linhas segundo as quais ia rachar-se já estavam traçadas: de um lado, o sistema de autonomia de poder territorial em grande parte corporificado na estrutura federal do Estado, de outro os complexos econômicos autônomos. Como a teoria oficial sobre a qual a URSS se erguera era de autonomia territorial para os grupos nacionais, tanto para as quinze repúblicas da União quanto para as regiões e áreas autônomas dentro de cada uma delas,* a fratura nacionalista estava potencialmente embutida no sistema, embora, com exceção dos três pequenos Estados bálticos, o separatismo não fosse sequer pensado antes de 1988, quando se fundaram as primeiras "frentes" nacionalistas ou organizações de campanha em resposta à *glasnost* (na Estônia, Letônia, Lituânia e Armênia). Contudo, nessa etapa, mesmo nos Estados bálticos, elas eram dirigidas não tanto contra o centro quanto contra os partidos comunistas locais insuficientemente gorbachevistas, ou, como na Armênia, contra o vizinho Azerbaijão. O objetivo não era ainda a independência, embora o nacionalismo se radicalizasse rapidamente em 1989-90, sob o impacto do mergulho na política eleitoral e da luta entre reformadores radicais e a resistência organizada do velho *esta-*

(*) Além da RSFSR (Federação Russa), de longe a maior, territorial e demograficamente, havia também Armênia, Azerbaijão, Bielo-Rússia, Estônia, Geórgia, Casaquistão, Quirguízia, Letônia, Lituânia, Moldávia, Tadjiquistão, Turcomenistão, Ucrânia e Uzbequistão.

blishment do partido nas novas assembléias, além dos atritos entre Gorbachev e sua ressentida vítima, rival e eventual sucessor, Boris Yeltsin.

Em essência, os reformadores radicais buscaram apoio, contra as entrincheiradas hierarquias do partido, entre os nacionalistas nas repúblicas e, ao fazerem isso, ali se fortaleceram. Na própria Rússia, o apelo aos interesses russos contra as repúblicas da periferia, subsidiadas pela Rússia e vistas como cada vez em melhor situação que ela própria, era uma arma poderosa na luta dos radicais para expulsar a burocracia do partido, entrincheirada no aparato central do Estado. Para Boris Yeltsin, um velho chefão da parte que comandara, no partido, que combinava os talentos para se dar bem na velha política (dureza e esperteza) com os talentos para se dar bem na nova (demagogia, jovialidade e senso de mídia), o caminho para o topo agora passava pela tomada da Federação Russa, o que lhe permitiria contornar as instituições da União de Gorbachev. Até então, com efeito, a União e sua principal componente, a RSFSR, não eram claramente distintas. Ao transformar a Rússia numa república como as outras, Yeltsin *de facto* favoreceu a desintegração da URSS, que uma Rússia sob o seu controle na verdade suplantaria. Foi o que de fato aconteceu em 1991.

A desintegração econômica ajudou a adiantar a desintegração política, e foi por ela alimentada. Com o fim do Plano e das ordens do partido vindas do centro, não havia economia *nacional* efetiva, mas uma corrida, empreendida por qualquer comunidade, território ou outra unidade que pudesse consegui-lo, para a autoproteção e auto-suficiência, ou trocas bilaterais. Os comandantes das grandes cidades-empresas provinciais, sempre acostumados a tais arranjos, trocavam produtos industriais por alimentos com os chefes das fazendas coletivas regionais, como fez o chefe do partido de Leningrado, Gidaspov, — um exemplo impressionante — quando resolveu uma aguda crise de grãos em sua cidade com um telefonema a Nazarbaiev, o chefão do partido no Casaquistão, que acertou uma troca de cereais por calçados e aço (Yu Boldyrev, 1990). Mas mesmo esse tipo de transação entre duas das altas figuras da velha hierarquia do partido, na verdade, tomava o sistema de distribuição nacional como irrelevante. "Particularismos, autarquias, retornos a práticas primitivas pareciam ser os verdadeiros resultados das leis que haviam liberalizado as forças econômicas locais" (Di Leo, 1992, p. 101).

O ponto decisivo foi alcançado na segunda metade de 1989, bicentenário da eclosão da Revolução Francesa, cuja inexistência ou irrelevância para a política do século XX historiadores "revisionistas" franceses se agitavam para demonstrar na época. O colapso político seguiu-se (como na França do século XVIII) à convocação das novas assembléias democráticas, ou em grande parte democráticas, no verão daquele ano. O colapso econômico tornou-se irreversível dentro de uns poucos meses cruciais entre outubro de 1989 e maio de 1990. Contudo, os olhos do mundo na época estavam fixos num fenômeno relacionado mas secundário: a súbita dissolução dos regimes comunistas satélites na Europa, mais uma vez imprevista. Entre agosto de 1989 e o fim daquele ano, o poder comunista abdicou ou deixou de existir na Polônia, Tchecoslováquia, Hungria, Romênia, Bulgária e República Democrática Alemã — sem que sequer um tiro fosse disparado, a não ser na Romênia. Pouco depois, os dois Estados balcânicos que não eram satélites soviéticos, Iugoslávia e Albânia, também deixaram de ser regimes comunistas. A República Democrática Alemã logo seria anexada à Alemanha Ocidental e a Iugoslávia logo se desfaria em guerra civil. O processo foi visto não só nas telas de televisão do mundo ocidental como também, com muita atenção, pelos regimes comunistas em outros continentes. Embora eles fossem desde os radicalmente reformistas (pelo menos em questões econômicas), como na China, aos implacavelmente centralistas da velha escola, como em Cuba (capítulo 15), provalmente todos tinham dúvidas sobre o mergulho soviético numa irrestrita *glasnost* e sobre o enfraquecimento da autoridade. Quando o movimento por liberalização e democracia se espalhou da URSS para a China, o governo de Beijing decidiu, em meados de 1989, após uma óbvia hesitação e dilacerantes desacordos internos, restabelecer sua autoridade da maneira menos ambígua possível, com o que Napoleão, que também usara o exército para eliminar a agitação pública durante a Revolução Francesa, chamara de "uma rajada de metralha". As tropas varreram uma manifestação estudantil de massa da praça principal da capital, com um pesado custo em vidas, provavelmente — embora não haja dados confiáveis quando escrevo — várias centenas. O massacre da praça Tienanmen, que horrorizou a opinião pública mundial, sem dúvida fez o Partido Comunista chinês perder muito da legitimidade que ainda pudesse ter entre as jovens gerações de intelectuais chineses, incluindo membros do partido, e deixou o regime chinês em liberdade para continuar com a bem-sucedida política de liberalização econômica sem problemas políticos imediatos. O colapso do comunismo após 1989 se limitou à URSS e aos Estados em sua órbita (incluindo a Mongólia Exterior, que escolhera a proteção soviética ao domínio chinês entre as guerras mundiais). Os três regimes comunistas asiáticos sobreviventes (China, Coréia do Norte e Vietnã), assim como a distante e isolada Cuba, não foram imediatamente afetados.

V

Parecia natural, sobretudo no ano do bicentenário de 1789, descrever as mudanças de 1989-90 como as revoluções do Leste Europeu e, na medida em que os fatos que levam à completa derrubada de regimes são revolucionários, a palavra é apropriada, mas enganadora. Pois nenhum dos regimes da Europa Oriental foi *derrubado*. Nenhum, com exceção da Polônia, continha qualquer força interna, organizada ou não, que constituísse uma séria ameaça a ele, e o fato de que a Polônia continha uma poderosa oposição política na verdade assegurou que o sistema não fosse destruído de um dia para o outro, mas substituído por um processo negociado de acordo e reforma, não diferente da maneira como a Espanha fez a transição para a democracia após a morte do general Franco, em 1975. A mais imediata ameaça aos da órbita soviética vinha de Moscou, que deixou claro que não mais iria socorrê-los com a intervenção militar, como em 1956 e 1968, quando nada porque o fim da Guerra Fria os tornava menos estrategicamente necessários à URSS. Se quisessem sobreviver, na opinião de Moscou, seria de bom alvitre seguir a linha da liberalização, reforma e flexibilidade dos comunistas poloneses e húngaros, mas, por esse mesmo motivo, Moscou não forçaria os linhas-duras em Berlim e Praga. Estes estavam sozinhos.

A própria retirada da URSS acentuou sua bancarrota. Continuaram no poder apenas graças ao vazio que haviam criado a sua volta, que não deixara alternativa para o *status quo*, a não ser (onde isso era possível) a emigração, ou (para uns poucos) a formação de grupos marginais dissidentes de intelectuais. O grosso dos cidadãos aceitara as coisas como eram porque não tinha alternativa. Pessoas de energia, talento e ambição trabalhavam dentro do sistema, pois qualquer posição que exige essas coisas, e de fato qualquer expressão pública de talento, estava dentro do sistema ou existia por sua permissão, mesmo em campos inteiramente não políticos como salto com vara e xadrez. Isso se aplicava até mesmo à oposição permitida, sobretudo nas artes, que pôde desenvolver-se no declínio dos sistemas, como descobriram por si próprios os escritores dissidentes que preferiram não emigrar após a queda do comunismo, quando foram tratados como colaboradores.* Não admira que a maioria das pessoas optasse por uma vida tranqüila, que incluía os gestos formais de apoio a um sistema em que ninguém acreditava, com exceção das crianças de escola primária, como votar ou fazer manifestação, mesmo quando os castigos pela dissidência não eram mais aterrorizantes. Um dos motivos pelos quais o velho regime foi denunciado com tanta fúria após a sua queda, sobretudo em países linha-dura como a Tchecoslováquia e a EX-RDA, era que

> a grande maioria votava nas falsas eleições para evitar conseqüências desagradáveis, embora não muito sérias; eles participavam das marchas obrigatórias [...] Os informantes da polícia eram facilmente recrutados, conquistados por privilégios miseráveis, muitas vezes concordando em servir como resultado de uma pressão muito branda. (Kolakowski, 1992, pp. 55-6)

(*) Mesmo um adversário apaixonado do comunismo como o escritor russo Alexander Soljenitsin teve sua carreira como autor estabelecida através do sistema, que permitiu/estimulou a publicação de seus primeiros romances para fins reformistas.

Contudo, dificilmente alguém acreditava no sistema ou sentia qualquer lealdade a ele, nem mesmo os que o governavam. Ficaram sem dúvida surpresos quando as massas, por fim, abandonaram sua passividade e manifestaram sua dissidência — o momento de espanto foi captado para sempre no videoteipe do presidente Ceausescu, em dezembro de 1989, diante de uma multidão que vaiava, em vez de aplaudir lealmente —, mas foram surpreendidos não pela dissidência, mas pela ação. No momento da verdade, nenhum governo do Leste Europeu ordenou às suas forças que atirassem. Todos abdicaram tranqüilamente, exceto na Romênia, e mesmo ali a resistência foi breve. Talvez não pudessem ter readquirido o controle, mas ninguém nem sequer tentou. Nenhum grupo de ultracomunistas em parte alguma se dispôs a morrer no *bunker* por sua fé, nem mesmo pelo registro muito pouco impressionante de quarenta anos de governo comunista em vários desses Estados. O que eles poderiam ter defendido? Sistemas econômicos cuja inferioridade em relação aos vizinhos ocidentais saltava aos olhos, que estavam parando e se haviam mostrado irreformáveis, mesmo onde se haviam feito tentativas de reforma sérias e inteligentes? Sistemas que tinham visivelmente perdido a justificativa que mantivera seus quadros comunistas no passado, ou seja, de que o socialismo era superior ao capitalismo e destinado a substituí-lo? Quem podia mais acreditar nisso, embora não tivesse parecido implausível na década de 1940 ou mesmo na de 1950? Como os Estados comunistas não se achavam mais sequer unidos, e às vezes, na verdade, combatessem uns aos outros com armas (por exemplo, China e Vietnã no início da década de 1980), não se podia mais nem mesmo falar de um "campo socialista" único. Restava apenas das velhas esperanças o fato de que a URSS, país da Revolução de Outubro, era uma das duas superpotências globais. Com exceção talvez da China, todos os governos comunistas, e muitos partidos, Estados e movimentos comunistas no Terceiro Mundo, sabiam muito bem o quanto deviam a existência desse contrapeso à predominância econômica e estratégica do outro lado. Mas a URSS, visivelmente, arriava um fardo político-militar que não mais agüentava, e mesmo Estados comunistas que não eram em sentido algum dependentes de Moscou (Iugoslávia, Albânia) não podiam deixar de compreender que o seu desaparecimento iria enfraquecê-los.

De qualquer modo, na Europa como na URSS, os comunistas, outrora sustentados pelas antigas convicções, eram agora uma geração do passado. Em 1989, poucos deles, com menos de sessenta anos, podiam ter partilhado da experiência que ligava comunismo e patriotismo em vários países, ou seja, à Segunda Guerra Mundial e à Resistência, e poucos abaixo dos cinqüenta podiam sequer ter lembranças de primeira mão dessa época. O princípio que legitimizava Estados era, para a maioria das pessoas, a retórica oficial ou o anedotário dos velhos cidadãos.* Era provável que mesmo membros do parti-

(*) Obviamente, isso não se aplicava a Estados comunistas terceiro-mundistas como o Vietnã,

do, entre os não idosos, não fossem comunistas no sentido antigo, mas homens e mulheres (infelizmente, demasiado poucas mulheres) que faziam carreira em países que por acaso se achavam sob governo comunista. Quando os tempos mudassem, e se pudessem mudar, eles estavam dispostos a virar a casaca de uma hora para outra. Em suma, os que dirigiam os satélites soviéticos haviam perdido a fé em seus próprios sistemas, ou jamais a haviam tido. Enquanto os sistemas eram operacionais, eles o operavam. Quando ficou claro que a própria URSS estava cortando as amarras com eles, os reformadores (como na Polônia e Hungria) tentaram negociar uma transição pacífica; e os linhas-duras (como na Tchecoslováquia e RDA) tentaram resistir até tornar-se evidente que os cidadãos não mais obedeciam, embora o exército e a polícia ainda o fizessem. Nos dois casos, eles se foram tranqüilamente quando compreenderam que seu tempo se esgotara, vingando-se assim, inconscientemente, dos propagandistas do Ocidente que diziam que isso era precisamente o que regimes "totalitários" jamais poderiam fazer.

Foram substituídos, brevemente, por homens e (mais uma vez, demasiado raramente) mulheres que haviam representado a dissidência e a oposição, e que tinham organizado, ou talvez melhor, convocado, com sucesso manifestações de massa que deram o sinal para a abdicação pacífica dos velhos regimes. Com exceção da Polônia, onde a Igreja e os sindicatos formaram a coluna dorsal da oposição, consistiam em uns poucos e muitas vezes bastante corajosos intelectuais, um exército de opereta de líderes que se viam por um breve instante à testa de povos: freqüentemente eles eram — como nas revoluções de 1848 que vêm à mente do historiador — acadêmicos ou pertencentes ao mundo das artes. Por um momento, filósofos dissidentes (Hungria) ou historiadores medievais (Polônia) foram considerados como presidentes ou primeiros-ministros, e um dramaturgo, Vaclav Havel, realmente se tornou presidente da Tchecoslováquia, cercado por um excêntrico corpo de assessores que ia desde um músico de *rock* americano, chegado a um escândalo, a um membro da alta aristocracia dos habsburgos (o príncipe Schwarzenberg). Houve uma onda de conversas sobre a "sociedade civil", isto é, sobre a possibilidade de o conjunto de organizações de cidadãos voluntários ou atividades privadas assumir o lugar dos Estados autoritários, e sobre o retorno aos princípios das revoluções antes de o bolchevismo distorcê-los.* Infelizmente, como em 1848, o momen-

onde as lutas de libertação haviam continuado até meados da década de 1970, mas ali as divisões civis das guerras de libertação provavelmente também estavam mais vívidas na mente das pessoas.

(*) O autor lembra uma dessas discussões numa conferência em Washington, em 1991, trazida de volta à realidade pelo embaixador espanhol nos EUA, que lembrou aos jovens estudantes e ex-estudantes (na época sobretudo comunistas liberais) que sentira fortemente a mesma coisa após a morte do general Franco, em 1975. "Sociedade civil", ele achava, significava apenas que jovens ideólogos que realmente se viram, por um momento, falando em nome de todo o povo, estavam tentados a encarar tal fato como uma situação permanente.

to de liberdade e verdade não durou. A política e os que dirigiam os assuntos do Estado reverteram aos que em geral cuidam de tais funções. As "Frentes" e "movimentos cívicos" *ad hoc* se desfizeram tão rapidamente quanto haviam surgido.

Esse também se mostrou ser o caso na URSS, onde o colapso do partido e do Estado prosseguiu mais devagar até agosto de 1991. O fracasso da *perestroika* e a conseqüente rejeição de Gorbachev pelos cidadãos eram cada vez mais óbvios, embora não reconhecidos no Ocidente, onde a popularidade dele permaneceu justificadamente alta. Isso reduziu o líder da URSS a uma série de manobras de bastidores e mudanças de alianças com grupos políticos e de poder que haviam surgido da parlamentarização da política soviética, o que o tornou igualmente suspeito para os reformistas que inicialmente se haviam reunido à sua volta — os quais ele de fato convertera numa força para a mudança do Estado — e para o fragmentado bloco do partido cujo poder ele quebrara. Ele foi uma figura trágica, e assim vai entrar na história, um "czar-libertador" comunista, como Alexandre II (1855-81), que destruiu o que queria reformar e foi destruído ao fazer isso.*

Charmoso, sincero, inteligente e verdadeiramente movido pelos ideais de um comunismo que via corrompido desde a ascensão de Stalin, Gorbachev era, paradoxalmente, demasiado um homem de organização para o burburinho da política democrática que criara; demasiado um homem de comitê para uma ação decisiva; ele estava demasiado distante das experiências da Rússia urbana e rural, que jamais administrou, para ter o senso das realidades nas bases que dispunha um velho chefão do partido. Seu problema era não tanto o de não ter estratégia efetiva para reformar a economia — ninguém tinha, mesmo depois de sua queda — quanto estar distante da experiência do cotidiano de seu país.

O contraste com outro membro da geração pós-guerra de destacados comunistas soviéticos na casa dos cinqüenta anos é instrutivo. Nursultan Nazarbaiev, que assumiu na república asiática do Casaquistão em 1984 como parte do esforço de reforma, chegara à vida pública em tempo integral vindo da oficina da fábrica (como muitos outros políticos soviéticos, e ao contrário de Gorbachev e de praticamente qualquer estadista nos países não comunistas). Passou do partido para o Estado, tornando-se presidente da República, levou à frente as reformas exigidas, incluindo descentralização e mercado, e sobreviveu à queda de Gorbachev e do partido da União, nenhuma das quais recebera bem. Após a queda, continuou sendo um dos homens mais poderosos na vaga "Comunidade de Estados Independentes". Mas Nazarbaiev, sempre

(*) Alexandre II libertou os servos e empreendeu várias outras reformas, mas foi assassinado por membros do movimento revolucionário, que se tornara pela primeira vez uma força em seu reino.

pragmático, tinha seguido sistematicamente uma política de otimização da posição de seu feudo (e sua população), e tivera o máximo cuidado para que as reformas de mercado não fossem socialmente perturbadoras. Mercado sim, aumentos descontrolados de preços não. Sua própria estratégia preferida eram acordos comerciais bilaterais com outras repúblicas soviéticas (ou ex-soviéticas) — defendia um mercado comum centro-asiático soviético — e empreendimentos conjuntos com o capital estrangeiro. Não fazia objeção a economistas radicais e contratou alguns da Rússia, até mesmo não comunistas, pois importou um dos cérebros do milagre econômico sul-coreano, que mostrou um senso realista de como as economias capitalistas pós-Segunda Guerra Mundial realmente bem-sucedidas funcionavam de fato. A estrada para a sobrevivência, e talvez para o sucesso, era pavimentada menos com boas intenções do que com as duras pedras do realismo.

Os últimos anos da União Soviética foram uma catástrofe em câmara lenta. A queda dos satélites europeus em 1989 e a relutante aceitação por Moscou da reunificação alemã demonstraram o colapso da União Soviética como potência internacional, mais ainda como superpotência. Sua absoluta incapacidade para desempenhar qualquer papel na crise do golfo Pérsico de 1990-1 simplesmente acentuou isso. Em termos internacionais, a URSS era como um país abrangentemente derrotado, como após uma grande guerra — só que sem guerra. Apesar disso, manteve as Forças Armadas e o complexo industrial-militar da ex-superpotência, uma situação que impunha severos limites à sua política. Contudo, embora a *débâcle* internacional estimulasse o secessionismo nas repúblicas onde o sentimento nacionalista era forte, notadamente nos Estados bálticos e na Geórgia — a Lituânia testou as águas com uma provocativa declaração de independência total em março de 1990* —, a desintegração da União não se deveu a forças nacionalistas.

Deveu-se essencialmente à desintegração da autoridade central, que obrigou toda região ou subunidade do país a cuidar de si mesma e, não menos, a salvar o que pudesse das ruínas de uma economia que escorregava para o caos. A fome e a escassez estão por trás de tudo o que aconteceu nos últimos dois anos da URSS. Reformistas em desespero, sobretudo entre os acadêmicos que tinham sido os tão óbvios beneficiários da *glasnost*, foram empurrados para um extremismo apocalíptico: nada se podia fazer enquanto o velho sistema, e tudo nele, não fossem absolutamente destruídos. Em termos econômicos, o sistema devia ser completamente pulverizado pela total privatização e pela introdução de um mercado 100% livre, imediatamente e a qualquer custo. Propuseram-se planos dramáticos para fazer isso em questão de semanas ou meses (havia um "progra-

(*) O nacionalismo armênio, embora provocasse o colapso da União reclamando a região da montanha Karabakh do Azerbaijão, não era louco o bastante para *desejar* o desaparecimento da URSS, sem cuja existência não haveria Armênia.

ma de quinhentos dias"). Essas políticas não se baseavam em algum conhecimento de livres mercados ou economias capitalistas, embora fossem vigorosamente recomendadas por economistas e especialistas financeiros americanos e britânicos visitantes, cujas opiniões, por sua vez, não se baseavam em algum conhecimento do que de fato se passava na economia soviética. Ambos estavam corretos ao supor que o sistema existente, ou melhor, enquanto existia, a economia de comando, era muito inferior a economias baseadas primariamente na propriedade e na empresa privadas, e que o velho sistema, mesmo numa forma modificada, estava condenado. Contudo, deixavam de enfrentar o verdadeiro problema de como uma economia centralmente planejada seria, na prática, transformada numa ou noutra versão de economia dinamizada pelo mercado. Em vez disso, repetiam demonstrações de primeiro ano de curso de economia sobre as virtudes do mercado no abstrato. Diziam que ele iria encher automaticamente as prateleiras das lojas com produtos retidos por produtores, a preços acessíveis, assim que se deixasse em liberdade a oferta e a procura. A maioria dos resignados cidadãos da URSS sabia que isso não ia acontecer, e depois que ela deixou de existir, quando se aplicou por um breve momento o tratamento de choque da libertação, de fato não aconteceu. Além disso, nenhum observador sério do país acreditava que no ano 2000 o Estado e o setor público da economia soviética não seriam ainda substanciais. Os discípulos de Friedrich Hayek e Milton Friedman condenavam a própria idéia de uma tal economia mista. Não tinham conselho a oferecer sobre como ela devia ser operada, ou transformada.

Contudo, quando veio, a crise final não foi econômica, mas política. Para praticamente todo o *establishment* da URSS, do partido, dos planejadores e cientistas, do Estado, às Forças Armadas, ao aparato de segurança e às autoridades coadjuvantes, a idéia de um colapso total da URSS era inaceitável. Não podemos dizer se esse colapso era desejado, ou mesmo concebido por qualquer grande corpo de cidadãos soviéticos fora dos Estados bálticos, mas não é provável: quaisquer que sejam as reservas que tenhamos em relação às cifras, 76% de eleitores num referendo de março de 1991 votaram pela manutenção da URSS, "como uma renovada federação de repúblicas soberanas e iguais, em que os direitos de liberdade de toda pessoa de qualquer nacionalidade sejam plenamente salvaguardados" (*Pravda*, 25/1/91). Sem dúvida o colapso não fazia oficialmente parte da política de nenhum político importante da União. Contudo, a dissolução do centro parecia inevitavelmente revigorar as forças centrífugas e tornar o desmoronamento inevitável, não menos por causa da política de Boris Yeltsin, cuja estrela subia enquanto a de Gorbachev se apagava. A essa altura, a União era uma sombra; as repúblicas, a única realidade. No fim de abril, Gorbachev, apoiado pelas nove maiores repúblicas,* negociou um

(*) Isto é, todas, com exceção dos Estados bálticos, Moldávia e Geórgia, além de, por motivos obscuros, a Quirguízia.

"Tratado de União" que, um tanto à maneira do Compromisso Austro-Húngaro de 1867, pretendia preservar a existência de um poder federal central (com um presidente federal eleito diretamente) no comando das Forças Armadas, da política externa, da coordenação da política financeira e das relações econômicas com o resto do mundo. O tratado entraria em vigor em 20 de agosto.

Para a maior parte do velho partido e do *establishment* soviético, esse tratado era mais uma das fórmulas de papel de Gorbachev, condenada como todas as outras. Daí o verem como a lápide mortuária da União. Dois dias antes daquele em que o tratado deveria entrar em vigor, praticamente todos os pesos pesados da União, ministros de defesa e do interior, chefes da KGB, vice-presidente e primeiro-ministro da URSS e pilares do partido, proclamaram que um Comitê de Emergência assumiria o poder na ausência do presidente e secretário-geral (sob prisão domiciliar nas férias). Não era tanto um golpe — ninguém foi preso em Moscou, nem mesmo as estações de rádio e TV foram tomadas — quanto uma proclamação de que a maquinaria do verdadeiro poder se achava mais uma vez em operação, na confiante esperança de que os cidadãos acolhessem, ou pelo menos aceitassem tranqüilamente, um retorno à ordem e ao governo. Tampouco foi derrotado por uma revolução ou levante do povo, pois a população de Moscou permaneceu quieta, e uma convocação à greve geral não foi atendida. Como na maior parte da história soviética, foi um drama interpretado por um pequeno corpo de atores acima das cabeças do povo resignado.

Mas não tão resignado assim. Trinta anos antes, ou mesmo dez, a mera proclamação de onde se achava de fato o poder teria sido o bastante. Mesmo do jeito que foi, a maioria dos cidadãos da URSS manteve a cabeça abaixada: 48% das pessoas (segundo uma pesquisa) e — menos surpreendentemente — 70% dos comitês do partido apoiaram o "golpe" (Di Leo, 1992, pp. 141 e 143n). Igualmente importante, governos no exterior tinham esperança de que o golpe desse certo* mais do que gostariam de admitir. Contudo, a reafirmação ao velho estilo de poder do partido/Estado dependia mais do consentimento universal e automático do que da contagem de cabeças. Em 1991, não havia nem poder central, nem obediência universal. Um golpe de verdade poderia muito bem ter tido êxito na maior parte do território e população da URSS e, quaisquer que fossem as divisões e incertezas dentro das Forças Armadas e do aparato de segurança, provavelmente se poderiam encontrar tropas de confiança suficientes para um *putsch* bem-sucedido na capital. Mas a reafirmação simbólica de autoridade não era mais suficiente. Gorbachev tinha razão: a *perestroika* derrotara os conspiradores mudando a sociedade. Também o derrotara.

Um golpe simbólico podia ser derrotado por uma resistência simbólica, pois

(*) No primeiro dia do "golpe", o resumo oficial de notícias do governo finlandês comunicou a prisão do presidente Gorbachev em poucas palavras, sem comentário, na metade da página 3 de um boletim de quatro páginas. Só passou a exprimir opiniões quando a tentativa já havia evidentemente falhado.

a última coisa para que os conspiradores estavam preparados ou queriam era uma guerra civil. Na verdade, seu gesto destinava-se a deter o que a maioria das pessoas temia: uma escorregada para um conflito assim. Portanto, enquanto as vagas instituições da URSS cerravam fileiras com os conspiradores, as dificilmente menos vagas instituições da Federação Russa sob Boris Yeltsin, recém-eleito como seu presidente por uma substancial maioria de votos, não o faziam. Os conspiradores nada tinham a fazer senão mostrar sua mão de jogo, depois que Yeltsin, cercado por alguns milhares de seguidores vindos para defender seu quartel-general, desafiou os constrangidos tanques à frente do prédio, representando para as telas de televisão. Corajosamente, mas também em segurança, Yeltsin, cujos talentos políticos e capacidade de decisão contrastavam sensacionalmente com o estilo de Gorbachev, aproveitou logo a oportunidade para dissolver e desapropriar o Partido Comunista, e tomar para a Federação Russa o que restava dos bens da URSS, formalmente liquidada poucos meses depois. O próprio Gorbachev foi empurrado para o esquecimento. O mundo, que estivera disposto a aceitar o golpe, agora aceitava o muito mais eficaz contragolpe de Yeltsin, e tratou a Rússia como sucessora natural da morta URSS nas Nações Unidas e em outras partes. A tentativa de salvar a velha estrutura da União Soviética acabara por destruí-la mais súbita e irrevogavelmente do que se poderia esperar.

Contudo, não resolvera nenhum dos problemas da economia, do Estado e da sociedade. Num aspecto, piorara-os, pois as outras repúblicas agora temiam a grande irmã Rússia como não tinham feito em relação a uma URSS não nacional, sobretudo desde que o nacionalismo russo era a melhor carta que Yeltsin podia jogar para conciliar as Forças Armadas, cujo núcleo sempre ficara entre os grandes russos. Como a maioria das repúblicas continha grandes minorias de russos étnicos, a insinuação de Yeltsin de que as fronteiras entre as repúblicas poderiam ter de ser renegociadas acelerou a corrida para a separação total: a Ucrânia imediatamente declarou sua independência. Pela primeira vez, populações acostumadas à imparcial opressão de todos (incluindo grandes russos) pela autoridade central tinham motivos para temer a opressão de Moscou nos interesses de um país. Na verdade, isso liquidou a esperança de manter mesmo uma aparência de união, pois a vaga "Comunidade de Estados Independentes" que sucedeu à URSS logo perdeu toda a realidade, e mesmo a última sobrevivente da União, a (extremamente bem-sucedida) Equipe Unida que competiu nos Jogos Olímpicos de 1992, derrotando os EUA, não parecia destinada a ter longa vida. Assim, a destruição da URSS conseguiu a reversão de quase quatrocentos anos de história russa, e a volta do país à era de antes de Pedro, o Grande (1672-1725). Como Rússia, sob um czar, ou como URSS, fora uma grande potência desde meados do século XVIII, sua desintegração deixou um vazio entre Trieste e Vladivostok que não existira antes na história moderna, exceto por pouco tempo durante a Guerra Civil de 1918-20: uma vasta zona de desordem, conflito e catástrofe potencial. Essa era a agenda para os diplomatas e militares do mundo no fim do milênio.

VI

Duas observações podem concluir este estudo. A primeira é para notar como se mostrou superficial o domínio do comunismo sobre a enorme área que conquistou mais rapidamente que qualquer outra ideologia desde o islamismo em seu primeiro século. Embora uma versão simplista do marxismo-leninismo se tornasse a ortodoxia dogmática (secular) para todos os cidadãos entre o Elba e os mares da China, desapareceu de um dia para outro com os regimes políticos que impôs. Podem-se sugerir dois motivos para esse fenômeno historicamente muito surpreendente. O comunismo não se baseava na conversão em massa, mas era uma fé de quadros ou (nos termos de Lenin) "vanguardas". Mesmo a famosa frase de Mao sobre guerrilheiros movendo-se em meio à vida camponesa como peixes na água implica a distinção entre o elemento ativo (o peixe) e o passivo (a água). Movimentos trabalhistas e socialistas não oficiais (incluindo alguns partidos comunistas de massa) podiam ser coextensivos com sua comunidade e eleitorado, como nas aldeias de mineração. Por outro lado, todos os partidos comunistas governantes eram, por opção e definição, elites de minorias. A aceitação do comunismo pelas "massas" dependia não das convicções ideológicas ou outras semelhantes, mas de como julgavam o que a vida sob regimes comunistas fazia por elas, e como comparavam sua situação com a de outros. Assim que não foi mais possível isolar essas populações do contato e conhecimento com outros países, seus julgamentos foram céticos. Também aqui o comunismo era essencialmente uma fé instrumental: o presente só tinha valor como um meio de alcançar um futuro indefinido. Exceto em raros casos — por exemplo, guerras patrióticas, em que a vitória justifica tais sacrifícios —, um tal conjunto de crenças serve melhor a seitas ou elites do que a igrejas universais, cujo campo de operação, sejam quais forem suas promessas de salvação última, é e tem de ser o alcance diário da vida humana. Os próprios quadros de partidos comunistas começaram a concentrar-se nas satisfações comuns da vida assim que o objetivo milenar de salvação terrestre, ao qual dedicaram suas vidas, passou para um futuro indefinido. E — muito caracteristicamente —, quando isso aconteceu, o partido não deu orientação para o seu comportamento. Em suma, pela natureza de sua ideologia, o comunismo pedia para ser julgado pelo sucesso, e não tinha proteção contra o fracasso.

Mas por que fracassou, ou melhor, desabou? O paradoxo da URSS é que, em sua morte, ofereceu um dos mais fortes argumentos para a análise de Karl Marx, que dizia exemplificar. Marx escreveu em 1859:

> Na produção social de seus meios de existência, os seres humanos entram em relações definidas, necessárias, independentes de sua vontade, relações de produção que correspondem a um estágio definido no desenvolvimento de suas forças produtivas materiais [...] Em determinado estágio de seu desenvolvimento, as

forças produtivas materiais da sociedade entram em contradição com as relações de produção existentes, ou, o que é apenas uma expressão legal destas, com as relações de propriedade dentro das quais antes se movimentavam. De formas de desenvolvimento das forças produtivas, essas relações se transformam em seus grilhões. Entramos então numa era de revolução social.

Raramente houve um exemplo mais claro das forças de produção de Marx entrando em conflito com a superestrutura social, institucional e ideológica que transformara economias agrárias atrasadas em economias industriais avançadas — a ponto de se transformarem, de forças produtivas, em grilhões da produção. O primeiro resultado da "era de revolução social" assim iniciada foi a destruição do velho sistema.

Mas o que iria substituí-lo? Aqui não mais podemos seguir o otimismo do século XIX de Marx, que dizia que a derrubada do velho sistema devia conduzir a um sistema melhor, porque "a humanidade sempre se propõe apenas problemas que pode resolver". Os problemas que "a humanidade", ou antes os bolcheviques, se propuseram em 1917 não eram solúveis nas circunstâncias de seu tempo e lugar, ou apenas muito incompletamente. E hoje seria preciso um alto grau de confiança para afirmar que no futuro previsível se delineie uma solução para os problemas surgidos do colapso do comunismo soviético, ou que alguma solução surgida dentro da próxima geração pareça aos habitantes da ex-URSS e dos Bálcãs comunistas uma melhora óbvia.

Com o colapso da URSS, a experiência do "socialismo realmente existente" chegou ao fim. Pois, mesmo onde os regimes comunistas sobreviveram e tiveram êxito, como na China, abandonaram a idéia original de uma economia única, centralmente controlada e estatalmente planejada, baseada num Estado completamente coletivizado — ou uma economia de propriedade coletiva praticamente operando sem mercado. Será essa experiência, algum dia, renovada? Claramente não o será na forma desenvolvida na URSS, nem provavelmente em qualquer outra, a não ser em condições de uma guerra econômica total ou algo semelhante, ou em alguma outra emergência análoga.

Porque a experiência soviética foi tentada não como uma alternativa global ao capitalismo, mas como um conjunto específico de respostas à situação particular de um país imenso e espetacularmente atrasado, numa conjuntura histórica particular e irrepetível. O fracasso da revolução em outros lugares deixou a URSS comprometida em construir sozinha o socialismo, num país onde, pelo consenso universal dos marxistas em 1917, incluindo os russos, as condições para fazê-lo simplesmente não estavam presentes. A tentativa de construir o socialismo produziu conquistas notáveis — não menos a capacidade de derrotar a Alemanha na Segunda Guerra Mundial —, mas a um custo humano enorme e inteiramente intolerável, e daquilo que acabou se revelando uma economia sem saída e um sistema político em favor do qual nada havia a dizer. (Não previra Gheorghi Plekhanov, o "pai do marxismo russo", que a Revolução de Outubro só poderia levar, na melhor das hipóteses, a um "império chinês pintado de vermelho"?) O outro "socialismo realmente existente", surgindo sob as asas da União Soviética, operou sob as mesmas desvantagens, embora em menor medida, e com muito menos sofrimento humano — em comparação com a URSS. Uma revivescência ou renascimento desse padrão de socialismo não é nem possível, nem desejável, nem mesmo — supondo-se que as condições o favorecessem — necessário.

Até onde o fracasso da experiência soviética lança dúvida sobre todo o projeto de socialismo tradicional, uma economia baseada essencialmente na propriedade social e administração planejada dos meios de produção, distribuição e troca, já é outra questão. Que um tal projeto é economicamente racional em teoria é algo aceito por economistas desde antes da Primeira Guerra Mundial, embora, muito curiosamente, a teoria fosse elaborada não por economistas socialistas, mas pelos não socialistas. Que teria deficiências práticas, quando nada pela burocratização, era óbvio. Que tinha de funcionar, pelo menos em parte, através de *preços*, tanto de mercado quanto de "preços contábeis" realistas, também estava claro, se o socialismo supunha levar em conta mais os desejos dos consumidores do que dizer-lhes o que era bom para eles. Na verdade, os economistas socialistas no Ocidente que pensavam nessas questões na década de 1930, quando naturalmente elas eram muito discutidas, adotaram uma combinação de planejamento, de preferência descentralizado, com preços. Demonstrar a exeqüibilidade de uma tal economia socialista não é, claro, demonstrar sua superioridade necessária sobre, digamos, uma versão socialmente mais justa da economia mista da Era de Ouro, e menos ainda afirmar que as pessoas a prefeririam. É simplesmente separar a questão do socialismo de forma geral da experiência específica de "socialismo realmente existente". O fracasso do socialismo soviético não se reflete sobre a possibilidade de outros tipos de socialismo. Na verdade, a própria incapacidade de a economia sem saída de planejamento central do tipo soviético reformar-se em "socialismo de mercado", como se queria, demonstra o fosso entre os dois tipos de desenvolvimento.

A tragédia da Revolução de Outubro foi precisamente a de que ela só pôde produzir seu tipo de socialismo de comando implacável e brutal. Um dos mais sofisticados economistas socialistas da década de 1930, Oskar Lange, voltou dos EUA para a sua Polônia natal para construir o socialismo, até ir para um hospital de Londres, para morrer. Em seu leito de morte, conversava com amigos e admiradores que iam visitá-lo, inclusive eu. Eis, como me lembro, o que ele disse:

> Se eu estivesse na Rússia na década de 1920, teria sido um gradualista bukharinista. Se houvesse opinado sobre a industrialização soviética, teria recomendado um conjunto mais flexível e limitado de metas, como na verdade fizeram os planejadores russos capazes. E no entanto, quando repenso, pergunto-me repetidas vezes: havia uma alternativa para a corrida indiscriminada, brutal, basicamente não planejada do primeiro Plano Qüinqüenal? Gostaria de dizer que havia, mas não posso. Não encontro uma resposta.

17
MORRE A VANGUARDA
As artes após 1950

Arte como investimento é um conceito dificilmente anterior ao início da década de 1950.

G. Reitlinger, *The economics of taste*, vol. 2 (1982, p.14)

Os grandes deuses brancos, as coisas que mantêm nossa economia em andamento — geladeiras, fogões, tudo que antes era de porcelana e branco —, agora são pintados. Isso é novo. Vem com arte pop. Muito bacana. O mágico Mandrake saindo da parede para a gente quando se abre a geladeira para pegar o suco de laranja.

Studs Terkel, *Division street: America* (1967, p. 217)

I

É prática dos historiadores — incluindo este — tratar os fatos das artes, por mais óbvias e profundas que sejam suas raízes na sociedade, como de algum modo separáveis de seu contexto contemporâneo, como um ramo ou tipo de atividade humana sujeito às suas próprias regras, e capaz de ser julgado como tal. Contudo, na era das mais extraordinárias transformações da vida humana até hoje registradas, mesmo esse antigo e conveniente princípio de estruturar um estudo histórico se torna cada vez mais irreal. Não apenas porque as fronteiras entre o que é e o que não é classificável como "arte", "criação" ou artifício se tornaram cada vez mais difusas, ou mesmo desapareceram completamente, ou porque uma escola influente de críticos literários no *fin-de-siècle* julgou impossível, irrelevante e não democrático decidir se *Macbeth*, de Shakespeare, é melhor ou pior que *Batman*, mas também porque as forças que determinavam o que acontecia com as artes, ou o que observadores anacrônicos teriam chamado por esse nome, eram esmagadoramente exógenas. Como seria de esperar numa era de extraordinária revolução tecnocientífica, eram predominantemente tecnológicas.

A tecnologia revolucionou as artes de modo mais óbvio, tornando-as onipresentes. O rádio já levara os sons — palavras e música — à maioria das casas no mundo desenvolvido, e continuava sua penetração no mundo atrasado. Mas o que o tornou universal foi o transistor, que o fez pequeno e portátil, e a bateria elétrica de longa duração, que o fez independente das redes oficiais (ou seja, basicamente urbanas) de energia elétrica. O gramofone ou toca-discos já era antigo e, embora tecnicamente aperfeiçoado, continuou sendo relativamente estorvante. O LP (1948), que se estabeleceu rapidamente na década de 1950 (Guinness, 1984, p. 193), beneficiou os amantes de música clássica, cujas composições, ao contrário da música popular, raramente tentavam manter-se dentro do limite de três a cinco minutos do disco de 78 rotações, mas o que fez a música de nossa predileção verdadeiramente transportável foi a fita cassete, possível de ser ouvida nos cada vez menores e portáteis toca-fitas alimentados a bateria, que varreram o mundo na década de 1970, e que tinha a vantagem extra de ser prontamente copiada. Na década de 1980, a música podia estar em toda parte: acompanhando privadamente toda atividade possível por meio dos fones de ouvido ligados a aparelhos de bolso lançados (como tão freqüentemente) pelos japoneses, ou projetada demasiado publicamente dos grandes *ghetto-blasters* portáteis (pois ainda não se conseguira miniaturizar os alto-falantes). Essa revolução tecnológica teve conseqüências tanto políticas quanto culturais. Em 1961, o presidente De Gaulle apelou com êxito aos recrutas franceses contra o golpe militar dos seus comandantes, porque os soldados podiam ouvi-lo em rádios portáteis. Na década de 1970, os discursos do aiatolá Khomeini, líder exilado da futura Revolução Iraniana, eram prontamente levados para o Irã, copiados e difundidos.

A televisão jamais se tornou tão prontamente portátil quanto o rádio — ou pelo menos perdeu muito mais, comparativamente, com a redução que o som —, mas domesticou a imagem em movimento. Além disso, embora um aparelho de TV continuasse sendo muito mais caro e fisicamente desajeitado que um de rádio, logo se tornou quase universal e constantemente acessível mesmo para os pobres de alguns países atrasados, sempre que existia uma infra-estrutura urbana. Na década de 1980, cerca de 80% de um país como o Brasil tinha acesso à televisão. Isso é mais surpreendente que o fato de nos EUA o novo veículo ter substituído tanto o rádio quanto o cinema como a forma padrão de diversão popular na década de 1950, e na próspera Grã-Bretanha na década de 1960. Sua demanda de massa era esmagadora. Nos países avançados, começou (através do videocassete, que ainda continuava sendo um aparelho meio caro) a levar toda a gama de imagem filmada à telinha doméstica. Embora o repertório produzido para a tela grande em geral sofresse ao ser miniaturizado, o videocassete tinha a vantagem de oferecer ao espectador uma opção teoricamente quase ilimitada do que ver e quando ver. Com a disseminação dos computadores domésticos, a telinha parecia na iminência de tornar-se o maior elo visual do indivíduo com o mundo externo.

Contudo, a tecnologia não apenas tornou as artes onipresentes, mas transformou a maneira como eram percebidas. Dificilmente será possível recapturar a simples linearidade ou seqüencialidade de percepção anteriores aos dias em que a alta tecnologia tornou possível percorrer em alguns segundos toda a gama de canais de televisão existentes, para alguém criado na era em que a música eletrônica e mecanicamente gerada é o som padrão ouvido na música popular ao vivo e gravada, em que qualquer criança pode congelar fotogramas e repetir um som ou trecho visual como antes só se podiam reler trechos textuais, quando a ilusão teatral não é nada em comparação com o que a tecnologia pode fazer em comerciais de televisão, inclusive contando uma história dramática em trinta segundos. A tecnologia transformou o mundo das artes, embora mais cedo e mais completamente o das artes e diversões populares que o das "grandes artes", sobretudo as mais tradicionais.

II

Mas o que aconteceu com elas?

À primeira vista, a coisa mais impressionante no desenvolvimento das grandes artes no mundo após a Era das Catástrofes foi uma acentuada mudança geográfica para longe dos centros tradicionais (europeus) de cultura de elite, e — em vista da era de prosperidade global sem precedentes — um enorme aumento dos recursos financeiros disponíveis para apoiá-las. Um exame mais de perto, como veremos, se mostrará menos encorajador.

Que a "Europa" (com o que a maioria das pessoas no Ocidente, entre 1947 e 1989, queria dizer "Europa Ocidental") não era mais a magna casa das grandes artes, tornara-se uma observação corriqueira. Nova York orgulhava-se de ter substituído Paris como o centro das artes visuais, com o que pretendia dizer o mercado de arte ou o lugar onde artistas vivos se tornavam os produtos de mais alto preço. Mais significativamente, o júri do Prêmio Nobel de literatura, um corpo cujo senso político em geral é mais interessante que seus julgamentos literários, começou a levar a sério a literatura não européia a partir da década de 1960, depois de ignorá-la quase inteiramente, a não ser pela América do Norte (que ganhou prêmios regularmente a partir de 1930, quando Sinclair Lewis se tornou seu primeiro laureado). Nenhum leitor sério de romances podia, na década de 1970, ter deixado de entrar em contato com a brilhante escola de escritores latino-americanos. Nenhum fã de cinema sério podia deixar de admirar, ou pelo menos falar como se admirasse, os grandes diretores japoneses que, começando com Akira Kurosawa (1910-) na década de 1950, conquistaram os festivais internacionais de cinema, ou o bengalês Satyadjit Ray (1921-92). Ninguém se surpreendeu quando em 1986 o primeiro africano subsaariano, o nigeriano Wole Soyinka (1934-), ganhou um Prêmio Nobel.

O afastamento da Europa foi mais óbvio ainda na arte mais visualmente insistente, a arquitetura. Como já vimos, o movimento moderno na arquitetura na verdade construíra pouca coisa entre as guerras. Após a guerra, quando atingiu a maioridade, o "estilo internacional" realizou seus maiores e mais numerosos monumentos nos EUA, que o desenvolveu ainda mais e acabou, através de redes de hotéis americanas que se instalaram como teias de aranha no mundo na década de 1970, exportando uma forma peculiar de palácio de sonho para executivos em viagem e turistas prósperos. Em suas mais características versões, eram facilmente reconhecíveis por uma espécie de nave central ou conservatório gigante, em geral com árvores, plantas e fontes internas; elevadores transparentes deslizando visíveis por dentro ou por fora das paredes; vidros e iluminação teatral por toda parte. Iriam ser para a burguesia de fins do século XX o que o teatro de ópera padrão fora para sua antecessora do século XIX. Mas o movimento moderno criou igualmente destacados monumentos em outras partes: Le Corbusier (1887-1965) construiu toda uma capital na Índia (Chandigarh); Oscar Niemeyer (1907-   ), grande parte de outra no Brasil (Brasília); enquanto talvez o mais belo dos grandes produtos do movimento moderno — também construído mais por encomenda pública do que por patronato privado ou lucro — se encontra na Cidade do México, o Museu Nacional de Antropologia (1964).

Parecia igualmente evidente que os velhos centros europeus das artes mostravam sinais de fadiga de combate, com a possível exceção da Itália, onde o clima de libertação antifascista, em grande parte sob liderança comunista, inspirou mais ou menos uma década de renascimento cultural, que causou seu primeiro impacto internacional com os filmes "neo-realistas" italianos. As artes visuais francesas não mantiveram a reputação da escola de Paris do entreguerras, que foi em si pouco mais que um ocaso da era anterior a 1914. A grande reputação dos escritores de ficção franceses era mais intelectual que literária: mais como inventores de macetes (tipo o *nouveau roman* das décadas de 1950 e 1960) ou como escritores de não-ficção (tipo J.-P. Sartre) do que por sua obra de criação. Algum romancista francês "sério" pós-1945 havia estabelecido alguma reputação internacional como tal na década de 1970? Provavelmente não. O panorama artístico britânico fora consideravelmente mais animado, tanto mais porque Londres depois de 1950 se transformou num dos maiores centros mundiais de apresentação musical e teatral, e também produziu um punhado de arquitetos de vanguarda cujos projetos ousados lhes valeram mais fama no exterior — em Paris ou Stuttgart — do que em seu país. Apesar disso, se a Grã-Bretanha pós-Segunda Guerra Mundial ocupou um lugar menos marginal nas artes européias ocidentais do que entre as guerras, seu registro no campo onde fora forte, a literatura, não foi particularmente impressionante. Na poesia, os escritores do pós-guerra da pequena Irlanda mais que se impuseram contra o Reino Unido. Quanto à Alemanha Federal, o contraste entre os recursos e realizações desse país, e entre seu glorioso passado de Weimar e seu presente de Bonn, foi impressionante. Não era inteiramente explicável pelos desastrosos efeitos contemporâneos e posteriores aos dos doze anos de Hitler. É significativo que nos cinqüenta anos do pós-guerra vários dos melhores talentos ativos na literatura alemã ocidental não fossem locais, mas imigrantes de mais a leste (Celan, Grass e vários vindos da RDA).

A Alemanha, claro, esteve dividida entre 1945 e 1990. O contraste entre as duas partes — uma militantemente liberal-democrática, voltada para o mercado e ocidental, a outra uma versão didática de centralização comunista — ilustra um aspecto curioso da migração da alta cultura: seu relativo florescimento sob o comunismo, pelo menos em certos períodos. Isso, claramente, não se aplica a todas as artes, nem, é claro, a Estados sob o tacão de ferro de uma ditadura verdadeiramente assassina, como as de Stalin e Mao, ou de tiranos megalômanos menores, como Ceausescu na Romênia (1961-89) ou Kim Il Sung na Coréia do Norte (1945-94).

Além disso, na medida em que as artes dependiam de patronagem pública, isto é, do governo central, a preferência ditatorial padrão pelo gigantismo pomposo reduziu a opção do artista, como o fez a insistência oficial numa espécie de mitologia sentimental edificante conhecida como "realismo socialista". É possível que os amplos espaços abertos enquadrados por torres neovitorianas tão característicos da década de 1950 algum dia encontrem admiradores — pense-se na praça Smolensk em Moscou —, mas a descoberta de seus méritos arquitetônicos deve ser deixada para o futuro. Por outro lado, deve-se admitir que, onde os governos comunistas não insistiram em dizer aos artistas exatamente o que fazer, sua generosidade subsidiando atividades culturais (ou, como outros poderiam dizer, seu senso defeituoso de contabilidade) foi útil. Supõe-se que não foi por acaso que o Ocidente importou de Berlim Oriental o típico produtor de ópera de vanguarda da década de 1980.

A URSS continuou culturalmente estéril, pelo menos em comparação com suas glórias pré-1917 e mesmo com a fermentação da década de 1920, com exceção talvez da poesia, a arte mais capaz de ser praticada em privado e aquela em que a grande tradição russa do século XX melhor manteve sua continuidade depois de 1917 — Akhmatova (1889-1966), Tsvetaieva (1892-1960), Pasternak (1890-1960), Blok (1890-1921), Maiakovski (1893-1930), Brodski (1940-), Voznesenski (1933-), Akhmadulina (1937-). Suas artes visuais sofreram sobretudo da combinação de rígida ortodoxia, ideológica, estética e institucional, e total isolamento do resto do mundo. O apaixonado nacionalismo cultural que começou a surgir em partes da URSS no período Brejnev — ortodoxo e eslavófilo na Rússia (Soljenitsin — 1918-), mítico-medievalista na Armênia (por exemplo, nos filmes de Sergei Paradjanov — 1924-) — derivou em grande parte do fato de que os que rejeitavam qualquer coisa recomendada pelo sistema e o partido, como faziam tantos intelectuais, não tinham outras tradições a que recorrer, a não ser as conservadoras locais. Além disso, os intelectuais na URSS estavam espetacularmente isolados não apenas do sistema de governo, mas também do grosso dos cidadãos soviéticos comuns, que, de algum modo obscuro, aceitavam a legitimidade e se adaptavam à única vida que conheciam, e que, nas décadas de 1960 e 1970, na verdade melhorava visivelmente. Eles odiavam os governantes e desprezavam os governados, mesmo quando (como os neo-eslavófilos) idealizavam a alma russa na forma do camponês russo que não mais existia. Não era uma boa atmosfera para o artista criador, e a dissolução do aparato de coerção intelectual, paradoxalmente, desviou os talentos da criação para a agitação. O Soljenitsin que provavelmente sobreviverá como grande escritor do século XX é o que ainda precisava pregar escrevendo romances (*Um dia na vida de Ivã Denisovich*, *Pavilhão dos cancerosos*), porque ainda não tinha liberdade para escrever sermões e denúncias históricas.

A situação na China comunista até fins da década de 1970 foi dominada por uma implacável repressão, pontilhada por raros afrouxamentos momentâneos ("que desabrochem cem flores") que serviam para identificar as vítimas dos próximos expurgos. O regime de Mao Tsé-tung atingiu seu clímax na Revolução Cultural de 1966-76, uma campanha contra a cultura, a educação e a inteligência sem paralelos na história do século XX. Praticamente fechou a educação secundária e universitária durante dez anos, suspendeu a prática da música clássica e outras (ocidentais), quando necessário através da destruição de seus instrumentos, e reduziu o repertório nacional de teatro e cinema a meia dúzia de obras politicamente corretas (segundo o julgamento da mulher do Grande Timoneiro, ex-atriz de cinema de segunda categoria em Xangai), interminavelmente repetidas. Em vista dessa experiência e da tradição chinesa de impor ortodoxia, modificada mas não abandonada na era pós-Mao, a luz que brilhava da China comunista nas artes continuou bruxuleante.

Por outro lado, a criatividade floresceu sob os regimes comunistas da Europa Oriental, pelo menos assim que se relaxava mesmo que levemente a ortodoxia, como aconteceu durante a desestalinização. A indústria de cinema na Polônia, Tchecoslováquia e Hungria, até então pouco conhecida mesmo localmente, explodiu em inesperado desabrochar a partir de fins da década de 1950, e por algum tempo se tornou uma das fontes mais reconhecidas de filmes interessantes do mundo. Até o colapso do comunismo, que também implicou o colapso dos mecanismos de produção cultural desses países, mesmo a revivescência da repressão (após 1968 na Tchecoslováquia, após 1980 na Polônia) não deteve essa produção, embora o começo bastante promissor da indústria de cinema alemã-oriental, no início da década de 1950, fosse interrompido pela autoridade política. O fato de uma arte tão dependente de maciço investimento do Estado ter florescido artisticamente sob regimes comunistas é mais surpreendente do que teria sido com a literatura, pois afinal mesmo sob governos intolerantes podem-se escrever livros "para o fundo da gaveta", ou para círculos de amigos.* Por mais estreito que fosse o público para o qual escreviam originalmente, vários dos escritores conquistaram admiração internacional — os alemães-orientais, que produziram talentos substancialmente mais interessantes que a próspera Alemanha Federal, e os tchecos da década de 1960, cujos textos só chegaram ao Ocidente via emigração interna e externa após 1968.

O que todos esses talentos tinham em comum era uma coisa que poucos escritores e cineastas nas economias de mercado desenvolvidas tinham, e com que o pessoal de teatro ocidental (um grupo chegado a um radicalismo político atípico, que remontava, nos EUA e Grã-Bretanha, à década de 1930) sonhava: a sensação de ser necessário ao seu público. Na verdade, na ausência de verdadeira política e imprensa livre, os praticantes das artes eram os *únicos* que falavam do que o povo, ou pelo menos os educados em seu meio, pensava e sentia. Esses sentimentos não se limitavam a artistas em regimes comunistas, mas em outros regimes onde os intelectuais estavam em choque com o sistema político predominante e, embora não inteiramente sem restrição, tinham liberdade suficiente para se expressar em público. O *apartheid* na África do Sul inspirou seus adversários a fazer mais literatura boa do que a que vinha antes daquele subcontinente. O fato de a maioria dos intelectuais latino-americanos ao sul do México, entre as décadas de 1950 e 1990, provavelmente ter sido refugiada política em alguma altura de sua vida não é irrelevante para as realizações culturais daquela parte do hemisfério ocidental. O mesmo se aplica aos intelectuais turcos.

Apesar disso, havia mais coisas no ambíguo florescer de algumas artes na Europa Oriental do que sua função como oposição tolerada. A maioria dos jovens praticantes fora inspirada pela esperança de que seus países, mesmo sob regimes insatisfatórios, entrariam de algum modo numa nova era após os horrores da guerra; alguns, mais do gostariam de ser lembrados disso, na verdade haviam sentido o vento da utopia nas velas da juventude, pelo menos nos primeiros anos do pós-guerra. Alguns continuaram a ser inspirados por suas épocas: Ismail Kadaré (1930-), talvez o primeiro romancista albanês a deixar uma marca no mundo externo, tornou-se o porta-voz não tanto do regime linha-dura de Enver Hoxha quanto de um pequeno país montanhês que, sob o comunismo, conquistou pela primeira vez um lugar no mundo (ele emigrou em 1990). A maioria dos outros mais cedo ou mais tarde passou para variados graus de oposição — contudo, com bastante freqüência, rejeitando a única alternativa que lhes era oferecida (ou do outro lado da fronteira alemã-ocidental ou pela Rádio Europa Livre), num mundo de opostos binários e mutuamente

(*) Contudo, os processos de cópia continuaram incrivelmente laboriosos, pois não havia nenhuma tecnologia posterior a máquina de escrever e papel carbono. Por motivos políticos, o mundo comunista pré-*perestroika* não usava xerox.

excludentes. E mesmo onde, como na Polônia, a rejeição do regime existente se tornou total, todos, com exceção dos mais jovens, conheciam o suficiente da história de seu país depois de 1945 para captar os tons de cinza além do preto-e-branco da propaganda. É isso que dá uma dimensão trágica aos filmes de Andrzej Wajda (1926-), e a ambigüidade aos cineastas tchecos da década de 1960, então na casa dos trinta anos, e aos escritores da RDA — Christa Wolf (1929-), Heiner Müller (1929-) —, desiludidos mas não esquecidos de seus sonhos.

Paradoxalmente, artistas e intelectuais tanto no Segundo Mundo (socialista) quanto nas várias partes do Terceiro Mundo desfrutavam prestígio e relativa prosperidade, pelo menos entre surtos de perseguições. No mundo socialista, podiam estar entre os cidadãos mais ricos e desfrutar aquela raríssima entre todas as liberdades em tais casas-prisões coletivas, o direito de viajar ao exterior, ou mesmo ter acesso à literatura estrangeira. Sob o socialismo, a influência política deles era zero, mas nos vários países do Terceiro Mundo (e, após a queda do comunismo, por breve tempo no ex-mundo do "socialismo realmente existente") ser um intelectual ou mesmo um artista era uma vantagem pública. Na América Latina, os escritores renomados, quase independentemente de suas opiniões políticas, podiam esperar postos diplomáticos, de preferência em Paris, onde a localização da UNESCO dava a cada país que assim o desejasse várias oportunidades de colocar cidadãos nas vizinhanças dos cafés da Rive Gauche. Os professores sempre esperavam temporadas como ministros de gabinete, de preferência o de Economia, mas a moda em fins da década de 1980 de pessoas ligadas às artes concorrerem como candidatos presidenciais (como fez um bom romancista no Peru), ou tornar-se de fato presidentes (como na Tchecoslováquia e na Lituânia pós-comunistas) parecia nova, embora tivesse precedentes em tempos anteriores entre novos Estados, europeus e africanos, que tinham probabilidade de dar proeminência aos poucos de seus cidadãos conhecidos no exterior, isto é, mais provavelmente pianistas, como na Polônia de 1918, poetas franceses, como no Senegal, ou dançarinos, como na Guiné. Ainda assim, romancistas, dramaturgos, poetas e músicos não entravam no páreo político na maioria dos países desenvolvidos em nenhuma circunstância, mesmo nos de mentalidade intelectual, a não ser talvez como potenciais ministros da Cultura (André Malraux na França, Jorge Semprún na Espanha).

Os recursos públicos e privados dedicados às artes foram inevitavelmente bem maiores que antes, numa era de prosperidade sem precedentes. Assim, mesmo o governo britânico, jamais no primeiro plano do patronato público, gastou muito acima de 1 bilhão de libras esterlinas com as artes em fins da década de 1980, enquanto em 1939 tinha gasto 900 mil libras (*Britain: an official handbook*, 1961, p. 222; 1990, p. 426). O patronato privado foi menos importante, a não ser nos EUA, onde bilionários, estimulados por convenientes concessões fiscais, apoiavam educação, ensino e cultura em escala mais generosa que em outros lugares, em parte por verdadeiro reconhecimento das coisas superiores da vida, sobretudo entre magnatas de primeira geração; em parte porque, na ausência de uma hierarquia social formal, o que poderia se chamar de status de Médici era a segunda coisa melhor. Os grandes gastadores cada vez mais não apenas doavam suas coleções a galerias nacionais ou cívicas (como no passado), mas insistiam em financiar seus próprios museus, batizados com seus próprios nomes, ou pelo menos suas próprias alas ou setores de museus, onde coleções eram apresentadas na forma estabelecida pelos donos e doadores.

Quanto ao mercado de arte, a partir da década de 1950 ele descobriu que quase meio século de depressão estava indo embora. Os preços, sobretudo de impressionistas e pós-impressionistas franceses, e dos mais eminentes entre os primeiros modernistas parisienses, subiram às alturas até, na década de 1970, o mercado de arte internacional, cuja locação mudou primeiro para Londres e depois para Nova York, igualar os recordes históricos (em termos reais) da Era dos Impérios, e no desvairado mercado da década de 1980 subir além deles. O preço de impressionistas e pós-impressionistas multiplicou-se por 23 entre 1975 e 1989 (Sotheby, 1992). Contudo, a comparação com períodos anteriores foi daí em diante impossível. Claro, os ricos ainda colecionavam — o dinheiro velho, em geral, preferindo os velhos mestres, o novo indo atrás da novidade —, mas cada vez mais os compradores de arte compravam como investimento, como antes os homens compravam ações especulativas de minas de ouro. Não se pode pensar no Fundo de Pensões Ferroviárias britânico como um amante das artes, já que (com o melhor assessoramento) ganhou muito dinheiro com arte, e o tipo de transação de arte ideal de fins da década de 1980 foi aquele em que um magnata australiano enriquecido da noite para o dia comprou um Van Gogh por 31 milhões de libras, grande parte das quais emprestada pelos leiloeiros, os dois lados supostamente esperando aumentos de preço que fariam do quadro uma garantia extra mais valiosa para empréstimos bancários e elevariam os lucros futuros do negociante. Na verdade, ambos se decepcionaram: o sr. Bond, de Perth, foi à bancarrota, e o *boom* especulativo de arte desabou no início da década de 1990.

A relação entre o dinheiro e as artes é sempre ambígua. Não está claro que as grandes realizações das artes na segunda metade do século devam muito a ele; a não ser na arquitetura, onde, em geral, grande significa belo, ou, de qualquer modo, tem mais probabilidade de entrar nos guias. Por outro lado, não há dúvida de que outro tipo de acontecimento econômico afetou de modo profundo a maioria das artes: a integração delas na vida acadêmica, nas instituições de ensino superior, cuja extraordinária expansão observamos em outra parte (capítulo 10). Esse fato foi ao mesmo tempo geral e específico. Em termos gerais, o fato decisivo da cultura do século XX, o surgimento de uma revolucionária indústria de diversão popular voltada para o mercado de massa, reduziu as formas tradicionais de grande arte a guetos de elite, e de meados do século em diante seus habitantes eram essencialmente pessoas com educação superior. O público de teatro e ópera, os leitores dos clássicos literários de seus países e do tipo de poesia e prosa levado a sério pelos críticos, os visitantes de museus e galerias de arte pertenciam esmagadoramente aos que tinham pelo menos educação secundária — a não ser no mundo socialista, onde a indústria de diversão maximizadora de lucros foi mantida a distância, até que, após sua queda, não o foi mais. A cultura comum de qualquer país urbanizado de fins do século XX se baseava na indústria da diversão de massa — cinema, rádio, televisão, música popular —, da qual participava a elite, certamente desde o triunfo do *rock*, e à qual os intelectuais sem dúvida deram um toque cerebral para torná-la adequada ao gosto da elite. Além disso, a segregação era cada vez mais completa, pois só por um acidente ocasional o grosso do público que a indústria de diversão atraía encontrava os gêneros de alta cultura que enlouqueciam os iniciados, como quando uma ária de Puccini cantada por Pavarotti se viu associada à Copa do Mundo de futebol em 1990, ou quando breves temas de Handel ou Bach apareciam incógnitos em comerciais de televisão. Se alguém não queria juntar-se às classes médias, não se dava o trabalho de ver peças de Shakespeare. Por outro lado, se quisesse, e para tanto adotasse a solução mais óbvia, de passar nos exames exigidos pela escola secundária, não poderia deixar de vê-las: eram tema de prova. Em casos extremos, dos quais a Grã-Bretanha, dividida em classes, era um exemplo notável, os jornais dirigidos respectivamente aos cultos e aos não cultos praticamente se inseriam em universos diferentes.

Mais especificamente, a extraordinária expansão da educação superior proporcionava cada vez mais emprego, e constituía o mercado para homens e mulheres de inadequado apelo comercial. O exemplo mais dramático se deu na literatura. Os poetas ensinavam, ou pelo menos eram residentes em faculdades. Em alguns países, as ocupações de romancista e professor se sobrepunham em tal medida que na década de 1960, como grande número de leitores potenciais era familiarizado com o ambiente, surgiu e floresceu um gênero inteiramente novo: o romance do campus, que, além do tema habitual da ficção, a relação entre os sexos, tratava de questões de interesse mais esotérico, como intercâmbios acadêmicos, colóquios internacionais, fofoca universitária e as peculiaridades dos estudantes. Mais perigosamente, a demanda acadêmica estimulou a produção de uma literatura de criação que se prestava à dissecação em seminários, e portanto se beneficiava da complexidade, se não incompreensibilidade, seguindo o exemplo do grande James Joyce, cujas últimas obras tinham tantos comentaristas quanto leitores. Os poetas escreviam para outros poetas, ou para estudantes que se esperava discutissem suas obras. Protegidas por salários acadêmicos, bolsas e listas de leitura obrigatória, as artes criativas não comerciais podiam esperar, se não necessariamente florescer, pelo menos sobreviver com conforto. Infelizmente, outro subproduto do crescimento da academia minava sua posição, pois os glosadores e comentadores se tornaram independentes de seu tema, alegando que o texto era apenas o que o leitor fazia dele. O crítico que interpretava Flaubert, diziam, era tão criador de Madame Bovary quanto o autor, talvez — uma vez que o romance só sobrevivia pela leitura de outros, sobretudo para fins acadêmicos — ainda mais que o autor. Essa teoria era saudada havia muito pelos produtores teatrais de vanguarda (antecipados pelos antigos realizadores e atores-produtores do cinema), para os quais Shakespeare ou Verdi eram basicamente matéria-prima para suas interpretações ousadas e de preferência provocativas. Por mais triunfantes que estas fossem algumas vezes, na verdade sublinhavam o crescente esoterismo das artes cerebralistas, pois eram em si comentários e críticas de interpretações anteriores, e não inteiramente compreensíveis, a não ser para iniciados. A moda espalhou-se até o gênero de filmes populares, nos quais diretores sofisticados anunciavam sua erudição cinematográfica à elite que entendia suas alusões, mantendo ao mesmo tempo as massas (e, esperava-se, a bilheteria) felizes com sangue e esperma.*

É possível imaginar como as histórias culturais do século XXI vão avaliar as realizações artísticas das grandes artes da segunda metade do século XX? É óbvio que não, mas dificilmente deixarão de notar o declínio, pelo menos regional, de gêneros característicos que floresceram em grande estilo no século XIX, e sobreviveram na primeira metade do XX. A escultura é um exemplo que vem logo à mente, quando nada porque a principal expressão dessa arte, o monumento público, praticamente morreu após o fim da Primeira Guerra Mundial, a não ser em países ditatoriais, onde, por consenso geral, a qualidade não igualou a quantidade. É impossível evitar a impressão de que a pintura não foi o que tinha sido mesmo entre as guerras. De qualquer modo, seria difícil fazer uma lista de pintores de 1950 a 1990 aceitos como grandes figuras (por exemplo, dignos de inclusão em outros museus que não os do país do artista) comparável a uma lista idêntica do período do entreguerras. Esta, devemos lembrar-nos, teria incluído no mínimo dos mínimos Picasso (1888-1973), Matisse (1869-1954), Soutine (1894-1943), Chagall (1889-1985) e Rouault (1871-1955) da escola de Paris; Klee (1879-1940), talvez dois ou três russos e alemães, e um ou dois espanhóis e mexicanos. Como se compararia com esta uma lista de fins do século XX, mesmo incluindo vários líderes do "expressionismo abstrato" da Escola de Nova York, Francis Bacon e uns dois alemães?

Na música clássica, mais uma vez, o declínio dos velhos gêneros foi ocul-

(*) Assim, *Os intocáveis* (1987), de Brian de Palma, ostensivamente um emocionante filme de polícia e ladrão sobre a Chicago de Al Capone (embora na verdade um pastiche do gênero original), contém uma citação literal de *Encouraçado Potemkin*, de Eisenstein, incompreensível para todos que não viram o famoso trecho do carrinho de bebê despencando pela escadaria de Odessa.

tado pelo enorme aumento em suas apresentações, mas sobretudo em forma de repertório de clássicos mortos. Quantas novas óperas, compostas após 1950, se estabeleceram nos repertórios internacionais, ou mesmo em algum nacional, que reciclavam interminavelmente as produções de compositores dos quais os mais jovens haviam nascido em 1860? Com exceção de Alemanha e Grã-Bretanha (Henze, Britten e na melhor das hipóteses dois ou três outros), muito poucos compositores chegaram a criar grandes óperas. Os americanos (por exemplo, Leonard Bernstein, 1918-90) preferiram o gênero menos formal do musical. Quantos compositores, além dos russos, compuseram sinfonias, tidas como o coroamento da realização instrumental no século XIX?* O talento musical, que continuava em plena e abundante existência, simplesmente tendeu a abandonar as formas tradicionais de expressão, embora estas dominassem esmagadoramente o mercado da grande arte.

Uma retirada semelhante do gênero do século XIX é óbvia no romance. Naturalmente, continuou sendo escrito, comprado e lido em grande quantidade. Contudo, se olhamos os grandes romances e grandes romancistas da segunda metade do século, os que tomaram como tema toda uma sociedade ou toda uma era histórica, vamos encontrá-los fora das regiões centrais da cultura ocidental — com exceção, mais uma vez, da Rússia, onde o romance ressurgiu, com o Soljenitsin inicial, como o maior modo de chegar a termos com a experiência do stalinismo. Podemos encontrar romances da grande tradição na Sicília (*O leopardo*, de Lampedusa), na Iugoslávia (Ivo Andric, Miroslav Krleza) e na Turquia. Certamente os encontraremos na América Latina, cuja ficção, até então desconhecida fora dos países interessados, tomou o mundo literário a partir da década de 1950. O romance mais sem hesitação e instantaneamente reconhecido como obra-prima em todo o globo veio da Colômbia, um país que a maioria das pessoas educadas no mundo desenvolvido tinha problemas até para identificar no mapa, antes de ele vir a ser identificado com a cocaína: *Cem anos de solidão*, de Gabriel García Márquez. Talvez o notável surgimento do romance judeu em vários países, sobretudo EUA e Israel, reflita o trauma excepcional da experiência de seu povo sob Hitler, com o qual, direta ou indiretamente, os escritores judeus achavam que tinham de chegar a termos.

O declínio dos gêneros clássicos da grande arte e literatura não se deveu, claro, a nenhuma escassez de talento. Pois mesmo que pouco saibamos sobre a distribuição de dons excepcionais entre seres humanos e sua variação, é mais seguro supor que há rápidas mudanças mais nos incentivos para expressá-los, ou nos canais para expressá-los, ou no estímulo a fazê-lo de uma determinada forma, do que na quantidade de talento existente. Não há nenhum bom motivo para supor que os toscanos hoje são menos talentosos, ou mesmo que

(*) Prokofiev compôs sete, e Shostakovich, quinze, e mesmo Stravinsky compôs três: mas todas estas pertenciam ou tinham sido formadas na primeira parte do século.

tenham um senso estético menos desenvolvido, que no século da Renascença florentina. O talento nas artes abandonou os velhos meios de buscar expressão porque os novos meios existentes eram mais atraentes, ou recompensadores, como quando, mesmo entre as guerras, jovens compositores de vanguarda podiam ser tentados, como Auric e Britten, a compor trilhas sonoras para filmes, em vez de quartetos de cordas. Grande parte da rotina de pintar e desenhar foi substituída pelo triunfo da câmera, que, para dar um exemplo, tomou quase completamente a representação da moda. O folhetim, já uma raça em extinção entre as guerras, deu lugar na era da televisão ao seriado de TV. O filme, que deu muito mais espaço para o talento criador após o colapso do sistema de estúdio ou produção fabril de Hollywood, quando sua platéia de massa se refugiou em seus lares para ver televisão e depois vídeo, tomou o lugar ocupado tanto pelo romance quanto pelo teatro. Para cada amante da cultura que podia citar duas peças de cinco dramaturgos, mesmo vivos, cinqüenta podiam relacionar todos os principais filmes de dez ou mais diretores de cinema. Nada era mais natural que isso. Só o status social ligado à "alta cultura" clássica impedia um declínio ainda mais rápido de seus gêneros tradicionais.*

Contudo, dois fatores ainda mais importantes solapavam agora a alta cultura clássica. O primeiro era o triunfo universal da sociedade de consumo de massa. Da década de 1960 em diante, as imagens que acompanhavam do nascimento até a morte os seres humanos no mundo ocidental — e cada vez mais no urbanizado Terceiro Mundo — eram as que anunciavam ou encarnavam o consumo ou as dedicadas ao entretenimento comercial de massa. Os sons que acompanhavam a vida urbana, dentro e fora de casa, eram os da música *pop* comercial. Comparado com isso, o impacto das "grandes artes" mesmo sobre os "cultos" era na melhor das hipóteses ocasional, sobretudo desde que o triunfo do som e da imagem com base na tecnologia impunha forte pressão sobre o que fora o grande veículo para a continuação da experiência da alta cultura, a palavra escrita. A não ser por divertimento leve — sobretudo histórias de amor para mulheres, *thrillers* de vários tipos para homens e, talvez, na era da libertação, um pouco de erotismo e pornografia —, as pessoas que liam livros seriamente para outros fins que não profissionais, educacionais e instrutivos eram uma minoria reduzida. Embora a revolução educacional expandisse seu número em termos absolutos, a distração da leitura declinou em países de alfabetização teoricamente universal, quando a letra impressa deixou de ser o principal portão para o mundo além da comunicação boca a boca. Após a década de 1950, mesmo os filhos das classes educadas no mundo ocidental rico não adotavam espontaneamente a leitura como tinham feito seus pais.

As palavras que dominavam as sociedades de consumo ocidentais não

(*) Um brilhante sociólogo francês analisou o uso da cultura como sinal de classe num livro intitulado *La distinction* (Bourdieu, 1979).

eram mais as dos livros santos, quanto mais de escritores seculares, mas as marcas comerciais de produtos ou do que se podia comprar. Eram estampadas em camisetas, pregadas em outras roupas como amuletos por meio dos quais o usuário adquiria o mérito espiritual do estilo de vida (geralmente juvenil) que esses nomes simbolizavam e prometiam. As imagens que se tornaram ícones de tais sociedades eram as das diversões e consumo de massa: astros e latas. Não surpreende que na década de 1950, no coração da democracia de consumo, a principal escola de pintores abdicasse diante de fabricantes de imagens tão mais poderosas que a arte anacrônica. A *pop art* (Warhol, Lichtenstein, Rauschenberg, Oldenburg) passava o tempo reproduzindo, com tanta exatidão e insensibilidade quanto possível, os badulaques visuais do comercialismo americano: latas de sopa, bandeiras, garrafas de coca-cola, Marilyn Monroe.

Insignificante como arte (no sentido que o século XIX deu à palavra), essa moda apesar disso reconhecia que o triunfo do mercado de massa se baseava, de algum modo bastante profundo, na satisfação das necessidades tanto espirituais quanto materiais dos consumidores, um fato do qual as agências de publicidade há muito tinham vaga consciência quando destinavam suas campanhas a vender "não o bife, mas o chiado", não o sabonete, mas o sonho de beleza, não as latas de sopa, mas a felicidade familiar. O que se tornou cada vez mais claro na década de 1950 foi que isso tinha o que se podia chamar de uma dimensão estética, uma criatividade de base, ocasionalmente ativa mas sobretudo passiva, que os produtores tinham de competir para oferecer. Os excessos barrocos do desenho de automóveis de Detroit na década de 1950 tinham exatamente isso em vista; e na década de 1960 uns poucos críticos inteligentes começaram a investigar o que antes era esmagadoramente ignorado e rejeitado como "comercial" ou apenas esteticamente nulo, ou seja, o que na verdade atraía homens e mulheres comuns (Banham, 1971). Os intelectuais mais velhos, agora cada vez mais descritos como "elitistas" (palavra adotada com entusiasmo pelo novo radicalismo da década de 1960), olhavam de cima as massas, que viam como recipientes passivos do que o grande capital queria que comprassem. Contudo, a década de 1950 demonstrou da maneira mais sensacional, através do triunfo do *rock'n'roll*, um idioma de adolescentes derivado do *blues* urbano autóctone dos guetos negros da América do Norte, que as massas sabiam ou pelo menos reconheciam aquilo de que gostavam. A indústria de discos, que fez fortunas com o *rock*, não o criou, e muito menos planejou, mas tomou-o de amadores e pequenos executantes de esquina que o descobriram. Não há dúvida de que o *rock* se corrompeu nesse processo. Via-se a "arte" (se esta era a palavra certa) vindo do solo, e não das flores excepcionais que dele brotavam. Além disso, como dizia o populismo partilhado pelo mercado e o radicalismo antielitista, o importante não era distinguir entre bom e ruim, elaborado e simples, mas no máximo entre o que atraía mais ou menos pessoas. Isso não deixava muito espaço para o clássico conceito das artes.

Contudo, uma força ainda mais poderosa solapava as grandes artes: a morte do "modernismo", que desde fins do século XIX legitimava a prática da criação artística não utilitária, e que sem dúvida proporcionara a justificação para a reivindicação do artista à liberdade de toda limitação. Seu âmago era a inovação. Com base na analogia entre ciência e tecnologia, o "modernismo" tacitamente supunha que a arte era progressista, e portanto o estilo de hoje era superior ao de ontem. Era, por definição, a arte da *avant-garde*, termo que entrou no vocabulário crítico na década de 1880, isto é, de minorias que em teoria esperavam um dia conquistar a maioria, mas na prática estavam satisfeitas por não o terem feito ainda. Qualquer que fosse sua forma específica, o "modernismo" se baseava na rejeição das convenções liberal-burguesas do século XIX, tanto na sociedade quanto na arte, e na necessidade sentida de criar uma arte de algum modo adequada ao tecnológica e socialmente revolucionário século XIX, para o qual as artes e estilos de vida da rainha Vitória, do imperador Guilherme e do presidente Theodore Roosevelt eram tão visivelmente inadequados (ver *A era dos impérios*, capítulo 9). Idealmente, os dois objetivos andavam juntos: o cubismo era tanto rejeição e crítica da pintura representativa vitoriana quanto uma alternativa a ela, e também uma coleção de "obras de arte" de "artistas" com direito próprio. Na prática, não tinham de coincidir, como o niilismo artístico (deliberado) do urinol de Marcel Duchamp e o dadaísmo haviam demonstrado muito tempo atrás. Estes não pretendiam ser qualquer espécie de arte, mas antiarte. Também neste caso, idealmente os valores sociais que os artistas "modernistas" buscavam no século XX e as maneiras de expressá-los em palavra, som, imagem e forma deviam fundir-se uns nos outros, como fizeram em grande parte na arquitetura modernista, essencialmente um estilo para construir utopias sociais em formas supostamente a eles adequadas. Mais uma vez, na prática, forma e substância não tinham ligação lógica. Por que, por exemplo, deveria a "cidade radiante" (*cité radieuse*) de Le Corbusier consistir em altos edifícios com topos planos e não em ponta?

Apesar disso, como vimos, na primeira metade do século o "modernismo" funcionou, passando despercebida a fraqueza de suas bases teóricas, ainda não inteiramente cruzada a curta distância até os limites de desenvolvimento permitidos por suas fórmulas (por exemplo, a música dodecafônica ou a arte abstrata), ainda não rachado o seu tecido por contradições internas ou fissuras potenciais. Inovação formal de vanguarda e esperança social ainda eram fundidas pela experiência de guerra mundial, crise mundial e revolução mundial potencial. A era de antifascismo adiou a reflexão. O modernismo ainda pertencia à vanguarda e à oposição, a não ser entre desenhistas industriais e agências de publicidade. Tinha vencido.

Exceto nos regimes socialistas, partilhou da vitória sobre Hitler. O modernismo em arte e arquitetura conquistou os EUA, enchendo de "expressionistas abstratos" as galerias e escritórios de empresas de prestígio, e os bairros comerciais das cidades americanas de símbolos do "estilo internacional" — alongadas caixas retangulares verticais, não tanto arranhando o céu quanto achatando seus topos contra ele: com grande elegância, como no prédio da Seagram's de Mies van der Rohe, ou simplesmente muito altos, como o World Trade Center (ambos em Nova York). No velho Continente, em certa medida seguindo a tendência americana, que agora se inclinava a associar modernismo com "valores ocidentais", a abstração (arte não figurativa) nas artes visuais e o modernismo na arquitetura se tornaram parte, às vezes dominante, do panorama cultural estabelecido, e até mesmo reviveram em países como a Grã-Bretanha, onde pareciam ter estagnado.

Contudo, a partir de fins da década de 1960, uma acentuada reação a ele foi se tornando cada vez mais manifesta, e na década de 1980 virou moda, sob rótulos como "pós-modernismo". Não era tanto um "movimento" quanto uma negação de qualquer critério preestabelecido de julgamento e valor nas artes, ou na verdade da possibilidade de tais julgamentos. Na arquitetura, onde essa reação se fez sentir primeiro e mais visivelmente, ela cobriu os arranha-céus com frontões Chippendale, tanto mais provocativos por terem sido construídos pelo próprio co-inventor do termo "estilo internacional", Philip Johnson (1906-). Críticos para os quais a linha do horizonte espontaneamente formada de Manhattan era outrora o modelo da paisagem urbana moderna descobriram as virtudes da totalmente desestruturada Los Angeles, um informe deserto de detalhes, o paraíso (ou inferno) dos que "estavam na sua". Por mais irracionais que fossem, as regras estético-morais haviam governado a arquitetura moderna, mas de agora em diante valia tudo.

As realizações do movimento moderno na arquitetura tinham sido impressionantes. Desde 1945, construíra os aeroportos que ligavam o mundo, as fábricas, edifícios de escritórios e prédios públicos que ainda precisavam ser erguidos — capitais no Terceiro Mundo, museus, universidades e teatros no Primeiro. Presidira a maciça e global reconstrução de cidades na década de 1960, pois mesmo no mundo socialista suas inovações técnicas, que se prestavam à rápida e barata construção habitacional em massa, haviam deixado sua marca. Produzira, sem sérias dúvidas, um número substancial de prédios muito bonitos, ou mesmo obras-primas, embora também várias coisas feias e um número muito maior de formigueiros sem identidade e inumanos. As realizações da pintura e escultura modernistas do pós-guerra foram incomparavelmente menores, e em geral muito inferiores a suas antecessoras do entreguerras, como demonstra imediatamente uma comparação da arte parisiense da década de 1950 com a da década de 1920. Consistiram em grande parte de uma série de macetes cada vez mais desesperados, com os quais os artistas procuravam dar à obra uma marca registrada de imediato reconhecimento, uma sucessão de manifestos de desespero ou abdicação diante das inundações de não-arte que submergiam o artista do velho estilo (*pop art*, a *art brut* de Dubuffet e coisas que tais), a assimilação de rabiscos e outras bugigangas, ou de gestos que reduziam *ad absurdum* o tipo de arte basicamente comprada para investimento e seus colecionadores, como apor o nome do indivíduo a pilhas de tijolos ou terra ("arte minimalista"), ou impedir que se tornasse um desses produtos fazendo-o demasiado breve para ser permanente ("arte performance").

O cheiro de morte iminente subia dessas vanguardas. O futuro não era mais delas, embora ninguém soubesse de quem era. Mais que nunca, elas próprias se sabiam à margem. Comparadas com a verdadeira revolução na percepção e representação conseguidas através da tecnologia pelos fazedores de dinheiro, as inovações formais de boêmios de estúdio sempre tinham sido brincadeira de criança. Que eram as imitações de velocidade dos futuristas na tela de pintura comparadas com a verdadeira velocidade, ou mesmo a montagem de uma câmera de cinema numa locomotiva, o que qualquer um podia fazer? Que eram as experiências de concerto com som eletrônico em composições modernistas, que todo empresário sabia serem um veneno de bilheteria, comparadas com o *rock* que transformava o som eletrônico na música dos milhões? Se todas as "grande artes" se achavam segregadas em guetos, poderiam as vanguardas deixar de ver que suas próprias partes do gueto eram minúsculas e cada vez menores, como confirmava qualquer comparação com as vendas de Chopin e Schönberg? Com o surgimento da *pop art*, mesmo o grande baluarte do modernismo nas artes visuais, a abstração, perdeu sua hegemonia. A representação se tornou mais uma vez legítima.

O "pós-modernismo", assim, atacou estilos autoconfiantes e exaustos, ou antes os meios de realizar tanto atividades que tinham de prosseguir num estilo ou noutro, como prédios e obras públicas, quanto as que não eram em si indispensáveis, como a produção artesanal de pinturas de cavalete para serem vendidas individualmente. Daí o engano de analisá-lo basicamente como uma tendência dentro das artes, semelhante ao desenvolvimento das vanguardas. Na verdade, sabemos que o termo pós-modernismo se espalhou para todo tipo de campos que nada têm a ver com as artes. Na década de 1990, havia filósofos, cientistas sociais, antropólogos e historiadores "pós-modernos", além de outros praticantes de disciplinas que antes não tendiam a tomar sua terminologia emprestada às artes de vanguarda, mesmo quando por acaso se associavam com elas. A crítica literária, claro, adotou-o com entusiasmo. Na verdade, modas "pós-modernas", iniciadas sob vários nomes ("desconstrução", "pós-estruturalismo" etc.) entre a *intelligentsia* de fala francesa, chegaram aos departamentos de literatura americanos, e daí ao resto das humanidades e ciências sociais.

Todos os pós-modernismos tinham em comum um ceticismo essencial sobre a existência de uma realidade objetiva, e/ou a possibilidade de chegar a uma compreensão aceita dessa realidade por meios racionais. Todos tendiam a um radical relativismo. Todos, portanto, contestavam a essência de um mundo que se apoiava em crenças opostas, ou seja, o mundo transformado pela ciência e a tecnologia nela baseada, e a ideologia de progresso que o refletia. Examinaremos o desenvolvimento dessa estranha mas não inesperada contradição no próximo capítulo. No campo mais restrito das grandes artes, a contradição não era tão extrema, pois, como vimos (*A era dos impérios*, capítulo 9), as vanguardas modernistas já haviam estendido até quase o infinito os limites do que podia reivindicar a condição de "arte" (ou, de qualquer modo, resultar em produtos que podiam ser vendidos ou de outro modo lucrativamente separados de seus criadores como "arte"). O que o pós-modernismo produziu foi antes um fosso (em grande parte geracional) entre os que se sentiam repelidos pelo que viam como uma frivolidade niilista de novo tipo e os que achavam que levar as artes "a sério" era apenas mais uma relíquia do passado obsoleto. Que havia de errado, diziam, com "os montes de refugos da civilização [...] camuflados de plástico" que tanto haviam indignado o filósofo social Jürgen Habermas, último bastião da famosa Escola de Frankfurt? (Hughes, 1988, p. 146).

O pós-modernismo, portanto, não se limitou às artes. Apesar disso, provavelmente houve bons motivos para o termo surgir primeiro no cenário artístico. Pois a essência mesma das artes de vanguarda era uma busca de meios de expressar o que não podia ser expresso nos termos do passado, ou seja, a realidade do século XX. Esse foi um dos dois ramos do grande sonho desse século, sendo o outro a busca da transformação radical da realidade. Os dois foram revolucionários em diferentes sentidos da palavra, mas os dois tratavam do mesmo mundo. Os dois coincidiram em certa medida nas décadas de 1880 e 1890, e de novo entre 1914 e a derrota do fascismo, quando os talentos criadores foram tantas vezes revolucionários, ou pelo menos radicais, nos dois sentidos — em geral mas não sempre na esquerda. Os dois iam fracassar, embora na verdade tenham modificado tão profundamente o mundo de 2000 que não se concebe que suas marcas possam ser apagadas.

Em retrospecto, é claro que o projeto de revolução de vanguarda estava destinado ao fracasso desde o início, tanto por sua arbitrariedade intelectual quanto pela natureza do modo de produção que as artes criativas representavam numa sociedade burguesa liberal. Praticamente qualquer um dos inúmeros manifestos com os quais artistas de vanguarda anunciaram suas intenções nos últimos cem anos demonstra a falta de coerência entre fins e meios, a meta e os métodos para alcançá-la. Uma versão particular de novidade não é a conseqüência necessária da opção pela rejeição do velho. A música que evita deliberadamente a tonalidade não é necessariamente música serial de Schönberg, baseada nas trocas das doze notas da escala cromática; nem é esta a única base para a música serial; nem é a música serial necessariamente atonal. O cubismo, por mais atraente que fosse, não tinha qualquer justificação teórica. Na verdade, a própria decisão de abandonar os procedimentos e regras tradicionais por outros novos pode ser tão arbitrária quanto a escolha de novidades particulares. O equivalente do "modernismo" no xadrez, a chamada escola "hipermoderna" de jogadores da década de 1920 (Réti, Grünfeld, Nimzowitsch et al.), não propunha mudar as regras do jogo, como fizeram alguns. Simplesmente reagia contra a convenção (a escola "clássica" de Tarrasch) explorando o paradoxo — preferindo aberturas inconvencionais ("Após 1, o jogo P4R de White está nos últimos suspiros") e mais observando que ocupando o centro. A maioria dos escritores, e certamente dos poetas, na prática fez o mesmo. Eles continuaram aceitando os procedimentos tradicionais, por exemplo o verso rimado e metrificado onde parecia adequado, e romperam com a convenção de outras formas. Kafka não foi menos "moderno" que Joyce porque sua prosa era menos ousada. Além disso, onde o estilo modernista dizia ter uma justificação intelectual, por exemplo, como expressão da era da máquina ou (depois) do computador, a relação era puramente metafórica. De qualquer modo, a tentativa de comparar "a obra de arte na era de sua reprodutividade técnica" (Benjamin, 1961) com o velho modelo do artista criativo individual reconhecendo apenas sua inspiração pessoal tinha de fracassar. A criação era agora essencialmente mais cooperativa que individual, mais tecnológica que manual. Os jovens críticos franceses que na década de 1950 desenvolveram uma teoria do cinema como obra de um *auteur* criador individual, o diretor, com base — logo no quê — numa paixão pelos filmes B de Hollywood das décadas de 1930 e 1940, eram absurdos porque a cooperação e a divisão do trabalho eram e são a essência daqueles cujo ofício é encher as noites nas telas públicas e privadas, ou produzir alguma outra sucessão regular de obras para consumo mental, como jornais e revistas. Os talentos que entravam nas formas características de criação do século XX, sobretudo produtos para o mercado de massa, ou subprodutos do mercado de massa, não eram inferiores aos do clássico modelo burguês do século XIX, mas não podiam mais se dar ao luxo do clássico papel do artista solitário. Sua única ligação direta com os antecessores clássicos era através de um limitado setor das "grandes artes" que sempre operara através de coletivos: o palco. Se Akira Kurosawa, Lucchino Visconti (1906-76) ou Sergei Eisenstein — para citar apenas três artistas inquestionavelmente muito grandes do século, todos com origens no palco — houvessem desejado criar à maneira de Flaubert, Courbet ou mesmo Dickens, nenhum deles teria ido muito longe.

Contudo, como observou Walter Benjamin, a era de "reprodutibilidade técnica" transformou não apenas a maneira como se dava a criação — assim tornando o cinema e tudo que dele derivava (televisão, vídeo) a arte central do século — mas também a maneira como os seres humanos percebiam a realidade e sentiam as obras de criação. Isso não mais se dava pelos atos de adoração e prece seculares em nome dos quais os museus, galerias, salas de concerto e teatros públicos, tão típicos da civilização burguesa do século XIX, supriam as igrejas. O turismo, que agora enchia tais estabelecimentos mais de estrangeiros que de locais, e a educação foram os últimos bastiões desse tipo de consumo de arte. O número dos que passavam por essas experiências era, claro, muito maior do que antes, mas mesmo a maioria dos que, após abrirem caminho no cotovelo até poderem ver de perto a *Primavera* na Uffizi de Florença, ficavam em pasmo silêncio, ou dos que se comoviam quando liam Shakespeare como parte do currículo de prova, geralmente vivia num universo de percepção diferente, multiforme e variegado. As impressões dos sentidos, e mesmo as idéias, podiam alcançá-los simultaneamente de todos os lados — através da combinação de manchetes e fotos, texto e publicidade na página de jornal, o som no fone de ouvido enquanto o olho vasculhava a página, através da justaposição de imagem, voz, impressão e som —, tudo, com quase toda a certeza, absorvido perifericamente, a menos que, por um momento, alguma coisa concentrasse a atenção. Era assim que as pessoas da cidade há muito sentiam a rua, era assim que funcionava o lazer no parque de diversões e no circo, uma maneira conhecida de artistas e críticos desde os dias dos românticos. A novidade era que a tecnologia encharcara de arte a vida diária privada e pública. Jamais fora tão difícil evitar a experiência estética. A "obra de arte" se perdera na enxurrada de palavras, sons, imagens, no ambiente universal do que um dia se teria chamado arte.

Ainda podia chamar-se? Para os que ligavam para essas coisas, as grandes obras duradouras ainda podiam ser identificadas, embora nas partes desenvolvidas do mundo as obras exclusivamente criadas por um único indivíduo e identificáveis apenas com ele ou ela se tornassem cada vez mais marginais. E o mesmo, com a exceção dos prédios, se dava com as obras individuais de criação ou construção não destinadas a reprodução. Podia-se ainda julgar e classificar pelos padrões que haviam governado a avaliação dessas questões nos grandes dias de civilização burguesa? Sim e não. A medição do mérito pela cronologia jamais servira às artes: as artes criativas jamais haviam sido melhores apenas por serem velhas, como diziam as vanguardas. O último critério tornou-se absurdo no final do século XX, quando se fundiu com os interesses econômicos de indústrias de consumo, que extraíam seus lucros de um curto ciclo de moda e de vendas em massa instantâneas para uso intensivo mas breve.

Por outro lado, ainda era tão possível quanto necessário aplicar nas artes a distinção entre o sério e o trivial, entre bom e ruim, profissional e amador, e tanto mais porque várias partes interessadas negavam tais distinções, com base em que a única medida do mérito eram as cifras de venda, ou que eram elitistas, ou que, como dizia o pós-modernismo, não se podia fazer qualquer distinção objetiva. Na verdade, só os ideólogos e vendedores sustentavam opiniões tão absurdas em público, e em privado mesmo a maioria destes sabia que distinguia entre bom e ruim. Em 1991, um joalheiro britânico que produzia para o mercado de massa criou um escândalo ao dizer numa conferência de homens de negócios que seus lucros vinham da venda de merda a pessoas que não tinham gosto para nada melhor. Ele, ao contrário dos teóricos pós-modernos, sabia que os julgamentos de qualidade fazem parte da vida.

Mas se tais julgamentos ainda eram possíveis, seriam ainda relevantes num mundo em que, para a maioria dos cidadãos urbanos, as esferas de vida e arte, de emoção gerada de dentro e emoção gerada de fora, ou trabalho e lazer eram cada vez mais indistinguíveis? Ou antes, seriam ainda relevantes fora dos cercadinhos especializados da escola e academia em que tão grande parte das artes tradicionais buscava refúgio? É difícil dizer, porque a própria tentativa de responder ou formular uma tal questão pode exigir isso. É muito fácil escrever a história do *jazz*, ou discutir suas realizações em termos muito semelhantes aos aplicados à música clássica, descontando-se a considerável diferença no ambiente social, e o público e economia dessa forma de arte. Não é de modo algum claro que esse procedimento faça qualquer sentido para o *rock*, embora também ele derive da música negra americana. Pode-se esclarecer quais são as realizações de Louis Armstrong e Charlie Parker, e qual a superioridade deles sobre outros contemporâneos. Por outro lado, parece muito mais difícil alguém que não tenha fundido um determinado som com sua vida escolher este ou aquele grupo de *rock* entre a imensa enxurrada de som que varreu o vale dessa música nos últimos quarenta anos. Billie Holiday podia (pelo menos até a época em que escrevo) comunicar-se com ouvintes nascidos muitos anos depois que ela morreu. Pode alguém que não foi contemporâneo dos Rolling Stones desenvolver alguma coisa parecida ao apaixonado entusiasmo que esse grupo provocava em meados da década de 1960? Quanto da paixão por um som ou imagem hoje se baseia em associação: não porque a música seja admirável, mas porque "esta é a nossa música"? Não podemos dizer. O papel ou mesmo a sobrevivência das artes vivas no século XXI são ainda obscuros.

O mesmo não se dá com as ciências.

18
FEITICEIROS E APRENDIZES
As ciências naturais

Você acha que há lugar para a filosofia no mundo de hoje?

Claro, mas só se for baseada no atual estado de conhecimento e realização científicos [...] Os filósofos não podem isolar-se contra a ciência. Ela não apenas ampliou e transformou enormemente nossa visão da vida e do universo: também revolucionou as regras segundo as quais opera o intelecto.

Claude Lévi-Strauss (1988)

O texto padrão sobre a dinâmica do gás escrito pelo autor quando desfrutava de uma bolsa da Fundação Guggenheim foi por ele descrito como tendo tido sua forma ditada pelas necessidades da indústria. Dentro desse esquema, a confirmação da teoria da relatividade geral de Einstein passou a ser vista como um passo crítico para melhorar "a precisão da balística militar levando-se em conta minúsculos efeitos gravitacionais". A física do pós-guerra estreitou cada vez mais sua concentração nas áreas julgadas como de aplicações militares.

Margaret Jacob (1993, pp. 66-7)

I

Nenhum período da história foi mais penetrado pelas ciências naturais nem mais dependente delas do que o século XX. Contudo, nenhum período, desde a retratação de Galileu, se sentiu menos à vontade com elas. Este é o paradoxo que tem de enfrentar o historiador do século. Mas, antes que eu tente fazê-lo, devem-se reconhecer as dimensões do fenômeno.

Em 1910, todos os físicos e químicos alemães e britânicos juntos chegavam talvez a 8 mil pessoas. Em fins da década de 1980, o número de cientistas e engenheiros de fato empenhados em pesquisa e desenvolvimento experimental no mundo era estimado em cerca de 5 *milhões*, dos quais quase 1 milhão se achava nos EUA, principal potência científica, e um número ligeiramente maior nos Estados da Europa.* Embora os cientistas continuassem a formar uma minúscula fração da população, mesmo nos países desenvolvidos, o número deles continuou a crescer de maneira impressionante, mais ou menos dobrando nos vinte anos após 1970, mesmo nas economias avançadas. Contudo, em fins da década de 1980 eles formavam a ponta de um *iceberg* muito maior do que se poderia chamar de mão-de-obra científica e tecnológica potencial, que refletia essencialmente a revolução educacional da segunda metade do século (ver capítulo 10). Ela representava talvez 2% da população global, e talvez 5% da população norte-americana (UNESCO, 1991, tabela 5.1). Os cientistas de fato eram cada vez mais selecionados por meio de uma "tese doutoral", que se tornou o bilhete de entrada para a profissão. No fim da década de 1980, o país ocidental avançado típico gerava alguma coisa do tipo 130, 140 desses doutorados por ano para cada milhão de seus habitantes (Observatoire, 1991). Esses países também gastavam, sobretudo dos fundos públicos — mesmo nos países mais capitalistas —, somas bastante astronômicas em tais atividades. Na verdade, as formas mais caras de "grande ciência" estavam fora do alcance de qualquer país individualmente a não ser (até a década de 1990) os EUA.

Mas havia uma grande novidade. Apesar de 90% dos trabalhos científicos (cujo número duplicava a cada dez anos) serem publicados em quatro idiomas (inglês, russo, francês e alemão), a ciência eurocêntrica se encerrou no século XX. A Era das Catástrofes, e sobretudo o triunfo temporário do fascismo, transferiu seu centro de gravidade para os EUA, onde permaneceu. Entre 1900 e 1933, só sete Prêmios Nobel de ciência foram dados aos EUA; mas, entre 1933 e 1970, foram 77. Os outros países de colonização européia também se estabeleceram como centros de pesquisa independentes — Canadá, Austrália, a muitas vezes subestimada Argentina** —, embora alguns, por questões de tamanho e política, exportassem a maioria de seus cientistas (Nova Zelândia, África do Sul). Ao mesmo tempo, foi impressionante o surgimento de cientistas não europeus, sobretudo do Leste Asiático e do subcontinente indiano. Antes do fim da Segunda Guerra Mundial, só um asiático conquistara um Prêmio Nobel de ciência (C. Raman, em física, 1930); depois de 1946, tais prêmios foram concedidos a mais de dez pesquisadores com nomes obviamente japoneses, indianos e paquistaneses, e isso ainda subestima tão claramente a ascensão das ciências asiáticas quanto o registro pré-1933 subestimava a ascensão da ciência americana. Contudo, no fim do século, ainda havia partes do mundo que geravam visivelmente poucos cientistas em termos absolutos, e ainda mais acentuadamente em termos relativos, como por exemplo a África e a América Latina.

Contudo, um fato impressionante é que (pelo menos) um terço dos lau-

(*) O número ainda maior na então URSS (cerca de 1,5 milhão) provavelmente não era de todo comparável (UNESCO, 1991, tabelas 5.2, 5.4 e 5.16).

(**) Três Prêmios Nobel, todos desde 1947.

reados asiáticos não aparece representando seu país de origem, mas como cientistas americanos. (Na verdade, dos laureados americanos, 27 são imigrantes de primeira geração.) Pois, num mundo cada vez mais globalizado, o fato mesmo de as ciências naturais falarem uma única língua universal e operarem sob uma única metodologia ajudou paradoxalmente a concentrá-las nos relativamente poucos centros com recursos adequados para seu desenvolvimento, isto é, nuns poucos Estados ricos altamente desenvolvidos, e acima de tudo nos EUA. Os cérebros do mundo, que na Era das Catástrofes fugiram da Europa por motivos políticos, desde 1945 foram drenados dos países pobres para os ricos por motivos sobretudo econômicos.* Isso é natural, pois nas décadas de 1970 e 1980 os países capitalistas desenvolvidos gastaram quase três quartos de todos os orçamentos do mundo em pesquisa e desenvolvimento, enquanto os pobres ("em desenvolvimento") não gastaram mais de 2% a 3% (UN World Social Situation 1989, p. 103).

Contudo, mesmo no mundo desenvolvido, a ciência foi aos poucos perdendo dispersão, em parte por causa da concentração de pessoas e recursos — por razões de eficiência — em parte porque o enorme aumento na educação superior inevitavelmente criou uma hierarquia, ou antes uma oligarquia entre seus institutos. Nas décadas de 1950 e 1960, metade dos doutorados nos Estados Unidos vinha das quinze universidades mais prestigiosas, para as quais, em conseqüência, acorriam os jovens cientistas mais capazes. Num mundo democrático e populista, os cientistas eram uma elite, concentrada nuns relativamente poucos centros subsidiados. Como espécie, ocorriam em grupos, pois a comunicação ("alguém com quem conversar") era fundamental para suas atividades. Com o passar do tempo, essas atividades foram se tornando cada vez mais incompreensíveis para os não-cientistas, embora os leigos tentassem desesperadamente entendê-las, com a ajuda de uma vasta literatura de popularização, às vezes escrita pessoalmente pelos melhores cientistas. Na verdade, à medida que aumentava a especialização, mesmo os cientistas precisavam de cada vez mais publicações para explicar uns aos outros o que se passava fora de seus respectivos campos.

O fato de que o século XX dependeu da ciência dificilmente precisa de prova. A ciência "avançada", quer dizer, aquele conhecimento que não pode nem ser adquirido pela experiência diária, nem praticado ou mesmo compreendido sem muitos anos de escola, culminando numa formação de pós-graduação esotérica, tinha apenas uma gama relativamente estreita de aplicações práticas até o fim do século XIX. A física e a matemática do século XVII gover-

(*) Pode-se notar um pequeno dreno temporário para fora dos EUA durante os anos macarthistas, e fugas políticas ocasionais maiores da região soviética (Hungria, 1956; Polônia e Tchecoslováquia, 1968; China e URSS, no fim da década de 1980), além de um dreno constante da República Democrática Alemã para a Alemanha Ocidental.

navam os engenheiros, enquanto em meados do reinado de Vitória as descobertas elétricas e químicas de fins do século XVIII e inícios do XIX já eram essenciais à indústria e às comunicações, e as explorações de pesquisadores científicos profissionais eram reconhecidas como a ponta-de-lança necessária do próprio avanço tecnológico. Em suma, a tecnologia com base na ciência já se achava no âmago do mundo burguês do século XIX, embora as pessoas práticas não soubessem exatamente o que fazer com os triunfos da teoria científica, a não ser, nos casos adequados, transformá-las em ideologias: como o século XVIII fizera com Newton e o final do século XIX com Darwin. Apesar disso, vastas áreas da vida humana continuaram sendo governadas, em sua maioria, pela experiência, experimentação, habilidade, bom senso treinado e, na melhor das hipóteses, difusão sistemática de conhecimento sobre as melhores práticas e técnicas existentes. Foi visivelmente o que aconteceu com a agricultura, construção civil e medicina, e na verdade com uma vasta gama de atividades que proporcionavam aos seres humanos suas necessidades e luxos.

Num determinado momento, no último terço do século, isso começou a mudar. Na Era dos Impérios, começaram a tornar-se visíveis não apenas os contornos da moderna tecnologia — só é preciso pensar nos automóveis, aviação, rádio e cinema — mas também os da moderna teoria científica: relatividade, o quantum, a genética. Além disso, via-se agora que as mais esotéricas e revolucionárias descobertas da ciência tinham potencial tecnológico imediato, da telegrafia sem fio ao uso médico dos raios X, ambos baseados em descobertas da década de 1890. Apesar disso, embora a grande ciência do Breve Século XX já fosse visível em 1914, e embora a alta tecnologia posterior já estivesse implícita nela, a grande ciência ainda não era uma coisa sem a qual a vida diária *em toda parte* do globo seria inconcebível.

É o que ocorre quando o milênio chega ao seu final. Como vimos (capítulo 9), a tecnologia com base em avançadas teoria e pesquisa científicas dominou o *boom* econômico da segunda metade do século XX, e não mais apenas no mundo desenvolvido. Sem a última palavra em genética, a Índia e a Indonésia não poderiam ter produzido alimentos suficientes para suas populações em explosão, e no fim do século a biotecnologia se tornara um elemento importante tanto na agricultura quanto na medicina. O problema dessas tecnologias é que se baseavam em descobertas e teorias tão distantes do mundo do cidadão comum, mesmo dos países desenvolvidos mais sofisticados, que só algumas dezenas ou, no máximo, algumas centenas de pessoas no mundo podiam captar inicialmente que elas tinham implicações práticas. Quando o físico alemão Otto Hahn descobriu a fissão nuclear, no início de 1939, mesmo alguns dos cientistas mais ativos no campo, como o grande Niels Bohr (1885-1962), duvidavam de que tivesse alguma aplicação prática na paz ou na guerra, pelo menos no futuro previsível. E se os físicos que entendiam seu potencial não tivessem falado a seus generais e políticos, estes sem dúvida teriam continuado na ignorância, a menos que fossem eles próprios físicos com pós-graduação, o que era muito improvável. Também o famoso trabalho de Alan Turing em 1935, que iria fornecer a base da moderna teoria do computador, foi escrito originalmente como uma exploração especulativa para lógicos matemáticos. A guerra lhe deu, e a outros, a oportunidade de traduzir a teoria nos primórdios de uma prática para decifração de códigos, mas quando foi publicado ninguém, com exceção de uns poucos matemáticos, sequer leu, quanto mais tomou conhecimento do seu trabalho. Mesmo em sua própria faculdade, o gênio de ar desajeitado e rosto pálido, então um professor assistente com queda pelo *jogging*, que se tornou postumamente uma espécie de ícone entre os homossexuais, não era uma figura de qualquer destaque; pelo menos não o lembro como tal.* Mesmo quando os cientistas se achavam visivelmente empenhados em tentar resolver problemas de reconhecida importância capital, só um pequeno punhado de cérebros num isolado canto intelectual sabia o que eles estavam preparando. Assim, este autor foi bolsista de uma faculdade em Cambridge na mesma época em que Crick e Watson preparavam sua triunfante descoberta da estrutura do DNA (a "Dupla Hélice"), imediatamente reconhecida como uma das conquistas fundamentais do século. Contudo, embora eu até me lembre de ter conhecido socialmente Crick na época, a maioria de nós simplesmente não sabia que esses fatos extraordinários estavam sendo maquinados a umas poucas dezenas de metros dos portões de minha faculdade, em laboratórios pelos quais passávamos regularmente e *pubs* onde bebíamos. Não é que não nos interessássemos por essas questões. Os que as pesquisavam simplesmente não viam sentido em falar-nos delas, uma vez que não podíamos contribuir para o seu trabalho, nem sequer, provavelmente, entender quais eram os seus problemas.

Apesar disso, por mais esotéricas e incompreensíveis que fossem as inovações da ciência, assim que eram feitas se traduziam quase imediatamente em tecnologias práticas. Assim, os transistores surgiram como um subproduto de pesquisas na física do estado sólido, isto é, as propriedades eletromagnéticas de cristais ligeiramente imperfeitos, em 1948 (seus inventores receberam o

(*) Turing suicidou-se em 1954, após ser condenado por conduta homossexual, então oficialmente crime e tida como uma doença médica ou psicologicamente curável. Ele não suportou a "cura" compulsória que lhe foi imposta. Foi vítima não tanto da criminalização do homossexualismo (masculino) na Grã-Bretanha antes da década de 1960 quanto de sua própria recusa a reconhecê-la. Suas tendências sexuais não haviam criado qualquer problema no ambiente de internato escolar no King's College, em Cambridge, nem entre a notória coleção de anômalos e excêntricos do *establishment* de decifração de códigos da época da guerra em Bletchley, onde ele passara a vida antes de ir para Manchester depois da guerra. Só um homem que não reconhecia exatamente o mundo em que a maioria das pessoas vivia iria à polícia dar queixa de um namorado (temporário) que roubara seu apartamento, com isso dando à lei a oportunidade de pegar ao mesmo tempo dois delinqüentes legais.

Prêmio Nobel oito anos depois), como aconteceu com os *lasers* (1960), que vieram não de estudos ópticos, mas de trabalhos para fazer moléculas vibrarem em ressonância com um campo magnético (Bernal, 1967, p. 563). Seus inventores também foram logo reconhecidos com Prêmios Nobel, como o foi — tardiamente — o físico de Cambridge soviético Peter Kapitsa (1978), pelo trabalho em física de baixa temperatura que produziu os supercondutores. A experiência de pesquisa do tempo da guerra, em 1939-46, que demonstrou — pelo menos aos anglo-americanos — que uma esmagadora concentração de recursos podia resolver os mais difíceis problemas tecnológicos num tempo improvavelmente curto,* estimulou o pioneirismo científico, independentemente de custos, para fins bélicos ou de prestígio nacional (por exemplo, a exploração do espaço cósmico). Isso, por sua vez, acelerou a transformação da ciência de laboratório em tecnologia, parte da qual revelou ter um amplo potencial para o uso diário. Os *lasers* são um exemplo dessa rapidez. Vistos pela primeira vez em laboratório em 1960, tinham em inícios da década de 1980 chegado ao consumidor em forma de *compact disc*. A biotecnologia foi ainda mais rápida. As técnicas de DNA recombinante, ou seja, técnicas para combinar genes de uma espécie com os de outra, foram reconhecidas pela primeira vez como adequadamente praticáveis em 1973. Menos de vinte anos depois, a biotecnologia era uma coisa comum no investimento médico e agrícola.

Além disso, graças em grande parte à espantosa explosão de teoria e prática da informação, novos avanços científicos foram se traduzindo, em espaços de tempo cada vez menores, numa tecnologia que não exigia qualquer compreensão dos usuários finais. O resultado ideal era um conjunto de botões ou teclado inteiramente à prova de erro, que requeria apenas apertar-se no lugar certo para ativar um procedimento que se movimentava, se corrigia e, até onde possível, tomava decisões, sem exigir maiores contribuições das qualificações e inteligência limitadas e inconfiáveis do ser humano médio. Na verdade, idealmente, podia-se programar o procedimento para dispensar de todo a intervenção humana, a não ser quando alguma coisa dava errado. A cobrança nos caixas dos supermercados na década de 1990 tipificava essa eliminação do elemento humano. Não exigia do operador humano mais que reconhecer as cédulas e moedas do dinheiro local e registrar a quantidade entregue pelo cliente. Um *scanner* automático traduzia o código de barras do artigo num preço, somava todos os preços, deduzia o total da quantia entregue pelo cliente, e dizia ao operador quanto dar de troco. O procedimento para assegurar o desempenho de todas

(*) Em essência, hoje está claro que a Alemanha nazista não conseguiu fazer uma bomba nuclear não porque os cientistas alemães não soubessem fazê-la, ou não tentassem, com diferentes graus de relutância, mas porque a máquina de guerra alemã não quis ou não pôde dedicar-lhe os recursos necessários. Eles abandonaram a tentativa e passaram para o que parecia uma concentração mais efetiva em termos de custos, os foguetes, que prometiam retornos mais rápidos.

essas atividades é extraordinariamente complexo, pois se baseia numa combinação de maquinaria enormemente sofisticada e programação bastante elaborada. Contudo, a menos ou até que alguma coisa desse errado, esses milagres de tecnologia científica de fins do século XX não exigiam mais dos operadores que o reconhecimento dos números cardinais, um mínimo de atenção e uma capacidade um tanto maior de concentrada tolerância de tédio. Não exigia sequer alfabetização. Para a maioria dos operadores, as forças que o mandavam informar ao cliente que ele ou ela devia pagar 2,15 libras, e o instruíam a devolver 7,85 de troco para uma nota de dez, eram tão irrelevantes quanto incompreensíveis. Não precisavam entender nada delas para operá-las. O aprendiz de feiticeiro não precisava mais preocupar-se com sua falta de conhecimento.

Para fins práticos, a situação do operador de *check-out* do supermercado representava a norma humana de fins do século XX; os milagres da tecnologia científica de vanguarda, que não precisamos entender nem modificar, mesmo que saibamos, ou julguemos saber, o que está acontecendo. Outra pessoa o fará ou já fez por nós. Pois, mesmo que nos suponhamos especialistas num ou noutro campo determinado — ou seja, o tipo de pessoa que pode consertar o aparelho se der problema, ou projetá-lo, ou construí-lo —, diante da maioria dos outros produtos diários da ciência e tecnologia somos leigos ignorantes sem compreender nada. E mesmo que não fôssemos, nossa compreensão do que é que faz a coisa que usamos funcionar, e dos princípios por trás dela, é em grande parte conhecimento irrelevante, como é o processo de fabricar cartas de baralho para o (honesto) jogador de pôquer. As máquinas de fax são projetadas para uso por pessoas que não têm idéia de como a máquina em Londres reproduz um texto que foi posto nela em Los Angeles. Não funcionam melhor quando operadas por professores de eletrônica.

Assim a ciência, através do tecido saturado de tecnologia da vida humana, demonstra diariamente seus milagres ao mundo de fins do século XX. É tão indispensável e onipresente — pois mesmo os mais remotos confins da humanidade conhecem o rádio transistorizado e a calculadora eletrônica — quanto Alá para o muçulmano crente. É discutível quando essa capacidade de certas atividades humanas produzirem resultados sobre-humanos se tornou parte da consciência comum, pelo menos nas partes urbanas das sociedades industriais "desenvolvidas". Certamente foi após a explosão da primeira bomba nuclear, em 1945. Contudo, não pode haver dúvida de que o século XX foi aquele em que a ciência transformou tanto o mundo quanto o nosso conhecimento dele.

Devíamos esperar que as ideologias do século XX se regozijassem com os triunfos da ciência, que são os triunfos da mente humana, como fizeram as ideologias seculares do século XIX. Na verdade, devíamos ter esperado até mesmo que enfraquecesse a oposição das ideologias religiosas tradicionais, grandes redutos de resistência à ciência do século XIX. Pois ela não apenas afrouxou o domínio das religiões tradicionais na maior parte do século, como veremos, mas a própria religião se tornou tão dependente da ciência da tecnologia baseada na alta ciência quanto qualquer outra atividade humana no mundo desenvolvido. Se necessário, um bispo, imã ou homem santo na década de 1900 podia realizar suas atividades como se Galileu, Newton, Faraday ou Lavoisier jamais houvessem existido, ou seja, com base em tecnologia do século XV, e a tecnologia do século XIX não criou problemas de compatibilidade com a teologia ou textos sacros. Tornou-se muito mais difícil ignorar o conflito entre ciência e escritura sagrada numa era em que o Vaticano se viu obrigado a comunicar-se por satélite e testar a autenticidade do sudário de Turim por datação de rádio-carbono; em que o aiatolá Khomeini difundiu suas palavras do exterior para o Irã por meio de fitas cassete; e em que Estados dedicados às leis do Corão também se empenhavam em equipar-se com armas nucleares. A aceitação *de facto* da ciência contemporânea mais sofisticada, *via* a tecnologia que dela dependia, era tal que na Nova York de *fin-de-siècle* as vendas de produtos eletrônicos super-*high-tech* se tornaram em grande parte especialidade dos hassidim, um ramo de judaísmo messiânico oriental conhecido, além de seu extremo ritualismo e insistência em usar uma versão século XVIII de trajes poloneses, por preferir a emoção extática à investigação intelectual. Sob certos aspectos, a superioridade da "ciência" era até mesmo oficialmente aceita. Os protestantes fundamentalistas nos EUA, que rejeitavam a teoria da evolução como não evangélica (tendo o mundo sido criado em sua atual versão em seis dias), exigiram que a doutrina de Darwin fosse substituída, ou pelo menos contrabalançada, pela doutrina que eles chamavam de "ciência da criação".

E no entanto, o século XX não se sentia à vontade com a ciência que fora a sua mais extraordinária realização, e da qual dependia. O progresso das ciências naturais se deu contra um fulgor, ao fundo, de desconfiança e medo, de vez em quando explodindo em chamas de ódio e rejeição da razão e de todos os seus produtos. E no espaço indefinido entre ciência e anticiência, entre os que buscavam a verdade última pelo absurdo e os profetas de um mundo composto exclusivamente de ficções, encontramos cada vez mais esse produto típico e em grande parte americano do século, sobretudo de sua segunda metade, a ficção científica. O gênero, antecipado por Júlio Verne (1828-1905), foi iniciado por H. G. Wells (1866-1946) no finzinho mesmo do século XIX. Embora suas formas mais juvenis, como os conhecidos *westerns* espaciais da TV e da tela grande, com cápsulas cósmicas em lugar de cavalos e raios da morte em lugar dos trabucos de seis balas, continuassem a velha tradição de aventuras fantásticas com engenhocas *high-tech*, na segunda metade do século as contribuições mais sérias ao gênero se inclinaram para uma visão mais sombria ou pelo menos ambígua da condição humana e suas perspectivas.

A desconfiança e o medo da ciência eram alimentados por quatro sentimentos: o de que a ciência era incompreensível; o de que suas conseqüências tanto práticas quanto morais eram imprevisíveis e provavelmente catastróficas; o de que ela acentuava o desamparo do indivíduo, e solapava a autoridade. Tampouco devemos ignorar o sentimento de que, na medida em que a ciência interferia na ordem natural das coisas, era inerentemente perigosa. Os primeiros dois sentimentos eram partilhados tanto por cientistas quanto leigos, os dois últimos pertenciam basicamente aos de fora. Os leigos só podiam reagir contra seu senso de impotência buscando coisas que "a ciência não pode explicar", na linha do hamletiano "Há mais coisas entre o céu e a terra... do que sonha a tua vã filosofia", recusando-se a acreditar que elas pudessem algum dia ser explicadas pela "ciência oficial", e ansiando por acreditar no inexplicável *porque* parecia absurdo. Pelo menos num mundo desconhecido e incognoscível todos estariam igualmente impotentes. Quanto maiores os triunfos palpáveis da ciência, maior a fome de buscar o inexplicável. Pouco depois da Segunda Guerra Mundial, que culminou na bomba atômica, os americanos (1947), acompanhados depois por seus seguidores culturais, os britânicos, passaram a ver a chegada em massa de "objetos voadores não identificados", claramente inspirados pela ficção científica. Acreditavam com toda a firmeza que eles vinham de civilizações extraterrestres diferentes e superiores à nossa. Os observadores mais entusiásticos chegaram a ver de fato seus cidadãos, de formas estranhas, saindo desses "discos voadores", e um ou dois até mesmo disseram ter pegado carona com eles. O fenômeno tornou-se mundial, embora um mapa da distribuição das aterrissagens desses extraterrestres mostrasse uma séria preferência pelo pouso ou sobrevôo em territórios anglo-saxônicos. Qualquer ceticismo em relação aos OVNIs era atribuído ao ciúme de cientistas de mentalidade tacanha, incapazes de explicar fenômenos além de seus estreitos horizontes, talvez até mesmo a uma conspiração dos que mantinham o homem comum em servidão intelectual para ocultar-lhe um saber superior.

Não se tratava das crenças em magia e milagres das sociedades tradicionais, para as quais essas intervenções na realidade faziam parte de vidas muito incompletamente controláveis, e muito menos espantosas do que, digamos, a visão de um avião ou a experiência de falar a um telefone. Tampouco eram parte do fascínio permanente e universal dos seres humanos com o monstruoso, o aberrante e o maravilhoso, de que a literatura popular dá testemunho desde a invenção da imprensa. Eram uma rejeição das afirmações e do domínio da ciência, às vezes de maneira consciente, como na extraordinária rebelião (mais uma vez centrada nos EUA) de grupos periféricos contra a prática de pôr flúor no abastecimento de água, depois de descobrir-se que a absorção desse elemento reduziria de forma impressionante a deterioração dental em populações urbanas modernas. Isso enfrentou uma resistência apaixonada não apenas em nome da liberdade de preferir cáries, mas (em seus oponentes mais extremados) como uma trama vil para enfraquecer os seres humanos pelo envenenamento compulsório. E nessa reação, vividamente retratada no filme

Doutor Fantástico (1963), de Stanley Kubrik, a desconfiança da ciência como tal se fundiu com o medo de suas conseqüências práticas.

Esse medo também foi espalhado pela inata hipocondria da cultura americana, à medida que a vida era cada vez mais submersa pela tecnologia moderna, incluindo a tecnologia médica, com seus riscos. O extraordinário gosto dos EUA por deixar que o litígio responda a todas as questões na disputa humana permite-nos acompanhar esses medos (Huber, 1990, pp. 97-118). Os espermicidas causavam efeitos colaterais? As linhas de transmissão de energia elétrica faziam mal a pessoas que moravam perto delas? O fosso entre os especialistas, que tinham algum critério para julgar, e os leigos, que só tinham esperança ou medo, foi alargado pela diferença entre a avaliação desapaixonada, que bem poderia achar um pequeno grau de risco um preço a pagar por um grande grau de benefício, e indivíduos que, compreensivelmente, desejavam risco zero (pelo menos em teoria).*

Na verdade, esses eram os temores da desconhecida ameaça da ciência de homens e mulheres que só sabiam que viviam sob o domínio dela; temores cuja intensidade e foco diferiam segundo a natureza das suas opiniões, e temores sobre a sociedade contemporânea (Fischhof et al., 1978, pp. 127-52).**

Contudo, na primeira metade do século, os grandes riscos da ciência vinham não dos que se sentiam humilhados pelos ilimitados e incontroláveis poderes dela, mas dos que achavam que podiam controlá-los. Os únicos dois tipos de regime político (além das então raras reversões ao fundamentalismo religioso) que interferiam na pesquisa científica *em princípio* estavam ambos profundamente comprometidos com o progresso técnico sem limite e, em um caso, com uma ideologia que o identificava com a "ciência" e saudava a conquista do mundo pela razão e a experimentação. Contudo, de maneiras diferentes, tanto o stalinismo quanto o nacional-socialismo alemão rejeitavam a ciência mesmo quando a usavam para fins tecnológicos. O que contestavam era seu desafio a visões de mundo e valores expressos em verdades *a priori*.

Assim, nenhum dos dois regimes se sentiu à vontade com a física pós-Einstein. Os nazistas rejeitaram-na como "judia", e os ideólogos soviéticos,

(*) A diferença entre teoria e prática nessa área é enorme, pois pessoas que estão dispostas a correr riscos bastante significativos na prática (por exemplo, num carro, em uma estrada, ou no metrô de Nova York) podem insistir em evitar a aspirina com base em que ela tem efeitos colaterais em casos um tanto raros.

(**) Os participantes classificaram os riscos e vantagens de tecnologias do século XX: geladeiras, fotocopiadoras, anticoncepcionais, pontes suspensas, energia nuclear, jogos eletrônicos, diagnósticos por raios X, armas nucleares, computadores, vacinas, fluorização da água, coletor solar no telhado, *lasers*, tranqüilizantes, fotos Polaroid, energia elétrica fóssil, veículos motorizados, efeitos especiais no cinema, pesticidas, opiatos, conservantes de alimentos, cirurgia de peito aberto, aviação comercial, engenharia genética e moinhos de vento (também Wildavsky, 1990, pp. 41-60).

como insuficientemente "materialista" no sentido leninista da palavra, embora ambos a tolerassem na prática, pois os Estados modernos não podiam passar sem os físicos, que eram pós-einsteinianos até o fim. Os nacional-socialistas, porém, se privaram da flor do talento europeu continental na física, expulsando judeus e adversários ideológicos para o exílio, e incidentalmente destruindo a supremacia científica alemã de princípios do século ao fazer isso. Entre 1900 e 1933, 25 dos 66 Prêmios Nobel de física e química tinham ido para a Alemanha, mas depois de 1933 só cerca de um em dez. Nenhum dos dois regimes se achava tampouco afinado com as ciências biológicas. As políticas raciais da Alemanha nazista horrorizavam os geneticistas sérios, que — em grande parte devido ao entusiasmo dos racistas pela eugenia — haviam começado no princípio do século a pôr uma certa distância entre si e as políticas de seleção e reprodução genéticas humanas (que incluíam matar os "incapazes"), embora se deva admitir, com tristeza, que houve bastante apoio ao racismo nacional-socialista entre biólogos e médicos alemães (Proctor, 1988). O regime soviético, sob Stalin, viu-se em choque com a genética tanto por motivos ideológicos quanto porque a política do Estado estava comprometida com o princípio de que, com suficiente esforço, *qualquer* mudança era realizável, enquanto a ciência indicava que, no campo da evolução em geral e da agricultura em particular, não era assim. Em outras circunstâncias, a controvérsia dos biólogos evolucionistas entre os seguidores de Darwin (para os quais a herança era genética) e os de Lamarck (que acreditavam na herança de características adquiridas e praticadas durante a vida do indivíduo) teria sido deixada para ser acertada em seminários e laboratórios. Na verdade, era encarada pela maioria dos cientistas como já acertada em favor de Darwin, quando nada por jamais ter-se descoberto qualquer indício satisfatório de herança de características adquiridas. Sob Stalin, um biólogo de periferia, Trofim Denisovich Lisenko (1898-1976), conquistou o apoio de autoridades políticas com o argumento de que se podia multiplicar a produção agrícola com processos lamarckianos que abreviavam os lentos processos ortodoxos de reprodução de plantas e animais. Naquele tempo não era sensato discordar da autoridade. O acadêmico Nicolai Ivanovich Vavilov (1885-1943), o mais famoso dos geneticistas soviéticos, morreu num campo de trabalho por discordar de Lisenko (uma opinião partilhada pelo resto dos geneticistas soviéticos sérios), embora só depois da Segunda Guerra Mundial a biologia soviética se comprometesse oficialmente com a rejeição obrigatória da genética como entendida no resto do mundo, pelo menos até depois da morte do ditador. O efeito dessas políticas na ciência soviética foi, como seria de prever, desastroso.

Regimes do tipo nacional-socialista e soviético, apesar de absolutamente diferentes em muitos aspectos, partilhavam a crença em que seus cidadãos deviam aceitar uma "doutrina verdadeira", mas formulada e imposta pelas autoridades político-ideológicas seculares. Daí a ambigüidade e o mal-estar em relação à ciência, sentidos em tantas sociedades, encontrar expressão *oficial* em tais Estados, ao contrário de regimes políticos agnósticos em relação às crenças individuais de seus cidadãos, como os governos seculares haviam aprendido a ser durante o longo século XIX. Na verdade, o surgimento de regimes de ortodoxia secular foi, como vimos (ver capítulos 4 e 13), um subproduto da Era das Catástrofes, e não duraram. De qualquer modo, a tentativa de forçar a ciência a entrar em camisas-de-força ideológicas foi visivelmente contraprodutiva, onde se fez a sério (como na biologia soviética), ou ridícula, onde se deixou a ciência seguir seu próprio caminho enquanto a superioridade da ideologia era simplesmente afirmada (como na física alemã e soviética).* A imposição oficial de critérios para a validade da teoria científica no fim do século XX foi mais uma vez deixada a regimes baseados no fundamentalismo religioso. Apesar disso, persistiu o desconforto, inclusive porque a própria ciência se tornou cada vez mais inacreditável e incerta. Mas até a segunda metade do século esse desconforto não se devia ao temor dos resultados práticos da ciência.

É verdade que os próprios cientistas sabiam melhor que ninguém quais poderiam ser as conseqüências potenciais de suas descobertas. Desde a época em que a primeira bomba atômica se tornou operacional (1945), alguns deles advertiram seus senhores no governo sobre as forças destrutivas de que o mundo agora dispunha. Mas a idéia de que ciência é igual a catástrofe potencial pertenceu essencialmente à segunda metade do século: em sua primeira fase — o pesadelo da guerra nuclear —, até a era de superconfronto depois de 1945; em sua fase posterior e mais universal, até a era de crise que começou na década de 1970. Contudo, a Era das Catástrofes, talvez por ter diminuído, de modo impressionante, o ritmo do crescimento econômico mundial, ainda foi de complacência científica sobre a capacidade humana de controlar os poderes da natureza, ou, na pior das hipóteses, sobre a capacidade da natureza de adaptar-se ao pior que o homem pudesse fazer.** Por outro lado, o que deixava os próprios cientistas inquietos então era sua nova incerteza sobre o que fazer com suas teorias e descobertas.

II

Em determinado período na Era dos Impérios partiram-se os laços entre as descobertas dos cientistas e a realidade baseada na experiência dos sentidos ou por eles imaginável; e o mesmo se deu com os laços entre a ciência e o tipo

(*) Assim, na Alemanha nazista permitiu-se que Werner Heisenberg ensinasse a relatividade, mas com a condição de que o nome de Einstein não fosse citado (Peierls, 1992, p. 44).

(**) "Pode-se dormir em paz com a consciência de que o Criador pôs alguns elementos à prova de erro na obra de suas mãos, e de que o homem é impotente para causar qualquer dano titânico", escreveu Robert Millikan, de Caltech (Prêmio Nobel, 1923), em 1930.

de lógica baseado no senso comum ou por ele imaginado. Os dois rompimentos reforçaram-se um ao outro, pois o progresso das ciências naturais passou a depender cada vez mais de pessoas escrevendo equações (ou seja, sentenças matemáticas) em pranchetas de papel do que fazendo experiências em laboratório. O século XX seria o século dos teóricos dizendo aos práticos o que deviam buscar e encontrar à luz de suas teorias; em outras palavras, o século dos matemáticos. A biologia molecular, na qual, me informa uma boa autoridade, ainda há muito pouca teoria, é uma exceção. Não que a observação e a experimentação fossem secundárias. Ao contrário, sua tecnologia foi mais profundamente revolucionada que em qualquer época desde o século XVII pelos novos aparelhos e as novas técnicas, vários dos quais iriam receber a consagração científica última dos Prêmios Nobel.* Para citar apenas um exemplo, as limitações da ampliação simplesmente óptica foram superadas pelo microscópio eletrônico (1937) e pelo radiotelescópio (1957), com o resultado de que se tornou possível uma penetração muito mais profunda no reino molecular e mesmo atômico e nas distâncias do universo. Nas décadas recentes, a automação da rotina, e formas cada vez mais complexas de atividade e cálculo de laboratório, como as por computadores, elevaram mais e enormemente os poderes dos experimentadores, observadores, e cada vez mais dos teóricos construtores de modelos. Em alguns campos, notadamente na astronomia, isso levou a fazerem-se descobertas, às vezes por acaso, que posteriormente levaram à inovação teórica. A moderna cosmologia é no fundo o resultado de duas dessas descobertas: a observação, por Hubble, de que o universo deve estar em expansão, com base nas análises dos espectros das galáxias (1929); e a descoberta por Penzias e Wilson da radiação de origem cósmica (ruído de rádio) em 1965. Apesar disso, embora a ciência seja e deva ser uma colaboração entre cientistas e práticos, no Breve Século XX eram os teóricos que estavam na direção.

Para os próprios cientistas, o rompimento com a experiência dos sentidos e o senso comum significou um rompimento com as certezas tradicionais de seu campo e a metodologia deste. As conseqüências disso podem ser mais bem vividamente ilustradas seguindo-se a rainha das ciências na primeira metade do século, a física. De fato, na medida em que essa disciplina ainda é a que trata dos menores elementos da matéria, viva ou morta, e com a constituição e estrutura do maior conjunto de matéria, o universo, a física continuava sendo o pilar central das ciências naturais mesmo no fim do século, embora na segunda metade sofresse crescente competição das ciências vitais, transformadas após a década de 1950 pela revolução na biologia molecular.

Nenhum campo das ciências parecia mais firme, coerente e metodologicamente certo que a física newtoniana, cujas bases foram solapadas pelas teorias

(*) Bem mais de vinte Prêmios Nobel de física e química desde a Primeira Guerra Mundial foram concedidos em todo ou em parte a novos métodos de pesquisa, aparelhos e técnicas.

de Planck e Einstein e pela transformação da teoria atômica que se seguiu à descoberta da radiatividade na década de 1890. Era objetiva, ou seja, podia se submeter a observação adequada, sujeita a limitações técnicas na aparelhagem de observação (por exemplo, o microscópio ou telescópio ópticos). Não era ambígua: um objeto ou fenômeno era uma coisa ou outra, e a distinção entre elas era clara. Suas leis eram universais, igualmente válidas no nível cósmico e microcósmico. Os mecanismos que ligavam os fenômenos eram compreensíveis (isto é, capazes de ser expressos como "causa e efeito"). Por conseguinte, todo o sistema era em princípio determinista, e o objetivo da experiência em laboratório era demonstrar essa determinação eliminando, na medida do possível, a complexa confusão de vida comum que a ocultava. Só um tolo ou uma criança iria dizer que o vôo dos pássaros e borboletas negava as leis da gravidade. Os cientistas sabiam muito bem que havia declarações de princípios "não científicas", mas estas não eram de seu interesse como cientistas.

Todas essas características foram questionadas entre 1895 e 1914. Era a luz um contínuo movimento de onda ou uma emissão de discretas partículas (fótons), como queria Einstein, seguindo Planck? Às vezes era melhor tratá-la como uma coisa, outras vezes, como outra; mas como elas se relacionavam, no caso de se relacionarem? Que era "de fato" a luz? Como declarou o próprio grande Einstein, vinte anos depois de criado o enigma: "Hoje temos duas teorias da luz, ambas indispensáveis, mas, deve-se admitir, sem qualquer relação lógica entre si, apesar de vinte anos de colossal esforço dos físicos teóricos" (Holton, 1970, p. 1017). Que se passava dentro do átomo, que era agora visto não como (segundo indicava seu nome grego) a menor unidade possível, e portanto indivisível, da matéria, mas como um complexo sistema que consistia de uma variedade de partículas ainda mais elementares? A primeira suposição, após a grande descoberta do núcleo atômico por Rutherford em 1911, em Manchester — um triunfo da imaginação experimental e a base da moderna física nuclear e do que acabou sendo chamado de "grande ciência" —, foi que os elétrons circulavam em órbitas em torno de seu núcleo, à maneira de um sistema solar miniaturizado. Contudo, quando se investigou a estrutura de átomos individuais, notadamente o de hidrogênio em 1912-3 por Niels Bohr, que sabia dos "quanta" de Max Planck, os resultados mostraram, mais uma vez, um profundo conflito entre o que os seus elétrons faziam e — palavras suas — "o grupo admiravelmente coerente de concepções que foi corretamente chamado de teoria clássica da eletrodinâmica" (Holton, 1970, p. 1028). O modelo de Bohr funcionou, isto é, tinha força explanatória brilhante e força previsiva, mas era "inteiramente absurdo e irracional" do ponto de vista da mecânica newtoniana clássica, e de qualquer forma desautorizava qualquer idéia do que de fato acontecia dentro do átomo quando o elétron "saltava" ou de outro modo passava de uma órbita para outra, ou do que acontecia entre o momento em que era descoberto em uma e quando aparecia em outra.

Que acontecia, de fato, às certezas da própria ciência, quando se tornava claro que o próprio processo de observar fenômenos no nível subatômico na verdade os modificava. Por esse motivo, quanto mais precisamente queremos conhecer a posição de uma partícula subatômica, mais incerta deve ser a velocidade dela. Já se disse de qualquer meio de observação detalhada para descobrir onde está "realmente" um elétron: "Olhá-lo é derrubá-lo" (Weisskopf, 1980, p. 37). Esse foi o paradoxo que um brilhante jovem físico alemão, Werner Heisenberg, generalizou em 1927 no famoso "princípio da incerteza" que traz o seu nome. O fato mesmo de que o nome se concentra em *incerteza* é significativo, pois indica o que preocupava os exploradores do novo universo científico quando deixavam para trás as certezas do velho. Não que eles próprios estivessem incertos ou produzissem resultados duvidosos. Ao contrário, suas previsões teóricas, por mais implausíveis e bizarras que fossem, eram constatadas pela monótona observação e experiência, desde a época em que a teoria da relatividade geral de Einstein apareceu (1915) e foi constatada em 1919 por uma expedição britânica de observação de um eclipse, que descobriu que a luz de algumas estrelas distantes era desviada em direção ao sol, como previa a teoria. Para fins práticos, a física das partículas era tão sujeita à regularidade e tão previsível quanto a física newtoniana, embora de uma maneira diferente; e de qualquer modo, no nível supra-atômico, Newton e Galileu continuavam completamente válidos. O que deixava os cientistas nervosos era que não sabiam como juntar o velho e o novo.

Entre 1924 e 1927, as dualidades que tanto perturbavam os físicos no primeiro quartel do século foram eliminadas, ou antes postas de lado, por um brilhante golpe da física matemática, a construção da "mecânica quântica", imaginada quase simultaneamente em vários países. A verdadeira "realidade" dentro do átomo não era onda nem partícula, mas indivisíveis "estados quânticos" que se manifestavam potencialmente como qualquer uma das duas, ou como ambas. Era inútil encará-la como um movimento contínuo ou descontínuo, porque não podemos, nem agora nem nunca, seguir passo a passo o caminho do elétron. Conceitos da física clássica como posição, velocidade ou impulso não se aplicam além de determinados pontos, assinalados pelo "princípio da incerteza" de Heisenberg. Mas, claro, para além desses pontos aplicam-se outros conceitos, que produzem resultados que estão longe de ser incertos. Estes surgem dos padrões específicos produzidos pelas "ondas" ou "vibrações" de elétrons (de carga negativa), mantidos, dentro do espaço confinado do átomo, perto do núcleo (positivo). Sucessivos "estados quânticos" dentro desse espaço confinado produzem padrões bem definidos de freqüências diferentes, que, como mostrou Schrödinger em 1926, podem ser calculados, como também a energia correspondente a cada um deles ("mecânica de onda"). Esses padrões de elétrons tinham um poder preditivo e explanatório bastante notável. Assim, muitos anos depois, quando se produziu plutônio pela primeira vez em reações nucleares, em Los Alamos, a caminho da preparação da primeira bomba atômica, as quantidades eram tão pequenas que suas propriedades não puderam ser observadas. Contudo, pelo número de elétrons no átomo desse elemento, e pelos padrões desses 94 elétrons vibrando em torno do núcleo, e *por nada mais*, os cientistas previram (corretamente) que o plutônio se revelaria um metal marrom, com uma massa específica de cerca de vinte gramas por centímetro cúbico, e possuiria certa condutividade e elasticidade elétricas e térmicas. A mecânica quântica também explicava por que os átomos (e as moléculas e combinações mais elevadas neles baseadas) permaneciam estáveis, ou antes, que seria necessária uma introdução de energia extra para mudá-los. Na verdade, foi dito que

> mesmo os fenômenos da vida — a forma do DNA e o fato de que diferentes nucleotídeos são resistentes ao movimento termal à temperatura ambiente — se baseiam nesses padrões primais. O fato de que em toda primavera surgem as mesmas flores se baseia na estabilidade dos padrões dos diferentes nucleotídeos. (Weisskopf, 1980, pp. 35-8)

Contudo, esse grande e espantosamente frutífero avanço na exploração da natureza foi conseguido sobre as ruínas do que se considerava certo e adequado na teoria científica, e por uma voluntária suspensão da descrença, que não só os cientistas mais velhos acharam problemática. Veja-se a "antimatéria", que Paul Dirac propôs em Cambridge, depois de ter descoberto (1928) que suas equações tinham soluções correspondentes a estados de elétrons com uma energia *menor* que a energia zero do espaço vazio. O conceito de "antimatéria", sem sentido em termos do dia-a-dia, tem sido manipulado com sorte por físicos desde então (Weinberg, 1977, pp. 23-4). A simples palavra implicava uma recusa deliberada a deixar que o progresso do cálculo teórico fosse desviado por qualquer idéia preconcebida da realidade: qualquer que se revelasse ser a realidade, ela chegaria às equações. E, no entanto, não era fácil aceitar isso, mesmo para cientistas que há muito tinham deixado para trás a opinião do grande Rutherford de que nenhuma física podia ser boa se não pudesse ser explicada a uma garçonete de bar.

Houve pioneiros da nova ciência que simplesmente acharam impossível aceitar o fim das velhas certezas, assim como seus fundadores, Max Planck e o próprio Albert Einstein, que manifestou desconfiança de leis puramente probabilistas, em vez da causalidade determinista, numa frase bastante conhecida: "Deus não joga dados". Não tinha argumentos válidos, mas "uma voz íntima me diz que a mecânica quântica não é a verdade de fato" (citado em M. Jammer, 1966, p. 358). Mais de um dos próprios revolucionários do quantum sonharam eliminar as contradições subordinando um lado a outro: Schrödinger esperava que sua "mecânica de onda" houvesse dissolvido os supostos "saltos" de elétrons de uma órbita atômica para outra, no processo *contínuo* de troca de energia, e, ao fazer isso, houvesse preservado espaço, tempo e causalidade clássicos. Revolucionários pioneiros relutantes, notadamente Planck e Einstein, suspiraram de alívio, mas em vão. O jogo era novo. As velhas regras não mais se aplicavam.

Podiam os físicos aprender a viver com a permanente contradição? Niels Bohr achava que podiam e deviam. Não havia como expressar a totalidade da matéria numa descrição única, em vista da natureza da linguagem humana. Não podia haver modelo único, diretamente abrangente. A única maneira de avaliar a realidade era comunicando-a de modos diferentes e juntando todos os modelos para complementarem-se uns aos outros numa "exaustiva sobreposição de diferentes descrições que incorporam idéias aparentemente contraditórias" (Holton, 1970, p. 1018). Era o princípio da "complementaridade" de Bohr, um conceito metafísico semelhante à relatividade, que ele extraíra de autores muito distantes da física, e encarava como tendo aplicabilidade universal. A "complementaridade" de Bohr não se destinava a avançar a pesquisa dos cientistas atômicos, mas antes a consolá-los justificando suas confusões. O seu apelo dela está fora do campo da razão. Pois embora todos nós, e não menos os cientistas inteligentes, saibamos que existem diferentes modos de perceber a mesma realidade, às vezes não comparáveis ou mesmo contraditórios, mas que todos precisamos apreendê-la em sua totalidade, ainda não temos idéia de como os relacionamos. O efeito de uma sonata de Beethoven pode ser analisado física, fisiológica e psicologicamente, e também pode ser absorvido ouvindo-se-a; mas como se relacionam esses modos de compreensão? Ninguém sabe.

Apesar disso, continuou a intranqüilidade. De um lado, havia a síntese da nova física de meados da década de 1920, que oferecia uma maneira extraordinariamente eficaz de forçar os cofres fortes da natureza. Os conceitos básicos da revolução do quantum ainda eram aplicados em fins do século XX. A menos que todos sigamos os que vêem a análise não nuclear, tornada possível pela computação, como um começo radicalmente novo, não houve revolução na física desde 1900-27, mas apenas enormes avanços evolucionários dentro do mesmo quadro conceitual. Por outro lado, houve generalizada incoerência. Em 1931, essa incoerência se estendeu até o último reduto da certeza, a matemática. Um lógico matemático austríaco, Kurt Gödel, provou que um sistema de axiomas jamais pode se basear em si mesmo. Se se quer demonstrá-lo como consistente, é preciso empregar princípios de fora do sistema. À luz do "teorema de Gödel", não se poderia sequer pensar num mundo consistente internamente não contraditório.

Essa foi a "crise da física", para citar o título de um livro de um jovem intelectual autodidata marxista britânico que foi morto na Espanha, Christopher Caudwell (1907-37). Não se tratava apenas de uma "crise das fundações", como foi chamado o período 1900-30 na matemática (ver *A era dos impérios*, capítulo 10), mas também da imagem geral do mundo dos cientistas.

Na verdade, enquanto os físicos aprendiam a dar de ombros a questões filosóficas, enquanto mergulhavam no novo território que se abria à sua frente, o segundo aspecto da crise se tornava ainda mais importuno. Pois nas décadas de 1930 e 1940 a estrutura do átomo foi se tornando cada vez mais complicada de ano para ano. Desaparecera a simples dualidade de núcleo positivo e elétron(s) negativo(s). Os átomos eram agora habitados por uma fauna e flora crescentes de partículas elementares, algumas de fato muito estranhas. Chadwick, de Cambridge, descobriu a primeira dessas em 1932, os nêutrons eletricamente neutros — embora outros, como o neutrino sem massa e eletricamente neutro, já houvessem sido previstos em bases teóricas. Essas partículas subatômicas, quase todas de vida breve e passageiras, multiplicavam-se, sobretudo sob o bombardeio dos aceleradores de alta energia da "grande ciência", que se tornaram disponíveis depois da Segunda Guerra Mundial. No fim da década de 1950, havia mais de cem delas, e não se via o fim. O quadro se complicou ainda mais, a partir de inícios da década de 1930, com a descoberta de duas forças desconhecidas e obscuras atuando dentro do átomo, além das elétricas que ligavam núcleo e elétrons. A chamada "força forte" ligava o nêutron e o próton de carga positiva no núcleo atômico, e a chamada "força fraca" era responsável por certos tipos de decomposição de partículas.

Ora, no entulho conceitual sobre o qual se ergueram as ciências do século XX, uma suposição básica e essencialmente estética não foi contestada. Na verdade, enquanto a incerteza obscurecia todas as outras, ela se tornou cada vez mais fundamental para os cientistas. Como o poeta Keats, eles acreditavam que "Beleza é verdade, verdade é beleza", embora o critério de beleza deles não fosse o dele. Uma bela teoria, que era em si uma presunção de verdade, devia ser elegante, econômica e geral. Devia unir e simplificar, como tinham feito até então os grandes triunfos da teoria científica. A revolução científica da época de Galileu e Newton mostrara que as mesmas leis governam céus e terra. A revolução química reduzira a interminável variedade de formas em que a matéria aparecia a 92 elementos sistematicamente relacionados. O triunfo da física do século fora mostrar que eletricidade, magnetismo e fenômenos ópticos tinham as mesmas raízes. Contudo, a nova revolução na ciência produzira não simplificação, mas complicação. A maravilhosa teoria da relatividade de Einstein, que descrevia a gravidade como uma manifestação da curvatura do espaçotempo, na verdade introduziu uma perturbadora dualidade na natureza: "de um lado estava o palco — o espaçotempo curvo, a gravidade; de outro, os atores — os elétrons, os prótons, os campos eletromagnéticos — e não havia elo entre eles" (Weinberg, 1979, p. 43). Durante os últimos quarenta anos de sua vida, Einstein, o Newton do século XX, mourejou para produzir uma "teoria de campo unificada" que unisse eletromagnetismo e gravidade, mas não conseguiu — e agora havia mais duas classes de força, aparentemente não relacionadas na natureza, sem relações aparentes com o eletromagnetismo e a gravidade. A multiplicação de partículas subatômicas, por mais emocionante que fosse, só podia ser uma verdade temporária, preliminar, porque, por mais linda que se mostrasse em detalhe, não havia beleza no novo átomo como antes havia no velho. Mesmo o pragmatista puro da era, para o qual o único critério de uma hipótese era que funcionasse, tinha, pelo menos, de sonhar às vezes com uma nobre, bela e geral "teoria de tudo" (para usar a expressão de um físico de Cambridge — Stephen Hawking). Mas ela parecia sumir na distância, embora da década de 1960 em diante os físicos começassem, mais uma vez, a divisar a possibilidade de uma tal síntese. Na verdade, na década de 1990 havia uma generalizada crença entre os físicos em que haviam quase chegado a um nível realmente básico, e que a multiplicidade de partículas elementares podia ser reduzida a um agrupamento relativamente simples e coerente.

Ao mesmo tempo, nas indefinidas fronteiras entre temas tão amplamente díspares como meteorologia, ecologia, física não nuclear, astronomia, dinâmica de fluidos e vários ramos da matemática independentemente iniciados na União Soviética e (ligeiramente depois) no Ocidente, e ajudados pelo extraordinário desenvolvimento dos computadores como instrumento analítico e inspiração visual, surgia — ou ressurgia — um novo ramo de síntese, sob o enganoso nome de "teoria do caos". Pois o que revelava não era tanto os imprevisíveis resultados de procedimentos científicos perfeitamente deterministas, mas a extraordinária universalidade de formas e padrões da natureza em suas manifestações mais díspares e aparentemente sem qualquer relação.* A teoria do caos ajudou a dar uma nova virada, por assim dizer, na velha causalidade. Quebrava os elos entre a causalidade e a previsibilidade, pois sua essência não era que os acontecimentos fossem fortuitos, mas que os efeitos que se seguiam a causas especificáveis não podiam ser previstos. Reforçava outro desenvolvimento, iniciado entre paleontólogos, e de considerável interesse para os historiadores, sugerindo que as cadeias de desenvolvimento histórico ou evolucionário são perfeitamente coerentes e capazes de explicação *após* o fato, mas que os resultados eventuais não podem ser previstos desde o início, porque, se se seguir novamente o mesmo curso, é só haver qualquer mudança inicial, por mais leve e sem aparente importância que seja na época, "e a evolução desemboca num canal radicalmente diferente" (Gould, 1989, p. 51). As conseqüências políticas, sociais e econômicas desse método podem ser de longo alcance.

(*) O desenvolvimento da "teoria do caos" nas décadas de 1970 e 1980 tem alguma coisa em comum com o surgimento no início do século XIX de uma escola "romântica" de ciência, centrada sobretudo na Alemanha (*Naturphilosophie*), em reação à corrente principal "clássica", centrada na França e Grã-Bretanha. É interessante que dois eminentes pioneiros da nova pesquisa (Feigenbaum, Libchaber — ver Gleick, 1988, pp. 163 e 197) foram de fato inspirados pela teoria das cores de Goethe, apaixonadamente antinewtoniana, e seu tratado sobre *A transformação das plantas*, que pode ser encarado como uma teoria evolucionária anti-Darwin em perspectiva (sobre *Naturphilosophie*, ver *A era das revoluções*, capítulo 15).

Além disso, havia o absurdo, puro e simples, que era grande parte do mundo dos novos físicos. Enquanto se limitava ao interior do átomo, não afetava diretamente a vida comum, que mesmo os cientistas vivem, mas pelo menos uma descoberta nova e não assimilada não podia ser posta de quarentena desse jeito. Era o fato extraordinário, previsto por alguns com base na teoria da relatividade, mas observado pelo astrônomo americano E. Hubble em 1929, de que todo o universo parecia estar-se expandindo num ritmo estonteante. Essa expansão, que até mesmo muitos cientistas achavam difícil de engolir, alguns idealizando teorias alternativas de "estado firme" do cosmos, foi constatada por outros dados astronômicos na década de 1960. Era impossível não especular sobre aonde essa expansão o estaria levando (e a nós), quando e como começara, e portanto sobre a história do universo, a partir do "big-bang" inicial. Isso produziu o florescente campo da cosmologia, a parte da ciência do século XX mais prontamente transformada em *best-sellers*. Também aumentou enormemente o elemento de história nas ciências naturais, até então (a não ser pela geologia e seus subprodutos) orgulhosamente desinteressadas dela, e incidentalmente reduziu a identificação de ciência "pesada" com experiência, isto é, com a reprodução de fenômenos naturais. Pois como se podiam repetir acontecimentos irrepetíveis? O universo em expansão, assim, aumentou a confusão tanto de cientistas como de leigos.

Essa confusão confirmou os que viveram a Era das Catástrofes, e sabiam ou pensavam sobre tais questões, em sua convicção de que um velho mundo acabara, ou, no mínimo dos mínimos, se achava em convulsão terminal, mas ainda não se discerniam claramente os contornos do novo. O grande Max Planck não tinha dúvida sobre a relação entre a crise na ciência e na vida externa:

> Estamos vivendo um momento bastante singular da história. É um momento de crise no sentido literal desta palavra. Em cada ramo de nossa civilização espiritual e material parecemos ter chegado a um ponto de virada crítico. Esse espírito se mostra não só no estado real dos assuntos públicos, mas também na atitude geral em relação a valores fundamentais na vida pessoal e social [...] Agora o iconoclasta invadiu o templo da ciência. Dificilmente haverá um axioma científico que não seja hoje negado por alguém. E ao mesmo tempo praticamente qualquer teoria idiota quase certamente teria crentes e discípulos num lugar ou noutro. (Planck, 1933, p. 64)

Nada era mais natural que um alemão de classe média criado nas certezas do século XIX expressasse tais sentimentos nos dias da Grande Depressão e da ascensão de Hitler ao poder.

Apesar disso, tristeza era o oposto do que a maioria dos cientistas sentia. Eles concordavam com Rutherford, que disse à Associação Britânica (1923) que "estamos vivendo na idade heróica da física" (Howarth, 1978, p. 92). Todo número de publicações científicas, todo colóquio — pois a maioria dos cientistas adorava, mais que nunca, combinar cooperação e competição — trazia novos, emocionantes e profundos avanços. A comunidade científica ainda era bastante pequena, pelo menos em temas pontas-de-lança como a física nuclear e a cristalografia, para oferecer a quase todo jovem pesquisador a perspectiva do estrelato. Ser cientista era ser invejado. Certamente, os que estudavam em Cambridge, que produziu a maioria dos trinta Prêmios Nobel britânicos da primeira metade do século — e que, para fins práticos, *era* a ciência britânica nessa época —, sabiam o que gostariam de estudar, se fossem suficientemente bons em matemática.

Na verdade, as ciências naturais não podiam esperar nada além de maiores triunfos e avanço intelectual, o que tornava tolerável o caráter remendado, as imperfeições e improvisações da teoria então corrente, pois tinham de ser apenas temporários. Por que iriam pessoas que ganhavam Prêmios Nobel por trabalhos feitos aos vinte e poucos anos deixar de confiar no futuro?* E no entanto, como podiam mesmo os homens (e, ocasionalmente, as mulheres) que continuavam a provar a realidade da abalada idéia de "progresso" em seu campo de atividade humana permanecer imune à época de crise e catástrofe em que viviam?

Não podiam, e não permaneceram. A Era das Catástrofes foi portanto também uma das comparativamente poucas eras de cientistas politizados, e não só porque a migração em massa de cientistas racial e ideologicamente inaceitáveis de grandes zonas da Europa demonstrava que os cientistas não podiam ter certeza de sua imunidade pessoal. De qualquer modo, o cientista britânico típico da década de 1930 era membro do (esquerdista) Grupo Antiguerra dos Cientistas de Cambridge, confirmado em seu radicalismo pelas indisfarçadas simpatias de seus membros mais estabelecidos, cuja proeminência ia da Royal Society ao Prêmio Nobel: Bernal (cristalografia), Haldane (genética), Needham (embriologia química),** Blackett (física), Dirac (física) e o matemático G. H. Hardy, que considerava que só dois outros no século XX se achavam na classe de seu herói australiano do críquete, Don Bradman: Lenin e Einstein. O jovem cientista americano típico da década de 1930 mais que provavelmente se veria em apuros políticos nos anos de Guerra Fria do pós-guerra por simpatias radicais do pré-guerra ou sua continuação, como Robert Oppenheimer (1904-67), o principal arquiteto da bomba atômica, e o químico Linus Pauling (1901-), que ganhou dois Prêmios Nobel, incluindo um da paz, e um Prêmio Lenin. O cientista francês típico era simpatizante da Frente Popular da década de 1930 e ativo partidário da Resistência durante a guerra; não eram muitos os franceses que estavam entre estes últimos. O cientista refugiado típico da Europa Central dificilmente poderia não ser hostil ao fascismo, por mais desinteressado das questões públicas que fosse. Os cientis-

(*) A revolução na física de 1924-8 foi feita por homens nascidos em 1900-2 (Heisenberg, Pauli, Dirac, Fermi, Joliot). Schrödinger, De Broglie, e Max Born estavam na casa dos trinta.

(**) Mais tarde ele se tornou o eminente historiador de ciência na China.

tas que ficaram ou foram impedidos de partir dos países fascistas ou da URSS tampouco podiam evitar as políticas de seus governos, simpatizando com elas ou não, quando nada porque lhes impunham gestos públicos, como a saudação de Hitler na Alemanha, que o grande físico Max von Laue (1897-1960) evitava levando alguma coisa nas duas mãos sempre que saía de casa. Ao contrário das ciências sociais e humanas, essa politização era incomum nas ciências naturais, cujo tema não exige, nem sequer sugere, opiniões sobre assuntos humanos (a não ser em partes das ciências da vida) embora muitas vezes sugira opiniões sobre Deus.

Contudo, os cientistas eram mais diretamente politizados por sua crença em que os leigos, incluindo os políticos, não tinham idéia do extraordinário potencial que a ciência moderna, adequadamente usada, punha à disposição da sociedade humana. Tanto o colapso da economia mundial quanto a ascensão de Hitler pareceram confirmar isso de modos diferentes. (Por outro lado, a dedicação marxista oficial da União Soviética e de sua ideologia às ciências naturais levou muitos ocidentais nessa época a vê-la como um regime adequado para realizar esse potencial.) Tecnocracia e radicalismo convergiram, porque nesse ponto era a esquerda política, com seu compromisso ideológico com a ciência, racionalismo e progresso (ridicularizado pelos conservadores com o novo termo "cientificismo"),* que naturalmente representava o reconhecimento e apoio adequados à "Função social da ciência", para citar o título de um influentíssimo livro e manifesto da época (Bernal, 1939), caracteristicamente escrito por um físico brilhante e militantemente marxista. Foi igualmente característico que o governo da Frente Popular francesa de 1936-9 estabelecesse o primeiro Subsecretariado de Pesquisa Científica (ocupado pela laureada com o Nobel Irêne Joliot-Curie), e desenvolvesse o que ainda é o principal mecanismo para financiar a pesquisa francesa, o CNRS (*Centre Nationale de la Recherche Scientifique*). Na verdade, tornou-se cada vez mais óbvio, pelo menos para os cientistas, que era necessário não apenas financiamento público, mas uma pesquisa organizada publicamente. Os serviços científicos do governo britânico, que em 1930 empregavam um grandioso total de 743 cientistas, não podiam ser adequados — trinta anos depois, empregavam mais de 7 mil (Bernal, 1967, p. 931).

A era de ciência politizada atingiu o auge na Segunda Guerra Mundial, o primeiro conflito desde a era jacobina da Revolução Francesa em que cientistas se mobilizaram sistemática e *fundamentalmente* para fins militares; é provável que de modo mais efetivo do lado dos aliados do que do da Alemanha, Itália e Japão, porque jamais esperaram ganhar rapidamente com recursos e métodos disponíveis de imediato (ver capítulo 1). Tragicamente, a própria guerra nuclear foi a filha do antifascismo. Uma simples guerra entre Estados-

(*) A palavra aparece pela primeira vez em 1936 na França (Guerlac, 1951, pp. 93-4).

nações certamente não teria levado os físicos nucleares de ponta, eles próprios em grande parte refugiados ou exilados do fascismo, a exortar os governos britânico e americano a construir uma bomba nuclear. E o próprio horror desses cientistas com seu feito, suas desesperadas lutas de última hora para impedir os políticos e generais de usar de fato a bomba, dão testemunho da força das paixões *políticas*. Na verdade, até onde as campanhas antinucleares após a Segunda Guerra Mundial tiveram maciço apoio na comunidade científica, foi entre os membros das gerações antifascistas politizadas.

Ao mesmo tempo, a guerra finalmente convenceu os governos de que o empenho de recursos até então inimagináveis na pesquisa científica era tão praticável quanto, no futuro, essencial. Nenhuma economia, com exceção da americana, podia ter financiado os 2 bilhões de dólares (valores do tempo da guerra) necessários para construir a bomba atômica durante a guerra; mas também é verdade que governo algum teria, antes de 1940, sonhado em gastar mesmo uma pequena fração dessa quantia num projeto especulativo, baseado em alguns cálculos incompreensíveis de acadêmicos descabelados. Após a guerra, o céu, ou antes o tamanho da economia apenas, tornou-se o limite nos orçamentos e empregos científicos. Na década de 1970, o governo americano financiou dois terços dos custos da pesquisa básica naquele país, que então chegavam a 5 bilhões de dólares *por ano*, e empregava alguma coisa em torno de 1 milhão de cientistas e engenheiros (Holton, 1978, pp. 227-8).

III

A temperatura política da ciência caiu após a Segunda Guerra Mundial. O radicalismo nos laboratórios recuou rapidamente em 1947-9, quando opiniões tidas como sem base e bizarras em outras partes se tornaram obrigatórias para os cientistas na URSS. Mesmo a maioria dos até então leais comunistas achava o lisenkismo (ver p. 514) impossível de engolir. Além disso, tornou-se cada vez mais evidente que os regimes modelados com base no sistema soviético não eram nem material, nem moralmente atraentes, pelo menos para a maioria dos cientistas. Por outro lado, apesar de muita propaganda, a Guerra Fria entre o Ocidente e o bloco soviético jamais gerou nada parecido às paixões políticas antes despertadas pelo fascismo. Talvez isso se devesse à tradicional afinidade entre racionalismo liberal e marxista, ou talvez ao fato de que a URSS, ao contrário da Alemanha nazista, jamais pareceu em posição de conquistar o Ocidente, mesmo que houvesse querido, o que havia bom motivo para duvidar. Para a maioria dos cientistas ocidentais, a URSS, seus satélites e a China comunista eram mais Estados ruins, com cientistas dignos de pena, do que impérios do mal a exigir uma cruzada.

No Ocidente desenvolvido, as ciências naturais continuaram política e ideologicamente quietas durante uma geração, desfrutando seus triunfos intelectuais e os recursos imensamente ampliados agora disponíveis para suas pesquisas. Na verdade, o generoso patrocínio de governos e grandes empresas estimulou uma raça de pesquisadores que tinham as políticas de seus pagadores como ponto pacífico, e preferiam não pensar nas implicações mais amplas de seus trabalhos, sobretudo quando estes eram militares. No máximo, os cientistas nesses setores protestavam por não poderem publicar os resultados de suas pesquisas. Na verdade, a maioria dos membros do que era agora um exército bastante grande de Ph.Ds, empregados na Administração Nacional de Aeronáutica e Espaço (NASA), estabelecida para enfrentar o desafio soviético em 1958, não tinha mais interesse direto em interrogar a justificação de suas atividades do que os membros de qualquer outro exército. Em fins da década de 1940, homens e mulheres ainda se angustiavam em torno da questão de entrarem ou não em estabelecimentos do governo que se especializavam em pesquisa de guerra química e biológica.* Não há indício de que posteriormente tais estabelecimentos tivessem qualquer problema para recrutar suas equipes.

Um tanto inesperadamente, foi na região soviética do globo que a ciência se tornou, quando nada, mais política à medida que avançava a segunda metade do século. Não por acaso o maior porta-voz nacional (e internacional) da dissidência na URSS seria um cientista, Andrei Sakharov (1921-89), o físico que fora o principal responsável, em fins da década de 1940, pela construção da bomba de hidrogênio soviética. Os cientistas eram membros *par excellence* da nova, grande, educada e tecnicamente formada classe média profissional que iria ser a principal realização do sistema soviético, mas ao mesmo tempo a classe mais diretamente consciente das fraquezas e limitações do sistema. Eram mais essenciais para o sistema do que suas contrapartes no Ocidente, pois somente eles possibilitavam a uma economia, fora isso atrasada, enfrentar os EUA como superpotência. Na verdade demonstraram sua indispensabilidade fazendo com que a URSS por algum tempo ultrapassasse o Ocidente na mais alta das tecnologias, a do espaço cósmico. O primeiro satélite artificial (o *Sputnik*, 1957), o primeiro vôo espacial tripulado por homem e mulher (1961, 1963) e os primeiros passeios espaciais foram todos russos. Concentrados em institutos de pesquisa ou "cidades da ciência" especiais, articulados, necessariamente conciliados e com certo grau de liberdade concedido pelo regime pós-Stalin, não surpreende que as opiniões críticas fossem geradas no ambiente de pesquisa, cujo prestígio social era de qualquer modo maior que o de qualquer outra ocupação soviética.

(*) Lembro-me do desconforto, nessa época, de um (antes pacifista, depois comunista) amigo bioquímico que assumira um posto desses no relevante estabelecimento britânico.

IV

Pode dizer-se que essas flutuações de temperatura política e ideológica afetaram o progresso das ciências naturais? Claramente muito menos do que ocorria nas ciências sociais e humanas, para não falar nas ideologias e filosofias. As ciências naturais podiam refletir o século em que os cientistas viviam apenas nos limites da metodologia empiricista que necessariamente se tornara padrão numa era de incerteza epistemológica: os da hipótese constatável — ou, em termos de Karl Popper (1902-), que muitos cientistas faziam seus, falsificáveis — por testes práticos. Isso impunha limites à ideologização. A economia, embora sujeita às exigências de lógica e coerência, floresceu como uma forma de teologia — provavelmente, no mundo ocidental, como o ramo mais influente de teologia secular — porque pode ser, e em geral é, formulada de modo a não sofrer esse controle. A física não pode. Assim, enquanto é fácil demonstrar que as escolas em conflito e as modas em mudança no pensamento econômico refletem diretamente a experiência contemporânea e o debate ideológico, o mesmo não se dá com a cosmologia.

Contudo, a ciência reflete sua época, embora seja inegável que alguns movimentos importantes na ciência são endógenos. Assim, era quase inevitável que a desordenada multiplicação de partículas subatômicas, sobretudo depois de acelerar-se na década de 1950, levasse os teóricos a buscar simplificação. A natureza (inicialmente) arbitrária da nova e hipotética "partícula última", da qual agora se dizia que prótons, elétrons, nêutrons e o resto se compunham, é indicada pelo próprio nome, tirado de *Finnegan's wake*, de James Joyce: o *quark* (1963). Ele logo seria dividido em três ou quatro subespécies (com seus "antiquarks"), descritas como "de cima", "de baixo", "dos lados" ou "estranhos", e quarks com "encanto", cada um deles dotado de uma propriedade chamada "cor". Nenhuma dessas palavras tinha nada parecido aos seus significados habituais. Como sempre, fizeram-se previsões bem-sucedidas com base nessa teoria, ocultando-se com isso o fato de que nenhum indício experimental da existência de qualquer tipo de quark havia sido descoberto até a década de 1990.* Se esses novos fatos constituíam uma simplificação do labirinto subatômico ou mais uma camada de complexidade, deve-se deixar que físicos adequadamente qualificados o julguem. Contudo, o observador leigo cético, mesmo que admirador, pode às vezes ser lembrado dos titânicos esforços de inteligência e engenhosidade despendidos no fim do século XIX para manter a crença científica no "éter", antes que a obra de Planck e Einstein o banisse para o museu de pseudoteorias, junto com o "flogisto" (ver *A era dos impérios*, capítulo 10).

(*) John Maddox comenta que depende do que se quer dizer por "descoberto". Identificaram-se efeitos particulares dos quarks, mas, parece, eles não são descobertos "sós", e sim em pares ou triplos. O que intriga os físicos não é se os quarks estão lá, mas por que nunca estão sós.

A própria falta de contato de tais construções teóricas com a realidade que pretendiam explicar (exceto como hipóteses falsificáveis) deixava-as abertas a influências do mundo exterior. Não seria uma coisa natural, num século tão dominado pela tecnologia, que as analogias mecânicas ajudassem a reciclá-las, embora sob a forma de técnicas de comunicação e controle tanto em animais como em máquinas, técnicas essas que de 1940 em diante geraram um corpo teórico conhecido por vários nomes (cibernética, teoria de sistemas gerais, teoria da informação etc.)? Os computadores eletrônicos, que se desenvolveram com estonteante rapidez após a Segunda Guerra Mundial, sobretudo após a descoberta do transistor, tinham uma enorme capacidade de simulação, que tornava mais fácil que antes derivar modelos mecânicos daquilo que até então se encarava como operações físicas e mentais de organismos, incluindo os humanos. Cientistas de fins do século XX falavam do cérebro como se fosse um elaborado sistema de processamento de informação, e um dos conhecidos debates filosóficos da segunda metade do século era se, e neste caso como, a inteligência humana podia distinguir-se da "inteligência artificial", ou seja, se algo na mente humana não era teoricamente programável num computador. Que tais modelos tecnológicos avançaram a pesquisa, não entra em questão. Onde estaria o estudo do sistema nervoso (isto é, o estudo dos impulsos nervosos elétricos) sem o da eletrônica? Contudo, no fundo essas são analogias reducionistas, que bem podem um dia parecer datadas, como a descrição, no século XVIII, do movimento humano em termos de um sistema de alavancas.

Tais analogias eram úteis na formulação de modelos particulares. Contudo, além desses, a experiência de vida dos cientistas não podia deixar de afetar sua maneira de ver a natureza. O nosso foi um século em que, para citar um cientista criticando outro, "o conflito entre os gradualistas e o catastrofismo impregna a experiência humana" (Jones, 1992, p. 12). E portanto, não surpreendentemente, passou a impregnar a ciência.

No século XIX, de melhoramento e progresso burgueses, a continuidade e o gradualismo dominaram os paradigmas da ciência. Fosse qual fosse o modo de locomoção da natureza, ela não podia saltar. A mudança geológica e a evolução da vida na terra prosseguiam sem catástrofes e com minúsculos aumentos. Mesmo o fim previsível do universo num futuro remoto seria gradual, pela insensível mas inevitável transformação de energia em calor, de acordo com a segunda lei da termodinâmica (a "morte por calor do universo"). A ciência do século XX desenvolveu uma imagem bem diferente do mundo.

Nosso universo nasceu, há 15 milhões de anos, numa maciça superexplosão, e, segundo as especulações cosmológicas da época em que escrevo, pode acabar de maneira igualmente dramática. Dentro dele, o histórico de vida das estrelas, e portanto de seus planetas, está, como o universo, cheio de cataclismos: novas, supernovas, gigantes vermelhas, anãs brancas, buracos negros e o resto — nenhum deles reconhecido ou encarado como mais que fenômenos astronômicos periféricos antes da década de 1920. A maioria dos geólogos resistiu durante muito tempo à idéia de grandes deslocamentos laterais, como os continentes movendo-se em todo o globo no curso da história da terra, embora a evidência disso fosse mais ou menos forte. E o fizeram com base em grande parte ideológica, a julgar pela extraordinária ira da controvérsia contra o principal proponente da "deriva continental", Alfred Wegener. De qualquer modo, o argumento de que isso não podia ser verdade porque não se conhecia nenhum mecanismo geofísico para causar tais movimentos não era mais convincente *a priori*, em *vista* da evidência, do que o argumento de lorde Kelvin, no século XIX, de que a escala de tempo então postulada por geólogos devia estar errada, porque a física, como então entendida, fazia a terra muito mais jovem do que a geologia exigia. Contudo, desde a década de 1960 o antes impensável tornou-se a ortodoxia da geologia do dia-a-dia: um globo de placas gigantescas mudando de lugar, às vezes rapidamente ("placas tectônicas").

Talvez ainda mais a propósito seja o retorno do catastrofismo direto tanto à geologia quanto à teoria da evolução via paleontologia, desde a década de 1960. Mais uma vez, a evidência *prima facie* há muito é conhecida: toda criança sabe da extinção dos dinossauros no fim do período cretáceo. Tal fosse pela força da crença darwiniana em que a evolução *não* resultava de catástrofes (ou criação), mas de lentas e minúsculas mudanças atuando durante toda a história geológica, quc cssc aparente cataclismo ecológico chamou pouca atenção. O tempo geológico era simplesmente encarado como suficientemente longo para permitir quaisquer mudanças evolucionárias observadas. Surpreende, assim, que, numa era em que a história humana foi tão visivelmente cataclísmica, as descontinuidades evolucionárias voltassem a chamar a atenção? Pode-se ir ainda mais longe. O mecanismo mais favorecido por catastrofistas geológicos e paleontológicos na época em que escrevo é o bombardeio vindo do espaço cósmico, isto é, a colisão da terra com um ou mais meteoritos muito grandes. Segundo alguns cálculos, é provável que um asteróide suficientemente grande para destruir a civilização, ou seja, o equivalente a 8 milhões de Hiroximas, chegue a cada 300 mil anos. Tais cenários sempre foram parte de versões marginais da pré-história, mas será que algum cientista sério, antes da época da guerra nuclear, teria pensado nesses termos? Tais teorias da evolução, entendida como lenta mudança interrompida de tempos em tempos por uma mudança relativamente súbita ("equilíbrio pontuado"), continuavam controvertidas na década de 1990, mas agora faziam parte de um debate *dentro* da comunidade científica. Mais uma vez, o observador leigo não pode deixar de notar o surgimento, dentro do campo de pensamento mais distante da vida humana de carne e osso, de dois subcampos matemáticos conhecidos respectivamente como "teoria da catástrofe" (a partir da década de 1960) e "teoria do caos" (década de 1980) (ver pp. 522 e ss.). O primeiro, um desenvolvimento da topologia em que a França foi pioneira na década 1960, dizia investigar as situações em que a mudança gradual produzia rupturas súbitas, isto é, a inter-relação entre mudança contínua e descontínua; o outro (de origem americana) modelava a incerteza e imprevisibilidade de situações em que se podia mostrar que acontecimentos aparentemente minúsculos (o adejar das asas de uma borboleta) levavam a resultados imensos em outra parte (um furacão). Os que viveram as últimas décadas do século não tinham dificuldade para entender por que imagens como caos e catástrofe também apareciam nas mentes de cientistas e matemáticos.

V

Contudo, da década de 1970 em diante, o mundo externo passou a intrometer-se mais indiretamente, mas também com mais força, nos laboratórios e salas de conferências, com a descoberta de que a tecnologia baseada na ciência, tendo seu poder multiplicado pela explosão econômica global, parecia na iminência de produzir mudanças fundamentais e talvez irreversíveis no planeta Terra, ou pelo menos na Terra como um hábitat para organismos vivos. Isso era ainda mais inquietante que a perspectiva da catástrofe induzida pelo homem, a guerra nuclear, que atormentara imaginações e consciências durante a Guerra Fria; pois uma guerra nuclear soviético-americana era evitável e, como se viu, foi evitada. Não era tão fácil escapar dos subprodutos do crescimento econômico relacionado com a ciência. Assim, em 1973, dois químicos, Rowland e Molina, notaram pela primeira vez que os fluorocarbonos (largamente usados em refrigeração e nos recém-populares aerossóis) consumiam o ozônio na atmosfera da Terra. Dificilmente isso poderia ter sido notado muito mais cedo, pois a liberação desses produtos químicos (CFC 11 e CFC 12) não totalizava 40 mil toneladas antes do início da década de 1950. (Mas entre 1960 e 1972 mais de 3,6 milhões de toneladas deles haviam entrado na atmosfera.)* Contudo, no início da década de 1990 a existência de grandes "buracos de ozônio" na atmosfera era do conhecimento de leigos, e a única questão era saber com que rapidez ia prosseguir o esgotamento da camada de ozônio, e quando ultrapassaria os poderes de recuperação natural da Terra. Se se eliminassem os CFCs, ninguém tinha dúvidas de que ela reapareceria. O "efeito estufa", ou seja, o incontrolável esquentamento da temperatura global pela liberação de gases produzidos pelo homem, que começou a ser discutido a sério por volta de 1970, tornou-se uma preocupação importante de especialistas e políticos na década de 1980 (Smil, 1990); o perigo era real, embora às vezes muito exagerado.

(*) *World Resources*, 1986, tabela 11.1, p. 319.

Mais ou menos na mesma época a palavra "ecologia", cunhada em 1873 para o ramo da biologia que tratava das inter-relações de organismos e seus ambientes, adquiriu sua hoje familiar conotação quase política (E. M. Nicholson, 1970).* Eram as conseqüências naturais do super*boom* econômico secular (ver capítulo 9).

Essas preocupações seriam o suficiente para explicar por que a política e a ideologia começaram mais uma vez a cercar as ciências naturais na década de 1970. Contudo, começaram a penetrar até mesmo em ramos das próprias ciências, em forma de debates sobre a necessidade de limitações práticas e morais à investigação científica.

Jamais, desde o fim da hegemonia teológica, tais questões haviam sido levantadas a sério. Não surpreendentemente, vieram daquela parte das ciências naturais que sempre tivera, ou parecera ter, implicação direta sobre os assuntos humanos: genética e biologia evolucionária. Pois dez anos após a Segunda Guerra Mundial as ciências da vida foram revolucionadas pelos espantosos avanços da biologia molecular, que revelaram o mecanismo universal de herança, o "código genético".

A revolução na biologia molecular não foi inesperada. Depois de 1914, podia-se ter como certo que a vida podia e tinha de ser explicada em termos de física e química, e não em termos de alguma essência peculiar aos seres vivos.** Na verdade, modelos bioquímicos da possível origem da vida na Terra, começando com luz do sol, metano, amônia e água, foram sugeridos na década de 1920 (em grande parte com intenções anti-religiosas) na Rússia soviética e na Grã-Bretanha, e puseram o assunto na pauta científica séria. A hostilidade à religião, a propósito, continuou a animar os pesquisadores nesse campo: tanto Crick quanto Linus Pauling são exemplos disso (Olby, 1970, p. 943). O grande impulso de pesquisa biológica há décadas era bioquímico, e cada vez mais físico, desde o reconhecimento de que se podiam cristalizar as moléculas de proteína, e portanto analisá-las cristalograficamente. Sabia-se que uma substância, o ácido desoxirribonucléico (DNA), desempenhava um papel, possivelmente o central, na hereditariedade: parecia ser o componente básico do gene, a unidade de herança. O problema de como o gene "causa(va) a síntese de outra estrutura igual a si, em que mesmo as mutações do gene original são copiadas" (Muller, 1951, p. 95), isto é, de como operava a hereditariedade, já se achava sob séria investigação em fins da década de 1930. Após a guerra, era claro que, nas palavras de Crick, "grandes coisas estavam logo após a esquina". O brilhantismo da descoberta por Crick e Watson da estrutura em dupla hélice

(*) "Ecologia [...] é também a principal disciplina e ferramenta intelectual que nos possibilita esperar que a evolução humana possa ser mudada, possa ser voltada em nova direção, para que o homem deixe de destruir o ambiente do qual depende seu próprio futuro."

(**) "Como podem os fatos, no espaço e no tempo, que ocorrem dentro do limite espacial de um organismo vivo ser explicados pela física e a química?" (Schrödinger, 1944, p. 2).

do DNA e da maneira como explicava a "cópia de gene" com um elegante modelo químico-mecânico não é diminuído pelo fato de que vários pesquisadores convergiam para o mesmo resultado no início da década de 1950.

A revolução do DNA, "a maior descoberta individual da biologia" (J. D. Bernal), que dominou as ciências da vida na segunda metade do século, foi essencialmente na genética e, como o darwinismo do século XX é exclusivamente genético, na evolução.* Estes são dois temas notoriamente delicados, tanto porque os próprios modelos científicos são freqüentemente ideológicos em tais campos — lembramos a dívida de Darwin com Malthus (Desmond & Moore, capítulo 18) — quanto porque habitualmente descambam para a política ("darwinismo social"). O conceito de "raça" ilustra essa interação. A lembrança das políticas raciais nazistas tornou praticamente impensável que intelectuais liberais (o que incluía a maioria dos cientistas) operassem com esse conceito. Na verdade, muitos duvidavam que ele fosse legítimo até para investigar de modo sistemático diferenças geneticamente determinadas entre grupos humanos, por receio de que os resultados oferecessem encorajamento a opiniões racistas. Mais geralmente, nos países ocidentais a ideologia pós-fascista de democracia e igualdade reviveu os velhos debates de "natureza *versus* alimentação", ou hereditariedade *versus* ambiente. Visivelmente, o indivíduo humano era formado tanto pela hereditariedade quanto pelo ambiente, pelo genes e a cultura. Contudo, os conservadores estavam simplesmente demasiado dispostos a aceitar uma sociedade de desigualdades irremovíveis, isto é, geneticamente determinadas, enquanto a esquerda, comprometida com a igualdade, naturalmente afirmava que todas as desigualdades podiam ser eliminadas pela ação social: eram, no fundo, ambientalmente determinadas. A controvérsia pegou fogo na questão da inteligência humana, que (devido a suas implicações para a educação escolar seletiva e universal) era altamente política. Suscitou questões muito mais amplas que as de raça, embora se referisse também a elas. A medida de sua amplitude surgiu com a revivescência do movimento feminista (ver capítulo 10), do qual várias ideólogas chegaram perto de afirmar que *todas* as diferenças mentais entre homens e mulheres eram essencialmente determinadas pela cultura, ou seja, ambientais. Na verdade, a substituição, que entrou na moda, do termo "sexo" por "gênero", implicava a crença em que "mulher" era não tanto uma categoria biológica quanto um papel social. Um cientista que tentasse investigar esses temas sensíveis sabia estar em campo minado político. Mesmo os que entraram nele deliberadamente, como E. O. Wilson, de Harvard (1929-), defensor da "sociobiologia", evitavam falar com clareza.**

(*) Foi também "sobre" a variante essencialmente matemático-mecânica da ciência experimental, talvez o motivo pelo qual não encontrou 100% de entusiasmo em algumas ciências da vida menos prontamente quantificáveis, como a zoologia e a paleontologia (ver Lewontin, 1973).

(**) "Minha impressão geral, extraída da informação existente, é que o *Homo sapiens* é um animal típico da espécie com referência à qualidade e magnitude da diversidade genética que afeta o comportamento. Se a comparação é correta, a unidade psíquica da humanidade foi reduzida em

O que tornava a atmosfera mais explosiva era que os próprios cientistas, sobretudo na ala mais obviamente social da ciência — teoria da evolução, ecologia, etologia ou estudo de comportamento social animal, e coisas assim —, eram simplesmente demasiado inclinados a usar metáforas antropomórficas ou extrair conclusões humanas. Os sociobiólogos, ou os que popularizavam suas descobertas, sugeriam que as características (masculinas) herdadas dos milênios durante os quais o homem primitivo fora selecionado para adaptar-se, como caçador, a uma existência mais predatória em hábitats abertos (Wilson, 1977) ainda dominavam nossa existência social. Não só as mulheres, mas também os historiadores ficaram irritados. Os teóricos evolucionistas analisavam a seleção natural, à luz da grande revolução biológica, como a luta pela existência do "Gene Egoísta" (Dawkins, 1976). Até mesmo alguns que simpatizavam com a versão pesada do darwinismo se perguntavam que importância real tinha a seleção genética para debates sobre egoísmo, competição e cooperação humanos. A ciência achava-se uma vez mais acuada por críticos, embora — significativamente — não estivesse mais sob fogo da religião tradicional, além de grupos fundamentalistas intelectualmente sem importância. O clero aceitava agora a hegemonia do laboratório, extraindo o consolo teológico que podia da cosmologia científica, cujas teorias de "big-bang" podiam, com o olho da fé, ser apresentadas como prova de que um Deus criara o mundo. Por outro lado, a revolução cultural ocidental das décadas de 1960 e 1970 produziu um forte ataque neo-romântico e irracionalista à visão científica do mundo, que podia passar prontamente de um tom radical para um reacionário.

Ao contrário das trincheiras avançadas das ciências da vida, a principal fortaleza de pesquisa pura nas ciências "pesadas" pouco foi perturbada por tais franco-atiradores até tornar-se evidente, na década de 1970, que não se podia divorciar a pesquisa das conseqüências sociais das tecnologias que ela agora, e quase imediatamente, gerava. Foi a perspectiva de "engenharia genética" — logicamente de formas de vida humana e outras — que na verdade suscitou a questão imediata de se se deviam considerar limitações à pesquisa científica. Pela primeira vez, ouviram-se essas opiniões entre os próprios cientistas, notadamente no campo biológico, pois a essa altura alguns dos elementos essenciais das tecnologias do tipo Frankenstein não eram separáveis da pesquisa pura e a ela subseqüentes, mas — como no projeto do Genoma, plano de mapeamento de todos os genes da hereditariedade humana — *eram* a pesquisa básica. Essas críticas solaparam o que todos os cientistas encaravam até

---

status de dogma para hipótese testável. Isso não é fácil de dizer no atual ambiente político dos Estados Unidos, e é encarado como uma heresia punível em alguns setores da comunidade acadêmica. Mas a idéia precisa ser encarada de frente, se as ciências sociais querem ser inteiramente honestas [...] Será melhor os cientistas estudarem o tema da diversidade comportamental genética do que manter uma conspiração de silêncio por boas intenções" (Wilson, 1977, p. 133).

O significado claro deste tortuoso trecho é: há raças, e por motivos genéticos elas são permanentemente desiguais em certos aspectos especificáveis.

então, e a maioria continuou a encarar, como o princípio básico da ciência, ou seja, o de que, com as mais marginais concessões às crenças morais da sociedade,* a ciência devia buscar a verdade aonde quer que essa verdade a levasse. Eles não eram responsáveis pelo que os não-cientistas faziam com seus resultados. O fato de que, como observou um cientista americano em 1992, "nenhum biólogo molecular importante que conheço deixa de ter interesse financeiro no negócio da biotecnologia" (Lewontin, 1992, p. 37; pp. 32-40); de que — para citar outro — "a questão (da propriedade) está no âmago de tudo que fazemos" (Lewortin, 1992, p. 38) tornava a alegação de pureza ainda mais duvidosa.

O que estava em causa agora não era a busca da verdade, mas a impossibilidade de separá-la de suas condições e conseqüências. Ao mesmo tempo, o debate era essencialmente entre pessimistas e otimistas em relação à raça humana. Pois a crença básica dos que pensavam em restrições ou autolimitações à pesquisa científica era que a humanidade, como hoje organizada, não era capaz de lidar com os seus poderes de transformação da Terra, ou mesmo de reconhecer os riscos que corria. Pois mesmo os feiticeiros que resistiam a toda limitação em suas pesquisas não confiavam em seus aprendizes. Os argumentos em favor da investigação ilimitada "referem-se à pesquisa científica básica, não às aplicações tecnológicas da ciência, algumas das quais devem ser restringidas" (Baltimore, 1978).

E no entanto, tais argumentos não chegavam à questão. Pois, como sabiam todos os cientistas, a pesquisa científica *não* era ilimitada e livre, quando nada porque exigia recursos que eram limitados. A questão não era se alguém devia dizer aos pesquisadores o que fazer, mas quem impunha esses limites e orientações, e por quais critérios. Para a maioria dos cientistas, cujas instituições eram direta ou indiretamente pagas com verbas públicas, esses controladores de pesquisa eram os governos, cujos critérios, por mais sinceros que fossem em sua dedicação aos valores da livre investigação, não eram os de Planck, Rutherford ou Einstein.

As prioridades deles não eram, por definição, as da pesquisa "pura", sobretudo quando essa pesquisa era cara; e, após o fim do grande *boom* global, até mesmo os governos mais ricos, com suas rendas não mais crescendo à frente dos gastos, não tinham orçamento. Tampouco eram, ou podiam ser, as prioridades da pesquisa "aplicada", que empregava a grande maioria dos cientistas, pois essas não eram postas em termos de "avanço do conhecimento" em geral (embora bem pudessem resultar nisso), mas da necessidade de atingir determinados resultados práticos — por exemplo, a cura do câncer ou da Aids. Os pesquisadores nesses campos buscavam não necessariamente o que lhes interessava, mas o que era socialmente útil ou economicamente lucrativo, ou aquilo para que havia dinheiro, mesmo quando esperavam que isso os le-

(*) Como, notadamente, a restrição a experiências com seres humanos.

vasse de volta ao caminho da pesquisa fundamental. Nas circunstâncias, não passava de retórica vazia declarar intoleráveis as restrições à pesquisa porque o homem era por natureza uma espécie que precisava "satisfazer nossa curiosidade, exploração e experimentação" (Lewis Thomas, in Baltimore, 1978, p. 44), ou porque os picos de conhecimento deviam ser escalados, na expressão clássica dos montanhistas, "porque estão lá".

A verdade é que a "ciência" (com o que muita gente quer dizer as ciências naturais "pesadas") estava demasiado grande, demasiado poderosa, demasiado indispensável à sociedade em geral e a seus pagadores em particular para ser deixada entregue a seus próprios cuidados. O paradoxo de sua situação era que, em última análise, a imensa casa de força que era a tecnologia do século XX, e a economia que ela tornava possível, dependiam cada vez mais de uma comunidade relativamente minúscula de pessoas para as quais essas conseqüências titânicas de suas atividades eram secundárias, e muitas vezes triviais. Para elas, a capacidade dos homens de viajar para a lua, ou refletir as imagens de uma partida de futebol brasileira por meio de um satélite para serem vistas numa tela em Düsseldorf, era muito menos interessante que a descoberta de um ruído cósmico de fundo que fora identificado durante a busca de fenômenos que perturbavam as comunicações, mas confirmava uma teoria sobre as origens do universo. Contudo, como o antigo matemático grego Arquimedes, elas sabiam que viviam e ajudavam a moldar um mundo que não podia entender nem ligava para o que faziam. Seu apelo por liberdade de pesquisa era o *cri-de-coeur* de Arquimedes aos soldados invasores, contra os quais ele inventara engenhos militares para sua cidade de Siracusa, e que não tomaram conhecimento deles ao matá-lo: "Pelo amor de Deus, não estraguem meus diagramas". Era compreensível, mas não necessariamente realista.

Só os poderes transformadores do mundo, dos quais elas tinham a chave, as protegiam, pois esses pareciam depender de que se deixasse uma elite, fora isso incompreensível e privilegiada — incompreensível, até o fim do século, mesmo em sua relativa falta de interesse pelos sinais externos de riqueza e poder —, seguir seu caminho em paz. Todos os Estados do século XX que haviam agido de outro modo tinham motivo para lamentá-lo. Todos os Estados portanto apoiavam a ciência, que, ao contrário das artes e da maioria das humanidades, não podia funcionar de fato sem esse apoio, ao mesmo tempo evitando interferir até onde possível. Mas os governos não estão interessados na verdade última (a não ser da ideologia ou religião), mas na verdade instrumental. No máximo, podiam promover a pesquisa "pura" (isto é, no momento inútil) porque ela poderia um dia produzir alguma coisa útil, ou por motivos de prestígio nacional, em que a busca de Prêmios Nobel vinha antes da de medalhas olímpicas e ainda continua mais altamente valorizada. Essas eram as bases nas quais as triunfantes estruturas da pesquisa e da teoria científicas se erguiam, e pelas quais o século XX será lembrado como uma era de progresso humano, e não, basicamente, de tragédia humana.

19
RUMO AO MILÊNIO

Estamos no início de uma nova era, caracterizada por grande insegurança, crise permanente e ausência de qualquer tipo de status quo [...] *Devemos compreender que nos encontramos numa daquelas crises da história mundial que Jakob Burckhardt descreveu. Não é menos significativa que a de depois de 1945, embora as condições iniciais para superá-la pareçam melhores hoje. Não há potências vitoriosas nem derrotadas hoje, nem mesmo na Europa Oriental.*

M. Stürmer, in Bergedorf (1993, p. 59)

Embora o terreno ideal do socialismo-comunismo tenha desmoronado, os problemas que ele pretendeu resolver permanecem: o uso descarado da vantagem social e o desordenado poder do dinheiro, que muitas vezes dirige o curso mesmo dos acontecimentos. E se a lição global do século XX não servir como uma vacina curativa, o imenso turbilhão vermelho pode repetir-se em sua totalidade.

Alexander Soljenitsin, in *The New York Times,* 28/11/1993

É um privilégio para um escritor ter presenciado o fim de três Estados: a República de Weimar, o Estado fascista e a RDA. Não creio que eu viva o bastante para ver o fim da República Federal.

Heiner Müller (1992, p. 361)

I

O Breve Século XX acabou em problemas para os quais ninguém tinha, nem dizia ter, soluções. Enquanto tateavam o caminho para o terceiro milênio em meio ao nevoeiro global que os cercava, os cidadãos do *fin-de-siècle* só sabiam ao certo que acabara uma era da história. E muito pouco mais.

Assim, pela primeira vez em dois séculos, faltava inteiramente ao mundo da década de 1990 qualquer sistema ou estrutura internacional. O fato mesmo de terem surgido, depois de 1989, dezenas de Estados territoriais sem qualquer mecanismo independente para determinar suas fronteiras — sem sequer terceiras partes aceitas como suficientemente imparciais para servir de mediadoras gerais — já fala por si. Onde estava o consórcio de grandes potências que antes estabelecia, ou pelo menos ratificava, fronteiras contestadas? Onde estavam os vencedores da Primeira Guerra Mundial que supervisionavam o novo desenho do mapa da Europa e do mundo, fixando uma linha de fronteira aqui, insistindo num plebiscito ali? (Onde, na verdade, estavam aquelas conferências internacionais de trabalho tão conhecidas dos diplomatas do passado, tão diferentes das breves conferências de cúpula para fins de relações públicas e sessões de fotos que agora tomavam o seu lugar?)

Que eram, na verdade, as potências internacionais, velhas ou novas, no fim do milênio? O único Estado restante que teria sido reconhecido como grande potência, no sentido em que se usava a palavra em 1914, eram os EUA. O que isso significava na prática era bastante obscuro. A Rússia fora reduzida ao tamanho que tinha no século XII. Nunca, desde Pedro o Grande, ela chegara a ser tão negligenciável. A Grã-Bretanha e a França gozavam apenas de um status puramente regional, o que não era ocultado pela posse de armas nucleares. A Alemanha e o Japão eram sem dúvida "grandes potências" econômicas, mas nenhum dos dois sentira a necessidade de apoiar seus enormes recursos econômicos com força militar, na forma tradicional, mesmo quando tiveram liberdade para fazê-lo, embora ninguém soubesse o que poderiam querer fazer no futuro desconhecido. Qual era o status político internacional da nova União Européia, que aspirava a uma política comum mas se mostrava espetacularmente incapaz de até mesmo fingir ter uma, ao contrário das questões econômicas? Não estava claro nem mesmo se todos os Estados, grandes ou pequenos, velhos ou novos — com exceção de uns poucos —, existiriam em sua presente forma quando o século XX atingisse o seu primeiro quartel.

Se a natureza dos atores no cenário internacional não era clara, o mesmo se dava com a natureza dos perigos que o mundo enfrentava. O Breve Século XX fora de guerras mundiais, quentes ou frias, feitas por grandes potências e seus aliados em cenários de destruição de massa cada vez mais apocalípticos, culminando no holocausto nuclear das superpotências, felizmente evitado. Esse perigo desaparecera visivelmente. O que quer que trouxesse o futuro, o próprio desaparecimento ou transformação de todos os velhos atores do drama mundial, com exceção de um, significava que uma Terceira Guerra Mundial do velho tipo se achava entre as perspectivas menos prováveis.

Visivelmente, isso não significava que a era das guerras houvesse acabado. A década de 1980 já demonstrara, com a guerra britânico-argentina de 1983 e a do Irã-Iraque de 1980-8, que guerras que nada tinham a ver com o confronto global das superpotências eram uma possibilidade permanente. Os anos que se seguiram a 1989 viram mais operações militares em mais partes da Europa, Ásia e África do que qualquer um pode lembrar, embora nem todas elas fossem oficialmente classificadas como guerras: na Libéria, em Angola, no Sudão e no Chifre da África, na ex-Iugoslávia, na Moldávia, em vários países do Cáucaso e Transcáucaso, no sempre explosivo Oriente Médio, na ex-soviética Ásia Central e no Afeganistão. Como muitas vezes não era claro quem combatia quem e por que nas cada vez mais freqüentes situações de colapso e desintegração nacionais, essas atividades, na verdade, não se encaixavam em nenhuma das classificações clássicas de "guerra", internacional ou civil. Contudo, os habitantes das regiões envolvidas dificilmente poderiam sentir-se vivendo em tempos de paz, sobretudo quando, como na Bósnia, Tadjiquistão ou Libéria, viviam em paz indiscutível não muito tempo antes. Além disso, como demonstraram os Bálcãs no início da década de 1990, não havia linha nítida entre lutas intestinas nacionais e guerras mais reconhecidas, como as do velho tipo, nas quais podiam muito facilmente transformar-se. Em suma, o perigo de guerra global não havia desaparecido. Apenas mudara.

Sem dúvida os habitantes de Estados estáveis, fortes e favorecidos (a União Européia fora das zonas de problemas adjacentes; a Escandinávia fora das margens ex-soviéticas e do mar Báltico) podiam julgar-se imunes a essa insegurança e carnificina que ocorria nas partes infelizes do Terceiro Mundo e do ex-mundo socialista mas, se o faziam, estavam errados. A crise nos assuntos dos Estados-nações tradicionais era suficiente para fazê-los vulneráveis. Pondo-se inteiramente à parte a possibilidade de alguns Estados poderem, por sua vez, cindir-se ou desfazer-se, uma inovação importante, e não muitas vezes reconhecida, da segunda metade do século os enfraquecera, inclusive privando-os do monopólio de força efetiva, que fora o critério de poder do Estado em todas as regiões de assentamento permanente. Essa inovação foi a democratização ou privatização dos meios de destruição, que transformou a perspectiva de violência e depredação *em qualquer parte* do globo.

Agora era possível a grupos bastante pequenos de políticos ou outros dissidentes corroer e destruir em qualquer parte, como mostraram as atividades continentais do IRA na Grã-Bretanha e a tentativa de explodir o World Trade Center em Nova York (1993). Até o fim do Breve Século XX, os custos dessas atividades, a não ser para as companhias de seguro, eram modestos, pois o terrorismo não estatal, ao contrário das crenças comuns, era muito menos indiscriminado que os bombardeios da guerra oficial, inclusive porque seu objetivo (se havia) era sobretudo mais político que militar. Além disso, a não ser por cargas explosivas, geralmente operava com armas manuais mais adequadas a matar em pequena escala do que a assassinatos em massa. Contudo, não havia motivo para que mesmo armas nucleares, além do material e *know-how* para sua fabricação, todos largamente disponíveis no mercado mundial, não pudessem ser adaptadas para uso por um pequeno grupo.

Além disso, a democratização dos meios de destruição elevou de maneira bastante impressionante os custos da manutenção da violência não oficial sob controle. Assim, o governo britânico, diante de forças combatentes de fato de não mais de algumas centenas entre os paramilitares católicos e protestantes da Irlanda do Norte, mantinha sua presença na província com a permanência constante de alguma coisa tipo 20 mil soldados treinados, 8 mil policiais armados e uma despesa de 3 bilhões de libras por ano. O que se aplicava ao caso das pequenas rebeliões ou outras formas de violência interna, se aplicava mais ainda aos pequenos conflitos além das fronteiras de um país. Não havia muitas situações internacionais em que, mesmo Estados bastante ricos, estivessem dispostos a arcar com tais custos ilimitadamente.

Várias situações no imediato pós-Guerra Fria dramatizaram essa insuspeitada limitação do poder do Estado, notadamente a Bósnia e a Somália. Também lançaram luz sobre o que parecia que iria tornar-se, talvez, a maior causa de tensão internacional no novo milênio, ou seja, a que surgia do fosso em rápido alargamento entre as partes rica e pobre do mundo. Cada uma tinha ressentimento da outra. A ascensão do fundamentalismo islâmico foi visivelmente um movimento não apenas contra a ideologia de modernização pela ocidentalização, mas contra o próprio Ocidente. Não por acaso os ativistas desses movimentos perseguem seus fins perturbando as visitas de turistas ocidentais, como no Egito, ou assassinando moradores ocidentais em números substanciais, como na Argélia. Por outro lado, o grosso da xenofobia popular nos países ricos era dirigido contra estrangeiros vindos do Terceiro Mundo, e a União Européia represou suas fronteiras contra a inundação de pobres do Terceiro Mundo em busca de trabalho. Mesmo dentro dos EUA, começaram a aparecer sinais de séria oposição à ilimitada tolerância *de facto* daquele país à imigração.

E no entanto, em termos políticos e militares, cada lado estava além do poder do outro. Em quase qualquer conflito aberto concebível entre os Estados do norte e do sul, a esmagadora superioridade técnica e de riqueza do norte tinha de vencer, como demonstrou conclusivamente a Guerra do Golfo de 1991. Era improbabilíssimo que mesmo a posse de alguns mísseis nucleares por algum país do Terceiro Mundo — supondo-se que tivesse também os meios de mantê-los e lançá-los — fosse um dissuasor efetivo, pois os Estados ocidentais, como provaram Israel e a coalizão da Guerra do Golfo no Iraque, estavam dispostos e eram capazes de empreender ataques preventivos contra inimigos potenciais, ainda que demasiado fracos para serem de fato ameaçadores. Do ponto de vista militar, o Primeiro Mundo podia, em segurança, tratar o Terceiro Mundo como o que Mao chamara de "tigre de papel".

Contudo, tornara-se cada vez mais claro na última metade do Breve Século XX que o Primeiro Mundo podia vencer batalhas, mas não guerras contra o Terceiro Mundo, ou antes, que a vitória em guerras, mesmo se possível, não assegurava o controle de tais territórios. Desaparecera a maior vantagem do imperialismo, ou seja, a disposição das populações coloniais de, uma vez vencidas, deixarem-se administrar tranqüilamente por um punhado de ocupantes. Governar a Bósnia-Herzegovina não foi problema algum para o império habsburgo, mas no início da década de 1990 todos os governos foram aconselhados por seus consultores militares no sentido de que a pacificação daquele infeliz país devastado pela guerra exigiria a presença, por um período indefinido, de várias centenas de milhares de soldados, isto é, uma mobilização comparável à de uma grande guerra. A Somália sempre fora uma colônia difícil e chegara a exigir, por um curto período, a intervenção de uma força britânica comandada por um major-general, mas nunca passara pelas mentes de Londres ou Roma que mesmo Mohamed bin Abdala, o famoso "Sábio Louco", podia criar problemas permanentemente incontroláveis para os governos coloniais britânico e italiano. Contudo, no início da década de 1990 os EUA e o resto das forças de ocupação da ONU, de várias centenas de milhares, se retiraram de lá ignominiosamente quando confrontados com a opção de uma ocupação indefinida sem fins definidos. Mesmo o poderio dos grandes EUA empalideceu quando enfrentado no vizinho Haiti — um tradicional satélite e dependente de Washington — por um general local, comandando o exército local armado e moldado pelos americanos, que se recusava a deixar retornar um presidente eleito e (relutantemente) apoiado pelos EUA, e desafiava os americanos a ocuparem o país. Os EUA se recusavam a ocupar o país mais uma vez, como haviam feito de 1915 a 1934, não porque os mais ou menos mil arruaceiros armados do exército haitiano constituíssem um sério problema militar, mas porque simplesmente não sabiam mais como resolver o problema haitiano por força externa.

Em suma, o século acabou numa desordem global cuja natureza não estava clara, e sem um mecanismo óbvio para acabar com ela ou mantê-la sob controle.

II

O motivo dessa impotência estava não apenas na verdadeira profundidade e complexidade da crise mundial, mas também no aparente fracasso de todos os programas, velhos e novos, para controlar e melhorar os problemas da raça humana.

O Breve Século XX foi uma era de guerras religiosas, embora os mais militantes e sanguinários de seus religiosos bebessem nas ideologias seculares da safra do século XIX, como o socialismo e o nacionalismo, cujos equivalentes divinos ou eram abstrações ou políticos venerados como divindades. É provável que os extremos dessa devoção secular já estivessem em declínio mesmo antes do fim da Guerra Fria, incluindo os vários cultos de personalidade políticos; ou melhor, haviam sido reduzidos de igrejas universais a um punhado de seitas rivais. Apesar disso, sua força estava não tanto na capacidade de mobilizar emoções próximas às da religião tradicional mas na promessa de dar soluções duradouras aos problemas de um mundo em crise. Contudo, era exatamente isso o que agora não conseguiam fazer, quando o século acabava — o liberalismo ideológico mal chegou a tentar.

O colapso da URSS, claro, chamou a atenção basicamente para o fracasso do comunismo soviético, ou seja, da tentativa de basear toda uma economia na propriedade universal, pelo Estado, dos meios de produção e no planejamento central que tudo abrangia, sem qualquer recurso efetivo ao mercado ou aos mecanismos de preço. Todas as outras formas históricas do ideal socialista haviam suposto uma economia baseada na propriedade social de todos os meios de produção, distribuição e troca (embora não necessariamente propriedade central do Estado), a eliminação da empresa privada e da alocação de recursos por um mercado competitivo. Daí esse fracasso ter também solapado as aspirações do socialismo não comunista, marxista ou qualquer outro, embora nenhum desses regimes ou governos houvesse de fato alegado ter estabelecido economias socialistas. Se o marxismo, justificação intelectual e inspiração do comunismo, iria continuar, ou em qual de suas formas, permanecia uma questão em debate. Contudo, claramente, se Marx fosse continuar existindo como grande pensador, do que dificilmente se poderia duvidar, não era provável que qualquer das versões do marxismo formuladas desde a década de 1890 como doutrinas de ação e aspiração políticas para movimentos socialistas o fizesse em suas formas originais.

Por outro lado, a contra-utopia oposta à soviética também se achava demonstravelmente em bancarrota: a fé teológica numa economia em que os recursos eram alocados *inteiramente* pelo mercado sem qualquer restrição, em condições de competição ilimitada, um estado de coisas que se acreditava capaz de produzir não apenas o máximo de bens e serviços, mas também o máximo de felicidade, e o único tipo de sociedade que mereceria o nome de "liberdade". Jamais existira nenhuma sociedade de puro *laissez-faire* assim. Ao contrário da utopia soviética, felizmente não se fizera nenhuma tentativa de instituir a utopia ultraliberal na prática antes da década de 1990. Ela sobrevivera a maior parte do Breve Século XX como um princípio para criticar as ineficiências das economias existentes e o crescimento do poder do Estado e da burocracia. A tentativa mais consistente de instituí-la no Ocidente, o regime da sra. Thatcher na Grã-Bretanha, cujo fracasso econômico era em geral admitido na época de sua queda, tinha de operar com um certo gradualismo. Contudo, quando se fizeram tentativas para instituir-se de uma hora para outra, essas economias de *laissez-faire* em substituição às antigas economias soviético-socialistas, através de "terapias de choque" recomendadas por assessores ocidentais, os resultados foram economicamente apavorantes, e política e socialmente desastrosos. As teorias em que se baseava a teologia neoliberal, embora elegantes, pouca relação tinham com a realidade.

O fracasso do modelo soviético confirmou aos defensores do capitalismo sua convicção de que nenhuma economia sem Bolsa de valores podia funcionar; o fracasso do modelo ultraliberal confirmou aos socialistas a crença mais justificada em que os assuntos humanos, incluindo a economia, eram demasiado importantes para ser deixados ao mercado. Também apoiou a suposição de economistas céticos de que não havia correlação visível entre o sucesso ou fracasso da economia de um país e a proeminência de seus teóricos econômicos.* Contudo, é bem possível que o debate que contrapôs capitalismo e socialismo como pólos opostos mutuamente excludentes seja visto por gerações futuras como uma relíquia das Guerras Frias de Religião ideológicas do século XX. Pode revelar-se tão sem importância para o terceiro milênio quanto mostrou ser nos séculos XVIII e XIX o debate entre os católicos e os vários reformadores nos séculos XVI e XVII sobre o que constituía o verdadeiro cristianismo.

Mais sério que o evidente colapso dos dois extremos polares foi a desorientação do que se poderia chamar de programas e políticas intermediários ou mistos que presidiram os mais impressionantes milagres econômicos do século. Eles combinavam pragmaticamente público e privado, mercado e planejamento, Estado e empresa segundo determinavam a ocasião e a ideologia locais. O problema aqui não era a aplicação de uma teoria intelectualmente atraente ou impressionante, fosse ou não defensável no abstrato, pois a força desses programas era constituída mais pelo sucesso prático do que pela coerência intelectual. Foi a erosão desse sucesso prático. As Décadas de Crise demonstraram as limitações das várias políticas da Era de Ouro, mas sem — ainda — gerar alternativas convincentes. Também revelaram as imprevisíveis mas impressionantes conseqüências sociais e culturais da era de revolução econômica mundial desde 1945, além de suas conseqüências ecológicas potencialmente catastróficas. Em suma, revelaram que as instituições humanas coletivas haviam perdido o controle das conseqüências coletivas da ação humana. Na verdade, uma das atrações intelectuais que ajudaram a explicar a breve voga da utopia neoliberal era precisamente que pretendia contornar as decisões humanas coletivas. Que cada indivíduo buscasse sua satisfação sem restrições, e, qualquer que fosse o resultado, seria o melhor que se podia alcançar. Qualquer curso alternativo, argumentava-se implausivelmente, era pior.

Se as ideologias programáticas nascidas da Era das Revoluções e do sé-

(*) Na verdade, poder-se-ia até mesmo sugerir uma correlação inversa. Áustria não era um sinônimo de sucesso econômico nos dias (antes de 1938) em que contava com uma das mais destacadas escolas de teóricos econômicos; tornou-se assim depois da Segunda Guerra Mundial, quando era difícil pensar em algum economista residente naquele país com reputação fora dele. A Alemanha, que se recusava até a reconhecer em suas universidades o tipo de teoria econômica reconhecido internacionalmente, não pareceu sofrer com isso. Quantos economistas coreanos ou japoneses são citados no exemplar regular da *American Economic Review*? No entanto, a Escandinávia, social-democrata, próspera e cheia dos mais internacionalmente respeitados teóricos econômicos desde fins do século XIX, poderia ser citada do outro lado do argumento.

culo XIX se viram perdidas no fim do século XX, os mais antigos guias para os perplexos deste mundo, as religiões tradicionais, não ofereceram alternativas plausíveis. As ocidentais achavam-se em desordem, mesmo nos poucos países — encabeçados por essa estranha anomalia, os EUA — onde a filiação a igrejas e a freqüência regular a ofícios religiosos ainda eram habituais (Kosmin & Lachman, 1993). Acelerou-se o declínio das várias seitas protestantes. Igrejas e capelas construídas no início do século estavam vazias em seu fim, ou eram vendidas para algum outro propósito, mesmo em países como Gales, onde haviam ajudado a moldar a identidade nacional. Da década de 1960 em diante, como vimos, precipitou-se o declínio do catolicismo romano. Mesmo nos países ex-comunistas, onde a Igreja gozava da vantagem de simbolizar a oposição a regimes profundamente impopulares, as ovelhas pós-comunistas mostraram a mesma tendência a desgarrar-se de seu pastor que em outras partes. Observadores religiosos julgaram às vezes detectar um retorno à religião na região pós-soviética de cristianismo ortodoxo, mas no fim do século a evidência disso era improvável, embora não impossível; seu desenvolvimento não era forte. Um número cada vez menor de homens e mulheres dava ouvidos às várias doutrinas dessas seitas cristãs, fossem quais fossem os seus méritos.

O declínio e queda das religiões tradicionais não era compensado, pelo menos na sociedade urbana do mundo desenvolvido, pelo crescimento da religião sectária militante, ou pelo surgimento de novos cultos e comunidades de culto, e menos ainda pelo evidente desejo de tantos homens e mulheres de refugiar-se de um mundo que não podiam entender nem controlar, numa variedade de crenças cuja própria irracionalidade constituía a sua força. A visibilidade pública dessas seitas, cultos e crenças não deve desviar a atenção da fraqueza relativa de seu apoio. Não mais de 3% a 4% dos judeus britânicos pertenciam a qualquer das seitas ou grupos ultra-ortodoxos. Não mais de 5% da população adulta dos EUA pertenciam às seitas militantes e missionárias (Kosmin & Lachman, 1993, pp. 15-6).*

No Terceiro Mundo e sua periferia, a situação era de fato diferente, sempre excetuando-se a vasta população do Extremo Oriente, que a tradição confuciana mantivera imune à religião oficial por alguns milênios, embora não a cultos não oficiais. Ali, de fato, podia-se esperar que as tradições religiosas que constituíam formas populares de pensar sobre o mundo ganhassem destaque na vida pública, à medida que as pessoas simples se tornavam atores naquele cenário. Foi o que aconteceu nas últimas décadas do século, quando foram marginalizadas as minorias de elite secularizadas e modernizantes que haviam conduzido seus países ao mundo moderno (ver capítulo 12). O apelo

(*) Incluídas as que se chamam Pentecostais, Igrejas de Cristo, Testemunhas de Jeová, Adventistas do Sétimo Dia, Assembléias de Deus, Igrejas da Santidade, "Renascidos" e "Carismáticos".

da religião politizada se mostrava tanto maior porque as velhas religiões eram, quase por definição, inimigas da civilização ocidental que era origem da desordem social, e dos países ricos e ateus que pareciam, mais do que nunca, os exploradores da pobreza do mundo pobre. O fato de os alvos locais desses movimentos serem os ricos ocidentalizados em suas Mercedes e mulheres emancipadas acrescentava-lhes uma coloração de luta de classes. Tornaram-se familiarmente (mas enganosamente) conhecidos como "fundamentalistas" no Ocidente. Qualquer que fosse o nome na moda, esses movimentos buscavam, por assim dizer *ex officio*, uma era mais simples, mais estável, e mais abrangente do passado imaginado. Como não havia caminho de volta para uma tal era, e como essas ideologias nada podiam ter de importante a dizer sobre os problemas atuais de sociedades absolutamente diferente da, digamos, de pastores nômades do antigo Oriente Médio, nada ofereciam como orientação para esses problemas. Eram sintomas do que o sagaz vienense Karl Kraus chamava a psicanálise: "a doença da qual se pretende ser a cura".

O mesmo se dava com o amálgama de *slogans* e emoções — dificilmente se pode chamar de ideologia — que brotou sobre as ruínas das velhas instituições e ideologias, em grande parte do mesmo modo como o mato bravo colonizara as ruínas bombardeadas das... cidades européias depois das bombas da Segunda Guerra Mundial. Eram xenofobias e políticas de identidade. Rejeitar um presente inaceitável não significa necessariamente formular, quanto mais fornecer, uma solução para seus problemas (ver capítulo 14/VI). Na verdade, aquilo que chegava mais perto de um programa político refletindo essa visão, o "direito de autodeterminação" wilsoniano-leninista, para "nações" étnico-lingüístico-culturais supostamente homogêneas, estava visivelmente sendo reduzido a um bárbaro e trágico absurdo à medida que se aproximava o novo milênio. No início da década de 1990, talvez pela primeira vez, observadores racionais, independentemente de políticas (e de algum grupo específico de ativismo nacionalista), começaram a propor publicamente o abandono do "direito de autodeterminação".*

Não pela primeira vez, a combinação de nulidade intelectual com uma forte e mesmo desesperada emoção de massa se mostrava politicamente poderosa em tempos de crise, insegurança e — em grandes partes do globo —

(*) Cf. a previsão de 1949 de um anticomunista russo exilado, Ivã Ilyin (1882-1954), que antecipou as conseqüências da tentativa de uma impossível "subdivisão étnica e territorial rigorosa" da Rússia pós-bolchevismo. "Nas suposições mais modestas, teríamos uma dezena de 'Estados' separados, nenhum com um território incontestado, nem governos com autoridade, nem leis, nem tribunais, nem Exército, nem uma população etnicamente definida. Uma dezena de rótulos vazios. E lentamente, no curso das décadas seguintes, se formariam novos Estados, por separação ou desintegração. Cada um deles travaria uma longa luta com os vizinhos por território e população, no que equivaleria a uma interminável série de guerras civis dentro da Rússia" (citado in Chiesa, 1993, pp. 34 e 36-7).

Estados e instituições em desintegração. Como os movimentos de ressentimento do entreguerras, que tinham gerado o fascismo, os protestos religioso-políticos num mundo em desintegração (o apelo à "comunidade" geralmente juntava-se ao apelo por "lei e ordem") forneciam o humus em que podiam crescer forças políticas efetivas. Estas, por sua vez, podiam derrubar velhos regimes e tornar-se os novos. Contudo, não era mais provável que fornecessem soluções para o novo milênio do que fora o fascismo para produzir soluções para a Era das Catástrofes. No fim do Breve Século XX, não estava claro nem mesmo se tais forças eram capazes de gerar movimentos de massa nacionais organizados do tipo que tornara alguns fascismos politicamente impressionantes mesmo antes de adquirirem a arma decisiva do poder do Estado. Sua maior vantagem era provavelmente uma imunidade à economia acadêmica e à retórica anti-Estado do liberalismo identificado com o livre mercado. Se os políticos quisessem ditar a renacionalização de uma indústria, não seriam dissuadidos por argumentos, sobretudo quando não podiam entendê-los. E no entanto, se estavam dispostos a fazer qualquer coisa, não saberiam, mais do que outros, o que fazer.

III

Tampouco o sabe, naturalmente, o autor deste livro. E no entanto, algumas tendências de desenvolvimento a curto prazo eram tão evidentes que nos permitem esboçar uma pauta de alguns dos grandes problemas do mundo e, pelo menos, algumas das condições para sua solução.

Os dois problemas centrais, e a longo prazo decisivos, eram o demográfico e o ecológico. Em geral, esperava-se que a população do mundo, explodindo em tamanho desde meados do século XX, se estabilizasse em cerca de 10 bilhões de seres humanos, ou cinco vezes seu número de 1950, em algum momento por volta de 2030, essencialmente por um declínio na taxa de nascimento do Terceiro Mundo. Se essa previsão se mostrasse errada, todas as apostas no futuro do mundo estariam canceladas. Mesmo que se mostrasse mais ou menos realista, suscitaria o problema, até então não enfrentado em escala global, de como manter uma população mundial estável ou, o mais provável, flutuando em torno de uma tendência estável ou ligeiramente crescente (ou decrescente). (Uma queda dramática na população global, improvável mas não inconcebível, introduziria complexidades ainda maiores.) Contudo, estável ou não, era certo que os movimentos previsíveis da população mundial aumentariam os desequilíbrios entre suas diferentes regiões. No todo, como no Breve Século XX, os países ricos e desenvolvidos seriam aqueles cuja população seria a primeira a estabilizar-se, ou mesmo a não se reproduzir mais, como vários desses países já não o faziam na década de 1990.

Cercados por países pobres com imensos exércitos de jovens clamando pelos modestos empregos no mundo rico, que tornam homens e mulheres ricos pelos padrões de El Salvador ou Marrocos, esses países de muitos cidadãos velhos e poucos filhos enfrentariam as opções de permitir a imigração em massa (que produzia problemas políticos internos), entrincheirar-se contra os imigrantes dos quais precisavam (o que poderia ser impraticável a longo prazo), ou encontrar alguma outra fórmula. O mais provável era permitir a imigração temporária e condicional, que não dava aos estrangeiros os direitos sociais e políticos de cidadãos, ou seja, criar sociedades essencialmente não igualitárias. Estas poderiam ir de sociedades de franco *apartheid*, como as da África do Sul e Israel (declinando em algumas partes do mundo, mas de modo algum excluídas em outros), até a tolerância informal de imigrantes que não faziam exigências ao país recebedor, porque o viam simplesmente como um lugar onde ganhar dinheiro de tempos em tempos, permanecendo basicamente enraizados em sua terra natal. Os transportes e comunicações de fins do século XX, além do enorme fosso entre as rendas que poderiam ser ganhas nos países ricos e pobres, tornavam essa espécie de dupla existência mais possível que antes. Se esta poderia, a curto ou mesmo médio prazo, tornar menos incendiários os atritos entre a população originária e os estrangeiros, é algo que continua em discussão entre os eternos otimistas e os céticos sem ilusões.

Não pode haver dúvida de que tais atritos serão um fator importante na política, nacional ou global, das próximas décadas.

Os problemas ecológicos, embora a longo prazo decisivos, não eram tão imediatamente explosivos. Isso não significa subestimá-los, embora desde a época em que entraram na consciência e no debate públicos, na década de 1970, eles tendessem a ser enganadoramente discutidos em termos de apocalipse iminente. Contudo, o fato de que o "efeito estufa" talvez não faça o nível do mar elevar-se o bastante, até o próximo ano 2000, para afogar Bangladesh e os Países Baixos, e de que a perda de um número desconhecido de espécies todo dia não é sem precedentes, não causava complacência. Uma taxa de crescimento econômico como a da segunda metade do Breve Século XX, se mantida indefinidamente (supondo-se isso possível), deve ter conseqüências irreversíveis e catastróficas para o ambiente natural deste planeta, incluindo a raça humana que é parte dele. Não vai destruir o planeta, nem torná-lo inabitável, mas certamente mudará o padrão de vida na biosfera, e pode muito bem torná-la inabitável pela espécie humana, como a conhecemos, com uma base parecida a seus números atuais. Além disso, o ritmo em que a moderna tecnologia aumentou a capacidade de nossa espécie de transformar o ambiente é tal que, mesmo supondo que não vá acelerar-se, o tempo disponível para tratar do problema deve ser medido mais em décadas que em séculos.

Sobre a resposta a essa crise ecológica que se aproxima, só três coisas podem ser ditas com razoável certeza. Primeiro, que deve ser mais global que local, embora claramente se ganhasse mais tempo se se cobrasse à maior fonte de poluição global, os 4% da população do mundo que habitam os EUA, um preço realista pelo petróleo que consomem. Segundo, que o objetivo da política ecológica seja ao mesmo tempo radical e realista. Soluções de mercado, isto é, a inclusão dos custos de aspectos externos ambientais no preço que os consumidores pagam por seus bens e serviços, não representam nenhuma das duas coisas. Como mostra o exemplo dos EUA, mesmo uma modesta tentativa de elevar um imposto de energia naquele país pode causar insuperáveis dificuldades políticas. O registro dos preços de petróleo desde 1973 prova que, numa sociedade de livre mercado, o efeito de multiplicação dos custos de energia de doze a quinze vezes em seis anos não foi a diminuição do uso de energia, mas o torná-lo mais eficiente, estimulando ao mesmo tempo um maciço investimento em novas e ambientalmente duvidosas fontes do insubstituível combustível fóssil. Estas, por sua vez, iriam tornar a baixar o preço e estimular mais desperdícios. Por outro lado, propostas como um mundo de crescimento zero, para não falar de fantasias como o retorno à suposta simbiose primitiva entre homem e natureza, embora radicais, eram completamente impraticáveis. O crescimento zero nas condições existentes plasmaria as atuais desigualdades entre os países do mundo, uma situação mais tolerável para o habitante médio da Suíça do que para o habitante médio da Índia. Não por acaso o principal apoio para as políticas ecológicas vem dos países ricos e das confortáveis classes rica e média em todos os países (com exceção dos homens de negócios, que esperam ganhar dinheiro com atividades poluentes). Os pobres, multiplicando-se e subempregados, queriam mais "desenvolvimento", não menos.

Contudo, ricos ou não, os defensores de políticas ecológicas tinham razão. A taxa de desenvolvimento devia ser reduzida ao "sustentável" a médio prazo — o termo era convenientemente sem sentido — e, a longo prazo, se chegaria a um equilíbrio entre a humanidade, os recursos (renováveis) que ela consumia e o efeito de suas atividades sobre o ambiente. Ninguém sabia e poucos ousavam especular como se devia fazer isso, e em que nível de população, tecnologia e consumo seria possível um tal equilíbrio permanente. Os especialistas científicos sem dúvida podiam estabelecer o que se precisava fazer para evitar uma crise irreversível, mas o problema do estabelecimento desse equilíbrio não era de ciência e tecnologia, e sim político e social. Uma coisa, porém, era inegável. Tal eqüilíbrio seria incompatível com uma economia mundial baseada na busca ilimitada do lucro por empresas econômicas dedicadas, por definição, a esse objetivo, e competindo umas com as outras num mercado livre global. Do ponto de vista ambiental, se a humanidade queria ter um futuro, o capitalismo das Décadas de Crise não podia ter nenhum.

IV

Considerados isoladamente, os problemas da economia mundial eram, com uma exceção, menos sérios. Mesmo entregue a si mesma, ela continuaria a crescer. Se havia alguma verdade na periodicidade de Kondratiev (ver p. 91), a economia devia entrar em outra era de próspera expansão antes do fim do milênio, embora isso pudesse ser por algum tempo dificultado pelos efeitos posteriores da desintegração do socialismo soviético, pelo colapso de partes do mundo na anarquia e na guerra, e talvez por uma dedicação excessiva ao livre comércio global, sobre o qual os economistas tendem a ser mais deslumbrados que os historiadores. Apesar disso, o espaço para expansão era enorme. A Era de Ouro, como vimos, foi basicamente o grande salto avante das "economias de mercado desenvolvidas", talvez vinte países habitados por cerca de 600 milhões (1960). A globalização e a redistribuição da produção continuariam a trazer para a economia global o resto dos 6 bilhões de pessoas do mundo. Mesmo pessimistas congênitos tinham de admitir que era uma perspectiva encorajadora para os negócios.

A grande exceção era o aparentemente irreversível alargamento do abismo entre os países ricos e pobres do mundo, processo um tanto acelerado pelo desastroso impacto da década de 1980 sobre grande parte do Terceiro Mundo, e a pauperização de muitos países ex-socialistas. A menos que houvesse uma espetacular queda na taxa de crescimento da população do Terceiro Mundo, parecia provável que o fosso continuaria ampliando-se. A crença, segundo a economia neoclássica, em que o comércio internacional irrestrito permitiria aos países mais pobres chegar mais perto dos ricos, vai tanto contra a experiência histórica quanto contra o bom senso.* Uma economia mundial que se desenvolvia pela geração de desigualdades tão crescentes estava, quase inevitavelmente, acumulando encrencas futuras.

Contudo, de qualquer forma, atividades econômicas não existem nem podem existir isoladamente de seu contexto e conseqüências. Como vimos, três aspectos da economia mundial de fins do século XX davam motivos para alarme. Primeiro, a tecnologia continuou a forçar a mão-de-obra na produção de bens e serviços, sem proporcionar trabalho suficiente do mesmo tipo para os que expulsava nem assegurar uma taxa de crescimento econômico suficiente para absorvê-los. Muito poucos observadores esperariam seriamente um mero retorno temporário ao pleno emprego da Era de Ouro no Ocidente. Segundo, enquanto a mão-de-obra continuava sendo um fator político importante, a globalização da economia transferiu a indústria de seus velhos centros nos

(*) Os exemplos de industrialização liderada pelas exportações no Terceiro Mundo geralmente citados — Hong Kong, Cingapura, Taiwan e Coréia do Sul — representam menos de 2% da população do Terceiro Mundo.

países ricos, com mão-de-obra de alto custo, para países cuja principal vantagem, sendo tudo demais igual, eram mãos e cabeças baratas. Devem seguir-se uma ou ambas de duas conseqüências: a transferência de empregos de regiões de altos salários para outras de baixos salários e, com base em princípios de livre mercado, a queda de salários nas regiões de altos salários, sob a pressão da competição salarial global. Velhos países industriais como a Grã-Bretanha poderiam portanto tender a tornar-se eles próprios economias de mão-de-obra barata, embora com resultados socialmente explosivos e muito pouco prováveis, como base de competição, com os NICs. Historicamente, tais pressões eram enfrentadas com a ação do Estado — por exemplo, protecionismo. Contudo, e era este o terceiro aspecto preocupante da economia mundial do *fin-de-siècle*, seu triunfo e o da ideologia de livre mercado puro enfraquecia ou mesmo eliminava a maioria dos instrumentos para controlar os efeitos sociais das convulsões econômicas. A economia mundial era uma máquina cada vez mais poderosa e incontrolável. Poderia ser controlada, e, se podia, por quem?

Isso suscitava problemas tanto econômicos quanto sociais, embora, é óbvio, muito mais perturbadores em alguns países (por exemplo, Grã-Bretanha) que em outros (por exemplo, Coréia do Sul).

Os milagres econômicos da Era de Ouro baseavam-se em rendas reais crescentes nas "economias de mercado desenvolvidas", pois economias de consumo de massa precisam de consumidores de massa com renda suficiente para os bens de consumo duráveis da alta tecnologia.* A maior parte dessas rendas fora ganha como salários em mercados de mão-de-obra de altos salários. Estes agora se achavam em risco, embora o consumo de massa fosse mais essencial para a economia do que nunca. Claro, nos países ricos o mercado de massa fora estabilizado pela transferência de mão-de-obra da indústria para ocupações terciárias, que tinham, em geral, um emprego muito mais estável, e pelo enorme crescimento nas transferências sociais (sobretudo seguridade social e previdência). Estas representavam algo em torno de 30% do PNB conjunto dos países desenvolvidos ocidentais em fins da década de 1980. Na década de 1920, ficavam provavelmente em menos de 4% do PNB (Bairoch, 1993, p. 174). Isso bem pode explicar por que o colapso da Bolsa de Wall Street de 1987, o maior desde 1929, não levou a uma depressão mundial como a da década de 30.

Contudo, precisamente esses dois estabilizadores estavam sendo solapados. Ao acabar-se o Breve Século XX, os governos e a ortodoxia ocidentais concordavam em que o custo da seguridade social e da previdência social públicas

(*) Não se percebe em geral que todos os países desenvolvidos, com exceção dos EUA, mandavam uma parte *menor* de suas exportações para o Terceiro Mundo na década de 1990 que em 1938. Os ocidentais (incluindo os EUA) mandaram para lá menos de um quinto de suas exportações em 1990 (Bairoch, 1993, tabela 6.1, p. 75).

estava demasiado alto e tinha de ser reduzido, e a redução em massa de emprego nos até então mais estáveis setores de ocupações terciárias — emprego público, bancos e finanças, o tecnologicamente redundante trabalho de escritório de massa — tornou-se comum. Não eram perigos imediatos para a economia global, contanto que o relativo declínio nos velhos mercados fosse compensado pela expansão no resto do mundo, ou que o número global dos que tinham rendas reais crescentes aumentasse mais que o resto. Para pôr as coisas em termos brutais, se a economia global pôde livrar-se de uma minoria de países pobres como economicamente desinteressantes e irrelevantes, também poderia fazer o mesmo com os muito pobres dentro das fronteiras de qualquer um e de todos os seus países, contanto que o número de consumidores potencialmente interessantes continuasse suficientemente grande. Visto das alturas impessoais das quais os economistas comerciais e contadores de empresas observam o cenário, quem precisava dos 10% de população americana cujos ganhos reais por hora haviam *caído* até 16% desde 1979?

Mais uma vez, tomando-se a perspectiva global implícita no modelo de liberalismo econômico, as desigualdades de desenvolvimento são irrelevantes, a menos que se possa demonstrar que produzem resultados globalmente mais negativos que positivos.* Desse ponto de vista, não há motivo econômico para que, se os custos comparativos o mandarem, a França acabe com toda a sua agricultura e importe todos os seus alimentos, ou para que, se isso fosse tecnicamente possível, todos os programas de TV do mundo sejam feitos na Cidade do México. Contudo, essa não é uma visão que possa ser mantida sem reservas pelos que vivem na economia nacional, além da global; quer dizer, por todos os governos nacionais e a maioria dos habitantes de seus países. Não menos porque não podemos evitar as conseqüências sociais e políticas de convulsões mundiais.

Qualquer que seja a natureza desses problemas, uma economia de livre mercado irrestrita e incontrolada não poderia oferecer-lhes solução. Quando mais não fosse, era provável que tornasse piores ainda fatos como o crescimento do desemprego e subemprego permanentes, pois a escolha racional de empresas baseadas no lucro era *a.* reduzir o número de seus empregados o máximo possível, e *b.* reduzir os impostos de seguridade social (ou qualquer outro) até onde possível. Tampouco havia bons motivos para supor que a economia de livre mercado global os resolvesse. Até a década de 1970, o capitalismo nacional e mundial jamais operara em tais condições, ou, se operara, não necessariamente se beneficiara. Em relação ao século XIX, é pelo menos argumentável que, "ao contrário do modelo clássico, o livre comércio coincidiu com a depressão e foi provavelmente sua causa principal, e que o protecionismo foi provavelmente a causa principal de desenvolvimento para a maioria dos países

(*) Na verdade, muitas vezes pode-se demonstrar isso.

desenvolvidos de hoje" (Bairoch, 1993, p. 164). Quanto ao século XX, seus milagres econômicos não foram conseguidos pelo *laissez-faire*, mas contra ele.

Era portanto provável que a moda da liberalização econômica e "marketização", que dominara a década de 1980 e atingira o pico de complacência ideológica após o colapso do sistema soviético, não durasse muito. A combinação da crise mundial do início da década de 1990 com o espetacular fracasso dessas políticas quando aplicadas como "terapia de choque" nos países ex-socialistas já causava reconsiderações entre alguns antigos entusiastas — quem teria esperado que consultores econômicos em 1993 anunciassem: "Talvez Marx estivesse certo afinal"? Contudo, dois grandes obstáculos se erguiam no caminho de um retorno ao realismo. O primeiro era a ausência de uma ameaça política digna de crédito ao sistema, como antes tinham parecido ser o comunismo e a existência da URSS, ou — de uma maneira diferente — a conquista nazista da Alemanha. Estes, como este livro vem tentando provar, proporcionaram o incentivo para que o capitalismo se reformasse. O colapso da URSS, o declínio e fragmentação da classe operária e seus movimentos, a insignificância militar na guerra convencional do Terceiro Mundo, a redução dos realmente pobres nos países ricos a uma "subclasse" minoritária — tudo isso diminuiu o incentivo à reforma. Apesar disso, o surgimento de movimentos de ultradireita, e a inesperada revivescência de apoio aos herdeiros do velho regime nos países ex-comunistas, foram sinais de aviso, e no início da década de 1990 eram mais uma vez vistos como tal. O segundo obstáculo era o próprio processo de globalização, reforçado pela desmontagem de mecanismos nacionais para proteger as vítimas da livre economia global dos custos sociais daquilo que se descrevia orgulhosamente como o "sistema de criação de riqueza [...] hoje encarado em toda parte como o mais efetivo que a humanidade já criou".

Pois, como o mesmo editorial do *Financial Times* (24/12/93) admitia:

> Continua sendo, no entanto, uma força imperfeita [...] Cerca de dois terços da população mundial ganharam pouca ou nenhuma vantagem com o rápido crescimento econômico. No mundo desenvolvido, o mais baixo quartil de assalariados testemunhou mais um respingar para cima que um respingar para baixo.

À medida que se aproximava o milênio, tornava-se cada vez mais evidente que a tarefa central da época não era regozijar-se sobre o cadáver do comunismo soviético, mas pensar, uma vez mais, nos defeitos inatos do capitalismo. Que mudanças no sistema exigiria a remoção deles? Pois, como observou Joseph Schumpeter, a propósito das flutuações cíclicas da economia capitalista, eles "não são, como as amídalas, coisas separadas que podem ser tratadas por si, mas fazem parte, como as batidas do coração, da essência do organismo que os apresenta" (Schumpeter, 1939, I, v).

V

A reação imediata dos comentaristas ocidentais ao colapso do sistema soviético foi que ratificava o triunfo permanente do capitalismo e da democracia liberal, dois conceitos que o menos sofisticado dos observadores americanos do mundo tendiam a confundir. Embora o capitalismo certamente não se achasse na melhor das formas no fim do Breve Século XX, o comunismo do tipo soviético estava inquestionavelmente morto, e era muito improvável que revivesse. Por outro lado, nenhum observador sério no início da década de 1990 podia ser tão confiante em relação à democracia liberal quanto ao capitalismo. O máximo que se podia prever com alguma confiança (com exceção, talvez, dos regimes fundamentalistas mais divinamente inspirados) era que praticamente todos os Estados iam continuar a declarar sua profunda ligação com a democracia, a organizar algum tipo de eleição, com uma certa tolerância por uma oposição às vezes conceitual, mas dando sua própria interpretação ao significado do termo.*

Na verdade, a coisa mais óbvia na situação política dos Estados do mundo era sua instabilidade. Na maioria deles, as chances de sobrevivência para o regime existente nos próximos dez ou quinze anos, no cálculo mais otimista, não eram boas. Mesmo onde os países tinham um sistema de governo previsível, como por exemplo Canadá, Bélgica ou Espanha, a existência deles como Estados individuais em dez ou quinze anos podia ser incerta, e, conseqüentemente, também o seria a natureza dos regimes sucessores possíveis, se algum houvesse. Em suma, a política não era um campo que encorajasse a futurologia.

Apesar disso, algumas características do panorama político global se destacavam. A primeira, como já se observou, era o enfraquecimento do Estado-nação, instituição central da política desde a Era das Revoluções devido a tanto seu monopólio do poder público e da lei quanto porque constituía o campo efetivo dc ação política para a maioria dos fins. O Estado-nação estava sendo erodido de duas formas, de cima e de baixo. Perdia rapidamente poder e função para várias entidades supranacionais, e, na verdade, de forma absoluta, na medida em que a desintegração de grandes Estados e impérios produzia uma multiplicidade de Estados menores, demasiado fracos para defender-se numa era de anarquia internacional. Perdia também, como vimos, seu monopólio de poder efetivo e seus privilégios históricos dentro de suas fronteiras, como testemunham a ascensão da segurança privada e dos serviços postais privados com-

(*) Assim, um diplomata cingapurense afirmou que os países em desenvolvimento podiam aproveitar um "adiamento" da democracia, mas que, quando ela chegasse, seria menos permissiva que o tipo ocidental; mais autoritária, acentuando mais o bem comum que os direitos individuais; muitas vezes com um partido único dominante; e quase sempre com uma burocracia centralizada e "Estado forte" (Mortimer, 1994, p. II).

petindo com o correio, até então praticamente controlado em toda parte por um ministério de Estado.

Esses fatos não tornavam o Estado nem redundante nem ineficaz. Na verdade, em alguns aspectos, sua capacidade de acompanhar e controlar os assuntos de seus cidadãos foi reforçada pela tecnologia, pois praticamente todas as transações financeiras e administrativas destes (tirando pequenos pagamentos em dinheiro) provavelmente eram agora registradas por algum computador, e todas as suas comunicações (com exceção da maioria das conversas face a face ao ar livre) podiam ser agora interceptadas e gravadas. E no entanto, sua posição mudara. Do século XVIII até a segunda metade do XX, o Estado-nação estendera quase continuamente seu alcance, poderes e funções. Este foi um aspecto essencial da "modernização". Quer fossem os governos liberais, conservadores, social-democratas, fascistas ou comunistas, no auge dessa tendência os parâmetros da vida dos cidadãos em Estados "modernos" eram quase exclusivamente determinados (a não ser em conflitos inter-Estados) pelas atividades ou inatividades desse Estado. Mesmo o impacto de forças globais, como os *booms* e depressões econômicos, chegava aos cidadãos filtrado pela política e instituições de seu Estado.* No fim do século, o Estado-nação se achava na defensiva contra uma economia mundial que não podia controlar; contra as instituições que construíra para remediar suas próprias fraquezas internacionais, como a União Européia; contra sua aparente incapacidade fiscal de manter os serviços para seus cidadãos, tão confiantemente empreendidos algumas décadas atrás; contra sua incapacidade real de manter o que, pelos seus próprios critérios, era sua maior função: a manutenção da lei e da ordem públicas. O fato mesmo de, na era de sua ascensão, o Estado ter assumido e centralizado tantas funções, e estabelecido para si mesmo tão ambiciosos padrões de ordem e controle públicos, tornava sua incapacidade de mantê-los duplamente dolorosa.

E, no entanto, o Estado, ou alguma outra forma de autoridade pública representando o interesse público, era mais indispensável que nunca se se queria enfrentar as iniqüidades sociais e ambientais do mercado, ou mesmo — como mostrara a reforma do capitalismo na década de 1940 — caso se quisesse que o sistema econômico operasse de maneira satisfatória. Sem alguma alocação e redistribuição da renda nacional pelo Estado, o que poderia acontecer, por exemplo, aos povos dos velhos países desenvolvidos, cuja economia se apoiava numa base relativamente decrescente de ganhadores de renda, espremidos entre os crescentes números dos dispensados como mão-de-obra

(*) Assim, Bairoch sugere que o motivo pelo qual o PNB per capita suíço caiu na década de 1930, enquanto o da Suécia subiu — apesar de a Grande Depressão ter sido muito menos severa na Suíça —, é "em grande parte explicado pela ampla gama de medidas sócio-econômicas tomadas pelo governo sueco e a falta de intervenção das autoridades federais suíças" (Bairoch, 1993, p. 9).

pela economia *high-tech* e uma crescente proporção de velhos que não ganhavam renda? Era absurdo argumentar que os cidadãos da Comunidade Européia, cuja fatia per capita da renda nacional conjunta aumentara 80% de 1970 a 1990, não podiam "permitir-se", na década de 1990, o nível de renda e bem-estar social tido como certo em 1970 (World Tables, 1991, pp. 8-9). Mas estas não podiam existir sem o Estado. Suponha-se — o cenário não é absolutamente fantástico — que as tendências atuais continuassem, e levassem a economias em que um quarto da população trabalhasse recebendo pagamento e três quartos dela não, mas, após vinte anos, a economia produzisse uma renda nacional per capita duas vezes maior que antes. Quem, a não ser a autoridade pública, iria e poderia assegurar um mínimo de renda e bem-estar social para todos? Quem poderia contrabalançar as tendências à desigualdade tão impressionantemente visíveis nas Décadas de Crise? A julgar pela experiência das décadas de 1970 e 1980, não seria o livre mercado. Se essas décadas provaram alguma coisa, foi que o grande problema político do mundo, e certamente do mundo desenvolvido, não era como multiplicar a riqueza das nações, mas como distribuí-la em benefício de seus habitantes. Isso se dava mesmo em países pobres "em desenvolvimento" que precisavam de mais crescimento econômico. O Brasil, um monumento à negligência social, tinha um PNB per capita quase duas vezes maior que o Sri Lanka em 1939, e mais de seis vezes maior no fim da década de 1980. No Sri Lanka, que subsidiara alimentos básicos e dera educação e assistência médica gratuitas até a década de 1970, o recém-nascido médio podia esperar viver vários anos mais que o brasileiro médio, e morrer ainda bebê mais ou menos na metade da taxa brasileira de 1969, e num terço da taxa brasileira de 1989 (World Tables, 1991, pp. 144-7, 524-7). A percentagem de analfabetismo em 1989 era quase duas vezes maior no Brasil que na ilha asiática.

Distribuição social, e não crescimento, dominaria a política do novo milênio. A alocação não mercantil de recursos, ou pelo menos uma implacável limitação da alocação de mercado, era essencial para desviar a crise ecológica iminente. De uma forma ou de outra, o destino da humanidade no novo milênio iria depender da restauração das autoridades públicas.

VI

Isso nos deixa com um duplo problema. Qual seriam a natureza e o âmbito das autoridades responsáveis pelas decisões — supranacionais, nacionais, subnacionais e globais, sozinhas ou combinadas? Qual seria a relação delas com as pessoas sobre quem se tomam as decisões?

A primeira era, num certo sentido, uma questão técnica, pois as autoridades já existiam, e em princípio — embora de modo algum na prática — também existiam modelos de relacionamento entre elas. A União Européia em expansão oferecia bastante material relevante, embora provavelmente toda proposta específica para dividir a mão-de-obra entre autoridades globais, nacionais e subnacionais fosse causar amargos ressentimentos numa ou noutra. As autoridades globais existentes eram sem dúvida demasiado especializadas em suas funções, embora tentassem estender seu alcance pela imposição de políticas, no campo político e ecológico, a países que precisavam de dinheiro emprestado. A União Européia estava só, e era provável que, filha de uma conjuntura histórica específica e na certa irrepetível, permanecesse só, a menos que se reconstituísse alguma coisa semelhante com os fragmentos da antiga URSS. Não se podia prever o ritmo no qual avançariam as tomadas de decisões supranacionais. Apesar disso, certamente avançariam, e era possível ver como operariam. Já operavam, através dos gerentes de banco globais das grandes agências internacionais de empréstimos, representando os recursos conjuntos da oligarquia dos países mais ricos, que também por acaso incluíam os mais poderosos. À medida que aumentava o fosso entre ricos e pobres, parecia que aumentaria o espaço para o exercício desse poder global. O problema era que, desde a década de 1970, o Banco Mundial e o Fundo Monetário Internacional, politicamente apoiados pelos EUA, vinham seguindo uma política sistematicamente favorecedora da economia de livre mercado, empresa privada e livre comércio global, que servia à economia americana de fins do século XX tão bem quanto servira à britânica de meados do século XIX, mas não necessariamente ao mundo. Se as tomadas de decisões globais queriam realizar seu potencial, tais políticas teriam de ser mudadas.

O segundo problema não era de modo algum técnico. Surgia do dilema de um mundo comprometido, no fim do século, com um determinado tipo de democracia liberal, mas também enfrentando problemas de política para os quais a eleição de presidentes e assembléias pluripartidárias eram irrelevantes, mesmo quando não complicavam suas soluções. Em termos mais gerais, era o dilema do papel das pessoas comuns no que já fora chamado corretamente, pelo menos por padrões pré-feministas, de "o século do homem comum". Era o dilema de uma época em que o governo podia — alguns diriam: devia — ser "do povo" e "para o povo", mas não podia em qualquer sentido operacional ser "pelo povo", ou mesmo por assembléias representativas eleitas entre os que competiam pelo voto do povo. O dilema não era novo. As dificuldades da política democrática (discutidas para os anos do entreguerras num capítulo anterior) eram conhecidas de cientistas políticos e satiristas políticos desde que a política de sufrágio universal se tornara mais que uma peculiaridade dos EUA.

O dilema democrático era mais agudo agora, tanto porque a opinião pública, acompanhada por pesquisas e ampliada pelos onipresentes meios de comunicação, era agora constantemente inevitável, quanto porque as autoridades públicas tinham de tomar muito mais decisões para as quais a opinião pública não constituía nenhum tipo de guia. Muitas vezes tinham de ser decisões que podiam muito bem enfrentar a oposição da maioria do eleitorado, cada eleitor detestando o seu efeito prospectivo em seus assuntos privados, embora talvez julgando-as desejáveis no plano do interesse geral. Assim, no fim do século, políticos em alguns países democráticos haviam chegado à conclusão de que qualquer proposta de elevar impostos, para qualquer fim, significava suicídio eleitoral. As eleições, portanto, tornaram-se disputas de perjúrio fiscal. Ao mesmo tempo, eleitores e parlamentos se viam constantemente diante de decisões em questões sobre as quais os não especialistas — ou seja, a vasta maioria tanto de eleitores quanto de eleitos — não tinham qualificações para expressar uma opinião, por exemplo, o futuro da indústria nuclear.

Houve momentos, mesmo em Estados democráticos, em que o corpo de cidadãos se identificara de tal modo com os objetivos de um governo dotado de legitimidade e confiança pública que prevalecera um senso de interesse comum, como na Grã-Bretanha durante a Segunda Guerra Mundial. Houvera outras situações que tornavam possível um consenso básico entre os principais rivais políticos, mais uma vez deixando os governos em liberdade para seguir os objetivos gerais de políticas sobre as quais não havia grandes desacordos. Como vimos, foi o que aconteceu em vários países ocidentais durante a Era de Ouro. Os governos também tinham podido contar, muitas vezes, com um consenso de julgamento entre pares em seu corpo de assessores técnicos e científicos, indispensável à administração de leigos. Quando falavam com a mesma voz, ou, pelo menos, o seu consenso superava os dissidentes, a controvérsia política diminuía. É quando não fazem isso que os tomadores de decisões leigos se vêem tateando no escuro, como jurados diante de psicólogos rivais, chamados pela acusação e pela defesa, em nenhum dos quais há forte motivo para acreditar.

Mas, como vimos, as Décadas de Crise solaparam o consenso político e as verdades geralmente aceitas em questões intelectuais, sobretudo em campos com influência na política. Quanto a povos indivisos, firmemente identificados com seus governos (ou vice-versa), estes eram escassos na década de 1990. Claro, ainda havia muitos países cujos cidadãos aceitavam a idéia de um Estado forte, ativo e socialmente responsável, merecendo certa liberdade de ação, porque servia ao bem-estar comum. Infelizmente, era raro os governos de fato do *fin-de-siècle* se assemelharem a esse ideal. Quanto aos países onde o governo, como tal, era suspeito, eram aqueles que se modelavam no padrão americano de anarquismo individualista, temperado pelo litígio e a política de mamatas, e os muito mais numerosos países onde o Estado era tão fraco e corrupto que os cidadãos não esperavam que produzisse bem público algum. Estes eram comuns em partes do Terceiro Mundo, mas, como mostrou a Itália na década de 1980, não desconhecidos no Primeiro.

Daí os tomadores de decisões menos perturbados serem os que escapavam completamente à política democrática: empresas privadas, autoridades supranacionais e, claro, regimes não democráticos. Dentro dos sistemas democráticos, não era fácil proteger dos políticos a tomada de decisões, embora os bancos centrais estivessem fora de seu alcance em alguns países, e a sabedoria convencional quisesse esse exemplo seguido em outras partes. Cada vez mais, porém, os governos foram passando a contornar tanto o eleitorado quanto suas assembléias representativas, se possível, ou pelo menos a tomar decisões primeiro e depois desafiar ambos a reverterem um *fait accompli*, confiando na volatilidade, divisões ou inércia da opinião pública. A política tornou-se cada vez mais um exercício de evasão, pois os políticos temiam dizer aos eleitores o que eles não queriam ouvir. Após o fim da Guerra Fria, as ações inconfessáveis não eram mais tão facilmente escondidas por trás da cortina de ferro da "segurança nacional". Era quase certo que essa estratégia de evasão fosse continuar ganhando terreno. Mesmo em países democráticos, um número crescente de grupos de tomadores de decisões iria ser retirado do controle eleitoral, exceto no sentido mais indireto de que os próprios governos que nomeavam esses grupos tinham sido eleitos a certa altura. Governos centralizantes, como os da Grã-Bretanha na década de 1980 e início da de 1990, inclinavam-se particularmente a multiplicar *ad hoc* essas autoridades que não respondiam a um eleitorado e eram apelidadas de *quangos*. Mesmo países sem uma efetiva divisão de poderes achavam conveniente essa tácita demissão da democracia. Em países como os EUA, isso era indispensável, pois o conflito inato entre executivo e legislativo tornava quase impossível tomar decisões em circunstâncias normais, a não ser nos bastidores.

No fim do século, um grande número de cidadãos se retirava da política, deixando as questões de Estado à "classe política" — a expressão parece ter-se originado na Itália —, que lia os discursos e editoriais uns dos outros; um grupo de interesse especial de políticos profissionais, jornalistas, lobistas e outros cuja ocupação ficava por último na escala de confiabilidade nas pesquisas sociológicas. Para muita gente, o processo político era irrelevante, ou apenas uma coisa que afetava suas vidas pessoais favoravelmente ou não. De um lado, a riqueza, a privatização da vida e da diversão e o egoísmo do consumo tornavam a política menos importante e menos atraente. De outro, os que achavam que pouco obtinham com as eleições davam-lhes as costas. Entre 1960 e 1988, a proporção de trabalhadores braçais que deram seu voto em eleições presidenciais americanas caiu em um terço (Leighly, Naylor, 1992, p. 731). O declínio dos partidos de massa organizados com base em classe, ou ideológicos, ou as duas coisas juntas, eliminou a grande máquina social para transformar homens e mulheres em cidadãos politicamente ativos. Para a maioria das pessoas, mesmo a identificação coletiva com seu país vinha agora mais facilmente por intermédio dos esportes nacionais, de equipes e de símbolos não políticos, do que das instituições do Estado.

Poder-se-ia supor que a despolitização deixaria as autoridades mais livres para tomar decisões. Na verdade, teve o efeito oposto. As minorias que saíam em campanha, às vezes por questões específicas de interesse público, com mais freqüência por algum interesse seccional, podiam interferir nos tranqüilos processos de governo tão efetivamente, e às vezes até mais, do que partidos políticos de propósitos abrangentes, pois, ao contrário destes, cada grupo de pressão podia concentrar sua energia na busca de um objetivo único. Além disso, a tendência cada vez mais sistemática de governos contornarem o processo eleitoral ampliou a função política dos meios de comunicação, que agora chegavam a todas as casas, proporcionando de longe o mais poderoso meio de comunicação da esfera pública para homens, mulheres e crianças privados. Sua capacidade de descobrir e publicar o que as autoridades desejavam manter na sombra, e de dar expressão a sentimentos públicos que não eram, nem podiam ser, articulados pelos mecanismos formais da democracia, transformavam esses meios de comunicação nos grandes atores no cenário público. Os políticos os usavam e temiam. O progresso técnico tornava-os cada vez mais difíceis de controlar, mesmo em países altamente autoritários. O declínio do poder do Estado deixava-os mais difíceis de monopolizar nos Estados não autoritários. Quando o século acabava, tornou-se evidente que os meios de comunicação eram um componente mais importante do processo político que os partidos e sistemas eleitorais, e provavelmente assim continuariam — a menos que os políticos dessem uma forte guinada para longe da democracia. Contudo, embora fossem enormemente poderosos como um contrapeso aos segredos do governo, não eram de modo algum um meio para um governo democrático.

Nem os meios de comunicação, nem as assembléias eleitas pela política de sufrágio universal, nem o próprio "povo" podiam realmente governar em qualquer sentido realista da palavra. Por outro lado, o governo, ou qualquer forma análoga de tomada de decisão, não podia mais governar contra o povo ou mesmo sem ele, não mais do que "o povo" podia viver contra ou sem o governo. Para o melhor ou pior, no século XX as pessoas comuns entraram na história como atores com seu direito coletivo próprio. Todo regime, com exceção da teocracia, agora derivava sua autoridade delas, mesmo os que aterrorizavam e matavam seus cidadãos em grande escala. O próprio conceito do que antes era moda chamar de "totalitarismo" implicava populismo, pois se não tinha importância o que "o povo" pensava dos que governavam em seu nome, por que então se dar ao trabalho de fazê-lo ter as idéias julgadas adequadas por seus governantes? Os governos que derivavam sua autoridade da obediência irrestrita a alguma divindade, à tradição, ou da deferência das camadas baixas às altas numa sociedade hierárquica, estavam de saída. Mesmo o "fundamentalismo" islâmico, o mais florescente tipo de teocracia, avançava não pela vontade de Alá, mas pela mobilização de massa das pessoas comuns contra governos impopulares. Tivesse ou não "o povo" o direito de eleger seu governo, suas intervenções nos assuntos públicos, ativas ou passivas, eram decisivas.

Na verdade, só pelo fato de haver muitos exemplos de regimes incomparavelmente brutais, e daqueles que buscavam impor pela força o domínio de uma minoria sobre a maioria — como na África do Sul do *apartheid* —, o século XX demonstrou os limites do simples poder coercitivo. Mesmo o mais implacável e brutal dos governantes tinha bastante consciência de que só o poder ilimitado não podia suplantar as vantagens e habilidades da autoridade: um senso público de legitimidade do regime, um grau de apoio popular ativo, a capacidade de dividir e dominar e — sobretudo em tempos de crise — a disposição dos cidadãos a obedecer. Quando, como em 1989, essa obediência foi visivelmente retirada dos regimes europeus orientais, eles abdicaram, embora ainda tivessem o pleno apoio de seus funcionários públicos, Forças Armadas e serviços de segurança. Em suma, ao contrário das aparências, o século XX mostrou que se pode governar contra todas as pessoas por algum tempo, contra algumas pessoas por todo o tempo, mas não contra todas as pessoas todo o tempo. Claro que isso não era consolo para minorias permanentemente oprimidas ou para povos que sofreram opressão praticamente universal por uma geração ou mais.

Contudo, nada disso respondia à questão de quais deviam ser as relações entre os que decidiam e os povos. Simplesmente acentuava a dificuldade da resposta. A política das autoridades tinha de levar em conta o que o povo, ou pelo menos maiorias de cidadãos, queria ou não, mesmo que não fosse seu propósito refletir desejos populares. Ao mesmo tempo, não podiam governar simplesmente na base de perguntar ao povo. Além disso, decisões impopulares eram mais difíceis de impor a massas que a grupos de poder. Era muito mais fácil impor padrões obrigatórios de emissão de fumaça a uns poucos gigantescos produtores de automóveis do que convencer milhões de motoristas a cortar pela metade seu consumo de petróleo. Todo governo europeu descobriu que os resultados da entrega do futuro da Comunidade Européia ao voto popular eram desfavoráveis, ou, na melhor das hipóteses, imprevisíveis. Todo observador sério sabia que muitas das decisões políticas que teriam de ser tomadas no início do século XXI seriam impopulares. Talvez outra era relaxante de tensão, de prosperidade e melhora geral, como a Era de Ouro, amaciasse o estado de espírito dos cidadãos, mas não se devia esperar nem um retorno à década de 1960 nem um relaxamento das inseguranças e tensões sociais e econômicas das Décadas de Crise.

Se o voto por sufrágio universal ia continuar sendo a regra geral — como era provável —, parecia haver duas opções principais. Onde a tomada de decisões não estava de fato fora da política, iria cada vez mais contornar o processo eleitoral, ou antes o constante acompanhamento do governo que lhe era inseparável. Autoridades que tinham elas próprias de ser eleitas iriam também, cada vez mais, ocultar-se, como um polvo, por trás de nuvens de tinta para confundir seus eleitorados. A outra opção era recriar o tipo de consenso que dava às autoridades substancial liberdade de ação, pelo menos enquanto a maioria dos cidadãos não tivesse muita causa de descontentamento. Um modelo político há muito estabelecido para isso já existia desde Napoleão III, em meados do século XIX: a eleição democrática de um salvador do povo ou um regime salvador da nação — a "democracia plebiscitária". Um regime desse podia ou não chegar ao poder constitucionalmente, mas, se ratificado por uma eleição razoavelmente honesta, com a escolha de candidatos rivais e alguma voz para a oposição, satisfazia os critérios de *fin-de-siècle* de legitimidade democrática. Mas não oferecia perspectiva encorajadora para o futuro da democracia parlamentar do tipo liberal.

VII

O que escrevi não pode dizer-nos se e como a humanidade pode resolver os problemas que enfrenta no fim do milênio. Talvez possa ajudar-nos a compreender quais são esses problemas, e quais devem ser as condições para sua solução, mas não até onde essas condições estão presentes, ou em processo de criação. Pode dizer-nos quão pouco conhecemos, e quão extraordinariamente pobre tem sido a compreensão de homens e mulheres que tomaram as grandes decisões públicas do século; pode dizer-nos quão pouca coisa do que aconteceu foi esperada, sobretudo na segunda metade do século, e menos ainda por eles prevista. Pode confirmar o que muitos sempre suspeitaram, que a história — entre muitas outras coisas, e mais importantes — é o registro dos crimes e loucuras da humanidade. Profetizar não ajuda nada.

Portanto, seria tolice encerrar este livro com previsões de como será uma paisagem já deixada irreconhecível pelas convulsões tectônicas do Breve Século XX, e que ficará ainda mais irreconhecível com as que, mesmo agora, estão acontecendo. Há menos razão para sentir-se esperançoso em relação ao futuro do que em meados da década de 1980, quando este autor concluiu sua trilogia sobre a história do "longo século XIX" (1789-1914) com as palavras:

> Os indícios de que o mundo no século XXI será melhor não são insignificantes. Se o mundo conseguir não se destruir [por exemplo, pela guerra nuclear], a probabilidade será bastante forte.

Apesar disso, mesmo um historiador cuja idade o impede de esperar mudanças sensacionais para melhor no que lhe resta de vida não pode razoavelmente negar a possibilidade de que em outro quarto de século ou meio século as coisas pareçam mais promissoras. De qualquer forma, é altamente provável que a fase atual de colapso pós-Guerra Fria seja temporária, embora já pareça estar durando um tanto mais do que as fases de colapso e perturbação que se seguiram às duas guerras mundiais "quentes". Contudo, esperanças ou temores não são previsões. Sabemos que, por trás da opaca nuvem de nossa ignorância e da incerteza de resultados detalhados, as forças históricas que moldaram o século continuam a operar. Vivemos num mundo conquistado, desenraizado e transformado pelo titânico processo econômico e tecnocientífico do desenvolvimento do capitalismo, que dominou os dois ou três últimos séculos. Sabemos, ou pelo menos é razoável supor, que ele não pode prosseguir *ad infinitum*. O futuro não pode ser uma continuação do passado, e há sinais, tanto externamente quanto internamente, de que chegamos a um ponto de crise histórica. As forças geradas pela economia tecnocientífica são agora suficientemente grandes para destruir o meio ambiente, ou seja, as fundações materiais da vida humana. As próprias estruturas das sociedades humanas, incluindo mesmo algumas das fundações sociais da economia capitalista, estão na iminência de ser destruídas pela erosão do que herdamos do passado humano. Nosso mundo corre o risco de explosão e implosão. Tem de mudar.

Não sabemos para onde estamos indo. Só sabemos que a história nos trouxe até este ponto e — se os leitores partilham da tese deste livro — por quê. Contudo, uma coisa é clara. Se a humanidade quer ter um futuro reconhecível, não pode ser pelo prolongamento do passado ou do presente. Se tentarmos construir o terceiro milênio nessa base, vamos fracassar. E o preço do fracasso, ou seja, a alternativa para uma mudança da sociedade, é a escuridão.

BIBLIOGRAFIA

Abrams, 1945: Mark Abrams, *The condition of the British people, 1911-1945* (Londres, 1945)

Acheson, 1970: Dean Acheson, *Present at the creation: My years in the State Departement* (Nova York, 1970)

Afanassiev, 1991: Juri Afanassiev, em M. Paquet (ed.), *Le court vingtième siècle*, pref. Alexandre Adler (La Tour d'Aigues, 1991)

Albers, Goldschimidt & Oehlke, 1971: *Klassenkämpfe in Westeuropa* (Hamburgo, 1971)

Alexeev, 1990: M. Alexeev, resenha do livro em *Journal of Comparative Economics*, vol. 14 (1990), pp. 171-3

Allen, 1968: D. Elliston Allen, *British tastes: An enquiry into the likes and dislikes of the regional consumer* (Londres, 1968)

Amnesty, 1975: Amnesty International [Anistia Internacional], *Report on torture* (Nova York, 1975)

Andrew, 1985: Christopher Andrew, *Secret service: The making of the British intelligence community* (Londres, 1985)

Andrew & Gordievsky, 1991: Christopher Andrew & Oleg Gordievsky, *KGB: The inside story of its foreign operations from Lenin to Gorbachev* (Londres, 1991)

Andric, 1990: Ivo Andric, *Conversation with Goya: Bridges, signs* (Londres, 1990)

Anuário, 1989: Comisión Economica para América Latina y el Caribe, *Anuário estadístico de América Latina y el Caribe: Edición 1989* (Santiago do Chile, 1990)

Arlacchi, 1983: Pino Arlacchi, *Mafia business* (Londres, 1983)

Armstrong, Glyn & Harrison, 1991: Philip Armstrong, Andrew Glyn & John Harrison, *Capitalism since 1945* (Oxford, 1991)

Arndt, 1944: H. W. Arndt, *The economic lessons of the 1930s* (Londres, 1944)

Asbeck, 1939: Barão F. M. van Asbeck, *The Netherlands Indies' foreign relations* (Amsterdam, 1939)

Atlas, 1992: A. Fréron, R. Hérin & J. July (eds.), *Atlas de la France universitaire* (Paris, 1992)

Auden, 1937: W. H. Auden, *Spain* (Londres, 1937)

Babel, 1923: Isaac Babel, *Konarmiya* (Moscou, 1923); *Red cavalry* (Londres, 1929)

Bairoch, 1985: Paul Bairoch, *De Jéricho à Mexico: Villes et économie dans l'histoire* (Paris, 1985)

Bairoch, 1988: Paul Bairoch, *Two major shifts in Western European labour force: The decline of the manufacturing industries and of the working class* (Genebra, 1988)

Bairoch, 1993: Paul Bairoch, *Economics and world history myths and paradoxes* (Hemel Hempstead, 1993)

Ball, 1992: George W. Ball, "JFK's big moment", *New York Review of Books* (13/2/92), pp. 16-20

Ball, 1993: George W. Ball, "The rationalist in power", *New York Review of Books* (22/4/93), pp. 30-6

Baltimore, 1978: David Baltimore, "Limiting science: A biologist's perspective", *Daedalus* 107, 2 (primavera de 1978), pp. 37-46

Banham, 1971: Reyner Banham, *Los Angeles* (Harmondsworth, 1973)
Banham, 1975: Reyner Banham, em C. W. E. Bigsby (ed.), *Superculture: American popular culture and Europe* (Londres, 1975), pp. 69-82
Banks, 1971: A. S. Banks, *Cross-polity time series data* (Cambridge, MA, e Londres, 1971)
Barghava & Singh Gill, 1988: Motilal Barghava & Americk Singh Gill, *Indian national army secret service* (Nova Delhi, 1988)
Barnet, 1981: Richard Barnet, *Real security* (Nova York, 1981)
Becker, 1985: J. J. Becker, *The Great War and the French people* (Leamington Spa, 1985)
Bédarida, 1992: William Bédarida, *Le génocide et le nazisme: Histoire et témoignages* (Paris, 1992)
Beinart, 1984: William Beinart, "Soil erosion, conservationism and ideas about development: A Southern Africa exploration, 1900-1960", *Journal of Southern African Studies* 11 (1984), pp. 52-83
Bell, 1960: Daniel Bell, *The end of ideology* (Glencoe, 1960)
Bell, 1976: Daniel Bell, *The cultural contradictions of capitalism* (Nova York, 1976)
Benjamin, 1961: Walter Benjamin, "Das Kunstwerk im Zeitalter seiner Reproduzierbarkeit", em *Illuminationem: Ausgewählte Schriften* (Frankfurt, 1961), pp. 148-84
Benjamin, 1971: Walter Benjamin, *Zur Kritic der Gewalt und andere Aufsätze* (Frankfurt, 1971), pp. 84-5
Benjamin, 1979: Walter Benjamin, *One-way street, and other writings* (Londres, 1979)
Bergson & Levine: A. Bergson & H. S. Levine (eds.), *The Soviet economy: Towards the year 2000* (Londres, 1983)
Berman: Paul Berman, "The face of downtown", *Dissent* (outono de 1987), pp. 569-73
Bernal, 1939: J. D. Bernal, *The social function of science* (Londres, 1939)
Bernal, 1967: J. D. Bernal, *Science in history* (Londres, 1967)
Bernier & Boily, 1986: Gérard Bernier, Robert Boily et al., *Le Québec en chiffres de 1850 à nos jours* (Montreal, 1986), p. 228
Bernstorff, 1970: Dagmar Bernstorff, "Candidates for the 1967 general election in Hyderabad", em E. Leach & S. N. Mukherjee (eds.), *Elites in South Asia* (Cambridge, 1970)
Beschloss, 1991: Michael R. Beschloss, *The crisis years: Kennedy and Khrushchev 1960-1963* (Nova York, 1991)
Beyer, 1981: Gunther Beyer, "The political refugee: 35 years later", *International Migration Review*, vol. 15, pp. 1-219
Block, 1977: Fred L. Block, *The origins of international economic disorder: A study of United States international monetary policy from World War II to the present* (Berkeley, 1977)
Bobinska & Pilch, 1975: Celina Bobinska & Andrzej Pilch, *Employment-seeking of the Poles World-Wide XIX and XX centuries* (Cracóvia, 1975)
Bocca, 1966: Giorgio Bocca, *Storia dell'Italia partigiana settembre 1943-maggio 1945* (Bari, 1966)
Bokhari, 1993: "Afghan border focus of region's woes", *Financial Times* (12/8/93)
Boldyrev, 1990: Yu Boldyrev em *Literaturnaya Gazeta* (19/12/90), apud Di Leo, 1992
Bolotin, 1987: B. Bolotin em *World Economy and International Relations* 11 (1987), pp. 148-52 (em russo)
Bourdieu, 1979: Pierre Bourdieu, *La distinction: Critique sociale du jugement* (Paris, 1979); trad. ing., *Distinction: A social critique of the judgement of taste* (Cambridge, MA, 1984)
Bourdieu, 1994: Pierre Bourdieu, Hans Haacke, *Libre-echange* (Paris, 1994)
Brecht, 1964: Bertold Brecht, *Über Lyric* (Frankfurt, 1964)
Brecht, 1976: Bertold Brecht, *Gesamelte Gedichte*, 4 vols. (Frankfurt, 1976)
Britain: UK Central Statistical Office, *Britain: An official handbook* (Londres, 1961 e 1990)
Briggs, 1961: Asa Briggs, *The history of broadcasting in the United Kingdom*, vol. 1 (Londres, 1961); vol. 2 (Londres, 1965); vol. 3 (Londres, 1970); vol. 4 (Londres, 1979)

Brown, 1963: Michael Barratt Brown, *After imperialism* (Londres, Melbourne e Toronto, 1963)
Brzezinski, 1962: Z. Brzezinski, *Ideology and power in Soviet politics* (Nova York, 1962)
Brzezinski, 1993: Z. Brzezinski, *Out of control: Global turmoil on the eve of the twenty-first century* (Nova York, 1993)
Burks, 1961: R. V. Burks, *The dynamics of communism in Eastern Europe* (Princeton, 1961)
Burlatsky, 1992: Fedor Burlatsky, "The lessons of personal diplomacy", *Problems of Communism*, vol. 16, 41 (1992)
Burloui, 1983: Petre Burloui, *Higher education and economic development in Europe 1975-80* (UNESCO, Bucareste, 1983)
Butterfield, 1991: Fox Butterfield, "Experts explore rise in mass murder", *New York Times* (19/10/91), p. 6

Calvocoressi, 1987: Peter Calvocoressi, *World politics since 1945* (Londres, 1987)
Calvocoressi, 1989: Peter Calvocoressi, op. cit. (Londres, 1989)
Carrit, 1985: Michael Carrit, *A mole in the Crown* (Hove, 1980)
Carr-Saunders, 1958: A. M. Carr-Saunders, D. Caradog Jones & C. A. Moser, *A survey of social conditions in England and Wales* (Oxford, 1958)
Católico: *The official catholic directory* (Nova York, anual)
Chamberlin, 1933: W. Chamberlin, *The theory of monopolistic competition* (Cambridge, MA, 1933)
Chamberlin, 1965: W. Chamberlin, *The Russian revolution, 1917-1921*, 2 vols. (Nova York, 1933)
Chandler, 1977: Alfred D. Chandler Jr., *The visible hand: The managerial revolution in American business* (Cambridge, MA, 1977)
Chapple & Garofalo, 1977: S. Chapple & R. Garofalo, *Rock'n roll is here to pay* (Chicago, 1977)
Chiesa, 1993: Giulietta Chiesa, "Era una fine inevitable?", em *Il Passagio: Rivista di Dibattito Politico e Culturale* 6 (jul.-out. 1993), pp. 27-37
Childers, 1983: Thomas Childers, *The Nazi voter: The social foundations of fascism in Germany, 1919-1933* (Chapel Hill, 1983)
Childers, 1991: Thomas Childers, "The *Sonderweg* controversy and the rise of German fascism", em *Germany and Russia in the 20th century in comparative perspective* (Filadélfia, 1991, conferências inéditas), pp. 8, 14-5
China, Estatísticas da, 1989: Departamento de Estatística da República Popular da China, *China Statistical Yearbook 1989* (Nova York, 1990)
Ciconte, 1992: Enzo Ciconte, *Ndrangheta dall'Unita a oggi* (Bari, 1992)
CMD 1586, 1992: Documentos parlamentares britânicos, CMD 1586: *East India* (*non-cooperation*), XVI (1922), p. 579 (correspondência telegráfica relativa à situação na Índia)
Considine, 1982: Douglas M. Considine & Glenn Considine, "Formed, fabricated and restructured meat products", em *Food and food production encyclopedia* (Nova York, Cincinnati etc., 1982), cap. "Meat" [carne].
Crosland, 1957: Anthony Crosland, *The future of socialism* (Londres, 1957)

Dawkins, 1976: Richard Dawkins, *The selfish gene* (Oxford, 1976)
Deakin & Storry, 1966: F. W. Deakin & G. R. Storry, *The case of Richard Sorge* (Londres, 1966)
Debray, 1967: Régis Debray, *La révolution dans la révolution* (Paris, 1965)
Debray, 1994: Régis Debray, *Charles de Gaulle: Futurist of the nation* (Londres, 1994)
Degler, 1987: Carl N. Degler, "On re-reading 'The woman in America'", *Daedalus* (outono de 1987)
Delgado, 1992: Manuel Delgado, *La ira sagrada: Anticlericalismo, iconoclastia y antiritualismo en la España contemporanea* (Barcelona, 1992)
Delzell, 1970: Charles F. Delzell (ed.), *Mediterranean fascism, 1919-1945* (Nova York, 1970)

Deng, 1984: Deng Xiaoping, *Selected works of Deng Xiaoping* (*1975-1984*) (Pequim, 1984)
Desmond & Moore: Adrian Desmond & James Moore, *Darwin* (Londres, 1991)
Destabilization, 1989: United Nations Inter-Agency Task Force, Africa Recovery Programme/ Economic Comission for Africa, *South African destabilization: The economic cost of frontline resistance to apartheid* (Nova York, 1989)
Deux ans, 1990: Ministère de l'Éducation Nationale, *Enseignement supérieur, Deux ans d'action, 1988-1990* (Paris, 1990)
Di Leo, 1992: Rita Di Leo, *Vecchi quadri e nuovi politici: Chi commanda davvero nell'ex-Urss?* (Bolonha, 1992)
Din, 1989: Kadir Din, "Islam and tourism", *Annals of Tourism Research*, vol. 16, 4 (1989), pp. 542 ss.
Djilas, 1957: Milovan Djilas, *The new class* (Londres, 1957)
Djilas, 1962: Milovan Djilas, *Conversations with Stalin* (Londres, 1962)
Djilas, 1977: Milovan Djilas, *Wartime* (Nova York, 1977)
Drell, 1977: Sidney D. Drell, "Elementary particle physics", *Daedalus* 106, 3 (verão de 1977), pp. 15-32
Duberman et al., 1989: M. Duberman, M. Vicinus & G. Chauncey, *Hidden from history: Reclaiming the gay and lesbian past* (Nova York, 1989)
Dutt, 1945: Kalpana Dutt, *Chittagong armoury raiders: Reminiscences* (Bombaim, 1945)
Duverger, 1972: Maurice Duverger, *Party, politics and pressure groups: A comparative introduction* (Nova York, 1972)
Dyker, 1985: D. A. Dyker, *The future of the Soviet economic planning system* (Londres, 1985)

Echenberg, 1992: Myron Echenberg, *Colonial conscripts: The tirailleurs sénégalais in French West Africa, 1857-1960* (Londres, 1992)
EIB Papers, 1992: European Investment Bank, *Cahiers BEI/EIB Papers*, [J. Girard], *De la recession à la reprise en Europe Centrale et Orientale* (Luxemburgo, 1992), pp. 9-22
Encyclopaedia Britannica, artigo "War" [guerra] (11ª ed., 1911)
Ercoli, 1936: Ercoli, *On the peculiarity of the Spanish Revolution* (Nova York, 1936); reed. em Palmiro Togliattti, *Opere* IV/i, pp. 139-54 (Roma, 1979)
Esman, 1990: Aaron H. Esman, *Adolescence and culture* (Nova York, 1990)
Estrin & Holmes, 1990: Saul Estrin & Peter Holmes, "Indicative planning in developed economies", *Journal of Comparative Economics* 14/4 (dez. 1990), pp. 531-54
Eurostat: Eurostat [Escritório das Publicações Oficiais da Comunidade Européia], *Basic statistics of the community* (Luxemburgo, anuais desde 1957)
Evans, 1989: Richard Evans, *In Hitler's shadow: West German historians and the attempt to escape from the Nazi past* (Nova York, 1989)

Fainsod, 1956: Merle Fainsod, *How Russia is ruled* (Cambridge, MA, 1956)
FAO, 1989: FAO [Organização para Alimentação e Agricultura das Nações Unidas], *The state of food and agriculture: World and regional reviews, sustainable development and natural resource management* (Roma, 1989)
FAO Production: *FAO Production Yearbook* (1986)
FAO Trade: *FAO Trade Yearbook*, vol. 40 (1986)
Firth, 1954: Raymond Firth, "Money, work and social change in Indo-Pacific economic systems", *International Social Science Bulletin*, vol. 6 (1954), pp. 400-10
Fishhof et al., 1978: B. Fishhof, P. Slovic, Sarah Lichtenstein, S. Read & Barbara Coombs, "How safe is safe enough? A psychometric study of attitudes towards technological risks and benefits", *Politic Sciences* 9 (1978), pp. 127-52
Fitzpatrick, 1994: Sheila Fitzpatrick, *Stalin's peasants* (Oxford, 1994)

Flora, 1983: Peter Flora et al., *State, economy and society in Western Europe 1815-1975: A data handbook in two volumes* (Frankfurt, Londres e Chicago, 1983)
Floud et al., 1990: Roderick Floud, Annabel Gregory & Kenneth Watcher, *Height, health and history: Nutritional status in the United Kingdom 1750-1980* (Cambridge, 1990)
FMI, 1990: International Monetary Fund [Fundo Monetário Internacional], *World economic outlook: A survey by the staff of the International Monetary Fund*, tabela 18: *Selected macro-economics indicators 1950-1988* (Washington, maio 1990)
Fontana, 1977: Alan Bullock & Oliver Stallybrass (eds.), *The Fontana dictionary of modern ideas* (Londres, 1977)
Foot, 1976: M. R. D. Foot, *Resistance: An analysis of European resistance to nazism 1940-1945* (Londres, 1976)
Francia, Muzzioli, 1984: Mauro Francia, Giuliano Muzzioli, *Cent'anni di cooperazione: La cooperazione di consumo modenese aderente alla Lega dalle origini all'unificazione* (Bolonha, 1984)
Frazier, 1957: Franklin Frazier, *The negro in the United States* (Nova York, 1957)
Freedman, 1959: Maurice Freedman, "The handling of money: A note on the background to the economic sophistication of the overseas Chinese", *Man*, vol. 59 (1959)
Friedan, 1963: Betty Friedan, *The feminine mystique* (Nova York, 1963)
Friedman, 1968: Milton Friedman, "The role of monetary policy", *American Economic Review*, vol. 58, 1 (mar. 1968), pp. 1-17
Fröbel, Heinrichs & Kreye, 1986: Folker Fröbel, Jürgen Heinrichs & Otto Kreye, *Umbruch in der Welwirtschaft* (Hamburgo, 1986)

Galbraith, 1974: J. K. Galbraith, *The new industrial state* (2ª ed., Harmondsworth, 1974)
Gallagher, 1971: M. D. Gallagher, "Léon Blum and the Spanish Civil war", *Journal of Contemporary History*, vol. 6, 3 (1971), pp. 56-64
Garton Ash, 1990: Timothy Garton Ash, *The uses of adversity: Essays on the fate of Central Europe* (Nova York, 1990)
Gatrell & Harrison, 1993: Peter Gatrell & Mark Harrison, "The Russian and Soviet economies in two world wars: A comparative view", *Economic History Review*, vol. 46, 3 (1993), pp. 424-52
Giedion, 1948: S. Giedion, *Mechanisation takes command* (Nova York, 1948)
Gillis, 1974: John R. Gillis, *Youth and history* (Nova York, 1974)
Gillis, 1985: John R. Gillis, *For better, for worse: British marriages 1600 to the present* (Nova York, 1985)
Gillois, 1973: André Gillois, *Histoire secrète des français à Londres de 1940 à 1944* (Paris, 1973)
Gimpel, 1992: "Prediction or forecast? Jean Gimpel interviewed by Sanda Miller", *The New European*, vol. 5, 2 (1992), pp. 7-12
Ginneken & Heuven, 1989: Wouter van Ginneken & Rolph van der Heuven, "Industrialisation, employment and earnings (1950-87): An international survey", *International Labour Review*, vol. 128, 5 (1989), pp. 571-99
Gleick, 1988: James Gleick, *Chaos: Making a new science* (Londres, 1988)
Glenny, 1992: Misha Glenny, *The fall of Yugoslavia: The third Balkan war* (Londres, 1992)
Glyn, Hughes, Lipietz & Singh, 1990: Andrew Glyn, Alan Hughes, Alan Lipietz & Ajit Singh, *The rise and fall of the Golden Age*, em Marglin & Schor, 1990, pp. 39-125
Gómez Rodríguez, 1977: Juan de la Cruz Gómez Rodríguez, "Comunidades de pastores y reforma agraria en la sierra peruana", em Jorge A. Flores Ochoa, *Pastores de puna* (Lima, 1977)
González Casanova, 1975: Pablo González Casanova (ed.), *Cronología de la violencia política en America Latina (1945-1970)*, 2 vols. (Cidade do México, 1975)
Goody, 1968: Jack Goody, "Kinship: descent groups", em *International Encyclopedia of Social Sciences*, vol. 8 (Nova York, 1968), pp. 402-3

Goody, 1990: Jack Goody, *The oriental, the ancient and the primitive: Systems of marriage and the family in the pre-industrial societies of Eurasia* (Cambridge, 1990)
Gopal, 1979: Sarvepalli Gopal, *Jawaharlal Nehru: A biography*, vol. 2: *1947-1956* (Londres, 1979)
Gould, 1989: Stephen Jay Gould, *Wonderful life: The Burgess shale and the nature of history* (Londres, 1989)
Graves & Hodge, 1941: Robert Graves & Alan Hodge, *The long week-end: A social history of Great Britain 1918-1939* (Londres, 1941)
Gray, 1970: Hugh Gray, "The landed gentry of Telengana", em E. Leach & S. N. Mukherjee (eds.), *Elites in South Asia* (Cambridge, 1970)
Guerlac, 1951: Henry E. Guerlac, "Science and French national strength", em Edward Mearle Earle (ed.), *Modern France: Problems of the Third and Fourth republics* (Princeton, 1951)
Guidetti & Stahl, 1977: M. Guidetti & Paul M. Stahl (eds.), *Il sangue e la terra: Communità di villagio e communità familiari nell'Europa dell 800* (Milão, 1977)
Guinness, 1984: Robert & Celia Dearling, *The Guinness book of recorded sound* (Enfield, 1984)

Haimson, 1964-65: Leopold Haimson, "The problem of social stability in urban Russia 1905-1917", *Slavic Review* (dez. 1964), pp. 619-64; (mar. 1965), pp. 1-22
Halliday, 1983: Fred Halliday, *The making of the second Cold War* (Londres, 1983)
Halliday & Cumings, 1988: Jon Halliday & Bruce Cumings, *Korea: The unknown war* (Londres, 1988)
Halliwell, 1988: Leslie Halliwell, *Filmgoers' guide companion* (9ª ed., 1988), p. 321
Hànak, 1970: "Die Volksmeinung während des letzten Kriegsjahres in Österreich-Ungarn", em *Die Auflösung des Habsburgerreiches. Zusammenbruch und Neuorientierung im Donauraum, Schriftenreihe de Österreichischen Ost- und Südosteuropainstitus*, vol. 3 (Viena, 1970), pp. 58-66
Harden, 1990: Blaine Harden, *Africa: Dispatches from a fragile continent* (Nova York, 1990)
Harff & Gurr, 1988: Barbara Harff & Ted Robert Gurr, "Victims of the State: Genocides, politicides and group repression since 1945", *International Review of Victimology* 1 (1989), pp. 23-41
Harff & Gurr, 1989: Barbara Harff & Ted Robert Gurr, "Toward empirical theory of genocides and politicides: Identification and measurement of cases since 1945", *International Studies Quarterly* 32 (1988), pp. 359-71
Harris, 1987: Nigel Harris, *The end of the Third World* (Harmondsworth, 1987)
Hayek, 1944: Friedrich von Hayek, *The road to serfdom* (Londres, 1944)
Heilbroner, 1993: Robert Heilbroner, *Twenty-first century capitalism* (Nova York, 1993)
Hilgendt: Ver Liga das Nações, 1945
Hill, 1988: Kim Quaile Hill, *Democracies in crisis: Public policy responses to the Great Depression* (Boulder e Londres, 1988)
Hirschfeld, 1986: G. Hirschfeld (ed.), *The politics of genocide: Jews and soviet prisoners of war in Nazi Germany* (Boston, 1986)
Historical statistics of the United States: Colonial times to 1970, parte 1c, 89-101, p. 105 (Washington, DC, 1975)
Hobbes: Thomas Hobbes, *Leviathan* (Londres, 1651)
Hobsbawm, 1974: E. J. Hobsbawm, "Peasant land ocupations", *Past & Present* 62 (fev. 1974), pp. 120-52
Hobsbawm, 1986: E. J. Hobsbawm, "The Moscow line and international Communist policy 1933-47", em Chris Wrigley (ed.), *Warfare, diplomacy and politics: Essays in honour of A. J. P. Taylor* (Londres, 1986), pp. 163-88
Hobsbawm, 1987: E. J. Hobsbawm, *The age of empire 1870-1914* (Londres, 1987)
Hobsbawm, 1990: E. J. Hobsbawm, *Nations and nationalism since 1780: Programme, myth, reality* (Cambridge, 1990)

Hobsbawm, 1993: E. J. Hobsbawm, *The jazz scene* (Nova York, 1993)
Hodgkin, 1961: Thomas Hodgkin, *African political parties: An introductory guide* (Harmondsworth, 1961)
Hoggart, 1958: Richard Hoggart, *The uses of literacy* (Harmondsworth, 1958)
Holborn, 1968: Louise W. Holborn, "Refugees I: World problems", em *International Encyclopedia of the Social Sciences*, vol. 13, p. 363
Holland, 1985: R. F. Holland, *European decolonization 1918-1981: An introductory survey* (Basingstoke, 1985)
Holman, 1983: Michael Holman, "New group targets the roots of corruption", *Financial Times* (5/5/93)
Holton, 1970: G. Holton, "The roots of complementarity", *Daedalus* (outono de 1978), pp. 1017
Holton, 1972: Gerald Holton (ed.), *The twentieth-century sciences: Studies in the biography of ideas* (Nova York, 1972)
Horne, 1989: Alistair Horne, *Macmillan*, 2 vols. (Londres, 1989)
Housman, 1988: A. E. Housman, *Collected poems and selected prose*, ed., intr. e notas de Christopher Ricks (Londres, 1988)
Howarth, 1978: T. E. B. Howarth, *Cambridge between two wars* (Londres, 1978)
Hu, 1966: C. T. Hu, "Communist education: Theory and practice", em R. Mac-Farquhar (ed.), *China under Mao: Politics takes command* (Cambridge, MA, 1966)
Huber, 1990: Peter W. Huber, "Pathological science in court", em *Daedalus* vol. 119, 4 (outono de 1990), pp. 97-118
Hughes, 1969: H. Stuart Hughes, "The second year of the Cold War: A memoir and an anticipation", *Commentary* (ago. 1969)
Hughes, 1983: H. Stuart Hughes, *Prisoners of hope: The silver age of the Italian jews 1924-1947* (Cambridge, MA, 1983)
Hughes, 1988: H. Stuart Hughes, *Sophisticated rebels* (Cambridge e Londres, 1988)
Human Development: United Nations Development Program (UNDP), *Human development report* (Nova York, 1990-92)
Hutt, 1935: Allan Hutt, *The final crisis* (Londres, 1935)

Ignatieff, 1993: Michael Ignatieff, *Blood and belonging: Journeys into the new nationalism* (Londres, 1993)
ILO, 1990: *ILO yearbook of labour statistics: Retrospective edition on population censuses 1945-1989* (Genebra, 1990)
Investing: European Investment Bank, *Investing in Europe's future*, ed. Arnold Heertje (Oxford, 1983)
Isola, 1990: Gianni Isola, *Abassa la tua radio, per favore. Storia dell'ascolto radiofonico nell'Italia fascista* (Florença, 1990)

Jacob, 1993: Margaret C. Jacob, "Hubris about science", *Contention*, vol. 2, 3 (primavera de 1993)
Jacobmeyer, 1986: ver *American Historical Review* (fev. 1986).
Jammer, 1966: M. Jammer, *The conceptual development of quantum mechanics* (Nova York, 1966)
Jayawardena, 1993: Lal Jayawardena, *The potential of development contracts and towards sustainable development contracts*, UNU/WIDER: Research for action (Helsinki, 1993)
Jensen, 1991: United States Institute of Peace, *Origins of the Cold War: The Nosvikov, Kennan and Roberts "long telegrams" of 1946*, ed. K. M. Jensen (Washington, 1991)
Johansson & Percy, 1990: Warren Johansson & William A. Percy (eds.), *Encyclopedia of homossexuality*, 2 vols. (Nova York e Londres, 1990)
Johnson, 1972: Harry G. Johnson, *Inflation and the monetarist controversy* (Amsterdam, 1972)
Jon, 1993: Jon Byong-Je, *Culture and development: South Korean experience*, International Inter-Agency Forum on Culture and Development (Seul, 20-2/9/93)

Jones, 1992: Steve Jones, resenha de David Raup, *Extinction: Bad genes or bad Luck?*, em *London Review of Books* (23/4/92)
Jowitt, 1991: Ken Jowitt, "The leninist extinction", em Daniel Chirot (ed.), *The crisis of leninism and the decline of the Left* (Seattle, 1991)

Kakwani, 1980: Nanak Kakwani, *Income, inequality and poverty* (Cambridge, 1980)
Kapuczinski, 1983: Ryszard Kapuczinski, *The emperor* (Londres, 1983)
Kapuczinski, 1990: Ryszard Kapuczinski, *The soccer war* (Londres, 1990)
Kater, 1985: Michael Kater, "Professoren und Studenten im dritten Reich", *Archiv fur Kulturgeschichte* 67, 2 (1985), p. 467
Katsiaficas, 1987: George Katsiaficas, *The imagination of the New Left: A global analysis of 1968* (Boston, 1987)
Kedward, 1971: R. H. Kedward, *Fascism in Western Europe 1900-1945* (Nova York, 1971)
Keene, 1984: Donald Keene, *Japanese literature of the modern era* (Nova York, 1984)
Kelley, 1988: Allen C. Kelley, "Economic consequences of population change in the Third World", *Journal of Economic Literature*, vol. 26 (dez. 1988), pp. 1685-728
Kerblay, 1983: Basile Kerblay, *Modern Soviet society* (Nova York, 1983)
Kershaw, 1983: Ian Kershaw, *Popular opinion and political dissent in the Third Reich: Bavaria 1933-1945* (Oxford, 1983)
Kershaw, 1993: Ian Kershaw, *The Nazi dictatoriship: Perspectives of interpretation* (3ª ed., Londres, 1993)
Khruschev, 1990: Sergei Khruschev, *Khruschev on Khruschev: An inside account of the man and his era* (Boston, 1990)
Kidron & Segal, 1991: Michael Kidron & Ronald Segal, *The new state of the world atlas* (4ª ed., Londres, 1991)
Kindleberger, 1973: Charles P. Kindleberger, *The world in depression 1919-1939* (Londres e Nova York, 1973)
Kolakowski, 1992: Leszek Kolakowski, "Amidst moving ruins", *Daedalus* 121, 2 (primavera de 1992)
Kolko, 1969: Gabriel Kolko, *The politics of war: Allied diplomacy and the world crisis of 1943-45* (Londres, 1969)
Köllö, 1990: Janos Köllö, "After a dark golden age — Eastern Europe", em *WIDER Wider Papers* (reproduzido), Helsinki, 1990
Kornai, 1980: Janos Kornai, *The economics of shortage* (Amsterdam, 1980)
Kosinski, 1987: L. A. Kosinski, resenha de Robert Conquest, *The harvest of sorrow: Soviet collectivisation and the terror famine*, em *Population and Development Review*, vol. 13, 1 (1987)
Kosmin & Lachman, 1993: Barry A. Kosmin & Seymour P. Lachman, *One nation under God: Religion in contemporary American society* (Nova York, 1993)
Kovisto, 1983: Peter Kovisto, "The decline of the Finnish-American Left 1925-1945", *International Migration Review*, vol. 17, 1 (1983)
Kraus, 1922: Karl Kraus, *Die letzen Tage der Menschheit: Tragödie in fünf Akten mit Vorspiel und Epilog* (Viena e Leipzig, 1922)
Kulischer, 1948: Eugene M. Kulischer, *Europe on the move: War and population changes 1917-1947* (Nova York, 1948)
Kuttner, 1991: Robert Kuttner, *The end of laissez-faire: National purpose and the global economy after the Cold War* (Nova York, 1991)
Kuznets, 1956: Simon Kuznets, "Quantitative aspects of the economic growth of nations", *Economic Development and Culture Change*, vol. 5, 1 (1956), pp. 5-94
Kyle, 1990: Keith Kyle, *Suez* (Londres, 1990)

Ladurie, 1982: Emmanuel Le Roy Ladurie, *Paris-Montpellier: PC-PSU 1945-1963* (Paris, 1982)
Lafargue, 1883: Paul Lafargue, *Le droit à la paresse* (Paris, 1883); *The right to be lazy and other studies* (Chicago, 1907)
Land Reform: Philip M. Raup, "Land reform" no artigo "Land tenure", *International Encyclopedia of the Social Sciences*, vol. 8 (Nova York, 1968), pp. 571-75
Lapidus, 1988: Ira Lapidus, *A history of Islamic societies* (Cambridge, 1988)
Laqueur, 1977: Walter Laqueur, *Guerilla: A historical and critical study* (Londres, 1977)
Larkin, 1988: Philip Larkin, *Collected poems*, ed. e intr. de Anthony Thwaite (Londres, 1988)
Larsen E., 1978: Egon Larsen, *A flame in barbed wire: The story of Amnesty International* (Londres, 1978)
Larsen S. et al., 1980: Stein Ugevik Larsen, Bernt Hagtvet, Jan Peter, My Klebost et al., *Who were the fascists?* (Bergsen, Oslo e Tromso, 1980)
Lary, 1942: US Dept of Commerce [Hal B. Lary and Associates], *The United States in the World Economy: The international transactions of the United States during the interwar period* (Washington, 1943)
Las cifras, 1988: Asamblea Permanente para los Derechos Humanos, *La cifras de la Guerra Sucia* (Buenos Aires, 1988)
Latham, 1981: A. J. H. Latham, *The Depression and the developing world, 1914-1939* (Londres e Totowa, NJ, 1981)
Liga das Nações, 1931: *The course and phases of the world Depression* (Genebra, 1931; reed., 1972)
Liga das Nações, 1945: *Industrialisation and foreign trade* (Genebra, 1945)
Leaman, 1988: Jeremy Leaman, *The political economy of West Germany 1945-1985* (Londres, 1988)
Leighly & Naylor, 1992: J. E. Leighly & J. Naylor, "Socioeconomic class bias in turnout 1964-1988: the voters remain the same", *American Political Science Review* 86 (3/9/92), pp. 725-36
Lenin, 1970: V. I. Lenin, *Selected works in 3 volumes* (Moscou, 1970) — Vol. 2, p. 435: "Letter to the Central Committees and the Bolshevik members of the Petrogad and Moscow soviets" (1[14]/10/17); vol. 2, p. 496: "Draft resolution for the Extraordinary Congress of Soviets Peasant Deputies" (14[27]/11/17); vol. 2, p. 546: "Report on the activities of the People's Commissaries Soviet" (12[24]/1/18).
Leontiev, 1938: Wassily Leontiev, "The significance of Marxian economics for present-day economic theory", *American Economic Review Supplement*, vol. 28, 1 (mar. 1938), reed. em *Essays in economics: Theories and theorizing*, vol. 1 (White Plains, 1977), p. 78
Lettere: P. Malvezzi & G. Pirelli (eds.), *Lettere di condannati a morte della Resistenza europea* (Turim, 1954), p. 306
Levi-Strauss: Claude Levi-Strauss & Didier Eribon, *De près et de loin* (Paris, 1988)
Lewin, 1991: Moshe Lewin, "Bureaucracy and the Stalinist State", em *Germany and Russia in the 20th century in comparative perspective* (conferências inéditas, Filadélfia, 1991)
Lewis, 1981: Arthur Lewis, "The rate of growth of world trade 1830-1973", em Sven Grassman & Erik Lundberg (eds.), *The world economic order: Past and prospects* (Londres, 1981)
Lewis, 1938: Cleona Lewis, *America stake in international investments*, Brookings Institution (Washington, 1938)
Lewis, 1935: Sinclair Lewis, *It can't happen here* (Nova York, 1938)
Lewontin, 1993: R. C. Lewontin, "The dream of the human genome", *New York Review of Books* (28/5/93), pp. 32-40
Leys, 1977: Simon Leys, *The Chairman's new clothes: Mao and the Cultural Revolution* (Nova York, 1977)
Lieberson & Waters, 1988: Stanley Lieberson & Mary C. Waters, *From many strands: Ethnic and racial groups in contemporary America* (Nova York, 1988)

Liebman & Walker & Glazer, 1972: Arthur Liebman, Kenneth Walker & Myron Glazer, *Latin American university students: A six-nation study* (Cambridge, MA, 1972)

Lieven, 1993: Anatol Lieven, *The Baltic revolution: Estonia, Latvia, Lithuania and the path to independence* (New Haven e Londres, 1993)

Linz, 1975: Juan J. Linz, "Totalitarian and authoritarian regimes", em Fred J. Greenstein & Nelson W. Polsby (eds.), *Handbook of political science*, vol. 3: *Macropolitical theory* (Reading, MA, 1975)

Liu, 1986: Alan P. L. Liu, *How China is ruled* (Englewood Cliffs, 1986)

Loth, 1988: Wilfried Loth, *The division of the world 1941-1955* (Londres, 1955)

Lu Hsün, 1975: citado em Victor Nee & James Peck (eds.), *China's uninterrupted revolution: From 1840 to the present* (Nova York, 1975), p. 23

Lynch, 1990: Nicolas Lynch Gamero, *Los jóvenes rojos de San Marcos: El radicalismo universitário de los años setenta* (Lima, 1990)

McCracken, 1977: Paul McCracken et al., *Towards full employement and price stability* (Paris, OECD 1977)

McLuhan, 1962: Marshall Macluhan, *The Gutenberg galaxy* (Nova York, 1962)

McLuhan, 1967: Marshall Macluhan & Quentin Fiore, *The medium is the massage* (Nova York, 1967)

McNeill, 1982: William H. McNeill, *The pursuit of power: Technology, armed force and society since AD 1000* (Chicago, 1982)

Maddison, 1969: Angus Maddison, *Economic growth in Japan and the URSS* (Londres, 1969)

Maddison, 1982: Angus Maddison, *Phases of capitalist economic development* (Oxford, 1982)

Maddison, 1987: Angus Maddison, "Growth and slowdown in advanced capitalist economies: Techniques of quantitative assesment", *Journal of Economic Literature*, vol. 25 (jun. 1987)

Maier, 1987: Charles S. Maier, *In search of stability: Explorations in historical political economy* (Cambridge, 1987)

Maksimenko, 1991: V. I. Maksimenko, "Stalinism without Stalin: The mecanism of *zastoi*", em *Germany and Russia in the 20th century in comparative perspective* (conferências inéditas, Filadélfia, 1991)

Mangin, 1970: William Mangin (ed.), *Peasants in cities: Readings in the anthropology of urbanization* (Boston, 1970)

Manuel, 1988: Peter Manuel, *Popular musics of the non-western world: An introdutory survey* (Oxford, 1988)

Marglin & Schor, 1990: S. Marglin & J. Schor (eds.), *The golden age of capitalism* (Oxford, 1990)

Marrus, 1985: Michael R. Marrus, *European refugees in the twentieth century* (Oxford, 1985)

Martins Rodrigues, 1984: Leôncio Martins Rodrigues, "O PCB: Os dirigentes e a organização", em Sérgio Buarque de Holanda (ed.), *História geral da civilização brasileira* (São Paulo, 1960-84), vol. 10, tomo 3: O Brasil republicano, pp. 390-97

Mencken, 1959: Alistair Cooke (ed.), *The Viking Mencken* (Nova York, 1959)

Meyer, Jean A. *La Cristiada*, 3 vols. (Cidade do México, 1973-9); trad. ing.: *The Cristero Rebellion: The Mexican people between Church and State 1926-1929* (Cambridge, 1976)

Meyer-Leviné, 1973: Rosa Meyer-Leviné, *Leviné: The life of a revolutionary* (Londres, 1973)

Miles et al., 1991: M. Miles, E. Malizia, Marc A. Weiss, G. Behrens, G. Travis, *Real estate development: Principles and process* (Washington, DC, 1991)

Miller, 1989: James Edward Miller, "Roughhouse diplomacy: The United States confronts Italian comunism 1945-1958", em *Storia delle relazioni internazionali* (V/1989/2), pp. 279-312

Millikan, 1930: R. A. Millikan, "Alleged sins of science", *Scribners Magazine* 87, 2 (1930), pp. 119-30

Milward, 1979: Alan Milward, *War, economy and society 1939-45* (Londres, 1979)

Milward, 1984: Alan Milward, *The reconstruction of Western Europe 1945-51* (Londres, 1984)

Minault, 1982: Gail Minault, *The Khilafat movement: Religious symbolism and political mobilization in India* (Nova York, 1982)
Misra, 1961: B. B. Misra, *The Indian middle classes: Their growth in modern times* (Londres, 1961)
Mitchell & Jones: B. R. Mitchell & H. G. Jones, *Second abstract of British historical statistics* (Cambridge, 1971)
Mitchell, 1975: B. R. Mitchell, *European historical statistics* (Londres, 1975)
Moisí, 1981: D. Moisí (ed.), *Crises et guerres au XXe siècle* (Paris, 1981)
Molano, 1988: Alfredo Molano, "Violencia y colonización", *Revista Foro: Fundación Foro Nacional por Colombia* (6/6/88), pp. 25-37
Montagni, 1989: Gianni Montagni, *Effetto Gorbaciov: La politica internazionale degli anni ottanta. Storia di quatri vertici da Ginevra a Mosca* (Bari, 1989)
Morawetz, 1977: David Morawetz, *Twenty-five years of economic development 1950-1975* (John Hopkins para o World Bank, 1977)
Mortimer, 1925: Raymond Mortimer, "Les matelots", *New Statesman* (4/7/25), p. 338
Muller, 1951: H. J. Muller, em L. C. Dunn (ed.), *Genetics in the 20th century: Essays on the progress of genetics during the first fifty years* (Nova York, 1951)
Muller, 1992: H. J. Muller, *Kriege ohne Schlacht: Leben in zwei Diktaturen* (Colônia, 1992)
Muzzioli, 1993: Giuliano Muzzioli, *Modena* (Bari, 1993)

Nehru, 1936: Jawaharlal Nehru, *An autobiography, with musings on recent events in India* (Londres, 1936)
Nicholson, 1970: E. M. Nicholson, apud "Ecology", *Fontana dictionary of modern thought* (Londres, 1977)
Noelle & Neumann, 1967: Elisabeth Noelle & Erich Peter Neumann (eds.), *The Germans: Public opinion polls 1947-1966* (Allensbach e Bonn, 1967), p. 196
Nolte, 1987: Ernst Nolte, *Der europäische Bürgerkrieg, 1917-1945: Nationalsozialismus und Bolschewismus* (Stuttgart, 1987)
North & Pool, 1966: Robert North & Ithiel de Sola Pool, "Kuomitang and Chinese communist elites", em Harold D. Lasswell & Daniel Lerner (eds.), *World revolutionary elites: Studies in coercive ideological movements* (Cambridge, MA, 1966)
Nove, 1969: Alec Nove, *An economic history of the USSR* (Londres, 1969)
Nwoga, 1970: Donatus I. Nwoga, "Onitsha market literature", *Mangin* (1970)

Observatoire, 1991: Comité Scientifique auprès du Ministère de l'Education Nationale, *Observatoire des thèses* (Paris, 1991)
OCDE Impact: OCDE, *The impact of the newly industrializing countries on production and trade in manufactures: Reports by the secretary-general* (Paris, 1979)
OCDE National accounts: OCDE, *National accounts 1960-1991*, vol. 1 (Paris, 1993)
Ofer, 1987: Gur Ofer, "Soviet economic growth, 1928-1985", *Journal of Economic Literature*, vol. 25, 4 (dez. 1987), p. 1778
Ohlin, 1931: Bertil Ohlin (para a Liga das Nações), *The course and phases of the world depression* (1931; reed. Arno Press, Nova York, 1972)
Olby, 1970: Robert Olby, "Francis Crick, DNA, and the central dogma", em Holton, 1972, pp. 227-80
Orbach, 1978: Susie Orbach, *Fat is a feminist issue: The anti-diet guide to permanent weight loss* (Nova York e Londres, 1978)
Ory, 1976: Pascal Ory, *Les collaborateurs: 1940-1945* (Paris, 1976)

Paucker, 1991: Arnold Paucker, *Jewish resistance in Germany: The facts and the problems* (Gedenkstaette Deutscher Widerstand, Berlim, 1991)
Pavone, 1991: Claudio Pavone, *Una guerra civile: Saggio storico sulla moralità nella Resistenza* (Milão, 1991)

Peierls, 1992: Peierls, resenha de D. C. Cassidy, *Uncertainty: The life of Werner Heisenberg*, em *New York Review of Books* (23/4/92), p. 44

People's Daily, 1959: "Hai Jui reprimands the emperor", *People's Daily* (Pequim, 1959), apud Leys, 1977

Perrault, 1987: Giles Perrault, *A man apart: The life of Henri Curiel* (Londres, 1987)

Petersen, 1986: W. & R. Petersen, artigo "War" [guerra], em *Dictionary of demography*, vol. 2 (Nova York, Westport e Londres, 1986),

Piel, 1992: Gerard Piel, *Only one world: Our own to make and to keep* (Nova York, 1992)

Planck, 1933: Max Planck, *Where is science going?*, pref. Albert Einstein, trad. e ed. James Murphy (Nova York, 1933)

Polanyi, 1945: Karl Polanyi, *The great transformation* (Londres, 1945)

Pons Prades, 1975: E. Pons Prades, *Republicanos españoles en la 2ª Guerra Mundial* (Barcelona, 1975)

Population, 1984: UN Department of International Economic and Social Affairs, *Population distribution, migration and development. Proceedings of the Expert Group, Hammamet (Tunisia) 21-25 March 1983* (Nova York, 1984)

Potts, 1990: Lydia Potts, *The world labour market: A history of migration* (Londres e Nova Jersey, 1990)

Pravda (25/1/91)

Proctor, 1988: Robert N. Proctor, *Racial hygiene: Medicine under the Nazis* (Cambridge, MA, 1988)

Programma 2000: PSOE (Partido Socialista Operário Espanhol), *Manifesto of programme: Draft for discussion* (Madri, 1990)

Prost: A. Prost, "Frontières et espaces du privé", em *Histoire de la vie privée*, vol. 5: *De la Première Guerre Mondiale à nos jours* (Paris, 1987), pp. 13-153

Rado, 1962: A. Rado (ed.), *Welthandbuch: Internationaler politischer und wirtschaftilicher Almanach 1962* (Budapeste, 1962)

Ranki, 1971: George Ranki, em Peter F. Sugar (ed.), *Native fascism in the successor States: 1918-1945* (Santa Barbara, 1971)

Ransome, 1919: Arthur Ransome, *Six weeks in Russia in 1919* (Londres, 1919)

Räte-China, 1973: Manfred Hinz (ed.), *Räte-China: Dokumente der chinesischen Revolution (1927-31)* (Berlim, 1973)

Raw, Page & Hodson, 1972: Charles Raw, Bruce Page & Godfrey Hodson, *Do you sincerely want to be rich?* (Londres, 1972)

Reale, 1954: Eugenio Reale, *Avec Jacques Duclos au banc des accusés à la réunion constitutive du Cominform* (Paris, 1958)

Reed, 1919: John Reed, *Ten days that shook the world* (Nova York, 1919 e inúmeras edições)

Reinhard et al., 1968: M. Reinhard, A. Armengaud & J. Dupaquier, *Histoire générale de la population mondiale* (3ª ed., Paris, 1968)

Reitlinger, 1982: Gerald Reitlinger, *The economics of taste: The rise and fall of picture prices 1760-1960*, 3 vols. (Nova York, 1982)

Riley, 1991: C. Riley, "The prevalence of chronic disease during mortality increase: Hungary in the 1980s", *Population Studies*, vol. 45, 3 (nov. 1991), pp. 489-97

Riordan, 1991: J. Riordan, *Life after communism*, palestra inaugural, Universidade de Surrey (Guildford, 1991)

Ripken & Wellmer, 1978: Peter Ripken & Gottfried Wellmer, *Bantustans und thre Funktion für das südafrikanische Herrschaftssystem* (Berlim, 1978).

Roberts, 1991: Frank Roberts, *Dealing with the dictators: The destruction and revival of Europe 1930-1970* (Londres, 1991)

Rosati & Mitzsei, 1989: D. Rosati & K. Mitzsei, "Adjustement through opening of socialist economies", em UNU/WIDER, Working Paper 52 (Helsinki, 1989)

Rostow, 1978: W. W. Rostow, *The world economy: History and prospect* (Austin, 1978)
Russell Pasha, 1949: Sir Thomas Russell Pasha, *Egyptian service, 1902-1946* (Londres, 1949)

Samuelson, 1943: Paul Samuelson, "Full employment after the war", em S. Harris, *Post-war economic problems* (Nova York, 1943)
Sareen, 1988: T. R. Sareen, *Selected documents on Indian National Army* (Nova Dheli, 1988)
Sassoon, 1947: Siegfried Sassoon, *Collected poems* (Londres, 1947)
Schatz, 1983: Ronald W. Schatz, *The electrical workers: A history of labor at General Electric and Westinghouse* (University of Illinois Press, 1983)
Schell, 1993: Jonathan Schell, "A foreign policy of buy and sell", *New York Newsday* (21/11/93)
Schram, 1966: Stuart Schram, *Mao Tse Tung* (Baltimore, 1966)
Schrödinger, 1944: Erwin Schrödinger, *What is life: The physical aspects of the living cell* (Cambridge, 1944)
Schumpeter, 1954: Joseph A. Schumpeter, *History of economic analysis* (Nova York, 1954)
Schwartz, 1966: Benjamin Schwartz, "Modernisation of the maoist vision", em Roderick MacFarquhar (ed.), *China under Mao: Politics takes command* (Cambridge, MA, 1966)
Scott, 1985: James C. Scott, *Weapons of the weak: Everyday forms of peasant resistance* (New Haven e Londres, 1985)
Seal, 1986: Anil Seal, *The emergence of Indian nationalism: Competition and collaboration in the later nineteenth century* (Cambridge, 1986)
Sinclair, 1982: Stuart Sinclair, *The world economic handbook* (Londres, 1982)
Singer, 1972: J. David Singer, *The wages of war 1816-1965: A statistical handbook* (Nova York, Londres, Sidney e Toronto, 1972)
Smil, 1990: Vaclav Smil, "Planetary warming: Realities and responses", *Population and Development Review*, vol. 16, 1 (mar. 1990)
Smith, 1989: Gavin Alderson Smith, *Livelihood and resistance: Peasants and the politics of the land in Peru* (Berkeley, 1989)
Snyder, 1940: R. C. Snyder, "Commercial policy as reflected in Leatris from 1931 to 1939", *American Economic Review* 30 (1940)
Social Trends: UK Central Statistical Office, *Tendências sociais 1980* (Londres, anual)
Soljenitsyn, 1993: Alexander Soljenitsyn, em *New York Times* (28/11/93)
Somary, 1929: Felix Somary, *Wandlungen der Weltwirtschaft seit dem Kriege* (Tübingen, 1929)
Sotheby: Departamento de pesquisa da Sotheby, *Art market bulletin*
Spencer, 1990: Jonathan Spencer, *A Sinhala village in time of trouble: Politics and change in rural Sri Lanka* (Nova Delhi, 1990)
Spero, 1977: Joan Edelman Spero, *The politics of international economic relations* (Nova York, 1977)
Spriano, 1969: Paolo Spriano, *Storia del Partito Comunista Italiano*, vol. 2 (Turim, 1969)
Spriano, 1983: Paolo Spriano, *I comunisti europei e Stalin* (Turim, 1983)
Staley, 1939: Eugene Staley, *The world economy in transition* (Nova York, 1939)
Stalin, 1952: J. V. Stalin, *Economic problems of socialism in the USSR* (Moscou, 1952)
Starobin, 1972: Joseph Starobin, *American communism in crisis* (Cambridge, MA, 1972)
Starr, 1983: Frederick Starr, *Red and hot: The fate of jazz in the Soviet Union 1917-1980* (Nova York, 1983)
Stat. Jahrbuch, 1990: República Federal da Alemanha, Bundesamt für Statistik, *Statistisches Jahrbuch für das Ausland* (Bonn, 1990).
Steinberg, 1990: Jonathan Steinberg, *All or nothing: The Axis and the Holocaust 1941-43* (Londres, 1990)
Stevenson, 1984: John Stevenson, *British society 1914-1945* (Harmondsworth, 1984)
Stoll, 1990: David Stoll, *Is Latin America turning protestant? The politics of evangelical growth* (Berkeley, Los Angeles e Oxford, 1992)

Stouffer & Lazarsfeld, 1937: S. Stouffer & P. Lazarsfeld, *Research memorandum on the family in the Depression*, Conselho de Pesquisa de Ciências Sociais (Nova York, 1937)
Stürmer, 1993: Michael Stürmer, in "Orientierungskrise in Politik und Gesellschaft? Perspektiven der Demokratie an der Schwelle zum 21. Jahrhundert", em *Bergedorfer Gesprächskreis 98* (Hamburgo-Bergedorf, 1993)
Stürmer, 1993: Michael Stürmer, *Wird der Westen den Zerfall des Ostens überleben? Politische und ökonomische Herausforderungen für Amerika und Europa*, em *Bergedorfer Gesprächskreis 99* (22-23/5, Ditchley Park) (Hamburgo, 1993)

Tanner, 1962: J. M. Tanner, *Growth at adolescence* (2ª ed., Oxford, 1962)
Taylor & Jodice, 1983: C. L. Taylor & D. A. Jodice, *World handbook of political and social indicators* (3ª ed., New Haven e Londres, 1983)
Taylor, 1990: Trevor Taylor, "Defence industries in international relations", *Rev. Internat. Studies* 16 (1990), pp. 59-73
Technology, 1986: *US* Congress, Escritório de Avaliação da Tecnologia, *Technology and structural unemployement: Reemploying displaced adults* (Washington, DC, 1986)
Temin, 1993: Peter Temin, "Transmission of the Great Depression", *Journal of Economic Perspectives*, vol. 7, 2 (primavera de 1993), pp. 87-102
Terkel, 1967: Studs Terkel, *Division street: America* (Nova York, 1967)
Terkel, 1970: Studs Terkel, *Hard times: An oral history of the Great Depression* (Nova York, 1970)
Therborn, 1984: Göran Therborn, "Classes and states, welfare state developments 1881-1981", em *Studies in Political Economy: A Socialist Review* 13 (primavera de 1984), pp. 7-41
Therborn, 1985: Göran Therborn, "Leaving the post office behind", em M. Nikolic (ed.), *Socialism in the twenty-first century* (Londres, 1985), pp. 225-51
Thomas, 1971: Hugh Thomas, *Cuba or the pursuit of freedom* (Londres, 1971)
Thomas, 1977: Hugh Thomas, *The Spanish Civil War* (Harmondsworth, 1977)
Tiempos, 1990: Carlos Ivan Degregori, Marfil Francke, José López Ricci, Nelson Manrique, Gonzalo Portocarrero, Patricia Ruiz Bravo, Abelardo Sánchez Léon & Antonio Zapata, *Tiempos de ira y amor: Nuevos actores para viejos problemas*, DESCO (Lima, 1990)
Tilly & Scott, 1987: Louise Tilly & Joan W. Scott, *Women, work and family* (2ª ed., Londres, 1987)
Titmuss, 1970: Richard Titmuss, *The gift relationship: From human blood to social policy* (Londres, 1970)
Tomlinson, 1976: B. R. Tomlinson, *The Indian National Congress and the Raj 1929-1942: The penultimate phase* (Londres, 1976)
Touchard, 1977: Jean Touchard, *La gauche en France* (Paris, 1977)
Townshend, 1986: Charles Townshend, "Civilization and frightfulness: Air control in the Middle East between the wars", em Chris Wrigley (ed.), *Warfare, diplomacy and politics: Essays in honour of A. J. P. Taylor* (Londres, 1986)
Trofimov & Djangaya, 1993: Dmitry Trofimov & Gia Djangaya, *Some reflections on current geopolitical situation in the North Caucasus* (mimeo., Londres, 1993)
Tuma, 1965: Elias H. Tuma, *Twenty-six centuries of agrarian reform: A comparative analysis* (Berkeley e Los Angeles, 1965)

Umbruch: Ver Fröbel, Heinrichs & Kreye, 1986
Umbruch, 1990: República Federal da Alemanha, *Umbruch in Europa: Die Ereignisse im 2. Halbjahr 1989. Eine Dokumentation herausgegeben vom Auswärtigen Amt* (Bonn, 1990)
UN Africa, 1989: UN Economic Comission for Africa, Inter-Agency Task Force, Africa Recovery Programme, *South Africa destabilization: The economic cost of frontline resistance to apartheid* (Nova York, 1989)
UN Dept of International Economic and Social Affairs, 1984: Ver Population, 1984

UN International Trade: *UN International Trade Statistics Yearbook*, 1983

UN Statistical Yearbook (anual)

UN Transnational, 1988: United Nations Centre on Transnational Corporations, *Transnational corporations in world development: Trends and prospects* (Nova York, 1988)

UN World Social Situation, 1970: UN Dept of International Economic and Social Affairs, *1970 Report on the world social situation* (Nova York, 1971)

UN World Social Situation, 1985: UN Department of International Economic and Social Affairs, *1985 Report on the world social situation* (Nova York, 1985)

UN World Social Situation, 1989: UN Department of International Economic and Social Affairs, *1989 Report on the world social situation* (Nova York, 1989)

UN World's Women: UN Social Statistics and Indicators Series K no. 8: *The world's women 1970-1990: Trends and statistics* (Nova York, 1991)

UNCTAD: UNCTAD (UN Comission for Trade and Development), *Statistical pocket book 1989* (Nova York, 1989)

UNESCO: UNESCO *Statistical yearbook*, dos anos respectivos.

URSS, 1987: *SSSR v. Tsifrakh v 1987*, pp. 15-17, 32-33

US Historical Statistics: US Dept of Commerce, Bureau of the Census, *Historical statistics of the United States: Colonial times to 1970*, 3 vols. (Washington, 1975)

Van der Linden, 1993: "Forced labour and non-capitalist industrialization: the case of Stalinism", em Tom Brass, Marcel Van der Linden & Jan Lucassen, *Free and unfree labour* (IISH, Amsterdam, 1993)

Van der Wee, 1987: Herman Van der Wee, *Prosperity and upheaval: The world economy 1945-1980* (Harmondsworth, 1987)

Veillon, 1992: Dominique Veillon, "Le quotidien", em CNRS, *Ecrire l'histoire du temps présent. En homage à François Bédarida: Actes de la journée d'études de l'IHTP* (Paris, 1993), pp. 315-28

Vernikov, 1989: Andrei Vernikov, "Reforming process and consolidation in the Soviet economy", WIDER Working Paper 53 (Helsinki, 1989)

Walker, 1988: Martin Walker, "Russian diary", *The Guardian* (21/3/88), p. 19

Walker, 1991: Martin Walker, "Sentencing systems blights land of the free", *The Guardian* (19/6/91), p. 11

Walker, 1993: Martin Walker, *The Cold War and the making of the modern world* (Londres, 1993)

Ward, 1976: Benjamin Ward, "National economic planning and politics", em Carlo Cipolla (ed.), *Fontana economic history of Europe: The twentieth century*, vol. 6/1 (Londres, 1976)

Watt, 1989: D. C. Watt, *How war came* (Londres, 1989)

Weber, 1969: Hermann Weber, *Die wandlung des deutschen kommunismus: die stalinisierung der kpd in der weimarer republik*, 2 vols. (Frankfurt, 1969)

Weinberg, 1977: Steven Weinberg, "The search for unity: Notes for a history of quantum theory", *Daedalus* (outono de 1977)

Weinberg, 1979: Steven Weinberg, "Einstein and spacetime then and now", *Bulletin, American Academy of Arts and Sciences*, vol. 23 (2/11/79)

Weisskopf, 1980: V. Weisskopf, "What is quantum mechanics?", *Bulletin, American Academy of Arts and Sciences*, vol. 33 (abr. 1980)

Wiener, 1984: Jon Wiener, *Come together: John Lennon in his time* (Nova York, 1984)

Wildavsky, 1990: Aaron Wildavsky & Karl Dake, "Teories of risk perception: Who fears what and why?", *Daedalus*, vol. 119, 4 (outono de 1990), pp. 41-60

Willett, 1978: John Willett, *Art and politics in the Weimar period: The new sobriety, 1917-1933* (Londres, 1978)

Wilson, 1977: E. O. Wilson, "Biology and the social sciences", *Daedalus*, vol. 106, 4 (outono de 1977), pp. 127-40

Winter, 1986: Jay Winter, *War and the british people* (Londres, 1986)

Woman, 1964: "The woman in America", *Daedalus* (1964), *The world almanack* (Nova York, 1964, 1993)

World Bank Atlas, 1990: *The World Bank Atlas 1990* (Washington, 1990)

World Development: World Bank [Banco Mundial], *World Development Report* (Nova York, anual)

World Economic Survey, 1989: UN Dept of International Economic and Social Affairs, *World Economic Survey 1989: Current trends and policies in the world economy* (Nova York, 1989)

World Labour, 1989: International Labour Office (ILO), *World Labour Report 1989* (Genebra, 1989)

World Resources, 1986: *A report by the World Resources Institute and the International Institute for Environment and Development* (Nova York, 1986)

World Tables, 1991: World Bank, *World Tables 1991* (Baltimore e Washington, 1991)

Zetkin, 1968: Clara Zetkin, "Reminiscences of Lenin", em *They knew Lenin: Reminiscences of foreign contemporaries* (Moscou, 1968)

Ziebura, 1990: Gilbert Ziebura, *World economy and world politics 1924-1931* (Oxford, Nova York, Munique, 1990)

Zinoviev, 1979: Aleksandr Zinoviev, *The yawning heights* (Harmondsworth, 1979)

OUTRAS LEITURAS

Eis algumas sugestões para os não-historiadores que desejem saber mais.

Os fatos básicos da história mundial do século XX podem ser encontrados num bom livro didático, como *A history of the modern world* (6ª ed., 1983, ou posterior), de R. R. Palmer & Joel Colton, que tem a vantagem de trazer excelentes biografias. Há boas pesquisas em um só volume de algumas regiões e continentes, mas não de outros. *A history of islamic societies* (1988), de Ira Lapidus; *Rebellions and revolutions: China from the 1800s to the 1980s* (1990), de Jack Gray; *Africa since 1800* (1981), de Roland Olivier & Anthony Atmore; e *Europe since 1870* (a edição mais recente), de James Joll, são úteis. *World politics since 1945* (6ª ed., 1991), de Peter Calvocoressi, é excelente sobre seu período. Deve-se lê-lo contra o pano de fundo de *The rise and fall of the great powers* (1987), de Paul Kennedy, e *Coercion, capital and European states AD 900-1900* (1990), de Charles Tilly.

Ainda nos limites de um só volume, *The world economy: History and prospect* (1978), de W. W. Rostow, embora discutível e longe de ser uma leitura de cabeceira, oferece vasta quantidade de informação. Muito objetivo é *The economic development of the Third World since 1900* (1975), de Paul Bairoch, assim como *The unbound Prometheus* (1969), de David Landes, sobre tecnologia e indústria.

Várias obras de referência estão relacionadas nas notas bibliográficas. Entre resumos estatísticos, notem-se as *Historical statistics of the United States: Colonial times to 1970* (3 vols., 1975); *European historical statistics* (1980), de B. R. Mitchell, e suas *International historical statistics* (1986); e *State, economy and society in Western Europe 1815-1975* (2 vols., 1983), de P. Flora. O *Chambers biographical dictionary* é abrangente e oportuno. Para os que gostam de mapas, há informação imaginativa no criativo *Times atlas of world history* (1978), no brilhantemente concebido *The new state of the world atlas* (4ª ed., 1991), de Michael Kidron & Ronald Seagal, e no *World Bank Atlas* (econômico e social), anual desde 1968. Entre os inúmeros compêndios de mapas, notem-se *The world atlas of revolution* (1983), de Andrew Wheatcroft, *An atlas of world population history* (1982), de Colin McEvedy & R. Jones, e *Atlas of the Holocaust* (1972), de Martin Gilbert.

Os mapas são talvez mais úteis ao estudo histórico de determinadas regiões, entre eles *The Cambridge atlas of Middle East and North Africa* (1987), de G. Blake, John Dewdney & Jonathan Mitchell; *A historical atlas of South Asia* (1978), de Joseph E. Schwarzberg; *Historical atlas of Africa* (1985), de J. F. Adeadjayi & M. Crowder; e *Russian history atlas* (1993), de Martin Gilbert. Há boas e atualizadas histórias em muitos volumes de várias regiões e continentes do mundo, mas, muito curiosamente, não (em inglês) da Europa, nem do mundo — a não ser sobre história econômica. *A history of the world economy in the twentieth century*, de cinco volumes, da Penguin, é de uma alta qualidade notável: *The First World War, 1914-1918*, de Gerd Hardach; *From Versailles to Wall Street, 1919-1929*, de Derek Aldcroft; *The World in Depression, 1929-1939*, de Charles Kindleberger; o excelente *War, economy and society, 1929-1945*, de Alan Milward; e *Prosperity and upheaval: The world economy, 1945-1980*, de Herman van der Wee.

Das obras regionais, os volumes do século XX das *Cambridge Histories* da *Africa* (vols. 7-8), *China* (vols. 10-3) e *Latin America* (ed. Leslie Bethell) (vols. 6-9) são a última palavra em historiografia, embora mais para uma amostragem que para uma leitura contínua. A inovadora *New Cambridge history of India*, infelizmente, ainda não está bastante atualizada.

The Great War (1973), de Marc Ferro, e *The experience of World War I* (1989), de Jay Winter, podem orientar leitores sobre a Primeira Guerra Mundial. *Total war* (1989), de Peter Calvocoressi; *A world at arms: A global history of World War II* (1994), de Gerhard L. Weinberg; e o livro de Alan Milward, sobre a Segunda Guerra Mundial, *Century of war: Politics, conflict and society since 1914* (1994), de Gabriel Kolko, cobrem as duas guerras e suas conseqüências revolucionárias. Sobre a revolução mundial, *Modern revolutions* (2ª ed., 1989), de John Dunn, e *Peasant wars of the twentieth century* (1969), de Eric Wolf, abrangem tudo — ou quase — incluindo as revoluções do Terceiro Mundo. Ver também *Transforming Russia and China: Revolutionary struggle in the twentieth century* (1982), de William Rosenberg & Marilyn Young. *Revolutionaries*, de E. J. Hobsbawm (1973), sobretudo os caps. 1-8, introduz a história dos movimentos revolucionários.

A Revolução Russa, submersa em monografias, ainda não tem as sínteses panorâmicas existentes sobre a Francesa. Continua sendo reescrita. *A history of the Russian Revolution* (1932), de Leon Trotski, é o panorama visto do topo (marxista); *The Russian Revolution 1917-21* (2 vols., 1965, reeditada), de W. H. Chamberlin, o do observador contemporâneo. *The Russian Revolution of February 1917* (1972) e *October 1917* (1979), de Marc Ferro, são uma excelente introdução. Os numerosos volumes da monumental *History of Soviet Russia* (1950-78), de E. H. Carr, servem melhor como consulta. Só vão até 1929. *An economic history of the URSS* (1972) e *The economic feasible socialism* (1983), de Alec Nove, são boas introduções às operações do "socialismo realmente existente". *Modern Soviet society* (1983), de Basile Kerblay, é o mais perto da pesquisa desapaixonada de seus resultados na URSS que chegamos até agora. F. Feijö escreveu histórias contemporâneas das "democracias populares". Sobre a China, *Mao Tse-tung* (1967), de Stuart Schram, e *The Great Chinese Revolution 1800-1985* (1986), de John K. Fairbank; ver também Jack Gray, já citado.

A economia mundial é coberta pela série Penguin History, já citada, *Capitalism since 1945* (1991), de P. Armstrong, A. Glyn & J. Harrison, e *The golden age of capitalism* (1990), de S. Marglin & J. Schor (eds.). Sobre o período anterior a 1945, as publicações da Liga das Nações, e sobre o período a partir de 1960, as do Banco Mundial, OCDE e FMI são indispensáveis.

Sobre as políticas do entreguerras e a crise das instituições liberais, podem-se indicar *Recasting bourgeois Europe* (1975), de Charles S. Maier, *The rise of fascism* (1967), de F. L. Carsten, *The European Right: A historical profile* (1965), de H. Rogger & E. Weber, e *The Nazi dictatorship: Problems and perspectives* (1985), de Ian Kershaw. Sobre o espírito do antifascismo, *Journey of the frontier: Julian Bell and John Cornford* (1966), de P. Stansky & W. Abrahams. Sobre a eclosão da guerra, *How war came* (1989), de Donald Cameron Watt. A melhor visão geral da Guerra Fria até o momento é a de *The Cold War and the making of the modern world* (1993), de Martin Walker, e *The making of the second Cold War* (2ª ed., 1986), de F. Halliday. Ver também *The long peace: Inquiries into the history of the Cold War* (1987), de J. L. Gaddis. Sobre a nova configuração da Europa, *The reconstruction of Western Europe 1945-51* (1984), de Alan Milward. Sobre a política do consenso e o Estado de bem-estar, *Development of Welfare States in America and Europe* (1981), de P. Flora & A. J. Heidenheimer, e *Western Europe since 1945: A short political history* (ed. rev., 1989), de D. W. Urwin. Ver também *Order and conflict in contemporary capitalism* (1984), de J. Goldthorpe (ed.). Sobre os Estados Unidos, *A troubled feast: American society since 1945* (1973), de W. Leuchtenberg.

Sobre o fim dos impérios, *Decolonization: The administration and future of colonies 1919-1960* (1961), de Rudolf von Albertini, e o excelente *European decolonization 1918-1981* (1985), de R. F. Holland. A melhor maneira de apontar aos leitores o caminho da história do Terceiro

Mundo é citar um punhado de obras fora isso não relacionadas com ela. *Europe and the people without history* (1983), de Eric Wolf, é fundamental, embora só marginalmente aborde nosso século. O mesmo se dá, de uma maneira diferente, sobre capitalismo e comunismo, com *The peasant family and rural development in the Yangzi Delta 1350-1988* (1990), de Philip C. C. Huang, para o qual Robin Blackburn me chamou a atenção. Pode ser comparado ao clássico *Agricultural involution* (1963), de Clifford Geertz, que trata da Indonésia. Sobre a urbanização do Terceiro Mundo, é essencial a quarta parte de *Cities and economic development* (1988), de Paul Bairoch. Sobre política, *Strong societies and weak states* (1988), de Joel S. Migdal, está cheio de exemplos e idéias, algumas delas convincentes.

Sobre as ciências, *The twentieth-century sciences* (1972), de Gerald Holton (ed.), é um ponto de partida; sobre fatos intelectuais em geral, *Europe in the twentieth-century* (1972), de George Lichtheim. Uma excelente introdução às artes de vanguarda é *Art and politics in the Weimar period: The new sobriety, 1917-1933* (1978), de John Willett.

Ainda não há tratamentos propriamente históricos das revoluções sociais e culturais da segunda metade do século, embora seja vasto o volume de comentários e documentação, e bastante acessível para permitir que muitos de nós formemos nossas próprias opiniões (ver as notas bibliográficas). Os leitores não devem se deixar induzir pelo tom confiante da literatura (incluindo minhas próprias observações) e confundir opinião com verdade estabelecida.

ILUSTRAÇÕES

1. O arquiduque Francisco Ferdinando e esposa (*Roger Viollet*)
2. Soldados canadenses em cratera de granadas, 1918 (*Popperfoto*)
3. Cemitério de guerra, Chalons-sur-Marne (*Roger Viollet*)
4. Soldados russos, 1917 (*Hulton Deutsch*)
5. Revolução de Outubro: Lenin (*Hulton Deutsch*)
6. Cartaz do Dia do Trabalho, *c.* 1920 (*David King Collection*)
7. Cédula bancária alemã de 20 milhões de marcos (*Hulton Deutsch*)
8. O *crash* de Wall Street em 1929 (*Icon Communications*)
9. Desempregados britânicos na década de 1930 (*Hulton Deutsch*)
10. Adolf Hitler e Benito Mussolini (*Hulton Deutsch*)
11. Fascistas italianos desfilam perante Mussolini (*Hulton Deutsch*)
12. Comício nazista em Nuremberg (*Robert Harding Picture Library*)
13. Milícia anarquista em Barcelona, 1936 (*Hulton Deutsch*)
14. Adolf Hitler na Paris ocupada (*Hulton Deutsch*)
15. "Fortalezas voadoras" americanas atacam Berlim (*Popperfoto*)
16. A batalha de Kursk, 1943 (*Novosti Press Agency*)
17. Londres em chamas, 1940 (*Hulton Deutsch*)
18. Dresden destruída pelo fogo, 1945 (*Hulton Deutsch*)
19. Hiroxima após a bomba atômica, 1945 (*Rex Features*)
20. Josip Broz, marechal Tito (*Rex Features*)
21. Cartaz britânico da época da guerra (*Imperial War Museum*)
22. Argélia, 1961 (*Robert Harding Picture Library*)
23. A primeira-ministra Indira Gandhi (*Rex Features*)
24. Míssil Cruise americano (*Rex Features*)
25. Silo de mísseis soviéticos (*Popperfoto*)
26. O Muro de Berlim (*Popperfoto*)
27. Exército rebelde de Fidel Castro em Santa Clara (*Magnum*)
28. Insurretos em El Salvador (*Hulton Deutsch*)
29. Manifestação contra a guerra do Vietnã, Londres (*Hulton Deutsch*)
30. Irã, 1979 (*Hulton Deutsch*)
31. Mikhail Sergueievitch Gorbachev (*Rex Features*)
32. Cai o Muro de Berlim, 1989 (*Hulton Deutsch*)

33. Stalin retirado de Praga (*BBC Photographic Library*)
34. Terraceamento agrícola no vale de Liping, China (*Comstock*)
35. Micrógrafo eletrônico de uma bactéria intestinal (*Science Photo Library*)
36. Camponês chinês arando
37. Casal imigrante turco em Berlim Ocidental (*Magnum*)
38. Antilhanos desembarcam em Londres na década de 1950 (*Hulton Deutsch*)
39. África no fim do século (*The Independent*)
40. Ahmedabad, Índia (*Robert Harding*)
41. Chicago, EUA (*Robert Harding*)
42. Hora do *rush* em Shinjuku, Tóquio (*Rex Features*)
43. Pátio de trens, Augsburgo, Alemanha (*Comstock*)
44. Auto-estradas, carros e poluição em Houston, Texas (*Magnum*)
45. Primeira descida na Lua, 1969 (*Hulton Deutsch*)
46. Enlatadora da década de 1930, Amarillo, Texas (*FPG/Robert Harding*)
47. Usina de energia nuclear de Dungeness (*Rex Features*)
48. Desindustrialização no norte da Inglaterra, Middlesbrough (*Magnum*)
49. A geladeira (*Robert Harding*)
50. A televisão (*Robert Harding*)
51. O supermercado (*Rex Features*)
52. O toca-fitas portátil (*Robert Harding*)
53. Neville Chamberlain pescando (*Popperfoto*)
54. Conde Moutbatten da Birmânia (*Hulton Deutsch*)
55. Lenin, 1917 (*Hulton Deutsch*)
56. Gandhi prestes a negociar com o governo britânico (*Rex Features*)
57. Stalin (*FPG International*)
58. Desfile no aniversário de Hitler, 1939 (*Hulton Deutsch*)
59. "Presidente Mao" por Andy Warhol (*Bridgman Art Library*)
60. O cadáver do aiatolá Khomeini jaz em estado (*Magnum*)
61. George Grosz vergasta a classe dominante alemã.
62. Operários de estaleiros britânicos marcham sobre Londres na década de 1930 (*Hulton Deutsch*)
63. Manifestação contra a guerra do Vietnã, Berkeley, Califórnia (*Magnum*)
64. Pretensões de conquista mundial
65. Após a guerra do Golfo, 1991 (*Magnum*)
66. Sem-teto (*Rex Features*)
67. Esperando para votar na África do Sul (*Rex Features*)
68. Sarajevo oitenta anos depois de 1914 (*Popperfoto*)

ÍNDICE REMISSIVO

Abd-el-Krim, 210
Abduh, Mohammed, 207
aborto, 306, 309, 316, 329-30
Acordo Geral sobre Tarifas e Comércio (GATT), 269
Adenauer, Konrad, 278, 319
Adler, Friedrich, 65
Adler, Victor, 114
adolescentes, 318, 321-2, 332, 334, 446
Afeganistão, 32, 114, 234, 243, 251, 290, 414, 439, 445, 463-4, 539
África, 15, 21, 46, 49, 91, 102, 115, 134, 160, 171, 205, 209
  classe rural, 213, 286
  colonialismo, 146, 213-4
  Congresso Nacional Africano, 78, 323, 437
  estados independentes,418
  movimentos de guerrilha, 288, 428, 434, 436-7
  nacionalismo negro, 213
  ver também países individuais
África do Sul, 47, 78, 115, 208, 218, 233, 245, 251, 275, 307, 358, 360, 437, 446, 489, 505, 547, 559
África Ocidental, 110, 213
  agricultura
  alimentos excedentes e fome, 255-6
  capital intensivo; produtividade, 287
  e a Grande Depressão, 96, 99
  fazendas coletivas, 348, 373
  morte da classe rural, 284-8
  Política Agrícola Comum, 99
  produção agrícola mundial, 255-7, 287, 344
  produção de subsistência, 96
  química agrícola, 287
  Revolução Verde, 287, 348, 357
AIDS, 265, 399, 535
Akhmadulina, Bella, 487
Akhmatova, Anna, 179, 487
Al Afghani, Jamal al-Din, 207
Åland, ilhas, 42
Albânia, 44, 49, 85, 148, 167, 168, 171, 247, 249, 340, 364, 385, 460, 470, 473
Alemanha, República Democrática da, 79, 142, 249, 252-3, 309, 340, 364, 367, 386, 443-4, 456, 470, 506
Alemanha, República Federal da, 38, 58, 131, 139, 198, 237, 248, 251, 255, 265, 267, 270, 273, 277-9, 297, 305, 309, 353, 408
Alemanha, 13-4, 16, 23, 30, 32-51, 53-5, 58-60, 64-7, 69, 73-7, 79, 85-6, 89, 94-7, 99, 101-3, 107-9, 115, 117-8, 120, 122-8, 130-5, 137-40, 142-3, 145-9, 151-2, 154-7, 159-60, 165-7, 169-71, 175-6, 182-3, 185-6, 199, 208, 224, 229, 233, 236-8, 245, 248-9, 252, 254, 266, 269, 274, 277-8, 284, 290, 295-6, 305, 308, 316, 319, 322, 335, 364, 369, 372, 385-6, 389, 396, 397, 408, 410, 417, 443, 446, 458, 470, 481, 486-7, 489, 494, 506, 509, 514-5, 522, 525-6, 538, 543, 552
Alemanha Oriental, 176, 226, 249, 255, 305, 385, 389, 443
Alexandre da Iugoslávia, rei, 117
alfabetização, 21, 191, 192, 193, 201, 289, 440, 455, 495, 510
Ali, Rashid, 47
Aliança Popular Revolucionária Americana (APRA), 110, 136
Allende, Salvador, 429
Alsácia-Lorena, 41
América Latina, 21, 31, 48, 72, 80, 83, 88, 93, 108, 109, 110, 115, 119, 136, 137, 140, 143, 171, 180, 196, 203, 205, 208, 240, 256, 285, 287-8, 293, 306-7, 317, 320, 341, 346-9, 352, 355-6, 362, 395, 412, 416, 425, 427-8, 430, 433-4, 438, 442, 490, 494, 505; *ver também* países individuais
anarquismo, 69, 71, 79, 80, 82, 129, 158-9, 187, 327, 557
Andric, Ivo, 29, 494
Andropov, Yuri, 461
Angola, 243, 251, 340, 411, 422, 435, 437-9, 442
anti-semitismo, 119, 123-4, 134, 136-7, 151, 172
antimatéria, 519
apartheid, 358, 436-7, 446, 489, 547, 559

Apollinaire, Guillaume, 181
Arábia Saudita, 114, 250, 274, 343, 353, 442
Aragon, Louis, 180
Argélia, 83, 174, 176, 207, 212, 218, 279, 286, 340, 342, 347, 355, 360, 423, 425, 430, 446, 540
Argentina, 72, 96, 109, 111, 136-7, 196, 275, 307, 349, 352, 403, 411-2, 428, 433, 505
armamentos, indústria de, 52, 54-5, 65, 233, 250, 261
Armênia, 40, 57, 469, 476, 487
Armstrong, Louis, 503
Aron, Raymond, 293, 434
arquitetura, 178-9, 184-5, 187, 486, 497-8
artes
  antiarte, 497
  Art Deco, 185, 190
  Art Nouveau, 185
  arte das massas, 192, 195
  declínio dos gêneros característicos, 493
  mercado de arte, 184, 485, 491
  modernismo, 121, 132, 178-81, 183-4, 187-90, 497-9
  movimento de artes e ofícios, 185
  oriunda do cataclismo e da tragédia, 187-9
  patrocínio governamental, 187, 487, 490
  Pop Art, 483
  pós-modernismo, 498-500, 502
  retirada dos centros de elite cultural, 486
  revolucionadas pela tecnologia, 484
  talento, 494
  vanguarda, 132, 178-7, 189, 191-2, 487, 493, 495, 497, 499-500
  ver também arquitetura, cinema, cubismo etc.
astronomia, 516, 522
Atatürk, Mustafá Kemal, 76, 115, 207
atômica, ciência, 517-8, 521-2, 528
Auden, W. H., 144, 160, 179, 189
Auric, Georges, 183
Austen, Jane, 51
Austrália, 16, 23, 48, 72, 89, 96, 108, 115, 208, 279, 299, 348, 353, 356, 396-7, 445, 505
Áustria, 30, 32, 36, 38, 40-1, 44-5, 50, 61, 73, 75, 94, 96, 118, 125, 138, 142, 147-8, 176, 199, 224, 236, 270, 278, 284, 351, 397, 446, 543
Austro-húngaro, império, 35, 141
austro-marxistas, 378
automóveis, produção de, 105, 259
Azerbaijão, 40, 469, 476
Azikiwe, Namdi, 213

Ba'ath, Partido, 174, 340, 435
Babel, Isaac, 76, 179, 188
Bacon, Francis, 493
Baía dos Porcos, 427
balé, 181-2
Bálticos, países, 39, 70, 95, 462, 469, 476-7
Banco de Acordos Internacionais, 102
Banco Mundial, 269, 275, 411, 419, 556
Banda, Dr. Hastings, 422
Bandaranaike, Sirimavo, 307-8
Bandung, movimento, 350
Bangladesh, 256, 284, 286, 303, 340, 351, 547
Baroja, Julio Caro, 11
Barre, Siad, 176, 437
Batista, general Fulgencio, 426
Bauhaus, 179, 183, 185-6
Bélgica, 32-3, 46, 89, 97, 99, 101, 114, 138, 166, 172, 236-7, 278-9, 284, 296-7, 308, 315, 353, 397, 414, 553
Belize, 352
Bell, Daniel, 25, 280
bem-estar, sistemas de, 100, 238, 245, 262, 278, 334, 397, 451, 554-5, 557
Ben Badis, Abdul Hamid, 207
Benário, Olga, 79
Benjamin, Walter, 178, 188-9, 447, 501
Berg, Alban, 179, 181, 188
Berlim, Muro de, 233, 240
Berlin, Isaiah, 11
Bernal, J. D., 509, 524-525, 533
Bernstein, Eduard, 378
Bernstein, Leonard, 494
Beveridge, relatório, 162
Bielorrússia, 76, 469
Big Bang, teorias do, 523, 534
biotecnologia, 507, 509, 535
Birmânia, 48, 96, 172, 214-6, 307, 340
Blackett, P. M. S., 524
Blok, Alexander Alexandrovich, 179, 487
Blum, Léon, 150
Bogart, Humphrey, 187
Bohr, Niels, 507, 517, 520
Bolchevique, partido, 69
Bolívia, 32, 88, 96, 137, 347, 428, 430, 434
Boliviana, Revolução, 347, 357, 425
Bolonha, 298
Bond, Alan, 491
Borges, Jorge Luis, 189
Born, Max, 524
Bose, Subhas Chandra, 172, 214, 361
Bósnia, 12, 141, 171, 539-40
Botswana, 397
Bourdieu, Pierre, 314, 495
Braque, Georges, 181
Brasil, 14, 77, 79, 82, 85, 96-7, 109, 136-7, 196-7, 202, 261, 275, 285, 290, 297, 317, 334, 344, 352, 354-5, 361, 397, 400, 403, 407, 411-2, 416, 424, 428-9, 484, 486, 555
Braun, Otto, 79
Brecht, Bertolt, 61, 78, 179, 186, 188, 190
Brejnev, Leonid, 78, 241-3, 374, 407, 439, 457-9, 461-3, 465, 468, 487
Brest-Litowsk, 36, 40, 69
Bretton Woods, acordos de, 269, 280

Brigadas Internacionais, 135, 160, 162
Brigadas Vermelhas, 429, 433
Britânico, império, 155, capítulo 7 *passim*, 173, 209, 210, 216
Britten, Benjamin, 181, 189, 494, 495
Broadway, musicais da, 324
Brodski, Joseph, 487
Broglie, L. V. de, 524
Buchan, John, 126
Bukharin, Nikolai, 368, 369, 376, 482
Bulgária, 18, 32, 38, 65, 73, 77, 170, 256, 284, 286, 305, 309, 340, 364, 385-6, 395, 435, 460, 470
Buñuel, Luis, 180

Cabral, Amílcar, 436
Camboja, 174, 215, 340, 350, 364, 438
campesinato, 68, 70-1, 137, 285, 287-9, 322, 347-8, 371, 373, 404, 438, 449
campos de concentração, 135, 151, 166, 168, 239
Canadá, 31, 99, 109, 111, 115, 208, 265, 275, 305, 308, 316, 330, 353, 356, 397, 407, 414, 416-7, 445, 456, 505, 553
caos, teoria do, 342, 476, 522, 530, 536
capitalismo, 14, 16-8, 20, 24-5, 59, 62, 64, 77-81, 87-9, 91-2, 97, 99-101, 106-7, 111, 119, 122, 130, 132, 139, 140, 145-6, 165, 169, 176-7, 194, 199, 202-4, 227-30, 240, 245-47, 252-3, 255, 262-8, 277, 317, 331, 335-6, 363-5, 368, 371, 373, 396, 398, 400, 403-4, 409, 411, 420, 424, 427, 431, 434, 436-7, 439, 457, 465-6, 473, 481, 542, 548, 551-2, 554, 561
capitalismo *versus* socialismo, 18-20, 118, 199, 224, 229, 246-7; *ver também* economia
Cárdenas, Lázaro, 109, 171
Caribe, 110, 196, 205, 209, 212-3, 215, 219, 244, 256, 259, 271
Carné, Marcel, 183
Carrero Blanco, almirante, 429
Cartier-Bresson, Henri, 181
Casaquistão, 345, 469-70, 475
Castro, Fidel, 245, 319, 347, 384, 423, 425-8, 438-9, 458
catástrofe, teoria da, 338, 341, 367, 374, 405, 476, 479, 515, 524, 530-1
Cáucaso, 359-60, 539
Caudwell, Christopher, 520
Cavafy, C. P., 189
Ceaucescu, Nicolae, 389, 458, 472, 487
Ceilão *ver* Sri Lanka
Celan, Paul, 487
Céline, Louis Ferdinand, 186, 189
Chade, 356, 411
Chadwick, James, 521
Chagall, Marc, 493
Chamberlain, Neville, 150, 155-6
Chaplin, Charles, 182
Chekhov, Anton, 190
Chiang Kai-shek, 76, 84, 225, 450
Chile, 96, 109-10, 140, 180, 249, 292, 398, 424, 429
China, 32, 44, 50, 66, 76-7, 79, 84-7, 91, 114, 135, 147, 148, 168, 171, 174, 190, 205-6, 211-2, 214, 225-7, 232, 234, 240, 242, 244, 249-50, 255, 286, 288, 291, 293-4, 318, 322, 339-40, 345, 347, 351, 354, 364, 385-6, 402-3, 407, 412, 423-4, 434-6, 438-9, 444, 447-56, 465-7, 471, 473, 480-1, 488, 506, 524, 526; *ver também* Mao-Tsé Tung, maoísmo
Chipre, 352, 425
Christie, Agatha, 192
Churchill, Winston, 16, 46, 49, 117, 146-7, 149, 155, 157, 162-3, 166-7, 169-70, 195, 209, 224, 231
cidades, 211, 257, 288-9, 303, 356, 416, 440, 445
cidades-Estado, 216, 276
cinema, 74, 104, 106, 180-4, 186, 191-4, 196, 301, 318, 320, 324, 405, 453, 484-5, 488, 492-3, 495, 499, 501, 507, 513
Cingapura, 216, 264, 275-6, 354, 396, 455-6, 549
Clair, René, 183
classes trabalhadoras, 21, 62, 125, 211, 262, 276, 296, 298-301, 303-4, 325, 380, 406, 434, 441
    classe operária industrial, 262, 296, 298-9, 402, 404
    consciência de classe, 299-300
    declínio, 296, 402, 404
    diversificação étnica e racial, 303-4, 547
    movimentos e partidos, 62, 65, 75, 109, 114, 128, 137, 150, 154, 164, 169-70, 267, 278, 280, 304, 361
    mudanças internacionais, 275, 402, 404
    mulheres, 300, 305, 309-10
    ver também desemprego
cocaína, 327, 357-8, 494
Cocteau, Jean, 181
coletivização, 347, 360, 373, 381, 452-4
Colômbia, 96, 110, 115, 136-7, 140, 285, 288, 354, 357, 428, 438, 494
colonialismo, 172
    agitação política e social, 110, 200, 212-13
    convergência do antiimperialisno e antifascismo, 172-3, 214
    descolonização, 58, 87, 209, 214-9, 337, 341
    domínios, 208
    e a Grande Depressão, 110, 205, 210-13
    elites ocidentalizantes, 201
    impacto das guerras mundiais, 208, 214-15
    industrialização limitada, 205
    mandatos, 41
    movimentos de libertação, 72, 78, 91, 110, 172, 202, 206-10
    persistência das fronteiras imperiais, 205-6
    protetorados, 205, 218
    sistemas de suborno, 103, 198, 250
computação, ciência da, 529

comunicações, 21, 24, 44, 106, 123, 191, 193, 196, 200, 203-4, 246, 275, 280, 292, 313, 321, 413, 495, 506-7, 536, 547, 554
Comunidade Européia (CEE, União Européia), 23, 83, 99, 138, 216, 236-8, 247, 256, 271, 353, 396, 400-1, 408, 414-5, 419, 554-5, 560
comunismo, partidos comunistas, capítulos 2, 5, 13, 15, 16 *passim*, 16, 19, 24, 95, 98, 107-11, 116, 118, 120-1, 125, 127-9, 133-4, 138, 145-6, 149-50, 158-60, 162, 164-6, 168-71, 173-5, 177, 179, 186, 190, 199, 201-2, 215, 217, 225-6, 230-2, 234-5, 240, 242, 245-6, 255, 266-7, 269-70, 279, 293, 366, 368, 373, 378, 383-4, 387, 423, 427, 432, 434, 436-7, 452, 480-1, 542, 552; regimes comunistas *ver* países socialistas
Congo, 240, 340, 346, 356, 359, 412, 435-6
Congo belga (Zaire), 219, 359, 423, 437
constitucionais, países, 16, 64, 113-5, capítulo 4 *passim*, 163, 174, 176, 445, 465
construtivismo, 179, 185
Coolidge, Calvin, 90
Coréia, 14, 51, 174, 199, 204, 227, 234, 293, 297, 317, 340, 347-8, 350, 353-4, 361, 364, 379, 385, 403, 411, 422, 452, 456, 467, 471, 487, 549-50
Coréia do Norte, 176
Coréia do Sul, 85-6, 264, 286, 293, 317, 348, 353-4, 361, 403, 411, 456, 467, 549-50
Coréia, Guerra da, 32, 58, 226, 239, 252, 270, 422, 452
Corredor Polonês, 41
cosmologia, 516, 523, 528, 534
Costa do Marfim, 213, 343, 356, 412, 422
Costa do Ouro (Gana), 97, 213, 219
Costa Rica, 115
Coúe, Émile, 104
crescimento populacional, 546
Crick, Francis, 508, 532
crime, 315, 327, 333, 335, 382, 410, 508, 561
crime, ficção, 192-3
crise dos mísseis cubanos, 226-8, 242-3, 252, 350
Croácia, 40, 125, 130, 135, 147, 171
Crosland, Anthony, 263, 265, 280
Cuba, 71, 81, 84-5, 88, 96, 110, 158, 228, 240, 243, 245, 250-2, 317, 340, 350, 352, 364, 384-5, 387, 423, 425-8, 435, 439, 442, 457, 471
cubismo, 178, 179, 181, 497, 501
curdos, 351

dadaísmo, 179-80, 186, 497
Dahomey (Benin), 340, 346, 356, 437
Daladier, Edouard, 148
Dalí, Salvador, 180
Dawes, Plano, 102
De Gaulle, Charles, 83, 146, 163, 165-6, 218-9, 233, 238, 278, 282, 293, 319, 432, 484
Debray, Régis, 282, 428
décadas de crise
  campeões do livre mercado, 398
  crises do Leste e Oeste comparadas, 409-11
  depressão do Terceiro Mundo, 395, 411-3
  desemprego em massa, 396
  desigualdade social e econômica, 396, 399
  desintegração das economias soviéticas, 395, 407-8
  desorientação e insegurança, 397, 405
  despesa com bem-estar social, 397
  econômicos, argumentos, 399-400
  mudanças no mercado de trabalho, 402, 404
  neoliberal, argumento, 399, 401
  novas forças políticas, 406-7
  pobreza e miséria, 396-7
  política governamental para ganhar tempo, 398
  reação contra governos, 406
  rejeição às velhas políticas, 407
  sublevações estruturais, 402, 407
democracia, 16, 19, 37, 49, 59, 67, 114-8, 124, 132, 135-6, 139-3, 147, 153, 158, 163, 176, 196, 229, 232, 265, 341, 360, 376-7, 389, 399, 409, 419, 429-30, 436, 444-5, 466, 471, 496, 533, 553, 556, 558-9, 561
Democracia Cristã, 118-09, 236, 277
Deng Xiaoping, 447, 456
desarmamento nuclear, movimentos de, 234-5, 240, 244, 526
desemprego, 100, 107, 112, 228, 254
  desemprego em massa, 19, 97-100, 106, 139, 262-3, 267, 279, 299, 393, 396
  juventude, 294-5, 301, 317-20, 322, 325, 427, 489
  no período entreguerras, 90, 94-8
desigualdade, 21, 78, 176, 264, 311, 329, 348, 361, 396-7, 555
Diaghilev, Sergei, 181-3
Dimitrov, George, 149
Dinamarca, 46, 89, 95, 97, 166-7, 237, 300, 315, 353, 397, 414
Dirac, Paul, 519, 524
Djilas, Milovan, 87, 168, 457
DNA, 508-9, 519, 532-3
Döblin, Alfred, 188
Dominicana, República, 285, 355
Dreiser, Theodore, 191
drogas, 326-7, 358, 430
Dubcek, Alexander, 388
Duchamp, Marcel, 179, 497
Dumont, René, 11

ecológicos, problemas, 257-8, 530, 547, 556
economia, 14, 19, 37, 53, 90, 95, 99, 101, 103-05, 107, 152, 266-9, 271, 280, 291, 293, 298-9, 303, 306-7, 310, 329-31, 333, 335, 339, 343, 348, 354-6, 358, 361, 363, 365-6, 368, 370-1, 375, 390, 394-5, 398-9, 401-2, 404-5, 409-10, 412-3, 418, 420,

432, 440, 455-6, 458, 460, 463, 466-8, 476, 481-3, 490, 525-7, 542, 548-2, 554, 562
economia mundial, 96, 98
anos dourados, capítulo 9 *passim*
colapso entreguerras, 90, 103
crescimento explosivo, 257, 259
e o Terceiro Mundo, 202-5, 274-5, 352, 354-5
e países socialistas, 364, 458-9
estagnação, 93, 105, 106
globalização, 92, 93, 259, 264, 354, 355, 420, 549
panorama, 548, 549, 550, 551, 552
transnacional, 19, 20, 271, 272, 274, 275, 413
ver também décadas de crise (1970-1990); Grande Depressão
Eden, Anthony, 218
educação, 16, 84, 114, 176, 201, 278, 289-91, 300, 305, 345-6, 361, 440, 450, 454-5, 488, 492, 506; *ver também* alfabetização; estudantes
efeito estufa, 531, 547
Egito, 46, 83, 96, 110, 173, 196, 205, 207-8, 214, 217-8, 225, 238, 241-2, 275, 308, 322, 347, 349-51, 387, 412, 435, 439, 442-3, 540
Einstein, Albert, 504, 513, 515, 517-21, 524, 528, 535
Eisenhower, Dwight, 233, 278
Eisenstein, Sergei, 182, 188, 493, 501
Eisler, Hannus, 179, 188
Eixo, poderes do, 48, 86, 147, 149, 153, 160, 165, 170
El Salvador, 360, 438, 546
Eliot, T. S., 20, 179, 183, 186
Ellington, Duke, 183
Éluard, Paul, 180
Emirados Árabes Unidos, 353, 445
Encouraçado Potemkim, 182, 188, 493
energia, consumo de, 258
energia, economia de, 459
Engels, Friedrick, 22, 80
Equador, 18, 96, 197, 275, 290, 355
Ernst, Max, 180
escultura, 187, 493, 498
Eslováquia, 130, 388
Eslovênia, 40
Espanha, 11, 31-2, 45, 71, 80, 82, 84, 108, 116, 118, 129, 135-6, 139, 144, 146, 148, 150, 157-63, 167, 169, 171, 180, 182, 210, 237, 242, 256, 259, 262, 264, 271, 283, 285, 290-1, 297, 308, 322, 341, 353-4, 396, 414, 416, 443, 471, 490, 520, 553; *ver também* general Francisco Franco
Espanhola, Guerra Civil, 44, 80, 84, 135, 148, 157, 162-3, 167, 169, 182
espionagem, 146, 152, 166, 226, 236, 246, 248, 433
esporte, 131, 196, 319
Estado corporativista, 117, 120, 138
Estado-nação, 20, 145, 276, 414, 418
Estados Unidos da América
ajuda econômica, 270
anticomunismo, 214, 231-2
crescimento econômico, 23, 55, 92, 254, 259, 270
e o assentamento do pós-Primeira Guerra Mundial, 39
economia do período entreguerras, 90, 92-3, 95-6, 100-3, 105
explosão de crédito, 104-05
fundamental para a economia mundial capitalista, 55, 101, 237, 271, 409, 412
Guerra Civil Americana, 30, 51
Guerra do Vietnã, 13, 34, 51, 57, 215, 238, 241, 271, 279, 439
imigração, 23, 93, 122, 303, 356
liderança de poder científico, 23, 504, 506
mobilizações racistas e da direita, 124, 136
mulheres na força de trabalho, 310
New Deal, 105, 109-10, 132, 140, 265
política de identidade, 418
Primeira Guerra Mundial, 31-2, 39, 51
prosperidade contínua, 24
Segunda Guerra Mundial, 34, 51-2, 55, 59, 194
sistemas de bem-estar, 100, 279, 292
subclasse, 333-4
ver também Guerra Fria; Grande Depressão
Estônia, 40, 69, 116
estoques, 394
estudantes, 13, 34, 72, 80, 85, 125, 151, 201, 211, 213, 216, 279-80, 290-5, 305, 318, 320, 322, 325, 327, 359, 388, 423, 428, 431-2, 433, 440-1, 450, 454, 474, 492
ETA (Organização Terrorista Basca Nacionalista), 429, 433, 443
Etiópia, 31, 44, 114, 147, 176, 212, 243, 251, 340, 421, 437, 439
eugenia, 122, 514
eurodólares, 273
Europa, 15-6, 22-3, 30-2, 35-6, 38-41, 43, 46-8, 54, 56-9, 61-2, 65-6, 72-4, 77, 79, 85, 87, 89, 91, 93, 95, 97, 101, 103, 108-9, 112-4, 116, 118-20, 123, 125, 128-9, 133, 135, 139-40, 142, 146, 148, 150, 152, 154, 156-8, 160, 163-5, 170, 174, 175, 179-80, 182, 186-7, 189, 191, 195, 204, 215, 224-5, 228, 230, 232, 235-7, 239, 240-2, 244, 248-50, 252, 254, 257, 259, 262, 264, 267, 271, 273, 275, 277, 283-4, 286, 290, 293, 294-9, 304-6, 308-9, 312, 319, 321, 327, 338, 340, 342, 347-8, 354, 357, 361, 364, 366-7, 376, 385-9, 393, 396, 408, 410, 412-4, 418, 425, 428, 431, 436, 444, 458-60, 467, 470-1, 473, 488-9, 505-6, 524, 537-8; *ver também* países individuais
evolucionistas, teorias, 522, 530, 532

Falla, Manuel del, 181
farmacêutica, química, 261, 265, 338
fascismo, 17, 20, 44, 89, 95, 383, 436, 500, 505, 524-6, 545
aliança capitalismo-comunismo, 16, 165, 169
antiliberalismo, 122, 131

classe social, 125-6
condições para o, 130
declínio, 175-6
e a Grande Depressão, 111, 132
e a Igreja Católica Romana, 118
elementos, 120, 122-3
elementos do movimento revolucionário, 130
fora da Europa, 134-8, 171
movimentos antifascistas, 17, 117-9, 135, 146, 149-50, 152-4, 160, 164, 167-8, 173-4, 176-7, 186, 235-6
tese do monopólio capitalista, 132
fax, 510
Feininger, Lyonel, 185
feminismo, 306, 310-1, 313, 326
Fermi, Enrico, 524
ficção-científica, 511
Filipinas, 32, 158, 215, 256, 286, 290, 307, 350, 354, 397
Finlândia, 40, 42, 46, 62, 70, 73, 76, 89, 96, 103, 115, 117, 129, 235, 247, 256, 285, 290, 305, 354, 366, 394, 397, 408
Firth, Raymond, 12
Fischer, Ruth, 309, 326
física, 295, 343, 385, 418, 504-6, 508, 513, 515-24, 528, 530, 532
Fitzgerald, F. Scott, 182
Ford, Henry, 104, 211, 259
fordismo, 259, 298
Forrestal, James, 232
França, 11-2, 30-5, 37-9, 41-2, 45-6, 48, 50-5, 75-6, 83, 88, 100-2, 119-20, 124, 129, 140, 147-8, 150, 153-6, 158, 160, 165, 167-8, 172, 174, 180-2, 186, 191-2, 209, 212-15, 218, 227-8, 233, 236-7, 240, 248, 254, 264, 267, 269, 270, 277, 279-80, 282, 284, 290, 292-6, 303, 306, 308, 315, 318-9, 322, 335, 341-2, 353, 355, 373, 401, 407, 432, 470, 490, 522, 525, 530, 551
Francesa, Revolução, 51-2, 61-2, 64, 118, 122-4, 361, 376, 470-1, 525
Franco, general Francisco, 84, 116-9, 121, 126, 129, 135, 139, 158-9, 161-2, 187, 242, 319, 341, 429, 436, 471, 474
Frentes Populares, 150, 154, 158-60, 213, 424
Freund, Karl, 183
Friedman, Milton, 398, 402, 409, 477
fundamentalismo, 122, 173-4, 200, 207, 308, 356, 441-2, 513, 515, 540, 545, 559
Fundo Monetário Internacional (FMI), 269, 419, 556
futebol, 197
futurismo, 185, 187, 190, 499

Gabão, 349, 356
Gaitán, Jorge Eliezer, 136-7
Galbraith, J. K., 253, 280
Gallup, pesquisas, 144
Gana, 97, 213, 219, 286, 343, 345, 356, 360, 423
Gandhi, Indira, 201, 307, 443
Gandhi, Mohandas Karamchand, 110, 121, 201, 206-7, 209, 319, 361
Gandhi, Rajiv, 443
Gardel, Carlos, 196
Genebra, Convenção de, 35, 419
genética, engenharia, 265, 507, 513, 514, 524, 532-4
genocídio, 14, 22, 50, 57-8, 151, 170
Genoma, Projeto, 534
geologia, 523, 530
Gladio (movimento de resistência anticomunista), 166
Gödel, Kurt, 520
Golding, William, 11
Golfo, Guerra do, 174, 239, 244, 439, 445, 540
Gombrich, Ernst, 11
Gorbachev, Mikhail, 246, 461
Grã-Bretanha, 11, 16, 30-9, 42, 44-1, 53-5, 65, 88-9, 93, 95-7, 99-103, 108-9, 111, 115, 117, 124, 127, 129, 132, 140, 143, 150, 152-4, 156, 160, 162, 164-5, 169, 172, 181, 184, 186, 189, 191, 194, 195, 201, 203, 208-9, 216-8, 227, 229, 235, 237, 245, 250, 254, 257, 265-7, 269, 271, 273-4, 277-8, 284, 290, 296-7, 299, 302, 308, 315-6, 319, 321-2, 325, 333, 335, 346, 353, 382, 394, 396-9, 401-2, 405, 407, 41-5, 425, 433, 445, 484, 486, 489, 492, 494, 498, 508, 522, 532, 539, 542, 550, 557-8
Grande Depressão, 17, 77, capítulo 3 *passim*, 112, 119, 126, 130-3, 137, 139, 142, 163, 186, 189, 194, 196, 202, 205, 210-2, 228, 246, 256, 264, 266, 269, 282, 342, 350, 394-5, 409, 458, 523
Grass, Günter, 487
Grécia, 32, 35, 49, 57, 85, 96, 167, 171, 237, 271, 286, 290, 305, 352-3, 364, 436
Grenada, 244, 438
Grey, Edward, 30
Gris, Juan, 181
Gropius, Walter, 179, 185-6
Grosz, George, 187
Guatemala, 114, 249, 355, 397, 427
guerra
acidentes, 422
armamentos e material bélico, 45, 51-5, 65, 243, 261, 271
barbarismo, 22-3, 37, 56-7, 114, 122, 124, 127, 200, 433
brutalização, 56, 128
complexos industrial-militares, 52, 233, 250
Convenção de Genebra, 35
custeio, 53
custos e impacto humano, 56
democratização da guerra, 56, 434
e o avanço tecnológico, 54, 131, 260
e o século XX, 30-2, 51
economias de guerra, 53, 131, 217, 223, 268, 283

efeito sobre o crescimento econômico, 55
guerra aérea, 29, 36
guerra de massa, 51-2
guerra nuclear, 223, 227, 247, 279, 525
guerra química, 35, 419
guerras sujas, 433
guerrilhas, 425-30, 436, 443
memória de guerra, 33, 87, 153, 189, 322, 472
nova impessoalidade, 57
pacifismo, 39, 41-2
planejamento e alocação de recursos, 53
Protocolo de Genebra, 419
refugiados, 57-8, 356
submarinos, 31, 243
tanques, 36, 226
ver também guerras específicas
Guerra Fria, 14, 18, 68, 88, 145, 164, 166, 169, 199, 215, 223, capítulo 8 *passim*
atitudes temerárias, 228, 240, 242-3
comércio de armas, 250-1
conseqüências econômicas, 270
conseqüências políticas, 23-7, 249-52
détente, 239-40, 242, 248, 278
Segunda Guerra Fria, 439, 464
tratados de limitação de armas, 240
guerrilha, guerra de, 84-7, 108, 136, 161, 170, 215, 219, 234, 240, 250, 288, 293-4, 425, 427-30, 434, 436-38, 445, 450, 455
Guevara, Ernesto "Che", 425-6, 428, 430, 435
Guiana, 340, 445
Guiné, 219, 243, 346, 423, 436, 490
Guiné-Bissau, 436
gulags, 371, 382

Habermas, Jürgen, 500
Habsburgos, 73, 76, 123, 154, 182
Hahn, Otto, 507
Haiti, 285, 541
Haldane, J. B. S., 524
Hammett, Dashiell, 193
Hamsun, Knut, 186
Hardy, G. H., 324, 524
Harriman, Averell, 268
Hasek, Jaroslav, 72
Havel, Vaclav, 474
Haya de la Torre, Victor Raul, 136
Hayek, Friedrich von, 176, 245, 266, 268, 399, 409, 477
Heisenberg, Werner, 515, 518, 524
Hemingway, Ernest, 35, 179, 182, 191
Henze, Hans Werner, 494
herói, 318
Hindemith, Paul, 182
Hiroxima, 34, 49, 177, 227
Hitler, Adolf, 13, 16-7, 34, 38, 43, 45-9, 57, 77, 79, 85, 89-90, 98, 101, 108-9, 115, 117-21, 125-7, capítulo 5 *passim*, 157, 162, 164, 176-7, 182, 185, 187-8, 192, 231, 266, 380, 446, 453, 487, 494, 498, 523, 525
Ho Chi Minh, 174, 215, 319
Hobbes, Thomas, 224
Holanda, 46, 134, 138, 212, 215-6, 237, 256, 279, 325
Holiday, Billie, 503
homossexualidade, 316, 325, 327, 416-7, 508
Hong Kong, 264, 276, 344, 354, 396, 449, 456, 549
Hoover, J. Edgard, 232
Hophouet-Boigny, F., 422
Horthy, almirante, 116
Housman, A. E., 188
Hoxha, Enver, 489
Hubble, Edwin, 516, 523
Húngara, Cruz de Setas, 120, 123, 125
Hungria, 40-1, 50, 74, 94, 96, 116, 120, 129, 142, 170, 249, 291, 340, 364, 367, 373, 385, 387-8, 408, 443, 457-60, 463, 470, 474, 488, 506
Hussein, Saddam, 445

Ibañez, Carlos, 109
Iêmen, 114, 340, 423, 435, 439
Iêmen do Sul, 439
Igreja Católica Romana, 114, 125
contestação ao liberalismo, 114, 118
declínio de autoridade, 330, 544
Democracia Cristã, 118, 236, 277
doutrinas morais contestadas, 306, 330, 410
e o fascismo, 118
padres católico-marxistas, 438
política social, 118
Igrejas, 118-9, 121, 158-60, 166, 200, 236, 303, 306, 315, 317, 330-1, 352, 362-3, 379, 410, 424, 447, 460-1, 463, 474, 539, 543-4
Ilyin, Ivan, 545
imperialismo *ver* colonialismo
Índia, 214
agitação de Khilafat, 200
alfabetização, 201
classe rural, 286
Congresso Nacional Indiano, 172, 200-1, 208, 216, 444
descolonização, 58, 215-6
divisão, 216-7
eleições, 345, 361
governo democrático, 340
industrialização, 204
Liga Muçulmana, 216
luta antiimperialista, 172-3
nacionalismo, 206, 208-9, 212, 216, 360
Raj Britânico, 209, 214, 217
Indochina, 48, 85, 96, 174, 210, 212, 215, 217, 342, 364, 385, 438
ver também Vietnã
Indonésia, 72, 77, 91, 96, 172, 212, 214-5, 225, 286, 350, 412, 423-4, 507

indústria fonográfica, 322
industrialização, 23, 44, 55, 98, 100-1, 202, 204, 259, 262, 264-5, 268, 271, 276-7, 285, 296-8
ver também NICS
inflação, 94-5, 126, 185, 268, 279-80
informação, tecnologia de, 265
Internacional Comunista, 71, 72, 75-7, 80, 85, 95, 108, 149, 160, 162, 179, 235, 319
intifada, 443
Irã, 36, 114-5, 174, 206-7, 217, 231, 243-4, 286, 308, 350-2, 423, 440-1, 444, 446, 484, 511, 538
Irã-Iraque, Guerra, 36, 352, 422
Iraniana, Revolução, 425, 441-3, 458, 484
Iraque, 36, 47, 83, 115, 174, 208, 218, 239, 244, 249, 286, 340, 347, 350-2, 387, 419, 423, 435, 439, 445, 538, 540
Irlanda, 31, 111, 115, 186, 208, 216, 234, 237, 290, 303, 306, 308, 330, 353, 433, 445, 486, 539
Irlanda do Norte, 141, 303, 433, 445, 539
Islã, 62, 171, 173-4, 200, 206-7, 210-2, 216-7, 285, 345, 479
Islândia, 88, 246, 290, 308, 353
Israel, 58, 120, 172, 215, 218, 233, 240-2, 251, 308, 351, 410, 444, 494, 540, 547
Itália, 11-2, 30, 32, 35, 37-8, 40, 42-4, 46, 49-50, 55, 65, 75, 79, 85, 108-9, 117, 119-20, 125, 127, 130-3, 135, 138, 142, 145, 147, 154, 157, 159, 165, 167, 175, 194, 227, 235-6, 249, 254, 259, 265, 271, 277, 279, 280, 290, 293, 298, 303, 306, 308, 316-8, 322, 330, 341, 353, 397, 407, 416, 432, 456, 486, 525, 557-8
Iugoslávia, 40, 49-50, 77, 85, 117, 129, 141-2, 162, 167-8, 170, 227, 229, 234-5, 249, 275, 286, 293, 322, 340, 350, 364, 385-6, 388-9, 414, 416, 435, 457, 460, 470, 473, 494, 538

Jabotinsky, Vladimir, 120, 134
Jamaica, 213, 285, 397
Janacek, Leos, 181
Japão, 14, 30-1, 35, 44, 59, 86, 94, 100, 237, 262, 272, 277
  afinidade com ideologias fascistas, 133-5
  agricultura, 96, 285
  artes, 190, 194, 485, 501
  bem-estar pessoal, 264-5, 329, 400
  colonialismo, 44, 47, 152, 171-4, 204, 212, 214
  crescimento econômico, 105, 247, 270
  economia do período entreguerras, 96
  indústria, 204, 270
  influência dos EUA, 225, 236, 249, 270
  modernização, 202
  Primeira Guerra Mundial, 32, 43
  regime nacionalista-militarista, 107-8, 115, 131, 134
  Segunda Guerra Mundial, 43-5, 48-50, 58, 85, 134, 145, 147, 148, 171, 175, 217, 231, 254
  terremoto (1923), 90-1
Jinnah, Muhammad Ali, 201, 217
Johnson, H. G., 265
Johnson, L. B., 432
Johnson, Philip, 498
Joliot-Curie, F. & I., 524-5
jornal, circulação de, 191, 193
jornalismo, imprensa, 106, 126-7, 151, 181, 191, 193-4, 196, 201, 213
Joyce, James, 179, 183, 190, 492, 528
Juárez, Benito, 119
judeus, 22, 39, 50, 54, 57-8, 73, 113, 119, 123-4, 127, 132, 134-5, 138, 151, 161, 168, 170, 173, 208, 303, 331, 351, 410, 417-8, 494, 514, 544
juventude, cultura da
  abismo entre gerações, 322
  adolescentes, 318
  antinomia, 325-7
  comportamento sexual, 326
  drogas, 326-7
  estilo demótico, 324-5
  heróis, 318
  inovação da, 318, 320
  internacionalismo, 320-1, 435-6
  liberação pessoal e social, 326
  poder de compra, 320-1
  radicalismo político, 293-4, 318
  rock, 196, 280, 318, 320, 321, 324, 327, 430, 474, 492, 496, 499, 503

Kadar, Janos, 489
Kadaré, Ismail, 489
Kafka, Franz, 179, 188, 501
Kandinsky, Wassily, 185
Kapitsa, Peter, 509
Kennan, George, 230
Kennedy, John F., 49, 228-9, 234, 240
Kenyatta, Jomo, 213
Keynes, John Maynard, 38, 53, 100, 103-4, 106-7, 111, 266, 268-9, 420
Khomeini, Aiatolá Ruhollá, 441, 484, 511
Kim Il Sung, 174, 176, 487
Kisch, Egon Erwin, 191
Kissinger, Henry, 242
Klee, Paul, 185, 188, 493
Klemperer, Otto, 187
Kondratiev, N. D., 91, 263
Kondratiev, Ondas Longas de, 92
Korda, sir Alexander, 74
Kornai, Janos, 408, 465
Kostov, Traicho, 385
Kraus, Karl, 30, 188
Krleza, Miroslav, 494
Kruschev, Nikita, 78, 228, 234, 239-41, 243, 367, 372, 374, 386
Kurosawa, Akira, 485, 501
Kuwait, 249, 250, 276

Laemmle, Carl, 183
laissez-faire, economia de, 19, 245, 266-7, 398, 402, 542, 551
Lang, Fritz, 183
Lange, Oskar, 482
Lansbury, George, 153
Laos, 174, 215, 340, 364, 438
laser, 509, 513
Laue, Max von, 525
Lawrence, D. H., 183, 186
Le Corbusier, 179, 185, 186, 486, 497
Leavis, F. R., 184
Lenin, Vladimir Ilitch, 40, 42, 62-4, 66-73, 75-6, 78, 80-1, 88, 127-9, 167, 179, 186-7, 190, 199, 293, 309, 326, 366, 368-70, 376, 378-9, 380-1, 383-4, 409, 414, 423, 437, 444, 451-2, 480, 524
Leningrado, 46, 50, 70-1
Leoncavallo, Ruggiero, 181
Lesotho, 411
Letônia, 40
Levi, Primo, 11
Lewis, P. Wyndham, 179
Lewis, Sinclair, 95, 191, 485
Líbano, 214, 308
liberalismo, 64, 99, 106, 302, 325, 332, 336, 360, 429, 541, 546, 551
 ameaça da direita política, 115 6, 118, 122, 126
 colapso, 107, 111-6, 138-9
 desafio do socialismo, 114
 e a Igreja Católica Romana, 114, 118
 instituições, 114-5
 ressurgimento, 139
 valores, 114, 121
Libéria, 273, 286, 356, 411, 538
Líbia, 83, 244, 340, 355
Liebknecht, Karl, 74, 128, 186, 378
Liga das Nações, 42, 44, 58-9, 96, 111, 147, 152
Lissitsky, El, 185
literatura, 43, 81-2, 178, 180, 182, 186-8, 190-1, 193, 219, 325, 357, 402, 431, 485-6, 489-90, 492, 494, 499, 506, 512
Lituânia, 40, 76, 249, 308, 469, 476, 490
Litvinov, Maxim, 152
Lombarda, Liga, 416
Long, Huey, 136
Lorca, Federico García, 179-80
Low, David, 372
Lu Hsün, 190
Lubitsch, Ernst, 183
Lugosi, Bela, 74
Lumumba, Patrice, 423
Lunacharski, Anatol, 187
Luxemburgo, Rosa, 74, 128, 186, 309, 378
Lysenko, Trofim Denisovich, 514

MacArthur, general Douglas, 226
Macmillan, Harold, 101, 229, 254, 265, 278
Madagascar, 340, 437
Magritte, René, 180
Malaparte, Curzio, 341
Malásia, 96, 110, 211, 215-6, 286, 354-5, 397, 412, 455
Malawi, 422
Malevich, Kasimir, 185
Mali, 346, 423
Malraux, André, 490
Manchúria, 44, 59, 135, 147, 204, 214
Mandela, Nelson, 323
Mann, Thomas, 179
Mannerheim, marechal, 117
Mao Tsé-tung, maoísmo, 79, 81, 84-6, 174, 225, 227, 285, 438, 442, 456, 467
mão-de-obra *ver* classes trabalhadoras
Marc, Franz, 182
Marcuse, Herbert, 430, 434
Marrocos, 158, 210, 212, 217-8, 286
Marshall, Plano, 237-8, 270
Marx, Karl, marxismo, 25, 64, 72, 75, 78-80, 84, 92, 107, 111, 114, 116, 130, 133, 168, 186, 188, 202, 204, 214, 274, 283-5, 293, 366, 368, 373, 378, 383-4, 387, 423, 427, 432, 434, 436-7, 452, 480-1, 542, 552; *ver também* comunismo; democracia social
marxismo-leninismo, 79-81, 447, 452, 479
Mascagni, Pietro, 181
massa, entretenimento de, 106, 484, 492-3, 495
massa, meios de comunicação de, 106, 193-4, 196, 559
Matisse, Henri, 179, 493
Matteotti, Giacomo, 129
Mau Mau, movimento, 219, 425
Maurício, ilhas, 305
Maiakovsky, Vladimir, 487
McCarthy, Joseph, 232, 427
McLuhan, Marshall, 434
Mencken, H. L., 178
Menuhin, Yehudi, 11
mercado de massa, 492
mercado negro, 358, 404, 447
México, 31, 72, 80, 86, 88, 91, 96, 109, 171, 187, 190, 199-200, 275, 285, 288-9, 290, 292, 297, 317, 339, 341-4, 347, 352, 354-5, 388, 397, 403, 411-2, 416, 429, 431, 486, 489, 551
Mies van der Rohe, Ludwig, 179, 185-6, 498
migração, 93, 122, 196, 210, 213, 271, 279
Milhaud, Darius, 181
militares, golpes e regimes, 83, 85-6, 108-9, 115-6, 134, 136, 140, 159, 250, 319, 340-2, 344, 422-5, 429, 437, 445, 484
Millikan, Robert, 515
Miró, Joan, 180
Mitterrand, François, 12, 401
Moçambique, 243, 340, 411, 422, 437, 439

moda, 180, 301, 321, 323, 325, 327
Modibo, Keita, 423
Moholy-Nagy, Laszlo, 185
Moldova, 39, 538
molecular, biologia, 532, 533
Molotov, Viacheslav, 231
Mongólia, 114, 340, 364, 423, 471
Mongólia Exterior, 471
Monnet, Jean, 268
Montalcini, Rita Levi, 11
Montenegro, 40
Moore, Henry, 189
Moro, Aldo, 429
Mosley, sir Oswald, 127
Muçulmana, Irmandade, 110, 173
mulheres
  classe média, 310, 312
  classe operária, 300, 310
  classe rural, 211, 286
  emancipação, 11, 121, 190, 201, 305-6, 310
  feminismo, 305, 306, 310-3
  funções públicas, 201, 266, 307-8
  liberação sexual, 316-7
  mercado de trabalho, 52, 191, 262
  na educação superior, 305
  na guerra, 176
  na política, 307-9
  no mercado de trabalho, 304-5, 307, 309-10, 312-3
  no Terceiro Mundo, 308, 356, 358
  nos países comunistas, 309
  política, 201
  revolta contra doutrinas morais impopulares, 306
  salário da dona-de-casa, 329
Müller, Heiner, 490, 537
multinacionais, empresas, 40, 272-3, 276
Munique, Acordo de, 45, 148
música, 178, 181-3, 187, 195-6, 301, 321, 323-5, 359, 405, 410, 430, 484-5, 488, 492-3, 495, 497, 499-500, 503
  jazz, 104-5, 182-3, 196, 324, 503
  rock, 196, 280, 318, 320-1, 324, 327, 430, 474, 492, 496, 499, 503
Musil, Robert, 188
Mussadiq, dr. Muhammad, 217
Mussolini, Benito, 48, 50, 79, 109, 115, 117-20, 127, 129-31, 133, 137-8, 147, 154, 157, 165, 175, 187
Myrdal, Gunnar, 111, 280

nacional-socialismo, 108, 111, 116, 130-1, 135, 151, 155, 171, 175, 236
nacionalismo, 39, 41, 73, 102, 108, 110, 117, 120-2, 124, 129-30, 135, 138, 166, 173, 175, 202, 206, 212-3, 236, 272, 276, 342, 352, 356, 360, 414, 417-8, 460, 469, 476, 479, 487, 541
Nações Unidas, 418, 423, 479
Nada de novo no front, 189
Nagasaki, 34, 49, 57
Nagy, Imre, 387
Nansen, passaporte de, 58
Napoleão I, 52, 61, 158, 560
NASA (Adm. Nac. da Aeronáutica e do Espaço), 527
Nasser, Gamal Abdel, 217, 218, 350
natalidade, controle de, 265, 310, 316, 330, 339
naturais, ciências, 311, 454, 504, 506, 511, 516, 523-7, 532, 536
  cientistas politizados, 524
  dominância dos teóricos, 516
  dúvida e medo das, 511, 513
  especialização crescente, 506-7
  EUA como líderes do poder científico, 504
  financiamentos governamentais, 525-6
  pesquisa "pura" e "aplicada", 534-5
  problemas políticos e ideológicos, 513-5
  quantidade de cientistas, 504
  tecnologia baseada na ciência, 507
Nazarbayev, Nursultan, 470, 475
Needham, Joseph, 524
Nehru, Jawaharlal, 173, 207, 319, 350, 361
Nepal, 114, 286, 322, 397
Neruda, Pablo, 180
Nicarágua, 85, 136, 439, 442
NICS (*Newly Industrializad Countries* — Países Recém-Industrializados), 256, 296, 305, 354, 361, 395, 402-3, 549
Niemeyer, Oscar, 486
Nigéria, 213, 261, 275, 356-7
Nixon, Richard, 232, 242, 244
Nkrumah, Kwame, 219, 343, 423
Nobel, prêmios, 11, 228, 398, 485, 505, 509, 514-6, 524-5, 536
Nolde, Emil, 182
Noruega, 46, 75, 89, 95, 97, 101, 186, 267, 291, 308, 315, 353, 396, 397, 415
Nova Guiné, 48, 215, 349, 353
Nova Zelândia, 23, 96, 111, 115, 194, 208, 256, 287, 396, 397, 445, 505
nuclea, energia, 54, 235, 260, 513
nucleares, armas, 30, 34, 49, 54, 57, 223, 226-7, 233, 235, 240, 242-3, 246, 351, 430, 446, 511, 513, 538-9

O'Casey, Sean, 188
OCDE (Organização para Cooperação e Desenvolvimento Econômico), 255, 281, 296, 338, 353, 393, 395
Ochoa, Severo, 11
offshore, finanças, 272-3, 275-6
OPEP (Organização dos Países Exportadores de Petróleo), 241-2, 244, 258, 273-4, 280-1, 343, 353, 439-40, 458-9
ópera, 181, 186-8, 451, 486-7, 492, 494
Oppenheimer, Robert, 524

orgânico, sistema, 117, 121
Oriente Médio, 31-2, 39, 41, 46, 83, 93, 208, 217-8, 241-2, 286, 329, 344, 350-1, 355, 387, 412, 539, 545
Orwell, George, 383
OTAN, (Organização do Tratado do Atlântico Norte), 234, 237-8, 245, 249, 350, 352
OTCEN (Organização do Tratado Central), 350
Otomano, império *ver* Turquia
Outubro, Revolução de, 14, 17, 18, capítulo 2 *passim*, 80, 127, 145, 163, 186, 199, 202, 208, 363, 365, 377, 380, 424, 432, 439, 473, 481, 482
OVNIS (Objetos Voadores Não Identificados), 512
ozônio, buracos na camada de, 531

Pabst, G. W., 186
pacifismo, 56, 153
padrão ouro, 94, 99, 107, 270
Palermo, 283
Palestina, 39, 134, 172, 200, 208, 215, 443
Palma, Brian de, 493
Panamá, 244, 273, 438
Papua-Nova Guiné, 349, 353
Paquistão, 58, 174, 201, 215-6, 235, 261, 286, 307, 350-1, 353-4, 464
Paradjanov, Sergei, 487
Paraguai, 32, 96, 114
Paris, 13, 33, 36, 38, 70, 86, 137, 145, 148, 156, 162, 168, 174, 178, 180-2, 185, 189, 218-9
Passos, John dos, 191
Pasternak, Leonid, 487
Patel, Vallabhai, 201
patriarcado, 315
Pauli, Wolfgang, 524
Pauling, Linus, 524, 532
Pearl Harbor, 48-9, 153
Penzias, A. & Wilson, R. W., 516
Perón, Juan Domingo, 136-7, 307, 429, 444
Peru, 96, 110, 136, 180, 257, 275, 288, 290, 293-5, 342, 349, 352, 357, 397, 407, 411, 428, 490
Pessoa, Fernando, 190
Pétain, marechal, 127
Petrogrado, 62, 67-9, 71
Picasso, Pablo, 179, 181, 493
Pilsudski, marechal, 117
Pinochet, general Augusto, 109, 292, 429
pintura, 178, 182, 184, 187, 453, 493, 497-9
placas tectônicas, 530
planejamento, 100-1, 265, 268-9, 291, 344, 36-9, 371-2, 375, 389, 452, 459, 468, 482, 542-3
Plank, Max, 517, 519, 523
plásticos, 106, 260
Plekhanov, G. V., 481
poder constitucional, 560
pogroms, 22, 123
Pol Pot, regime de, 438
Polanyi, Karl, 335-6
Polônia, 35, 40, 44-6, 50, 58, 70, 73, 76, 94, 96, 117, 129, 142, 154, 156, 166, 170, 249, 286, 292, 297, 330, 340, 364, 373, 385, 387-8, 395, 413, 457, 459-60, 463, 470-1, 474, 482, 488, 490, 506
poluição, 257-8, 443, 547
Popper, Karl, 528
Portugal, 32, 83, 118, 120, 138, 142, 158, 203, 218-9, 237, 242-3, 271, 285, 308, 342, 353, 425, 436
pós-fordismo, 298
pós-impressionismo, 181
Poulenc, Francis, 181-2
Pound, Ezra, 179, 183, 186
Praga, Primavera de, 388, 460
Prestes, Luís Carlos, 79, 85
Prévert, Jacques, 181, 183
Primeira Guerra Mundial, 12, 15, 17, 19, 21-2, 31-4, 37, 39, 50-4, 56-7, 59-60, 63-4, 66, 71, 84, 90-1, 93, 101, 104, 114-5, 119, 122, 127-9, 140, 143, 148, 153, 157, 162, 164, 181-2, 184, 188-9, 194, 204, 208, 210, 217, 228, 232, 266
refugiados, 58, 93
reparações, 41, 102, 103
Prokofiev, Sergei, 494
proletariado *ver* classes trabalhadoras
Proust, Marcel, 179
Puccini, Giacomo, 181

quântica, mecânica, 518-9
Quebec, 330, 417
Quênia, 213, 218-9, 261, 288, 425
química, guerra, 35
quisling, 146

racismo, 118, 121-2, 124, 132, 151, 173, 202, 303, 514
rádio, 106, 136, 194-5, 197, 260, 300, 321, 325, 413, 421, 478, 484, 492, 507, 510-1, 516
Raman, C., 505
Ransome, Arthur, 61, 72
Ray, Satyadjit, 485
Reagan, Ronald, 244-6, 394, 401-2, 438
reforma agrária, 73, 109, 137, 347-9, 426, 429, 440-1, 464
refugiados, 57-8, 74, 356, 428, 525
Relatividade, teoria da, 504, 518, 521, 523
religião, 50, 174, 200, 202, 206, 317, 378-9, 511, 532, 534, 536, 541, 544; *ver também* fundamentalismo
Remarque, Erich Maria, 189
renda nacional, números de, 111
Renoir, Jean, 56, 183
reportagem, 30, 191
resistência, movimentos de, 85-6, 119-20, 129, 165-8, 170, 267, 277
revolução, 16, 17, 36, 38, 42-3, 49, 57, 59, 61, 63, capítulo 2 *passim*, 85-7, 89, 91-2, 94, 101, 108,

114, 116, 124, 127, 130, 132-3, 136, 139, 141-2, 145-7, 152, 157-60, 163-4, 166, 169-71, 173-4, 176, 179-80, 186, 188-90, 200, 204, 207, 210, 215, 217, 223, 225-6, 228, 240, 242, 244, 246, 250, 254, 256, 265, 282-3, 285, 450-1, 454-5, 458, 478, 480-1, 483-4, 495, 497, 499-500, 505, 516, 520-1, 524, 532-4, 543
revolução cultural, 291, 313-4, 323, 328, 336, 416, 432, 437, 449
revolução política, 341, 347, 350, 352, 359, 424, 443
Rilke, Rainer Maria, 188
Rivera, Diego, 190
Robbins, Lionel, 268
Roberts, Frank, 223
Robinson, Mary, 306
Rodésia do Sul (Zimbabwe), 218-9, 437
Roma-Berlim, Eixo, 148
Romênia, 32, 35, 40, 73, 119, 123, 125, 129, 170, 250, 256, 284, 286, 297, 340, 364, 379, 385, 389, 395, 443, 458, 462, 470, 472, 487
Rommel, Erwin, 46
Roosevelt, Franklin D., 46, 48, 90, 105, 109, 110, 137, 140, 144, 150, 153, 155, 163, 214, 224, 231, 245
Roth, Joseph, 76
Rovalt, Georges, 493
Rowland, F. S. & Molina, M. J., 531
Roy, M. N., 72
Ruanda, 346
Rússia, 22-3, 30-2, 35-7, 39-43, 45, 47-8, 52, 63-6, 68, 363, 379, 448, 479, 481
Russo-Polonesa, guerra, 76
Rutherford, Ernest, 523, 535
Ryan, Frank, 135

Sadat, Anwar, 443
Sakharov, Andrei, 527
Salazar, Oliveira, 118, 120
Salter, sir Arthur, 101
Sandino, César Augusto, 85, 136
São Petersburgo, 71, 88; *ver também* Leningrado, Petrogrado, Stalingrado)
Sarajevo, 12, 29, 58
Sarekat Islam, 72
Sartre, Jean-Paul, 179, 486
Sassoon, Siegfried, 29
Satie, Erik, 181
SEATO (Organização do Tratado do Sudeste Asiático), 350
Schönberg, Arnold, 179, 499-500
Schrödinger, Erwin, 518-9, 524, 532
Schufftan, Eugen, 183
Segunda Guerra Mundial, 13-7, 19, 31-4, 36, 38, 43-4, 46, 49-55, 57-8, 60, 71, 83-5, 89, 95, 100-2, 108, 110-1, 115-6, 119, 123, 126, 131-2, 134-5, 138-9, 145-6, 148, 153, 155, 158, 162, 165, 169, 171, 185, 191, 194-5, 209, 214-6, 223, 228, 230, 246, 248, 253-4, 261, 265, 271, 275-6, 284-5
seguridade social *ver* sistemas de bem-estar
seleção natural, 534
Semprun, Jorge, 490
Sendero Luminoso, 293, 421, 428, 442
Senegal, 356, 490
Sérvia, 30, 32, 35, 40, 65, 117, 170
sexual, revolução, 265, 316, 317
Shamir, Yitzhak, 172
Simenon, Georges, 193
sindicatos, 94, 109, 119, 132, 140, 302, 361, 376, 404, 413, 474
Sino-Indiana, guerra, 351
sionismo, 120, 133, 172, 173, 208; *ver também* Israel
Síria, 83, 174, 214, 218, 225, 241, 286, 340, 347, 351, 387, 435, 442
Smith, Adam, 200, 335, 336
Sneevliet, Henk, 72
socialistas, Democracia Social, 62, 65, 75, 89, 108-9, 111, 114, 116, 125, 128, capítulo 5 *passim*, 236, 245, 267, 278, 293, 366, 368, 373, 378, 383-4, 387, 423, 427, 432, 434, 436-7, 452, 480-1, 542, 552
socialistas, países, 19, 69, 236, 246, 248, 257, 265, 291, 292, 305, 348, 408, 409, 433, 447, 456-7, 459; *ver também* União das Repúblicas Socialistas Soviéticas
sociedade civil, 20, 142, 474
sociedade mundial
revolução global, 81, 87, 283, 434
Solidariedade, 303, 362, 386-7, 399, 428, 460
Soljenitsyn, Alexander, 465, 472, 487-8, 537
Somália, 141, 176, 251, 340-1, 346, 355-6, 411-2, 437, 439, 540
Soutine, 493
Soviético-Turco, Tratado, 40
Soyinka, Wole, 485
Speer, Albert, 187
Sri Lanka, 134, 215-6, 256, 286, 307-8, 340, 360, 397, 442, 555
Stalin, Yosif, 45-7, 71, 77, 80, 91, 100, 116, 129, 145-6, 149, 152, 156, 163-4, 168-9, 171-2, 182, 186-90, 214, 224, 229, 231, 235, 239, 319, 369, 371-4, 376-7, 379-7, 435, 448, 452-3, 463, 466, 469, 475, 487, 514, 527
Stalin-Ribbentrop, Pacto, 152
Stalingrado, 13, 32, 47, 71
Strauss, Richard, 181
Stravinsky, Igor, 179, 181, 494
Stürgkh, conde, 65
Stürmer, Michael, 20
subclasse, 302, 333-4, 405-6, 552
Sudão, 218, 343, 346, 538
Suécia, 14, 31, 42, 88-9, 95, 97, 105, 108, 111, 115, 278, 284, 290, 296, 300, 303, 308, 316, 322, 353, 396-7, 399-400, 445, 554

Suez, crise do, 218, 227, 238, 279
Suíça, 31, 88, 100, 102, 115, 224, 290, 296, 305-6, 308, 353, 396, 400, 414, 445, 548, 554
Sukarno, Achmad, 319, 350
Sun Yat-sen, 76, 423, 450
surrealismo, 178-80, 186

Tailândia, 96, 114-5, 214, 275, 340, 350, 354, 412
Taiwan, 172, 204, 286, 347-8, 354, 362, 456, 549
Tannenberg, batalha, de, 35
Tanzânia (Tanganika), 348, 356, 412
Tatlin, Vladimir, 179
Tchecoslováquia, 40-1, 44, 58, 73, 96, 129, 138, 142, 148, 155-6, 161, 168, 170, 249, 291-3, 340, 364, 367, 385, 388-9, 395, 413, 416, 435, 456, 463, 470, 472, 474, 488, 490, 506
tecnológica, revolução
  anos entreguerras, 106
  capital intensivo, 261-2
  consciência do consumidor, 260
  dívida com a ciência, 507-8, 531
  e o crescimento econômico, 259, 261, 265
  economia de mão-de-obra, 262
  efeito sobre a mão-de-obra, 262, 279, 298
  efeitos culturais, 265
  guerra, 31, 54, 57, 59, 66, 260-1
  pesquisa e desenvolvimento, 261
  transformação do cotidiano, 260
  transporte e comunicações, 21
televisão, 24, 122, 195, 197, 260-1, 282, 300-1, 320, 411, 413, 443, 467, 470, 478, 484-5, 492, 495, 501
Terceiro Mundo
  abismo entre comunidades ricas e pobres, 353, 413
  agricultura, 256, 286-7, 345, 357
  alfabetização, 201, 345
  campesinato, 288, 345, 347-8
  cidades, 288-9, 356-7
  cidades ocidentalizantes, 199, 201
  classe rural, 286-8
  conflitos com as tradições e antigos valores, 190, 200, 357, 360
  conflitos regionais, 351-2
  consciência de modernidade, 199, 206, 356-7
  crescimento populacional, 255, 338-9
  crise de dívida, 410-1
  décadas de crise (1970-1990), 395, 411-3
  desejo de educação, 201, 346
  desejo econômico, 344-5, 347-8, 353, 366-7
  desenvolvimento econômico, 259, 264, 286, 353
  divisão de mercado exportador, 202-4
  e a Guerra Fria, 243, 245-6, 250, 350
  educação e emprego público, 345-6
  embaraços do atraso, 207-8, 343
  empresas estatais, 343
  globalização econômica, 354
  guerra de guerrilha, 219, 234, 240, 425
  industrialização, 203, 256, 258, 264, 274, 343, 354
  instabilidade social e política, 59, 436
  intervenção médica e farmacêutica, 338
  migração de mão-de-obra, 303, 355, 361
  movimentos fundamentalistas, 207, 356
  mulheres, 304-13, 316, 474, 534, 545, 559
  não mais uma entidade única, 353
  o termo, 333, 349, 384, 457
  países de baixa renda, 355
  Países, Recém-Industrializados, (NICs), 256, 274, 343, 354, 361, 395
  potencial revolucionário, 422, 425, 436-8
  queda dos índices de mortalidade, 338-9
  radicalização política, 212, 240
  reforma agrária, 109, 137, 347-9, 426, 429, 440-1, 464
  refugiados, 356
  regimes militares, 83, 85-6, 109, 115, 136, 140, 250, 340-1
  religião politizada, 544
  sistemas políticos, 19, 339, 361, 365
  transformação social, 359-60, 362, 411, 432
  transição demográfica, 339
  turismo, 284, 365
  valor econômico para o Ocidente, 203
  zona de guerra, 422
  ver também colonialismo e países individuais
terrorismo, 293, 341, 443, 539
Thatcher, Margaret, 245, 330, 394
Therborn, Göran, 363
Thompson, E. P., 199
Tiananmen, Praça (Beijing), 293, 444, 471
Tilak, Bal Ganghadar, 206-7
Tito, marechal Josef Broz, 72, 162, 167, 170-1, 227, 233, 235, 319, 350, 385-6, 389
Togliatti, Palmiro, 108, 162, 227
Tolstoi, Leon, 190
Torres, Camilo, 428
Torrijos, general Omar, 438
tortura, 23, 56, 58, 151, 218, 342, 429, 433
totalitarismo, 116, 236, 247, 359, 559
Touré, Sekou, 219, 423
Transilvânia, 39
Traven, B., 187
Trinidad, 213
Trotski, Leon, 64, 79-80, 186, 190, 377
Truman, Harry, 87, 226, 232
Tschichold, Jan, 185
Tsvetayeva, Marina, 487
Tunísia, 210, 212, 218, 286, 355
Turing, Alan, 508
turismo, 259, 321, 365, 502
Turquia, 32, 38, 40, 43, 57, 65-6, 71, 74, 76, 107, 114-5, 141, 206-8, 228, 231, 286, 305, 350-1, 353, 360, 364, 397, 494

Ucrânia, 70, 76, 139, 462, 469, 479
Uganda, 346
União das Repúblicas Socialistas Soviéticas
apoio a movimentos revolucionários, 78
artes, 323, 474, 485-8, 490-1, 497-500, 502
burocratização, 372, 374
campesinato, 68, 70, 370, 373
capitalismo do Estado, 368
cientistas, 514, 527-8
colapso, 15, 18-9, 245, 248, 251-2, 397
colapso econômico, 407-8, 470
coletivização, 100, 373-5, 452-4
comunismo de guerra, 368
controle da economia, 370, 388, 468
controle da política, 377
crescimento econômico, 367, 372, 375, 389
despolitização do povo, 384
descentralização, 468, 470
desenvolvimento econômico, receita para, 367, 438
desintegração, 386, 388, 469-70
e revoluções, capítulo 2 *passim*, 77-8, 80, 165, 168-9, 224-5, 423, 436, 439-40, 445
economia do período entreguerras, 94, 100
economia negra, 375
economia planejada, 367-8, 371-2
"Era de Estagnação", 241, 461-2
estado policial, 382
estratégia do Terceiro Mundo, 422, 424, 436-7
fronteiras, 364
glasnost e *perestroika*, 370, 382, 409, 462, 465-9, 471, 474, 476, 478, 489
Grande Terror, 374, 380-3
industrialização, 257, 368, 369, 375
isolamento, 42, 43, 116, 366
nomenklatura, 78, 373, 457-8, 468
Nova Política Econômica (NEP), 368-70, 467
papel das mulheres, 307
Planos Qüinqüenais, 55, 100, 204, 371-2, 468
política agrícola, 373
pressões para mudar, 463
programa de armamentos, 243, 464
receita para o desenvolvimento econômico, 91
regimes satélites, 71, 235, 249
Segunda Guerra Mundial, 45-7, 49, 51, 53-5, 58, 71, 85, 146, 153, 165, 171, 223
sistema político, 376
tentativas de reformas, 389, 458, 464-6, 468, 476, 482
ver também Partido Bolchevique; Brejnev; Guerra Fria; comunismo; marxismo; Revolução de Outubro; Stalin
urbanização, 257, 445
Uruguai, 96, 115, 197, 352, 430

Valencia, 283
Valiani, Leo, 12
Vallejo, César, 180
Vargas, Getúlio, 110, 136-7, 429
Vavilov, Nikolai Ivanovich, 514
Venezuela, 96, 274, 285
Venturi, Franco, 12
Verdun, 33, 154
Verne, Júlio, 511
Versalhes, Tratado de, 13, 38-43, 45-6, 102-3, 106
Vertov, Dziga, 191
vida, ciências da, 525, 532-4
Viena, 30, 47, 65, 73, 124-5, 184-5
Vietnã, 13, 34, 51, 57, 86, 172, 174, 212, 215, 219, 225, 227, 234-5, 238, 241-2, 271, 279, 295, 340, 350, 364, 422, 425, 434-5, 438-9, 464, 471, 473
Vietnã, Guerra do, 13, 51, 57, 215, 234-5, 238, 241-2, 271, 279, 422
Visconti, Lucchino, 501
Volgograd, 71
vôo espacial, 527
Voznesensky, A. A., 487

Wajda, Andrzej, 490
Wall Street, colapso de, 96, 103, 107, 550
Washington, Acordo Naval de, 44
Waugh, Evelyn, 189
Weber, Max, 98, 122
Webern, Anton von, 179
Wegener, Alfred, 530
Weill, Kurt, 179, 186, 188
Weimar, República de, 131-2, 139, 142, 182, 185-6, 192
Wells, H. G., 511
White, Harry Dexter, 269, 420, 501
Wilder, Billy, 183
Wilson, E. O., 533-4
Wilson, Thomas Woodrow, 39, 41, 73, 208
Wolf, Christa, 490
Wright, Frank Lloyd, 185

Xá do Irã, 350-1, 440-1
xadrez, 472, 501
xenofobia, 122, 124, 271, 356, 540, 545

Yalta, Conferência de, 231
Yeats, William Butler, 179, 186
Yeltsin, Boris, 469-70, 477-9
Yom Kippur, guerra do, 241
Young, Plano, 102

Zaghlul, Said, 208
Zaire, 356, 437
Zâmbia, 356, 412
Zapata, Emiliano, 72, 190
Zimbabwe, 437
Zinoviev, 462